Constituição Federal Anotada

Atualizada até a
EC 128, de 22.12.2022

VOL. II

CIP-BRASIL. CATALOGAÇÃO NA PUBLICAÇÃO
SINDICATO NACIONAL DOS EDITORES DE LIVROS, RJ

S239c

Santos, Valdeci dos, 1951-
Constituição Federal anotada, volume 2 / Valdeci dos Santos. - 1. ed. - Mauá [SP] : Letras Jurídicas, 2023.
1.024 p. ; 23 cm.

Inclui bibliografia e índice
"Anexos"
ISBN 9786589565581

1. Brasil. [Constituição (1988)]. 2. Direito constitucional - Brasil. I. Título.

23-84294 CDU: 342(81)

Meri Gleice Rodrigues de Souza - Bibliotecária - CRB-7/6439

31/05/2023 07/06/2023

VALDECI DOS SANTOS

Constituição Federal Anotada

atualizada até a EC 128, de 22.12.2022

VOL. II

1ª EDIÇÃO – 2023 – Mauá - SP

LETRAS Jurídicas

Capa:
@armenioalmeidadesigner

Diagramação e Montagem de Capa:
@armenioalmeidadesigner

Revisão:
Paulo Ribeiro

Editor:
Claudio P. Freire

1a Edição – 2023 – Mauá – SP

LETRAS Jurídicas

LETRAS JURÍDICAS EDITORA
Rua Eduardo Prado, 28, Casa 1 – Vila Bocaina
CEP 09310-500 – MAUÁ – SP.
Telefone/Fax (11) 3107-6501 – Celular (11) 9-9352-5354
Site: www.letrasjuridicas.com.br;
E-mail: vendas@letrasjuridicas.com.br;

Impresso no Brasil

Este livro é dedicado aos meus netos
Matheus Augusto e Helena, ambos depositários
da minha fé e esperança na construção
de um mundo melhor.

Nota do Autor

O objetivo deste livro é servir como instrumento de consulta rápida, para profissionais e estudantes de Direito, a respeito da doutrina e da jurisprudência relativas a cada um dos dispositivos da Constituição Federal de 1988. Portanto, a obra pretende ser uma ferramenta de trabalho, fundando as notas doutrinárias e jurisprudenciais nas respectivas correntes de pensamento mais consolidadas, sem prejuízo de referência às demais, quando relevante o registro da dissenção correspondente.

O trabalho encontra-se organizado com notas de doutrina, que pretendem ser concisas e objetivas, segundo a matéria tratada na respectiva norma constitucional; e, ainda, com notas de jurisprudência, ora ocorrendo transcrição de ementa oficial, ora ementa por mim preparada e, nesse caso, serão citados apenas o tribunal de origem e o nome da publicação que veiculou a decisão.

Convém registrar que as normas constitucionais anotadas são aquelas vigentes na data de publicação do livro, constituindo-se, pois, normas oriundas do exercício do poder constituinte originário, ou de normas acrescentadas ou que tiveram redação modificada por meio de emenda constitucional da lavra do poder constituinte derivado. Esse expediente tem por finalidade facilitar a leitura do texto, que resta mais ágil sem as infindáveis remissões, sem, certamente, representar perda de conteúdo.

Por último, tratando-se de obra destinada ao estudo, desejo que o estudante, ou o profissional do direito, nela encontre alento para perseverar na busca de seus objetivos.

ABREVIATURAS

AC	- Apelação Cível
ACO	- Ação Cível Originária
ACr	- Apelação Criminal
ADCT	- Ato das Disposições Constitucionais Transitórias
ADIN	- Ação Direta de Inconstitucionalidade
Ag.	- Agravo
AgI	- Agravo de Instrumento
AgMS	- Agravo em Mandado de Segurança
AgRg	- Agravo Regimental
AGU	- Advocacia-Geral da União
AMS	- Apelação em Mandado de Segurança - Ação Originária
AP	- Ação Penal
ApReeNec	- Apelação/Remessa Necessária
ARE	- Agravo Interno em Recurso Extraordinário
AREsp	- Agravo em Recurso Especial
BC	- Banco Central do Brasil
CC	- Código Civil
CComp	- Conflito de Competência
CDC	- Código de Defesa do Consumidor
CF	- Constituição Federal
CJ	- Conflito de Jurisdição
CMN	- Conselho Monetário Nacional
CN	- Congresso Nacional
CR	- Carta Rogatória
CTN	- Código Tributário Nacional
CVM	- Comissão de Valores Mobiliários

d.	- decisão
D.E.	- Diário Eletrônico
Des. Fed.	- Desembargador Federal
DJE	- Diário da Justiça Eletrônico
DJU	- Diário da Justiça da União
DOU	- Diário Oficial da União
EC	- Emenda Constitucional
ECR	- Emenda Constitucional de Revisão
ED	- Embargos de Declaração
e-DJF1	- Diário da Justiça Eletrônico do TRF da 1.ª Região
e-DJF2R	- Diário da Justiça Eletrônico do TRF da 2.ª Região
e-DJF3	- Diário da Justiça Eletrônico do TRF da 3.ª Região
EREsp	- Embargos de Divergência em Recurso Especial
EXT	- Extradição
FGTS	- Fundo de Garantia do Tempo de Serviço
Funai	- Fundação Nacional do Índio
HC	- *Habeas Corpus*
HD	- *Habeas Data*
IBGE	- Instituto Brasileiro de Geografia e Estatística
Incra	- Instituto Nacional de Colonização e Reforma Agrária
Inq	- Inquérito
INSS	- Instituto Nacional do Seguro Social
IF	- Intervenção Federal
IOF	- Imposto sobre Operações Financeiras
IPI	- Imposto sobre Produtos Industrializados
IR	- Imposto sobre a Renda e Proventos de Qualquer Natureza
IRRF	- Imposto sobre a Renda Retido na Fonte
IU	- Incidente de Uniformização

j. - julgamento
JEF - Juizado Especial Federal
LC - Lei Complementar
LOMAN - Lei Orgânica da Magistratura Nacional
LOMP - Lei Orgânica do Ministério Público
MC - Medida Cautelar
MC-REF - Referendo na Medida Cautelar
MERCOSUL - Mercado Comum do Sul
MI - Mandado de Injunção
MP - Medida Provisória
MPF - Ministério Público Federal
MS - Mandado de Segurança
OAB - Ordem dos Advogados do Brasil
OEA - Organização dos Estados Americanos
OIT - Organização Internacional do Trabalho
OMC - Organização Mundial do Comércio
OMS - Organização Mundial da Saúde
ONU - Organização das Nações Unidas
QC - Queixa-crime
QO - Questão de Ordem
PET - Petição
PSESS - Publicado em Sessão
RDA - Revista de Direito Administrativo
RE - Recurso Extraordinário
REO - Remessa *ex officio*
Recl. - Reclamação
REe - Recurso Especial eleitoral
REsp - Recurso Especial
RF - Revista Forense

RHC - Recurso Ordinário em *Habeas Corpus*
RHD - Recurso Ordinário em *Habeas Data*
RISTF - Regimento Interno do Supremo Tribunal Federal
RISTJ - Regimento Interno do Superior Tribunal de Justiça
RO - Recurso Ordinário
RODC - Recurso Ordinário em Dissídio Coletivo
ROMS - Recurso Ordinário em Mandado de Segurança
Rp - Representação
RR - Recurso de Revista
RSE - Recurso em Sentido Estrito
RTJ - Revista Trimestral de Jurisprudência
RT - Revista dos Tribunais
RTDP - Revista Trimestral de Direito Público
SE - Sentença Estrangeira
STF - Supremo Tribunal Federal
STJ - Superior Tribunal de Justiça
STM - Superior Tribunal Militar
TCU - Tribunal de Contas da União
TFR - Tribunal Federal de Recursos
TJ - Tribunal de Justiça
TNU - Turma Nacional de Uniformização
TPI - Tribunal Penal Internacional
TRF - Tribunal Regional Federal
TRE - Tribunal Regional Eleitoral
TRT - Tribunal Regional do Trabalho
TSE - Tribunal Superior Eleitoral
TST - Tribunal Superior do Trabalho
UNESCO - Organização das Nações Unidas para a Educação, a Ciência e a Cultura

SUMÁRIO SISTEMÁTICO DA CONSTITUIÇÃO DA REPÚBLICA FEDERATIVA DO BRASIL

TÍTULO V

TÍTULO VI

TÍTULO VII

TÍTULO VIII

TÍTULO IX

TÍTULO V
DA DEFESA DO ESTADO E DAS INSTITUIÇÕES DEMOCRÁTICAS

CAPÍTULO I
DO ESTADO DE DEFESA E DO ESTADO DE SÍTIO

Seção I
DO ESTADO DE DEFESA

Art. 136. O Presidente da República pode, ouvidos o Conselho da República e o Conselho de Defesa Nacional, decretar estado de defesa para preservar ou prontamente restabelecer, em locais restritos e determinados, a ordem pública ou a paz social ameaçadas por grave e iminente instabilidade institucional ou atingidas por calamidades de grandes proporções na natureza.

Doutrina

Sistema constitucional de crises. É o mecanismo previsto na Constituição para enfrentar e debelar crises com o objetivo de manter ou restabelecer a normalidade do funcionamento das instituições e a paz social. Compreende, no direito constitucional brasileiro, o estado de defesa e o estado de sítio.

Estado de defesa. É a medida de exceção destinada a preservar ou restabelecer a ordem pública e a paz social ameaçadas de turbação ou turbadas por violações não suscetíveis de serem coibidas pelos meios normais de polícia, ou, ainda, atingidas por calamidades naturais de proporções incomuns, que para o socorro dos necessitados implique a adoção de medidas excepcionais. Trata-se de uma espécie mais suave de estado de sítio, com as características das medidas de emergência previstas no art. 155 da Constituição de 1969.

Competência e procedimento. A competência para decretar o estado de defesa é exclusiva do Presidente da República, devendo este ouvir, em caráter meramente opinativo, os Conselhos da República e de Defesa Nacional, baixando a medida por meio de decreto.

Jurisprudência

> "(...). 2. O instituto da prisão opera como excepcional afastamento da regra da liberdade de locomoção do indivíduo. Donde a necessidade do seu permanente controle por órgão do Poder Judiciário, quer para determiná-la, quer para autorizar a sua continuidade (quando resultante do flagrante delito). Vínculo funcional

que se mantém até mesmo em período de 'Estado de Defesa', conforme os expressos dizeres do art. 136 da Constituição Federal" (STF – 2.ª Turma, HC 111.166/MT, rel. Min. Ayres Britto, j. 13.12.2011).

"(...). O estado de defesa é decretado para restabelecer a ordem pública ou a paz social ameaçadas por grave e iminente instabilidade institucional ou atingidas por calamidades de grandes proporções na natureza, havendo suspensão das garantias dos direitos fundamentais em razão de situações excepcionais, suspensão essa que se dá em abstrato por Decreto do Presidente da República, sendo bastante compreensível que a própria Constituição, por essas razões, estabeleça, desde logo, limites rígidos para a situação de suspensão abstrata e por Decreto do 'Príncipe', das garantias dos direito fundamentais" (TRF2, HC 0016514-55.2008.4.02.0000, rel. Des. Fed. Abel Gomes, DJE, 21.11.2008).

§ 1.º O decreto que instituir o estado de defesa determinará o tempo de sua duração, especificará as áreas a serem abrangidas e indicará, nos termos e limites da lei, as medidas coercitivas a vigorarem, dentre as seguintes:

I – restrições aos direitos de:

a) reunião, ainda que exercida no seio das associações;

b) sigilo de correspondência;

c) sigilo de comunicação telegráfica e telefônica;

II – ocupação e uso temporário de bens e serviços públicos, na hipótese de calamidade pública, respondendo a União pelos danos e custos decorrentes.

Doutrina

Delimitação física e temporal do estado de defesa. A legitimidade da decretação do estado de defesa subordina-se à delimitação das áreas do território nacional submetidas à medida excepcional, pois esta deverá limitar-se, necessariamente, a locais restritos e determinados. Por outro lado, o decreto determinará o tempo de duração do estado de defesa, conforme exigência expressa do § 2.° deste artigo.

Restrições de direitos. Os seguintes direitos poderão sofrer restrições, nos termos e limites da lei, e na medida do necessário para a execução do estado de defesa: a) *direito de reunião*, previsto no art. 5.°, XVI, ainda que exercido no âmbito das associações; b) *direito ao sigilo de correspondência*, previsto no art. 5.°, XII, que garante a indevassabilidade do contido no envelope lacrado; c) *direito ao sigilo de comunicação telegráfica e telefônica*, também previsto no art. 5.°, XII, que garante a inviolabilidade do conteúdo das mensagens.

Ocupação e uso temporário de bens e serviços públicos. Nos casos de calamidade pública, a decretação do estado de defesa autoriza a ocupação temporária e o uso de bens públicos, de qualquer entidade estatal, bem como a ocupação temporária e o uso de serviços públicos, quer sejam prestados diretamente ou por meio de concessão, permissão ou autorização. Cessada a ocupação e o uso temporário, deverá a União indenizar a entidade pública ou o prestador do serviço público pelo uso dos bens e serviços, tanto pelos danos eventualmente causados como pelos custos decorrentes da utilização.

Jurisprudência

> "(...). 3. Nenhuma lei, seja ela civil ou penal, pode blindar-se contra a discussão do seu próprio conteúdo. Nem mesmo a Constituição está a salvo da ampla, livre e aberta discussão dos seus defeitos e das suas virtudes, desde que sejam obedecidas as condicionantes ao direito constitucional de reunião, tal como a prévia comunicação às autoridades competentes. 4. Impossibilidade de restrição ao direito fundamental de reunião que não se contenha nas duas situações excepcionais que a própria Constituição prevê: o estado de defesa e o estado de sítio (art. 136, § 1.°, inciso I, alínea a e art. 139, inciso IV). 5. Ação direta julgada procedente para

dar ao § 2.º do art. 33 da Lei 11.343/2006 interpretação conforme à Constituição e dele excluir qualquer significado que enseje a proibição de manifestações e debates públicos acerca da descriminalização ou legalização do uso de drogas ou de qualquer substância que leve o ser humano ao entorpecimento episódico, ou então viciado, das suas faculdades psicofísicas" (STF – Pleno, ADIN 4.274/DF, rel. Min. Ayres Britto, j. 23.11.2011).

§ 2.º O tempo de duração do estado de defesa não será superior a trinta dias, podendo ser prorrogado uma vez, por igual período, se persistirem as razões que justificaram a sua decretação.

Doutrina

Limite temporal do estado de defesa. O estado de defesa terá duração máxima de trinta dias, podendo ser prorrogado uma única vez, por igual período, se presentes as razões que motivaram a decretação da medida.

§ 3.º Na vigência do estado de defesa:

I – a prisão por crime contra o Estado, determinada pelo executor da medida, será por este comunicada imediatamente ao juiz competente, que a relaxará, se não for legal, facultado ao preso requerer exame de corpo de delito à autoridade policial;

II – a comunicação será acompanhada de declaração, pela autoridade, do estado físico e mental do detido no momento de sua autuação;

III – a prisão ou detenção de qualquer pessoa não poderá ser superior a dez dias, salvo quando autorizada pelo Poder Judiciário;

IV – é vedada a incomunicabilidade do preso.

Doutrina

Prisão por crime contra o Estado. Na vigência do estado de defesa, o seu executor poderá determinar a prisão de pessoa por crime contra o Estado, aquele que atinge a organização política estatal ou agente político do Estado no exercício de sua função.

Exame de corpo de delito. A norma constitucional faculta ao detido por crime contra o Estado que requeira à autoridade policial que executou a sua prisão o exame de corpo de delito.

Controle jurisdicional. Efetivada a prisão, esta será comunicada imediatamente ao juiz competente, a quem será remetida declaração, expedida pela autoridade executora do ato, dando conta das condições físicas e mentais do preso no momento de sua autuação. O magistrado examinará a legalidade da prisão, mantendo-a se fundamentada e reverente à lei, ou relaxando-a, se desprovida de fundamento ou feita com violação da lei.

Duração da prisão ou detenção. A prisão ou detenção determinada pelo executor do estado de defesa não poderá exceder de dez dias, salvo autorização expressa do juiz competente.

Vedação de incomunicabilidade. É proibida a incomunicabilidade da pessoa presa em decorrência da execução do estado de defesa, como de resto em quaisquer outras situações, restando revogado o art. 21, parágrafo único, do Código de Processo Penal.

§ 4.º Decretado o estado de defesa ou sua prorrogação, o Presidente da República, dentro de vinte e quatro horas, submeterá o ato com a respectiva justificação ao Congresso Nacional, que decidirá por maioria absoluta.

Doutrina

Controle político. O Presidente da República, dentro do prazo de vinte e quatro horas, submeterá ao Congresso Nacional o decreto de instituição ou de prorrogação do estado de defesa, acompanhado de mensagem com as razões para a adoção da medida, devendo o Parlamento decidir por maioria absoluta de seus membros.

§ 5.º Se o Congresso Nacional estiver em recesso, será convocado, extraordinariamente, no prazo de cinco dias.

Doutrina

Convocação extraordinária do Congresso Nacional. A decretação do estado de defesa constitui-se em hipótese expressa (CF, art. 57, § 6.º, I, c.c. art. 136, § 5.º) que autoriza a convocação extraordinária – pelo Presidente do Senado Federal, dentro do prazo de cinco dias –, do Congresso Nacional quando este encontrar-se em recesso.

§ 6.º O Congresso Nacional apreciará o decreto dentro de dez dias contados de seu recebimento, devendo continuar funcionando enquanto vigorar o estado de defesa.

Doutrina

Funcionamento do Congresso Nacional. Durante a sessão legislativa extraordinária, o Congresso Nacional decidirá, dentro do prazo de dez dias, contados do recebimento do decreto, sobre o estado de defesa, aprovando-o ou não pelo voto da maioria absoluta de seus membros. No entanto, continuará funcionando até o final do estado de defesa.

§ 7.º Rejeitado o decreto, cessa imediatamente o estado de defesa.

Doutrina

Cessação do estado de defesa. Rejeitado pelo Congresso Nacional o decreto que instituiu o estado de defesa, este cessa, imediatamente, os seus efeitos, configurando crime de responsabilidade imputável ao Presidente da República qualquer conduta sua que implique desrespeito à decisão do Parlamento.

Seção II
DO ESTADO DE SÍTIO

Art. 137. O Presidente da República pode, ouvidos o Conselho da República e o Conselho de Defesa Nacional, solicitar ao Congresso Nacional autorização para decretar o estado de sítio nos casos de:

I – comoção grave de repercussão nacional ou ocorrência de fatos que comprovem a ineficácia de medida tomada durante o estado de defesa;

II – declaração de estado de guerra ou resposta a agressão armada estrangeira.

Doutrina

Estado de sítio. É a medida de exceção que suspende, por certo período de tempo e em determinada região do país ou em todo o território nacional, as garantias constitucionais, estabelecendo uma legalidade restrita e excepcional, com o objetivo de defender o Estado e as instituições democráticas. Contudo, releva anotar que, na vigência do estado de sítio, ocorre a *suspensão* de certas garantias constitucionais e não a *supressão* dos direitos fundamentais.

Hipóteses que autorizam a decretação do estado de sítio. A Constituição somente autoriza a adoção da medida nas restritas hipóteses nela previstas e que são as seguintes: a) *comoção grave de repercussão nacional* é perturbação capaz de gerar consequências que abalem a ordem pública em âmbito nacional e insuscetível de ser controlada com o uso dos meios normais de polícia, como no caso de guerra civil; b) *comprovação da ineficácia do estado de defesa*, com a ocorrência de fatos que provem ter sido ineficaz esta medida e exijam a adoção de outras providências para evitar que fatos restritos e localizados assumam repercussão nacional; c) *declaração de estado de guerra* é a situação de guerra declarada, com declaração e comunicação solenes, a país estrangeiro; d) *agressão armada estrangeira*, é aquela não esperada, conquanto não tenha havido declaração de guerra, e que deve merecer pronta resposta.

Competência e procedimento. Trata-se de ato complexo, devendo o Presidente da República, após oitiva, de caráter meramente opinativo, dos Conselhos da República e de Defesa Nacional, solicitar do Congresso Nacional autorização para decretar o estado de sítio e, uma vez concedida, baixará a medida por decreto, no exercício de competência exclusiva.

Controle político. A necessidade de prévia autorização consagra o controle político prévio do Congresso Nacional na decretação do estado de sítio, sem prejuízo do controle de que trata o art. 140.

Controle jurisdicional. A decretação do estado de sítio não atinge o funcionamento dos Poderes do Estado, devendo o Poder Judiciário decidir sobre a validade dos atos praticados pelos executores da medida.

Jurisprudência

> O controle judicial dos atos praticados *ultra vires*, de forma abusiva e irregular, durante a vigência dos meios constitucionais de defesa do Estado, tem sido admitido como natural consequência do princípio constitucional da inafastabilidade da tutela jurisdicional (STF, RT, 124/454).
>
> A aprovação do Congresso Nacional aos atos praticados pelo Executivo, na vigência do estado de sítio, não tem o caráter de *bill* de indenidade, somente abrangendo aqueles que se conformam com a Constituição (STF, RF, 55/223).
>
> "Estado de sítio e estado de guerra; não há decorrência lógica entre a decretação do estado de sítio e a do estado de guerra, e vice-versa; estado de guerra de

caráter internacional, e estado de guerra ficto, ou legal. O estado de guerra autorizado pela emenda constitucional e o estado de sítio em caso de guerra do § 15, do art. 175, da Constituição; diferenças e características. Cabimento do 'habeas-corpus', em tese, na vigência do estado de guerra – Imunidades parlamentares; suspensão; quando ocorre; ratificação expressa em voto do Poder Legislativo; efeitos; não pode ser interpretada como denegatória da manutenção da prisão, determinando a imediata soltura dos pacientes, enquanto não fosse instaurado o processo, a concessão da licença para o processo dada enquanto se achavam em custódia os pacientes, máxime se da discussão do pedido se verifica que a emenda foi rejeitada" (STF – Pleno, HC 26.178/DF, rel. Min. Carvalho Mourão, inclusão em 16.10.2017).

Nota: Julgamento [acima] histórico. Assunto: Comunismo. Intentona Comunista. Era Vargas. Resumo do processo: *Habeas corpus* impetrado em favor do Deputado João Mangabeira e de outros parlamentares, presos, acusados de crime contra a segurança nacional no acontecimento de novembro de 1935. Os pacientes alegam constrangimento ilegal por violação das imunidades parlamentares.

"O estado de guerra entre o Brasil e a Alemanha e a subsequente liquidação de bens dos súditos do eixo foram fatos imprevisíveis, que constituíras motivos de força maior bastantes para justificar a despedida de empregados por parte das firmas liquidandas. Não assiste, porém, razão aos referidos empregados direito de perceber indenização em dobro. À unanimidade de votos, conheceram do recurso e lhe deram provimento" (STF, HC 18.054/DF, rel. Min. Mário Guimarães, alteração em 11.07.2016).

"Apreensão de iate de propriedade de brasileiro nato, por suspeita, não comprovada, de entendimentos de seu proprietário com navios inimigos, ao largo da costa, durante o estado de guerra. Incorporação do mesmo na Marinha de Guerra nacional. Forçado o dono a reclamar indenização por via judicial, para que esta seja completa deve abranger os honorários do advogado do mesmo. Conheceram do recurso e lhe deram provimento, à unanimidade" (STF, RE 16.054/DF, rel. Min. Rocha Lagoa, alteração em 26.08.2016).

Parágrafo único. O Presidente da República, ao solicitar autorização para decretar o estado de sítio ou sua prorrogação, relatará os motivos determinantes do pedido, devendo o Congresso Nacional decidir por maioria absoluta.

Doutrina

Procedimento de solicitação e de autorização do estado de sítio. O Presidente da República solicitará do Congresso Nacional, em mensagem contendo os fatos e as razões do pedido, autorização para decretar ou prorrogar o estado de sítio. O Congresso somente concederá a autorização pelo voto favorável da maioria absoluta de seus membros.

Art. 138. O Decreto do estado de sítio indicará sua duração, as normas necessárias a sua execução e as garantias constitucionais que ficarão suspensas, e, depois de publicado, o Presidente da República designará o executor das medidas específicas e as áreas abrangidas.

Doutrina

Conteúdo do decreto do estado de sítio. O decreto de instauração do estado de sítio necessariamente disporá sobre o seguinte: *a) limitação temporal*, indicando a duração da medida, pois decorre daí o prazo de suspensão das garantias constitucionais; b) *normas de execução*, ou seja, as regras relativas à atuação dos executores da medida; c) *garantias constitucionais suspensas*, relacionando uma a uma as garantias atingidas pela medida, observando-se o disposto no art. 139.

Procedimento após a publicação do decreto. Uma vez publicado o decreto instituidor do estado de sítio, o Presidente da República adotará as seguintes providências: a) designará o executor ou executores das medidas previstas naquele ato; e b) delimitará as áreas abrangidas pelas medidas do estado de sítio, podendo ser em todo o território nacional, se a gravidade da situação assim o exigir.

Jurisprudência

> "*Habeas Corpus*. Não tem lugar quando a prisão ou constrangimento é ordenado pelo Presidente da República, por motivo político e por ocasião de ser declarado o estado de sítio. Questões conexas. Negada a ordem, por maioria (10x1)" (STF – Pleno, HC 300/RJ, rel. Min. Costa Barradas, inclusão em 22.03.2017).
>
> ***Nota 1***: Julgamento histórico. Assunto: Revolta da Armada. Estado de Sítio. *Habeas corpus* impetrado pelo advogado Rui Barbosa em favor do Senador Almirante Eduardo Wandenkolk e outros militares indiciados por crime de sedição e conspiração contra o Presidente da República, Marechal Floriano Peixoto. Os pacientes alegam inconstitucionalidade do estado de sítio e a ilegalidade das prisões determinadas pelo governo.
>
> ***Nota 2***: Acórdão citado apenas como referência histórica. À luz do artigo 139 da Constituição Federal de 1988, somente poderão ser tomadas contra as pessoas as medidas nele constantes.

§ 1.º O estado de sítio, no caso do art. 137, I, não poderá ser decretado por mais de trinta dias, nem prorrogado, de cada vez, por prazo superior; no inciso II, poderá ser decretado por todo o tempo que perdurar a guerra ou agressão armada estrangeira.

Doutrina

Duração do estado de sítio. O estado de sítio, por instaurar uma legalidade extraordinária, tem, necessariamente, duração limitada no tempo. Nos casos de comoção grave de repercussão nacional ou ocorrência de fatos que comprovem a ineficácia de medida tomada durante o estado de defesa (art. 137, I), poderá ser decretado pelo prazo de até trinta dias, admitidas tantas prorrogações quanto necessárias, porém, sempre pelo máximo de trinta dias, em cada uma delas. Nos casos de declaração de estado de guerra ou resposta a agressão armada estrangeira (art. 137, II), o estado de sítio terá a duração desses eventos, quer dizer, enquanto durar os atos de agressão.

§ 2.º Solicitada autorização para decretar o estado de sítio durante o recesso parlamentar, o Presidente do Senado Federal, de imediato, convocará extraordinariamente o Congresso Nacional para se reunir dentro de cinco dias, a fim de apreciar o ato.

Doutrina

Convocação extraordinária do Congresso Nacional. A decretação do estado de sítio constitui-se em hipótese expressa (CF, art. 57, § 6.º, I, c.c. art. 138, § 2.º) autorizadora da convocação extraordinária imediata do Congresso Nacional pelo Presidente do Senado Federal. O Parlamento deverá reunir-se dentro do prazo de cinco dias e decidir sobre o pedido de autorização do Presidente da República para a adoção da medida.

§ 3.º O Congresso Nacional permanecerá em funcionamento até o término das medidas coercitivas.

Doutrina

Funcionamento do Congresso Nacional. Durante a sessão legislativa extraordinária, o Congresso Nacional decidirá, dentro do prazo de cinco dias, sobre o estado de sítio e, aprovando-o, pelo voto da maioria absoluta de seus membros. Após, continuará funcionando, sem entrar em recesso, até o final do estado de sítio.

Art. 139. Na vigência do estado de sítio decretado com fundamento no art. 137, I, só poderão ser tomadas contra as pessoas as seguintes medidas:

I – obrigação de permanência em localidade determinada;

II – detenção em edifício não destinado a acusados ou condenados por crimes comuns;

III – restrições relativas à inviolabilidade da correspondência, ao sigilo das comunicações, à prestação de informações e à liberdade de imprensa, radiodifusão e televisão, na forma da lei;

IV – suspensão da liberdade de reunião;

V- busca e apreensão em domicílio;

VI – intervenção nas empresas de serviços públicos;

VII – requisição de bens.

Doutrina

Medidas de exceção no estado de sítio fundado no art. 137, I. Nos casos de decretação do estado de sítio, em face de comoção grave de repercussão nacional ou em decorrência de ineficácia das medidas tomadas durante o estado de defesa, as restrições a direitos e garantias constitucionais do cidadão limitar-se-ão, de forma taxativa, às seguintes: a) *permanência obrigatória em local determinado*, ou *menagem*, que é a obrigação de permanência em determinado lugar, mas sem detenção; caracteriza-se, pois, como residência forçada, limitando a livre locomoção da pessoa (art. 5.°, XV) e suspendendo o *habeas corpus* (art. 5.° LXVIII); b) *detenção fora de estabelecimentos de custódia provisória ou penitenciários*, ou o recolhimento dos detidos em estabelecimento não destinado a presos provisórios ou condenados. Releva anotar que durante o estado de sítio os seus executores poderão deter qualquer pessoa suspeita para fins de averiguação, excepcionando, pois, a garantia inscrita no art. 5.°, LXI; c) *restrições à inviolabilidade da correspondência e ao sigilo das comunicações*, suspendendo, pois, a garantia inscrita no art. 5.°, XII, para permitir seja devassada a correspondência ou quebrado o sigilo das comunicações telefônicas, telegráficas, ou de dados, na forma da lei; d) *restrições à liberdade de imprensa*, na forma da lei regulamentadora, para, eventualmente, proibir a divulgação de determinadas informações por meio de jornais, revistas, periódicos, emissoras de rádio ou de televisão, ou outro qualquer veículo, restringindo os direitos e garantias inscritos no art. 5.°, IV, IX, XII e XIV; e) *suspensão da liberdade de reunião*, portanto, fica suspenso o direito de reunião (art. 5.° XVI), inclusive no seio de associações; f) *busca e apreensão domiciliares*, implicando exceção ao princípio da inviolabilidade do domicílio (art. 5.°, XI); g) *intervenção nas empresas de serviços públicos*, assumindo os executores do estado de sítio, diretamente ou por meio de prepostos, a direção de quaisquer empresas prestadoras de serviços públicos, sendo irrelevante se pertencentes à administração indireta ou à iniciativa privada; i) *requisição de bens*, aliás, também autorizada pelo art. 5.°, XXV, no caso de iminente perigo público, podendo os executores do sítio ocuparem temporariamente a propriedade privada ou exigir dos proprietários a prestação de serviços e o emprego de coisas necessárias para o esforço de se debelar o estado excepcional vivido pela Nação, devendo, após, serem indenizados pelos danos sofridos.

Medidas de exceção no estado de sítio fundado no art. 137, II. No caso de estado de sítio decretado em face de declaração de estado de guerra ou em resposta a agressão armada estrangeira, poderão ser adotadas todas as medidas necessárias, além das mencionadas na nota anterior, desde que constantes do decreto presidencial (art. 138, *caput*).

Jurisprudência

"A relação de liberdade e coação está localizada em uma linha muito tênue em que o Estado deve zelar pela ordem e paz da sociedade, mas, ao mesmo tempo, deve garantir o cumprimento do ordenamento e inibir a prática de condutas ilícitas, utilizando-se, para tanto, do poder de polícia que lhe é inerente. Dentro desta exposição de liberdade e coação, afigura-se controverso o entendimento sobre até onde o Estado deve interferir no regramento e na vida das pessoas; todavia, esta indagação tem sua resposta no próprio Texto Constitucional, que disciplina pontos onde presente autolimitação estatal, quando, por um lado, tem-se a garantia da inviolabilidade de domicílio, observadas as suas exceções, porém, em contrapartida, presentes também dispositivos que permitem ultrapassar este limite constitucional. Um exemplo disto é o caso de declaração de estado de sítio do artigo 139 da Constituição Federal, em que o Estado poderá proceder à busca e apreensão sem ater-se a estas garantias individuais" (TRF3 – 3.ª Turma, AC 1.895.137/SP, rel. Juiz Federal Convocado Silva Neto, e-DJF3, 15.12.2017).

O jornalista, com relação à sua fonte, não se sujeita ao poder de indagação do Estado ou de seus agentes e não pode sofrer, em razão do exercício dessa prerrogativa constitucional, qualquer sanção penal, civil ou administrativa (STF, DJ 1, 15.04.1996, p. 11.462).

Parágrafo único. Não se inclui nas restrições do inciso III a difusão de pronunciamentos de parlamentares efetuados em suas Casas Legislativas, desde que liberada pela respectiva Mesa.

Doutrina

Divulgação de pronunciamentos de parlamentares. Em face da imunidade de que gozam, por quaisquer de suas opiniões, palavras e votos, em princípio, é livre a divulgação de seus pronunciamentos, somente podendo sofrer restrição da Mesa da Casa Legislativa a que pertença.

Jurisprudência

A imunidade parlamentar é prerrogativa de caráter institucional inerente ao Poder Legislativo, como condição de sua garantia e independência, sendo conferida ao parlamentar apenas *ratione muneris*, em função do cargo e do mandato que exerce, não podendo este a ela renunciar (STF, RTJ, 155/399).

É copiosa a jurisprudência do Supremo Tribunal Federal a dizer que a prerrogativa constitucional da imunidade parlamentar em sentido material protege o congressista em todas as manifestações que tenham relação com o exercício do mandato (STF, RTJ, 141/406).

Seção III
DISPOSIÇÕES GERAIS

Art. 140. A Mesa do Congresso Nacional, ouvidos os líderes partidários, designará Comissão composta de cinco de seus membros para acompanhar e fiscalizar a execução das medidas referentes ao estado de defesa e ao estado de sítio.

Doutrina

Comissão do Congresso Nacional. Apesar de continuar funcionando em caráter permanente durante o estado de defesa (art. 136, § 6.º) e o estado de sítio (art. 138, § 3.º), o Congresso Nacional designará Comissão composta de cinco parlamentares encarregada do acompanhamento e fiscalização das medidas adotadas, com o objetivo de verificar se estão sendo implementadas nos estritos limites contidos no ato de decretação e segundo a lei.

Jurisprudência

> "(...). 8. As matérias tidas como de competência exclusiva de um departamento da soberania nacional trazem ínsita a característica de sua indelegabilidade, de modo que não pode o titular da função que lhe é típica, sob pena de violação da regra da simetria entre órgão e função, repassá-la aos demais" (TRF1, REO 00332619720054013400, rel. Des. Fed. João Batista Moreira, rel. para o acórdão Des. Fed. Selene Maria de Almeida, e-DJF1, 19.09.2013, p. 56).

Art. 141. Cessado o estado de defesa ou o estado de sítio, cessarão também seus efeitos, sem prejuízo da responsabilidade pelos ilícitos cometidos por seus executores ou agentes.

Doutrina

Cessação das medidas de exceção. Uma vez findo o estado de defesa ou o estado de sítio, cessam-se, de imediato, todos os seus efeitos, restando suspensas todas as restrições impostas a direitos e garantias constitucionais pelo decreto instaurador daquelas medidas.

Responsabilidade por ilícitos. A responsabilidade civil segue a regra geral do art. 37, § 6.°, respondendo a União pelos danos causados pelos executores das medidas adotadas durante os estados de defesa ou de sítio, sem prejuízo de eventual direito de regresso. A responsabilidade pessoal dos executores e agentes cinge-se aos ilícitos penais.

Controle jurisdicional. É pleno o controle jurisdicional quanto à observância das regras impostas aos executores das medidas dos estados de defesa ou de sítio, podendo o interessado recorrer ao Judiciário para buscar eventual reparação.

Jurisprudência

> O princípio da responsabilidade objetiva não é absoluto, admitindo abrandamento ou até mesmo a exclusão da responsabilidade civil do Estado em hipóteses de caso fortuito ou de força maior, ou ainda nos casos de culpa da própria vítima (STF, RTJ, 55/50).
>
> "São independentes as instâncias penal e administrativa, só repercutindo aquela nesta quando ela se manifesta pela inexistência material do fato ou pela negativa de sua autoria. Precedentes do STF" (STF – Pleno, MS 22.438-0/SP, rel. Min. Moreira Alves, DJ 1, de 06.02.1998, p. 8).
>
> "O controle jurisdicional do ato administrativo cinge-se às prescrições legais determinadas, não tangen-

ciando o critério político e as razões técnicas, desde que lícitos, pois estes são estranhos à função jurisdicional" (STJ, Ementário do STJ, 9/412).

Parágrafo único. Logo que cesse o estado de defesa ou o estado de sítio, as medidas aplicadas em sua vigência serão relatadas pelo Presidente da República, em mensagem ao Congresso Nacional, com especificação e justificação das providências adotadas, com relação nominal dos atingidos, e indicação das restrições aplicadas.

Doutrina

Controle político. O Congresso Nacional exerce o controle político do estado de defesa ou do estado de sítio, devendo, para tanto, receber do Presidente da República, em seguida à cessação das medidas excepcionais, mensagem que contenha a discriminação detalhada das providências adotadas e respectivas justificações, além de relação nominal das pessoas atingidas pelas mesmas e as restrições aplicadas. A aprovação da mensagem presidencial não equivale à coonestação da prática de todos os atos, fazendo desaparecer responsabilidades, pois a chancela política do Congresso não afasta a responsabilização de executores e agentes por condutas praticadas com violação da lei, e nem o dever da União de indenizar os danos causados por aqueles.

CAPÍTULO II
DAS FORÇAS ARMADAS

Art. 142. As Forças Armadas, constituídas pela Marinha, pelo Exército e pela Aeronáutica, são instituições nacionais permanentes e regulares, organizadas com base na hierarquia e na disciplina, sob a autoridade suprema do Presidente da República, e destinam-se à defesa da Pátria, à garantia dos poderes constitucionais e, por iniciativa de qualquer destes, da lei e da ordem.

Doutrina

Natureza das Forças Armadas. São instituições nacionais que têm por fim servir aos interesses da Nação. As Forças Armadas têm as seguintes características: a) *são permanentes*, com organização estável, não podendo ser suprimidas ou convertidas em forças transitórias; b) *são regulares*, no sentido de que os seus membros integram corpos e quadros efetivos.

Composição das Forças Armadas. Compõem-se de três armas: a Marinha, força militar permanente para a defesa naval; o Exército, força militar permanente para a defesa por terra; e a Aeronáutica, força militar permanente para a defesa aérea.

Organização das Forças Armadas. Funda-se nos princípios da: a) *hierarquia*, significando rígida relação de subordinação entre todos os seus órgãos, com distribuição de funções e tarefas subordinadas a vários comandos, até o grau máximo de autoridade; e b) *disciplina*, significando o poder que detém o superior hierárquico de punir o subalterno que descumprir as suas tarefas ou violar as normas de conduta que devem ser observadas.

Comando supremo das Forças Armadas. Compete ao Presidente da República (art. 84, XIII) o comando supremo das Forças Armadas, devendo decidir quanto à oportunidade e conveniência de seu uso. Trata-se de atribuição de natureza política, pois o comando das operações de guerra cabe, naturalmente, aos oficiais de cada uma das armas.

Destinação constitucional das Forças Armadas. A norma constitucional dispõe que as Forças Armadas destinam-se: a) *à defesa da Pátria*, contra o inimigo estrangeiro, para garantir a sua independência e integridade; b) *à garantia dos poderes constituídos*, expressamente previstos no art. 2.° da Constituição e que devem ser garantidos tanto contra ameaça externa quanto interna; c) *à garantia da lei e da ordem*, para assegurar o respeito à lei e para manter ou restabelecer a ordem, podendo os Poderes Legislativo e Judiciário, por meio, respectivamente, do Presidente do Congresso Nacional e do Presidente do Supremo Tribunal Federal, tomarem a iniciativa de propor o seu uso ao Presidente da República, em razão de ser este o comandante supremo das Forças Armadas.

Jurisprudência

> "1. As Forças Armadas são instituições permanentes fundadas na disciplina e na hierarquia, destinadas à defesa da Pátria e manutenção da lei e da ordem (artigo 142, *caput* da CF). Em função da missão constitucional outorgada às instituições militares, o estatuto jurídico de seus membros difere dos civis, sendo vedado àqueles, v. g., a filiação partidária e sindical, exercício de greve, impetração de habeas corpus contra punições disciplinares. Precedentes: HC 108.811, Relator (a): Min. Ayres Britto, Segunda Turma, julgado em 08/11/2011"

(STF – 1.ª Turma, HC 110.328/RS, rel. Min. Marco Aurélio, DJE-026, 09.02.2015).

"1. O MPM tem legitimidade para impetrar HC em favor de quem se ache constrangido em sua liberdade de locomoção, direta ou indiretamente, atual ou iminente. No caso, o *habeas corpus* se revela apto a favorecer os pacientes com medidas despenalizadoras, inclusive as previstas na Lei 9.099/1995. 2. Ao contrário do entendimento do Superior Tribunal Militar, é excepcional a competência da Justiça castrense para o julgamento de civis, em tempo de paz. A tipificação da conduta de agente civil como crime militar está a depender do 'intuito de atingir, de qualquer modo, a Força, no sentido de impedir, frustrar, fazer malograr, desmoralizar ou ofender o militar ou o evento ou situação em que este esteja empenhado' (CC 7.040, da relatoria do ministro Carlos Velloso). 3. O cometimento do delito militar por agente civil em tempo de paz se dá em caráter excepcional. Tal cometimento se traduz em ofensa àqueles bens jurídicos tipicamente associados à função de natureza militar: defesa da Pátria, garantia dos poderes constitucionais, da lei e da ordem (art. 142 da Constituição Federal). 4. No caso, nada revela a vontade dos pacientes de atentar contra as Forças Armadas, tampouco a de impedir a continuidade de eventual operação militar ou atividade genuinamente castrense. Conduta que, em tese, se amolda ao tipo do art. 65 da Lei 9.605/1998. 5. Ordem concedida para determinar a remessa do procedimento investigatório para a Justiça comum federal" (STF – 2.ª Turma, HC 100.230/SP, rel. Min. Ayres Britto, j. 17.08.2010).

"(...). 3. A hierarquia e a disciplina militares não operam como simples ou meros predicados institucionais das Forças Armadas brasileiras, mas, isto sim, como elementos conceituais e vigas basilares de todas elas. Dados da própria compostura jurídica de cada uma e de todas em seu conjunto, de modo a legitimar o juízo técnico de que, se a hierarquia implica superposição de autoridades (as mais graduadas a comandar, e as menos graduadas a obedecer), a disciplina importa a permanente disposição de espírito para a prevalência das leis e regulamentos que presidem por modo singular a estruturação e o funcionamento das instituições castrenses. Tudo a encadeadamente desaguar na concepção e prática de uma vida corporativa de pinacular compromisso com a ordem e suas naturais projeções factuais: a regularidade, a normalidade, a estabilidade, a fixidez, a colocação das coisas em seus devidos lugares, enfim" (STF – Pleno, HC 103.684/DF, rel. Min. Ayres Britto, j. 21.10.2010).

§ 1.º Lei complementar estabelecerá as normas gerais a serem adotadas na organização, no preparo e no emprego das Forças Armadas.

Doutrina

Normas gerais de organização. A Lei Complementar 97, de 09.06.1999, além de ter criado um Ministério da Defesa, dispõe sobre as normas gerais de organização, fundada nos princípios da hierarquia e da disciplina, de preparo, no sentido de preparação para as operações militares, e de emprego, quer dizer, uso das Forças Armadas segundo a sua destinação constitucional.

Jurisprudência

Ao falar em normas gerais, fala-se, ao mesmo tempo e por oposição, em normas especiais, podendo estas serem estaduais, de caráter supletivo, com o fim de preencher as lacunas e dispor sobretudo quanto às condições locais (STF, RTJ, 115/1008).

§ 2.º Não caberá *habeas corpus* em relação a punições disciplinares militares.

Doutrina

Exceção ao habeas corpus. A norma constitucional veda a concessão de *habeas corpus* quando a liberdade de locomoção for cerceada em decorrência de aplicação de punição disciplinar militar, resultante de transgressão disciplinar militar. De fato, se a punição foi aplicada de forma regular, dentro dos limites da lei e no exercício do poder disciplinar, não há como recorrer ao referido *remedium iuris*; contudo, se o ato punitivo emanou de autoridade incompetente, atingiu conduta não ligada à função, ou foi praticado com violação da lei, cabe o *habeas corpus* para a correção da ilegalidade.

Jurisprudência

"O entendimento relativo ao § 20 do art. 153 da Emenda Constitucional n.° 1/69, segundo o qual o princípio, de que nas transgressões disciplinares não cabia *habeas corpus*, não impedia que se examinasse, nele, a ocorrência dos quatro pressupostos de legalidade dessas transgressões (a hierarquia, o poder disciplinar, o ato ligado à função e a pena susceptível de ser aplicada disciplinarmente), continua válido para o disposto no § 2.° do artigo 142 da atual Constituição que é apenas mais restritivo quanto ao âmbito dessas transgressões disciplinares, pois as limitam a de natureza militar" (STF – Pleno, HC 70.648/RJ, rel. Min. Moreira Alves, DJ 1, 04.03.1994, p. 3.289).

"Não cabe *habeas corpus* em relação a punições disciplinares militares. A restrição é limitada ao exame do mérito do ato administrativo, ou seja, quanto ao juízo de oportunidade e conveniência da sanção. A franquia constitucional é ampla relativamente aos vícios de legalidade, entre os quais se incluem a competência do agente, a oportunidade de defesa ampla e análise das razões em que se apoiou a autoridade para exercer a discricionariedade. O art. 142, § 2.°, da Constituição da República alcança a Polícia Militar porque auxiliar e reserva do Exército (art. 144, § 5.°)" (STJ – 6.ª Turma, RHC 1.375/SP, rel. Min. Luiz Vicente Cernicchiaro, DJ 1, 16.10.1991, p. 14.488).

§ 3.º Os membros das Forças Armadas são denominados militares, aplicando-se-lhes, além das que vierem a ser fixadas em lei, as seguintes disposições:

Doutrina

Servidores militares. São servidores militares os membros das três armas das Forças Armadas da União e os policiais militares e os integrantes dos corpos de bombeiros militares dos Estados, do Distrito Federal e dos Territórios. Releva anotar que as guardas municipais, que poderão ser criadas pelos Municípios com a atribuição de proteger seus bens, serviços e instalações (art. 144, § 8.º), são órgãos comuns da administração e seus integrantes são servidores civis.

Regime jurídico dos militares. O art. 4.º da EC 18 acrescentou este parágrafo ao texto da Constituição para dispor sobre as regras próprias do chamado regime jurídico-constitucional dos servidores militares, em razão das peculiaridades da carreira militar. Porém, na verdade, regras idênticas já constavam da redação original do art. 42, §§ 1.º a 11, da Constituição.

Jurisprudência

> "(...). Nova amostragem está no preceito de que não caberá *habeas corpus* em relação a punições disciplinares militares (§ 2.º do art. 142). Isso sem contar que são proibidas a sindicalização e a greve por parte do militar em serviço ativo, bem como a filiação partidária (incisos IV e V do § 3.º do art. 142). 3. De se ver que esse tratamento particularizado decorre do fato de que as Forças Armadas são instituições nacionais regulares e permanentes, organizadas com base na hierarquia e disciplina, destinadas à Defesa da Pátria, garantia dos poderes constitucionais e, por iniciativa de qualquer destes, da lei e da ordem (cabeça do art. 142)" (STF – 2.ª Turma, HC 104.174/RJ, rel. Min. Ayres Britto, j. 29.03.2011).

I – as patentes, com prerrogativas, direitos e deveres a elas inerentes, são conferidas pelo Presidente da República e asseguradas em plenitude aos oficiais da ativa, da reserva ou reformados, sendo-lhes privativos os títulos e postos militares e, juntamente com os demais membros, o uso dos uniformes das Forças Armadas;

Doutrina

Postos e patentes militares. Postos são os diversos graus da hierarquia militar. Patentes são os atos de atribuição dos postos. Ambos são conferidos pelo Presidente da República, a quem cabe promover os oficiais das Forças Armadas e nomeá-los para os cargos que lhes são privativos.

Jurisprudência

Súmulas do STF: 55. "Militar da reserva está sujeito a pena disciplinar" 57. "Militar inativo não tem direito ao uso do uniforme fora dos casos previstos em lei ou regulamento"

II – o militar em atividade que tomar posse em cargo ou emprego público civil permanente, ressalvada a hipótese prevista no art. 37, inciso XVI, alínea c, será transferido para a reserva, nos termos da lei;

Doutrina

Investidura em cargo ou emprego públicos. Sendo o militar em atividade investido em cargo ou emprego público civis, em caráter permanente, impõe seja transferido para a reserva por incompatibilidade de funções.

Jurisprudência

A transferência do militar para a inatividade se faz na forma do art. 98 do Estatuto dos Militares e cabe exclusivamente ao Presidente da República, dentro da discricionariedade que a lei lhe confere, autorizar ou não a nomeação ou admissão de oficial militar para cargo ou emprego público, sendo, ainda, a autorização presidencial, requisito necessário à passagem de oficial das Forças Armadas para a reserva remunerada (STF, RTJ, 162/552).

III – o militar da ativa que, de acordo com a lei, tomar posse em cargo, emprego ou função pública civil temporária, não eletiva, ainda que da administração indireta, ressalvada a hipótese prevista no art. 37, XVI, c, ficará agregado ao respectivo quadro e somente poderá, enquanto permanecer nessa situação, ser promovido por antiguidade, contando-se-lhe o tempo de serviço apenas para aquela promoção e transferência para a reserva, sendo depois de dois anos de afastamento, contínuos ou não, transferido para a reserva, nos termos da lei;

Doutrina

Investidura em cargo ou emprego temporários. Desde que se trate de função civil não eletiva, ainda que em órgão da administração indireta, o militar passará à condição de agregado ao seu respectivo quadro e, enquanto assim permanecer, somente poderá ser promovido na carreira militar por antiguidade, contando-se-lhe o tempo de serviço na função temporária apenas para fins desta promoção ou para a transferência para a reserva, o que se dará, de qualquer forma, após dois anos contínuos ou não de afastamento.

Jurisprudência

Para o exercício temporário de cargo comissionado, o militar é transferido para a inatividade sem proventos (TJSP, JTJ, 172/126).

IV – ao militar são proibidas a sindicalização e a greve;

Doutrina

Proibição do direito de sindicalização e de greve. A Constituição proíbe a sindicalização e a greve de servidores militares em face da sua destinação constitucional, pois, voltados que estão para a defesa da Pátria, para a garantia dos poderes constituídos e para o cumprimento da lei e da preservação da ordem, referidos direitos são incompatíveis com a condição de militar.

V – o militar, enquanto em serviço ativo, não pode estar filiado a partidos políticos;

Doutrina

Proibição de filiação partidária. É proibida a filiação a partido político de militar em serviço ativo. Portanto, para viabilizar a candidatura, decidiu o TSE que o partido a registrará com autorização expressa do candidato e esta supre a necessidade de prévia filiação partidária, devendo o militar ser mantido na condição de agregado enquanto disputar o pleito. Se não for eleito, retorna à atividade; se eleito passará para a inatividade.

Jurisprudência

> Militar candidato a cargo eletivo é mantido na condição de agregado desde o registro da candidatura até a diplomação ou retorno às Forças Armadas. (TSE, DJ 1, 08.04.1992).
>
> O militar candidato a cargo eletivo, que contar com mais de dez anos de serviço, será agregado pela autoridade superior e tem direito a perceber a remuneração do cargo até a sua diplomação (STJ, Ementário do STJ, 19/44).

VI – o oficial só perderá o posto e a patente se for julgado indigno do oficialato ou com ele incompatível, por decisão de tribunal militar de caráter permanente, em tempo de paz, ou de tribunal especial, em tempo de guerra;

Doutrina

Perda do posto e da patente. Somente se dará após ser julgado indigno do oficialato, ou com ele incompatível, por decisão de tribunal militar permanente, se em tempo de paz, ou tribunal especial, se em tempo de guerra. De qualquer forma, trata-se de procedimento administrativo que se desenvolve perante estes tribunais e não propriamente de processo judicial.

Jurisprudência

> Ainda que o pronunciamento impugnado tenha emanado de autoridade judiciária, não terá pertinência o recurso extraordinário se a decisão houver sido proferida em sede estritamente administrativa, como ocorre, por exemplo, com os atos judiciais praticados em procedimento destinado a viabilizar a decretação da perda do posto e da patente dos oficiais e da graduação das praças, por razão de indignidade ou de incompatibilidade de seu comportamento com o exercício da função militar ou com o desempenho da atividade policial-militar (STF, RTJ, 102/440).

VII – o oficial condenado na justiça comum ou militar a pena privativa de liberdade superior a dois anos, por sentença transitada em julgado, será submetido ao julgamento previsto no inciso anterior;

Doutrina

Condenação penal de oficial. O militar pertencente aos quadros do oficialato, se vier a ser condenado, por tribunal da justiça comum ou militar, a pena privativa de liberdade superior a dois anos, após o trânsito em julgado da decisão condenatória será submetido a procedimento administrativo para fins de eventual perda do posto e da patente.

Jurisprudência

O procedimento instaurado com o objetivo de viabilizar a decretação da perda da graduação de praça por razão de incompatibilidade de comportamento com o exercício da função policial-militar é de caráter materialmente administrativo (STF, AgI 252.391/3, rel. Min. Celso de Mello, decisão monocrática, DJ I, 07.06.2000, p. 8).

VIII – aplica-se aos militares o disposto no art. 7.º, incisos VIII, XII, XVII, XVIII, XIX, e XXV e no art. 37, incisos XI, XIII, XIV e XV, bem como, na forma da lei e com prevalência da atividade militar, no art. 37, inciso XVI, alínea c;

Doutrina

Direitos dos servidores militares. O dispositivo, acrescentado à Constituição pela Emenda 18, estende aos servidores militares os seguintes direitos visando à melhoria de sua condição social: décimo terceiro salário; salário-família, na forma da lei; férias anuais remuneradas, acrescida de pelo menos um terço; licença à militar gestante; licença paternidade; assistência gratuita aos filhos e dependentes desde o nascimento até seis anos de idade em creches e pré-escolas.

Limites e garantias relativos à remuneração. A remuneração dos servidores militares submete-se aos seguintes limites: não poderá exceder o subsídio mensal, em espécie, dos ministros do STF, sendo este o teto remuneratório; é vedada vinculação ou equiparação de qualquer espécie remuneratória; são vedados o cômputo e a acumulação de acréscimos pecuniários, ou ambos, para a concessão de reajuste de vencimentos. Contudo, está assegurada a sua irredutibilidade, salvo se exceder do limite acima previsto ou resultar de cômputo ou acumulação indevidos, sujeitando-se, ainda, aos impostos gerais.

Jurisprudência

A jurisprudência do Supremo Tribunal Federal é firme no sentido de considerar imunes ao teto do art. 37, XI, da Constituição, as vantagens de caráter individual (STF, RTJ, 130/475; 149/970).

IX – *(Revogado pela Emenda Constitucional 41, de 19.12.2003).*

X – a lei disporá sobre o ingresso nas Forças Armadas, os limites de idade, a estabilidade e outras condições de transferência do militar para a inatividade, os direitos, os deveres, a remuneração, as prerrogativas e outras situações especiais dos militares, consideradas as peculiaridades de suas atividades, inclusive aquelas cumpridas por força de compromissos internacionais e de guerra.

Doutrina

Estatuto dos Militares. A norma constitucional expressamente estabelece regime jurídico próprio para os servidores militares em face da natureza peculiar de suas atividades. Assim, direitos e deveres de servidores militares são aqueles que lei específica estabelecer ou norma jurídica expressa estender-lhes.

Jurisprudência

"Princípio isonômico. Código Penal e Código Penal Militar. O tratamento diferenciado decorrente dos referidos Códigos tem justificativa constitucionalmente aceitável em face das circunstâncias peculiares relativas aos agentes e objetos jurídicos protegidos. A disparidade na disciplina do crime continuado não vulnera o princípio da igualdade" (STF – 2.ª Turma, RE 115.770/RJ, rel. Min. Aldir Passarinho, DJ 1, 21.02.1992, p. 1.697).

"A rigidez disciplinar e a rigorosa observância à hierarquia militar, impostas pela natureza do serviço e os fins a que se destinam as Forças Armadas, tuteladas, inclusive, pela própria Constituição Federal, justificam a aplicação da penalidade de prisão em face da transgressão disciplinar, prevista em lei e em regulamento, caracterizada pela utilização de documento oficial para questionar determinação emanada de autoridade competente e hierarquicamente superior." (TRF5, AC 95.05.83649/PE, rel. Juiz José Delgado, DJ 2, de 15.09.1995, p. 61.844).

Art. 143. O serviço militar é obrigatório nos termos da lei.

Doutrina

Obrigatoriedade do serviço militar. Decorre do dever de todos de contribuir na defesa da Pátria, para a garantia de sua independência e integridade. Trata-se de obrigação imposta por lei a todos os brasileiros, natos ou naturalizados, admitindo-se, apenas, poucas exceções em tempos de paz.

Jurisprudência

Súmulas do STF: 10. "O tempo de serviço militar conta-se para efeito de disponibilidade e aposentadoria do servidor público estadual". 463. "Para efeito de indenização e estabilidade, conta-se o tempo em que o empregado esteve afastado, em serviço militar obrigatório, mesmo anteriormente à Lei 4.072, de 01/06/62".

O serviço militar é obrigatório, sendo o servidor militar regido por estatuto próprio. (STJ, RSTJ 6/130).

§ 1.º Às Forças Armadas compete, na forma da lei, atribuir serviço alternativo aos que, em tempo de paz, após alistados, alegarem imperativo de consciência, entendendo-se como tal o decorrente de crença religiosa e de convicção filosófica ou política, para se eximirem de atividades de caráter essencialmente militar.

Doutrina

Prestação de serviço alternativo. A lei atribui àqueles que apresentarem objeção de consciência, por razões de crença religiosa ou convicção filosófica ou política, a prestação de serviço alternativo ao serviço militar obrigatório. A consequência para a recusa em cumprir a prestação alternativa é a perda ou suspensão dos direitos políticos (CF, art. 15, IV).

Jurisprudência

> "(...). 4. Esse maior apego a fórmulas disciplinares de conduta não significa perda do senso crítico quanto aos reclamos elementarmente humanos desse incorporarem ao dia-a-dia das Forças Armadas incessantes ganhos de modernidade tecnológica e arejamento mental-democrático. Sabido que a vida castrense não é lavagem cerebral ou mecanismo comportamental, até porque diz a Constituição às Forças Armadas compete, na forma da lei, atribuir serviço alternativo aos que, em tempo de paz, após alistados, alegarem imperativo de consciência, entendendo-se como tal o decorrente de crença religiosa e de convicção filosófica ou política para se eximirem de atividades de caráter essencialmente militar (§ 1.º do art. 143)" (STF – Pleno, HC 103.684/DF, rel. Min. Ayres Britto, j. 21.10.2010).

"O nominado eximiu-se de prestar o serviço militar obrigatório em razão de convicção religiosa (Atestado – fls. 10), pelo que a regularização de sua situação eleitoral somente poderá ser deferida após ser promovida a quitação de suas obrigações para com o serviço militar e requerida ao Ministério da Justiça a reaquisição de seus direitos políticos." (TSE, Processo de Direitos Políticos 2.420/01, rel. Min. Garcia Vieira, DJ 1, 10.10.2001, p. 95).

§ 2.º As mulheres e os eclesiásticos ficam isentos do serviço militar obrigatório em tempo de paz, sujeitos, porém, a outros encargos que a lei lhes atribuir.

Doutrina

Isenção do serviço militar para mulheres e eclesiásticos. A isenção existe somente em tempo de paz, sujeitando-se os seus destinatários ao cumprimento de obrigação prevista em lei. Portanto, em tempo de guerra, estarão sujeitos à prestação de serviço militar. Deve-se entender por eclesiásticos todos os ministros de confissão religiosa, como, *v. g.*, os padres e os pastores.

Jurisprudência

"(...). 2. A mulher não está obrigada ao serviço militar, fazendo-o apenas voluntariamente, nos termos do art. 143, § 2.º, da Constituição: As mulheres e os eclesiásticos ficam isentos do serviço militar obrigatório, em tempo de paz, sujeitos, porém, a outros encargos que a lei lhes atribuir. 3. Na hipótese dos autos, a impetrante, formada em medicina, voluntariou-se ao serviço militar. Porém, tendo sido aprovada em curso de Residência Médica, modalidade de pós-graduação, requereu, meses depois do ingresso no Quadro de Aspirantes a Oficiais Temporários da Aeronáutica, o seu licenciamento. A Aeronáutica resistiu desnecessariamente, porque, não estando a mulher obrigada ao serviço militar, ainda que nele tenha ingressado voluntariamente, poderia no máximo cobrar os valores despendidos para o ingresso da então interessada na Força. 4. A formação acadêmica da impetrante não seria, por igual, impeditiva do licenciamento, porque a Lei n. 5.292, de

1967, com alterações posteriores, municia as Forças Armadas de poder convocatório de quantos, formados em Medicina, Farmácia, Odontologia ou Veterinária, sejam necessários aos seus serviços. 5. Portanto, ingressando voluntariamente, só voluntariamente poderia permanecer no serviço militar, interesse que desapareceu pela superveniente aprovação ao curso de Residência Médica. 6. Agravo e apelação desprovidos" (TRF1, AMS 001584-19.2010.4.01.3400/DF, rel. Des. Fed. Jamil Rosa, e-DJF1, 29.08.2016).

CAPÍTULO III
DA SEGURANÇA PÚBLICA

Art. 144. A segurança pública, dever do Estado, direito e responsabilidade de todos, é exercida para a preservação da ordem pública e da incolumidade das pessoas e do patrimônio, através dos seguintes órgãos:

I – polícia federal;

II – polícia rodoviária federal;

III – polícia ferroviária federal;

IV – polícias civis;

V – políticas militares e corpos de bombeiros militares;

VI – polícias penais federal, estaduais e distrital.

Doutrina

Segurança pública. Compreende os instrumentos e meios destinados a garantir a ordem pública interna e a incolumidade das pessoas e de seus bens e é exercida pelos órgãos estatais através da implementação de medidas de prevenção ou de repressão ao exercício de atividades ilícitas.

Ordem pública. Trata-se de um estado de seguro convívio social que permite aos membros de uma comunidade o desenvolvimento pacífico de suas atividades protegidos que se encontram de qualquer ameaça de perturbação ou desordem.

Estrutura da Segurança Pública. Integram a estrutura da segurança pública, não podendo esta ser ampliada por norma infraconstitucional, os seguintes órgãos: polícia federal, polícia rodoviária federal, polícia ferroviária federal, polícias civis dos Estados e do Distrito Federal, polícias penais dos Estados e do Distrito Federal e polícias militares e corpos de bombeiros militares dos Estados e do Distrito Federal.

Jurisprudência

> "(...). 2. No seu exercício de interpretação constitucional do Direito Penal e Processual Penal, o Supremo Tribunal Federal já consolidou o entendimento de que o uso de expressões fortemente retóricas ou emocionais, além do apelo à credibilidade da Justiça ou ao clamor público, não se prestam para preencher o conteúdo da expressão ordem pública. Seja porque não ultrapassam o campo da mera ornamentação linguística, seja porque desbordam da instrumentalidade inerente a toda e qualquer prisão provisória, antecipando, não raras vezes, o juízo sobre a culpa do acusado. 3. Em matéria de prisão cautelar, a expressão ordem pública, justamente, é a que me parece de mais difícil formulação conceitual. Como a Constituição fala de preservação da ordem pública e da incolumidade das pessoas e do patrimônio, fico a pensar que ordem pública é algo diferente da incolumidade das pessoas. É um *tertium genus*" (STF – 2.ª Turma, HC 111.244/SP, rel. Min. Ayres Britto, j. 10.04.2012).
>
> "Incompatibilidade, com o disposto no art. 144 da Constituição Federal, da norma do art. 180 da Carta Estadual do Rio de Janeiro, na parte em que inclui no conceito de segurança pública a vigilância dos estabelecimentos penais e, entre os órgãos encarregados dessa atividade, a ali denominada 'Polícia Penitenciária'" (STF

– Pleno, ADIN 236-8/RJ, rel. Min. Octávio Gallotti, DJ 1, 01.06.2001, p. 75).

"1. O art. 144, *caput*, da Constituição dispõe que a segurança pública é dever do Estado e é desenvolvida através dos órgãos enumerados em seus incisos, ao passo que os parágrafos do dispositivo cuidam de especificar a competência de cada órgão, com o fito de impedir eventual conflito de atribuições" (TRF1, AC 000052218200840013901, rel. Juíza Convocada Maria Cecília de Marco Rocha, e-DJF1, 07.03.2016).

§ 1.º A polícia federal, instituída por lei como órgão permanente, organizado e mantido pela União e estruturado em carreira, destina-se a:

I – apurar infrações penais contra a ordem política e social ou em detrimento de bens, serviços e interesses da União ou de suas entidades autárquicas e empresas públicas, assim como outras infrações cuja prática tenha repercussão interestadual ou internacional e exija repressão uniforme, segundo se dispuser em lei;

II – prevenir e reprimir o tráfico ilícito de entorpecentes e drogas afins, o contrabando e o descaminho, sem prejuízo da ação fazendária e de outros órgãos públicos nas respectivas áreas de competência;

III – exercer as funções de polícia marítima, aeroportuária e de fronteiras;

IV – exercer, com exclusividade, as funções de polícia judiciária da União.

Doutrina

Polícia Federal. Integra a estrutura do Ministério da Justiça como órgão permanente destinado a exercer as funções de polícia repressiva, nos limites da competência que lhe foi deferida pela Constituição Federal, e de polícia judiciária da União.

Competência da Polícia Federal. Compete à Polícia Federal: *a*) apurar os delitos cometidos contra a ordem política e social (em razão da matéria) e aqueles praticados em detrimento de bens, serviços ou interesses da União, de suas autarquias ou empresas públicas (em razão da pessoa); *b*) apurar outros delitos, na forma da lei, e desde que tenham repercussão em mais de um Estado ou mesmo internacional e que exijam atividades de repressão uniformes, quer dizer, semelhantes em todo o território nacional ou em parte dele; *c*) prevenir e reprimir o tráfico ilícito de entorpecentes e drogas afins, quer dizer, internar e distribuir de forma ilícita qualquer substância entorpecente ou droga assemelhada proibidas; *d*) prevenir e reprimir o contrabando (importação ou exportação de mercadoria proibida) e o descaminho (iludir, no todo ou em parte, o pagamento de direito ou imposto devido pela entrada, pela saída ou pelo consumo de mercadoria internada no país); *e*) exercer as funções de polícia marítima, aérea e de fronteiras, com o objetivo de prevenir ou reprimir qualquer atividade criminosa ou violação do nosso território ou do nosso espaço aéreo; *f*) exercer, em caráter de exclusividade, as atribuições de polícia judiciária da União, ou seja, investigar e apurar as condutas delituosas para concluir quanto à materialidade e autoria e viabilizar a persecução penal.

Jurisprudência

> "I – O poder-dever investigatório da Polícia Federal tem como diretriz as eventuais infrações promovidas contra os bens, serviços e interesses da União, suas autarquias e empresas públicas. II – Na espécie, a polícia judiciária da União é incompetente para apurar possível delito praticado contra estabelecimento de crédito privado. Inteligência do art. 144 da Constituição Federal" (TRF1, RHC 95.01.20328-0/DF, rel. Juiz Convocado César Carvalho, DJ 2, 07.03.1996, p. 12.785).
>
> "*Habeas Corpus*. Crime contra entidade de previdência privada. A Polícia Federal pode investigá-lo inde-

pendentemente de quem seja o juiz competente para processar e julgar a ação penal. 'Exercer, com exclusividade, as funções de polícia judiciária da União' (CF, art. 144, § 1.°, IV) não tem o mesmo significado de exercer exclusivamente as funções de polícia judiciária da União. Hipótese em que o fato imputado como crime teve repercussão interestadual (CF, art. 144, § 1.°, I). Ordem denegada, assegurando-se o prosseguimento do inquérito policial, com o só cuidado de que o indiciado não seja identificado e qualificado sem que antes, ou no mesmo ato, seja notificado dos crimes que se lhe imputam (CPP, art. 6.°, *caput*)" (TRF4, HC 89.04.03716/RS, rel. Juiz Convocado Ari Pargendler, DJ 2, 01.11.1989).

§ 2.° A polícia rodoviária federal, órgão permanente, organizado e mantido pela União e estruturado em carreira, destina-se, na forma da lei, ao patrulhamento ostensivo das rodovias federais.

Doutrina

Polícia Rodoviária Federal. Integra a estrutura do Ministério da Justiça como órgão permanente destinado a exercer exclusivamente as funções de patrulhamento ostensivo das rodovias federais.

§ 3.° A polícia ferroviária federal, órgão permanente, organizado e mantido pela União e estruturado em carreira, destina-se, na forma da lei, ao patrulhamento ostensivo das ferrovias federais.

Doutrina

Polícia Ferroviária Federal. Integra a estrutura do Ministério da Justiça como órgão permanente destinada a exercer exclusivamente as funções de patrulhamento ostensivo das ferrovias federais.

§ 4.º Às polícias civis, dirigidas por delegados de polícia de carreira, incumbem, ressalvada a competência da União, as funções de polícia judiciária e a apuração das infrações penais, exceto as militares.

Doutrina

Polícias Civis. São órgãos permanentes dirigidos por delegados de polícia de carreira que integram a polícia dos Estados e do Distrito Federal.

Competência das polícias civis. Compete às polícias civis a função de polícia judiciária e a apuração das infrações penais, exceto as militares e as de competência da Polícia Federal.

Jurisprudência

> "Se a Constituição Federal, no § 4.º do art. 144, estabelece que as polícias civis dos Estados serão dirigidas por Delegados de Polícia de carreira, não será possível, inclusive para as Constituições Estaduais, estabelecer uma carreira única nas polícias civis, dentro da qual se incluam os delegados, ainda que escalonados em categorias ascendentes. O que a Constituição exige é a existência de carreira específica de Delegado de Polícia para que membro seu dirija a Polícia Civil, tendo em vista, evidentemente, a formação necessária para o desempenho dos cargos dessa carreira. A ascensão funcional não mais é admitida pelo inciso II do art. 37 da atual Constituição. Ação direta de inconstitucionalidade que se julga procedente para declarar inconstitucional o § 1.º do art. 185 da Constituição do Estado do Rio de Janeiro" (STF – Pleno, ADIN 245/RJ, rel. Min. Moreira Alves, RTJ, 143/391).

§ 5.º Às polícias militares cabem a polícia ostensiva e a preservação da ordem pública; aos corpos de bombeiros militares, além das atribuições definidas em lei, incumbe a execução de atividades de defesa civil.

Doutrina

Polícias Militares. São órgãos permanentes, que integram a polícia dos Estados e do Distrito Federal, destinados a exercer as atividades de polícia ostensiva e de preservação ou restauração da ordem pública.

Corpos de Bombeiros Militares. São órgãos permanentes, que integram a polícia dos Estados e do Distrito Federal, destinados, principalmente, à execução de atividades de defesa civil e outras atribuições ligadas à segurança pública, na forma prevista em lei.

Jurisprudência

> Súmula do STF: 297 "Oficiais e praças das milícias dos Estados, no exercício de função policial civil, não são considerados militares para efeitos penais, sendo competente a justiça comum para julgar os crimes cometidos por ou contra eles."
>
> "Insere-se na competência da Justiça Militar o julgamento dos delitos praticados por militares contra civil com emprego de arma da corporação, sendo irrelevante não estar o agressor, de serviço (art. 8.º, II, *f*, do CPM)" (STJ – 3. Seção, CC 1.863/SP, rel. Min. Cid Flaquer Scartezzini, DJ 1, 01.07.1991, p. 9.159).

§ 5-A. Às polícias penais, vinculadas ao órgão administrador do sistema penal da unidade federativa a que pertencem, cabe a segurança dos estabelecimentos penais.

Doutrina

Secretarias de Administração Penitenciária. São os órgãos administradores do sistema penal, instituídos no âmbito dos Estados e do Distrito Federal, sendo a estes vinculadas as polícias penais a quem cabe a segurança dos estabelecimentos penais, tais como os presídios, as colônias penais etc.

§ 6.º As polícias militares e corpos de bombeiros militares, forças auxiliares e reserva do Exército subordinam-se, juntamente com as polícias civis e as polícias penais estaduais e distrital, aos Governadores dos Estados, do Distrito Federal e dos Territórios.

Doutrina

Subordinação da polícia. A norma constitucional, expressamente, subordina as polícias militares, os corpos de bombeiros militares, as polícias civis e as polícias penais aos governadores de Estado, do Distrito Federal e Territórios.

Reservas do Exército. As polícias militares e os corpos de bombeiros militares constituem-se em forças auxiliares e reserva do Exército, significando que se tratam de tropas disponíveis para auxílio ou reforço aos militares do Exército em situação de guerra contra inimigo estrangeiro.

Jurisprudência

> "De acordo com o art. 42 e § 2.º, da Constituição, são servidores militares do Distrito Federal os integrantes de sua Polícia Militar e de seu Corpo de Bombeiros Militares, sendo as patentes dos respectivos oficiais conferidas pelo Governador do Distrito Federal, a quem estão subordinados, *ut* art. 144, § 6.º, da Constituição. Emprestando ao art. 3.º e seus §§, da Lei 186, de 1991, a exegese que cabe atribuir-lhes, diante do disposto no art. 4.º do mesmo diploma, segundo o qual as despesas provenientes da execução dessa lei correrão à conta do

Distrito Federal, compreendendo-se, também, as relativas à incorporação aos proventos das gratificações nela previstas, não haver conflito dos dispositivos impugnados com as normas constitucionais trazidas a confronto (Constituição, art. 21, XIV, e § 4.º do art. 32). Ação direta de inconstitucionalidade julgada improcedente, cassada a liminar" (STF – Pleno, ADIN 677/DF, rel. Min. Néri da Silveira, DJ 1, 21.05.1993, p. 9.766).

A Constituição Federal ao prescrever (art. 21, XIV) que compete à União organizar e manter a polícia do Distrito Federal, em que pese o contrassenso de entregá-la depois ao comando do Governador (art. 144, § 6.º), parece não admitir à lei distrital que disponha sobre o essencial do verbo *manter*, que é estabelecer quanto custará pagar os quadros de servidores policiais. Desse modo, a liminar do Tribunal de Justiça local, que impõe a equiparação de vencimentos entre policiais – servidores mantidos pela União – e servidores do Distrito Federal parece que, ou impõe a este despesa que cabe à União ou, se a imputa a esta, emana de autoridade incompetente e, em qualquer hipótese, acarreta risco de grave lesão à ordem administrativa (STF, RTJ, 165/500).

As normas constitucionais relativas aos militares aplicam-se também aos policiais militares. Contudo, quanto ao limite de idade para transferência para a reserva, no silêncio da lei federal, tem validade plena a lei estadual que disciplina a matéria (STF, RDA, 179-180/148).

§ 7.º A lei disciplinará a organização e o funcionamento dos órgãos responsáveis pela segurança pública, de maneira a garantir a eficiência de suas atividades.

Doutrina

Organização e funcionamento da polícia. A legislação infraconstitucional disporá sobre a organização e o funcionamento dos órgãos de execução das medidas de segurança pública visando a garantir eficiência na atuação policial.

Jurisprudência

> "O Tribunal entendeu juridicamente relevante a questão de saber se o § 7.º do art. 144 da CF, que remete à lei ordinária a organização dos órgãos responsáveis pela segurança pública, se aplica à lei orgânica da polícia civil estadual. Embora o dispositivo esteja em vigor há anos, reconheceu-se, em lugar do *periculum in mora*, a conveniência de deferimento da cautelar pela relevância jurídica da questão. Precedente citado: ADINMC 1.87/RJ (DJU de 7-4-95)" (STF – Pleno, ADIN 2.314/RJ, MC, rel. Min. Moreira Alves, j. 25.04.2001).

§ 8.º Os Municípios poderão constituir guardas municipais destinadas à proteção de seus bens, serviços e instalações, conforme dispuser a lei.

Doutrina

Guarda municipal. Trata-se de órgão de natureza administrativa, criado por lei local, com atribuições ligadas à proteção do patrimônio público do Município, como são os parques, as praças, os jardins e os prédios públicos municipais. Não tem função de polícia ostensiva ou judiciária.

Jurisprudência

> "Guarda municipal é guarda de patrimônio público municipal e que não está investida de funções de natureza policial, não lhe cabendo arvorar-se em agente policial e dar busca pessoal em quem quer que seja e sem razão plausível, pelo que o manifesto abuso dos guardas leva a que se lhe rejeitem os informes prestados" (TJSP, ACr 96.007-3/0, rel. Des. Weiss Andrade).

"Resistência. Não caracterização. Oposição a diligência efetuada por guardas municipais. Incompetência destes para abordar, revistar ou prender alguém por porte ilegal de arma. Art. 144, § 8.º, da Constituição da República. Recurso provido." (TJSP, Recurso em Sentido Estrito 157.154-3, rel. Des. Dante Busana, JTJ/SP-LEX 157/293).

§ 9.º A remuneração dos servidores policiais integrantes dos órgãos relacionados neste artigo será fixada na forma do § 4.º do art. 39.

Doutrina

Remuneração dos servidores policiais. A norma constitucional estende aos servidores policiais o sistema remuneratório de subsídio. Este deverá ser fixado por lei e não poderá ultrapassar o limite máximo de remuneração praticado no Estado.

Jurisprudência

"É inconstitucional a norma de Constituição do Estado-membro que disponha sobre valor da remuneração de servidores policiais militares" (STF – Pleno, ADIN 3.555/MA, rel. Min. Cezar Peluso, j. 04.03.2009).

A disciplina jurídica da remuneração devida aos servidores e agentes públicos em geral está sujeita ao princípio da reserva legal absoluta. Esse postulado de índole constitucional submete ao domínio normativo da lei formal a veiculação das regras pertinentes ao instituto do estipêndio funcional (STF, LEX 190/162).

§ 10. A segurança viária, exercida para a preservação da ordem pública e da incolumidade das pessoas e de seu patrimônio nas vias públicas:

I – compreende a educação, engenharia e fiscalização de trânsito, além de outras atividades previstas em lei, que assegurem ao cidadão o direito à mobilidade urbana eficiente; e

II – compete, no âmbito dos Estados, do Distrito Federal e dos Municípios, aos respectivos órgãos ou entidades executivos e seus agentes de trânsito, estruturados em carreira, na forma da lei.

Doutrina

Segurança viária. É destinada a garantir a preservação da ordem pública, da proteção das pessoas e de seu patrimônio no conjunto das vias públicas da zona urbana das cidades.

Atividades de segurança viária. Compreendem a educação para o trânsito, as obras de engenharia e fiscalização de trânsito, além de outras tarefas previstas em lei com a finalidade de assegurar ao cidadão o direito à mobilidade urbana eficiente e confortável.

Competência para estruturar o sistema viário urbano. Compete, no âmbito dos Estados, do Distrito Federal e dos Municípios, aos respectivos órgãos instituídos por lei (*v.g.*, os serviços de trânsito, as companhias de engenharia de tráfego), a execução da política de trânsito estruturada e executada por seus agentes de trânsito, integrantes de carreiras criadas na forma da lei.

TÍTULO VI
DA TRIBUTAÇÃO E DO ORÇAMENTO

CAPÍTULO I
DO SISTEMA TRIBUTÁRIO NACIONAL

Seção I
DOS PRINCÍPIOS GERAIS

Art. 145. A União, os Estados, o Distrito Federal e os Municípios poderão instituir os seguintes tributos:

Doutrina

Sistema Tributário Nacional. É o conjunto de normas jurídicas que dispõem sobre os institutos de direito tributário e sobre o exercício do poder de tributar conferido pela Constituição aos entes políticos integrantes da Federação. O sistema tributário nacional surgiu com a Emenda Constitucional 18, de 01.12.1965, que reformulou completamente as bases de tributação no Brasil e, desde então, todas as Cartas Políticas têm tratado de estruturá-lo constitucionalmente.

Princípios gerais. A expressão é usada aqui não no sentido clássico de verdade fundante de um sistema jurídico, mas no sentido de regras fundamentais que deverão integrar a estruturação do sistema tributário nacional.

Outorga de competência. A Constituição Federal não cria tributo e sim outorga competência para cada uma das pessoas políticas (União, Estados, Distrito Federal e Municípios) instituírem os tributos que lhes forem conferidos. Isso se faz necessário, pois, numa Federação, os entes federados devem titularizar competência para instituir e cobrar tributos capazes de garantir-lhes renda própria, indispensável para tornar efetiva a sua autonomia.

Repartição da competência tributária. No que se refere aos impostos, a União poderá instituir os previstos nos artigos 153 e 154; os Estados-membros aqueles previstos no artigo 155; os Municípios aqueles previstos no artigo 156; e o Distrito Federal poderá instituir aqueles previstos nos artigos 147 e 155.

Tributo. É toda prestação pecuniária compulsória, em moeda ou cujo valor nela se possa exprimir, que não constitua sanção de ato ilícito, instituída em lei e cobrada mediante atividade administrativa plenamente vinculada (CTN, art. 3.º). Tributo é gênero que compreende as seguintes espécies: impostos, taxas, empréstimos compulsórios e contribuições (sociais e de melhoria).

Jurisprudência

Os princípios constitucionais tributários são postulados que têm por destinatário exclusivo o poder estatal, que se submete à imperatividade de suas restrições (STF, RTJ, 144/435).

A competência tributária do ente que titulariza o poder de instituir um tributo compreende, também, o poder de editar, em favor do contribuinte, norma legal que disponha sobre a suspensão e até a própria exclusão do crédito tributário (STF, RTJ, 144/435).

I – impostos;

Doutrina

Impostos. São tributos cuja obrigação tem por fato gerador uma situação independente de qualquer atividade estatal específica, relativa ao contribuinte (CTN, art. 16). Quer dizer, os impostos não obrigam o Estado a qualquer contraprestação, por isso são denominados de tributos não vinculados.

Jurisprudência

"(...). Saber se a indenização é, ou não, para efeito do artigo 153, III, da Constituição, é questão constitucional, como entendeu o acórdão recorrido, até porque não pode a Lei infraconstitucional definir como renda o que insitamente não o seja" (STF – 1.ª Turma, RE 188.684/SP, rel. Min. Moreira Alves, j. 16.04.2002).

"As contribuições previdenciárias, que têm natureza parafiscal, ou especial, pertencem ao gênero tributo – CTN, arts. 5.º e 217 – e não se classificam como impostos. Estes constituem espécie distinta, definida no art. 16 do CTN como exação cuja obrigação tem por fato gerador uma situação independente de qualquer atividade estatal específica relativa ao contribuinte." (TFR, MS 4.623-01/PR, rel. Min. Moacir Catunda, Ementário, v. 4.623-01, p. 75).

II – taxas, em razão do exercício do poder de polícia ou pela utilização, efetiva ou potencial, de serviços públicos específicos e divisíveis, prestados ao contribuinte ou postos a sua disposição;

Doutrina

Taxas. São tributos que têm como fato gerador o exercício regular do poder de polícia, ou a utilização, efetiva ou potencial, de serviço público específico e divisível, prestado ao contribuinte ou colocado à sua disposição. Portanto, as taxas somente podem ser exigidas em face de uma contraprestação por parte do poder público.

Poder de polícia. Trata-se de atividade exercida pela Administração com o objetivo de regular ou limitar direito em face de um interesse coletivo. Compreende todas as atividades administrativas de polícia, como, *v. g.*, polícia de construção, polícia de higiene, polícia de alimentos, enfim, todas as atividades de fiscalização exercidas pelo poder público.

Taxas pela prestação de serviços. Poderão ser instituídas pela utilização efetiva ou potencial de serviços públicos específicos e divisíveis prestados ao contribuinte ou postos à sua disposição. Serviços específicos são aqueles prestados em unidades autônomas. Serviços divisíveis são aqueles que comportam medição.

Jurisprudência

Súmulas Vinculantes do STF: 19: "A taxa cobrada exclusivamente em razão dos serviços públicos de coleta, remoção e tratamento ou destinação de lixo ou resíduos provenientes de imóveis, não viola o artigo 145, II, da Constituição Federal." 41: "O serviço de iluminação pública não pode ser remunerado mediante taxa."

Súmulas do STF: 348: "É constitucional a criação de taxa de construção, conservação e melhoramentos de estradas". 545: "Preços de serviços públicos e taxas não se confundem, porque estas, diferentemente daqueles, são compulsórias e têm sua cobrança condicionada à prévia autorização orçamentária, em relação à lei que as instituiu".

Súmula do STJ: 157: "É legítima a cobrança de taxa, pelo Município, na renovação de licença para localização de estabelecimento comercial ou industrial".

"Agravo regimental no recurso extraordinário. Taxa de coleta de lixo. Constitucionalidade. Débitos da Fazenda Pública. Juros e correção monetária. Necessidade de legislação que discipline a matéria. Sucumbência. Juízo da Execução. 1. A taxa de limpeza pública, quando não vinculada a limpeza de ruas e de logradouros públicos, constitui tributo divisível e específico, atendido ao disposto no artigo 145, II, da CB/88. Precedentes. 2. O fato de um dos elementos utilizados na fixação da base de cálculo do IPTU ser considerado quando da determinação da alíquota da taxa de coleta de livro não significa que ambos tenham a mesma base de cálculo. Precedentes. 3. A correção monetária e a incidência de juros sobre os débitos da Fazenda Pública dependem de lei que regulamente a matéria. Precedentes. Os honorários de sucumbência devem ser decididos no juízo da execução. Agravo regimental a que se nega provimento" (STF – 2.ª Turma, RE 532.940/PR AgRg, rel. Min. Eros Grau, j. 24.06.2008).

"Taxa de iluminação pública. Recentemente, o Plenário desta Corte, ao julgar os RREE 231.764 e 233.332, firmou o entendimento de que é inconstitucional a instituição de taxa de iluminação pública, porquanto essa atividade estatal tem caráter *uti universi*, destinando-se a beneficiar a população em geral, não podendo ser destacada em unidades autônomas, não sendo permitida a individualização de sua área de atuação, nem se apresentando susceptível de utilização separada por cada um dos usuários do serviço." (STF – 1.ª Turma, RE 228.832-4/RJ, rel. Min. Moreira Alves, DJ, I, 04.06.1999, p. 21).

"Processual Civil e Tributário. Agravo contra decisão que negou provimento ao Recurso Especial. Decisão monocrática. Taxa Municipal. Motivação Constitucional. 1. A jurisprudência do STJ é firme no sentido de que os artigos 77, 78 e 79 do CTN reproduzem as regras previstas no artigo 145 da Constituição Federal, razão pela qual não é possível o exame daqueles dispositivos infraconstitucionais pelo STJ, sob pena de usurpação da competência do Supremo Tribunal Federal. 2. Agravo interno não provido" (STJ – 2.ª Turma, AREsp 1.284.980, rel. Min. Herman Benjamin, DJE, 21.11.2018).

"Nos serviços públicos relativos a conservação de vias públicas e logradouros e de combate a sinistros, encontram-se presentes os requisitos de especificidade e da divisibilidade (arts. 77 e 79 do CTN). As taxas de consumação desses serviços têm como fato gerador 'o exercício do poder de polícia, a utilização efetiva ou potencial, do serviço público específico e divisível, prestado ao contribuinte ou posto à sua disposição'. Na espécie, está a recorrida sujeita à cobrança das Taxas de Conservação de Vias Públicas e Logradouros e de Limpeza Pública, bem como de Combate a sinistros. Precedentes. Recurso provido, por unanimidade." (STJ – 1.ª Turma, REsp 32.870/SP, rel. Min. Demócrito Reinaldo, RSTJ, 53/244).

III – contribuição de melhoria, decorrente de obras públicas.

Doutrina

Contribuição de melhoria. Qualquer ente político, no âmbito de sua competência, pode instituir e cobrar contribuição de melhoria incidente sobre a valorização de imóvel do contribuinte em razão de obra pública por ele realizada. Portanto, a contribuição somente será exigida se decorrente de obra pública e desde que, em face desta, tenha ocorrido valorização imobiliária, sendo esta o seu fato gerador.

Jurisprudência

"A base de cálculo da contribuição de melhoria é a valorização imobiliária, ou seja, a diferença entre o valor do imóvel antes do início da obra e o valor do mesmo após a conclusão da obra. Não havendo aumento do valor do imóvel, impossível a cobrança do tributo" (STJ – 2.ª Turma, REsp 143.996/SP, rel. Min. Peçanha Martins, DJ 1, 06.12.1999, p. 76).

§ 1.º Sempre que possível, os impostos terão caráter pessoal e serão graduados segundo a capacidade econômica do contribuinte, facultado à administração tributária, especialmente para conferir efetividade a esses objetivos, identificar, respeitados os direitos individuais e nos termos da lei, o patrimônio, os rendimentos e as atividades econômicas do contribuinte.

Doutrina

Caráter pessoal dos impostos. Os impostos são de caráter real, ou objetivos, e de caráter pessoal, ou subjetivos. Ora, os impostos somente terão caráter pessoal quando se tratar de tributo subjetivo, aquele que ao atingir o patrimônio ou a renda do contribuinte leva em consideração a situação pessoal, como é o caso do imposto de renda. A norma constitucional refere-se somente a estes impostos.

Capacidade contributiva. Os impostos de caráter pessoal serão graduados de acordo com a capacidade econômica do contribuinte. O que pretende a norma constitucional é fazer a distribuição dos encargos tributários e garantir que cada um contribua segundo as forças de sua fortuna e a sua condição pessoal.

Identificação do patrimônio e da renda do contribuinte. Para tornar efetivos o caráter pessoal dos impostos e a tributação do cidadão segundo a sua capacidade contributiva, a norma constitucional faculta ao fisco que proceda, nos limites da lei, sendo esta reverente aos direitos individuais, à investigação necessária para a identificação do patrimônio, renda e atividades econômicas exercidas pelo contribuinte.

Jurisprudência

"I. Nos termos do art. 145, § 1.º, da CF, todos os impostos, independentemente de seu caráter real ou pessoal, devem guardar relação com a capacidade contributiva do sujeito passivo e, tratando-se de impostos diretos, será legítima a adoção de alíquotas progressivas" (STF – 2.ª Turma, RE 720.945/SP AgRg, rel. Min. Ricardo Lewandowski, j. 09.09.2014).

Somente é admissível a progressividade do IPTU, imposto de natureza real em que não se pode levar em consideração a capacidade econômica do contribuinte, para a finalidade extrafiscal de assegurar o cumprimento da função social da propriedade, desde que obedecidos os requisitos previstos na Constituição Federal (STF, RT, 768/158).

§ 2.º As taxas não poderão ter base de cálculo própria de impostos.

Doutrina

Base de cálculo das taxas. Base de cálculo é a grandeza econômica sobre a qual incidirá a alíquota, decorrendo daí o valor do tributo. A norma constitucional veda o uso de base de cálculo própria de imposto para a exigência de taxa com o claro objetivo de evitar o aumento disfarçado de imposto.

Jurisprudência

Súmula Vinculante do STF: 29: "É constitucional a adoção, no cálculo do valor de taxa, de um ou mais elementos da base de cálculo própria de determinado imposto, desde que não haja integral identidade entre uma base e outra".

Súmulas do STF: 348: "É constitucional a criação de taxa de construção, conservação e melhoramentos de estradas". 595: "É inconstitucional a taxa municipal de conservação de estradas de rodagem, cuja base de cálculo seja idêntica à do Imposto Territorial Rural".

Súmulas do STJ: 80: "A Taxa de Melhoramento dos Portos não se inclui na base de cálculo do ICMS". 124: "A Taxa de Melhoramento dos Portos tem base de cálculo diversa do Imposto de Importação, sendo legítima a sua cobrança sobre a importação de mercadorias de países signatários do GATT, da ALALC ou ALADI".

"Taxa de Limpeza Pública. Município de Belo Horizonte. Base de Cálculo. Coincidência com a do IPTU. Artigo 145 da Constituição Federal. 1. A corte de origem deliberou sobre a correspondência entre as bases de cálculo do IPTU e da taxa de limpeza pública, mesmo não tendo se referido expressamente ao art. 145, § 2.º, da Constituição Federal. Questão devidamente prequestionada. 2. A posição adotada pelo Tribunal a quo, contudo, encontra-se coerente com o decidido pelo Plenário desta Corte, que, no julgamento do RE 232.393 (Sessão de 12/08/1999) fixou entendimento no sentido de que 'o fato de um dos elementos utilizados na fixação da base de cálculo do IPTU – a metragem da área construída do imóvel – que é o valor do imóvel (CTN, art. 33), ser tomado em linha de conta na determinação da alíquota da taxa de coleta de lixo, não quer dizer que teria essa taxa base de cálculo igual à do IPTU.' 3. Falta de prequestionamento do disposto no inciso II do mesmo artigo 145 da Constituição. Controvérsia referente à especificidade e divisibilidade da taxa de limpeza pública não dirimida pelo Tribunal a quo. Súmulas STF n.ºs 282 e 356. 4. Agravo regimental improvido" (STF – 2.ª Turma, RE 346.695/MG AgRg, rel. Min. Ellen Gracie, j. 02.12.2003).

"Taxa de Licenciamento de Importação. Art. 10 da Lei 2.145/53. Redação dada pelo art. 1.º da Lei 7.690/88. Tributo cuja base de cálculo coincide com a que corresponde ao Imposto de Importação, ou seja, o valor da mercadoria importada. Inconstitucionalidade que se declara do dispositivo legal em referência, em face da norma do art. 145, § 2.º, da Constituição Federal de 1988" (STF – Pleno, RE 167.992/PR, rel. Min. Ilmar Galvão, Ementário, v. 1.774-07, p. 1.376).

"Tributário. Lei n.º 10.921/90, que deu nova redação aos arts. 7.º, 87 e incisos I e II e 94 da Lei n.º 6.989/66, do Município de São Paulo. Imposto sobre a propriedade predial e territorial urbana. Taxa de limpeza pública e de conservação de vias e logradouros públicos. Inconstitucionalidade dos dispositivos sob enfoque. O primeiro, por instituir alíquotas progressivas alusivas ao IPTU, em razão do valor do imóvel, com ofensa ao art. 182, § 4.º, II, da Constituição Federal, que limita a faculdade contida no art. 156, § 1.º, a observância do disposto em lei federal e a utilização do fator tempo para a graduação do tributo. Os demais, por haverem violado a norma do art. 145, parág. 2.º, ao tomarem para base de cálculo das taxas de limpeza e conservação de ruas elementos que o STF tem por fator de componente da base de cálculo do IPTU, qual seja, a área de imóvel e a extensão deste no seu limite com o logradouro público. Taxas que, de qualquer modo, no entendimento deste Relator, têm por fato gerador prestação de serviço inespecífico, não mensurável, indivisível e insuscetível de ter referido a determinado contribuinte, não tendo de ser custeado senão por meio do produto da arrecadação dos impostos gerais." (STF – Pleno, RE 204.827-5/SP, rel. Min. Ilmar Galvão, DJ 1, 25.04.1997, p. 15.213).

"1. A base de cálculo da taxa, consistindo em remuneração ou contraprestação de serviço público, deve guardar pertinência com a natureza do seu fato gerador, não podendo ser diversa do seu pressuposto. O seu valor só pode ser fixado com base no custo do serviço, sob pena de ficar desnaturada. 2. Os precedentes jurisprudenciais, com o sonido da doutrina, evidenciam que a taxa de emissão de guia de importação não pode ter como base de cálculo o valor da guia de importação, que espelha a própria expressão do Imposto de Importação devido (Dec-lei n.º 37/66, art. 2.º)" (STJ, REsp 37.953/ES, rel. Min. Milton Luiz Pereira, DJ, 08.05.1995, p.12.305).

Art. 146. Cabe à lei complementar:

Doutrina

Lei complementar tributária. O Código Tributário Nacional (Lei n.º 5.172, de 25 de outubro de 1966) foi aprovado durante a vigência da Emenda Constitucional n.º 18, de 1965, com índole de lei complementar e assim foi recepcionado pela Constituição Federal de 1988.

Normas gerais de direito tributário. As matérias listadas, notadamente no inciso III, alíneas a e b são tratadas, de forma geral, no âmbito do Código Tributário Nacional, como lei básica de tributação do país. Como o dispositivo constitucional fala em normas gerais, estas são de competência legislativa da União.

Jurisprudência

"O Código Tributário Nacional constitui o Direito Tributário fundamental. Encerra princípios e normas gerais desse setor dogmático. O restante da legislação respectiva, salvo alteração por lei de igual hierarquia, a ele se adapta" (STJ – 2.ª Turma, REsp 4.310/PR, rel. Min. Luiz Vicente Cernicchiaro, DJ, 09.10.1990, p. 10.888).

I – dispor sobre conflitos de competência, em matéria tributária, entre a União, os Estados, o Distrito Federal e os Municípios;

Doutrina

Conflitos de competência. Somente é possível ocorrer conflito de competência com relação aos impostos, pois, no tocante às taxas e contribuição de melhoria, cada ente poderá instituí-las e cobrá-las. E mesmo com relação aos impostos, para evitar conflitos de competência, a Constituição, de um lado, atribui competência para cada ente político instituir aqueles que lhe conferiu e, de outro, proíbe a criação de impostos concorrentes.

Jurisprudência

> "O Plenário declarou a constitucionalidade das Leis 5.886/87 e 6.374/89 do Estado de São Paulo que estabeleceram a incidência do ICMS sobre o total das chamadas operações mistas, envolvendo circulação de mercadorias e prestação de serviços" (STF – Pleno, RE 179.202-7/SP, rel. Min. Octávio Gallotti, DJ, I, 27.10.1995, p. 36.348).

> "No âmbito da legislação concorrente, a competência da União fica limitada ao estabelecimento de normas gerais (que devem fixar princípios da matéria relacionada no artigo 24 da Constituição Federal), não excluindo a competência suplementar dos Estados" (STJ – 1.ª Turma, ROMS 9.915/ES, rel. Min. Francisco Falcão, DJ I, 05.06.2000, p. 120).

II – regular as limitações constitucionais ao poder de tributar;

Doutrina

Limitações constitucionais ao poder de tributar. São regras destinadas ao Estado com o objetivo de limitar o exercício do poder de criar e exigir o pagamento de tributos. Além das limitações previstas na Constituição, outras poderão ser instituídas por meio de lei complementar, pois somente a esta cabe tratar da matéria.

Jurisprudência

Os princípios constitucionais tributários, como garantias outorgadas aos contribuintes pelo ordenamento estatal, justificam a sua existência ao impor limites ao poder de tributar do Estado, sendo este o seu destinatário exclusivo, devendo, pois, submeter-se à imperatividade de suas restrições (STF, RTJ, 144/435).

III – estabelecer normas gerais em matéria de legislação tributária, especialmente sobre:

a) definição de tributos e de suas espécies, bem como, em relação aos impostos discriminados nesta Constituição, a dos respectivos fatos geradores, bases de cálculo e contribuintes;

b) obrigação, lançamento, crédito, prescrição e decadência tributários;

c) adequado tratamento tributário ao ato cooperativo praticado pelas sociedades cooperativas;

d) definição de tratamento diferenciado e favorecido para as microempresas e para as empresas de pequeno porte, inclusive regimes especiais ou simplificados no caso do imposto previsto no art. 155, II, das contribuições previstas no art. 195, I e §§ 12 e 13, e da contribuição a que se refere o art. 239.

Doutrina

Reserva de lei complementar. A lei que dispõe sobre o sistema tributário nacional é de natureza complementar e cabe-lhe, principalmente, dispor sobre conflitos de competência, em matéria tributária, entre os entes federados; regular as limitações constitucionais ao poder de tributar; criar normas gerais em matéria de legislação tributária, notadamente sobre definição de tributos e de suas espécies, obrigação, lançamento, crédito, prescrição e decadência tributários; tratamento tributário ao ato cooperativo; tratamento tributário diferenciado e favorecido às microempresas, às empresas de pequeno porte, na forma definida na norma constitucional ora anotada.

Jurisprudência

> "Prescrição e decadência tributárias. Matérias reservadas à lei complementar. Disciplina no Código Tributário Nacional. Natureza tributária das contribuições para a Seguridade Social. Inconstitucionalidade dos arts. 45 e 46 da Lei 8.212/91 e do parágrafo único do art. 5.º do Decreto-lei 1.569/77. Recurso extraordinário não provido. Modulação dos efeitos da declaração de inconstitucionalidade. I. Prescrição e decadência tributárias. Reserva de Lei Complementar. As normas relativas à prescrição e à decadência tributárias têm natureza de normas gerais de direito tributário, cuja disciplina é reservada a lei complementar, tanto sob a Constituição pretérita (art. 18, § 1.º, da CF de 1967/69) quanto sob a Constituição atual (art. 146, III, b, da CF de 1988). Interpretação que preserva a forma normativa da Constituição, que prevê disciplina homogênea, em âmbito nacional, da prescrição, decadência, obrigação e crédito tributários. Permitir regulação distinta sobre esses temas, pelos diversos entes da federação, implicaria prejuízo à vedação de tratamento desigual entre contribuintes em situação equivalente e à segurança jurídica. II. Disciplina prevista no Código Tributário Nacional. O Código Tributário Nacional (Lei 5.172/1966), promulgado como lei ordinária e recebido como lei complementar pelas Constituições de 1967/69 e 1988, disciplina a prescrição e a decadência tributárias. III. Natureza tributária das contribuições. As contribuições, inclusive as previdenciárias, têm natureza tributária e se submetem ao regime jurídico-tributário previsto na Constituição. Interpretação do art. 149 da CF de 1988. Precedentes. IV. Recurso extraordinário não provido. Inconstitucionalidade dos arts. 45 e 46 da Lei 8.212/91, por

violação do art. 146, III, b, da Constituição de 1988 e do parágrafo único do art. 5.º do Decreto-lei 1.565/77, em face do § 1.º do art. 18 da Constituição de 1967/1969. V. Modulação dos efeitos da decisão. Segurança jurídica. São legítimos os recolhimentos efetuados nos prazos previstos nos arts. 45 e 46 da Lei 8.212/91 e não impugnados antes da data de conclusão deste julgamento" (STF – Pleno, RE 560.626/RS, rel. Min. Gilmar Mendes, j. 12.06.2008).

"Tributo – regência – art. 146, inciso III, da Constituição Federal – natureza. O princípio revelado no inciso III do artigo 146 da Constituição Federal há de ser considerado em face da natureza exemplificativa do texto, na referência a certas matérias. Multa – tributo – disciplina. Cumpre à legislação complementar dispor sobre os parâmetros da aplicação da multa, tal como ocorre no artigo 106 do Código Tributário Nacional. Multa – contribuição social – restrição temporal – artigo 35 da Lei 8.212/91. Conflita com a Carta da República – artigo 146, inciso III – a expressão 'para os fatos geradores ocorridos a partir de 1.º de abril de 1977', constante do artigo 35 da Lei n.º 8.212/91, com a redação decorrente da Lei n.º 9.528/97, ante o envolvimento da matéria cuja disciplina é reservada à lei complementar" (STF – Pleno, RE 407.190/RS, rel. Min. Marco Aurélio, j. 27.10.2004).

"A lei ordinária que dispõe a respeito de matéria reservada à lei complementar usurpa competência fixada na Constituição Federal, incidindo no vício de inconstitucionalidade; o Código Tributário Nacional, na parte em que dispõe sobre normas gerais, embora lei ordinária, cumpre função de lei complementar, conforme iterativos pronunciamentos do Supremo Tribunal Federal" (STJ – 1.ª Turma, REsp 129.925/RS ED, rel. Min. Ari Pargendler, DJ 1, 15.05.2000, p. 115).

"Os Estados também legislam sobre Direito Tributário. A competência da União para legislar sobre normas gerais não exclui a competência suplementar dos

Estados e se não existir lei federal dispondo sobre essas normas, sua competência será plena" (STJ – 1.ª Turma, ROMS 3.294/GO, rel. Min. Garcia Vieira, DJ 1, 12.09.1994, p. 23.721).

Parágrafo único. A lei complementar de que trata o inciso III, *d*, também poderá instituir um regime único de arrecadação dos impostos e contribuições da União, dos Estados, do Distrito Federal e dos Municípios, observado que:

I – será opcional para o contribuinte;

II – poderão ser estabelecidas condições de enquadramento diferenciadas por Estado;

III – o recolhimento será unificado e centralizado e a distribuição da parcela de recursos pertencentes aos respectivos entes federados será imediata, vedada qualquer retenção ou condicionamento;

IV – a arrecadação, a fiscalização e a cobrança poderão ser compartilhadas pelos entes federados, adotado cadastro nacional único de contribuintes.

Doutrina

Regime de tratamento diferenciado e regime único de arrecadação. São assuntos tratados pela Lei Complementar n.º 123, de 14 de dezembro de 2006, que institui o Regime Especial Unificado de Tributos e Contribuições devidos pelas microempresas e empresas de pequeno porte, o chamado Simples Nacional.

Jurisprudência

"Tributário. Agravo Regimental no Recurso Especial. Débitos Tributários. Regime de recolhimento denominado SIMPLES. Adesão ao parcelamento previsto pela Lei 11.941/2009. Impossibilidade. 1. O Regime Especial Unificado de Arrecadação de Tributos e Contribuições devidos pelas Microempresas e Empresas de Pequeno Porte (Simples Nacional), foi instituído pela Lei Complementar 123, de 2006, estabelecendo tratamento tributário diferenciado e favorecido a empresas no âmbito da União, dos Estados, do Distrito Federal e dos Municípios, mediante regime único de arrecadação dos tributos. 2. O Simples Nacional é administrado pela Procuradoria-Geral da Fazenda Nacional e pela Receita Federal, sendo regulado pelo Comitê Gestor do Simples Nacional (CGSN), instituído pelo Decreto 6.038, de 7.2.2007, vinculado ao Ministério da Fazenda e composto por representantes da União, dos Estados, do Distrito Federal e dos Municípios. 3. Na hipótese, o Tribunal de origem consignou que 'no caso, os débitos foram parcelados nos termos do art. 79 da LC 123/2006 com vistas ao ingresso no Simples Nacional (...)'. O fato de esses débitos constituírem saldo remanescente do parcelamento para ingresso no Simples Nacional não obsta a pretensão da impetrante de sua inclusão no parcelamento da Lei 11.941/09 (...). 4. Esta Corte já se pronunciou no sentido da legalidade da Portaria Conjunta PGFN/RFB 06/1009, a qual vedou a inclusão das empresas optantes pelo Sistema Nacional no parcelamento previsto na Lei 11.941/2009, por entender que apenas Lei Complementar pode criar parcelamentos de débitos que englobam tributos de outros entes da federação, nos termos do art. 146 da Constituição Federal. Assim, em não havendo a referida lei, não se pode autorizar a inclusão dos optantes pelo Simples Nacional no referido parcelamento. 5. Ademais, a jurisprudência do STJ firmou no sentido de que as leis 10.522/2002 e 11.941/09 não permitem o parcelamento de débitos apurados sob o regime de recolhimento denominado SIMPLES, seja o Federal, anteriormente regulado pela Lei 9.317/1996, a qual expressamente vedava a concessão do benefício; seja o nacional, que substituiu o anterior, regulado pela LC 123/2006, a qual abrange tanto tributos federais quanto outros não alcançados pelos referidos parcelamentos. 6. Agravo Regimental não provido" (STJ – 2.ª Turma, AREsp 1.565.979/, rel. Min. Herman Benjamin, DJE, 23.05.2016).

"1. As sociedades cooperativas têm uma grande importância, o que a evolução histórica e a valorização dos diversos países demonstram, uma vez que assegura a sobrevivência dos pequenos em face da grandeza das sociedades comerciais, mormente nesta era de profundas modificações motivadas pela globalização. 2. No Brasil, houve uma sucessão de privilégios fiscais em relação a tais entidades. 3. Quando se tratou de elaborar uma nova constituição, foi proposta regra que beneficiava amplamente as cooperativas. 4. Somente a atual Constituição tratou expressamente das cooperativas. 5. A pretensão foi satisfeita em extensão bem menor do que a apresentada. Todavia, a norma era de eficácia reduzida. 6. O termo 'adequado tratamento tributário' refere-se à correta adequação dos fatos decorrentes das atividades cooperativas aos preceitos que criam tributos. 7. Enquanto não for editada a lei complementar prevista no art. 146, III, c, da CF de 1988, as sociedades cooperativas permanecem na situação de qualquer sociedade quanto à imposição de tributos. 8. O que não se pode fazer é tributar em hipóteses em que impossível a incidência, o que é o caso do lucro, que inexiste no ato cooperativo segundo a própria lei de regência estabelece. Hipóteses de não-incidência" (TRF4, Corte Especial, ApReeNec 199970050035020 – arguição de inconstitucionalidade, rel. Des. Fed. Luiz Carlos de Castro Lugon, DJ, 23.01.2002, p. 177).

Art. 146-A. Lei Complementar poderá estabelecer critérios especiais de tributação, com o objetivo de prevenir desequilíbrios da concorrência, sem prejuízo da competência da União, por lei, estabelecer normas de igual objetivo.

Doutrina

Tributação e desequilíbrio da concorrência. A Emenda Constitucional 42, de 19 de dezembro de 2003, acrescentou este artigo ao texto da Constituição com a finalidade de autorizar o legislador infraconstitucional a estabelecer, mediante lei complementar, regras especiais de tributação com a finalidade de evitar a eventual quebra de equilíbrio entre o poder de tributar e as regras de concorrência.

Jurisprudência

> "(...). Só cabe lei complementar, no sistema de direito positivo brasileiro, quando formalmente reclamada a sua edição por norma constitucional explícita" (STF – Pleno, ADIN 789/DF, rel. Min. Celso de Mello, DJ 1, 19.12.1994, p. 35.180).

Art. 147. Competem à União, em Território Federal, os impostos estaduais e, se o Território não for dividido em Municípios, cumulativamente, os impostos municipais; ao Distrito Federal cabem os impostos municipais.

Doutrina

Competência tributária da União nos Territórios. Compete à União instituir nos Territórios Federais os impostos atribuídos aos Estados e, se aqueles não forem divididos em Municípios, cumulativamente, os impostos municipais.

Competência tributária do Distrito Federal. Compete ao Distrito Federal instituir e cobrar, além dos tributos previstos no artigo 155 da Constituição Federal, também os impostos municipais.

Jurisprudência

> "Embora o fato gerador tenha ocorrido antes da transformação do Território em Estado, válido é o pagamento do ICM feito aos cofres estaduais, após a cons-

tituição do mesmo" (TRF1, REO 89.01.24.257-5/RO, rel. Juíza Eliana Calmon, DJ 2, 04.12.1989, p. 15.705).

Art. 148. A União, mediante lei complementar, poderá instituir empréstimos compulsórios:

Doutrina

Empréstimo compulsório. É um tributo de competência exclusiva da União, que o instituirá mediante lei complementar com o compromisso de devolução futura da quantia recolhida a esse título pelo contribuinte. Somente poderá ser criado nas hipóteses previstas na Constituição. Apesar de existir divergência doutrinária, prevalece a corrente que entende tratar-se de tributo restituível.

Jurisprudência

> "Não hesito em reconhecer que a figura do empréstimo compulsório, em nosso sistema jurídico constitucional, assume a qualificação de inquestionável espécie de ordem tributária, submetendo-se, em consequência, aos modelos normativos que, inscritos no texto da Constituição, definem, regulam e limitam o exercício pelo Estado, do seu poder de tributar" (STF, RE 148.956, rel. Min. Celso de Mello, RDA, 200/129).

I – para atender a despesas extraordinárias, decorrentes de calamidade pública, de guerra externa ou sua iminência;

Doutrina

Despesas extraordinárias. São aquelas não previstas no orçamento e decorrentes de fatos imprevisíveis como são as calamidades públicas, a guerra externa ou a iminência desta. Contudo, a norma constitucional parece apontar no sentido de despesas superiores àquelas previstas no orçamento. Os empréstimos instituídos para os fins previstos neste inciso não se sujeitam ao princípio da anterioridade tributária (CF, art. 150, III, *b*).

Jurisprudência

> "A retenção compulsória dos ativos financeiros, em cruzados novos, determinada pela Medida Provisória 168/90, convolada na Lei 8.024/90, sujeita à fiscalização do Bacen, com promessa de restituição, nos prazos e condições fixados naqueles diplomas legais, configura disfarçado empréstimo compulsório, flagrantemente inconstitucional, por não encontrar adequado fundamento nos incisos I e II do art. 148 da Constituição Federal de 1988, eis que não instituído mediante lei complementar e inobservado o princípio da anterioridade tributária, previsto no art. 150, III, *b*, da Carta Constitucional vigente, de vez que apenas o empréstimo compulsório previsto no art. 148, I, da Constituição Federal a ele não está sujeito." (TRF1, AMS 91.01.06056-2/MG, rel. Juíza Assusete Magalhães, DJ 2, 01.07.1992, p. 19.679).

II – no caso de investimento público de caráter urgente e de relevante interesse nacional, observado o disposto no art. 150, III, *b*.

Doutrina

Investimento público. É a despesa do Estado em obras, instalações ou equipamentos que agregam riqueza ao patrimônio público. No caso de investimento público que se caracteriza como urgente e de relevante interesse nacional, é possível a instituição de empréstimo compulsório para o seu financiamento, porém sujeito ao princípio da anterioridade tributária, quer dizer, o empréstimo há de ser criado por lei num exercício financeiro e ser exigido somente no exercício seguinte.

Exceção ao requisito da urgência. O art. 34, § 12, do ADCT, dispõe, expressamente, que a urgência prevista no art. 148, II, não prejudica a cobrança do empréstimo compulsório instituído pela Lei n.º 4.156, de 28.11.1962, em favor das Centrais Elétricas Brasileiras S.A. (Eletrobrás).

Jurisprudência

O art. 34, § 12, do Ato das Disposições Constitucionais Transitórias preservou a exigibilidade do empréstimo compulsório instituído pela Lei 4.156/622, com as alterações posteriores, até o exercício de 1993, como previsto no art. 1.º da Lei 7.181/83 (STF – Pleno, RE 146.615/PE, DJ 1, de 30.06.1995).

Parágrafo único. A aplicação dos recursos provenientes de empréstimo compulsório será vinculada à despesa que fundamentou sua instituição.

Doutrina

Vinculação de receita. A norma constitucional vincula a aplicação da receita proveniente de empréstimo compulsório à despesa que justificou a sua criação. O que se pretende com isso é evitar o desvio de recurso com aplicação em outras finalidades que não aquelas previstas na lei instituidora do empréstimo.

Art. 149. Compete exclusivamente à União instituir contribuições sociais, de intervenção no domínio econômico e de interesse das categorias profissionais ou econômicas, como instrumento de sua atuação nas respectivas áreas, observado o disposto nos arts. 146, III, e 150, I e III, e sem prejuízo do previsto no art. 195, § 6.º, relativamente às contribuições a que alude o dispositivo.

Doutrina

Contribuições sociais. São tributos instituídos com a finalidade de se obter recursos destinados ao financiamento de atividades em áreas específicas de interesse do Estado. Portanto, têm destinação certa previamente definida na lei de criação. Somente a União pode instituir contribuições sociais, com a única exceção da contribuição previdenciária que poderá ser exigida pelos Estados, Distrito Federal e Municípios para custear os respectivos sistemas de previdência de seus servidores.

Classificação das contribuições sociais. Nos termos da Constituição, é possível classificar as contribuições sociais nas seguintes espécies: a) *contribuições sociais inespecíficas*, pois a norma constitucional não lhes dá destinação, devendo fazê-lo a lei de instituição; b) *contribuições sociais de intervenção no domínio econômico*, aquelas destinadas a financiar a ingerência estatal em setor específico da economia para garantir a realização de um interesse econômico ou social, como é o caso da CIDE; c) *contribuições sociais de interesse das categorias profissionais ou econômicas*, aquelas destinadas ao financiamento da atuação de órgãos de categorias profissionais, como as contribuições para sindicatos de empregados, para a OAB etc., ou de categorias econômicas, como as contribuições destinadas ao financiamento das entidades e sindicatos patronais; d) *contribuições previdenciárias*, aquelas destinadas ao financiamento dos sistemas de previdência e assistência social dos servidores da União, de Estados, do Distrito Federal e de Municípios.

Jurisprudência

> As contribuições especiais são as de intervenção no domínio econômico e de interesse das categorias profissionais ou econômicas (corporativas). As contribuições sociais podem ser: de seguridade social (art. 195, I, II e III), outras de seguridade social (art. 195, § 4.º) e sociais gerais (FGTS, art. 7.º, III, salário-educação, art. 212, § 5.º, contribuições para o SESI, SENAI, SENAC, art. 240). As contribuições especiais estão sujeitas à lei complementar de normas gerais, (art. 146, III), isto é, ao CTN e outras, mas, isso não significa que somente a lei

complementar possa instituí-las, salvo na hipótese do art. 195, § 4.º, onde a Constituição Federal é expressa. (STF, RDA, 190/78).

"(...). 2. O Supremo Tribunal Federal, após reconhecer a repercussão geral do tema, pronunciou-se pela impossibilidade de os Estados instituírem contribuições sociais que não sejam aquelas destinadas ao custeio do regime de previdência dos servidores (RE 573540, Rel. Min. Gilmar Mendes, Tribunal Pleno, DJE – 105). 3. Ante a manifestação da Suprema Corte desnecessária a suscitação de incidente de inconstitucionalidade perante o órgão especial, não sendo necessária a identidade entre contribuições para poder se aplicar o precedente jurisprudencial (v.g.: STF, RE 571968, AGR, Rel. Min. Ricardo Lewandowski, Segunda Turma, DJE – 109). 4. A contribuição em discussão, instituída pela Lei Estadual n. 1.746/2006, destina-se ao custeio do Fundo de Desenvolvimento Econômico – FDE, cuja finalidade, via de regra, é o financiamento de projetos e ações dedicados ao desenvolvimento econômico e social e, por isso, qualifica-se como espécie de Contribuição de Intervenção no Domínio Econômico – CIDE. 5. O pagamento da contribuição ao FDE, nos termos da legislação estadual, é condição para a adesão e permanência em programa de incentivo fiscal, motivo pelo qual não é aplicável ao caso o enunciado da Súmula 266 do STF. 6. Hipótese em que, constatada a inconstitucionalidade da referida contribuição, deve-se permitir a manutenção da impetrante na fruição de benefício fiscal sem a obrigação de seu recolhimento. 7. Recurso ordinário provido" (STJ – 1.ª Turma, ROMS 37.787/TO, rel. Min. Gurgel de Faria, DJE 05.05.2017).

"1. Recurso especial interposto contra acórdão segundo o qual encontra-se consolidado o entendimento de que as anuidades cobradas pelos Conselhos Profissionais constituem espécie tributária e, como tal, se submetem ao princípio da reserva legal. Assim sendo, não é permitido aos Conselhos estabelecerem por meio de atos administrativos quaisquer critérios de fixação de anuidade diverso do legal, sob pena de violação do princípio contido no art. 150, I, da CF/88. 2. A jurisprudência do Superior Tribunal de Justiça tem externado entendimento de que: compete exclusivamente à União instituir contribuições sociais, de intervenção no domínio econômico e de interesses das categorias profissionais. A anuidade devida aos Conselhos Regionais que fiscalizam as categorias profissionais tem natureza de contribuição social e só pode ser fixada por lei (REsp n.º 225301/RS, Rel. Min. Garcia Vieira, DJ de 16/11/1999. Conforme precedentes desta Corte Especial, as anuidades dos conselhos profissionais, à exceção da OAB, têm natureza tributária, somente podendo ser majoradas através de lei federal (MC n.º 7123/PE, Rel. Min. Francisco Falcão, DJ de 22/03/2004). Doutrina e jurisprudência entendem ter natureza tributária, submetendo-se às limitações das demais exações, as contribuições para os Conselhos Profissionais. Excepciona-se apenas a OAB, por força de sua finalidade constitucional (art. 133) (REsp n.º 273674/RS, Rel. Min. Eliana Calmon, DJ de 27/05/2002). A cobrança de anuidades, conforme os valores exigidos sob a custódia da legislação de regência não revela ilegalidade (REsp n.º 93200/RN, Rel. Min. Milton Luiz Pereira, DJ de 02/06/1997. 3. Recurso especial não provido" (STJ – 1.ª Turma, REsp 652.554, rel. Min. José Delgado, DJ 1, 16.11.2004, p. 209).

"Tributário – contribuição social – anuidade devida a Conselho Regional de fiscalização das atividades profissionais – natureza – fixação – exigência de lei. Compete exclusivamente à União instituir contribuições sociais, de intervenção no domínio econômico e de interesses das categorias profissionais. A anuidade devida aos Conselhos Regionais que fiscalizam as categorias profissionais tem natureza de contribuição social e só pode ser fixada por lei. Recurso improvido" (STJ – 1.ª Turma, REsp 225.301, rel. Min. Garcia Vieira, DJ 1, 16.11.1999, p. 197).

§ 1.º A União, os Estados, o Distrito Federal e os Municípios instituirão, por meio de lei, contribuições para custeio de regime próprio de previdência social, cobradas dos servidores ativos, dos aposentados e dos pensionistas, que poderão ter alíquotas progressivas de acordo com o valor da base de contribuição ou dos proventos de aposentadoria e de pensões.

Doutrina

Entes políticos federados e contribuição social. A norma constitucional faculta à União, aos Estados, ao Distrito Federal e aos Municípios a instituição de contribuição previdenciária para o custeio de sistemas próprios de previdência e assistência social destinados a financiar, aos seus respectivos servidores, o pagamento de benefícios previdenciários.

Progressividade de alíquotas de contribuição. As alíquotas de contribuição poderão ser progressivas, conforme a base de contribuição ou o valor do benefício recebido.

Fontes de financiamento. A norma constitucional faculta a cobrança de contribuições tanto dos servidores ativos quanto dos aposentados e pensionistas. Lembre-se, ainda, que o ente federativo também deverá contribuir para o custeio do regime próprio de previdência de seus respectivos servidores.

Jurisprudência

> "Somente a União Federal poderá instituir contribuições parafiscais. As demais entidades políticas, os Estados, o Distrito Federal e os Municípios, apenas poderão instituir contribuições, cobradas de seus servidores, para o custeio, em benefício destes, de sistemas de previdência e assistência social (...)" (STF – Pleno, RE 138.284, rel. Min. Carlos Velloso, RDA, 190/83).

§ 1.º-A. Quando houver *deficit* atuarial, a contribuição ordinária dos aposentados e pensionistas poderá incidir

sobre o valor dos proventos de aposentadoria e de pensões que supere o salário mínimo.

Doutrina

Financiamento do deficit atuarial do regime de previdência. Na hipótese de *deficit* do regime próprio de previdência social, poderá ser instituída contribuição incidente sobre o valor dos proventos de aposentadorias e pensões, desde que o valor mensal do benefício supere o valor do salário mínimo vigente.

§ 1.º-B. Demonstrada a insuficiência da medida prevista no § 1.º-A para equacionar o *deficit* atuarial, é facultada a instituição de contribuição extraordinária, no âmbito da União, dos servidores públicos ativos, dos aposentados e dos pensionistas.

Doutrina

Financiamento do deficit por meio de contribuição extraordinária. Não sendo suficiente a contribuição prevista no § 1.º-A para o financiamento do *deficit* atuarial, a União poderá instituir, por meio de lei, contribuição extraordinária, tanto dos seus servidores ativos quanto dos aposentados e pensionistas, destinada a solucionar o *deficit* do regime previdenciário.

§ 1.º-C. A contribuição extraordinária de que trata o § 1.º-B deverá ser instituída simultaneamente com outras medidas para equacionamento do *deficit* e vigorará por período determinado, contado da data de sua instituição.

Doutrina

Requisitos legais para legitimar a cobrança da contribuição extraordinária. A norma constitucional exige que referida contribuição seja criada na mesma oportunidade em que outras medidas para o combate ao *deficit* sejam implementadas. Ademais, a contribuição extraordinária terá vigência por tempo determinado, tendo, pois, caráter temporário.

§ 2.º As contribuições sociais e de intervenção no domínio econômico de que trata o *caput* deste artigo:

I – não incidirão sobre as receitas decorrentes de exportação;

II – incidirão também sobre a importação de produtos estrangeiros ou serviços;

III – poderão ter alíquotas:

a) *ad valorem*, tendo por base o faturamento, a receita bruta ou o valor da operação e, no caso de importação, o valor aduaneiro;

b) específica, tendo por base a unidade de medida adotada.

Doutrina

Imunidade. As receitas decorrentes de exportação de bens e serviços estão imunes às contribuições sociais e de intervenção no domínio econômico previstas no *caput* deste artigo, conforme inciso I acima.

Normas de incidência e definição de alíquotas. Disso tratam os incisos II e III. Com base no inciso II, a Lei n.º 10.336/2001 instituiu a Contribuição de Intervenção no Domínio Econômico incidente sobre a importação e a comercialização de petróleo e seus derivados, gás natural e seus derivados e álcool etílico combustível (Cide). A norma autoriza ainda que as contribuições nela referidas tenham alíquotas *ad valorem*, com base no *quantum* da operação realizada, ou específicas, com base na unidade de medida adotada para a operação.

Jurisprudência

"1. A criação de imunidade tributária é matéria típica do texto constitucional enquanto a de isenção é versada na lei ordinária; não há, pois, invasão da área reservada à emenda constitucional quando a lei ordinária cria isenção. 2. O Poder Público tem legitimidade para isentar contribuições por ele instituídas, nos limites de suas atribuições (art. 149 da Constituição)" (STF – Pleno, ADIN 2.006-4/DF, rel. Min. Maurício Corrêa, DJ 1, 24.09.1999, p. 25).

§ 3.º A pessoa natural destinatária das operações de importação poderá ser equiparada a pessoa jurídica, na forma da lei.

Doutrina

Equiparação. A norma constitucional autoriza, na forma que a lei determinar, a equiparação à pessoa jurídica da pessoa natural destinatária das operações de importação. Referida equiparação pode ser estabelecida para fins de responsabilidade tributária.

Jurisprudência

"Atribuição a terceiro da condição de responsável pelo crédito tributário. O art. 128 do CTN só permite essa atribuição se houver vinculação do terceiro ao fato gerador, pelo que não é possível atribuir ao industrial ou comerciante atacadista a responsabilidade pelo tributo devido pelo comerciante varejista." (STJ – 1.ª Turma, REsp 5.116/SP, rel. Min. Pedro Acioli, RSTJ, 42/223).

§ 4.º A lei definirá as hipóteses em que as contribuições incidirão uma única vez.

Doutrina

Incidência única. O legislador infraconstitucional definirá todos os casos em que as contribuições sociais incidirão uma única vez.

Art. 149-A. Os Municípios e o Distrito Federal poderão instituir contribuição, na forma das respectivas leis, para o custeio do serviço de iluminação pública, observado o disposto no art. 150, I e III.

Doutrina

Contribuição para o custeio do serviço de iluminação pública. A norma constitucional faculta ao Distrito Federal e aos Municípios a instituição de contribuição para fazer face ao custeio do serviço de iluminação pública, desde que o faça por meio de lei reverente aos princípios da irretroatividade tributária e da anterioridade. A instituição do tributo como contribuição visa contornar a reiterada jurisprudência dos tribunais declarando a inconstitucionalidade da cobrança como taxa em razão de seu caráter de indivisibilidade.

Jurisprudência

> "Taxa de iluminação pública. Recentemente, o Plenário desta Corte, ao julgar os RREE 231.764 e 233.332, firmou o entendimento de que é inconstitucional a instituição de taxa de iluminação pública, porquanto essa atividade estatal tem caráter *uti universi*, destinando-se a beneficiar a população em geral, não podendo ser destacada em unidades autônomas, não sendo permitida a individualização de sua área de atuação, nem se apresentando susceptível de utilização separada por cada um dos usuários do serviço" (STF – 1.ª Turma, RE 228.832-4/RJ, rel. Min. Moreira Alves, DJ 1, 04.06.1999, p. 21).
>
> "Direito Tributário. Agravo interno em recurso extraordinário. Contribuição para o custeio do serviço de

iluminação pública. Constitucionalidade. 1. O Plenário do Supremo Tribunal Federal, no julgamento do RE 573.675-RG, assentou a constitucionalidade da cobrança da contribuição para o custeio do serviço de iluminação pública. 2. Agravo interno a que se nega provimento" (STF – 1.ª Turma, rel. Min. Roberto Barroso, Sessão Virtual de 23 a 29.09.2016).

"(...). Contribuição para o custeio dos serviços de iluminação pública. Município de Belo Horizonte. Ao apreciar o RE 573.675, o Supremo Tribunal Federal declarou a constitucionalidade da Lei Complementar 7/2002, do Município de São José/SC, que instituiu a Contribuição para o Custeio dos Serviços de Iluminação Pública COSIP. Presença dos pressupostos autorizadores da medida. Questão de ordem que se resolve pelo referendo da decisão concessiva do efeito suspensivo ao apelo extremo" (STF – 2.ª Turma, AC 3.087/MG MC-QO, rel. Min. Ayres Britto, j. 27.03.2012).

Parágrafo único. É facultada a cobrança da contribuição a que se refere o *caput*, na fatura de consumo de energia elétrica.

Doutrina

Delegação da atividade de cobrança. Embora a competência tributária seja indelegável, o cometimento do encargo ou da função de arrecadar tributos não configura delegação de competência vedada por lei.

Jurisprudência

"A arrecadação de tributos não transforma o gerente de banco comercial em autoridade pública, nem o expõe a mandado de segurança (Lei 1.533/51, art. 1.º, § 1.º, e CTN, art. 7.º, § 3.º)" (STJ – 1.ª Turma, REsp 28.675/PR, rel. Min. Humberto Gomes de Barros, DJ 1, 29.09.1993, p. 21.844).

Seção II
DAS LIMITAÇÕES DO PODER DE TRIBUTAR

Art. 150. Sem prejuízo de outras garantias asseguradas ao contribuinte, é vedado à União, aos Estados, ao Distrito Federal e aos Municípios:

Doutrina

Limitações do poder de tributar. Constitui um conjunto de princípios destinados a estabelecer um estatuto de proteção ao contribuinte em face da atividade arrecadatória do Estado exercida pelo fisco.

Jurisprudência

> Os princípios constitucionais tributários, como garantias outorgadas aos contribuintes, pelo ordenamento estatal, justificam a sua existência ao impor limites ao poder de tributar do Estado, sendo este o seu destinatário exclusivo, devendo, pois, submeter-se à imperatividade de suas restrições (STF, RTJ, 144/435).
>
> "(...). Limitações constitucionais ao poder de tributar. Inconstitucionalidades formal e material. Ação direta parcialmente procedente. Confirmação da medida cautelar. 1. Com o advento da Constituição de 1988, o constituinte dedicou uma seção específica às limitações do poder de tributar (art. 146, II, CF) e nela fez constar a imunidade das instituições de assistência social. Mesmo com referência expressa ao termo da lei, não há mais como sustentar que inexiste reserva de lei complementar. No que se refere aos impostos, o maior rigor do quórum qualificado para a aprovação dessa importante regulamentação se justifica para se dar

maior estabilidade à disciplina do tema e dificultar sua modificação, estabelecendo regras nacionalmente uniformes e rígidas. 2. A necessidade de lei complementar para disciplinar as limitações ao poder de tributar não impede que o constituinte selecione matérias passíveis de alteração de forma menos rígida, permitindo uma adaptação mais fácil do sistema às modificações fáticas e contextuais, com o propósito de velar melhor pelas finalidades constitucionais. Nos precedentes da Corte, prevalece a preocupação em respaldar normas de lei ordinária direcionadas a evitar que falsas instituições de assistência e educação sejam favorecidas pela imunidade. É necessário reconhecer um espaço de atuação para o legislador ordinário no trato da matéria" (STF – Pleno, ADIN 1.802/DF, rel. Min. Dias Toffoli, j. 12.04.2018).

I – exigir ou aumentar tributo sem lei que o estabeleça;

Doutrina

Princípio da legalidade da tributação. Também chamado de princípio da reserva legal tributária. Significa que é vedado ao Estado exigir, no sentido de criar, instituir, ou aumentar, no sentido de majorar, tributo sem lei que o estabeleça. Por definição, lei é espécie normativa primária votada pelo Parlamento; porém, o princípio encontra-se mitigado em face do disposto no § 2.º do artigo 62 da Constituição, sendo que a maior parte da doutrina e da jurisprudência admite a instituição ou o aumento de tributo por meio de ato com força de lei, como é o caso da medida provisória.

Jurisprudência

Súmula do STJ: 160. "É defeso, ao Município, atualizar o IPTU, mediante decreto, em percentual superior ao índice oficial de correção monetária".

"Tendo força de lei, é meio hábil, a medida provisória, para instituir tributos e contribuições sociais, a exemplo do que já sucedia com os decretos-leis do regime ultrapassado como sempre esta Corte entendeu" (STF – Pleno, ADIN 1.417-0/DF, liminar, rel. Min. Octávio Gallotti, Ementário do STF, n.º 1.829-01/60).

"O sistema tributário brasileiro tem como princípio basilar proeminente, decorrente de regra constitucional, o da legalidade: só à lei cabe instituir impostos, definir o fato gerador e estabelecer prazos e condições de pagamento" (STJ – 1.ª Turma, REsp 31.100-0/SP, rel. Min. Demócrito Reinaldo, Ementário do STJ, 8/806).

II – instituir tratamento desigual entre contribuintes que se encontrem em situação equivalente, proibida qualquer distinção em razão de ocupação profissional ou função por eles exercida, independentemente da denominação jurídica dos rendimentos, títulos ou direitos;

Doutrina

Princípio da igualdade tributária. Decorre do princípio geral da igualdade (art. 5.º, *caput* e inciso I) e significa que todos os contribuintes que se encontrem em situação equivalente devem ser tratados de forma igual, sendo vedado estabelecer diferença em face da natureza da atividade profissional exercida e, ainda, irrelevante a denominação que a lei atribuir aos rendimentos, títulos ou direitos percebidos. Apesar de a norma se dirigir à ordem interna, a jurisprudência tem apontado que, em face do princípio da não-discriminação tributária, deve, também, ser aplicado ao capital estrangeiro ao qual, aliás, o país adota um regime de equiparação de tratamento.

Jurisprudência

Há aparente contrariedade ao artigo 150, II, da Constituição Federal, que veda a instituição de tratamento desigual entre contribuintes que se encontram em situação equivalente, na norma contida no artigo

1.º da Lei n.º 351/97, do Estado do Amapá, que concede isenção do IPVA para veículos automotores destinados à exploração dos serviços de transporte escolar. Em razão disso, o Tribunal deferiu medida liminar em ação direta proposta pelo Governador do Estado (STF – Pleno, ADIN 1.655/AP, RT, 748/147).

"Os direitos fundamentais globalizados, atualmente, estão sempre no caminho do impedimento da dupla tributação. Esta vem sendo condenada por princípios que estão acima até da própria norma constitucional. O Brasil adota para o capital estrangeiro um regime de equiparação de tratamento (art. 2.º da Lei 4131/62, recepcionado pelo art. 172 da CF), legalmente reconhecido no art. 150, II, da CF, que, embora se dirija, de modo explícito à ordem interna, também é dirigido às relações externas. O art. 98 do CTN permite a distinção entre os chamados tratados-contratos e os tratados-leis. Toda a construção a respeito da prevalência da norma interna com o poder de revogar os tratados, equiparando-os à legislação ordinária, foi feita tendo em vista os designados tratados, contratos, e não os tratados-leis. Sendo o princípio da não-discriminação tributária adotado na ordem interna, deve ser adotado também na ordem internacional, sob pena de desvalorizarmos as relações internacionais e a melhor convivência entre os países. Supremacia do princípio da não-discriminação no regime internacional tributário e do art. 3.º do GATT" (STJ – 1.ª Turma, REsp 426.945, rel. Min. Teori Albino Zavascki, DJ, 25.08.2004, p. 141).

III – cobrar tributos:

a) em relação a fatos geradores ocorridos antes do início da vigência da lei que os houver instituído ou aumentado;

Doutrina

Princípio da irretroatividade da lei tributária. Significa que o tributo não pode ser exigido em relação a fatos geradores ocorridos em data anterior à da vigência da lei que o criou ou majorou. Trata-se de garantia fundamental instituída em favor do contribuinte para limitar a atuação impositiva do Estado.

Jurisprudência

O princípio da irretroatividade da lei tributária deve ser interpretado como garantia constitucional instituída em favor dos sujeitos passivos da atividade estatal no campo da tributação. Trata-se, à semelhança dos demais postulados inscritos no art. 150 da Constituição, de princípio que – por traduzir limitações ao poder de tributar – é tão-somente oponível pelo contribuinte à ação do Estado. (STF – Pleno, ADIN 712-2/DF MC, DJU I, 19.02.1993).

Não caracteriza hipótese de aplicação retroativa da norma que aumentou a alíquota, se o fato gerador do tributo ocorreu com a importação do bem, após o início de sua vigência e não quando de sua aquisição no exterior (STF, RT, 758/139).

b) no mesmo exercício financeiro em que haja sido publicada a lei que os instituiu ou aumentou;

Doutrina

Princípio da anterioridade da lei tributária. Consagra a proibição endereçada ao Estado de cobrar tributo no mesmo exercício financeiro de publicação da lei de sua criação ou majoração. Trata-se de garantia do contribuinte e de limitação expressa ao poder de tributar do Estado. Contudo, o Estado pode cobrar o tributo no exercício seguinte ainda que o produto de sua arrecadação não tenha sido previsto como receita no orçamento, pois a Constituição de 1988 não prevê o *princípio de anualidade*, segundo o qual a cobrança de um tributo sempre depende de autorização anual expressa e de sua inclusão como receita no orçamento daquele exercício financeiro.

Exceções ao princípio da anterioridade. Por outro lado, a Constituição afasta, de forma expressa, a aplicação do princípio da anterioridade no caso dos impostos sobre: a importação de produtos estrangeiros; a exportação, para o exterior, de produtos nacionais ou nacionalizados; produtos industrializados; operações de crédito, câmbio e seguro, ou relativas a títulos ou valores mobiliários; empréstimo compulsório instituído para atender a despesas extraordinárias, decorrentes de calamidade pública, de guerra externa ou sua iminência; ou impostos extraordinários instituídos na iminência ou no caso de guerra externa (arts. 148, I; 153, I, II, IV e V; 154, II).

Jurisprudência

Súmulas do STF: 66. "É legítima a cobrança do tributo que houver sido aumentado após o orçamento, mas antes do início do respectivo exercício financeiro". 67. "É inconstitucional a cobrança do tributo que houver sido criado ou aumentado no mesmo exercício financeiro". 239. "Decisão que declara indevida a cobrança do imposto em determinado exercício não faz coisa julgada em relação aos posteriores". 584. "Ao imposto de renda calculado sobre os rendimentos do ano-base, aplica-se a lei vigente no exercício financeiro em que deve ser apresentada a declaração".

"Revogada a isenção, o tributo torna-se imediatamente exigível. Em caso assim, não há que se observar o princípio da anterioridade, dado que o tributo já é existente" (STF – 2.ª Turma, RE 204.062.2/ES, rel. Min. Carlos Velloso, Ementário, n.º 1.855-12).

"O que é consagrado no enunciado da Súmula 239 é a orientação restritiva da coisa julgada em matéria tributária, de modo a excluir os motivos e fundamentos da sentença" (STF – Pleno, Ação Rescisória 1.239/MG, rel. Min. Carlos Madeira, RTJ 132/1113).

"A Súmula 584 do STF é interpretativa do princípio constitucional da anterioridade (...), sobre vedar a instituição de tributos em relação a fatos geradores ocorridos antes da vigência da lei que o tenha instituído, inscrevendo, portanto, em seu contexto, matéria constitucional só passível de ser apreciada em sede de recurso extraordinário" (STJ – 1.ª Turma, REsp 19.937/CE, rel. Min. Demócrito Reinaldo, DJ 1, 12.06.1995, p. 18.637).

c) antes de decorridos noventa dias da data em que haja sido publicada a lei que os instituiu ou aumentou, observado o disposto na alínea *b*;

Doutrina

Princípio da anterioridade mitigada. Pelo princípio da anterioridade mitigada, autoriza-se a cobrança, no mesmo exercício financeiro, do tributo instituído ou aumentado, desde que decorridos noventa dias da data de publicação da lei de sua instituição ou majoração.

Exceções ao princípio da anterioridade mitigada. A Constituição afasta, de forma expressa, a aplicação do princípio da anterioridade mitigada no caso dos impostos sobre: a importação de produtos estrangeiros; a exportação, para o exterior, de produtos nacionais ou nacionalizados; renda e proventos de qualquer natureza; operações de crédito, câmbio e seguro, ou relativas a títulos ou valores mobiliários; empréstimo compulsório instituído para atender a despesas extraordinárias, decorrentes de calamidade pública, de guerra externa ou sua iminência; e impostos extraordinários instituídos na iminência ou no caso de guerra externa. (arts. 148, I; 153, I, II, III e V; e 154, II). Não bastasse, excepciona, ainda, a aplicação do princípio nos casos de fixação da base de cálculo do imposto sobre a propriedade de veículos automotores (art. 155, III) e do imposto sobre a propriedade predial e territorial urbana (art. 156, I).

Jurisprudência

"Em que pese o seu caráter tributário, as contribuições sociais destinadas ao financiamento da seguridade social sujeitam-se, apenas, ao princípio da anterioridade mitigada, podendo ser exigidas após decorridos noventa dias da publicação da lei que as houver instituído ou modificado, não se lhes aplicando a norma do art. 150, III, *b*, da Constituição Federal, que consagra o princípio da anterioridade plena como regra geral em matéria tributária" (STF, RE 167.967-1).

IV – utilizar tributo com efeito de confisco;

Doutrina

Confisco. O confisco se configura quando a atividade tributária de qualquer ente tributante (União, Estados, Distrito Federal e Municípios) implicar em transferência de um bem ou de parte significativa dele do patrimônio do particular para o do Estado sem a justa e prévia indenização. Contudo, deve-se distinguir a proibição do uso do tributo com efeito de confisco com a pena de perdimento de bens adquiridos em razão de atividade ilícita ou da sanção decorrente de atos de improbidade administrativa, podendo o responsável ter os seus bens tornados indisponíveis e, após o devido processo legal, ser condenado a ressarcir o Erário.

Jurisprudência

"Importação. Regularização fiscal. Confisco. Longe fica de configurar concessão, a tributo, de efeito que implique confisco decisão que, a partir de normas estritamente legais, aplicáveis à espécie, resultou na perda de bem móvel importado" (STF – 2ª Turma, AgI 173.689/DF AgRg, rel. Min. Marco Aurélio, DJ 1, 26.04.1996, p. 13.126).

"A vedação do confisco, muito embora seja de difícil conceituação no direito pátrio, em face da ausência de definição objetiva que possibilite aplicá-lo concretamente, deve ser estudado em consonância com o sistema socioeconômico vigente, observando-se a proteção da propriedade em sua função social" (TRF5, AMS 95.05.49273/PB, rel. Juiz José Delgado, DJ 2, 04.08.1995, p. 48.734).

V – estabelecer limitações ao tráfego de pessoas ou bens, por meio de tributos interestaduais ou intermunicipais, ressalvada a cobrança de pedágio pela utilização de vias conservadas pelo poder público;

Doutrina

Princípio da liberdade de tráfego de pessoas ou bens. A norma constitucional consagra o referido princípio com o objetivo de proibir a instituição de tributo interestadual ou intermunicipal que estabeleça limitações à livre locomoção de pessoas e ao livre tráfego de bens pelo território nacional.

Cobrança de pedágio. A parte final da norma constitucional autoriza a cobrança de pedágio pela utilização de vias conservadas diretamente pelo Poder Público ou por meio de concessionárias.

VI – instituir impostos sobre:

a) patrimônio, renda ou serviços, uns dos outros;

Doutrina

Imunidade recíproca. É a vedação constitucional da criação, pela União, Estados, Distrito Federal e Municípios, de impostos incidentes sobre o patrimônio – conjunto de bens –, renda – entradas em dinheiro –, ou serviços – quaisquer serviços públicos –, uns dos outros. Releva anotar que a imunidade recíproca compreende apenas os impostos, podendo ser exigidas das entidades acima taxas e contribuição de melhoria. Acrescente-se que a imunidade recíproca beneficia as autarquias e as fundações instituídas e mantidas pelo Poder Público, porém não se estende às empresas públicas e sociedades de economia mista.

Jurisprudência

> "A imunidade tributária recíproca, que tem sido guardada entre os postulados básicos de nossa Federa-

ção, no bom relacionamento e equilíbrio das unidades que a compõem está, destarte, desde logo, a aconselhar não se quebre essa tradição constitucional, reafirmada pelo Constituinte de 1988 e que guarda inequívoca referência ao conteúdo da cláusula pétrea do art. 60, § 4.°, inciso I, da Lei Magna da República" (STF, RTJ, 152/85).

"A Empresa Brasileira de Correios e Telégrafos (ECT), que é empresa pública, executa, como atividade-fim, serviço postal constitucionalmente outorgado, em regime de monopólio, à União Federal, qualificando-se, em razão de sua específica destinação constitucional, como entidade delegatária dos serviços públicos a que se refere o art. 21, inciso X, da Lei Fundamental, o que exclui essa empresa governamental, em matéria de impostos (inclusive o ICMS), por efeito do princípio da imunidade tributária recíproca (CF, art. 150, VI, 'a'), do poder de tributar deferido aos entes políticos em geral. Precedentes. – Consequente inexigibilidade, por parte do Distrito Federal, do ICMS referente às atividades de transporte de encomendas executadas pela ECT na prestação dos serviços públicos: serviço postal, no caso" (STF – Pleno, ACO 2.654/DF AgRg, rel. Min. Celso de Mello, j. 03.03.2016).

"O resultado das aplicações financeiras dos Municípios, no sentido amplo, integra o patrimônio ou renda daqueles. De consequência, é protegido pela imunidade tributária (art. 150, VI, *a*, CF)" (TRF1, AMS 92.01.15355-4/MG, rel. Juiz Convocado João V. Fagundes, DJ 2, 19.06.1995, p. 38.332).

b) templos de qualquer culto;

Doutrina

Imunidade dos templos. São imunes a impostos os edifícios destinados pelas religiões às práticas de seus cultos, bem como as rendas decorrentes de cerimônias religiosas, desde que reaplicadas no próprio culto. As residências de religiosos em geral estão sujeitas ao pagamento de impostos, salvo se localizadas dentro do próprio prédio do templo religioso. O objetivo desta imunidade é o de tornar concreta a liberdade de credo e de religião.

Jurisprudência

> "A imunidade tributária do art. 19, III, da CF/67 (CF/88, art. 150, VI), diz respeito apenas a impostos. A contribuição é espécie tributária distinta, que não se confunde com o imposto. É o caso da contribuição sindical, instituída no interesse de categoria profissional (CF/67, art. 21, § 2.º; CF/88, art. 149), assim não abrangida pela imunidade do art. 19, III, CF/67, ou art. 150, VI, CF/88" (STF – 2.ª Turma, RE 129.930/SP, rel. Min. Carlos Velloso, RTJ, 136/846).

c) patrimônio, renda ou serviços dos partidos políticos, inclusive suas fundações, das entidades sindicais dos trabalhadores, das instituições de educação e de assistência social, sem fins lucrativos, atendidos os requisitos da lei;

Doutrina

Imunidade aos partidos políticos e suas fundações. São imunes a impostos o patrimônio, a renda e os serviços dos partidos políticos e de suas fundações porque aqueles são instituições fundamentais para a democracia, vez que organizam em suas hostes as várias correntes políticas e ideológicas existentes no seio da sociedade.

Imunidade às entidades sindicais dos trabalhadores. Os sindicatos, as federações, as confederações e demais entidades sindicais de trabalhadores gozam de imunidade de impostos no que tange ao patrimônio, renda ou serviços, desde que voltados à realização de suas atividades essenciais.

Imunidade às instituições de educação e de assistência social. As instituições de educação e de assistência social gozam de imunidade quanto a impostos que poderiam incidir sobre os seus respectivos patrimônios, rendas ou serviços destinados à consecução de suas finalidades essenciais. Porém, o benefício da imunidade somente será conferido às referidas instituições se as mesmas cumprirem os requisitos previstos no art. 14 do CTN, quais sejam: *a*) não distribuírem qualquer parcela de seu patrimônio ou de suas rendas, a título de lucro ou participação no seu resultado; *b*) aplicarem integralmente, no país, os seus recursos na manutenção de seus objetivos institucionais; *c*) mantiverem escrituração de suas receitas e despesas em livros revestidos de formalidades capazes de assegurar sua exatidão.

Jurisprudência

> Súmula do STF: 724. "Ainda quando alugado a terceiros, permanece imune ao IPTU o imóvel pertencente a qualquer das entidades referidas pelo art. 150, VI, *c*, da Constituição, desde que o valor dos aluguéis seja aplicado nas atividades essenciais de tais entidades".
>
> "A norma inserta na alínea *c* do inciso VI do art. 150 da Carta de 1988 repete o que previa a pretérita alínea *c* do inciso III do art. 19. Assim, foi recepcionado o preceito do art. 14 do Código Tributário Nacional, no que cogita dos requisitos a serem atendidos para o exercício do direito à imunidade" (STF – Pleno, MI 420/RJ, rel. Min. Marco Aurélio, Ementário, v. 1.759-01, p. 127).
>
> "Imunidade. Entidade educacional. Artigo 150, inciso VI, alínea c, da Constituição Federal. ITBI. Aquisição de terreno sem edificação. Fato gerador. Momento da aquisição. Destinação às finalidades essenciais da entidade. Presunção. Ônus da prova. Precedentes. 1. No caso do ITBI, a destinação do imóvel às finalidades essenciais da entidade deve ser pressuposta, sob pena de não haver imunidade para esse tributo. 2. A condição de um imóvel estar vago ou sem edificação não é suficiente, por si só, para destituir a garantias constitucional da imunidade. 3. A regra da imunidade se traduz numa ne-

gativa de competência, limitando, *a priori*, o poder impositivo do Estado. 4. Na regra imunizante, como a garantia decorre diretamente da Carta Política, mediante decote de competência legislativa, as presunções sobre o enquadramento originalmente conferido devem militar a favor das pessoas ou das entidades que apontam a norma constitucional. 5. Quanto à imunidade prevista no art. 150, inciso VI, alínea c, da Constituição Federal, o ônus de elidir a presunção de vinculação às atividades essenciais é do Fisco. 6. Recurso extraordinário provido" (STF – 1.ª Turma, RE 470.520/SP, rel. Min. Dias Toffoli, j. 17.09.2013).

"I – A imunidade prevista no art. 150, VI, c, da Constituição em benefício das instituições de ensino busca incentivar a cooperação entre o Poder Público e a iniciativa privada na concretização do direito social à educação. II – A autorização pelo Poder Público, prevista no art. 209, II, da Constituição, constituiu requisito indispensável à legitimidade constitucional para o exercício da atividade de ensino pela iniciativa privada. III – Estender o benefício em questão às instituições de ensino não autorizadas a funcionar pelo Poder Público equivaleria a admitir-se que o texto constitucional estaria a fomentar o desempenho de atividade realizada em desconformidade com as suas próprias disposições" (STF – 2.ª Turma, RE 378.666/DF AgRg, rel. Min. Ricardo Lewandowski, j. 03.04.2012).

d) livros, jornais, periódicos e o papel destinado a sua impressão.

Doutrina

Natureza e objetivo da imunidade. Trata-se de imunidade objetiva destinada ao livro, aos jornais, aos periódicos e ao papel destinado à impressão destes veículos de difusão cultural. O objetivo da imunidade é o de garantir a livre manifestação do pensamento e, por meio desta, facilitar o processo de educação e o acesso à cultura e à informação.

Conceitos. Para fins de imunidade tributária, livros são publicações impressas, não periódicas, contendo pelo menos 49 páginas, destinadas à veiculação de ideias quase sempre ligadas a um único tema geral; jornais são publicações impressas, de periodicidade diária ou não, destinadas à divulgação de noticiário e informações de caráter geral; periódicos são publicações e impressos que se destinam a veicular ou transmitir pensamentos e ideias, como são as revistas semanais e as revistas técnicas.

Jurisprudência

> "A razão de ser da imunidade prevista no texto constitucional, e nada surge sem uma causa, uma razão suficiente, uma necessidade, está no interesse da sociedade em ver afastados procedimentos, ainda que normatizados, capazes de inibir a produção material e intelectual de livros, jornais e periódicos" (STF, RE 164.476-6/SP, rel. Min. Marco Aurélio, RTJ, 167/988).
>
> "O benefício constitucional alcança não só o papel utilizado diretamente na confecção dos bens referidos, como também insumos nela consumidos como são os filmes e papéis fotográficos" (STF – 2.ª Turma, RE 174.476/SP, rel. Min. Maurício Corrêa, rel. para o acórdão Min. Marco Aurélio, RTJ, 167/988).
>
> "O fato de as edições das listas telefônicas veicularem anúncios e publicidade não afasta o benefício constitucional da imunidade. A inserção visa a permitir a divulgação das informações necessárias ao serviço público a custo zero para os assinantes, consubstanciando acessório que segue a sorte do principal" (STF – 2.ª Turma, RE 199.183/SP, rel. Min. Marco Aurélio, DJ 1, 12.06.1998).
>
> "Sendo as contribuições para o Finsocial modalidade de tributo que não se enquadra na de imposto, segundo o entendimento desta Corte em face do Sistema Tributário da atual Constituição, não estão elas abran-

gidas pela imunidade tributária prevista no art. 150, VI, d, dessa Carta Magna, porquanto tal imunidade só diz respeito a impostos" (STF – 1.ª Turma, RE 141.715/PE, rel. Min. Moreira Alves, Ementário, v. 1.797-05, p. 838).

e) fonogramas e videofonogramas musicais produzidos no Brasil contendo obras musicais ou literomusicais de autores brasileiros e/ou obras em geral interpretadas por artistas brasileiros bem como os suportes materiais ou arquivos digitais que os contenham, salvo na etapa de replicação industrial de mídias ópticas de leitura a *laser*.

Doutrina

Imunidade de impostos sobre fonograma e videofonograma. A imunidade tributária alcança fonogramas e videofonogramas produzidos no Brasil, tendo como conteúdo peças musicais e literomusicais de artistas brasileiros ou interpretadas por intérpretes brasileiros. Alcança, ainda, a imunidade os suportes materiais ou arquivos digitais, ressalvada a etapa de reprodução industrial de mídias de leitura a *laser*.

Jurisprudência

"A utilização não autorizada de músicas e fonogramas alheios com o fim de tornar outra obra mais atrativa não está amparada pela exceção do art. 49, I, 'a', da Lei n. 5.988/73, ainda que tal obra tenha finalidade didática" (STJ – 4.ª Turma, REsp 760.157, rel. Min. Cesar Asfor Rocha, DJ, 21.05.2007, p. 586).

§ 1.º A vedação do inciso III, *b*, não se aplica aos tributos previstos nos arts. 148, I, 153, I, II, IV e V; e 154, II; e a vedação do inciso III, c, não se aplica aos tributos previstos nos arts. 148, I, 153, I, II, III e V; e 154, II, nem à fixação da base de cálculo dos impostos previstos nos arts. 155, III, e 156, I.

Doutrina

Exceções ao princípio da anterioridade. A Constituição Federal afasta, expressamente, a aplicação do princípio da anterioridade no caso dos impostos sobre: a importação de produtos estrangeiros; a exportação, para o exterior, de produtos nacionais ou nacionalizados; produtos industrializados; operações de crédito, câmbio e seguro, ou relativas a títulos ou valores mobiliários; empréstimo compulsório instituído para atender a despesas extraordinárias, decorrentes de calamidade pública, de guerra externa ou sua iminência; ou impostos extraordinários instituídos na iminência ou no caso de guerra externa (arts. 148, I; 153, I, II, IV e V; 154, II). As razões são de ordem pública, ora no interesse das políticas fiscal e monetária, ora a defesa nacional.

Exceções ao princípio da anterioridade mitigada. A Constituição afasta, expressamente, a aplicação do princípio da anterioridade mitigada no caso dos impostos sobre: a importação de produtos estrangeiros; a exportação, para o exterior, de produtos nacionais ou nacionalizados; renda e proventos de qualquer natureza; operações de crédito, câmbio e seguro, ou relativas a títulos ou valores mobiliários; empréstimo compulsório instituído para atender a despesas extraordinárias, decorrentes de calamidade pública, de guerra externa ou sua iminência; e impostos extraordinários instituídos na iminência ou no caso de guerra externa. (arts. 148, I; 153, I, II, III e V; e 154, II). Não bastasse, excepciona, ainda, a aplicação do princípio nos casos de fixação da base de cálculo do imposto sobre a propriedade de veículos automotores e do imposto sobre a propriedade predial e territorial urbana.

Jurisprudência

> "Revogada a isenção, o tributo torna-se imediatamente exigível. Em caso assim, não há que se observar o princípio da anterioridade, dado que o tributo já é existente" (STF – 2.ª Turma, RE 204.062/ES, rel. Min. Carlos Velloso, Ementário, n.º 1.855-12).

§ 2.º A vedação do inciso VI, *a*, é extensiva às autarquias e às fundações instituídas e mantidas pelo Poder Público, no que se refere ao patrimônio, à renda e aos serviços, vinculados a suas finalidades essenciais e às delas decorrentes.

Doutrina

Extensão da imunidade recíproca às autarquias e fundações. A imunidade recíproca se aplica às autarquias e as fundações instituídas e mantidas pelo Poder Público; porém, somente no que se refere ao patrimônio, à renda e aos serviços afetados à consecução de suas atividades fundamentais ou delas decorrentes.

Jurisprudência

> "Não pode a União fazer incidir o Imposto sobre Operações Financeiras (IOF) sobre a renda das fundações instituídas e mantidas pelo Poder Público, auferida de aplicações no mercado financeiro, por violar preceito constitucional (CF/88, art. 150, VI, *a*, § 2.º)" (TRF1, REO 93.01.26700-4/GO, rel. Juiz Tourinho Neto, DJ 2, 14.09.1995, p. 61.292).

§ 3.º As vedações do inciso VI, *a*, e do parágrafo anterior não se aplicam ao patrimônio, à renda e aos serviços relacionados com exploração de atividades econômicas regidas pelas normas aplicáveis a empreendimentos privados, ou em que haja contraprestação ou pagamento de preços ou tarifas pelo usuário, nem exonera o promitente comprador da obrigação de pagar imposto relativamente ao bem imóvel.

Doutrina

Não incidência da imunidade. Não se aplica a imunidade de impostos ao patrimônio, à renda e aos serviços das autarquias e das fundações instituídas e mantidas pelo Poder Público quando estes estiverem relacionados com a exploração de atividade econômica própria de particulares ou sempre que houver qualquer tipo de contraprestação ou pagamento de preço ou tarifa pelos usuários.

Não exoneração do promitente comprador. Aquele que firmar promessa de compra de imóvel, de propriedade de autarquia ou fundação pública, responderá pelo pagamento de imposto que incidir sobre o bem objeto da transação, pois não pode ser beneficiado pela extensão da imunidade.

Jurisprudência

> Súmula do STF: 75. "Sendo vendedora uma autarquia, a sua imunidade fiscal não compreende o imposto de transmissão *inter vivos*, que é encargo do comprador".

§ 4.º As vedações expressas no inciso VI, alíneas *b* e *c*, compreendem somente o patrimônio, a renda e os serviços, relacionados com as finalidades essenciais das entidades nelas mencionadas.

Doutrina

Restrição de imunidade. A norma restringe a aplicação da imunidade assegurada aos templos de qualquer culto, aos partidos políticos e suas fundações, aos sindicatos e demais entidades sindicais de trabalhadores, às instituições de educação e de assistência social, somente ao patrimônio, à renda e aos serviços diretamente ligados ao cumprimento de suas finalidades essenciais.

Jurisprudência

> Súmula do STF: 724. "Ainda quando alugado a terceiros, permanece imune ao IPTU o imóvel pertencente a qualquer das entidades referidas pelo art. 150, VI, *c*, da Constituição, desde que o valor dos aluguéis seja aplicado nas atividades essenciais de tais entidades".

§ 5.º A lei determinará medidas para que consumidores sejam esclarecidos acerca de impostos que incidam sobre mercadorias e serviços.

Doutrina

Proteção e defesa do consumidor. Dispõe a norma constitucional que a lei disporá sobre as medidas necessárias ao esclarecimento dos consumidores acerca dos impostos incidentes sobre o preço final das mercadorias e serviços. O objetivo visado é o de esclarecer o consumidor quanto ao valor dos impostos que paga ao adquirir um bem ou tomar um serviço.

§ 6.º Qualquer subsídio ou isenção, redução de base de cálculo, concessão de crédito presumido, anistia ou remissão, relativos a impostos, taxas ou contribuições, só poderá ser concedido mediante lei específica, federal, estadual ou municipal, que regule exclusivamente as matérias acima enumeradas ou o correspondente tributo ou contribuição, sem prejuízo do disposto no art. 155, § 2.º, XII, *g*.

Doutrina

Benefício fiscal e o princípio da legalidade estrita da tributação. Qualquer favor fiscal concedido ao contribuinte, como subsídio, isenção, redução de tributo, concessão de crédito presumido, anistia ou remissão, sempre será precedido de lei própria, de iniciativa do titular da competência tributária. Quando se tratar de ICMS, a lei complementar regulará a forma como, mediante deliberação dos Estados e do Distrito Federal, isenções, incentivos e benefícios fiscais serão concedidos ou revogados.

Jurisprudência

"A exigência constitucional de lei formal para a veiculação de isenções em matéria tributária atua como insuperável obstáculo à postulação da parte recorrente, eis que a extensão dos benefícios isencionais, por via jurisdicional, encontra limitação absoluta no dogma da separação de poderes. Os magistrados e Tribunais – que não dispõem de função legislativa – não podem conceder, ainda que sob fundamento de isonomia, o benefício da exclusão do crédito tributário em favor daqueles a quem o legislador, com apoio em critérios impessoais, racionais e objetivos, não quis contemplar com a vantagem da isenção" (STF – 1.ª Turma, AgI 142.348/MG AgRg, rel. Min. Celso de Mello, DJ 1, 24.03.1995, p. 6.807).

"A isenção fiscal decorre do implemento da política fiscal e econômica, pelo Estado, tendo em vista o interesse social. É ato discricionário que escapa ao controle do Poder Judiciário e envolve juízo de conveniência e oportunidade do Poder Executivo" (STF – 2.ª Turma, AgI 151.855/SP AgRg, rel. Min. Paulo Brossard, DJ, 02.12.1994, p. 33.205).

§ 7.º A lei poderá atribuir a sujeito passivo de obrigação tributária a condição de responsável pelo pagamento de imposto ou contribuição, cujo fato gerador deva ocorrer posteriormente, assegurada a imediata e preferencial restituição da quantia paga, caso não se realize o fato gerador presumido.

Doutrina

Substituição tributária. A norma constitucional defere à lei a possibilidade de atribuir a terceiro que não o contribuinte a responsabilidade pelo pagamento de tributo cujo fato gerador deverá ocorrer no futuro.

Restituição imediata e preferencial do indébito. A lei disporá sobre o direito à imediata e preferencial restituição da quantia paga a maior em face da não realização do fato gerador anteriormente presumido.

Jurisprudência

"Atribuição a terceiro da condição de responsável pelo crédito tributário. O art. 128 do CTN só permite essa atribuição se houver vinculação do terceiro ao fato gerador, pelo que não é possível atribuir ao industrial ou comerciante atacadista a responsabilidade pelo tributo devido pelo comerciante varejista" (STJ – 1.ª Turma, REsp 5.116/SP, rel. Min. Pedro Acioli, RSTJ, 42/223).

"O substituto tributário, em face da disciplina da legislação tributária (CTN, art. 128), deverá ser sempre alguém 'vinculado' ao 'fato gerador', sendo de todo incabível que algum devedor ('estranho' em relação ao ato imponível) substitua outro que ainda não seja contribuinte, relativamente à operação considerada" (STJ – 1.ª Turma, REsp 35.571/SP, rel. Min. Demócrito Reinaldo, DJ, 27. 06.1994, p. 16.204).

Art. 151. É vedado à União:

I – instituir tributo que não seja uniforme em todo o território nacional ou que implique distinção ou preferência em relação a Estado, ao Distrito Federal ou a Município, em detrimento de outro, admitida a concessão de incentivos fiscais destinados a promover o equilíbrio do desenvolvimento socioeconômico entre as diferentes regiões do País;

Doutrina

Princípio da uniformidade tributária. Tem por objetivo fortalecer os laços da Federação e significa que a União está proibida de instituir tributo que não seja uniforme em todo o território nacional ou crie distinção ou preferência em relação a qualquer ente federativo em detrimento ou desfavor de outro. O princípio da uniformidade impõe que os tributos federais tenham iguais bases de cálculo e alíquotas em todas as regiões do país.

Exceção ao princípio da uniformidade tributária. A norma constitucional admite, expressamente, a existência de uma política de incentivos fiscais destinada a promover o equilíbrio do desenvolvimento socioeconômico entre as diferentes regiões do país. O objetivo visado é o de reduzir as desigualdades regionais, garantindo assim melhor equilíbrio do desenvolvimento econômico e social entre as várias regiões brasileiras.

Jurisprudência

"(...). 4. Nos termos do inciso I do artigo 151 da Carta Magna, é vedado à União instituir tributo que não seja uniforme em todo território nacional ou que implique distinção ou preferência em relação a Estado, ao Distrito Federal ou a Município, em detrimento de outro, admitida a concessão de incentivos fiscais destinados a promover o equilíbrio do desenvolvimento socioeconômico entre as diferentes regiões do País. 5. Admite-se, pois, tratamento diferenciado objetivando promover o equilíbrio entre áreas diferentes, que se identificam pelos fatores socioeconômicos" (TRF3, AMS 220.991/SP, rel. Des. Fed. Lazarano Neto, DJF3, 15.09.2008).

"Tributário. Mandado de Segurança. IPI. Açúcar. Lei 8.393/91. Decreto 420/92. Alíquota de 18%. Ausência de ofensa aos princípios da seletividade e isonomia. 1. Nos termos do artigo 151, I, da Constituição da República é vedado à União instituir tributo que não seja uniforme em todo o território nacional ou que implique distinção ou preferência em relação a Estado, ao Distrito Federal ou a Município, em detrimento de outro, admitida a concessão de incentivos fiscais destinados a promover o equilíbrio do desenvolvimento socioeconômico entre as diferentes regiões do País. Desse modo, deve-se observar uma regra geral, que não admite distinções entre as pessoas jurídicas de direito público mencionadas, fazendo cumprir o princípio da isonomia; e de outro lado uma regra específica, que admite tratamento diferenciado visando justamente promover o equilíbrio entre regiões que possuem dados característicos peculiares. 2. O elemento discriminador utilizado pelo legislador na Lei 8.393/91, envolvendo diferentes áreas e Estados da Federação, guarda correlação lógica com o propósito buscado, qual seja, garantir o equilíbrio entre aqueles que se distinguem no desenvolvimento socioeconômico. 3. O juízo de essencialidade relacionado ao produto cabe ao legislador. Assume, desse modo, caráter discricionário que não pode ser alterado pela livre vontade do julgador sem demonstração de desobediência à Constituição, à legislação ou ao princípio da razoabilidade, razão pela qual, a fixação de alíquotas em função de política nacional de preços não pode ser obstada pela Judiciário" (TRF3, AMS 177.969/SP, rel. Juiz Convocado Miguel di Pierro, DJU, 04.12.2006, p. 549).

II – tributar a renda das obrigações da dívida pública dos Estados, do Distrito Federal e dos Municípios, bem como a remuneração e os proventos dos respectivos agentes públicos, em níveis superiores aos que fixar para suas obrigações e para seus agentes;

Doutrina

Igualdade tributária entre os entes federativos. A norma constitucional proíbe a União de tributar a renda das obrigações da dívida pública dos Estados, do Distrito Federal e dos Municípios em níveis superiores aos que fixar para as suas obrigações. Quer dizer, a renda auferida com títulos da dívida pública federal, estadual, distrital ou municipal será tributada por meio de alíquotas iguais. A finalidade da regra é evitar que a União tribute de forma mais gravosa as obrigações dos demais entes federados para tornar os seus títulos mais rentáveis e, com isso, garantir a preferência dos investidores.

Remuneração e proventos dos agentes públicos. Da mesma forma, a União fará incidir igual tributação de renda tanto sobre a remuneração e proventos que paga a seus servidores quanto aqueles pagos aos servidores dos demais entes federados.

III – instituir isenções de tributos da competência dos Estados, do Distrito Federal ou dos Municípios.

Doutrina

Isenção de tributos. A União está proibida de instituir isenção de tributos da competência dos demais entes federados. O objetivo da norma é o de preservar o princípio federativo.

Jurisprudência

> "Isenções de tributos municipais concedidos pela União na sistemática da Constituição pretérita, art. 19, § 2.º Isenção de ISS, concedida pela União, relativamente a obras hidráulicas ou de construção civil e os serviços de engenharia consultiva, quando contratados com a Administração Pública: DL 406, de 1968, art. 11, na redação da Lei Complementar 22, de 1971. Sua não-revogação imediata pela CF/88, art. 151, III, ao proibir à União conceder isenções de tributos estaduais e municipais, alterando a sistemática anterior, art. 19, § 2.º, da Constituição anterior. A revogação, no caso, faz-se com observância das regras de transição inscritas no art. 41, §§ 1.º, 2.º e 3.º, do ADCT" (STF – 2.ª Turma, RE 159.343-1/SP, rel. Min. Carlos Velloso, DJ 1, 03.05.1996, p. 13.908).
>
> "Somente a pessoa jurídica de direito público que tem competência para instituir o tributo, detém, também, o poder de isentá-lo" (STJ – 1.ª Turma, REsp 178.829/RJ, rel. Min. Demócrito Reinaldo, DJ 1, 15.03.1999, p. 110).
>
> "Na vigência da Constituição Federal de 1988, art. 151, inciso III, é vedado à União instituir isenções de tributos da competência dos Estados, do Distrito Federal ou dos Municípios" (STJ – 1.ª Turma, REsp 41.370/SP, rel. Min. Garcia Vieira, DJ, 21.03.1994, p. 5.451).

Art. 152. É vedado aos Estados, ao Distrito Federal e aos Municípios estabelecer diferença tributária entre bens e

serviços, de qualquer natureza, em razão de sua procedência ou destino.

Doutrina

Diferenciação tributária. É proibido aos Estados, ao Distrito Federal e aos Municípios legislar no sentido de estabelecer diferenciação tributária entre bens e serviços, de qualquer natureza, em razão de sua procedência ou destino. O principal objetivo da norma é o de assegurar a livre circulação de bens e serviços pelo território nacional, garantindo, com isso, maior integração econômica entre as diversas regiões do país.

Jurisprudência

Súmula do STF: 569. "É inconstitucional a discriminação de alíquotas do Imposto de Circulação de Mercadorias nas operações interestaduais, em razão do destinatário ser, ou não, contribuinte".

"(...). 4. Artigo 50, XXXII e XXXIII, e §§ 36, 37 e 38 do Decreto Estadual n.º 5.141/2001 – Paraná. Ausência de convênio interestadual para a concessão de benefícios fiscais. Violação ao art. 155, § 2.º, XII, g, da CF/88. A Constituição é clara ao vedar aos Estados e ao Distrito Federal a fixação de alíquotas internas em patamares inferiores àquele instituído pela Senado para a alíquota interestadual. Violação ao art. 152 da CF/88, que constitui o princípio da não-diferenciação ou da uniformidade tributária, que veda aos Estados, ao Distrito Federal e aos Municípios estabelecer diferença tributária entre bens e serviços, de qualquer natureza, em razão de sua procedência ou destino. 5. Medida cautelar deferida" (STF – Pleno, ADIN 3.936/PR MC, rel. Min. Gilmar Mendes, j. 19.09.2007).

"O tratamento igualitário das mercadorias importadas com as nacionais pressupõe, para que não haja desfavor em relação a estas, que o ICMS seja recolhido no momento da aquisição das mercadorias, tal como ocorre com as nacionais" (STJ – 1.ª Turma, REsp 54.905/SP, rel. Min. César Asfor Rocha, DJ 1, 13.02.1995, p. 2.221).

Seção III
DOS IMPOSTOS DA UNIÃO

Art. 153. Compete à União instituir impostos sobre:

I – importação de produtos estrangeiros;

Doutrina

Imposto de Importação. O imposto sobre a importação de produtos estrangeiros tem como fato gerador a entrada destes no território nacional. Portanto, não incide o tributo sobre as importações de produtos de uma região do país por outra, como, *v. g.*, do Norte para o Sudeste. Referido tributo tem função arrecadadora secundária, pois a sua principal função é extrafiscal, como instrumento de regulação do comércio exterior.

Jurisprudência

Súmulas do STF: 469. "A multa de cem por cento, para o caso de mercadoria importada irregularmente, é calculada à base de custo de câmbio da categoria correspondente". 577: "Na importação de mercadorias do Exterior, o fato gerador do ICM ocorre no momento de sua entrada no estabelecimento do importador".

"Constitucional. Administrativo. Tributário. Importação: Veículos usados. I – A importação de produtos estrangeiros sujeita-se ao controle governamental. Inocorrência de ofensa ao princípio isonômico no fato de não ter sido autorizada a importação de veículos usados, não obstante permitida a importação de veículos novos. II – Competência do Ministério da Fazenda para indeferir pedidos de Guias de Importação no caso de ocorrer a possibilidade de a importação causar danos à economia nacional. III – R.E. conhecido e provido" (STF – 2.ª Turma, RE 208.256/CE, rel. Min. Carlos Velloso, j. 25.03.1997).

"Importação. Pneus usados. Proibição. O princípio da razoabilidade constitucional é conducente a ter-se como válida a regência da proibição via Portaria, não sendo de se exigir lei em sentido formal e material, especificadora, de forma exaustiva, de bens passíveis, ou não, de importação" (STF – 2.ª Turma, RE 213.676-0/CE, rel. Min. Marco Aurélio, DJ 1, 14.11. 1997, p. 58.796).

"(...). 2. Hipótese em que o Tribunal Regional concluiu que 'não padece de qualquer eiva de inconstitucionalidade a Lei 10.865/04, que regulamentou a tributação do PIS e da COFINS incidente sobre a importação de produtos estrangeiros ou serviços, ao estabelecer o valor aduaneiro como base de cálculo, acrescido do valor do ICMS e ISS incidente no desembaraço aduaneiro'" (STJ – 2.ª Turma, AREsp 845.903 AgRg, rel. Min. Diva Malerbi (Des. Fed. do TRF3), DJE, 24.05.2016).

"O fato gerador do Imposto sobre Importação é a entrada da mercadoria no território nacional e não a data da expedição da guia de importação (art. 19 do CTN" (TRF5, AC 92.05.13.312/AL, rel. Juiz Araken Mariz, DJ, 06.09.1993, p. 36.263).

II – exportação, para o exterior, de produtos nacionais ou nacionalizados;

Doutrina

Imposto de exportação. O imposto de exportação, para o estrangeiro, de produtos nacionais ou nacionalizados tem como fato gerador a saída destes do território nacional. Portanto, não incide o tributo sobre as exportações de produtos de uma região do país para outra, como, *v. g.*, do Sudeste para o Nordeste. Referido tributo tem função arrecadadora secundária, pois a sua principal função é extrafiscal, como instrumento de regulação do comércio exterior.

Jurisprudência

Súmula do STF: 536. "São objetivamente imunes ao imposto sobre circulação de mercadorias os produtos industrializados, em geral, destinados à exportação, além de outros, com a mesma destinação, cuja isenção a lei determinar".

Súmula do STJ: 129. "O exportador adquire o direito de transferência de crédito do ICMS quando realiza a exportação do produto e não ao estocar a matéria-prima".

"O fato gerador do Imposto sobre a Exportação, consoante dispõe o art. 23 do CTN, verifica-se com a saída de produtos nacionais ou nacionalizados do território nacional. Por ficção legal, ditada por razões de ordem prática, ante a impossibilidade de se fixar, com exatidão, o momento em que o produto transpõe os limites do País, considera-se que a relação tributária instaura-se quando expedida a guia de exportação" (TFR, AC 68.450/RS, rel. Min. Miguel Ferrante, DJ, 10.03.1983).

"(...). 4. Nos termos do art. 40 do Ato das Disposições Constitucionais Transitórias – ADCT, da Constituição de 1988, a Zona Franca de Manaus ficou mantida 'com suas características de área de livre comércio, de exportação e importação, e de incentivos fiscais, por vinte e cinco anos, a partir da promulgação da Constituição'. Ora, entre as 'características' que tipificam a Zona Franca destaca-se esta de que trata o art. 4.º do Decreto-lei 288/67, segundo o qual 'a exportação de mercadorias de origem nacional para consumo ou industrialização na Zona Franca de Manaus, ou reexportação para o estrangeiro, será para todos os efeitos fiscais, constantes da legislação em vigor, equivalente a uma exportação brasileira para o estrangeiro'. Portanto, durante o período previsto no art. 40 do ADCT e enquanto não alterado ou revogado o art. 4.º do DL 288/67, há de se considerar que, conceitualmente, as exportações para a Zona Franca de Manaus são, para efeitos fiscais, exportações para o exterior" (STJ – 1.ª Turma, REsp 698.356, rel. Min. Teori Albino Zavascki, DJE, 03.03.2008).

III – renda e proventos de qualquer natureza;

Doutrina

Imposto de renda. O imposto sobre a renda e proventos de qualquer natureza tem como fato gerador a aquisição de disponibilidade econômica ou jurídica de renda, assim entendido o produto do capital, do trabalho ou da combinação de ambos e de proventos, assim entendidos os acréscimos patrimoniais decorrentes de aposentadoria, pensões, doações ou qualquer outro proveito ou ganho.

Jurisprudência

Súmulas do STF: 584: "Ao imposto de renda calculado sobre os rendimentos do ano-base, aplica-se a lei vigente no exercício financeiro em que deve ser apresentada a declaração". 586: "Incide imposto de renda sobre os juros remetidos para o Exterior, com base em contrato de mútuo". 587. "Incide imposto de renda sobre o pagamento de serviços técnicos contratados no Exterior e prestados no Brasil".

Súmulas do STJ: 125: "O pagamento de férias não gozadas por necessidade do serviço não está sujeito à incidência do imposto de renda". 136: "O pagamento de licença-prêmio não gozada por necessidade do serviço não está sujeito ao imposto de renda".

"Constitucional. Tributário. Imposto de Renda. Renda – conceito. Lei n. 4.506, de 30.XI.64, art. 38. C.F/46, art. 15, IV; CF/67, art. 22, IV; EC 1/69, art. 21, IV. CTN, art. 43. I. - Rendas e proventos de qualquer natureza: o conceito implica reconhecer a existência de receita, lucro, proveito, ganho, acréscimo patrimonial que ocorrem mediante o ingresso ou o auferimento de algo, a título oneroso. C.F., 1946, art. 15, IV; CF/67, art. 22, IV; EC 1/69, art. 21, IV. CTN, art. 43. II. – Inconstitucionalidade do art. 38 da Lei 4.506/64, que institui adicional de 7% de imposto de renda sobre lucros distribuídos. III. – R.E. conhecido e provido" (STF – Pleno, RE 117.887/SP, rel. Min. Carlos Velloso, DJ 1, 23.04.1993, p. 6.923).

"(...). II – Cruzados bloqueados e incidência de imposto de renda. O Plenário do Supremo Tribunal Federal destacou que a Constituição Federal atribui competência à União para instituir imposto sobre a renda e proventos de qualquer natureza (CF, art. 153, III), sem qualquer adjetivação ao vocábulo renda, razão por que coube ao legislador ordinário complementar, no art. 43 do CTN a sua definição como o produto do capital, do trabalho, ou da combinação de ambos e estabelecer como fato gerador a aquisição da disponibilidade econômica ou jurídica da renda ou dos proventos de qualquer natureza (RE 201.465/MG, Rel. Min. Nelson Jobim). III – A respeito do alcance da expressão aquisição da disponibilidade econômica ou jurídica de renda, a Corte anotou que a disponibilidade adquirida pode, nos termos da definição, ser econômica ou jurídica (CTN, art. 43, *caput*), esclarecendo que disponibilidade econômica é a sua efetiva percepção em dinheiro ou outros valores e que disponibilidade jurídica corresponde ao que os economistas chamam de 'realização' da renda: é o caso em que, embora o rendimento ainda não esteja 'economicamente disponível' (isto é, efetivamente percebido), o beneficiário já tenha título hábil para percebê-lo (RE 172.058/SC, Rel. Min. Marco Aurélio). IV – No caso em exame, esse foi o entendimento externado no acórdão recorrido à luz do disposto no art. 43 do Código Tributário Nacional. V – Agravo regimental a que se nega provimento" (STF – 2.ª Turma, RE 633.922/SP AgRg, rel. Min. Ricardo Lewandowski, j. 19.08.2014).

"(...). Portanto, incide Imposto de Renda sobre a participação nos lucros ou resultados de que trata o art. 7.°,

XI, da Constituição Federal, conforme expressamente previsto na Medida Provisória 794, de 29 de dezembro de 1994, e nas sucessivas reedições dessa medida, até a conversão da última edição na Lei 10.101/2000, cujo § 5.º de seu art. 3.º possui o seguinte teor: 'As participações de que trata este artigo serão tributadas na fonte, em separado dos demais rendimentos recebidos no mês, como antecipação do imposto de renda devido na declaração de rendimentos da pessoa física, competindo à pessoa jurídica a responsabilidade pela retenção e pelo recolhimento do imposto'" (STJ – 2.ª Turma, REsp 1.146.360 AgRg, rel. Min. Mauro Campbell Marques, DJE, 28.09.2010).

"1. O imposto sobre a renda e proventos de qualquer natureza tem como fato gerador, nos termos do art. 43 e seus parágrafos do CTN, os 'acréscimos patrimoniais', assim entendidos os acréscimos ao patrimônio material do contribuinte. 2. No caso, o pagamento feitos pelo empregador a seu empregado, a título de 'indenização por desgaste orgânico', na vigência do contrato de trabalho, está sujeito à tributação do imposto de renda, já que (a) importou acréscimo patrimonial e (b) não está beneficiado por isenção. 3. Recurso especial provido" (STJ – 1.ª Turma REsp 928.561, rel. Min. Teori Albino Zavascki, DJE, 29.06.2009).

"Não constituindo renda, mas indenização, de natureza reparatória, que não pode ser objeto da tributação, as verbas recebidas a título de incentivo à demissão voluntária não estão sujeitas à incidência do Imposto de Renda" (STJ – 2.ª Turma, REsp 171.558/DF, rel. Min. Hélio Mosimann, j. 06.08.1998).

"I. O imposto sobre a renda e proventos de qualquer natureza tem como fato gerador a aquisição de disponibilidade econômica ou jurídica de acréscimo patrimonial. A tributação do que não é renda, porque não consubstancia acréscimo patrimonial, mas simples decorrência da inflação, contraria, diretamente, o art. 43

do CTN, e indiretamente, o art. 153, II, da CF/88. II. A pessoa jurídica, contribuinte do Imposto de Renda, tem direito de proceder à correção monetária de suas demonstrações financeiras do ano-base de 1990, exercício financeiro de 1991, com base no IPC, como reconhecido pela Lei 8.200/91, sem restrições de seu art. 3.º, I, e arts. 39 e 41 do Decreto 332/91" (TRF5, AMS 94.05.46.665/CE, rel. Juiz Hugo Machado, DJ 2, 30.06.1995, p. 42.020).

IV – produtos industrializados;

Doutrina

Imposto sobre produtos industrializados. O imposto sobre produtos industrializados tem como fato gerador o seu desembaraço aduaneiro, quando de procedência estrangeira, a sua saída dos estabelecimentos de importadores, de industriais ou de comerciantes, ou a sua arrematação, nos casos de produtos apreendidos ou abandonados e levados a leilão.

Produto industrializado. É a matéria-prima modificada pela ação do homem por meio de beneficiamento, transformação, montagem, acondicionamento ou renovação.

Jurisprudência

Súmula do STF: 536. "São objetivamente imunes ao imposto sobre circulação de mercadorias os produtos industrializados, em geral, destinados à exportação, além de outros, com a mesma destinação, cuja isenção a lei determinar".

Súmula do STJ: 95. "A redução da alíquota do imposto sobre produtos industrializados ou do imposto de importação não implica redução do ICMS".

"O conceito de produto industrializado é do direito fiscal e não do civil. Na exegese fiscal, o intérprete está adstrito, em primeiro lugar, à analogia e, em segundo, aos princípios gerais do direito" (STF, RDA, 104/95).

"1. O Superior Tribunal de Justiça tem entendimento de que o fato gerador do Imposto sobre Produtos Industrializados – IPI é o desembaraço aduaneiro, sendo irrelevante se o bem é adquirido a título de compra e venda ou arrendamento, incidindo o tributo sobre base de cálculo proporcional nos casos de ingresso do bem em caráter temporário no território nacional. Precedentes" (STJ – 1.ª Turma, AREsp 1.076.703, rel. Min. Napoleão Nunes Maia Filho, DJE, 28.02.2019).

"Somente depois da entrada em vigor da Lei 9.779/99 se tornou possível a compensação de créditos de Imposto sobre Produtos Industrializados (IPI) pagos na entrada de insumos, quando o produto final for isento do tributo ou sujeito a alíquota zero, conforme decidido pelo Plenário do Supremo Tribunal Federal, em 06.5.2009, nos Recursos Extraordinários 460.785/RS, 562.980/SC e 475.441/PR, rel. Min. Marco Aurélio. 2. Embargos de declaração acolhidos com efeitos modificativos para dar provimento ao agravo regimental da União e reconsiderar a decisão agravada. 3. Provimento ao recurso extraordinário da União" (STF – 2.ª Turma, RE 371.898/PR AgRg ED, rel. Min. Ellen Gracie, j. 26.05.2009).

"2. O Supremo Tribunal Federal, reconhecendo a repercussão geral do tema, no RE 562.980/SC, firmou a tese: 'o direito do contribuinte de utilizar-se de crédito relativo a valores pagos a título de Imposto sobre Produtos Industrializados – IPI, oriundo da aquisição de matéria-prima a ser empregada em produto final beneficiado pela isenção ou tributado à alíquota zero, somente surgiu com a Lei n. 9.779/1999, não se mostrando possível a aplicação retroativa da norma' (Tema 49). Entendimento compartilhado pela Primeira Seção: REsp 860.369/PE, repetitivo, Rel. Ministro Luiz Fux, DJE 18/12/2009. 3. Hipótese em que o juízo de conformação não está autorizado, porquanto o tema firmado pelo STF não influi na matéria julgada anteriormente pelo órgão julgador, o qual, invocando o princípio da não cumulatividade, reconheceu o direito de crédito de IPI na aquisição de matérias-primas, produtos intermediários e materiais de embalagens adquiridos com isenção ou com incidência de alíquota zero. 4. Acórdão de desprovimento do agravo regimental da Fazenda Nacional mantido" (STJ – 1.ª Turma, AREsp 705.624, rel. Min. Gurgel de Faria, DJE, 04.12.2018).

"O IPI e o Imposto de Importação não se confundem. Havendo importação de produto industrializado, um imposto grava o ato de importar; outro, a operação com produto industrializado" (TRF4, AMS 93.04.16.071/PR, rel. Juiz Vladimir Passos de Freitas, DJ 2, 26.07.1995, p. 46.410).

V – operações de crédito, câmbio e seguro, ou relativas a títulos ou valores mobiliários;

Doutrina

Imposto sobre operações financeiras. O imposto incide sobre as operações de crédito, de câmbio, de seguros, sobre aquelas realizadas com títulos e valores mobiliários no mercado de bolsa ou de balcão e também sobre o ouro, quando definido em lei como ativo financeiro.

Jurisprudência

Súmula do STJ: 185. "Nos depósitos judiciais não incide o Imposto sobre Operações Financeiras".

"Não pode a União fazer incidir o Imposto sobre Operações Financeiras (IOF) sobre a renda das fundações instituídas e mantidas pelo Poder Público, auferida de aplicações no mercado financeiro, por violar preceito constitucional (CF/88, art. 150, VI, *a*, § 2.º)" (TRF1, REO 93.01.26700-4/GO, rel. Juiz Tourinho Neto, DJ 2, 14.09.1995, p. 61.292).

"1. Tese do Tema 109 da sistemática da repercussão geral: É constitucional o art. 1.º, IV, da Lei 8.033/90, uma vez que a incidência de IOF sobre o negócio jurídico de transmissão de títulos e valores mobiliários, tais como ações de companhias abertas e respectivas bonificações, encontra respaldo no art. 153, V, da Constituição Federal, sem ofender os princípios tributários da anterioridade e da irretroatividade, nem demandar a reserva de lei complementar. 2. Não há incompatibilidade material entre os arts. 1.º, IV, da Lei 8.033/90 e 153, V, da Constituição Federal, pois a tributação de um negócio jurídico que tenha por objeto ações e respectivas bonificações insere-se na competência tributária atribuída à União no âmbito do Sistema Tributário Nacional, para fins de instituir imposto sobre operações relativas a títulos ou valores mobiliários. 3. A instituição do IOF-Títulos e Valores Mobiliários não ofende o princípio da anterioridade, dada expressa previsão no art. 150, III, b e § 1.º, do Texto Constitucional, ao passo que também não viola o princípio da irretroatividade, porquanto tem por fato gerador futura operação de transmissão de títulos ou valores mobiliários. 4. A reserva de lei complementar para a instituição de imposto de competência da União somente se aplica no caso de tributos não previstos em nível constitucional. Precedentes. 5. Recurso extraordinário conhecido a que se dá provimento, para reformar o acórdão recorrido, assentando a constitucionalidade do art. 1.º, IS, da Lei 8.033/90 e, com efeito, a exigibilidade do IOF sobre a transmissão de ações de companhias abertas e respectivas bonificações" (STF – Pleno, RE 583.712/SP, rel. Min. Edson Fachin, j. 04.02.2016).

"Tributário. IOF sobre saques em conta de poupança. Lei n.º 8.033, de 12.04.90, art. 1.º, inciso V. Incompatibilidade com o art. 153, V, da Constituição Federal. O saque em conta de poupança, por não conter promessa de prestação futura e, ainda, porque não de reveste de propriedade circulatória, tampouco configurando título destinado a assegurar a disponibilidade de valores mobiliários, não pode ser tido por compreendido no conceito de operação de crédito ou de operação relativa a títulos ou valores mobiliários, não se prestando, por isso, para ser definido como hipótese de incidência do IOF, previsto do art. 153, V, da Carta Magna. Recurso conhecido e improvido; com declaração de inconstitucionalidade do dispositivo legal sob enfoque" (STF – Pleno, RE 232.467/SP, rel. Min. Ilmar Galvão, j. 29.09.1999).

"O resultado das aplicações financeiras dos Municípios, no sentido amplo, integra o patrimônio ou renda daqueles. De consequência, é protegido pela imunidade tributária (art. 150, VI, *a*, CF)" (TRF1, AMS 92.01.15355-4/MG, rel. Juiz João V. Fagundes, DJ 2, 19.06.1995, p. 38.332).

VI – propriedade territorial rural;

Doutrina

Imposto sobre a propriedade territorial rural. O imposto tem como fato gerador a propriedade, o domínio útil ou a posse de imóvel por natureza, como definido na lei civil, localizado fora da zona urbana do Município.

Jurisprudência

Súmula do STF: 595. "É inconstitucional a taxa municipal de conservação de estradas de rodagem cuja base de cálculo seja idêntica à do imposto territorial rural".

Súmula do STJ: 139. "Cabe à Procuradoria da Fazenda Nacional propor execução fiscal para cobrança de crédito relativo ao ITR".

"I. Nos termos do art. 145, § 1.°, da CF, todos os impostos, independentemente de seu caráter real ou pessoal, devem guardar relação com a capacidade contributiva do sujeito passivo e, tratando-se de impostos diretos, será legítima a adoção de alíquotas progressivas. II. Constitucionalidade da previsão de sistema progressivo de alíquotas para o imposto sobre a propriedade territorial rural mesmo antes da EC 42/2003. III. Agravo regimental a que se nega provimento" (STF – 2.ª Turma, RE 720.945/SP AgRg, rel. Min. Ricardo Lewandowski, j. 09.09.2014).

"Não obstante ser o Incra uma autarquia federal, está agindo na condição de mero agente arrecadador, de vez que está a exigir imposto cuja competência é da União Federal (CF, art. 153, VI). Assim, quando do pagamento do Imposto Territorial Rural em juízo, deve o contribuinte sujeitar-se aos acréscimos legais em decorrência da mora, a que estão sujeitos os tributos federais" (TRF5, AC 89.05. 03127/PB, rel. Juiz Orlando Rebouças, DJ 2, 25.06.1990, p. 13.884).

VII – grandes fortunas, nos termos de lei complementar.

Doutrina

Imposto sobre grandes fortunas. O imposto sobre grandes fortunas incidirá, na forma da lei complementar, sobre a riqueza, o patrimônio daqueles que a norma legal definir como sujeito passivo da obrigação tributária. A maior dificuldade reside em definir o que se entende por grande fortuna, devendo ser entendido como tal aquilo que a lei estabelecer. Por outro lado, além de um imposto deste perfil representar um desestímulo para a poupança e para o investimento, poderá assumir feições confiscatórias.

Jurisprudência

"A vedação do confisco, muito embora seja de difícil conceituação no direito pátrio, em face da ausência de definição objetiva que possibilite aplicá-lo concretamente, deve ser estudada em consonância com o sistema socioeconômico vigente, observando-se a proteção da propriedade em sua função social" (TRF5, AMS 95.05.49273/PB, rel. Juiz José Delgado, DJ 2, 04.08.1995, p. 48.734).

§ 1.º É facultado ao Poder Executivo, atendidas as condições e os limites estabelecidos em lei, alterar as alíquotas dos impostos enumerados nos incisos I, II, IV e V.

Doutrina

Faculdade para a alteração de alíquotas. A norma faculta ao Poder Executivo, desde que o faça segundo as condições e os limites previstos em lei, a alteração das alíquotas dos impostos de importação, de exportação, sobre produtos industrializados e sobre operações de crédito, câmbio e seguro, ou relativas a títulos mobiliários. Trata-se de exceção aos princípios da legalidade estrita e da anterioridade que se justifica em face da necessidade de contar o Executivo com a possibilidade de utilizar tais impostos como instrumentos de política de regulação do comércio exterior (no caso dos impostos de exportação e importação), ou de proteção ou incentivo da produção e do mercado interno (no caso do imposto sobre produtos industrializados) ou de regulação das políticas dos mercados financeiro, de câmbio ou de títulos mobiliários (no caso do chamado imposto sobre as operações financeiras).

Jurisprudência

> "À lei ordinária – e não à lei complementar – é que cabe estabelecer as condições e os limites a serem observados pelo Poder Executivo na alteração das alíquotas dos impostos enumerados no referido dispositivo da Carta" (STF – 1.ª Turma, RE 223.235/CE, rel. Min. Ilmar Galvão, DJ 1, 21.05.1999, p. 22).
>
> "1. É inquestionável o caráter nitidamente extrafiscal do Imposto de Importação, tanto que a Constituição Federal, no § 1.º do art. 153 faculta ao Poder Executivo, 'atendidas as condições e os limites estabelecidos em lei, alterar as alíquotas dos impostos enumerados nos incisos I, II, IV e V', os quais são excepcionados da regra da anterioridade (CF, art. 150, § 1.º)" (TRF3, AMS 95.03.040707/SP, rel. Juiz Homar Cais, 2ª Seção, DJ 2, 06.09.1995, p. 58.045).

"A atual Constituição Federal suprimiu a faculdade assinada no regime anterior ao Poder Executivo para alterar as bases do cálculo do Imposto de Importação, agora só restrita às alíquotas (CF, art. 153, § 1.º). Portaria 938, de 07 de outubro de 1991, do Ministro da Fazenda, limitando-se à modificação de alíquotas, está de acordo com o Texto Constitucional" (TRF4 – 1.ª Turma , AMS 92.04.35714/PR, rel. Juiz Ari Pargendler, DJ 2, 27.04.1994, p. 18.757).

§ 2.º O imposto previsto no inciso III:

I – será informado pelos critérios da generalidade, da universalidade e da progressividade, na forma da lei;

II – *(Revogado pela Emenda Constitucional n.º 20, de 15.12.1998).*

Doutrina

Princípios informadores do imposto de renda. O imposto sobre a renda e proventos de qualquer natureza deve, segundo o previsto em lei, ser informado pelos princípios da: *a) generalidade*, ou a incidência do tributo sobre todos os tipos de renda ou de proventos; *b) universalidade*, ou a incidência do tributo sobre a totalidade das pessoas detentoras de rendas ou de proventos; *c) progressividade*, ou a incidência do tributo segundo classes de rendas, quer dizer, quanto maior a renda maior será a alíquota incidente.

Jurisprudência

"Há de se distinguir entre os assalariados que prestam serviços no exterior, recebendo os seus rendimentos ali, de filiais, sucursais, agências ou representações de pessoas jurídicas domiciliadas no Brasil, daqueles que continuam percebendo da fonte aqui sediada" (TRF1 – 4.ª Turma, AC 89.01.00439-9/MG, rel. Juiz Eustáquio Silveira, DJ, 18.11.1993, p. 49.409).

§ 3.º O imposto previsto no inciso IV:

I – será seletivo, em função da essencialidade do produto;

II – será não-cumulativo, compensando-se o que for devido em cada operação com o montante cobrado nas anteriores;

III – não incidirá sobre produtos industrializados destinados ao exterior;

IV – terá reduzido seu impacto sobre a aquisição de bens de capital pelo contribuinte do imposto, na forma da lei.

Doutrina

Princípios informadores do imposto sobre produtos industrializados. Referido imposto deve, segundo o previsto em lei, ser informado pelos seguintes princípios: *a) seletividade*, em função da essencialidade do produto, quer dizer, quanto mais essencial ou útil à vida das pessoas, menor deve ser a tributação; *b) não-cumulatividade*, ou tributação sobre o valor acrescido, significa que, após a tributação inicial, as demais etapas serão tributadas apenas pelo valor agregado em cada nova operação. O objetivo aqui é o de evitar a chamada tributação em cascata.

Imunidade nas exportações para o exterior. O inciso III consagra hipótese de imunidade do imposto quando o produto industrializado se destinar ao exterior. O objetivo visado é o de tornar mais competitivo o produto nacional e aumentar o comércio exterior.

Hipótese de redução do imposto sobre produtos industrializados. O inciso IV, acrescentado pela EC 42, de 19.12.2003, dispõe que a lei tratará das hipóteses de redução do impacto do imposto nos casos de aquisição de bens de capital pelo próprio contribuinte. O que se pretende é reduzir ou anular a incidência do tributo para incentivar o ingresso no país de bens de capital, como máquinas e equipamentos industriais, destinados à modernização do parque industrial brasileiro.

Jurisprudência

"(...). 7. A Constituição Federal dispõe que o ICMS 'poderá ser seletivo, em função da essencialidade das mercadorias e dos serviços' (art. 155, § 2.º, III). Diferentemente, no caso do IPI a CF determina que 'será seletivo, em função da essencialidade do produto' (art. 153, § 3.º, I, da CF). 8. Não há dúvida de que o legislador estadual não pode simplesmente desconsiderar a norma prevista no art. 155, § 1.º, III, da CF, por conta da potestatividade inerente à expressão 'poderá ser seletivo'. No entanto, há que reconhecer que é determinação que dá ao legislador margem mais ampla de decisão que a expressão 'deverá ser seletivo', reservada apenas ao IPI. 9. Essa constatação restringe a atuação do Judiciário a hipóteses inequívocas de violação do Princípio da Seletividade, que não é o caso dos autos" (STJ – 2.ª Turma, ROMS 28.227, rel. Min. Herman Benjamin, DJE, j. 20.04.2009).

"A dedução do IPI pago anteriormente somente poderá ocorrer se se trata de insumos que se incorporam ao produto final ou, não se incorporando, são consumidos no curso do processo de industrialização, de forma imediata e integral" (STJ – 1.ª Turma, REsp 30.938-8/PR, rel. Min. Humberto Gomes de Barros, DJ, 07.03.1994, p. 3628).

"Para fins de fixação de alíquota, é admissível classificação específica para produto cujo gênero é a embalagem, em face da seletividade do IPI" (Constituição Federal, art. 153, §§ 1.º e 3.º, I)" (TRF5, AC 91.05.08720/AL, rel. Juiz Araken Mariz, DJ 2, 12.07.1991, p. 16.359).

§ 4.º O imposto previsto no inciso VI do *caput*:

I – será progressivo e terá suas alíquotas fixadas de forma e desestimular a manutenção de propriedades improdutivas;

II – não incidirá sobre pequenas glebas rurais, definidas em lei, quando as explore o proprietário que não possua outro imóvel;

III – será fiscalizado e cobrado pelos Municípios que assim optarem, na forma da lei, desde que não implique redução do imposto ou qualquer outra forma de renúncia fiscal.

Doutrina

Progressividade do imposto territorial rural. O imposto sobre a propriedade territorial rural será progressivo, incidindo com alíquotas crescentes, visando a forçar o seu dono a torná-la produtiva ou desfazer-se dela.

Imunidade destinada a pequenas glebas rurais. O inciso II torna imune ao tributo a pequena propriedade rural, como tal definida em lei, quando explorada pelo proprietário e desde que este não possua outro imóvel.

Fiscalização e cobrança do imposto territorial rural. A lei estabelecerá mecanismos, *v.g.* os convênios, que permitam aos Municípios a fiscalização e a cobrança do tributo, contanto que não haja redução deste ou dispensa legal do pagamento.

Jurisprudência

Súmula do STF: 595. "É inconstitucional a taxa municipal de conservação de estradas de rodagem, cuja base de cálculo seja idêntica à do Imposto Territorial Rural".

Súmula do STJ: 139. "Cabe à Procuradoria da Fazenda Nacional propor execução fiscal para cobrança de crédito relativo ao ITR".

"Agravo regimental no recurso extraordinário. Tributário. Imposto sobre a Propriedade Territorial Rural (ITR). Lei n.º 9.393/96. Progressividade das alíquotas. Grau de utilização e área do imóvel. Constitucionalidade. 1. Mostra-se alinhada com a redação originária do §

4.º do art. 153 da Constituição Federal a progressividade das alíquotas do ITR a qual se refere à Lei n.º 9.393/96, progressividade essa que leva em conta, de maneira conjugada, o grau de utilização (GU) e a área do imóvel. 2. Agravo regimental não provido, com imposição de multa de 2% (art. 1.021, § 4.º, do CPC). 3. Não se aplica ao caso o art. 85, § 11, do CPC, haja vista tratar-se, na origem, de mandado de segurança (art. 25 da Lei n.º 12.016/09)" (STF – 2.ª Turma, RE 1.038.357/SP AgRg, rel. Min. Dias Toffoli, j. 06.02.2018).

§ 5.º O ouro, quando definido em lei como ativo financeiro ou instrumento cambial, sujeita-se exclusivamente à incidência do imposto de que trata o inciso V do *caput* deste artigo, devido na operação de origem; a alíquota mínima será de um por cento, assegurada a transferência do montante da arrecadação nos seguintes termos:

I – trinta por cento para o Estado, o Distrito Federal ou o Território, conforme a origem;

II – setenta por cento para o Município de origem.

Doutrina

Tributação do ouro. O ouro, quando definido em lei como ativo financeiro ou instrumento cambial, será tributado apenas pelo imposto sobre operações de crédito, câmbio e seguro, ou relativas a títulos ou valores mobiliários.

Exceção. O art. 74, § 2.º, admite a cobrança da contribuição permanente sobre movimentação ou transmissão de valores e de créditos e direitos de natureza financeira.

Jurisprudência

"O ouro, definido como ativo financeiro ou instrumento cambial, sujeita-se, exclusivamente, ao IOF, devido na operação de origem: CF, art. 153, § 5.º Inconstitucionalidade do inciso II do art. 1.º da Lei 8.033/90" (STF – Pleno, RE 190.363/RS, rel. Min. Carlos Velloso, DJ 1, 12.06.1998, p. 66).

"I. A transmissão de ouro ou a transmissão ou resgate de título representativo de ouro, constitui operação financeira. II. O ouro pode ser considerado mercadoria e ativo financeiro. Considerado mercadoria, ou seja, quando circular para fins industriais ou comerciais, está sujeito ao ICMS, e quando for utilizado para operações financeiras, ao IOF. III. A incidência do IOF sobre a aplicação do ouro – operação financeira – prevista na Lei 8.033, de 1990, não viola o art. 153, V, da Constituição Federal" (TRF1, AC 95.01.24520-9/DF, rel. Juiz Tourinho Neto, DJ 2, 26.10.1995, p. 63.660).

"1. Com relação às operações efetuadas com ouro, a Constituição Federal, ao tratar da competência da União, no artigo 153, dispõe, no § 5.º, que o ouro, quando definido em lei como ativo financeiro ou instrumento cambial, sujeita-se exclusivamente à incidência do IOF devido na origem, à alíquota de 1% (um por cento), pertencendo a arrecadação ao Estado e ao Município de origem, na razão de trinta e setenta por cento, respectivamente, exercendo a União a função arrecadadora, sem participação no produto da arrecadação do tributo. Portanto, resta claro que o ouro, quando definido como ativo financeiro, sofrerá apenas uma tributação, sendo, assim, monofásico o seu regime de tributação, incidindo o IOF apenas na operação de origem. Precedentes do STF. 2. Quanto ao imposto incidente sobre as operações de transmissão de ações de companhias de capital aberto, prevista no inciso IV, do artigo 1.º, da Lei n.º 8.033/90, mostra-se inconstitucional a exigência, conquanto se trata de hipótese nova de incidência, não prevista no rol constante do artigo 63, do Código Tributário Nacional, somente podendo ser instituída a cobrança por meio de lei complementar. Nesse sentido, o inciso IV, do artigo 1.º, da Lei n.º 8.033/90, foi declarado inconstitucional no julgamento, no âmbito deste Corte, da Arguição de Inconstitucionalidade suscitada nos autos da MAS n.º 95.03.056130-2/SP, sendo relatora a eminente Juíza Lúcia Figueiredo" (TRF3 – Turma Suplementar, ApReeNec 362.609/SP, rel. Juiz Convocado Valdeci dos Santos, DJU, 21.02.2008).

Art. 154. A União poderá instituir:

I – mediante lei complementar, impostos não previstos no artigo anterior, desde que sejam não cumulativos e não tenham fato gerador ou base de cálculo próprios dos discriminados nesta Constituição;

Doutrina

Competência tributária residual. A norma confere à União, em caráter de exclusividade, a competência para a criação dos chamados impostos residuais. Os requisitos de observância necessária para a instituição de tais impostos são a exigência de lei complementar e que não tenham fato gerador ou base de cálculo próprios daqueles já discriminados na Constituição Federal.

Jurisprudência

"A relação jurídica mantida com administradores e autônomos não resulta de contrato de trabalho e, portanto, de ajuste formalizado à luz da Consolidação das Leis do Trabalho. Daí a impossibilidade de se dizer que o tomador dos serviços qualifica-se como empregador e que a satisfação do que devido ocorra via folha de salários. Afastado o enquadramento no inciso I do art. 195 da Constituição Federal, exsurge a desvalia constitucional da norma ordinária disciplinadora da matéria. A referência contida no § 4.º do art. 195 da Constituição Federal ao inciso I do art. 154 nela insculpido, impõe a observância de veículo próprio – a lei complementar. Inconstitucionalidade do inciso I do art. 3.º da Lei 7.787/89, no que abrangido o que pago a administradores e autônomos. Declaração de inconstitucionalidade limitada pela controvérsia nos autos, no que não envolvidos pagamentos a avulsos" (STF – 2.ª Turma, RE 145.841-1/MG, rel. Min. Marco Aurélio, DJ 1, 17.03.1995, p. 5.793).

"Agravo interno. Tributário. Contribuição ao SEBRAE. Desnecessidade de lei complementar. Inocorrência de *bis in idem*. Precedentes do STJ e STF. 1. Trata-se a contribuição ao SEBRAE de contribuição de intervenção no domínio econômico passível de instituição por lei ordinária, considerando-se que a exigência de lei complementar estabelecida no art. 149, da Carta Constitucional, diz respeito a normas gerais em matéria de legislação tributária, não sendo necessário o diploma legal qualificado para a instituição das contribuições ali tratadas. Precedentes do STJ. 2. A alegativa de ocorrência de *bis in idem* também não merece guarida. Não há óbice legal ou constitucional para que a contribuição ao SEBRAE venha se valer da mesma base de cálculo de outras contribuições sociais. A Lei Maior veda a utilização da mesma base de cálculo somente no caso de impostos extraordinários (art. 154, I, CR/88. Precedente do STF (RE 396.266/SC). 3. Agravo interno a que se nega provimento" (TRF2, AC 0005245-27.2003.4.02.5001, rel. Des. Fed. Salete Maccalóz, DJE, 13.01.2011).

II – na iminência ou no caso de guerra externa, impostos extraordinários, compreendidos ou não em sua competência tributária, os quais serão suprimidos, gradativamente, cessadas as causas de sua criação.

Doutrina

Impostos extraordinários. São aqueles instituídos pela União, em caráter de exclusividade, nas hipóteses de iminência de guerra externa ou de guerra externa declarada com a finalidade de financiar as atividades bélicas do país enquanto durar o conflito. São impostos temporários, compreendidos ou não na competência da União, devendo ser suprimidos, dentro de prazo razoável, após cessadas as causas que levaram à criação dos mesmos.

Exceção ao princípio da anterioridade da lei. Os impostos extraordinários, também chamados de impostos de guerra, são exigíveis imediatamente após a sua criação, não se sujeitando ao princípio da anterioridade da lei tributária.

Jurisprudência

> "(...). 3. Com o advento da Emenda Constitucional n.º 32/2001, a Constituição Federal passou a prever que, ressalvados o II, o IE, o IPI, o IOF e os impostos extraordinários de guerra, a medida provisória que implique majoração de impostos só produzirá efeitos no exercício financeiro seguinte se for convertida em lei até o último dia daquele em que foi editada, nos termos do art. 62, § 2.º, da Constituição Federal" (TRF2 – 4.ª Turma, AC 0108708-62.2015.4.02.5001, rel. Des. Fed. Luiz Antonio Soares, DJE, 21.07.2016).

Seção IV
DOS IMPOSTOS DOS ESTADOS E DO DISTRITO FEDERAL

Art. 155. Compete aos Estados e ao Distrito Federal instituir impostos sobre:

I – transmissão *causa mortis* e doação, de quaisquer bens ou direitos;

Doutrina

Imposto sobre transmissão causa mortis ou doação. É devido em face da transmissão dos bens do *de cujus* para os seus herdeiros ou legatários e também nos casos de doação, sendo exigível quando esta se aperfeiçoa. O imposto incide sobre a transmissão de quaisquer bens ou direitos, sendo irrelevante se se trata de bens móveis ou imóveis.

Jurisprudência

Súmulas do STF: 112. “O imposto de transmissão *causa mortis* é devido pela alíquota vigente ao tempo da abertura da sucessão”. 113. “O imposto de transmissão *causa mortis* é calculado sobre o valor dos bens na data da avaliação”. 114. “O imposto de transmissão *causa mortis* não é exigível antes da homologação do cálculo”. 115. “Sobre os honorários do advogado contratado pelo inventariante, com a homologação do juiz, não incide o imposto de transmissão *causa mortis*”. 331. “É legítima a incidência do imposto de transmissão *causa mortis* no inventário por morte presumida”. 435. “O imposto de transmissão *causa mortis*, pela transferência de ações é devido ao Estado em que tem sede a companhia”. 590. “Calcula-se o imposto de transmissão *causa mortis* sobre o saldo credor da promessa de compra e venda de imóvel, no momento da abertura da sucessão do promitente vendedor".

"1. Como salientado na decisão agravada, 'inexistem as alegadas ofensas ao artigo 155 e § 1.º da Carta Magna Federal, porquanto o acórdão recorrido não negou que o Estado-membro tenha competência para instituir impostos estaduais, nem que o Senado seja competente para fixar a alíquota máxima para os impostos de transmissão "mortis causa" e de doação, mas, sim, sustentou corretamente que ele, por força do artigo 150, I, da Carta Magna só pode aumentar tributo por lei estadual específica e não por meio de lei que se atrele genericamente a essa alíquota máxima fixada pelo Senado e varie posteriormente com ela, até porque o princípio da anterioridade, a que está sujeita essa lei estadual de aumento, diz respeito ao exercício financeiro em que ela haja sido publicada e não, "per relationem", à resolução do Senado que aumentou o limite máximo da alíquota'. 2. Precedentes de ambas as Turmas do S.T.F., no mesmo sentido. 3. Agravo provido" (STF – 1.ª Turma, RE 218.086/PE AgRg, rel. Min. Sydney Sanches, j. 08.02.2000).

"1. Ao Senado Federal compete a fixação da alíquota máxima para a cobrança do imposto de transmissão *causa mortis*, cabendo aos Estados a definição da alíquota interna exigível, mediante lei específica, observada a resolução expedida por essa Casa Legislativa. Agravo regimental não provido" (STF – 2.ª Turma, RE 224.786/PE AgRg, rel. Min. Maurício Corrêa, j. 24.08.1999).

"1. O Superior Tribunal de Justiça firmou a compreensão de que não há como exigir o ITCMDF antes do reconhecimento judicial dos direitos dos sucessores, seja no arrolamento sumário ou no comum, tendo em vista as características peculiares da transmissão *causa mortis*. Precedentes: REsp 1.660.491/RS, Rel. Ministro Herman Benjamin, Segunda Turma, DJE 16.6.2017; AgRg no AREsp

270.270/SP, Rel. Ministra Regina Helena Costa, Primeira Turma, DJE 31.8.2015. 2. Dessume-se que o acórdão recorrido está em sintonia com o atual entendimento do STJ, razão pela qual não merece prosperar a irresignação. 3. Recurso Especial não provido" (STJ – 2.ª Turma, REsp 1.771.623, rel. Ministro Herman Benjamin, DJE, 04.02.2019).

"1. A homologação da partilha no procedimento de arrolamento sumário não pressupõe o atendimento das obrigações tributárias principais e tampouco acessórias relativas ao imposto sobre transmissão *causa mortis*. 2. Consoante o novo Código de Processo Civil, os artigos 659, § 2.°, cumulado com o 662, § 2.°, com foco na celeridade processual, permitem que a partilha amigável seja homologada anteriormente ao recolhimento do imposto de transmissão *causa mortis*, e somente após a expedição do formal de partilha ou da carta de adjudicação é que a Fazenda Pública será intimada para providenciar o lançamento administrativo do imposto supostamente devido. 3. Recurso especial não provido" (STJ – 2.ª Turma, REsp 1.751.332, rel. Min. Mauro Campbell Marques, DJE, 03.10.2018).

"Embora a Súmula 113 do Supremo Tribunal Federal reze que o imposto de transmissão *causa mortis* é calculado sobre o valor dos bens na data da avaliação, referidos, como fontes legislativas, os arts. 483 e 499 do CPC de 1939, que correspondem aos arts. 1002 e 1013 do CPC de 1973, bem como ao art. 38 do CTN, a jurisprudência posterior da Corte Maior assentou ser possível a fixação de tal montante na data de transmissão dos bens" (STJ – 1.ª Turma, REsp 2.263/RJ, rel. Min. Armando Rolemberg, DJ 1, 18.06.1990, p. 5.681).

II – operações relativas à circulação de mercadorias e sobre prestações de serviços de transporte interestadual e intermunicipal e de comunicação, ainda que as operações e as prestações se iniciem no exterior;

Doutrina

Imposto sobre a circulação de mercadorias e serviços. Incide sobre as operações que impliquem circulação de mercadorias feita por comerciantes, produtores ou industriais. Incide, ainda, o tributo, sobre a prestação de serviços de transportes interestaduais e intermunicipais e serviços de comunicações. Atente-se, a incidência do referido imposto atinge apenas as duas espécies de serviços mencionadas, pois as demais sujeitam-se, se constantes da lista própria, ao imposto sobre serviços, de competência dos Municípios.

Jurisprudência

Súmulas do STF: 536. "São objetivamente imunes ao imposto sobre a circulação de mercadorias os produtos industrializados, em geral, destinados à exportação, além de outros, com a mesma destinação, cuja isenção a lei determinar". 569. "É inconstitucional a discriminação de alíquotas do imposto sobre a circulação de mercadorias nas operações interestaduais, em razão de o destinatário ser, ou não, contribuinte". 573. "Não constitui fato gerador do ICM a saída física de máquinas, utensílios e implementos a título de comodato". 574. "Sem lei estadual que a estabeleça, é ilegítima a cobrança de ICM sobre o fornecimento de alimentação e bebidas em restaurantes ou estabelecimento similar".

Súmulas do STJ: 95. "A redução da alíquota do imposto sobre produtos industrializados ou do imposto de importação não implica redução do ICMS". 129. "O exportador adquire o direito de transferência de crédito do ICMS quando realiza a exportação do produto e não ao estocar a matéria-prima". 135. "O ICMS não incide na gravação e distribuição de filmes e videoteipes". 155. "O ICMS incide na importação de aeronave, por pessoa física, para uso próprio". 163. "O fornecimento de mercadorias com a simultânea prestação de serviços em bares, restaurantes e estabelecimentos similares constitui fato gerador do ICMS a incidir sobre o valor total da operação". 166. "Não constitui fato gerador do ICMS o simples deslocamento de mercadoria de um para outro estabelecimento do mesmo contribuinte".

"1. A importação de aeronaves e/ou peças ou equipamentos que as componham em regime de leasing não admite posterior transferência ao domínio do arrendatário. 2. A circulação de mercadoria é pressuposto de incidência do ICMS. O imposto – diz o artigo 155, II, da Constituição do Brasil – é sobre 'operações relativas à circulação de mercadorias e sobre prestações de serviços de transporte interestadual e intermunicipal e de comunicação, ainda que as operações e as prestações se iniciem no exterior'. 3. Não há operação relativa à circulação de mercadoria sujeita à incidência do ICMS em operação de arrendamento mercantil contratado pela indústria aeronáutica de grande porte para viabilizar o uso, pelas companhias de navegação aérea, de aeronaves por ela construídas. Agravo regimental a que se nega provimento" (STF – 2.ª Turma, RE 460.814/SP AgRg, rel. Min. Eros Grau, j. 24.06.2008).

"Constitucional. Tributário. ICMS: produtos industrializados destinados ao exterior. Imunidade. Operações e prestação de serviço: distinção. C.F., art. 155, II, § 2.º, IV, X, a, XII, e. I. – ICMS: hipóteses de incidência distintas: a) operações relativas à circulação de mercadorias; b) prestações de serviço interestadual e intermunicipal e de comunicações: C.F., art. 155, II. II. – A Constituição Federal, ao conceder imunidade tributária, relativamente ao ICMS, aos produtos industrializados destinados ao exterior, situou-se, apenas, numa das hipóteses de incidência do citado imposto: operações que destinem ao exterior tais produtos, excluídos os semielaborados definidos em lei complementar: art. 155, § 2.º, X, a. III. – Deixou expresso a C.F., art. 155, § 2.º, XII, e, que as prestações de serviços poderão ser excluídas, nas exportações para o exterior, mediante lei complementar. IV. – Incidência do ICMS sobre a prestação de serviço de transporte interestadual, no território nacional, incidindo a alíquota estabelecida por resolução do Senado Federal: C.F., art. 155, § 2.°, IV. V. – R.E. conhecido e provido" (STF – 2.ª Turma, RE 212.637/MG, rel. Min. Carlos Velloso, j. 25.05.1999).

"(...). Imposto sobre operações relativas à circulação de mercadorias – Isenção na importação – Creditamento. Descabe este último quando o contribuinte haja transferido, para o adquirente da mercadoria, o ônus decorrente do tributo" (STF – 2.ª Turma, RE 115.446/SP, rel. Min. Marco Aurélio, j. 02.02.1993).

"(...). 2. Para fundamentar a não incidência do ICMS na hipótese em apreço, assim se pronunciou a Corte local: 'No caso em exame não ocorreu a transferência de mercadoria – sendo justamente este o ponto fulcral da questão (....). O contrato não prevê a opção de compra. O valor do ICMS exigido é de R$ 106.076,48. Sobre a incidência do ICMS, dispõe o art. 155, § 2.°, IX, alínea *a*, da Constituição Federal, com a redação dada pela Emenda Constitucional n.° 33/2001: (...) O Regulamento do Imposto sobre Operações Relativas à Circulação de Mercadorias e sobre Prestações de Serviços de Transporte Interestadual e Intermunicipal e de Comunicação (RICMS), de 2002: (...) O inciso II do art. 155 possibilita a instituição de impostos sobre operações relativas à circulação de mercadorias, e, sobre o tema, de fato, já há repetitivo em ambos os Tribunais Superiores. O Supremo Tribunal Federal, no julgamento do RE 540.829/SP, com repercussão geral reconhecida, entendeu que não incide ICMS no caso de operação de arrendamento mercantil internacional, salvo quando há prévia antecipação de opção de compra com a consequente transferência de titularidade do bem, deixando claro, naquela oportunidade, que a expressão "circulação de mercadoria" pressupõe "transferência de domínio"' (...)" (STJ – 2.ª Turma, REsp 1.775.805, rel. Min. Herman Benjamin, DJE, 11.03.2019).

"(...). 2. A aplicação restritiva do princípio da não-cumulatividade em matéria de ICMS, através da qual a existência do crédito somente se justifica pelo pressuposto do pagamento (débito), na exata proporção do tributo recolhido na outra fosse da cadeia mercantil, afigura-se escorreita, em razão das vedações prescritas nas alíneas 'a' e 'b', do art. 155, § 2.º, II, da Constituição da República, senão vejamos: 'Art. 155 – Compete aos Estados e ao Distrito Federal instituir impostos sobre: II – operações relativas à circulação de mercadorias e sobre prestações de serviços de transporte interestadual e intermunicipal e de comunicação, ainda que as operações e as prestações se iniciem no exterior; § 2.º O imposto previsto no inciso II atenderá ao seguinte: II – a isenção ou não-incidência, salvo determinação em contrário da legislação: a) não implicará crédito para compensação com o montante devido nas operações ou prestações seguintes; b) acarretará a anulação do crédito relativo às operações anteriores'" (STJ – 1.ª Turma, ROMS 29.366, rel. Min. Luiz Fux, DJE, 22.02.2011).

"1. O deslocamento de bens ou mercadorias entre estabelecimentos de uma mesma empresa, por si, não se subsume à hipótese de incidência do ICMS, porquanto, para a ocorrência do fato imponível é imprescindível a circulação jurídica da mercadoria com a transferência da propriedade. Precedentes (...). 2. Não constitui fato gerador de ICMS o simples deslocamento de mercadoria de um para outro estabelecimento do mesmo contribuinte. (Súmula 166 do STJ)" (STJ – 1.ª Seção, REsp 1.125.133, rel. Min. Luiz Fux, DJE, 10.09.2010).

"1. Por ocasião do julgamento do Recurso Extraordinário n. 559.937, o Supremo Tribunal Federal proclamou a inconstitucionalidade somente da expressão 'acrescido do valor do Imposto sobre Operações Relativas à Circulação de Mercadorias e sobre Prestação de Serviços de Transporte Interestadual e Intermunicipal e de Comunicação – ICMS incidente no desembaraço aduaneiro e do valor das próprias contribuições', constante do art. 7.º, inciso I, da Lei n.º 10.865/04. 2. Portanto, deve-se interpretar o art. 7.º da Lei n.º 10.865/2004 conforme a Constituição Federal, estabelecendo-se o conceito de 'valor aduaneiro' como 'aquele que serviria de base para o cálculo do imposto de importação', excluídos os valores do ICMS incidente sobre o desembaraço aduaneiro e das próprias contribuições. 3. Reconhecido o direito à exclusão do ICMS e das próprias contribuições da base de cálculo do PIS-IMPORTAÇÃO e da COFINS-IMPORTAÇÃO e respeitando-se a prescrição quinquenal, é assegurada ao autor a repetição dos valores recolhidos indevidamente, por meio de compensação. 4. A compensação deverá ser realizada nos termos do art. 74 da Lei n.º 9.430/96 com as modificações perpetradas pela Lei n.º 10.637/02, observada a impossibilidade de compensação com contribuições previdenciárias. Precedentes do STJ. 5. (...)" (TRF3, AC 2.109.136/SP, rel. Des. Fed. Nelton dos Santos, DJF3, 27.02.2019).

"(...). 3. No tocante ao valor do imposto sobre operações relativas à circulação de mercadorias – ICMS, o E. Supremo Tribunal Federal no julgamento do RE n.º 559.937/RS, submetido ao regime do art. 543-B, do CPC/73), declarou a inconstitucionalidade da inclusão, na base de cálculo do PIS/PASEP-importação e da COFINS-importação, dos valores do ICMS incidente do PIS/PASEP-importação e da COFINS-importação, dos valores do ICMS incidente no desembaraço aduaneiro e das próprias contribuições, por violação ao art. 149, § 2.º, III, a, da Constituição Federal. 4. As contribuições do PIS/COFINS importação devem ter como base de cálculo apenas o valor aduaneiro, excluídos os acréscimos previstos na redação originária no art. 7.º, I, da Lei n.º 10.864/04. 5. Apelo e remessa oficial providos em parte" (TRF3 – 3.ª Turma, ApReeNec 347.540, rel. Des. Fed. Marcelo Saraiva, DJF3, 04.12.2018).

"1. Acórdão proferido anteriormente pela Turma, que considerou legítima a inclusão do ICMS e das próprias contribuições na base de cálculo dos tributos refletiu a interpretação vigente à época do respectivo julgamento que, porém, na atualidade, encontra-se superada diante do julgamento do Supremo Tribunal Federal do RE 559.937/RS (transitado em julgado em 29/10/2014) no sentido da inconstitucionalidade da inclusão do ICMS e das contribuições PIS/COFINS na base de cálculo do PIS-importação e da COFINS-importação. 2. Na análise do Recurso Extraordinário 559.937/RS, o STF, apreciando o tema de Repercussão Geral, reconheceu a inconstitucionalidade da expressão 'acrescido do valor do Imposto sobre Operações relativas à Circulação de Mercadorias e sobre Prestação de Serviços de Transporte Interestadual e Intermunicipal e de Comunicação – ICMS incidente no desembaraço aduaneiro e do valor das próprias contribuições', contida no inciso I do art. 7.º da Lei n.º 10.865/04. 3. Cabe, nos termos do artigo 543-B, § 3.º, do Código de Processo Civil de 1973 e artigo 1.039, do Código de Processo Civil de 2015, o reexame da causa, concedendo-se a segurança, para considerar que a base de cálculo das contribuições do PIS-importação e da COFINS-importação é somente o valor aduaneiro, excluindo-se o valor referente ao ICMS e das próprias contribuições do PIS/COFINS. 4. Na análise do juízo de retratação, provimento parcial à apelação para considerar que a base de cálculo das contribuições do PIS-importação e da COFINS-importação é somente o valor aduaneiro, excluindo-se o valor referente ao ICMS e das próprias contribuições do PIS/COFINS". (TRF3 – 3.ª Turma, AC 289.526/SP, rel. Des. Fed. Cecília Marcondes, DJF3 12.09.2018).

III – propriedade de veículos automotores.

Doutrina

Imposto sobre a propriedade de veículos automotores. O fato gerador do imposto é a propriedade de veículo automotor, compreendendo-se como tal os veículos terrestres (automóveis, caminhões, ônibus, carros de corrida, camionetas, motocicletas etc.), as aeronaves (aviões, helicópteros) e as embarcações (barcos, escunas, lanchas etc.).

Jurisprudência

"Imposto sobre Propriedade de Veículos Automotores – Disciplina. Mostra-se constitucional a disciplina do Imposto sobre Propriedade de Veículos Automotores mediante norma local. Deixando a União de editar normas gerais, exerce a unidade da federação a competência legislativa plena – § 3.º do artigo 24, do corpo permanente da Carta de 1988 –, sendo que, com a entrada em vigor do sistema tributário nacional, abriu-se à União, aos Estados, ao Distrito Federal e aos Municípios, a via da edição de leis necessárias à respectiva aplicação – § 3.º do artigo 34 do Ato das Disposições Constitucionais Transitórias da Carta de 1988" (STF – 2.ª Turma, AgI 167.777/SP AgRg, rel. Min. Marco Aurélio, j. 04.03.1997).

"Agravo regimental. IPVA. – Como salientado no despacho agravado, ambas as Turmas desta Corte (e foram citados vários precedentes) já se manifestaram pela constitucionalidade da disciplina do imposto sobre propriedade de veículos automotores por lei local. E a questão relativa à inobservância do artigo 146 da Carta Magna, no tocante à exigência de Lei Complementar, foi largamente examinada e rejeitada. Agravo a que se nega provimento" (STF – 1.ª Turma, AgI 279.645/MG AgRg, rel. Min. Moreira Alves, j. 05.12.2000).

"(...). A Constituição Federal outorga aos Estados e ao Distrito Federal a competência para instituir o Imposto sobre Propriedade de Veículos Automotores e para conceder isenção, mas, ao mesmo tempo, proíbe o tratamento desigual entre contribuintes que se encontrem na mesma situação econômica. Ação direta de inconstitucionalidade julgada procedente" (STF – Pleno, ADIN 1.655/AP, rel. Min. Maurício Corrêa, j. 03.03.2004).

"(...). 1. É inconstitucional a lei complementar distrital que cria programa de incentivo às atividades esportivas mediante concessão de benefício fiscal às pessoas jurídicas, contribuintes do IPVA, que patrocinem, façam doações e investimentos em favor de atletas ou pessoas jurídicas. 2. O ato normativo atacado faculta vinculação de receita de impostos, vedada pelo artigo 167, inciso IV, da CB/88. Irrelevante se a destinação ocorre antes ou depois da entrada da receita nos cofres públicos. 3. Ação Direta de Inconstitucionalidade julgada procedente para declarar a inconstitucionalidade da vinculação do imposto sobre propriedade de veículos automotores – IPV, contida na LC 26/97 do Distrito Federal" (STF – Pleno, ADIN 1.750/DF, rel. Min. Eros Grau, j. 20.09.2006).

"1. O Imposto sobre a Propriedade de Veículos Automotores (IPVA) é lançado de ofício no início de cada exercício (art. 142 do CTN) e constituído definitivamente com a cientificação do contribuinte para o recolhimento da exação, a qual pode ser realizada por qualquer meio idôneo, como o envio de carnê ou a publicação de calendário de pagamento, com instruções para a sua efetivação." (STJ – 1.ª Seção, REsp 1.320.825/RJ, rel. Min. Gurgel de Faria, DJE, 17.08.2016).

"(...).". O Imposto sobre a Propriedade de Veículos Automotores (IPVA) é lançado de ofício no início de cada exercício (art. 142 do CTN) e constituído definitivamente com a cientificação do contribuinte para o recolhimento da exação, a qual pode ser realizada por qualquer meio idôneo, como o envio de carnê ou a publicação de calendário de pagamento, com instruções para a sua efetivação" (REsp 1.320.825/RJ, Rel. Ministro Gurgel de Faria, Primeira Seção, julgado em 10/8/2016, DJE 17.08.2016)" (STJ – 2.ª Turma, REsp 1.650.311, rel. Min. Herman Benjamin, DJE, j. 24.04.2017).

"A isenção do Imposto sobre a Propriedade de Veículos Automotores só aproveita ao portador de deficiência física se o veículo, de fabricação nacional, foi especialmente adaptado" (STJ – 2.ª Turma, ROMS 9.051/PB, rel. Min. Ari Pargendler, DJ 1, 22.02.1999, p. 88).

"A Constituição Federal, artigos 150 e 152, proíbe os Estados de estabelecer alíquotas diferenciadas do IPVA para carros importados" (STJ – 2.ª Turma, ROMS 10.906/RJ, rel. Min. Garcia Vieira, DJ1, 05.06.2000, p. 120).

§ 1.º O imposto previsto no inciso I:

I – relativamente a bens imóveis e respectivos direitos, compete ao Estado de situação do bem, ou ao Distrito Federal;

II – relativamente a bens móveis, títulos e créditos, compete ao Estado onde se processar o inventário ou arrolamento, ou tiver domicílio o doador, ou ao Distrito Federal;

III – terá a competência para sua instituição regulada por lei complementar:

a) se o doador tiver domicílio ou residência no exterior;

b) se o *de cujus* possuía bens, era residente ou domiciliado ou teve o seu inventário processado no exterior;

IV – terá suas alíquotas máximas fixadas pelo Senado Federal.

Doutrina

***Competência para a instituição e cobrança do imposto* causa mortis *no caso de bens imóveis*.** Em se tratando de bens imóveis e direitos a eles relativos, a competência para a instituição e cobrança do imposto é do Estado onde os mesmos estejam situados. Se os bens estiverem localizados no Distrito Federal, a competência é deste ente federativo.

***Competência para a instituição e cobrança do imposto* causa mortis *no caso de bens móveis*.** Quando se tratar de bens móveis, títulos e créditos, a competência para a instituição e cobrança do imposto é do Estado onde correr o inventário ou arrolamento, ou, ainda, onde tiver domicílio o doador. Da mesma forma, se o inventário ou arrolamento ocorrer no Distrito Federal, ou se no território deste for domiciliado o doador, competente para criar e exigir o imposto será este ente federativo.

***Competência para a instituição e cobrança do imposto* causa mortis *regulada por lei complementar*.** A competência para a instituição e cobrança do imposto será definida por meio de lei complementar nos casos de bens móveis, situados no país, quando o doador tiver domicílio ou residência no estrangeiro ou, no caso de pessoa morta, se o *de cujus* possuía bens, tinha residência ou domicílio ou teve o inventário processado no exterior.

***Fixação de alíquotas máximas do imposto* causa mortis.** As alíquotas máximas do imposto serão fixadas pelo Senado Federal por meio de resolução. Entendo, contudo, que o Estado federado pode estabelecer, por lei, alíquotas menores, se isso melhor consultar aos seus interesses.

Jurisprudência

> Súmula do STF: 112. "O imposto de transmissão *causa mortis* é devido pela alíquota vigente ao tempo da abertura da sucessão".
>
> "A nova Carta Constitucional manteve a antiga regra de que cabe ao Senado Federal estabelecer as alíquotas máximas do imposto de transmissão *causa mortis*. Diante da existência de resolução regulamentadora da matéria, compatível com o novo Texto, não restou espaço para o legislador estadual dispor acerca da alíquota do tributo, sob invocação do § 1.º" (STF – 1.ª Turma, AgI 147.490/RS AgRg, rel. Min. Ilmar Galvão, DJ 1, 01.10.1993, p. 20.217).

V - não incidirá sobre as doações destinadas, no âmbito do Poder Executivo da União, a projetos socioambientais ou destinados a mitigar os efeitos das mudanças climáticas e às instituições federais de ensino.

§ 2.º O imposto previsto no inciso II atenderá ao seguinte:

I – será não cumulativo, compensando-se o que for devido em cada operação relativa à circulação de mercadorias ou prestação de serviços com o montante cobrado nas anteriores pelo mesmo ou outro Estado ou pelo Distrito Federal.

Doutrina

Princípio da não-cumulatividade do ICMS. Pelo princípio da não-cumulatividade do ICMS, entende-se o direito do contribuinte de compensar do valor devido o *quantum* incidente em operação anterior. Isso significa que o imposto será devido apenas pelo valor adicionado em cada operação e, para que isso ocorra, procede-se à referida compensação, pouco importando se aquela se deu ou não em outro Estado ou no Distrito Federal.

Jurisprudência

> O princípio da não-cumulatividade se expressa pela necessidade de compensar, em cada operação relativa à circulação de mercadoria, o montante do tributo que foi cobrado nas operações anteriores, seja pelo próprio Estado, seja por outro, de molde a permitir que o imposto incidente sobre o bem, ao final do ciclo produção-distribuição-consumo, não ultrapasse, em sua soma, percentual superior ao correspondente à alíquota máxima prevista em lei para o tributo (STF, RTJ, 142/313).
>
> "Recurso Extraordinário com repercussão geral. Exclusão do ICMS na base de cálculo do PIS e COFINS. Definição de faturamento. Apuração escritural do ICMS e regime de não cumulatividade. Recurso provido. 1. Inviável a apuração do ICMS tomando-se cada mercadoria ou

serviço e a correspondente cadeia, adota-se o sistema de apuração contábil. O montante de ICMS a recolher é apurado mês a mês, considerando-se o total de créditos decorrentes de aquisições e o total de débitos gerados nas saídas de mercadorias ou serviços: análise contábil ou escritural do ICMS. 2. A análise jurídica do princípio da não cumulatividade aplicada ao ICMS há de atentar ao disposto no art. 155, § 2.°, inc. I, da Constituição da República, cumprindo-se o princípio da não cumulatividade a cada operação. 3. O regime da não cumulatividade impõe concluir, conquanto se tenha a escrituração da parcela ainda a se compensar do ICMS, não se incluir todo ele na definição de faturamento aproveitado por este Supremo Tribunal Federal. O ICMS não compõe a base de cálculo para incidência do PIS e da COFINS. 3. Se o art. 3.°, § 2.°, inc. I, in fine, da Lei n. 9.718/1998, excluiu da base de cálculo daquelas contribuições sociais o ICMS transferido integralmente para os Estados, deve ser enfatizado que não há como se excluir a transferência parcial decorrente do regime de não cumulatividade em determinado momento da dinâmica das operações. 4. Recurso provido para excluir o ICMS da base de cálculo da contribuição ao PIS e da COFINS" (STF – Pleno, RE 574.706/PR, repercussão geral, rel. Min. Cármen Lúcia, j. 15.03.2018).

"1. O direito de crédito do contribuinte não decorre da regra-matriz de incidência tributária do ICMS, mas da eficácia legal da norma constitucional que prevê o próprio direito ao abatimento (regra-matriz de direito ao crédito), formalizando-se com os atos praticados pelo contribuinte (norma individual e concreta) e homologados tácita ou expressamente pela autoridade fiscal. Essa norma constitucional é autônoma em relação à regra-matriz de incidência tributária, razão pela qual o direito ao crédito nada tem a ver com o pagamento do tributo devido na operação anterior. 2. Deveras, o direito ao creditamento do ICMS tem assento no princípio da não-cumulatividade, sendo assegurado por expressa disposição constitucional, verbis: 'Art. 155. Compete aos Estados e ao Distrito Federal instituir impostos sobre: (...) II – operações relativas à circulação de mercadorias e sobre prestações de serviços de transporte interestadual e intermunicipal e de comunicação, ainda que as prestações se iniciem no exterior; (omissis) § 2.º O imposto previsto no inciso II atenderá ao seguinte: I – será não-cumulativo, compensando-se o que for devido em cada operação relativa à circulação de mercadorias ou prestação de serviços com o montante cobrado nas anteriores pelo mesmo ou outro Estado ou pelo Distrito Federal;' (grifo nosso). 3. O termo cobrado deve ser entendido como apurado, que não se traduz em valor em dinheiro, porquanto a compensação se dá entre operações de débito (obrigação tributária) e crédito (direito ao crédito). Por essa razão, o direito de crédito é uma moeda escritural, cuja função precípua é servir como moeda de pagamento parcial de impostos indiretos, orientados pelo princípio da não-cumulatividade. 4. Destarte, o direito à compensação consubstancia um direito subjetivo do contribuinte, que não pode ser sequer restringido, senão pela própria Constituição Federal. Evidenciado resulta que a norma constitucional definiu integralmente a forma pela qual se daria a não-cumulatividade do ICMS, deixando patente que somente nos casos de isenção e não-incidência não haveria crédito para compensação com o montante devido nas operações seguinte ou exsurgiria a anulação do crédito relativo às operações anteriores (art. 155, § 2.º, II)" (STJ – 1.ª Turma, REsp 782.987, rel. Min. Luiz Fux, DJ, 09.04.2007, p. 230).

II – a isenção ou não incidência, salvo determinação em contrário da legislação:

a) não implicará crédito para compensação com o montante devido nas operações ou prestações seguintes;

b) acarretará a anulação do crédito relativo às operações anteriores;

Doutrina

Diferenças entre isenção e não incidência. No caso de isenção, ocorre o fato gerador e a lei dispensa o pagamento do tributo. Quando se tratar de não incidência, ou imunidade, o tributo não é devido porque sequer nasce o fato gerador da obrigação tributária.

Consequências da isenção ou da não incidência. Salvo disposição de lei em sentido contrário, as operações beneficiadas por isenção ou não incidência não implicarão na existência de crédito para compensar. Ademais, tanto no caso de isenção quanto no de não incidência, o crédito existente para compensação restará anulado, o que significa que o tributo devido na operação seguinte incidirá sobre o total das operações ocorridas até então.

Jurisprudência

> Súmula do STF: 576. "É lícita a cobrança do Imposto de Circulação de Mercadorias sobre produtos importados sob regime de alíquota 'zero'".
>
> Súmulas do STJ: 95. "A redução da alíquota do Imposto sobre Produtos Industrializados ou do Imposto de Importação não implica redução do ICMS". 135. "O ICMS não incide na gravação e distribuição de filmes e videoteipes".

III – poderá ser seletivo, em função da essencialidade das mercadorias e dos serviços;

Doutrina

Seletividade do ICMS. Enquanto para o IPI a seletividade é exigência constitucional, para o ICMS trata-se de faculdade outorgada pelo legislador constituinte. Assim, poderá a lei adotar para o ICMS o princípio da seletividade para permitir que o tributo venha a ser exigido por meio de alíquotas menores, quando se tratar de mercadorias ou serviços essenciais para a população, e por meio de alíquotas maiores para mercadorias e serviços considerados supérfluos.

Jurisprudência

> "A fixação da alíquota do IPI em dezoito por cento, pela Lei 8.393, de 1991, e pelo Decreto 420, de 1992, levou em consideração, sem dúvida alguma, a essencialidade do produto, uma vez que as alíquotas desse produto variam de zero a sessenta por cento" (TRF1, AMS 94.01.33957/GO, rel. Juiz Tourinho Neto, DJ 2, 21.09.1995, p. 63.452).

IV – resolução do Senado Federal, de iniciativa do Presidente da República ou de um terço dos Senadores, aprovada pela maioria absoluta de seus membros, estabelecerá as alíquotas aplicáveis às operações e prestações, interestaduais e de exportação;

Doutrina

Alíquotas do ICMS nas operações interestaduais e de exportação. Serão fixadas pelo Senado Federal por meio de resolução aprovada pela maioria absoluta de seus membros. A iniciativa poderá ser do Presidente da República ou de um terço dos Senadores.

Jurisprudência

> "Impossibilidade de a alíquota, nas operações de exportação, ser fixada pelo convênio. É que se à lei complementar não cabe fixar a alíquota, também não poderia fazê-lo o convênio. A fixação de alíquota, em tal caso, cabe ao Senado Federal: CF, art. 155, § 2.°, IV". (STF – 2.ª Turma, RE 145.491/SP, rel. Min. Carlos Velloso, DJ 1, 20.02.1998, p. 21).

V – é facultado ao Senado Federal:

a) estabelecer alíquotas mínimas nas operações inter-

nas, mediante resolução de iniciativa de um terço e aprovada pela maioria absoluta de seus membros;

b) fixar alíquotas máximas nas mesmas operações para resolver conflito específico que envolva interesse de Estados, mediante resolução de iniciativa da maioria absoluta e aprovada por dois terços de seus membros;

Doutrina

Alíquotas do ICMS nas operações internas. A norma constitucional faculta ao Senado Federal fixar as alíquotas do ICMS também nas operações internas nas seguintes hipóteses: a) *estabelecimento de alíquotas mínimas*, desde que por meio de resolução de iniciativa de um terço e aprovada pela maioria absoluta de seus membros. Observe-se que a regra geral é o estabelecimento das alíquotas internas pelos Estados; portanto, o uso dessa faculdade, pelo Senado Federal, pressupõe a necessidade de sua atuação para a preservação de algum valor relevante ao pacto federativo, pois, do contrário, isso implicaria em solapar a competência dos Estados-membros; b) *estabelecimento de alíquotas máximas*, desde que a fixação se torne necessária para resolver conflito específico envolvendo interesse de Estados-membros da Federação. A iniciativa nesse caso será da maioria absoluta e a aprovação se dará pelo voto favorável de pelo menos dois terços dos membros do Senado Federal.

VI – salvo deliberação em contrário dos Estados e do Distrito Federal, nos termos do disposto no inciso XII, *g*, as alíquotas internas, nas operações relativas à circulação de mercadorias e nas prestações de serviços, não poderão ser inferiores às previstas para as operações interestaduais;

Doutrina

Fixação de alíquotas para as operações internas. É competência do Senado Federal, nos termos do inciso IV, estabelecer um piso para as alíquotas que serão aplicadas nas operações internas, tanto de circulação de mercadorias quanto de prestação de serviços, não podendo ser inferiores àquelas incidentes sobre as operações interestaduais.

Jurisprudência

> "1. As alíquotas mínimas internas do ICMS, fixadas pelos Estados e pelo Distrito Federal, não podem ser inferiores às previstas para as operações interestaduais, saldo deliberação de todos eles em sentido contrário (CF, artigo 155, § 2.°, VI). 2. A alíquota do ICMS para operações interestaduais deve ser fixada por resolução do Senado Federal (CF, artigo 155, § 2.°, IV)" (STF – Pleno, ADIN 2.021/SP MC, rel. Min. Maurício Corrêa, d. 27.05.2003).

VII – nas operações e prestações que destinem bens e serviços a consumidor final, contribuinte ou não do imposto, localizado em outro Estado, adotar-se-á a alíquota interestadual e caberá ao Estado de localização do destinatário o imposto correspondente à diferença entre a alíquota interna do Estado destinatário e a alíquota interestadual;

a) *(Revogada pela Emenda Constitucional n.° 87, de 17.04.2015)*

b) *(Revogada pela Emenda Constitucional n.° 87, de 17.04.2015)*

Doutrina

Bens e serviços destinados a consumidor final sediado em outro Estado. No caso, duas hipóteses se apresentam: a) se o destinatário for contribuinte do ICMS, a alíquota aplicável é a destinada às operações interestaduais; b) se o destinatário não for contribuinte do imposto, a alíquota aplicável é a destinada às operações internas. Decorre daí que a alíquota interestadual somente se aplica no caso de operações de mercadorias e serviços feitas por contribuintes do imposto.

VIII – a responsabilidade pelo recolhimento do imposto correspondente à diferença entre a alíquota interna e a interestadual de que trata o inciso VII será atribuída:

a) ao destinatário, quando este for contribuinte do imposto;

b) ao remetente, quando o destinatário não for contribuinte do imposto;

Doutrina

Consumidor final contribuinte do ICMS sediado em outro Estado. Em sendo o destinatário contribuinte do ICMS, portanto, sujeito à alíquota aplicável às operações interestaduais, a norma constitucional estabelece que cabe ao Estado de sua sede o valor da diferença do imposto devido.

IX – incidirá também:

a) sobre a entrada de bem ou mercadoria importados do exterior por pessoa física ou jurídica, ainda que não seja contribuinte habitual do imposto, qualquer que seja a sua finalidade, assim como sobre serviço prestado no exterior, cabendo o imposto ao Estado onde estiver situado o domicílio ou o estabelecimento do destinatário da mercadoria, bem ou serviço;

b) sobre o valor total da operação, quando mercadorias forem fornecidas com serviços não compreendidos na competência tributária dos Municípios;

Doutrina

Incidência do ICMS sobre a importação de bens ou mercadorias. A norma dispõe sobre a incidência do imposto nas operações de importação de bens ou mercadorias importadas do exterior, por pessoa física ou jurídica, contribuinte habitual ou não do tributo, independentemente de sua finalidade, ocorrendo o fato gerador no momento de seu desembaraço aduaneiro.

Incidência do ICMS sobre serviços prestados no exterior. Também incide o ICMS sobre serviços prestados no exterior por pessoas físicas ou jurídicas.

Destinação do produto da arrecadação. Nos casos referidos, o imposto caberá ao Estado de domicílio ou do estabelecimento do destinatário da mercadoria, bem ou serviço.

Base de cálculo do ICMS no caso de fornecimento de mercadorias e serviços. O imposto incidirá sobre o valor total da operação nos casos de fornecimento de mercadorias com serviços, desde que estes não estejam compreendidos na competência tributária do município, caso em que se sujeitará ao recolhimento do ISS.

Jurisprudência

> Súmula Vinculante do STF: 48. "Na entrada de mercadoria importada do exterior, é legítima a cobrança do ICMS por ocasião do desembaraço aduaneiro".
>
> "ICMS incidente sobre mercadoria importada. Momento da ocorrência do fato gerador. Constituição Federal, art. 155, § 2.°, inciso IX, letra *a*. O Plenário do STF, no julgamento do RE 193.817 – RJ, a 23.10.1996, por maioria de votos, firmou orientação segundo a qual, em se cuidando de mercadoria importada, o fato gerador do ICMS não ocorre com a entrada do estabelecimento do importador, mas, sim, quando do recebimento da mercadoria, ao ensejo do respectivo desembaraço aduaneiro" (STF, RE 224.277/RS, rel. Min. Néri da Silveira, DJ 1, 26.06.1998, p. 19).
>
> "ICMS. Fornecimento de alimentos e bebidas em bares e restaurantes: legalidade da cobrança do ICMS. CF, art. 155, II (EC 3/93), art. 155, § 2.°, IX, b. Fornecimento de alimentos em bares e restaurantes: incidência do ICMS. CF, art. 155, I, b, ou art. 155, II, com a redação da EC 3/93; art. 155, § 2.°, IX, b. Precedentes do STF. Ressalva do entendimento pessoal do Relator deste. RE conheci-

do e provido" (STF – 2.ª Turma, RE 143.725/SP, rel. Min. Carlos Velloso, DJ, 1, 10.08.1995, p. 23.564).

X – não incidirá:

a) sobre operações que destinem mercadorias para o exterior, nem sobre serviços prestados a destinatários no exterior, assegurada a manutenção e o aproveitamento do montante do imposto cobrado nas operações e prestações anteriores;

b) sobre operações que destinem a outros Estados petróleo, inclusive lubrificantes, combustíveis líquidos e gasosos dele derivados, e energia elétrica;

c) sobre o ouro, nas hipóteses definidas no art. 153, § 5.º;

d) nas prestações de serviço de comunicação nas modalidades de radiodifusão sonora e de sons e imagens de recepção livre e gratuita;

Doutrina

Imunidade e exportação de mercadorias e serviços. A norma constitucional trata de retirar do campo de incidência do ICMS as exportações de mercadorias para o exterior, bem como os serviços prestados a tomadores sediados no exterior, assegurando, inclusive, o aproveitamento do tributo exigido em operações anteriores ao ato de exportação. O objetivo da imunidade é o de desonerar as exportações, visando a incentivar o comércio exterior do país.

Imunidade e operações interestaduais de petróleo e energia elétrica. Da mesma forma, estão cobertas pela imunidade as operações que destinam, dos estados produtores para outros estados federados, petróleo e seus derivados, além de energia elétrica.

Imunidade do ouro como ativo financeiro ou instrumento cambial. Nas hipóteses definidas no artigo 153, § 5.º, da Constituição Federal, do uso do ouro como ativo financeiro ou instrumento cambial, a norma institui a imunidade em relação ao ICMS, até porque, nesses casos, as operações sujeitam-se exclusivamente à incidência do imposto sobre operações de crédito, câmbio e seguro (art. 153, *caput*, V).

Imunidade e serviços de rádio e televisão. A norma exclui da incidência do ICMS a prestação de serviços de comunicação nas modalidades de radiodifusão sonora e de sons e imagens, desde que a recepção de som e imagem seja livre e gratuita, quer dizer, sem nenhum custo para os seus destinatários finais.

Jurisprudência

> "Embargos de Declaração recebidos como Agravo Regimental em Recurso Extraordinário com Agravo. Tributário. Serviço utilizado no transporte interestadual ou intermunicipal de produtos industrializados destinados ao exterior. Pretendida não incidência do ICMS. Art. 155, § 2.º, X, a, da Constituição Federal. 1. A imunidade tributária prevista no artigo 155, § 2.º, X, a, da Constituição Federal é benefício restrito às operações de produtos industrializados, não abrangendo o serviço utilizado no transporte interestadual ou intermunicipal dos referidos bens. 2. Embargos de declaração recebidos como agravo regimental a que se nega provimento" (STF – 1.ª Turma, ARE 602.399/MG ED, rel. Min. Roberto Barroso, j. 15.12.2015).

XI – não compreenderá, em sua base de cálculo, o montante do imposto sobre produtos industrializados, quando a operação, realizada entre contribuintes e relativa a produto destinado à industrialização ou comercialização, configure fato gerador dos dois impostos;

Doutrina

Hipótese de exclusão do IPI da base de cálculo do ICMS. Convém anotar que, em princípio, o montante do IPI integra a base de cálculo do ICMS. Todavia, o IPI não integrará a base de cálculo do ICMS quando a operação, feita entre contribuintes dos referidos tributos e envolvendo produto destinado à industrialização ou comercialização, configure fato gerador tanto do IPI quanto do ICMS.

Equiparação de comerciante a industrial. A norma constitucional em comento aplica-se nos casos de operações feitas por comerciante equiparado a industrial, nos termos da legislação do IPI.

Jurisprudência

> "A regra do art. 155, § 2.º, XI, da CF – que exclui da base de cálculo do ICMS o montante do imposto sobre produtos industrializados, 'quando a operação, realizada entre contribuintes e relativa a produto destinado à industrialização ou à comercialização configure fato gerador dos dois impostos' – aplica-se às operações realizadas por comerciante equiparado a industrial pela legislação do IPI." (STF – 2.ª Turma, RE 170.412/SP, rel. Min. Carlos Velloso, 24.09.1996, Informativo do STF, n. 46).

XII – cabe à lei complementar:

a) definir seus contribuintes;

b) dispor sobre substituição tributária;

c) disciplinar o regime de compensação do imposto;

d) fixar, para efeito de sua cobrança e definição do estabelecimento responsável, o local das operações relativas à circulação de mercadorias e das prestações de serviços;

e) excluir da incidência do imposto, nas exportações para o exterior, serviços e outros produtos além dos mencionados no inciso X, *a*;

f) prever casos de manutenção de crédito, relativamente à remessa para outro Estado e exportação para o exterior, de serviços e de mercadorias;

g) regular a forma como, mediante deliberação dos Estados e do Distrito Federal, isenções, incentivos e benefícios fiscais serão concedidos e revogados;

h) definir os combustíveis e lubrificantes sobre os quais o imposto incidirá uma única vez, qualquer que seja a sua finalidade, hipótese em que não se aplicará o disposto no inciso X, *b*;

i) fixar a base de cálculo, de modo que o montante do imposto integre, também na importação do exterior de bem, mercadoria ou serviço.

Doutrina

ICMS e exigência de lei complementar. Ao tratar do ICMS, o legislador constituinte originário houve por bem reservar à lei complementar o tratamento da matéria relativa à estrutura fundamental do imposto, listando, expressamente, por meio de quase dezena de alíneas, as matérias que devem ser tratadas por meio da referida espécie normativa.

Matéria reservada à lei complementar. A norma constitucional reserva à lei complementar dispor sobre as seguintes matérias: a) definir os contribuintes do imposto; b) dispor sobre a substituição tributária; c) disciplinar o regime de compensação do tributo; d) fixar o local das operações de circulação de mercadorias e prestação de serviços; e) tratar dos casos de imunidade do imposto; f) tratar dos casos de manutenção de crédito; g) dispor sobre a concessão e revogação de isenções, incentivos e benefícios fiscais; h) definir os combustíveis e lubrificantes sobre os quais o imposto incidirá uma única vez; i) fixar a base de cálculo, de modo que o montante do imposto integre, também na importação do exterior de bem, mercadoria ou serviço.

Jurisprudência

"1. As competências tributárias deverão ser exercidas em fiel observância às normas constitucionais, que preveem, especificamente, limitações do poder de tributar, com a consagração de princípios, imunidades, restrições e possibilidades de concessão de isenções, incentivos e benefícios fiscais. 2. A deliberação dos Estados e do Distrito Federal para a concessão de isenções, incentivos e benefícios fiscais de ICMS é exigência direta do texto constitucional, assim como a observância da disciplina constante na lei complementar, que constitui uma das matérias básicas de integração do Sistema Tributário Nacional, no sentido de desrespeito ao equilíbrio federativo (guerra fiscal). 3. Desrespeito à alínea g do inciso XII do § 2.º do artigo 155 da Constituição Federal em decorrência da concessão unilateral de incentivos e benefícios fiscais no ICMS pela Lei estadual/MT n.º 7.874/2002 (artigos 1.º, 2.º, 3.º, 4.º, 5.º, 6.º, 7.º, 8.º, 9.º, 10 e 11, Programa de incentivo às usinas produtoras de álcool do Estado de Mato Grosso PRO-ÁLCOOL). 4. Medida cautelar confirmada. Ação Direta de Inconstitucionalidade julgada procedente" (STF – Pleno, ADIN 2.823/MT, rel. Min. Alexandre de Moraes, j. 19.12.2018).

"ICMS e repulsa constitucional à guerra tributária entre os Estados-membros: o legislador constituinte republicano, com o propósito de impedir a 'guerra tributária' entre os Estados-membros, enunciou postulados e prescreveu diretrizes gerais de caráter subordinante destinados a compor o estatuto constitucional do ICMS. Os princípios fundamentais consagrados pela Constituição da República, em tema de ICMS, (a) realçam o perfil nacional de que se reveste esse tributo, (b) legitimam a instituição, pelo poder central, de regramento normativo unitário destinado a disciplinar, de modo uniforme, essa espécie tributária, notadamente em face de seu caráter não cumulativo, (c) justificam a edição de lei complementar nacional vocacionada a regular o modo como os Estados-membros e o Distrito Federal, sempre após deliberação conjunta, poderão, por ato próprio, conceder e/ou revogar isenções, incentivos e benefícios fiscais" (STF – Pleno, ADIN 1.247/PA MC, rel. Min. Celso de Mello, DJ, 1, 08.09.1995, p. 28.354).

"Constitucional. Tributário. ICMS: produtos industrializados destinados ao exterior: imunidade. Operações e prestações de serviço: distinção. C. F., art. 155, II, § 2.°, IV, X, a, XII, e. I – ICMS: hipóteses de incidência distintas: a) operações relativas à circulação de mercadorias; b) prestações de serviço interestadual e intermunicipal e de comunicações: C. F., art. 155, II. II. – A Constituição Federal ao conceder imunidade tributária, relativamente do ICMS, aos produtos industrializados destinados ao exterior, situou-se, apenas, numa das hipóteses de incidência do citado imposto; operações que destinem ao exterior tais produtos, excluídos os semielaborados definidos em lei complementar: art. 155, § 2.°, X, a. III – Deixou expresso a C. F., art. 155, § 2.°, XII, e, que as prestações de serviços poderão ser excluídas, nas exportações para o exterior, mediante lei complementar. IV. – Incidência do ICMS sobre a prestação de serviço de transporte interestadual, no território nacional, incidindo a alíquota estabelecida por resolução do Senado Federal: C. F, art. 155, § 2.°, IV. V. – R. E. conhecido e provido" (STF – 2.ª Turma, RE 212.637/MG, rel. Min. Carlos Velloso, j. 25.05.1999).

"Nos termos do artigo 155, XII, b, da atual Constituição, a disciplina do instituto da substituição tributária, relativamente ao ICMS, deve ter base em lei complementar, cuja ausência não se enquadra na autorização prevista no artigo 34, parágrafo 8.°, ADCT, não podendo, pois, ter suporte em convênio celebrado pelos Estados-membros" (STJ – 1.ª Seção, EREsp 50.884/SP, rel. Min. Asfor Rocha, DJ, l, 29.05.1995, p. 15.456).

"Substituição tributária para frente. Legalidade. Não é ilegal a exigência do recolhimento antecipado, pela empresa fabricante, do ICMS, incidente na revenda de veículos pela concessionária. A legislação infraconstitucional, atinente à chamada 'substituição tributária para frente', continua em vigor, hoje com endosso da Emenda Constitucional 3/93. Constituição, art. 155, XII, b; EC 3/93." (STJ – 1.ª Seção, EREsp 39.413/SP, rel. Min. Pádua Ribeiro, DJ, 1, 09.10.1995, p. 33.509).

§ 3.º À exceção dos impostos de que tratam o inciso II do *caput* deste artigo e o art. 153, I e II, nenhum outro imposto poderá incidir sobre operações relativas a energia elétrica, serviços de telecomunicações, derivados de petróleo, combustíveis e minerais do País.

Doutrina

Exclusão de incidência tributária. A norma constitucional estabelece imunidade ao vedar a incidência de qualquer outro imposto sobre as operações com energia elétrica, serviços de telecomunicações, derivados de petróleo, combustíveis e minerais do país, admitindo, apenas, a cobrança do ICMS (art. 155, *caput*, II), do imposto sobre importação de produtos estrangeiros (art. 153, *caput*, I), do imposto sobre a exportação (art. 153, *caput*, II).

Imunidade e contribuições sociais. A imunidade prevista diz respeito à não incidência de qualquer outro imposto e não objeta a cobrança da COFINS, PIS e FINSOCIAL, pois, a seguridade social deve ser financiada por toda a sociedade.

Jurisprudência

Súmula do STF: 659. "É legítima a cobrança de COFINS, do PIS e do FINSOCIAL sobre as operações relativas à energia elétrica, serviços de telecomunicações, derivados de petróleo, combustíveis e minerais do País."

"O Tribunal entendeu que a imunidade prevista no § 3.º do art. 155 da CF/88 – que, à exceção do ICMS e dos impostos de importação e exportação, determina que nenhum outro tributo poderá incidir sobre as operações relativas a energia elétrica, serviços de telecomunicações, derivados de petróleo, combustíveis e minerais do País – não impede a cobrança das referidas contribuições sobre o faturamento das empresas que realizem essas atividades, tendo em vista o disposto no art. 195, *caput*, da CF, que prevê o financiamento da seguridade social por toda a sociedade, de forma direta e indireta." (STF – Pleno, RE 227.832/PR, rel. Min. Carlos Velloso, Informativo n. 155).

"I. A imunidade prevista no art. 155, § 3.º, da CF abrange somente as operações relativas à energia elétrica, serviços de telecomunicações, derivados de petróleo, combustíveis e minerais do País. II. O imposto previsto no art. 153, III, da Carta Magna incide sobre renda e proventos de qualquer natureza. Fatos diversos dos relacionados no § 3.º do art. 155 da CF. III. Agravo regimental a que se nega provimento" (STF – 2.ª Turma, RE 360.534/ES AgRg-AgRg, rel. Min. Ricardo Lewandowski, j. 09.09.2014).

"(...). 3. Tributário. Contribuição social. COFINS. Imunidade. Operações relativas a derivados de petróleo. Art. 155, § 3.º, da Constituição Federal. Ação julgada procedente. Ofensa à Súmula 659. Recurso extraordinário provido. 'É legítima a cobrança da COFINS e do FINSOCIAL sobre as operações relativas a energia elétrica, serviços de telecomunicações, derivados de petróleo, combustíveis e minerais do País'". (STF – AgI 213.314/PE AgRg, rel. Min. Cezar Peluso, j. 15.03.2005).

"Agravo regimental. – A imunidade prevista no artigo 155, § 3.º, da Constituição diz respeito às operações relativas a energia elétrica, combustíveis líquidos e gasosos, lubrificantes e minerais, o que não ocorre no caso, em que as operações sobre sacos de matéria plástica, pela única circunstância de o polietileno ser derivado do petróleo e elemento para a fabricação deles, não são, evidentemente, operações referentes a combustível líquido como é o petróleo. Agravo a que se nega provimento" (STF – 1.ª Turma, AgI 199.516/BA AgRg, rel. Min. Moreira Alves, j. 09.09.1997).

"1. A Regra-geral institui a impossibilidade do creditamento do ICMS quanto aos serviços de telecomunicações e às operações relativas à energia elétrica. Figura, contudo, exceção erigida para os casos em que o contribuinte logre provar sua utilização em benefício da produção. 2. Da análise dos autos, exsurge, de plano, a pendência relativa à demonstração, à qual este Tribunal vem condicionando o creditamento do ICMS nos casos de serviços de comunicação e energia elétrica" (STJ – 2.ª Turma, AREsp 598.957, rel. Min. Humberto Martins, DJ, 29.06.2007, p. 529).

§ 4.º Na hipótese do inciso XII, *h*, observar-se-á o seguinte:

I – nas operações com os lubrificantes e combustíveis derivados de petróleo, o imposto caberá ao Estado onde ocorrer o consumo;

II – nas operações interestaduais, entre contribuintes, com gás natural e seus derivados, e lubrificantes e combustíveis não incluídos no inciso I deste parágrafo, o imposto será repartido entre os Estados de origem e de destino, mantendo-se a mesma proporcionalidade que ocorre nas operações com as demais mercadorias;

III – nas operações interestaduais com gás natural e seus derivados, e lubrificantes e combustíveis não incluídos no inciso I deste parágrafo, destinadas a não contribuinte, o imposto caberá ao Estado de origem;

IV – as alíquotas do imposto serão definidas mediante deliberação dos Estados e Distrito Federal, nos termos do § 2.º, XII, *g*, observando-se o seguinte:

a) serão uniformes em todo o território nacional, podendo ser diferenciadas por produto;

b) poderão ser específicas, por unidade de medida adotada, ou *ad valorem*, incidindo sobre o valor da operação ou sobre o preço que o produto ou seu similar alcançaria em uma venda em condições de livre concorrência;

c) poderão ser reduzidas e restabelecidas, não se lhes aplicando o disposto no art. 150, III, *b*.

Doutrina

Definição dos combustíveis e lubrificantes sujeitos à incidência de única vez do ICMS. Esta definição é matéria da lei complementar do ICMS, cabendo ao legislador a escolha dos combustíveis e lubrificantes sujeitos à incidência do referido imposto em uma única vez, caso em que o produto da arrecadação caberá ao Estado onde ocorrer o consumo (inciso I). Nas hipóteses de operações interestaduais, entre contribuintes, com gás natural e derivados e lubrificantes e combustíveis não escolhidos para incidência única, o imposto será repartido entre os Estados de origem e de destino, mantida a mesma proporcionalidade verificada nas operações com as demais mercadorias (inciso II). Nas hipóteses de operações interestaduais com gás natural e seus derivados, e lubrificantes e combustíveis não escolhidos para incidência única, desde que destinadas a não contribuintes, o produto da arrecadação do tributo caberá ao Estado de origem (inciso III).

Definição de alíquotas para incidência única do ICMS. As alíquotas do imposto serão definidas mediante deliberação dos Estados e Distrito Federal, inclusive por meio de convênio, devendo ser uniformes em todo o território nacional, facultada a diferenciação por produto, podendo, ainda, ser específicas, por unidade de medida adotada, ou *ad valorem*, caso em que incidirá sobre o valor da operação ou sobre o preço que o produto ou seu similar alcançaria em uma venda em condições de livre concorrência. Por fim, poderão as alíquotas ser reduzidas e restabelecidas, pois não se sujeitam ao princípio da anterioridade da lei, previsto no art. 150, III, *b*, da Constituição Federal.

§ 5.º As regras necessárias à aplicação do disposto no § 4.º, inclusive as relativas à apuração e à destinação do imposto, serão estabelecidas mediante deliberação dos Estados e do Distrito Federal, nos termos do § 2.º, XII, *g*.

Doutrina

Mecanismo de deliberação dos Estados e do Distrito Federal. O estabelecimento das regras necessárias à aplicação do disposto no parágrafo anterior será feito, preferencialmente, por meio de convênio, instrumento adequado para consolidar a vontade política das unidades federadas a respeito do tema.

Jurisprudência

"(...). III – No mérito, é relevante a arguição de inconstitucionalidade em causa com base no disposto no artigo 155, § 2.º, XII, 'g', da Constituição Federal, que exige lei complementar – que evidentemente é federal – para, em se tratando de ICMS, 'regular a forma como, mediante deliberação dos Estados e do Distrito Federal, isenções, incentivos e benefícios fiscais serão concedidos e revogados'. – No caso, não há sequer necessidade de confronto entre as normas da Lei ora impugnada e a Lei Complementar n.º 24/75, mas apenas entre aquelas e o disposto no artigo 155, § 2.º, XII, 'g', da Constituição, que pressupõe a deliberação dos Estados e do Distrito Federal para a concessão e revogação de benefícios fiscais concertes ao ICMS" (STF – Pleno, ADIN 2.157/BA MC, rel. Min. Moreira Alves, j. 13.11.2017).

"(...). 3. A disciplina aplicada à isenção estende-se às hipóteses de redução da base de cálculo. 4. Visando à manutenção do equilíbrio econômico e a evitar a guerra fiscal, benefícios fiscais serão concedidos e revogados mediante deliberação dos Estados-membros e do Distrito Federal. O ato normativo estadual sujeita-se à lei complementar ou a convênio [artigo 155, § 2.º, inciso XII, 'f']" (STF – Pleno, ADIN 2.320/SC, rel. Min. Eros Grau, j. 15.02.2006).

§ 6.º O imposto previsto no inciso III:

I – terá alíquotas mínimas fixadas pelo Senado Federal;

II – poderá ter alíquotas diferenciadas em função do tipo e utilização.

Doutrina

Perfil constitucional do IPVA. O imposto sobre a propriedade de veículos automotores, nos termos da norma constitucional, terá as suas alíquotas mínimas fixadas pelo Senado Federal, podendo ser diferenciadas em função do tipo de veículo e de sua utilização. Cabe à lei ordinária de cada unidade federada instituir o tributo cumprindo essas exigências.

Seção V
DOS IMPOSTOS DOS MUNICÍPIOS

Art. 156. Compete aos Municípios instituir impostos sobre:

I – propriedade predial e territorial urbana;

Doutrina

Imposto sobre a propriedade predial e territorial urbana. Tem como fato gerador a propriedade, o domínio útil ou a posse de bem imóvel localizado na zona urbana do município e tem como base de cálculo o valor venal do imóvel apurado segundo a legislação local. Contribuinte do imposto é o proprietário do imóvel, o titular do seu domínio útil, ou o seu possuidor a qualquer título.

Jurisprudência

Súmulas do STF: 74. "O imóvel transcrito em nome da autarquia, embora objeto de promessa de venda a particulares, continua imune a impostos locais". 668: "É inconstitucional a lei municipal que tenha estabelecido, antes da Emenda Constitucional 29/2000, alíquotas progressivas para o IPTU, salvo se destinada a assegurar o cumprimento da função social da propriedade urbana".

Súmula do STJ: 160. "É defeso, ao município, atualizar o IPTU, mediante decreto, em percentual superior ao índice oficial de correção monetária".

"1. A jurisprudência do Supremo Tribunal Federal firmou-se no sentido da constitucionalidade das taxas cobradas em razão dos 'serviços públicos de coleta, remoção e tratamento ou destinação de lixo ou resíduos provenientes de imóveis' (RE 576.321-QO, Rel. Min. Ricardo Lewandowski, Plenário, DJE 13.2.2009). 2. Possibilidade de utilização de elementos da base de cálculo do Imposto sobre a Propriedade Predial e Territorial Urbana – IPTU" (STF – 1.ª Turma, RE 550.403/SP ED, rel. Min. Cármen Lúcia, j. 26.05.2009).

"Imposto sobre a Propriedade Predial e Territorial Urbana – Município do Rio de Janeiro – Progressividade – período anterior à Emenda Constitucional n.º 29/2000 – desarmonia com a Constituição Federal – Verbete n.º 668 da Súmula do Supremo. Conflita com a Carta da República a lei municipal que tenha estabelecido, antes da Emenda Constitucional n.º 29/2000, alíquotas progressivas para o Imposto Predial e Territorial Urbano, salvo se destinada a assegurar o cumprimento da função social das propriedade urbana" (STF – 1.ª Turma, AgI 550.848/RJ AgRg, rel. Min. Marco Aurélio, j. 02.09.2008).

II – transmissão *inter vivos*, a qualquer título, por ato oneroso, de bens imóveis, por natureza ou acessão física, e de direitos reais sobre imóveis, exceto os de garantia, bem como cessão de direitos a sua aquisição;

Doutrina

***Imposto sobre a transmissão* inter vivos**. Tem como fato gerador a transmissão, entre vivos, a qualquer título, de bens imóveis e de direitos reais sobre imóveis, sempre que se der por meio de ato oneroso, com exceção daqueles oferecidos em garantia, bem como cessão de direitos a sua aquisição.

Jurisprudência

Súmula do STF: 656. "É inconstitucional a lei que estabelece alíquotas progressivas para o imposto de transmissão *inter vivos* de bens imóveis – ITBI – com base no valor venal do imóvel".

"Tributário. Agravo interno no agravo em recurso especial. ITBI. Base de cálculo. Valor venal do imóvel. 1. A despeito de a base de cálculo do ITBI por apresentar valor diverso do apurado para o IPTU, prevaleceu, no caso dos autos (ITBI), o valor da transação imobiliária à estimativa suposta pela autoridade fazendária. 2. Essa conclusão encontra-se amparo no art. 38 do CTN, que trata do Imposto sobre a Transmissão de Bens Imóveis e de Direitos a eles Relativos: 'A base de cálculo do imposto é o valor venal dos bens ou direitos transmitidos.' 3. O recurso especial esbarra nos óbices das Súmulas 280/STF e 7/STJ. 4. Agravo interno a que se nega provimento" (STJ – 2.ª Turma, AREsp 1.084.858 Ag., rel. Min. Og Fernandes, DJE, 21.03.2018).

III – serviços de qualquer natureza, não compreendidos no art. 155, II, definidos em lei complementar;

Doutrina

Imposto sobre serviços de qualquer natureza. Tem como fato gerador a prestação de serviços constantes de lista veiculada por lei complementar, que excepcionará os serviços de transporte interestadual e intermunicipal e de comunicações, de competência estadual, e definirá, ainda, a alíquota máxima do tributo. Trata-se, pois, de lista taxativa sendo *numerus clausus* os serviços listados.

Jurisprudência

Súmula do STF: 588. "O Imposto sobre Serviços não incide sobre os depósitos, as comissões e taxas de desconto, cobrados pelos estabelecimentos bancários".

Súmulas do STJ: 138. "O ISS incide na operação de arrendamento mercantil de coisas móveis". 156: "A prestação de serviço de composição gráfica, personalizada e sob encomenda, ainda que envolva fornecimento de mercadorias, está sujeita, apenas, ao ISS. 167: "O fornecimento de concreto, por empreitada, para construção civil, preparado no trajeto até a obra em betoneiras acopladas a caminhões, é prestação de serviço, sujeitando-se apenas à incidência de ISS".

IV – *(Revogado pela Emenda Constitucional n.º 3, de 17.03.1993).*

§ 1.º Sem prejuízo da progressividade no tempo a que se refere o art. 182, § 4.º, inciso II, o imposto previsto no inciso I poderá:

I – ser progressivo em razão do valor do imóvel; e

II – ter alíquotas diferentes de acordo com a localização e o uso do imóvel.

Doutrina

Progressividade do IPTU. A norma constitucional dispõe, na sua literalidade, que, além da progressividade no tempo, prevista no artigo 182, § 4.º, II, o IPTU poderá ser progressivo também em razão do valor do imóvel e ter alíquotas diferenciadas conforme a situação e o uso do imóvel. Contudo, muito apropriadamente, o STF firmou orientação no sentido de que a progressividade do imposto destina-se a cumprir a função social da propriedade urbana, circunscrevendo, pois, a atuação do legislador local apenas a tornar consequente este desiderato.

Jurisprudência

Súmula do STF: 668. "É inconstitucional a lei municipal que tenha estabelecido, antes da Emenda Constitucional n.º 29/2000, alíquotas progressivas para o IPTU, salvo se destinada a assegurar o cumprimento da função social da propriedade urbana".

"Enquanto princípio constitucional tributário consagrado pela Constituição da República, a progressividade do IPTU evidencia-se como postulado intangível do plano do Estado Federal e revela-se imune, consequentemente, a qualquer ação normativa modificadora por parte das instâncias políticas locais. Na realidade, cumpre reconhecer que, tratando-se do IPTU, a única progressividade admitida pelo texto constitucional é aquela de índole extrafiscal, que só pode ser instituída pelo Município com a finalidade exclusiva de fazer cumprir a função social da propriedade, observados, no entanto, os parâmetros indeclináveis fixados em lei federal reclamada pela própria Constituição da República (art. 184, § 4.º)". (STF – PET 1.458/CE, rel. Min. Celso de Mello, DJ 1, 04.03.1998, p. 10).

§ 1º-A. O imposto previsto no inciso I do *caput* deste artigo não incide sobre templos de qualquer culto, ainda que as entidades abrangidas pela imunidade de que trata a alínea *b* do inciso VI do *caput* do art. 150 desta Constituição sejam apenas locatárias do bem imóvel.

§ 2.º O imposto previsto no inciso II:

I – não incide sobre a transmissão de bens ou direitos incorporados ao patrimônio de pessoa jurídica em realização de capital, nem sobre a transmissão de bens ou direitos decorrentes de fusão, incorporação, cisão ou extinção de pessoa jurídica, salvo se, nesses casos, a atividade preponderante do adquirente for a compra e venda desses bens ou direitos, locação de bens imóveis ou arrendamento mercantil;

II – compete ao município da situação do bem.

Doutrina

Casos de imunidade em face do imposto sobre a transmissão inter vivos. É imune do imposto a transmissão de bens ou direitos incorporados ao patrimônio de pessoa jurídica para realização de capital, porque aqueles passam a integrar o ativo permanente da empresa. Da mesma forma, goza de imunidade a transmissão de bens ou direitos decorrentes de fusão, incorporação, cisão ou extinção de pessoa jurídica.

Incidência do imposto nos casos de atividade preponderante. A norma ressalva, todavia, a transmissão de bens ou direitos decorrentes de fusão, incorporação, cisão ou extinção de pessoa jurídica quando a atividade preponderante ou principal do adquirente for a compra e venda desses mesmos bens ou direitos, a locação de bens imóveis ou o arrendamento mercantil. Assim, se o adquirente dos bens tem como atividade principal qualquer dessas, haverá incidência do imposto, não sendo o caso de imunidade tributária.

***Competência para instituir e cobrar o imposto sobre a transmissão* inter vivos**. Cabe ao município de situação do bem (imóvel) a instituição e cobrança do imposto.

Jurisprudência

> Súmulas do STF: 108. "É legítima a incidência do Imposto de Transmissão *inter vivos* sobre o valor do imóvel ao tempo da alienação, e não da promessa, na conformidade da legislação local". 111: "É legítima a incidência do Imposto de Transmissão *inter vivos* sobre a restituição, ao antigo proprietário, de imóvel que deixou de servir à finalidade da sua desapropriação". 326: "É legítima a incidência do imposto de transmissão *inter vivos* sobre a transferência do domínio útil". 328: "É legítima a incidência do Imposto de Transmissão *inter vivos* sobre a doação de imóveis". 329: "O Imposto de Transmissão *inter vivos* não incide sobre a transferência de ações de sociedade imobiliária". 656: "É inconstitucional a lei que estabelece alíquotas progressivas para o imposto de transmissão *inter vivos* de bens imóveis – ITBI – com base no valor venal do imóvel".

§ 3.º Em relação ao imposto previsto no inciso III do *caput* deste artigo, cabe à lei complementar:

I – fixar as suas alíquotas máximas e mínimas;

II – excluir da sua incidência exportações de serviços para o exterior;

III – regular a forma e as condições como isenções, incentivos e benefícios fiscais serão concedidos ou revogados.

Doutrina

Imposto sobre serviços de qualquer natureza. Trata-se de tributo de competência dos municípios e tem como fato gerador a prestação, por empresa ou profissional autônomo, com ou sem estabelecimento fixo, de serviço constante de lista anexa à legislação própria.

Regulação do ISS por meio de lei complementar. A norma dispõe que lei complementar federal fixará as alíquotas máximas e mínimas do ISS; disporá sobre as hipóteses de exclusão da incidência do imposto nas exportações de serviços para o exterior; e regulará a forma e as condições de como isenções, incentivos e benefícios fiscais serão concedidos ou revogados.

A Lei Complementar 116/2003. Após a promulgação da Emenda Constitucional 37/2002, a União editou a referida lei complementar, que trata apenas da alíquota máxima do imposto (5%). Assim, com relação à alíquota mínima, continua válido o percentual de 2%, fixado pelo art. 88, I, do ADCT.

Jurisprudência

> "O ISS incidirá tão-somente sobre serviços de qualquer natureza que estejam relacionados na lei complementar, enquanto o ICMS, além dos serviços de transporte, interestadual e intermunicipal, e de comunicações, terá por objeto operações relativas à circulação de mercadorias, ainda que as mercadorias sejam acompanhadas de prestação de serviço, salvo quando o serviço esteja relacionado em lei complementar como sujeito ao ISS". (STF, RTJ 149/189).

§ 4.º ***(Revogado pela Emenda Constitucional n.º 3, de 17.03.1993).***

Seção VI

DA REPARTIÇÃO DAS RECEITAS TRIBUTÁRIAS

Art. 157. Pertencem aos Estados e ao Distrito Federal:

I – o produto da arrecadação do imposto da União sobre renda e proventos de qualquer natureza, incidente na fonte, sobre rendimentos pagos, a qualquer título, por eles, suas autarquias e pelas fundações que instituírem e mantiverem;

II – vinte por cento do produto da arrecadação do imposto que a União instituir no exercício da competência que lhe é atribuída pelo art. 154, I.

Doutrina

Técnica da repartição das receitas tributárias. É um mecanismo destinado a assegurar a participação de um ente político no produto da arrecadação de tributos de competência de outro ente político, resultando daí a chamada cooperação financeira entre os entes políticos que integram a Federação, também denominada de federalismo cooperativo.

IRRF incidente sobre rendimentos pagos pelos Estados e Distrito Federal. A norma do inciso I dispõe que pertencem aos Estados e ao Distrito Federal a arrecadação do imposto de renda retido na fonte – IRRF, incidente sobre rendimentos pagos, a qualquer título, por eles, suas autarquias e fundações instituídas ou mantidas por tais entes. Anote-se que não importa a natureza dos rendimentos pagos, compreendendo, pois, subsídios, vencimentos, remuneração, aposentadoria, pensão etc. Cuida a norma de dispor sobre parte do imposto de competência da União que o legislador constituinte destinou o produto da arrecadação para os Estados-membros e Distrito Federal.

Participação dos Estados e Distrito Federal na arrecadação dos tributos residuais. A norma do inciso II dispõe pertencer aos Estados-membros e ao Distrito Federal vinte por cento do produto da arrecadação do imposto instituído pela União no exercício de sua competência residual que, como visto, somente poderá ser criado por meio de lei complementar e desde que não tenha fato gerador ou base de cálculo próprios daqueles tributos já discriminados na Constituição Federal.

Jurisprudência

> "(...). 3. A Constituição Federal é translúcida ao tratar da repartição das receitas tributárias (Capítulo I, Seção VI, arts. 157/157), não se admitindo que, por qualquer norma legal (tanto federal como estadual), se tenha a modificação da sistemática de repartição das receitas tributárias para retirar da União e atribuir ao estado parcela de receitas ao ente federal constitucionalmente destinada. Precedentes. 4. O art. 157, inciso I, da Constituição Federal, que dispõe acerca da destinação aos estados do produto de arrecadação do IRPF, não contempla os pagamentos originados das estatais, integrantes de Administração Pública Indireta, não cabendo interpretação ampliativa" (STF – Pleno, ACO 571/SP AgRg, rel. Min. Dias Toffoli, sessão virtual de 24.02.2017 a 06.03.2017).

> "(...). 2. "O imposto de renda devido pelos servidores públicos da Administração direta e indireta, bem como de todos os pagamentos feitos pelos Estados e pelo Distrito Federal, retidos na fonte, irão para os cofres da unidade arrecadadora, e não para os cofres da União, já que, por determinação constitucional 'pertencem aos Estados e ao Distrito Federal' (José Cretella Júnior, in Comentários à Constituição Brasileira de 1988, Forense Universitária, 2.ª edição, vol. VII, arts. 145 a 169, p. 3.714). 3. Agravo regimental desprovido" (STJ – 1.ª Turma, AREsp 1.160.198, rel. Min. Luiz Fux, DJE, 28.10.2010).

"(...). – Artigo 153, III, da Constituição Federal estabelece competir à União a instituição de imposto sobre a renda e proventos de qualquer natureza. – O artigo 157, I, da Carta Magna assim prescreve: 'Art. 157, I: - Pertencem aos Estados e o Distrito Federal: o produto da arrecadação do imposto da União sobre a renda e proventos de qualquer natureza, incidente na fonte, sobre rendimentos pagos, a qualquer título, por eles, suas autarquias e pelas fundações que instituírem e mantiverem'. (...). – Malgrado o imposto de renda seja um tributo de prevalente natureza federal, a União é parte ilegítima para figurar no polo passivo desta demanda, cujo objetivo consiste em afastar a exigibilidade de imposto de renda, cuja arrecadação integra os cofres do Estado-membro, por destinação constitucional" (TRF3 – 4.ª Turma, ApReeNec 2.173.224/SP, rel. Des. Fed. Mônica Nobre, DJF3, Judicial 1, 10.03.2017).

Art. 158. Pertencem aos Municípios:

I – o produto da arrecadação do imposto da União sobre renda e proventos de qualquer natureza, incidente na fonte, sobre rendimentos pagos, a qualquer título, por eles, suas autarquias e pelas fundações que instituírem e mantiverem;

II – cinquenta por cento do produto da arrecadação do imposto da União sobre a propriedade territorial rural, relativamente aos imóveis neles situados, cabendo a totalidade na hipótese da opção a que se refere o art. 153, § 4.º, III;

III – cinquenta por cento do produto da arrecadação do imposto do Estado sobre a propriedade de veículos automotores licenciados em seus territórios;

IV – vinte e cinco por cento do produto da arrecadação do imposto do Estado sobre operações relativas à circu-

lação de mercadorias e sobre prestações de serviços de transporte interestadual e intermunicipal e de comunicação.

Parágrafo único. As parcelas de receita pertencentes aos Municípios, mencionadas no inciso IV, serão creditadas conforme os seguintes critérios:

I – 65% (sessenta e cinco por cento), no mínimo, na proporção do valor adicionado nas operações relativas à circulação de mercadorias e nas prestações de serviços, realizadas em seus territórios;

II – até 35 % (trinta e cinco por cento), de acordo com o que dispuser lei estadual, observada, obrigatoriamente, a distribuição de, no mínimo, 10 (dez) pontos percentuais com base em indicadores de melhoria nos resultados de aprendizagem e de aumento da equidade, considerado o nível socioeconômico dos educandos.

Doutrina

Repartição de receitas tributárias com os Municípios. No sistema de organização do nosso Estado Federal, os Municípios são entes políticos que também integram a Federação, por isso participam do mecanismo de repartição das receitas tributárias oriundas do produto da arrecadação dos impostos instituídos pela União e Estados-membros.

IRRF incidente sobre rendimentos pagos pelos Municípios. A norma do inciso I dispõe que pertence aos Municípios o produto da arrecadação do imposto da União sobre renda e proventos de qualquer natureza, incidente na fonte, sobre rendimentos pagos, a qualquer título, por eles, suas autarquias e pelas fundações que instituírem e mantiverem. Portanto, cuida o dispositivo de dispor sobre parte do imposto de competência da União que o legislador constituinte destinou o produto da arrecadação para os Municípios.

Participação dos Municípios na arrecadação do Imposto Territorial Rural. Pertence ao Município cinquenta por cento da arrecadação do ITR, tributo de competência da União, com relação aos imóveis situados no seu território. Todavia, se o Município optou por fiscalizar e cobrar o imposto, no âmbito de seu território, conforme admite o art. 153, § 4.°, III, da Constituição Federal, será sua a totalidade da arrecadação.

Participação dos Municípios na arrecadação do IPVA. Pertence ao Município cinquenta por cento do produto da arrecadação do Imposto sobre a Propriedade de Veículos Automotores, de competência do Estado, licenciados em seu território.

Participação dos Municípios na arrecadação do ICMS. Pertence aos Municípios vinte e cinco por cento do produto da arrecadação do imposto, de competência do Estado, incidente sobre operações relativas à circulação de mercadorias e sobre prestações de serviços de transporte interestadual e intermunicipal e de comunicação.

Fundo de Participação dos Municípios no ICMS. O percentual acima referido é destinado a um fundo e os recursos deste serão distribuídos para todos os municípios do Estado segundo os seguintes critérios: a) três quartos, no mínimo, na proporção do valor adicionado nas operações relativas à circulação de mercadorias e nas prestações de serviços, realizadas nos respectivos territórios; b) até um quarto, de acordo com o que dispuser a lei estadual ou, no caso de Território, conforme dispuser a lei federal pertinente. Observe-se que o parágrafo único dispõe que a parcela relativa ao valor agregado poderá ser superior a três quartos, caso em que, evidentemente, a parcela a ser distribuída segundo outro critério previsto em lei, *v.g.* a população, será inferior a um quarto.

Critérios para crédito das parcelas do ICMS de que trata o inciso IV. Dispõe este parágrafo único que as parcelas pertencentes aos Municípios serão creditadas: *a*) na proporção de, no mínimo, sessenta e cinco por cento, do valor adicionado nas operações de mercadorias e serviços efetuadas nos respectivos territórios; *b*) em até trinta e cinco por cento, segundo a lei estadual, levando em conta indicadores de evolução na aprendizagem, avanço na equidade, considerando o grau socioeconômico dos alunos.

Jurisprudência

"1. As verbas que compõem o FUNDEB não estão compreendidas nas receitas tributárias, nem nas transferências que pertencem aos municípios, nos termos dos arts. 153, § 5.º, 158 e 159 da CF/88. Logo, devem ser excluídas da base de cálculo dos duodécimos repassados pela União às Casas Legislativas Municipais, nos moldes do art. 29-A, da CF/88. 2. A expressão 'efetivamente realizada', constante do art. 29-A do Texto Constitucional, significa a receita que foi arrecadada e incorporada ao patrimônio do Município no exercício anterior. Não se consideram, portanto, para fins de apuração dessa quantia, os valores que devam ser arrecadados no corrente exercício, tais como a complementação do FUNDEB. 3. Além disso, os recursos do FUNDEB, independentemente da origem, não podem ser utilizados para fins diversos de suas destinações constitucional e legalmente destinadas – art. 60, *caput*, e I, da CF/88 e 8.º, parágrafo único, da Lei Complementar n. 101/00 – isto é, a educação básica e a remuneração dos trabalhadores da educação, o que reforça a compreensão de que devem ser excluídos do cálculo do repasse previsto no art. 29-A da CF/88" (STJ – 2.ª Turma, ROMS 44.795/MG, rel. Min. Humberto Martins, DJE, 12.02.2016).

"Imposto de Renda retido na fonte. O Imposto de Renda é tributo federal, instituído pela União, de modo que, ao descontá-lo na fonte da remuneração de seus servidores, o Município está subordinado ao que dispõe a legislação própria – de natureza federal; pouco importa que o produto da arrecadação dessa parcela do tributo pertença ao próprio Município (CF, art. 157, I), porque esse dispositivo nada tem a ver com a relação tributária, encerrando norma de direito financeiro" (STJ – 2.ª Turma, AgI 136.969/MG AgRg, rel. Min. Ari Pargendler, DJ 1, 16.06.1996, p. 27.359).

"(...). 2. A Constituição da República assegura aos Municípios 25% do ICMS arrecadado pelo Estado, consoante o disposto em seu artigo 158, inciso IV: 'Pertencem aos Municípios: (...) – IV vinte e cinco por cento do produto da arrecadação do imposto do Estado sobre operações relativas à circulação de mercadorias e sobre prestações de transporte interestadual e intermunicipal e de comunicação'. 3. Do percentual do ICMS reservado aos Municípios, três quartos (3/4), no mínimo, devem ser creditados 'na proporção do valor adicionado nas operações relativas à circulação de mercadorias e nas prestações de serviços, realizadas em seus territórios' e até um quarto (1/4) 'de acordo com o que dispuser lei estadual ou, no caso dos Territórios, lei federal' respectivamente, nos termos dos incisos I e II do parágrafo único do art. 158 da CRFB/88. 4. Conforme dicção do art. 161, inciso I, da CF, cabe à Lei Complementar Federal, no caso, a de n.º 63/90, definir o valor adicionado fiscal, para fins previstos no art. 158, parágrafo único, inciso I, da CRBF/88" (STJ – 2.ª Turma, ROMS 28.733/MG, rel. Min. Castro Meira, DJE, 29.06.2009).

"Compendiado o regime jurídico que submete o ICMS, no caso concreto, as operações mercantis decorrentes da produção e venda de energia elétrica gerada pela Usina de Itaipu são promovidas e tão-só no Município de Foz de Iguaçu, único com direito à adição de valor proporcionado por aquelas operações. 'Não tendo havido nenhuma operação mercantil, nos Municípios limítrofes, ainda que inundados para a formação do lago, falece-lhes direito de partilhar os valores adicionados em virtude da venda de energia elétrica produzida em Itaipu". (STJ – 1.ª Turma, REsp 38.344/PR, rel. Min. Milton Luiz Pereira, DJ1, 31.10.1994, p. 29.476).

"(...). 2. O artigo 158, inciso I, da Constituição Federal, dispõe que pertencem aos Municípios o produto da arrecadação do IRRF sobre rendimentos pagos por eles a qualquer título. 3. A edição da Instrução Normativa RFB n.º 1.599/2015 representou alteração, pela autoridade fiscal, da interpretação do dispositivo constitucional, restringindo onde o legislador constituinte não pretendeu apor restrição, pois a expressão pagos a qualquer título mostra-se suficientemente clara para repelir a interpretação da possibilidade de limitação da partilha constitucional da receita de imposto de renda pelos Entes Federados por ato infralegal. A norma inserta no artigo 158, inciso I, da Constituição trata-se de uma norma de eficácia plena e aplicabilidade direta, o que permite concluir que sequer a restrição por lei aqui seria permitida. 4. A Instrução Normativa RFB n.º 1.599/2015, além de representar afronta ao pacto federativo, também inflige mácula à segurança jurídica e à proteção da confiança, porquanto os Municípios, há quase 30 anos, consideram-se titulares do IRRF sobre todos os pagamentos por eles efetuados, seja aos servidores/empregados, seja às pessoas jurídicas e/ou terceiros pelo fornecimento de bens e serviços. 5. O perigo na demora a pretextar a tutela de urgência reside na relevância do produto da arrecadação do IRRF para o Município, em especial, atentando para a atual crise que vivem os Entes Federados, não se podendo olvidar que, quando da edição do ato normativo ora vergastado, o Município já estava com a sua lei orçamentária aprovada, o que, além de representar redução imediata de suas receitas, viola a certeza e a previsibilidade dos seus investimentos" (TRF4, 1.ª Turma, AG 50026205220174040000, rel. Des. Fed. Amaury Chaves de Atayde, D.E. 05.05.2017).

Art. 159. A União entregará:

I – do produto da arrecadação dos impostos sobre a renda e proventos de qualquer natureza e sobre produtos industrializados, 50 (cinquenta por cento) na seguinte forma:

a) vinte e um inteiros e cinco décimos por cento ao Fundo de Participação dos Estados e do Distrito Federal;

b) vinte e dois inteiros e cinco décimos por cento ao Fundo de Participação dos Municípios;

c) três por cento, para aplicação em programas de financiamento ao setor produtivo das Regiões Norte, Nordeste e Centro-Oeste, através de suas instituições financeiras de caráter regional, de acordo com os planos regionais de desenvolvimento, ficando assegurada ao semiárido do Nordeste a metade dos recursos destinados à Região, na forma que a lei estabelecer;

d) um por cento ao Fundo de Participação dos Municípios, que será entregue no primeiro decêndio do mês de dezembro de cada ano;

e) 1% (um por cento) ao Fundo de Participação dos Municípios, que será entregue no primeiro decêndio do mês de julho de cada ano;

f) 1% (um por cento) ao Fundo de Participação dos Municípios, que será entregue no primeiro decêndio do mês de setembro de cada ano;

II – do produto da arrecadação do imposto sobre produtos industrializados, dez por cento aos Estados e ao Distrito Federal, proporcionalmente ao valor das respectivas exportações de produtos industrializados;

III – do produto da arrecadação da contribuição de intervenção no domínio econômico prevista no art. 177, § 4.º, 29% (vinte e nove por cento) para os Estados e o Distrito Federal, distribuídos na forma da lei, observada a destinação a que se refere o inciso II, c, do referido parágrafo.

§ 1.º Para efeito de cálculo da entrega a ser efetuada de acordo com o previsto no inciso I, excluir-se-á a parcela da arrecadação do imposto de renda e proventos de qualquer natureza pertencente aos Estados, ao Distrito Federal e aos Municípios, nos termos do disposto nos arts. 157, I, e 158, I.

§ 2.º A nenhuma unidade federada poderá ser destinada parcela superior a vinte por cento do montante a que se refere o inciso II, devendo o eventual excedente ser distribuído entre os demais participantes, mantido, em relação a esses, o critério de partilha nele estabelecido.

§ 3.º Os Estados entregarão aos respectivos Municípios vinte e cinco por cento dos recursos que receberem nos termos do inciso II, observados os critérios estabelecidos no art. 158, parágrafo único, I e II.

§ 4.º Do montante de recursos de que trata o inciso III que cabe a cada Estado, vinte e cinco por cento serão destinados aos seus Municípios, na forma da lei a que se refere o mencionado inciso.

Doutrina

Nota: A Emenda Constitucional 112, de 27.10.2021, alterou a redação deste artigo, disciplinando sobre a distribuição de recursos aqui tratados. Contudo, o mecanismo de distribuição manteve-se inalterado.

Composição dos Fundos de Participação e destinação dos recursos. Dispõe a norma constitucional sobre a composição dos diversos fundos de participação, *v.g.*, Fundo de Participação dos Estados e do Distrito Federal e Fundo de Participação dos Municípios, e sua destinação, canalizando, ainda, recursos para viabilizar programas de financiamento ao setor produtivo das regiões Norte, Nordeste e Centro-Oeste, assegurando ao chamado semiárido nordestino a metade de tais recursos (inc. I, letra *c*) e instituindo adicionais, ao FPM, de um por cento (inc. I, letra *d*), a ser entregue aos municípios até o dia dez do mês de dezembro de cada ano; um por cento (inc. I, letra *e*) a ser entregue até o dia dez do mês de julho; e um por cento (inc. I, letra *f*) a ser entregue até o dia dez do mês de setembro.

Distribuição do produto da arrecadação do IR e do IPI. Do produto da arrecadação desses impostos a União distribuirá cinquenta por cento da seguinte forma: a) 21,5% será destinado ao Fundo de Participação dos Estados e do Distrito Federal; b) 22,5% ao Fundo de Participação dos Municípios; c) 3% para a aplicação em programas de financiamento ao setor produtivo das Regiões Norte, Nordeste e Centro-Oeste, por meio de suas instituições financeiras de caráter regional, de acordo com os planos regionais de desenvolvimento, ficando assegurada ao semiárido nordestino metade dos recursos destinados à região; d) 3% ao Fundo de Participação dos Municípios, que, conforme dito, serão entregues em parcelas de 1% no primeiro decêndio dos meses de julho, setembro e dezembro de cada ano, como visto.

Exclusão da parcela do IRRF incidente sobre rendimentos pagos. Dispõe o § 1.º que, para fins de cálculo do valor a ser distribuído para os Estados, Distrito Federal e Municípios, por meio dos respectivos fundos, será excluída a parcela da arrecadação do imposto de renda e proventos de qualquer natureza pertencente a tais entes políticos e por eles retidos na fonte de rendimentos pagos. Isso ocorre porque o valor retido a tal título pertence aos referidos entes políticos, inclusive aqueles retidos por autarquias e fundações que instituírem ou mantiverem, e não excluí-lo implicaria distribuição em dobro do valor.

Outra distribuição do produto da arrecadação do IPI. Distribuirá, ainda, a União, do produto da arrecadação do IPI, 10% aos Estados e ao Distrito Federal, de forma proporcional ao valor das respectivas exportações de produtos industrializados, zelando para que nenhuma unidade federada receba parcela superior a 20% do montante da arrecadação, devendo o eventual excedente ser distribuído entre os demais Estados e Distrito Federal, mantido o mesmo critério de partilha estabelecido (§ 2.º). Os Estados, por sua vez, entregarão aos seus municípios 25% dos recursos recebidos a esse título (§ 3.º), observados os critérios de distribuição estabelecidos para o ICMS (art. 158, par. único, inc. I e II). Trata-se de norma que institui incentivo ao esforço dos Estados-membros visando a incrementar as exportações do país.

Distribuição do produto da arrecadação da CIDE. A União distribuirá, para os Estados e Distrito Federal, 29% do produto da arrecadação da contribuição de intervenção no domínio econômico incidente sobre as atividades de importação ou comercialização de petróleo e seus derivados, gás natural e seus derivados e álcool combustível, cuja instituição foi autorizada pelo § 4.º, art. 177, da Constituição Federal, a denominada Cide-Combustíveis. Do montante que lhe couber a esse título, o Estado destinará 25% para os municípios de seu território.

Jurisprudência

"1 – O Município pretende que o montante do Fundo de Participação do Município – FPM para o cálculo da cota parte do Município seja constituído por 23.5% do produto da arrecadação do Imposto de Renda – IR e do Imposto sobre Produtos Industrializados – IPI, sem a dedução de todos os benefícios, isenções e incentivos fiscais concedidos pelo Governo Federal: 2 – Nos termos no art. 159, I, b, da Constituição Federal de 1988, a União entregará do produto da arrecadação dos impostos sobre a renda e proventos de qualquer natureza e sobre produtos industrializados quarenta e oito por cento, sendo vinte e dois inteiros e cinco décimos por cento ao Fundo de Participação dos Municípios, de modo que a transferência constitucional dos valores deve ser feita com base no produto da arrecadação e não na receita bruta como pretende o município, pois deve ser feita a dedução, da base de cálculo do FPM, dos valores referentes a benefícios, incentivos e isenções fiscais de IR e IPI. – Assim, é possível deduzir da base de cálculo do FPM os valores referentes a benefícios, incentivos e isenções fiscais de IR e IPI, pois o que conta na determinação da referida base é a arrecadação efetiva, não a hipotética" (TRF5, AC 0802592-71.2013.4.05.8400, rel. Des. Fed. Rogério de Abreu, PJE, 03.06.2014).

"Agravo Regimental em Recurso Extraordinário com Agravo. Direito Tributário. CIDE. Lei Complementar. 1. A jurisprudência do STF é firme no sentido de que a instituição de Contribuição de Intervenção de Domínio Econômico prescinde de lei complementar. 2.

A aferição em concreto do aspecto material da hipótese de incidência tributária cinge-se ao âmbito infraconstitucional. Súmula 279 do STF. 3. Agravo regimental a que se nega provimento" (STF – 1.ª Turma, ARE 934.095/RJ AgRg, rel. Min. Edson Fachin, d. 31.05.2016).

Art. 160. É vedada a retenção ou qualquer restrição à entrega e ao emprego dos recursos atribuídos, nesta Seção, aos Estados, ao Distrito Federal e aos Municípios, neles compreendidos adicionais e acréscimos relativos a impostos.

§ 1.º A vedação prevista neste artigo não impede a União e os Estados de condicionarem a entrega de recursos:

I – ao pagamento de seus créditos, inclusive de suas autarquias;

II – ao cumprimento do disposto no art. 198, § 2.º, II e III.

Doutrina

Retenção ou restrição de crédito ou emprego de verbas de distribuição obrigatória. A norma constitucional proíbe que seja retido crédito de titularidade de Estado, Distrito Federal ou Município, ou imposta qualquer restrição ou condição para distribuição imediata e, da mesma forma, restrição ao emprego dos recursos por parte desses entes federados, inclusive quanto ao acréscimo ou adicionais relativos a impostos. Trata-se de regra geral destinada a assegurar a repartição das receitas tributárias conforme previsto na Constituição Federal.

Retenção indevida por parte de Estado-membro. Se o Estado retiver ou restringir crédito de Município de seu território poderá sujeitar-se à intervenção federal, nos termos do art. 34, V, *b*, da Carta Política.

Exceções à regra geral de pronta distribuição das receitas tributárias. Contudo, não se aplica a proibição do *caput*, nada impedindo a União e Estados de condicionarem a liberação dos recursos, *(a)* ao pagamento de seus créditos, inclusive de suas autarquias; ou *(b)* para exigir o cumprimento do disposto no art. 198, § 2.°, I e II, da Constituição Federal, qual seja, a aplicação anual em ações e serviços públicos de saúde de recursos que correspondam pelo menos aos percentuais mínimos de recursos do IR e do IPI distribuídos por meio dos fundos de participação.

Jurisprudência

> "1. É vedado ao Estado impor condições para entrega aos Municípios das parcelas que lhes compete na repartição das receitas tributárias, salvo como condição ao recebimento de seus créditos ou ao cumprimento dos limites de aplicação de recursos em serviços de saúde (CF, artigo 160, parágrafo único, I e II). 2. Município em débito com recolhimento de contribuições previdenciárias descontadas de seus servidores. Retenção do repasse da parcela do ICMS até a regularização do débito. Legitimidade da medida, em consonância com as exceções admitidas pela Constituição Federal. 3. Restrição prevista também nos casos de constatação, pelo Tribunal de Contas do Estado, de graves irregularidades na administração municipal. Inconstitucionalidade da limitação, por contrariar a regra geral ditada pela Carta da República, não estando a hipótese amparada, *numerus clausus*, pelas situações excepcionais previstas. Declaração de inconstitucionalidade dos §§ 1.° e 2.° do artigo 20 da Constituição do Estado de Sergipe. Ação julgada procedente em parte "(STF – Pleno, ADIN 1.106/SE, rel. Min. Maurício Corrêa, j. 05.09.2002).

> "Fundo de Participação dos Municípios. Retenção de quotas para garantir o pagamento de débitos para com a Previdência Social. Constitucionalidade. Emenda 3/93. A retenção de quotas do Fundo de Participação dos Municípios para garantir o pagamento de débitos para com a Previdência Social está prevista no art. 160, parágrafo único, da Constituição Federal, na redação dada

pela Emenda Constitucional 3, de 1993. Ordem concedida." (TRF4, MS 93.04.00381-4, rel. Juiz Ari Pargendler, DJ 2, 22.09.1993, p. 38.980).

§ 2º Os contratos, os acordos, os ajustes, os convênios, os parcelamentos ou as renegociações de débitos de qualquer espécie, inclusive tributários, firmados pela União com os entes federativos conterão cláusulas para autorizar a dedução dos valores devidos dos montantes a serem repassados relacionados às respectivas cotas nos Fundos de Participação ou aos precatórios federais.

Art. 161. Cabe à lei complementar:

I – definir valor adicionado para fins do disposto no art. 158, parágrafo único, I;

II – estabelecer normas sobre a entrega dos recursos de que trata o art. 159, especialmente sobre os critérios de rateio dos fundos previstos em seu inciso I, objetivando promover o equilíbrio socioeconômico entre Estados e Municípios;

III – dispor sobre o acompanhamento, pelos beneficiários, do cálculo das quotas e da liberação das participações previstas nos arts. 157, 158 e 159.

Parágrafo único. O Tribunal de Contas da União efetuará o cálculo das quotas referentes aos fundos de participação a que alude o inciso II.

Doutrina

Lei Complementar. A Constituição reserva à lei complementar dispor sobre normas de fixação de coeficientes, cálculo, entrega, fiscalização e controle de liberação de recursos oriundos de fundos de participação, tanto aqueles formados com recursos da União quanto dos Estados, com o evidente propósito de assegurar a correção de critérios e o repasse regular aos vários entes políticos dos dinheiros decorrentes do mecanismo de repartição das receitas tributárias.

Valor adicionado. Para fins de participação dos municípios no produto da arrecadação do ICMS, entende-se por valor adicionado aquele decorrente da operação de circulação de mercadoria ou serviço realizada no território de cada município, pois, em se tratando de imposto não-cumulativo, o tributo incide sobre o valor acrescentado em cada operação. Quer dizer, do valor da operação seguinte, será deduzido o valor da operação anterior. A diferença positiva daí resultante é que se denomina de valor adicionado.

Competência do TCU. Compete ao referido tribunal efetuar o cálculo das quotas referentes aos fundos de participação formados com tributos arrecadados pela União, cabendo-lhe, ainda, velar pela entrega dos recursos aos Estados-membros, Distrito Federal e Municípios, o que se efetiva por meio de depósitos efetuados pelo Tesouro Nacional diretamente nas contas dos entes políticos junto ao Banco do Brasil.

Jurisprudência

> "Não ofende o art. 161, III, da CF – que, ao dispor sobre as matérias reservadas à lei complementar, não alude ao momento em que os Estados devem repassar aos Municípios o ICMS a eles pertencente (CF, art. 158, IV) –, dispositivo da Constituição do Estado de Rondônia que impõe à Fazenda Estadual a obrigação de fazer esse repasse 'imediatamente após a arrecadação'. Norma que, antes de contrariar, dá cumprimento à CF, que, no art. 160, veda a retenção ou qualquer restrição à entrega dos recursos atribuídos aos Municípios". (STF – Pleno, ADIN 95/RO, rel. Min. Ilmar Galvão, j. 18.10.1995).

> "(...). 2. O critério de apuração da parcela a ser distribuída depende, em parte, da composição do valor adicionado, cuja conceituação ficou a cargo do legislador ordinário, a teor do disposto no artigo 161, inciso I, da Constituição Federal (...)" (STJ – 1.ª Turma, REsp 1.042.844, rel. Min. Luiz Fux, DJE, 14.12.2010).

"(...). 2. O art. 161, I, da CF/88 estabelece que 'cabe à lei complementar definir valor adicionado para fins do disposto no art. 158, parágrafo único, I'. Nos termos do art. 3.º § 1.º, da LC 63/90 (redação anterior à vigência da LC 123/2006), 'o valor adicionado corresponderá, para cada Município, ao valor das mercadorias saídas acrescido do valor acrescido do valor das prestações de serviços, no seu território, deduzido o valor das mercadorias entradas, em cada ano civil' (STJ – 1.ª Turma, ROMS 27.864/PR, rel. Min. Denise Arruda, DJE, 11.12.2009).

Art. 162. A União, os Estados, o Distrito Federal e os Municípios divulgarão, até o último dia do mês subsequente ao da arrecadação, os montantes de cada um dos tributos arrecadados, os recursos recebidos, os valores de origem tributária entregues e a entregar e a expressão numérica dos critérios de rateio.

Parágrafo único. Os dados divulgados pela União serão discriminados por Estado e por Município; os dos Estados, por Município.

Doutrina

Aplicação do princípio da publicidade. O legislador constituinte, ao determinar que os entes políticos divulguem, dentro do mês seguinte ao da arrecadação, os montantes de cada um dos tributos arrecadados, os recursos recebidos, os valores de origem tributária entregues e a entregar, além dos critérios de rateio, faz rigorosa reverência ao princípio da publicidade, que deve reger todos os negócios da administração pública (art. 37, *caput*).

Razões da publicidade dos dados. Certamente a divulgação dos dados ensejará oportunidade de fiscalização por parte de entes beneficiários de recursos transferidos, ou por parte de cidadãos ou instituições, que poderão representar contra irregularidades perante a própria administração ou junto ao tribunal de contas (art. 74, § 2.º).

Jurisprudência

"O princípio da publicidade do ato administrativo – como informador da Administração Pública direta, indireta ou fundacional, de qualquer dos Poderes da União, dos Estados, do Distrito Federal e dos Municípios, necessário à sua validade e eficácia – encontra-se hoje consagrado no art. 37, caput, da Constituição vigente". (TRF1 – 2.ª Turma, REO 93.01.19748/GO, rel. Juíza Assusete Magalhães, DJ2, 10.10.1994, p. 57.163).

CAPÍTULO II
DAS FINANÇAS PÚBLICAS

Seção I
NORMAS GERAIS

Art. 163. Lei complementar disporá sobre:

I – finanças públicas;

II – dívida pública externa e interna, incluída a das autarquias, fundações e demais entidades controladas pelo Poder Público;

III – concessão de garantias pelas entidades públicas;

IV – emissão e resgate de títulos da dívida pública;

V – fiscalização financeira da administração pública direta e indireta;

VI – operações de câmbio realizadas por órgãos e entidades da União, dos Estados, do Distrito Federal e dos Municípios;

VII – compatibilização das funções das instituições oficiais de crédito da União, resguardadas as características e condições operacionais plenas das voltadas ao desenvolvimento regional.

VIII – sustentabilidade da dívida, especificando:

a) indicadores de sua apuração;

b) níveis de compatibilidade dos resultados fiscais com a trajetória da dívida;

c) trajetória de convergência do montantes da dívida com os limites definidos em legislação;

d) medidas de ajuste, suspensões e vedações;

e) planejamento de alienação de ativos com vistas à redução do montante da dívida.

Parágrafo único. A lei complementar de que trata o inciso VIII do *caput* deste artigo pode autorizar a aplicação das vedações previstas no art. 167-A desta Constituição.

Doutrina

Lei complementar sobre finanças públicas. A Constituição reserva à lei complementar dispor sobre os assuntos relativos às finanças públicas, compreendidos na expressão as receitas, as despesas e os créditos da União, Estados-membros, Distrito Federal e Municípios. Atualmente, a Lei Complementar n.º 101, de 4 de maio de 2000, estabelece normas de finanças voltadas para a responsabilidade fiscal, enquanto a Lei n.º 4.320, de 17 de março de 1964, dispõe sobre normas gerais de direito financeiro para a elaboração e controle de orçamentos e balanços dos referidos entes políticos.

Dívida pública. Compreende duas modalidades: a) *a dívida externa*, aquela contraída perante credores com sede no exterior, de instituições internacionais de crédito, públicas ou privadas; b) *a dívida interna*, contratada junto a credores com sede no país, tanto instituições públicas quanto privadas de crédito. Esta dívida pública inclui todos os débitos dos entes da administração direta bem como da indireta, ou seja, dívidas contratadas por autarquias, fundações e entidades controladas pelo Poder Público, como as empresas públicas e as sociedades de economia mista.

Prestação de garantia por entidades públicas. Tanto a União, Estados-membros, Distrito Federal e Municípios, quanto os seus entes da administração indireta, podem prestar garantia na forma do que dispuser a lei complementar, não havendo restrição quanto à espécie; porém, o mais usual é a garantia da dívida por meio de vinculação de receita tributária. Cabe lembrar que compete exclusivamente ao Senado Federal dispor sobre limites e condições para a concessão de garantia da União em operações de crédito externo e interno contratadas por outros entes políticos.

Títulos da dívida pública. São emitidos pelo Estado em garantia de empréstimo tomado no mercado financeiro, com promessa de resgate na data de vencimento, rendendo juros na forma estipulada quando da emissão.

Fiscalização das instituições financeiras. Compete ao Banco Central do Brasil exercer a fiscalização sobre as operações realizadas por instituições financeiras que integram o denominado sistema financeiro nacional, quais sejam, o Conselho Monetário Nacional, o Banco Central do Brasil, a Comissão de Valores Mobiliários, os bancos comerciais, os bancos de investimentos, as caixas econômicas, as corretoras de títulos mobiliários, as distribuidoras e títulos e valores mobiliários etc.

Operações de câmbio. São aquelas que envolvem a compra e venda ou troca da moeda nacional pela de outro país. São operações de largo uso no âmbito da atividade econômica privada em face da necessidade de as empresas adquirirem moeda estrangeira, mormente o dólar norte-americano, para a liquidação de contratos de importação de bens ou serviços. Também são realizadas pelos órgãos da administração direta e entidades da administração indireta, contanto que reverentes às disposições previstas em lei complementar.

Compatibilização de funções. A norma determina a compatibilização das funções das instituições oficiais de crédito da União, devendo ser resguardadas as características e condições operacionais plenas daquelas voltadas ao desenvolvimento regional. Isso significa que a lei complementar há de dispor sobre mecanismos capazes de tornar compatíveis, harmônicas e conciliadas as atribuições – o papel – das instituições de crédito da União, devendo ser assegurados meios plenos de operação, principalmente daquelas com vocação para fomentar o desenvolvimento regional.

Jurisprudência

> "O Supremo Tribunal Federal, por maioria, decidiu que a regulamentação do art. 163 da Carta Magna por lei complementar pode ser feita de forma fragmentada, rejeitando a arguição de inconstitucionalidade formal da lei, em sua totalidade, ao argumento de que o projeto teria de ter disciplinado por inteiro o art. 163" (STF – Pleno, ADIN 2.238-MC, rel. Min. Ilmar Galvão, Informativo 204).
>
> "Quanto à alegada ofensa ao art. 163, IV, da CF ('Lei complementar disporá sobre: ... IV – emissão e resgate de títulos da dívida pública;'), o Tribunal considerou que os Títulos da Dívida Agrária estão sujeitos à disciplina do mencionado art. 184 e seguintes da CF, que são os dispositivos constitucionais específicos para política agrícola, fundiária e reforma agrária" (STF – Pleno, ADIN 1.700-MC, rel. Min. Nelson Jobim, Informativo 97).
>
> "Ação direta de inconstitucionalidade. Lei n.º 8.388/91, que estabelece diretrizes para que a União possa realizar a consolidação e o reescalonamento de dívidas das administrações direta e indireta dos entes federados. Alegada ofensa aos arts. 52, VI a IX, e 163 da Constituição Federal. Ausência de plausibilidade do fundamento do pedido declaratório, tendo em vista que se trata de lei que cogita da consolidação e do reescalonamento de dívidas dos Estados e Municípios junto a órgãos e entidades controladas pela União, isto é, dé-

bitos já existentes, e não de contratações que resultem em aumento da dívida pública de tais entes, essas, sim, sujeitas ao controle do Senado Federal e à disciplina por meio de lei complementar." (STF – Pleno, ADIN 686-0/DF, rel. Min. Ilmar Galvão, DJ 1, 06.04.2001, p. 65).

"Ação civil pública. Apelação. Programa Nacional de Desestatização. Emissão e resgate de dívida pública. Reserva de lei complementar. Nulidade do edital não caracterizada. Prevalência da segurança jurídica. Recurso desprovido. – De acordo com as razões recursais do apelante (*tantum devolutum quantum appelatum*), a controvérsia cinge-se à alegação de que caberia à lei complementar, nos termos do artigo 163, IV, da CF, dispor sobre a emissão e resgate de títulos da dívida pública, pelo que caracterizada a inconstitucionalidade formal das alterações promovidas pela MP n.º 455/94 no art. 16 da Lei n.º 8.031/90. – No caso em tela, a alteração legislativa realizada, antes mesmo da publicação do edital, visou possibilitar fossem utilizados para pagar o valor fixado pela venda da Embraer títulos da dívida pública ainda não vencidos, como forma de diminuir o volume da dívida pública interna. É certo que o artigo 163 da CF, no inciso IV, determina que regras sobre a emissão e resgate de títulos da dívida pública sejam elaboradas por meio de Lei complementar; Também é certo que, independentemente da existência de lei complementar, o Estado brasileiro sempre emitiu e resgatou títulos da dívida pública, com base em leis ordinárias, regulamentos, portarias e atos administrativos, especialmente porque a dívida pública cumpre o essencial papel de financiar o *deficit* do Estado brasileiro. Assim, o resgate antecipado de títulos da dívida pública não era instituto estranho ao ordenamento jurídico; permitia-o, por exemplo, o Decreto-lei número 263, desde 28 de fevereiro de 1967, como o permite o artigo 3.º, § 1.º, da Lei 10.179, de 2001. – Não cabe anular alienação ocorrida há uma década e meia com base na alegação de que a possibilidade do uso de títulos da dívida pública a vencer, como meio de pagamento, caracterizaria hipótese de resgate de títulos da dívida pública que dependeria de lei complementar. Deve prevalecer o respeito à segurança jurídica, tanto no que diz respeito à prática administrativa, orçamentária e financeira do Estado brasileiro de emitir e resgatar títulos da dívida pública sem que houvesse, necessariamente, lei complementar que tratasse detalhadamente desse assunto, como no que diz respeito ao ato jurídico perfeito da alienação do controle acionário da empresa estatal. – Apelação desprovida" (TRF3, AC 1.397.269/SP, rel. Juiz Federal Convocado Ferreira da Rocha, e-DJF3, Judicial, 05.04.2018).

Art. 163-A. A União, os Estados, o Distrito Federal e os Municípios disponibilizarão suas informações e dados contábeis, orçamentários e fiscais, conforme periodicidade, formato e sistemas estabelecidos pelo órgão central de contabilidade da União, de forma a garantir a rastreabilidade, a comparabilidade, e a publicidade dos dados coletados, os quais deverão ser divulgados em meio eletrônico de amplo acesso público.

Doutrina

Publicidade das informações relativas à gestão dos órgãos federados. A norma em tela trata de dispor que os entes federados tornarão públicas as informações e dados das respectivas contabilidades, dados orçamentários e fiscais, segundo as normas de contabilidade da União, para assegurar, principalmente, a aplicação dos princípios da publicidade, da legalidade, da moralidade, pessoalidade e eficiência. Em suma, trata-se de aplicação prática dos princípios gerais da administração púbica, segundo o artigo 37, *caput*, da Constituição Federal.

Jurisprudência

"I – O princípio da publicidade do ato administrativo – como informador da Administração Pública direta, indireta ou fundacional, de qualquer dos Poderes da União, dos Estados, do Distrito Federal e dos Municípios, necessário à sua validade e eficácia – encontra-se hoje consagrado no art. 37, *caput*, da Constituição vigente" (TRF1 – 2.ª Turma, REO 93.01.19748-0/GO, rel. Juíza Assusete Magalhães, DJ 2, 10.10.1994).

Art. 164. A competência da União para emitir moeda será exercida exclusivamente pelo banco central.

§ 1.º É vedado ao banco central conceder, direta ou indiretamente, empréstimos ao Tesouro Nacional e a qualquer órgão ou entidade que não seja instituição financeira.

§ 2.º O banco central poderá comprar e vender títulos de emissão do Tesouro Nacional, com o objetivo de regular a oferta de moeda ou a taxa de juros.

§ 3.º As disponibilidades de caixa da União serão depositadas no banco central; as dos Estados, do Distrito Federal, dos Municípios e dos órgãos ou entidades do Poder Público e das empresas por ele controladas, em instituições financeiras oficiais, ressalvados os casos previstos em lei.

Doutrina

Emissão de moeda. A Constituição Federal dispõe (art. 21, VII) que compete à União emitir moeda e a norma em estudo determina que esta competência, aliás, exclusiva, será exercida, também exclusivamente, pelo Banco Central do Brasil, autarquia federal que goza de autonomia na execução de suas políticas. Convém lembrar que cabe ao Congresso Nacional dispor sobre moeda e limites de emissão (art. 48, XIV). Ademais, o vocábulo moeda está empregado no texto como gênero, que compreende tanto a emissão de papel-moeda quanto de moeda metálica.

Proibição de concessão de empréstimo. O Banco Central do Brasil está proibido de fazer, de forma direta ou por via reflexa, empréstimos ao Tesouro Nacional e a órgão ou entidade que não seja instituição financeira. Poderá, contudo, fazer empréstimo a qualquer instituição financeira que integre o sistema financeiro nacional.

Mercado de títulos e política monetária. A norma expressamente autoriza o Banco Central do Brasil a negociar – por meio de operações de compra e venda –, títulos de emissão do Tesouro Nacional. Todavia, limita tais operações àquelas necessárias à regulação da oferta de moeda ou ao controle da taxa de juros, instituindo, assim, tais operações como instrumento de política monetária, jamais como meio de política fiscal, visando ao financiamento de eventual *deficit* público.

Depósito das disponibilidades de caixa. A norma determina que os dinheiros disponíveis da União serão depositados no Banco Central e dos demais entes políticos e órgãos do Poder Público e empresas por eles controladas, em instituições financeiras oficiais, salvo os casos previstos em lei. Portanto, trata-se de regra geral de interpretação restrita, em homenagem ao princípio da igualdade no exercício da atividade econômica. Aliás, são inúmeras as exceções e tem sido comum, por exemplo, Municípios realizarem licitação para entregar a folha de pagamento de servidores para instituição financeira – pública ou privada – que ofereça melhor oferta em dinheiro e serviços bancários sem custo ou custo reduzido.

Jurisprudência

> "Banco Central é autoridade monetária, com atribuições de policiar a política monetária e a disciplina da rede de bancos. Cabe-lhe prevenir e reprimir perigos efetivos ou potenciais à boa-fé popular e à segurança do crédito" (STF, rel. Min. Aliomar Baleeiro, RTJ, 74-780/782).
>
> "O Banco Central do Brasil é uma autarquia de direito público, que exerce serviço público, desempenhando parcela do poder de polícia da União, no setor financeiro" (STF – Pleno, ADIN 449/DF, rel. Min. Carlos Velloso, j. 29.08.1996).

"(...). 29 – (...). Assim, ao mencionar 'Os recursos de que trata esta Lei Complementar, enquanto não empregados na sua finalidade, deverão ser aplicados em conta vinculada mantida em instituição financeira oficial', o dispositivo cuida dos citados recursos da União Federal. 30 – Exatamente por isso foi vetado. Entendeu-se que ao prever a aplicação de recursos da União em instituição financeira oficial sem qualquer especificação, a citada norma contrariaria o princípio da unidade de tesouraria que orienta a contabilidade da União, nos termos do art. 164, § 3.°, da Constituição da República, segundo o qual 'as disponibilidades de caixa da União serão depositadas no banco central'" (TRF2, AC 0083284-72.2016.4.02.5101, rel. Juiz Federal Convocado Marcelo Pereira da Silva, j. 02.08.2018).

Art. 164-A. A União, os Estados, o Distrito Federal e os Municípios devem conduzir suas políticas fiscais de forma a manter a dívida pública em níveis sustentáveis, na forma da lei complementar referida no inciso VIII do *caput* do art. 163 desta Constituição.

Parágrafo único. A elaboração e a execução de planos e orçamentos devem refletir a compatibilidade dos indicadores fiscais com a sustentabilidade da dívida.

Doutrina

Políticas monetária e fiscal dos entes federados. Por meio de lei complementar, disporão os referidos entes federados sobre os instrumentos de gestão e controle tanto da política fiscal quanto da monetária, com a finalidade de manter as suas respectivas dívidas públicas sob controle. Ademais, os respectivos planos e orçamentos devem manter compatibilidade e consistência para permitir os pagamentos conforme as parcelas ajustadas.

Seção II
DOS ORÇAMENTOS

Art. 165. Leis de iniciativa do Poder Executivo estabelecerão:

I – o plano plurianual;

II – as diretrizes orçamentárias;

III – os orçamentos anuais.

§ 1.° A lei que instituir o plano plurianual estabelecerá, de forma regionalizada, as diretrizes, objetivos e metas da administração pública federal para as despesas de capital e outras delas decorrentes e para as relativas aos programas de duração continuada.

§ 2.° A lei de diretrizes orçamentárias compreenderá as metas e prioridades da administração pública federal, estabelecerá as diretrizes de política fiscal e respectivas metas, em consonância com trajetória sustentável da dívida pública, orientará a elaboração da lei orçamentária anual, disporá sobre as alterações na legislação tributária e estabelecerá a política de aplicação das agências financeiras oficiais de fomento.

§ 3.° O Poder Executivo publicará, até trinta dias após o encerramento de cada bimestre, relatório resumido da execução orçamentária.

§ 4.° Os planos e programas nacionais, regionais e setoriais previstos nesta Constituição serão elaborados em consonância com o plano plurianual e apreciados pelo Congresso Nacional.

§ 5.° A lei orçamentária anual compreenderá:

I – o orçamento fiscal referente aos Poderes da União, seus fundos, órgãos e entidades da administração direta e indireta, inclusive fundações instituídas e mantidas pelo Poder Público;

II – o orçamento de investimento das empresas em que a União, direta ou indiretamente, detenha a maioria do capital social com direito a voto;

III – o orçamento da seguridade social, abrangendo todas as entidades e órgãos a ela vinculados, da administração direta ou indireta, bem como os fundos e fundações instituídos e mantidos pelo Poder Público.

§ 6.º O projeto de lei orçamentária será acompanhado de demonstrativo regionalizado do efeito, sobre as receitas e despesas, decorrente de isenções, anistias, remissões, subsídios e benefícios de natureza financeira, tributária e creditícia.

§ 7.º Os orçamentos previstos no § 5.º, I e II, deste artigo, compatibilizados com o plano plurianual, terão entre suas funções a de reduzir desigualdades inter-regionais, segundo critério populacional.

§ 8.º A lei orçamentária anual não conterá dispositivo estranho à previsão da receita e à fixação da despesa, não se incluindo na proibição a autorização para abertura de créditos suplementares e contratação de operações de crédito, ainda que por antecipação de receita, nos termos da lei.

§ 9.º Cabe à lei complementar:

I – dispor sobre o exercício financeiro, a vigência, os prazos, a elaboração e a organização do plano plurianual, da lei de diretrizes orçamentárias e da lei orçamentária anual;

II – estabelecer normas de gestão financeira e patrimonial da administração direta e indireta, bem como condições para a instituição e funcionamento de fundos;

III – dispor sobre critérios para a execução equitativa, além de procedimentos que serão adotados quando houver impedimentos legais e técnicos, cumprimento de restos a pagar e limitação das programações de caráter obrigatório, para a realização do disposto nos §§ 11 e 12 do art. 166.

§ 10. A administração tem o dever de executar as programações orçamentárias, adotando os meios e as medidas necessários, com o propósito de garantir a efetiva entrega de bens e serviços à sociedade.

§ 11. O disposto no § 10 deste artigo, nos termos da lei de diretrizes orçamentárias:

I – subordina-se ao cumprimento de dispositivos constitucionais e legais que estabeleçam metas fiscais ou limites de despesas e não impede o cancelamento necessário à abertura de créditos adicionais;

II – não se aplica nos casos de impedimentos de ordem técnica devidamente justificados;

III – aplica-se exclusivamente às despesas primárias discricionárias.

§ 12. Integrará a lei de diretrizes orçamentárias, para o exercício a que se refere e, pelo menos, para os 2 (dois) exercícios subsequentes, anexo com previsão de agregados fiscais e a proporção dos recursos para investimentos que serão alocados na lei orçamentária anual para a continuidade daqueles em andamento.

§ 13. O disposto no inciso III do § 9.º e nos §§ 10, 11 e 12 deste artigo aplica-se exclusivamente aos orçamentos fiscal e da seguridade social da União.

§ 14. A lei orçamentária anual poderá conter previsões de despesas para exercícios seguintes, com a especificação dos investimentos plurianuais e daqueles em andamento.

§ 15. A União organizará e manterá registro centralizado de projetos de investimento contendo, por Estado ou Distrito Federal, pelo menos, análises de viabilidade, estimativas de custos e informações sobre a execução física e financeira.

§ 16. As leis de que trata este artigo devem obedecer, no que couber, os resultados do monitoramento e da avaliação das políticas públicas previstos no § 16 do art. 37 desta Constituição.

Doutrina

Orçamento. O orçamento, no direito brasileiro, não é simples ato administrativo e sim lei de iniciativa exclusiva e vinculada do chefe do Poder Executivo, nas três esferas políticas. Nos termos do artigo 2.°, da Lei n.° 4.320/1964, "contém a discriminação da receita e da despesa, de forma a evidenciar a política econômico-financeira e o programa de trabalho do governo, obedecendo aos princípios da unidade, universalidade e anualidade". De fato, o Executivo não pode se furtar de apresentar ao Poder Legislativo, dentro do prazo legal, o orçamento e demais leis orçamentárias, sob pena de a autoridade incidir em crime de responsabilidade. Convém registrar que o exercício financeiro no Brasil coincide com o ano civil (Lei 4.320/64, art. 34), portanto, compreende o período de 1.° de janeiro a 31 de dezembro.

Leis Orçamentárias. Extrai-se do *caput* do artigo em estudo que, hoje, é mais correto falarmos na existência de leis orçamentárias, pois, segundo a letra da norma, leis disporão sobre: a) *o plano plurianual*, que trata do orçamento plurianual de investimentos; b) *as diretrizes orçamentárias*, ou seja, lei que trata de estabelecer instruções e indicações para a elaboração da lei orçamentária anual; c) *os orçamentos anuais*, sim, no plural, pois, a lei anual de orçamento compreende, na verdade, o orçamento fiscal, o orçamento de investimentos e o orçamento da seguridade social para determinado exercício financeiro.

Plano Plurianual de Investimentos. Sendo responsabilidade do Estado a adoção de medidas para induzir ou viabilizar o desenvolvimento econômico e social, a definição das políticas e o planejamento para a execução restam consolidadas em planos de ação. No Brasil, os planos econômicos passaram a ser usados desde o governo Eurico Gaspar Dutra (Plano Salte – Saúde, Alimentação, Transporte e Energia), em 1948, passando pelo Plano de Metas, ou plano do governo Juscelino Kubitschek (1956-1961), pelo Plano Trienal (1963-1965) de João Goulart, desaguando no I Plano Nacional de Desenvolvimento Econômico (1972-1974), no governo Médici, e no II Plano Nacional de Desenvolvimento Econômico (1975-1979), no governo Geisel. Com o advento da nova Constituição, o legislador constituinte determina a elaboração de plano plurianual, ou seja, de orçamento plurianual de investimentos, de duração trienal, quadrienal ou quinquenal, sendo certo que no Brasil, hoje, esses planos tem duração de quatro anos. Referidos planos nortearão (§ 4.º) a elaboração de programas nacionais, regionais e setoriais de desenvolvimento e serão apreciados e convertidos em lei pelo Congresso Nacional. Não bastasse, dispõe o § 1.º, que a lei que instituir o plano plurianual disporá sobre as diretrizes, objetivos e metas da administração pública federal para as despesas de capital e outras delas decorrentes e para as relativas aos programas de duração continuada em todas as regiões do país.

Lei de diretrizes orçamentárias. É a lei que trata de definir (§ 2.º) as metas e prioridades da administração, incluindo as despesas de capital para o exercício financeiro seguinte, em montante necessário para assegurar o cumprimento das metas previstas no plano plurianual de investimentos, dispondo sobre as alterações na legislação tributária, se necessário, e, tratando, ainda, da política de aplicação das agências financeiras oficiais de fomento, como instituições voltadas também para a execução de finalidades previstas no plano plurianual de investimentos.

Lei orçamentária anual ou orçamento anual. O orçamento anual contém, de um lado, *as receitas correntes* (tributária, patrimonial e industrial) e as de *capital* (operações de crédito e receitas de alienação de bens móveis ou imóveis, principalmente);

e, de outro lado, as *despesas correntes* (despesas de custeio, para a manutenção de serviços, inclusive pagamento de servidores, e transferências correntes, destinadas, *v. g.*, às contribuições e subvenções) e as *despesas de capital* (os investimentos, as inversões financeiras e as transferências de capital).

Princípios norteadores do orçamento anual. A norma contida no § 5.º, ao dispor que a lei orçamentária anual compreenderá o orçamento fiscal, o orçamento de investimentos e o orçamento da seguridade social, consagra o princípio da universalidade orçamentária, que se traduz na inclusão de todas as receitas previstas e de todas as despesas fixadas na proposta de orçamento que será submetida ao Poder Legislativo para apreciação e aprovação. Além disso, rege a lei orçamentária o princípio da unidade, entendido hoje como união de objetivos e de programas contidos numa lei de periodicidade anual, restando inscrito aqui o princípio da anualidade orçamentária.

Composição da lei orçamentária anual. O orçamento anual compõe-se: a) *do orçamento fiscal,* aquele que dispõe sobre as receitas e despesas da União, entendendo-se como tal as receitas e dotações destinadas aos Poderes Legislativo, Executivo e Judiciário, além das receitas e dotações referentes aos fundos, órgãos e entidades da administração direta e indireta, inclusive fundações instituídas e mantidas pelo referido ente político; b) *do orçamento de investimento* das empresas em que a União, direta ou indiretamente, detenha a maioria do capital social com direito a voto, ou seja, empresas públicas e sociedades de economia mista instituídas para a consecução de interesses da instituidora; c) *do orçamento da seguridade social*, abrangendo todas as entidades e órgãos a ela vinculados, da administração direta ou indireta, bem como os fundos e fundações instituídos e mantidos pela União, não significando isso que os recursos previstos neste orçamento possam ser apropriados para outros fins, conquanto vinculados à previdência, à saúde e à assistência social.

Desenvolvimento e redução de desigualdades regionais. A norma do § 6.º, ao dispor que o projeto de lei orçamentária será acompanhado de demonstrativo, por regiões, do efeito, sobre as receitas e despesas, decorrente de isenções, anistias, remissões, subsídios e benefícios de natureza financeira, tributária e creditícia, tem o objetivo de municiar o legislador de informações necessárias para a avaliação da eficiência das políticas destinadas ao desenvolvimento e à redução das desigualdades regionais (art. 43, *caput*).

Orçamentos fiscal e de investimentos e desigualdades inter-regionais. A norma do § 7.º dispõe que referidos orçamentos, compatibilizados com o plano plurianual de investimentos, terão, dentre outras funções, a de reduzir desigualdades inter-regionais, levando-se em conta o critério populacional. O dispositivo é claramente voltado para a consecução de políticas de redução das desigualdades regionais (art. 43, *caput*).

Exclusividade da lei orçamentária. Dispõe o § 8.º que a lei orçamentária anual não conterá dispositivo estranho à previsão da receita e à fixação da despesa, consagrando o princípio da exclusividade de matéria, vedada a inclusão de dispositivo de natureza outra que não financeira. Todavia, a segunda parte da norma afasta a proibição quando se tratar de autorização para abertura de créditos suplementares, ou seja, aqueles destinados a reforçar dotações de programas já previstos no orçamento, bem como para a contratação de operações de crédito, ainda que por antecipação de receita, pois estas são quitadas dentro do mesmo exercício financeiro por meio de autorização para reter percentual de participação em receita futura.

Execução orçamentária. O § 3.º do artigo em tela dispõe que o Poder Executivo publicará, em até trinta dias após o encerramento de cada bimestre, relatório resumido da execução orçamentária. Trata-se de regra que consagra o princípio da publicidade, de observância obrigatória pela Administração (art. 37, *caput*), ensejando, ainda, melhor controle e fiscalização da execução da lei orçamentária por parte do Congresso Nacional.

Normas de direito financeiro. Dispõe, ainda, o § 9.º que lei complementar disporá sobre o exercício financeiro, a vigência, os prazos, a elaboração e a organização do plano plurianual, da lei de diretrizes orçamentárias e da lei orçamentária anual, bem como estabelecerá as normas de gestão financeira e patrimonial da administração direta e indireta, além das condições para a instituição e funcionamento de fundos. Assim, o dispositivo constitucional reserva à lei complementar dispor sobre normas gerais ou específicas de direito financeiro, entendido este como a disciplina jurídica da atividade financeira do Estado, compreendendo o estudo da receita, da despesa e do crédito públicos. Consagra, ainda, o princípio da anualidade orçamentária que, no caso brasileiro, coincide com o ano civil; porém, isso não ocorre em países como, por exemplo, os EUA e a Alemanha, onde o exercício financeiro não coincide com o ano civil.

Dever de execução do orçamento. Dispõe o § 10 que a execução orçamentária é dever da administração, que deverá adotar os meios e as medidas necessários para tal, com a finalidade de garantir a efetiva entrega de bens e serviços à sociedade. Evidentemente, esse dever de execução do orçamento se fará dentro das possibilidades admitidas pela arrecadação dos tributos e recursos de outras fontes, pois, se há frustração na execução da receita, não há como realizar a despesa prevista.

Parâmetros para cumprimento da execução orçamentária. Deverão constar da lei de diretrizes orçamentárias que deverá, ainda, estabelecer metas fiscais ou limites de despesas e admitirá o cancelamento de rubricas para viabilizar a abertura de créditos adicionais. Não serão – tais parâmetros – aplicados nas hipóteses de impedimentos decorrentes de ordem técnica, desde que devidamente justificados. Contudo, terão aplicação exclusiva nos casos das chamadas despesas primárias discricionárias.

Previsão de despesas de investimentos. Dispõe o § 12 acima que deverá constar da lei de diretrizes orçamentárias, para o exercício de referência e mais dois exercícios subsequentes, um anexo de agregados fiscais e a demonstração da proporção dos recursos destinados aos investimentos que serão alocados na lei orçamentária anual para assegurar a continuidade dos projetos em andamento. Anote-se que as disposições contidas nos §§ 9.°, 10, 11 e 12 são de aplicação exclusiva nos orçamentos fiscal e da seguridade social da União. Por sua vez, o § 14 dispõe que o orçamento anual poderá prever despesas para exercícios seguintes, especificando-se as rubricas dos investimentos plurianuais e aquelas necessárias a garantir a realização de projetos em andamento.

Cadastro de projetos de investimentos. Dispõe o § 15 que a União organizará e manterá registro centralizado, em cadastro de projetos de investimentos, contendo, por Estado ou Distrito Federal, pelo menos, estudos de viabilidade, estimativas de custos e informações sobre a execução física e financeira dos projetos em execução.

Agências de fomento. A lei de diretrizes orçamentárias, no que se refere às agências financeiras oficiais de fomento, estabelecerá as suas respectivas políticas de suas aplicações.

Jurisprudência

Súmula do STF: 66. "É legítima a cobrança do tributo que houver sido aumentado após o orçamento, mas antes do início do respectivo exercício financeiro".

"(...). 2. Orçamento anual. Competência privativa. Por força de vinculação administrativo-constitucional, a competência para propor orçamento anual é privativa do Chefe do Poder Executivo. 3. Ação direta de inconstitucionalidade. Norma infraconstitucional. Não-cabimento. Em sede de controle abstrato de constitucionalidade é vedado o exame do conteúdo das normas jurídicas infraconstitucionais" (STF – Pleno, ADIN 882/MT, rel. Min. Maurício Corrêa, j. 19.02.2004).

"A Lei de Diretrizes Orçamentárias possui destinação constitucional específica e veicula conteúdo material próprio, que, definido pelo art. 165, § 2.°, da Carta Federal, compreende as metas e prioridades da Administração Pública, inclusive as despesas de capital para o exercício financeiro subsequente. Mais do que isso, esse ato estatal tem por objetivo orientar a elaboração da Lei Orçamentária Anual e dispor sobre as alterações na legislação tributária, além de estabelecer a política de aplicação das agências financeiras oficiais de fomento" (STF – Pleno, ADIN 612/RJ QO, rel. Min. Celso de Mello, DJ 1, 06.05.1994, p. 10.484).

"1. O Programa Nacional de Petroquímica não prevê investimentos governamentais, nem despesas de capital e outras que devam ser levadas ao Orçamento. Inexistência de ofensa ao art. 167, I, e seu § 1.º, da Constituição. 2. Estão sob reserva de lei os 'planos e programas nacionais, regionais e setoriais', a que se referem os arts. 48, IV, e 165, § 4.º, da Constituição Federal: a) os que implicam investimentos ou despesas para a União, e, neste caso, necessariamente inseridos no seu Orçamento, art. 165, §§ 1.º e 4.º; b) os que, ainda que não impliquem investimentos ou despesas para a União, estejam previstos na Constituição. Consequentemente, os demais planos e programas governamentais não estão sob reserva de lei, como é o caso do PNP". (STF – Pleno, ADIN 224/RJ QO, rel. Min. Paulo Brossard, DJ 1, 02.12.1994, p. 33.196).

"(...). 5. Competência exclusiva do Poder Executivo iniciar o processo legislativo das matérias pertinentes ao Plano Plurianual, às Diretrizes Orçamentárias e os Orçamentos Anuais. Precedentes: ADIN 103 e ADIN 550. 4. Relevantes os fundamentos da inicial e conveniente a suspensão da vigência da norma impugnada" (STF – Pleno, ADIN 1.759/SC MC, rel. Min. Néri da Silveira, j. 12.03.1998).

"(...). 3. A lei do orçamento anual (ato-regra) pode autorizar, genericamente, as operações de crédito por antecipação de receita (art. 165, § 8.º), o que não afasta a necessidade de aprovação, em cada caso, por ato legislativo de inferior hierarquia (ato-condição). 4. Assim, para as operações de crédito por antecipação de receita não basta a autorização genérica contida na lei orçamentária, sendo indispensável autorização específica em cada operação. A inobservância de tal formalidade, ainda que não implique em enriquecimento ilícito do recorrente ou prejuízo para o erário municipal, caracteriza ato de improbidade, nos termos do art. 11 da Lei n.º 8.429/92, à mingua de observância dos preceitos genéricos que informam a administração pública, inclusive a rigorosa observância do princípio da legalidade. 5. Recurso especial improvido" (STJ – 2.ª Turma, REsp 410.440, rel. Min. Castro Meira, DJ, 27.09.2004, p. 301).

"(...). 5. Ainda que no presente caso, o agravante não integre o mesmo núcleo familiar dos já pensionistas, importante asseverar que o novel precedente buscou preservar o orçamento da Seguridade Social, evitando seja a Autarquia previdenciária duplamente condenada ao valor da cota-parte da pensão" (STJ – 2.ª Turma, AREsp 1.523.326, rel. Min. Mauro Campbell Marques, DJE, 18.12.2015).

Art. 166. Os projetos de lei relativos ao plano plurianual, às diretrizes orçamentárias, ao orçamento anual e aos créditos adicionais serão apreciados pelas duas Casas do Congresso Nacional, na forma do regimento comum.

§ 1.º Caberá a uma comissão mista permanente de Senadores e Deputados:

I – examinar e emitir parecer sobre os projetos referidos neste artigo e sobre as contas apresentadas anualmente pelo Presidente da República;

II – examinar e emitir parecer sobre os planos e programas nacionais, regionais e setoriais previstos nesta Constituição e exercer o acompanhamento e a fiscalização orçamentária, sem prejuízo da atuação das demais comissões do Congresso Nacional e de suas Casas, criadas de acordo com o art. 58.

§ 2.º As emendas serão apresentadas na Comissão mista, que sobre elas emitirá parecer, e apreciadas, na forma regimental, pelo plenário das duas Casas do Congresso Nacional.

§ 3.º As emendas ao projeto de lei do orçamento anual ou aos projetos que o modifiquem somente podem ser aprovadas caso:

I – sejam compatíveis com o plano plurianual e com a lei de diretrizes orçamentárias;

II – indiquem os recursos necessários, admitidos apenas os provenientes de anulação de despesa, excluídas as que incidam sobre:

a) dotações para pessoal e seus encargos;

b) serviço da dívida;

c) transferências tributárias constitucionais para Estados, Municípios e Distrito Federal; ou

III – sejam relacionadas:

a) com a correção de erros ou omissões; ou

b) com os dispositivos do texto do projeto de lei.

§ 4.º As emendas ao projeto de lei de diretrizes orçamentárias não poderão ser aprovadas quando incompatíveis com o plano plurianual.

§ 5.º O Presidente da República poderá enviar mensagem ao Congresso Nacional para propor modificação nos projetos a que se refere este artigo enquanto não iniciada a votação, na Comissão mista, da parte cuja alteração é proposta.

§ 6.º Os projetos de lei do plano plurianual, das diretrizes orçamentárias e do orçamento anual serão enviados pelo Presidente da República ao Congresso Nacional, nos termos da lei complementar a que se refere o art. 165, § 9.º

§ 7.º Aplicam-se aos projetos mencionados neste artigo, no que não contrariar o disposto nesta seção, as demais normas relativas ao processo legislativo.

§ 8.º Os recursos que, em decorrência de veto, emenda

ou rejeição do projeto de lei orçamentária anual, ficarem sem despesas correspondentes poderão ser utilizados, conforme o caso, mediante créditos especiais ou suplementares, com prévia e específica autorização legislativa.

§ 9.º As emendas individuais ao projeto de lei orçamentária serão aprovadas no limite de 1,2% (um inteiro e dois décimos por cento) da receita corrente líquida previsto no projeto encaminhado pelo Poder Executivo, sendo que a metade deste percentual será destinada a ações e serviços públicos de saúde.

§ 10. A execução do montante destinado a ações e serviços públicos de saúde previsto no § 9.º, inclusive custeio, será computada para fins do cumprimento do inciso I do § 2.º do art. 198, vedada a destinação para pagamento de pessoal ou encargos sociais.

§ 11. É obrigatória a execução orçamentária e financeira das programações a que se refere o § 9.º deste artigo, em montante correspondente a 1,2% (um inteiro e dois décimos por cento) da receita corrente líquida realizada no exercício anterior, conforme os critérios para a execução equitativa da programação definidos na lei complementar prevista no § 9.º do art. 165.

§ 12. A garantia de execução de que trata o § 11 deste artigo aplica-se também às programações incluídas por todas as emendas de iniciativa de bancada de parlamentares de Estado ou do Distrito Federal, no montante de até 1% (um por cento) da receita corrente líquida realizada no exercício anterior.

§ 13. As programações orçamentárias previstas nos §§ 11 e 12 deste artigo não serão de execução obrigatória nos casos dos impedimentos de ordem técnica.

§ 14. Para fins de cumprimento do disposto nos §§ 11 e 12

deste artigo, os órgãos de execução deverão observar, nos termos da lei de diretrizes orçamentárias, cronograma para análise e verificação de eventuais impedimentos das programações e demais procedimentos necessários à viabilização da execução dos respectivos montantes.

I – *(Revogado pela Emenda Constitucional n.º 100, de 26.06.2019)*;

II – *(Revogado pela Emenda Constitucional n.º 100, de 26.06.2019)*;

III – *(Revogado pela Emenda Constitucional n.º 100, de 26.06.2019)*;

IV – *(Revogado pela Emenda Constitucional n.º 100, de 26.06.2019)*.

§ 15. *(Revogado pela Emenda Constitucional n.º 100, de 26.06.2019)*.

§ 16. Quando a transferência obrigatória da União para a execução da programação prevista nos §§ 11 e 12 deste artigo for destinada a Estados, ao Distrito Federal e a Municípios, independerá da adimplência do ente federativo destinatário e não integrará a base de cálculo da receita corrente líquida para fins de aplicação dos limites de despesa de pessoal de que trata o *caput* do art. 169.

§ 17. Os restos a pagar provenientes das programações orçamentárias previstas nos §§ 11 e 12 poderão ser considerados para fins de cumprimento da execução financeira até o limite de 0,6% (seis décimos por cento) da receita corrente líquida realizada no exercício anterior, para as programações das emendas individuais, e até o limite de 0,5% (cinco décimos por cento), para as programações das emendas de iniciativa de bancada de parlamentares de Estado ou do Distrito Federal.

§ 18. Se for verificado que a reestimativa da receita e

da despesa poderá resultar no não cumprimento da meta de resultado fiscal estabelecida na lei de diretrizes orçamentárias, os montantes previstos nos §§ 11 e 12 deste artigo poderão ser reduzidos em até a mesma proporção da limitação incidente sobre o conjunto das demais despesas discricionárias.

§ 19. Considera-se equitativa a execução das programações de caráter obrigatório que observe critérios objetivos e imparciais e que atenda de forma igualitária e impessoal às emendas apresentadas, independentemente da autoria.

§ 20. As programações de que trata o § 12 deste artigo, quando versarem sobre o inícios de investimentos com duração de mais de 1 (um) exercício financeiro ou cuja execução já tenha sido iniciada, deverão ser objeto de emenda pela mesma bancada estadual, a cada exercício, até a conclusão da obra ou do empreendimento.

Doutrina

Processo legislativo das leis orçamentárias. A iniciativa das leis relativas ao plano plurianual, às diretrizes orçamentárias e ao orçamento anual, além daquelas pertinentes aos créditos adicionais, compete ao Presidente da República, no plano federal, e, uma vez remetidos os projetos para o Congresso Nacional, estes serão apreciados pelas duas casas (Senado e Câmara), na forma do regimento comum, fugindo, pois, das regras gerais do processo legislativo.

Comissão Mista de Planos, Orçamentos Públicos e Fiscalização. Esta é a denominação atual da Comissão de Orçamento, de que trata o § 1.°, de composição mista (senadores e deputados) e de caráter permanente. Referida comissão tem por incumbência: a) examinar e emitir parecer sobre os projetos do plano plurianual, da lei de diretrizes orçamentárias e do orçamento anual, além de examinar e dar parecer sobre a regularidade ou não das contas apresentadas anualmente pelo Presidente da República; b) examinar e emitir parecer sobre os planos e programas nacionais, regionais e setoriais previstos na Constituição, além de acompanhar e fiscalizar a execução orçamentária. Cabe fazer aqui duas observações relevantes: a primeira para registrar que o exercício de tais competências deve ocorrer sem prejuízo da atuação das demais comissões do Congresso Nacional e de suas Casas, criadas de acordo com o art. 58 e, quase sempre, de caráter permanente; a segunda para lembrar que as atribuições de examinar as contas prestadas pelo Presidente da República e de exercer o acompanhamento e a fiscalização da execução orçamentária são exercidas com o auxílio do Tribunal de Contas da União, que deve emitir parecer prévio sobre as matérias mencionadas.

Emendas de parlamentares. As emendas aos projetos de lei mencionados no *caput*, de autoria de deputados e senadores, serão apresentadas perante a Comissão mista, que sobre elas deverá emitir o seu parecer, e serão apreciadas, na forma do regimento comum ou, se necessário, com o auxílio de normas do processo legislativo, pelo Plenário das duas Casas do Congresso Nacional. Portanto, a Comissão mista é órgão de verificação de pertinência ou cabimento e de legalidade das emendas, cabendo aos Plenários da Câmara e do Senado a decisão pela aprovação ou não da matéria.

Requisitos para a aprovação de emenda ao projeto de lei do orçamento anual. Apesar de a norma do § 3.º ampliar o poder dos parlamentares de apresentar emendas, estabelece, de outro lado, requisitos de obediência obrigatória para viabilizar a sua tramitação e aprovação. De fato, as emendas ao projeto de lei do orçamento anual ou aos projetos que visem modificá-lo somente serão aprovadas se guardarem compatibilidade com o conteúdo do plano plurianual de investimentos e com as regras contidas na lei de diretrizes orçamentárias. Ademais, os projetos de emendas deverão indicar as fontes de recursos para o financiamento delas, que somente poderão ser advindas da anulação de outras despesas e, ainda assim, devem ser excluídas as dotações para as despesas previstas com o pagamento de servidores e seus encargos, do serviço da dívida, ou seja, aquelas destinadas ao pagamento do principal e de encargos financeiros e, mais, as dotações para as transferências tributárias constitucionais para Estados, Municípios e Distrito Federal. Finalmente, as emendas poderão ser apenas relacionadas com a correção de erros ou omissões existentes na proposta orçamentária ou de dispositivos do texto do projeto de lei de orçamento. São as chamadas emendas corretivas.

Emendas ao projeto de lei de diretrizes orçamentárias. Da mesma forma, em linha de hierarquia, dispõe o § 4.º que as emendas ao projeto de lei de diretrizes orçamentárias deverão guardar compatibilidade com o conteúdo do plano plurianual; caso contrário, não poderão ser aprovadas pelas Casas do Congresso Nacional.

Poder de emenda do Presidente da República. A norma do § 5.º confere ao Presidente da República o poder de apresentar emenda ao projeto de lei do plano plurianual de investimentos, ao projeto de lei de diretrizes orçamentárias e ao projeto de lei do orçamento anual, por meio de mensagem destinada ao Congresso Nacional, propondo modificações nos respectivos projetos. Todavia, referido poder de emenda deve ser exercido pelo Chefe do Poder Executivo somente enquanto não tiver sido iniciada a votação, no âmbito da Comissão mista, da matéria tratada na emenda apresentada.

Remessa de leis orçamentárias ao Congresso Nacional. Dispõe o § 6.º que os projetos de lei do plano plurianual de investimentos, da lei de diretrizes orçamentárias e da lei de orçamento anual deverão ser enviados pelo Presidente da República, a quem compete a iniciativa de tais leis, ao Congresso Nacional, na forma que a lei complementar de direito financeiro, prevista no artigo 165, § 9.º, estabelecer.

Processo legislativo subsidiário. As leis orçamentárias se submetem a um processo legislativo próprio, na forma do artigo 166, *caput*. Todavia, esta norma contida no § 7.º, dispõe que se aplicam aos referidos projetos de leis (plano plurianual, diretrizes orçamentárias e orçamento anual), no que não contrariar as regras do processo devido, as demais normas relativas ao processo legislativo comum, previstas nos artigos 59 a 69, da Constituição Federal. Trata-se, pois, de aplicação subsidiária dessas regras, com a finalidade de suprir eventuais omissões.

Rejeição total ou parcial do projeto de lei do orçamento anual. Contrariamente ao projeto de lei de diretrizes orçamentárias, em que a sessão legislativa não poderá ser interrompida sem a sua aprovação (art. 57, § 2.º), poderá ocorrer de o Congresso Nacional rejeitar total ou parcialmente o projeto de lei orçamentária anual e, se isso ocorrer, dispõe o § 8.º que os recursos decorrentes de veto, de emenda ou de rejeição total, que ficarem sem despesas apropriadas, poderão ser utilizados mediante créditos especiais ou suplementares, com prévia e específica autorização legislativa. Evidente que a hipótese de rejeição total da proposta orçamentária anual é indesejável, pois desorganiza as finanças do Estado e implica grave prejuízo para a prestação dos serviços públicos; porém, se isso ocorrer, a norma autoriza que os recursos que remanescerem sem a despesa correspondente poderão ser objeto de autorização legislativa prévia, quer dizer, anterior ao uso do recurso financeiro, e específica, quer dizer, especificada para determinado projeto, podendo, assim, ser realizada a despesa.

Orçamento impositivo. As alterações introduzidas nos artigos 165 e 166 da Constituição Federal, mormente no inciso III, § 9.º, e § 10, do art. 165 e §§ 12 a 20, do art. 166, têm o objetivo de tornar obrigatória a execução da programação orçamentária relativa às emendas de bancadas parlamentares. Para tal, referidos artigos tratam de um procedimento próprio, que restará frustrado se a receita não se revelar suficiente para financiar as emendas propostas por parlamentares.

Execução orçamentária equitativa. Dispõe o § 19 ora anotado que se tem como equitativa a execução da programação de caráter obrigatório que observar critérios objetivos e imparciais e que atenda, de forma isonômica e impessoal, a todas as emendas apresentadas sem se levar em conta a autoria.

Jurisprudência

"A previsão de despesa, em lei orçamentária, não gera direito subjetivo a ser assegurado por via judicial" (STF, RTJ, 78/339).

"As emendas propostas pelos parlamentares ao orçamento não podem ter sua constitucionalidade analisada por via de ação direta de inconstitucionalidade, uma vez que ainda não configuram lei ou ato normativo. Porém, como já decidido pelo Supremo Tribunal Federal, a verificação de sua legitimidade poderá ser feita pelo Poder Judiciário, sempre pela via de controle incidental" (STF, RTJ 131/1.001).

"Administrativo e Processual Civil. Mandado de Segurança. Portaria Interministerial n. 221/2015. Instituição de procedimento para execução das emendas parlamentares. Orçamento impositivo (Emenda Constitucional n.° 86/2015. Parlamentares que não foram reeleitos. Ilegitimidade ativa. Município beneficiário. Portaria Interministerial n.° 221/2015 revogada. Nova Portaria n.° 311/2015. 1. A titularidade do direito subjetivo pleiteado e tido por aviltado pelo ato ilegal praticado pela autoridade coatora deve pertencer ao impetrante, sem a qual a relação processual formadora da lide não se completa. 2. Ainda que o impetrante seja o beneficiário dos recursos indicados na referida emenda parlamentar e, óbvio, tenha interesse em recebê-los, isso não o qualifica como parte legítima para questionar o ato normativo e tomar qualquer medida como a presente, falta-lhe legitimidade ativa porquanto o ato (de autoria e apresentação da emenda orçamentária) é de iniciativa privativa e discricionária do membro do Congresso Nacional que a propôs. 3. O ato normativo combatido (Portaria n.° 221/2015) foi revogado pela Portaria Interministerial n.° 311/2015, de 30/07/2015 –

D.O.U. 31/09/2015, trazendo a perda do objeto do presente mandado de segurança. 4. Mandado de segurança extinto, sem resolução do mérito, com fundamento no § 5.º do artigo 6.º da Lei n. 12.016/2009" (STJ – 1.ª Seção, MS 21.944, rel. Min. Olindo Menezes (Desembargador Federal Convocado do TRF da 1.ª Região), DJE, 22.10.2015).

Art. 166-A. As emendas individuais impositivas apresentadas ao projeto de lei orçamentária anual poderão alocar recursos a Estados, ao Distrito Federal e a Municípios por meio de:

I – transferência especial; ou

II – transferência com finalidade definida.

§ 1.º Os recursos transferidos na forma do *caput* deste artigo não integrarão a receita do Estado, do Distrito Federal e dos Municípios para fins de repartição e para o cálculo dos limites da despesa com pessoal ativo e inativo, nos termos do § 16 do art. 166, e de endividamento do ente federado, vedada, em qualquer caso, a aplicação dos recursos a que se refere o *caput* deste artigo no pagamento de:

I – despesas com pessoal e encargos sociais relativas a ativos e inativos, e com pensionistas; e

II – encargos referentes ao serviço da dívida.

§ 2.º Na transferência especial a que se refere o inciso I do *caput* deste artigo, os recursos:

I – serão repassados diretamente ao ente federado beneficiado, independentemente de celebração de convênio ou de instrumento congênere;

II – pertencerão ao ente federado no ato da efetiva transferência financeira; e

III – serão aplicadas em programações finalísticas das áreas de competência do Poder Executivo do ente federado beneficiado, observado o disposto no § 5.º deste artigo.

§ 3.º O ente federado beneficiado da transferência especial a que se refere o inciso I do *caput* deste artigo poderá firmar contratos de cooperação técnica para fins de subsidiar o acompanhamento da execução orçamentária na aplicação dos recursos.

§ 4.º Na transferência com finalidade definida a que se refere o inciso II do *caput* deste artigo, os recursos serão:

I – vinculados à programação estabelecida na emenda parlamentar; e

II – aplicados nas áreas de competência constitucional da União.

§ 5.º Pelo menos 70% (setenta por cento) das transferências especiais de que trata o inciso I do *caput* deste artigo deverão ser aplicadas em despesas de capital, observada a restrição a que se refere o inciso II do § 1.º deste artigo.

Doutrina

Emendas individuais impositivas. Nos termos do artigo 166-A, *caput* e §§, ora anotados, as emendas referidas são aquelas que poderão destinar recursos a Estados, ao Distrito Federal e aos Municípios, valendo-se das chamadas transferências especiais ou com finalidades definidas. Referidos recursos não integrarão a receita dos entes federados mencionados para repartição e cálculo de despesas com pessoal e endividamento, proibida ainda a aplicação dos recursos no pagamento de despesas com pessoal, encargos sociais de ativos e pensionistas e pagamentos dos encargos da dívida.

Transferências especiais. É da natureza da transferência especial que seus recursos sejam repassados de forma direta ao ente federado de destinação (*v.g.* Estado de São Paulo; Município de Campinas), não dependendo a operação de convênio celebrado ou outro instrumento semelhante, passando-lhe, no ato, a titularidade dos recursos quando da efetiva transferência financeira, podendo o ente federado firmar acordo de cooperação técnica com a finalidade de acompanhamento da execução orçamentária na aplicação dos recursos.

Transferências com finalidades definidas. São aquelas que, nos termos do § 4.º, terão seus recursos vinculados ao programa definido por meio da emenda parlamentar pertinente e aplicados nas áreas de competência constitucional da União.

Art. 167. São vedados:

I – o início de programas ou projetos não incluídos na lei orçamentária anual;

II – a realização de despesas ou a assunção de obrigações diretas que excedam os créditos orçamentários ou adicionais;

III – a realização de operações de créditos que excedam o montante das despesas de capital, ressalvadas as autorizadas mediante créditos suplementares ou especiais com finalidade precisa, aprovados pelo Poder Legislativo por maioria absoluta;

IV – a vinculação de receita de impostos a órgão, fundo ou despesa, ressalvadas a repartição do produto da arrecadação dos impostos a que se referem os arts. 158 e 159, a destinação de recursos para as ações e serviços públicos de saúde, para manutenção e desenvolvimento do ensino e para realização de atividades da administração tributária, como determinado, respectivamente, pelos arts. 198, § 2.º, 212 e 37, XXII, e a prestação de

garantias às operações de crédito por antecipação de receita, previstas no art. 165, § 8.º, bem como o disposto no § 4.º deste artigo;

V – a abertura de crédito suplementar ou especial sem prévia autorização legislativa e sem indicação dos recursos correspondentes;

VI – a transposição, o remanejamento ou a transferência de recursos de uma categoria de programação para outra ou de um órgão para outro, sem prévia autorização legislativa;

VII – a concessão ou utilização de créditos ilimitados;

VIII – a utilização, sem autorização legislativa específica, de recursos dos orçamentos fiscal e da seguridade social para suprir necessidade ou cobrir *deficit* de empresas, fundações e fundos, inclusive dos mencionados no art. 165, § 5.º;

IX – a instituição de fundos de qualquer natureza, sem prévia autorização legislativa;

X – a transferência voluntária de recursos e a concessão de empréstimos, inclusive por antecipação de receita, pelos Governos Federal e Estaduais e suas instituições financeiras, para pagamento de despesas com pessoal ativo, inativo e pensionista, dos Estados, do Distrito Federal e dos Municípios;

XI – a utilização dos recursos provenientes das contribuições sociais de que trata o art. 195, I, *a*, e II, para a realização de despesas distintas do pagamento de benefícios do regime geral de previdência social de que trata o art. 201;

XII – na forma estabelecida na lei complementar de que trata o § 22 do art. 40, a utilização de recursos de regime próprio de previdência social, incluídos os valores integrantes dos fundos previstos no art. 249, para a realização de despesas distintas do pagamento dos benefícios previdenciários do respectivo fundo vinculado àquele regime e das despesas necessárias à sua organização e ao seu funcionamento;

XIII – a transferência voluntária de recursos, a concessão de avais, as garantias e as subvenções pela União e a concessão de empréstimos e de financiamentos por instituições financeiras federais aos Estados, ao Distrito Federal e aos Municípios na hipótese de descumprimento das regras gerais de organização e de funcionamento de regime próprio de previdência social;

XIV – a criação de fundo público, quando seus objetivos puderem ser alcançados mediante a vinculação de receitas orçamentárias específicas ou mediante a execução direta por programação orçamentária e financeira de órgão ou entidade da administração pública.

§ 1.º Nenhum investimento cuja execução ultrapasse um exercício financeiro poderá ser iniciado sem prévia inclusão no plano plurianual, ou sem lei que autorize a inclusão, sob pena de crime de responsabilidade.

§ 2.º Os créditos especiais e extraordinários terão vigência no exercício financeiro em que forem autorizados, salvo se o ato de autorização for promulgado nos últimos quatro meses daquele exercício, caso em que, reabertos nos limites de seus saldos, serão incorporados ao orçamento do exercício financeiro subsequente.

§ 3.º A abertura de crédito extraordinário somente será admitida para atender a despesas imprevisíveis e urgentes, como as decorrentes de guerra, comoção interna ou calamidade pública, observado o disposto no art. 62.

§ 4.º É permitida a vinculação das receitas a que se referem os arts. 155, 156, 157, 158 e as alíneas *a*, *b*, *d* e *e* do inciso I e o inciso II do *caput* do artigo 159 desta Constituição para pagamento de débitos com a União e para prestar-lhe garantia ou contragarantia.

§ 5.º A transposição, o remanejamento ou a transferência de recursos de uma categoria de programação para outra poderão ser admitidos, no âmbito das atividades de ciência, tecnologia e inovação, com o objetivo de viabilizar os resultados de projetos restritos a essas funções, mediante ato do Poder Executivo, sem necessidade da prévia autorização legislativa prevista no inciso VI deste artigo.

§ 6.º Para fins da apuração ao término do exercício financeiro do cumprimento do limite de que trata o inciso III do *caput* deste artigo, as receitas das operações de crédito efetuadas no contexto da gestão da dívida pública mobiliária federal somente serão consideradas no exercício financeiro em que for realizada a respectiva despesa.

Doutrina

Vedações constitucionais orçamentárias. São proibições instituídas pelo legislador constituinte destinadas a assegurar que as referidas leis cumpram os seus objetivos como instrumentos de planejamento da atividade estatal e da atuação de governo na consecução das políticas públicas. Tais vedações reforçam o importante papel das leis orçamentárias e visam a coibir desvios capazes de comprometer que elas atinjam as suas finalidades.

Vedações previstas em norma constitucional. O artigo 167, *caput*, dispõe que são vedadas as seguintes condutas: *a*) iniciar a execução de programa ou projeto não incluído na lei de orçamento anual, tratando-se de evidente aplicação do princípio da legalidade da administração; *b*) realizar despesa ou assumir obrigação direta que exceda o total da dotação orçamentária prevista ou do crédito adicional autorizado por lei; *c*) realizar operação de crédito que exceda o montante das despesas de capital constantes do orçamento, salvo se autorizada mediante crédito suplementar ou especial com finalidade precisa, quer dizer, definida, e, ainda, aprovada pelo Poder Legislativo, pelo voto da maioria absoluta de seus membros, tratando-se de preceito que tem por objetivo limitar o nível de endividamento; *d*) vincular receita de impostos a órgão, fundo ou despesa, ressalvadas a repartição do produto da arrecadação dos impostos a que se referem os arts. 158 e 159, a destinação de recursos para as ações e serviços públicos de saúde, para manutenção e desenvolvimento do ensino e para realização de atividades da administração tributária, como determinado, respectivamente, pelos arts. 198, § 2.°, 212 e 37, XXII, e a prestação de garantias às operações de crédito por antecipação de receita, previstas no art. 165, § 8.°, bem como o disposto no § 4.° deste artigo, restando claro que, ressalvados os casos aqui previstos, o princípio prevalente é o da não-vinculação de receita de impostos, convergindo toda a arrecadação para um caixa único; *e*) abrir crédito suplementar ou especial sem prévia autorização legislativa e sem indicação dos recursos correspondentes, quer dizer, referidos créditos devem ser autorizados por lei e a abertura somente será possível se existir fonte de recurso, que poderá decorrer de *superavit* financeiro, de excesso de arrecadação, de anulação total ou parcial de dotação orçamentária, ou do produto de operações de crédito autorizadas. Anote-se que o crédito suplementar é aquele que reforça dotação orçamentária já prevista no orçamento e o crédito especial é aquele aberto para atender a despesa que não havia sido prevista no orçamento; *f*) fazer a transposição, o remanejamento ou a transferência de recursos de uma categoria de programação para outra ou de um órgão para outro, sem prévia autorização legislativa. Quer dizer, tais operações poderão ser feitas, desde que previamente autorizadas por lei. O que está proibido à administração é efetuá-las por meio de decreto, por exemplo; *g*) conceder ou utilizar-se créditos ilimitados, pois, a admitir-se isso, na prática, restaria fraudado um dos objetivos do orçamento anual, qual seja, o de prever a receita e fixar a despesa no mesmo *quantum*, restando, assim, consagrado o princípio da quantificação dos créditos orçamentários; *h*) utilizar a administração, sem autorização por meio de lei específica, de recursos previstos nos orçamentos fiscal e da seguridade social para suprir necessidade ou cobrir *deficit* de empresas, fundações e fundos, inclusive dos mencionados no art. 165, § 5.º, da Constituição Federal, sendo isso possível somente após prévia autorização do Congresso; *i*) instituir fundos de qualquer natureza, sem prévia autorização legislativa; portanto, a criação de um fundo – destinação de receita para atender a determinada finalidade – *v.g.*, fundo de combate à miséria, somente será feita por meio de lei; *j*) transferir, os Governos Federal e Estaduais e suas respectivas instituições financeiras, recursos, de forma voluntária, ou conceder empréstimos, mesmo que a título de antecipação de receita, para viabilizar o pagamento de despesas com pessoal ativo, inativo e pensionista, dos Estados, do Distrito Federal e dos Municípios; a norma tem a evidente intenção de limitar gastos com pessoal ao vedar a transferência de recursos ou a concessão de empréstimos para pagamento de haveres de servidores; *l*) utilizar recursos provenientes das contribuições sociais incidentes sobre a folha de salários e demais rendimentos do trabalho pagos pelo empregador, bem como das contribuições retidas do empregado e demais segurados da previdência social, para a realização de despesas outras que não as relativas ao pagamento de benefícios do regime geral de previdência social de que trata o art. 201 da Constituição; em outras palavras, os recursos advindos das contribuições sociais de empregadores e trabalhadores estão vinculados ao orçamento da seguridade social e destinam-se ao pagamento dos benefícios devidos aos segurados da previdência social, como, por exemplo, aposentadorias e pensões.

Projetos e programas de execução plurianual. O dispositivo do § 1.º quer significar que todo projeto ou programa que exija investimento por mais de um exercício financeiro somente poderá ser iniciado com a prévia inclusão no plano plurianual, ou mediante lei que autorize a sua inclusão neste documento. A violação da norma constitui crime de responsabilidade, na forma que a lei estabelecer.

Prazo de vigência dos créditos especiais e extraordinários. A norma do § 2.° dispõe que os referidos créditos somente terão vigência no exercício financeiro em que foram autorizados, sendo esta a regra geral, pois, em princípio, as dotações deles decorrentes devem ser utilizadas no ano em que aprovados pelo Congresso Nacional. Todavia, a segunda parte da norma ressalva a hipótese de autorização promulgada nos últimos quatro meses do exercício financeiro, caso em que os créditos serão reabertos nos limites de seus respectivos saldos e incorporados ao orçamento do exercício financeiro subsequente.

Abertura de crédito extraordinário. O crédito extraordinário é aquele destinado a atender a despesas imprevisíveis e urgentes e somente em face disso o § 3.° autoriza a sua abertura. A imprevisibilidade da despesa significa que ela não era esperada, porque improvável a sua ocorrência, como aquela decorrente de guerra, comoção interna ou calamidade pública. A urgência caracteriza a situação de emergência a justificar a imediata adoção de medidas destinadas a proteger o interesse coletivo. Em razão da ocorrência de fato que exija a realização de despesas imprevisíveis e urgentes, a norma autoriza a abertura de crédito extraordinário, inclusive por meio de medida provisória, como previsto, expressamente, no artigo 62, § 1.°, inc. I, alínea *d*, parte final, da Constituição.

Prestação de garantia ou contragarantia à União. A norma do § 4.°, ao permitir a vinculação de receita própria gerada pelos impostos de competência dos Estados, do Distrito Federal e dos Municípios para a prestação de garantia ou contragarantia à União, ou para o pagamento de débito junto a este ente político, estabelece exceção ao princípio da não-vinculação de receita. Contudo, está conforme com o disposto no artigo 160, § 1.°, inc. I, da Constituição, que admite a retenção de recurso para o pagamento de crédito de um ente junto a outro.

Transferência de recursos orçamentários de uma categoria de programação para outra. A norma contida no § 5.° deste artigo autoriza a transposição, remanejamento ou transferência de recursos de uma categoria de programação para outra dentro do âmbito das atividades de ciência, tecnologia e inovação, com a finalidade de viabilizar a execução e garantir resultados de projetos restritos às funções mencionadas. Nas restritas áreas mencionadas, basta ato baixado pelo chefe do Poder Executivo, independentemente de prévia autorização legislativa, conforme expresso no inciso VI acima.

Proibição de uso de recursos de regime próprio para financiar despesa estranha. A norma contida no inciso XII acima proíbe a utilização de recursos de regime próprio de previdência para financiar despesas estranhas ao pagamento de benefícios, do respectivo fundo vinculado ao regime e de despesa necessária à sua organização e funcionamento.

Proibição de empréstimos por instituições financeiras federais. A norma contida no inciso XIII proíbe que instituições federais de crédito (*v.g.*, Caixa Econômica Federal, Banco Nacional de Desenvolvimento Econômico e Social) concedam créditos, empréstimos, avais e outras garantias a ente federado quando este descumprir as regras gerais de organização e de funcionamento de regime próprio de previdência social.

Gestão da dívida pública. Ao término do exercício financeiro e para fins de cumprimento do limite previsto no inciso III, *caput*, deste artigo, as operações de crédito contratadas no âmbito da gestão da dívida pública mobiliária federal serão tomadas em conta apenas no exercício financeiro em que efetuada de despesa correspondente.

Jurisprudência

> "O Plenário desta Corte pacificou entendimento no sentido de que a majoração de alíquota do ICMS com vinculação da respectiva receita a órgão específico viola o disposto no artigo 167, IV, da Constituição do Brasil" (STF – 1.ª Turma, AgI 488.016, AgRg rel. Min. Eros Grau, j. 16.12.2004).
>
> "A teor do disposto no inciso IV do artigo 167 da Constituição Federal, é vedado vincular receita de im-

postos a órgão, fundo ou despesa. A regra apanha a situação concreta em que lei local implicou majoração do ICMS, destinando-se o percentual acrescido a um certo propósito – aumento de capital de caixa econômica, para financiamento de programa habitacional. Inconstitucionalidade dos artigos, 3.°, 4.°, 5.°, 6.°, 7.°, 8.°, 9.°, da Lei n. 6.556, de 30 de novembro de 1989, do Estado de São Paulo". (STF – Pleno, RE 183.906/SP, rel. Min. Marco Aurélio, RTJ 167/287).

"Custas judiciais são taxas, do que resulta – ao contrário do que sucede aos impostos (CF, art. 167, IV) – a alocação do produto de sua arrecadação ao Poder Judiciário, cuja atividade remunera; e nada impede a afetação dos recursos correspondentes a determinado tipo de despesa – no caso, as de capital, investimento e treinamento de pessoal da Justiça – cuja finalidade tem inequívoco liame instrumental com o serviço judiciário". (STF – Pleno, ADIN 1.926-4/PE, rel. Min. Sepúlveda Pertence, DJ 1, 10.09.1999, p. 2).

"Interpretação do art. 167, § 3.° c/c o art. 62, § 1.°, inciso I, alínea 'd', da Constituição. Além dos requisitos de relevância e urgência (art. 62), a Constituição exige que a abertura de crédito extraordinário seja feita apenas para atender a despesas imprevisíveis e urgentes. Ao contrário do que ocorre em relação aos requisitos de relevância e urgência (art. 62), que se submetem a uma ampla margem de discricionariedade por parte do Presidente da República, os requisitos de imprevisibilidade e urgência (art. 167, § 3.°) recebem densificação normativa da Constituição. Os conteúdos semânticos das expressões 'guerra', 'comoção interna' e 'calamidade pública' constituem vetores para a interpretação/aplicação do art. 167, § 3.° c/c o art. 62, § 1.°, inciso I, alínea 'd', da Constituição. 'Guerra', 'comoção interna' e 'calamidade pública' são conceitos que representam realidades ou situações fáticas de extrema gravidade e de consequências imprevisíveis para a ordem pública e a paz social, e que dessa forma requerem, com a devida urgência, a adoção de medidas singulares e extraordinárias" (STF – Pleno, ADIN 4.048 MC, rel. Min. Gilmar Mendes, j. 14.05.2008).

Art. 167-A. Apurado que, no período de 12 (doze) meses, a relação entre despesas correntes e receitas correntes supera 95% (noventa e cinco por cento), no âmbito dos Estados, do Distrito Federal e dos Municípios, é facultado aos Poderes Executivo, Legislativo e Judiciário, ao Ministério Público, ao Tribunal de Contas e à Defensoria Pública do ente, enquanto permanecer a situação, aplicar o mecanismo de ajuste fiscal de vedação da:

I – concessão, a qualquer título, de vantagem, aumento, reajuste ou adequação de remuneração de membros de Poder ou de órgão, de servidores e empregados públicos e de militares, exceto dos derivados de sentença judicial transitada em julgado ou de determinação legal anterior ao início da aplicação das medidas de que trata este artigo;

II – criação de cargo, emprego ou função que implique aumento de despesa;

III – alteração de estrutura de carreira que implique aumento de despesas;

IV – admissão ou contratação de pessoal, a qualquer título, ressalvadas:

a) as reposições de cargos de chefia e de direção que não acarretem aumento de despesa;

b) as reposições decorrentes de vacâncias de cargos efetivos ou vitalícios;

c) as contratações temporárias de que trata o inciso IX do caput do art. 37 desta Constituição; e

d) as reposições de temporários para prestação de serviço militar e de alunos de órgãos de formação de militares;

V – realização de concurso público, exceto para as reposições de vacâncias previstas no inciso IV deste *caput*;

VI – criação ou majoração de auxílios, vantagens, bônus, abonos, verbas de representação ou benefícios de qualquer natureza, inclusive os de cunho indenizatório, em favor de membros de Poder, do Ministério Público ou da Defensoria Pública e de servidores e empregados públicos e de militares, ou ainda de seus dependentes, exceto quando derivados de sentença judicial transitada em julgado ou de determinação legal anterior ao início da aplicação das medidas de que trata este artigo;

VII – criação de despesa obrigatória;

VIII – adoção de medida que implique reajuste de despesa obrigatória acima da variação da inflação, observada a preservação do poder aquisitivo referida no inciso IV do *caput* do art. 7.º desta Constituição;

IX – criação ou expansão de programas e linhas de financiamento, bem como remissão, renegociação ou refinanciamento de dívidas que impliquem ampliação das despesas com subsídios e subvenções;

X – concessão ou ampliação de incentivo ou benefício de natureza tributária.

§ 1.º Apurado que a despesa corrente supera 85% (oitenta e cinco por cento) da receita corrente, sem exceder o percentual mencionado no *caput* deste artigo, as medidas nele indicadas podem ser, no todo ou em parte, implementadas por atos do Chefe do Poder Executivo com vigência imediata, facultado aos demais Poderes e órgãos autônomos implementá-las em seus respectivos âmbitos.

§ 2.º O ato de que trata o § 1.º deste artigo deve ser submetido, em regime de urgência, à apreciação do Poder Legislativo.

§ 3.º O ato perde a eficácia, reconhecida a validade dos atos praticados na sua vigência, quando:

I – rejeitado pelo Poder Legislativo;

II – transcorrido o prazo de 180 (cento e oitenta) dias sem que se ultime a sua apreciação; ou

III – apurado que não mais se verifica a hipótese prevista no § 1.º deste artigo, mesmo após a sua aprovação pelo Poder Legislativo.

§ 4.º A apuração referida neste artigo deve ser realizada bimestralmente.

§ 5.º As disposições de que trata este artigo:

I – não constituem obrigação de pagamento futuro pelo ente da Federação ou direitos de outrem sobre o erário;

II – não revogam, dispensam ou suspendem o cumprimento de dispositivos constitucionais e legais que disponham sobre metas fiscais ou limites máximos de despesas.

§ 6.º Ocorrendo a hipótese de que trata o *caput* deste artigo, até que todas as medidas nele previstas tenham sido adotadas por todos os Poderes e órgãos nele mencionados, de acordo com declaração do respectivo Tribunal de Contas, é vedada:

I – a concessão, por qualquer outro ente da Federação, de garantias ao ente envolvido;

II – a tomada de operação de crédito por parte do ente envolvido com outro ente da Federação, diretamente ou por intermédio de seus fundos, autarquias, fundações ou empresas estatais dependentes, ainda que sob

a forma de novação, refinanciamento ou postergação de dívida contraída anteriormente, ressalvados os financiamentos destinados a projetos específicos celebrados na forma de operações típicas das agências financeiras oficiais de fomento.

Doutrina

Desequilíbrio fiscal e financeiro. Dispõe, o *caput* do artigo 167-A que, apurada relação de desequilíbrio financeiro entre despesas correntes e receitas correntes superior a 95% (noventa e cinco por cento), no âmbito dos Estados, do Distrito Federal e dos Municípios, é facultado aos respectivos Poderes (Legislativo, Executivo e Judiciário), bem como ao Ministério Público correspondente, ao Tribunal de Contas e à Defensoria Pública, enquanto perdurar o *deficit*, instituir ajuste fiscal destinado a corrigir a situação deficitária enfrentada.

Mecanismo de ajuste fiscal. O plano de ajuste fiscal é constituído por um conjunto ordenado de medidas que implementadas deverá resultar na solução do *deficit* verificado no período estipulado, no caso, por um período de doze meses.

Elenco de medidas. Constitui rol apenas exemplificativo que dispõe sobre os instrumentos necessários para executar o ajuste fiscal pretendido, dispondo expressamente sobre as seguintes vedações ou proibições: *a)* conceder reajuste de remuneração a servidores, salvo se decorrente de sentença judicial transitada em julgado, ou determinada por meio de lei; *b)* criar cargo, emprego ou função de que decorra aumento de despesa: c) reorganização de carreira que venha a gerar despesa; *d)* admissão ou contratação de servidor, salvo para reposições de cargos de chefia e direção e que não implique aumento de despesa; *e)* aqui ressalva-se ainda a reposição em decorrência de vacância de cargo efetivo ou vitalício, bem como as contratações temporárias de que trata o inciso IX do *caput* do art. 37 e, por fim, a ressalva para a reposição de pessoal para prestação do serviço militar ou de escolas de formação militar; *f*) proibição de realizar concurso público, salvo para a reposição para cargos vagos de que trata o inciso IV, *caput*, acima; *g*) proibição de criação ou majoração de vantagens de qualquer natureza em favor de membros de Poder, Ministério Público ou Defensoria, salvo quando decorrente de sentença judicial transitada em julgado ou de determinação legal anterior à vigência do ajuste fiscal; *h*) proibição de criar, durante o período de execução do plano fiscal, despesa de natureza obrigatória; *i*) proibição de reajustar despesa obrigatória, acima da variação do índice de inflação e buscando manter o poder de compra ou aquisitivo dos trabalhadores *j*) adoção de linhas de financiamento ou de refinanciamento de dívidas que impliquem aumento de despesa com subsídios e subvenções; *l*) concessão ou ampliação de incentivo ou benefício de natureza tributária, como se caracterizam as reduções ou dispensa de pagamento de tributos.

Execução do plano de ajuste fiscal. O *caput* deste artigo autoriza que, apurada, na execução do ajuste fiscal, despesa corrente superior a 85% (oitenta e cinco por cento) da receita corrente, não excedendo o percentual de 95% (noventa e cinco por cento) do *caput* deste artigo, as medidas que integram o ajuste poderão ser, total ou parcialmente, implementadas pelo Chefe do Poder Executivo, com vigência imediata, podendo os demais Poderes e instituições implementá-las ou não. Referido ato deverá ser submetido, em regime de urgência, à apreciação do Poder Legislativo (§ 2.º). O ato perderá a eficácia, válidos aqueles praticados na sua vigência, quando rejeitado pelo Poder Legislativo, transcorridos 180 (cento e oitenta) dias sem apreciação legislativa (§ 3.º). A apuração prevista no § 4.º deve ser feita a cada bimestre. As obrigações previstas neste artigo não geram expectativa de pagamento futuro a cargo de ente federado e nem direito de outrem sobre o Erário (§ 5.º). Em sendo o caso de adoção de ajuste fiscal, os Poderes do Estado e suas instituições, municiados de declarações do respectivo Tribunal de Contas, quanto ao cumprimento de metas, resta vedada *a*) a concessão, por qualquer outro entre federativo, de garantias ao outro ente envolvido; *b*) vedada ainda operação de crédito por parte do ente envolvido com outro ente da federação, tanto direta quanto indiretamente ou forma outra, salvo nos casos de financiamento de projetos específicos celebrados por meio de agências financeiras oficiais de fomento.

Art. 167-B. Durante a vigência de estado de calamidade pública de âmbito nacional, decretado pelo Congresso Nacional por iniciativa privativa do Presidente da República, a União deve adotar regime extraordinário fiscal, financeiro e de contratações para atender às necessidades dele decorrentes, somente naquilo em que a urgência for incompatível com o regime regular, nos termos definidos nos arts. 167-C, 167-D, 167-E, 167-F e 167-G desta Constituição.

Doutrina

Vigência do estado de calamidade pública. O estado de calamidade pública, de âmbito nacional, terá vigência após baixado o decreto legislativo pelo Congresso Nacional, em face de iniciativa exclusiva do Presidente da República.

Competência da União no âmbito do estado de calamidade. Decretado o estado de calamidade pública, a União adotará os seguintes regimes: *a)* regime extraordinário fiscal, com a finalidade de implementar gestão coordenada de receitas, despesas e orçamentos como instrumentos de política fiscal; *b)* regime financeiro, destinado a gerenciar os meios de consecução e realização de *metas de natureza financeira; c)* regime de contratações, ou seja, contratar, em regra, dentro das normas usuais de licitação e valer-se do regime extraordinário somente para atender às situações extraordinárias.

Art. 167-C. Com o propósito exclusivo de enfrentamento da calamidade pública e de seus efeitos sociais e econômicos, ou no seu período de duração, o Poder Executivo federal pode adotar processos simplificados de contra-

tação de pessoal, em caráter temporário e emergencial, e de obras, serviços e compras que assegurem, quando possível, competição e igualdade de condições a todos os concorrentes, dispensada a observância do § 1.º do art. 169 na contratação de que trata o inciso IX do *caput* do art. 37 desta Constituição, limitada a dispensa às situações de que trata o referido inciso, sem prejuízo do controle dos órgãos competentes.

Doutrina

Processos simplificados de seleção de pessoal. Dispõe a norma acima que, o Poder Executivo Federal, no âmbito do combate à pandemia e enquanto durar a calamidade pública: *a)* poderá adotar processos administrativos simplificados de contratação de pessoal, somente em caráter temporário e emergencial; anote-se que a norma constitucional não dispensa a realização de concurso quando este for exigência inarredável; *b)* poderá adotar os procedimentos previstos na alínea acima nos casos de contratação de obras, serviços e compras, necessários ao combate à pandemia. Em quaisquer das hipóteses, a norma recomenda a observação dos princípios da concorrência entre as partes licitantes e da igualdade, dentre outros, isso sem prejuízo da atuação os órgãos de controle, mormente os tribunais de contas.

Art. 167-D. As proposições legislativas e os atos do Poder Executivo com propósito exclusivo de enfrentar a calamidade e suas consequências sociais e econômicas, com vigência e efeitos restritos à sua duração, desde que não impliquem despesa obrigatória de caráter continuado, ficam dispensados da observância das limitações legais quanto à criação, à expansão ou ao aperfeiçoamento de ação governamental que acarrete aumento de despesa e à concessão ou à ampliação de incentivo ou benefício de natureza tributária da qual decorra renúncia de receita.

Parágrafo único. Durante a vigência da calamidade pública de âmbito nacional de que trata o art. 167-B, não se aplica o disposto no § 3.º do art. 195 desta Constituição.

Doutrina

Dispensa de pagamento de encargos fiscais e financeiros. Dispõe o *caput* deste artigo que os projetos de lei e demais proposições de autoria de parlamentares e os atos emanados do Poder Executivo, com a finalidade de dar cabo à calamidade, desde que não impliquem aumento de despesa fixa, ficam dispensados do cumprimento de obrigações legais, tais como criação, expansão e aperfeiçoamento de atos de ação governamental, além de benefício de natureza tributária da qual implique renúncia de receita.

Dispensa de obrigação de pagamento de contribuições sociais. Dispõe o parágrafo único deste artigo que, durante o período de combate à calamidade pública, não se aplica a norma contida no § 3.º do artigo 195 desta Constituição. Quer dizer, mesmo que em débito para com a Seguridade Social, em tempos de calamidade a pessoa jurídica poderá contratar com os entes federados que enfrentam a situação de calamidade.

Art. 167-E. Fica dispensada, durante a integralidade do exercício financeiro em que vigore a calamidade pública de âmbito nacional, a observância do inciso III do *caput* do art. 167 desta constituição.

Doutrina

Normas restritas para contratação de operações de crédito. A norma ora anotada dispensa de cumprimento, enquanto perdurar a calamidade pública, a norma contida no artigo 167, *caput*, inciso III, desta Constituição, que veda a contratação de operações de crédito, ressalvadas as hipóteses autorizadas mediante créditos suplementares ou especiais com finalidades específicas ou precisas.

Art. 167-F. Durante a vigência da calamidade pública de âmbito nacional de que trata o art. 167-B desta Constituição:

I – são dispensados, durante a integralidade do exercício financeiro em que vigore a calamidade pública, os limites, as condições e demais restrições aplicáveis à União para a contratação de operações de crédito, bem como sua verificação;

II – o *superavit* financeiro apurado em 31 de dezembro do ano imediatamente anterior ao reconhecimento pode ser destinado à cobertura de despesas oriundas das medidas de combate à calamidade pública de âmbito nacional e ao pagamento da dívida pública.

Doutrina

Dispensa de requisitos para a tomada de operações de crédito. Dispõem o *caput* e os incisos deste artigo que a União, durante todo o período da calamidade pública, de âmbito nacional, estará dispensada do cumprimento de limites (ponto extremo), condições (obrigações impostas) e restrições (ou limitações) para a contratação de operações de crédito (empréstimos com instituições financeiras no mercado interno ou no exterior).

Destinação do* superavit *financeiro. Apurado *superavit* financeiro, no encerramento do exercício imediatamente anterior, o valor poderá ser destinado à quitação de dívidas em aberto, decorrentes do combate à calamidade, ou ao pagamento da dívida pública.

§ 1.º Lei complementar pode definir outras suspensões, dispensas e afastamentos aplicáveis durante a vigência do estado de calamidade pública de âmbito nacional.

Doutrina

Reserva de matéria à lei complementar. A norma constitucional aqui inscrita reserva à lei complementar o trato das matérias mencionadas, em caráter meramente exemplificativo, e que sempre exigirá quórum de maioria absoluta.

§ 2.º O disposto no inciso II do *caput* deste artigo não se aplica às fontes de recursos:

I – decorrentes de repartição de receitas a Estados, ao Distrito Federal e a Municípios;

II – decorrentes das vinculações estabelecidas pelos arts. 195, 198, 201, 212, 212-A e 239 desta Constituição;

III – destinadas ao registro de receitas oriundas da arrecadação de doações ou de empréstimos compulsórios, de transferências recebidas para o atendimento de finalidades determinadas ou das receitas de capital produto de operações de financiamento celebradas com finalidades contratualmente determinadas.

Doutrina

Dispensa de requisitos, em favor da União, nos casos de contratação e outras operações. Trata o *caput* do artigo 167-F de dispensar a União do cumprimento de requisitos nos casos de contratação de operações de crédito, bem como dispor sobre a destinação de eventual *superavit* do exercício anterior, não se aplicando às fontes de recursos: *a)* decorrentes do produto da repartição das receitas destinadas aos Estados, ao Distrito Federal e aos Municípios; *b)* decorrentes das vinculações de recursos destinados ao financiamento da Seguridade Social (art. 195); ao financiamento das ações e serviços públicos de saúde (art. 198); ao financiamento da Previdência Social (art. 201); vinculados a financiamento da educação (art. 212); outras vinculações de arrecadação de impostos (art. 212-A), vinculados ao Programa de Integração Social – PIS e ao Programa de Formação do Patrimônio do Servidor Público – PASEP (art. 239); *c)* destinadas ao registro de receitas decorrentes de doações, ou empréstimos compulsórios, transferências para aplicação em finalidades específicas, dentre outras.

Art. 167-G. Na hipótese de que trata o art. 167-B, aplicam-se à União, até o término da calamidade pública, as vedações previstas no art. 167-A desta Constituição.

Doutrina

Necessidades sociais em decorrência da calamidade. Dispõe o *caput* deste artigo que, no caso de estado de calamidade pública, a União adotará regime extraordinário fiscal, financeiro e de contratações para atender às necessidades sociais inadiáveis, em decorrência da calamidade.

§ 1.º Na hipótese de medidas de combate à calamidade pública cuja vigência e efeitos não ultrapassem a sua duração, não se aplicam as vedações referidas nos incisos II, IV, VII, IX e X do *caput* do art. 167-A desta Constituição.

Doutrina

Limitação de vigência e de efeitos calamidade. Dispõe a norma deste parágrafo que, no caso de aplicação limitada no tempo e efeitos das medidas de combate à calamidade, não se aplicam as vedações previstas nos incisos II (criação de cargo, emprego ou função que implique aumento de despesa; IV (admissão de pessoal, ressalvadas as autorizações das alíneas *a*, *b*, *c*, e *d*); VII (criação de despesas obrigatórias); IX (criação ou expansão de linhas de financiamento e outras operações de crédito); e X (criação ou ampliação de incentivos ou benefícios de natureza tributária).

§ 2.º Na hipótese de que trata o art. 167-B, não se aplica a alínea c do inciso I do *caput* do art. 159 desta Constituição, devendo a transferência a que se refere aquele dispositivo ser efetuada nos mesmos montantes transferidos no exercício anterior à decretação da calamidade.

Doutrina

Restituição de valores de exercícios anteriores. Dispõe a norma ora em comento que, na vigência do estado de calamidade pública, não se aplica o a alínea *c* do inciso I do *caput* do artigo 159 da Constituição, que trata da aplicação em programas de financiamento no setor produtivo das Regiões Norte, Nordeste e Centro-Oeste por meio de instituições financeiras de caráter regional, como o Banco do Nordeste ou o Banco da Amazônia, devendo os saldos ser devolvidos nos mesmos valores do exercício anterior.

§ 3.º É facultada aos Estados, ao Distrito Federal e aos Municípios a aplicação das vedações referidas no *caput*, nos termos deste artigo, e, até que as tenham adotado na integralidade, estarão submetidos às restrições do § 6.º do art. 167-A desta Constituição, enquanto perdurarem seus efeitos para a União.

Doutrina

Faculdade conferida aos entes federativos quanto à aplicação de vedações. Trata-se de possibilidade de uso de vedações, cabendo aos Estados, ao Distrito Federal e aos Municípios ponderar quanto à conveniência e oportunidade, levando-se em conta os seus respectivos interesses.

Art. 168. Os recursos correspondentes às dotações orçamentárias, compreendidos os créditos suplementares e especiais, destinados aos órgãos dos Poderes Legislativo e Judiciário, do Ministério Público e da Defensoria Pública, ser-lhes-ão entregues até o dia 20 de cada mês, em duodécimos, na forma da lei complementar a que se refere o art. 165, § 9.º

Doutrina

Liberação aos Poderes do Estado e demais instituições dos duodécimos do orçamento. Os recursos acima referidos integram os respectivos orçamentos e constituem valores oriundos das dotações orçamentárias e dos créditos suplementares e especiais votados em favor dos Poderes e instituições mencionados. Os duodécimos corresponderão a parcelas iguais liberadas até o dia 20 (vinte) de cada mês.

§ 1.º É vedada a transferência a fundos de recursos financeiros oriundos de repasses duodecimais.

Doutrina

Vedação de transferência de recursos e parcelas duodecimais.

Dispõe a norma contida neste parágrafo § 1.º que é vedada a transferência a fundos financeiros de recursos repassados de parcelas duodecimais.

§ 2.º O saldo financeiro decorrente dos recursos entregues na forma do *caput* deste artigo deve ser restituído ao caixa único do Tesouro do ente federativo, ou terá seu valor deduzido das primeiras parcelas duodecimais do exercício seguinte.

Doutrina

Destinação do saldo financeiro dos duodécimos. Dispõe a norma ora anotada que o saldo financeiro será objeto de restituição ao caixa único do Tesouro do ente federado, *v. g.*, (União, Estados, Distrito Federal ou Municípios). Em não sendo adotada essa providência, o saldo será deduzido das parcelas iniciais do exercício financeiro seguinte.

Jurisprudência

"O comando emergente da norma inscrita no art. 168 da Constituição Federal tem por destinatário específico o Poder Executivo, que está juridicamente obrigado a entregar, em consequência desse encargo constitucional, até o dia 20 de cada mês, ao Legislativo, ao Judiciário e ao Ministério Público, os recursos orçamentários, inclusive aqueles correspondentes aos créditos adicionais, que foram afetados, mediante lei, a esses órgãos estatais. A prerrogativa deferida ao Legislativo, ao Judiciário e ao Ministério Público pela regra consubstanciada no art. 168 da Lei Fundamental da República objetiva assegurar-lhes, em grau necessário, o essencial coeficiente de autonomia institucional. A *ratio* subjacente a essa norma de garantia radica-se no compromisso assumido pelo legislador constituinte de conferir às instituições destinatárias do *favor constitutionis* o efetivo exercício do poder de autogoverno que irrecusavelmente lhes compete" (STF – Pleno, ADIN 732/RJ MC, rel. Min. Celso de Mello, 22.05.1992, DJ 1, 21.08.1992, p. 12.782).

"Repasse duodecimal determinado no art. 168 da Constituição. Garantia de independência, que não está sujeita à programação financeira e ao fluxo da arrecadação. Configura, ao invés, uma ordem de distribuição prioritária (não somente equitativa) de satisfação das dotações orçamentárias, consignadas ao Poder Judiciário" (STF – Pleno, MS 21.450/MT, rel. Min. Octávio Gallotti, DJ 1, 05.06.1992, p. 8.429).

"Ação direta de inconstitucionalidade. 2. Resolução editada pelo Órgão Especial do Tribunal de Justiça do Estado de São Paulo que alterou os percentuais de destinação de emolumentos relativos aos atos praticados pelos serviços notariais e de registros (Resolução n.º 196/2005). 3. Ato administrativo com caráter genérico e abstrato. Possibilidade de controle concentrado de constitucionalidade. Precedentes. 4. Supressão de parcela destinada ao Poder Executivo, que passaria a ser destinada ao Poder Judiciário. 5. Não configurada violação ao art. 98 § 2.º da Constituição Federal (com a redação dada pela Emenda Constitucional n.º 45/2004), uma vez que o referido dispositivo constitucional inclui tanto as custas e emolumentos oriundos de atividade notarial e de registro (art. 236, § 2.º, CF/88), quanto os emolumentos judiciais propriamente ditos. 6. Caracterizada a violação dos arts. 167, VI, e 168 da Constituição Federal, pois a norma impugnada autoriza o remanejamento do Poder Executivo para o Poder Judiciário sem prévia autorização legislativa. Inconstitucionalidade formal. 7. Ação direta de inconstitucionalidade julgada procedente" (STF – Pleno, ADIN 3.401/SP, rel. Min. Gilmar Mendes, j. 26.04.2006).

"O artigo 168 da Carta de República, ao disciplinar a liberação de recursos orçamentários destinados aos Poderes Legislativo, Judiciário e ao Ministério Público, toma como parâmetro o dia 20 (vinte) de cada mês, quando são creditadas as dotações que incluem recursos para pagamento de pessoal". (TRF1, AC 785.502, rel. Des. Fed. Jirair Meguerian, DJ 1, 18.10.2004, p. 65).

Art. 169. A despesa com pessoal ativo e inativo da União, dos Estados, do Distrito Federal e dos Municípios não pode exceder os limites estabelecidos em lei complementar.

§ 1.º A concessão de qualquer vantagem ou aumento de remuneração, a criação de cargos, empregos e funções ou alteração de estrutura de carreiras, bem como a admissão ou contratação de pessoal, a qualquer título, pelos órgãos e entidades da administração direta ou indireta, inclusive fundações instituídas e mantidas pelo poder público, só poderão ser feitas:

I – se houver prévia dotação orçamentária suficiente para atender às projeções de despesa de pessoal e aos acréscimos dela decorrentes;

II – se houver autorização específica na lei de diretrizes orçamentárias, ressalvadas as empresas públicas e as sociedades de economia mista.

§ 2.º Decorrido o prazo estabelecido na lei complementar referida neste artigo para a adaptação aos parâmetros ali previstos, serão imediatamente suspensos todos os repasses de verbas federais ou estaduais aos Estados, ao Distrito Federal e aos Municípios que não observarem os referidos limites.

§ 3.º Para o cumprimento dos limites estabelecidos com base neste artigo, durante o prazo fixado na lei complementar referida no *caput*, a União, os Estados, o Distrito Federal e os Municípios adotarão as seguintes providências:

I – redução em pelo menos vinte por cento das despesas com cargos em comissão e funções de confiança;

II – exoneração dos servidores não estáveis.

§ 4.º Se as medidas adotadas com base no parágrafo anterior não forem suficientes para assegurar o cumprimento da determinação da lei complementar referida neste artigo, o servidor estável poderá perder o cargo, desde que ato normativo motivado de cada um dos Poderes especifique a atividade funcional, o órgão ou unidade administrativa objeto da redução de pessoal.

§ 5.º O servidor que perder o cargo na forma do parágrafo anterior fará jus a indenização correspondente a um mês de remuneração por ano de serviço.

§ 6.º O cargo objeto da redução prevista nos parágrafos anteriores será considerado extinto, vedada a criação de cargo, emprego ou função com atribuições iguais ou assemelhadas pelo prazo de quatro anos.

§ 7.º Lei federal disporá sobre as normas gerais a serem obedecidas na efetivação do disposto no § 4.º.

Doutrina

Reforma administrativa. Convém anotar que a Emenda Constitucional n.º 19, de 4 de junho de 1998, dispôs sobre princípios e normas da Administração Pública, servidores e agentes políticos, controle de despesas e finanças públicas e custeio de atividades a cargo do Distrito Federal, tendo alcance de verdadeira reforma administrativa.

Despesa com o pagamento de servidores da Administração Pública. Dispõe o artigo 169, *caput*, que o dispêndio de dinheiro para custear a despesa com o pessoal ativo e inativo da União, dos Estados, do Distrito Federal e dos Municípios não poderá exceder os limites estabelecidos em lei complementar. Atualmente, a Lei Complementar n.º 101, de 04.05.2000 (Lei de Responsabilidade Fiscal) estabelece em 50% da receita corrente líquida o limite para a União e em 60% o limite para os Estados-membros, Distrito Federal e Municípios. A preocupação em estabelecer limite ao gasto com pessoal já vem desde a Constituição de 1967, cujo artigo 66, § 4.º, já dispunha que referida despesa não poderia ultrapassar o percentual de cinquenta por cento das receitas correntes arrecadadas.

Requisitos necessários para a outorga de vantagens a servidores públicos. Dispõe o § 1.º que a concessão de vantagem ou reajuste de remuneração, a criação de cargos, empregos e funções, bem como a alteração de estrutura de carreira, além da admissão ou contratação de servidor, a qualquer título, tanto pela administração direta quanto indireta, inclusive as fundações instituídas e mantidas pelo poder público, somente poderão ser feitas se atendidos os seguintes requisitos: *a*) existência de prévia d/otação /orçamentária suficiente para suportar as despesas com a folha de pagamento de servidores e dos acréscimos dela decorrentes como, por exemplo, despesa com o pagamento da contribuição previdenciária patronal; *b*) existência de autorização específica contida na lei de diretrizes orçamentárias.

Casos de inaplicabilidade dos requisitos acima. Não se aplicam os requisitos anteriores quando se tratar de outorga de vantagens a empregados de empresas públicas e de sociedades de economia mista, pois estas são organizadas como pessoas jurídicas de direito privado, se sujeitando ao regime jurídico próprio das empresas privadas no que se refere aos direitos e obrigações civis, comerciais, trabalhistas e tributários (art. 173, § 1.º, II), daí a maior liberdade para a organização de seus quadros profissionais e a fixação de sua política remuneratória.

Prazo de adaptação e sanção por desobediência. Trata o § 2.º de estabelecer que, decorrido o prazo fixado na lei complementar referida no *caput* para a adaptação aos limites nela previstos, serão imediatamente suspensos todos os repasses de verbas federais ou estaduais aos Estados-membros, ao Distrito Federal e aos Municípios que não observarem os referidos limites.

Verifica-se que a regra não obriga a União, somente os demais entes federados.

Medidas destinadas a reduzir a despesa com pessoal para o limite legal. Dispõe o § 3.º que, visando a dar cumprimento aos limites estabelecidos com base neste artigo, durante o prazo fixado na lei complementar referida no *caput*, a União, os Estados-membros, o Distrito Federal e os Municípios deverão adotar as seguintes medidas: *a*) reduzir em pelo menos vinte por cento as despesas com a remuneração de ocupantes de cargos em comissão e de funções de confiança; e, *b*) em sendo necessário para atingir o limite, exonerar servidores não estáveis, ou seja, aqueles admitidos sem concurso público, bem como aqueles que adquiriram estabilidade apesar de não ter prestado concurso, tanto na administração direta quanto na autárquica e fundacional após 05.10.1983 (EC 19, art. 33). A Lei n.º 9.801, de 14.06.1999, dispõe sobre as normas gerais para perda de cargo público por excesso de despesa com pessoal.

Perda do cargo por servidor estável visando redução da despesa com pessoal. Dispõe o § 4.º que, se as medidas adotadas com base no § 3.º, não forem suficientes para assegurar a redução da despesa para o percentual determinado pela lei complementar referida neste artigo, a Administração tem a faculdade de exonerar servidores estáveis, desde que ato normativo motivado de cada um dos Poderes especifique a atividade funcional, o órgão ou unidade administrativa objeto da redução de pessoal. Para tornar efetivo o comando do § 4.º, lei federal disporá sobre as normas gerais que serão obedecidas pelos entes políticos (§ 7.º).

Indenização. No caso de servidor estável, quer dizer, ocupante de cargo em face de nomeação decorrente de aprovação em concurso público, ocorrendo sua exoneração, deverá ser indenizado em valor correspondente a um mês de remuneração por ano de serviço. De fato, é esta a regra geral; contudo, a jurisprudência tem reconhecido o direito à indenização também para servidores não estáveis, admitidos após 05.10.1983, porém contando com mais de dez anos de serviço na data da demissão, operando-se, assim, a igualdade com os servidores estáveis.

Extinção de cargos. Conforme disposto no § 6.°, o cargo objeto da redução prevista nos parágrafos anteriores (3.° e 4.°) será considerado extinto, sendo vedada a criação de cargo, emprego ou função com atribuições iguais ou assemelhadas pelo prazo de quatro anos.

Jurisprudência

"Agravo regimental em mandado de injunção. Alteração do equilíbrio atuarial. Ofensa aos arts. 195, § 5.°, e 169 da Constituição Federal. Agravo regimental a que se nega provimento. 1. Há necessidade de atuação normativa da União para edição de norma reguladora de caráter nacional. Precedente: MI n.° 1.832/DF. 2. Em sede injuncional, o Supremo Tribunal Federal exerce a função de garantir a eficácia da Constituição Federal, reconhecendo um direito nela previamente definido (art. 40, § 4.°, da CF/88, sem se substituir ao Poder Legislativo, o qual, no momento de edição da norma in abstrato, terá em conta a administração financeira do Estado e as políticas públicas adequadas para uma melhor realização do orçamento, fixando a fonte de custeio e restabelecendo o equilíbrio atuarial do sistema. 3/. Agravo regimental a que se nega provimento" (STF – Pleno, MI 3.983/SP AgRg, rel. Min. Dias Toffoli, j. 19.09.2013).

"Servidor Público: direito à incorporação de vantagem pessoal: limite de despesas de pessoal do Estado previsto no art. 169 da Constituição Federal. O art. 169 da Constituição não é oponível ao direito subjetivo do servidor ou inativo a determinada vantagem: não está na violação de direitos subjetivos o caminho legítimo para reduzir ao limite decorrente daquela preceito as despesas de pessoal do Estado" (STF – 1.ª Turma, AgI 363.169/PB AgRg, rel. Min. Sepúlveda Pertence, j. 08.10.2002).

"1. A Lei de Responsabilidade Fiscal, que regulamentou o art. 169 da Constituição Federal de 1988, ao fixar os limites de despesas com pessoal dos entes públicos, não pode servir de fundamento para elidir o direito dos servidores públicos de perceber vantagem já assegurada por lei. Precedentes. 2. Não há como admitir a alegada divergência jurisprudencial ante a ausência de similitude fática entre o aresto vergastado e os acórdãos apontados paradigmas. Descumpridas, portanto, as exigências do art. 541, parágrafo único, do Código de Processo Civil, e do art. 255 do Regimento Interno do Superior Tribunal de Justiça, não comporta conhecimento o recurso especial interposto pela alínea c, incidindo, na espécie, o óbice da Súmula n.º 284 do Supremo Tribunal Federal. 3. Recurso parcialmente conhecido e, nessa extensão, desprovido" (STJ – 5.ª Turma, REsp 726.772, rel. Min. Laurita Vaz, DJE, 15.06.2009).

"Pessoal – Despesas – Limite – Adequação. Não se há de promover redução de vencimentos visando a harmonizar a despesa total com pessoal ativo e inativo da União com certo teto" (STF – Pleno, ADIN 1.396-3/SC, rel. Min. Marco Aurélio, DJ 1, 07.08.1998, p. 19).

"A Lei de Responsabilidade Fiscal, em respeito ao artigo 163, incisos I, II, III e IV, e ao artigo 169 da Constituição Federal, visando uma gestão fiscal responsável, endereça-se indistintamente a todos os titulares de órgão ou poder, agentes políticos ou servidores públicos, conforme se infere do artigo 1.º, § 1.º e 2.º da referida lei" (STJ – 2.ª Turma, REsp 1.170.241, rel. Min. Mauro Campbell Marques, DJE, 14.12.2010).

"Os servidores substituídos ingressaram no serviço público estadual depois de 05.10.83 e por essa razão não estariam amparados pela estabilidade, nos termos da Constituição de 1988, entretanto, cuidam-se de servidores com mais de 10 anos de serviço que foram simplesmente exonerados. Por força da Lei n.º 8.112/90, art. 243, § 7.º, c/c art. 2.º, inciso V da Lei n.º 9.801/99, é devida indenização de um mês de remuneração por ano de efetivo exercício (igualdade de tratamento com os estáveis, para fins da referida quitação)" (STJ – 5.ª Turma, ROMS 12.549, rel. Min. Edson Vidigal, DJ, 04.02.2002, p. 425).

TÍTULO VII
DA ODEM ECONÔMICA E FINANCEIRA

CAPÍTULO I
DOS PRINCÍPIOS GERAIS DA ATIVIDADE ECONÔMICA

Art. 170. A ordem econômica, fundada na valorização do trabalho humano e na livre iniciativa, tem por fim assegurar a todos existência digna, conforme os ditames da justiça social, observados os seguintes princípios:

I – soberania nacional;

II – propriedade privada;

III – função social da propriedade;

IV – livre concorrência;

V – defesa do consumidor;

VI – defesa do meio ambiente, inclusive mediante tratamento diferenciado conforme o impacto ambiental dos produtos e serviços e de seus processos de elaboração e prestação;

VII – redução das desigualdades regionais e sociais;

VIII – busca do pleno emprego;

IX – tratamento favorecido para as empresas de pequeno porte constituídas sob as leis brasileiras e que tenham sua sede e administração no País.

Parágrafo único. É assegurado a todos o livre exercício de qualquer atividade econômica, independentemente de autorização de órgãos públicos, salvo nos casos previstos em lei.

Doutrina

Ordem econômica e financeira. Significa a ordenação no plano constitucional dos meios voltados à produção, à distribuição e ao consumo de bens e serviços obtidos a partir da combinação de recursos humanos e de capital, com a finalidade de gerar riqueza no âmbito de um sistema capitalista fundado na propriedade privada e na liberdade de iniciativa, mitigado, porém, com a instituição de mecanismos destinados a assegurar a livre concorrência, a coibir os monopólios e a assegurar a valorização do trabalho humano como relevante valor social. A matéria, no direito brasileiro, vem sendo tratada desde a Constituição de 1934 (arts. 115 e 116), dela cuidando também as Cartas de 1937 (art. 135); 1946 (arts. 145 e 146); 1967 (art. 157); 1969 (arts. 160 a 164) e a atual Carta Política, que aborda o assunto em quatro capítulos: um sobre os princípios gerais da atividade econômica (arts. 170 a 181), outro sobre a política urbana (arts. 182 e 183), ainda outro sobre a política agrícola e fundiária e a reforma agrária (arts. 184 a 191) e um último capítulo sobre o sistema financeiro nacional (art. 192). Este detalhamento da matéria é que leva parte dos doutrinadores a atestar a existência de uma constituição econômica integrada ao todo da constituição política.

Fundamentos e finalidade da ordem econômica. Dispõe o artigo 170, *caput*, que a ordem econômica instituída pela Constituição tem os seus pilares na valorização do trabalho humano, no sentido de que se trata de fator de produção e como tal deve merecer a retribuição pecuniária e a proteção devidas, e na livre iniciativa, entendida como liberdade de empreender, por conta e risco, visando a produção de riqueza. A sua finalidade é a de assegurar a toda pessoa existência digna, ou seja, garantir a todos o acesso aos bens e serviços minimamente necessários para uma vida decente.

Princípios da ordem econômica. São os seguintes os princípios norteadores da ordem econômica instituída na Constituição de 1988: *a*) soberania nacional – a economia do país deve ser reverente aos interesses nacionais e a atuação dos agentes econômicos deve buscar o seu fortalecimento para fazer frente aos desafios do processo de globalização e extrair deste as vantagens comparativas possíveis e proteger-se da concorrência global de natureza predatória; *b*) propriedade privada – a ordem econômica fundada na propriedade privada reconhece a natureza capitalista do sistema; *c*) função social da propriedade – em pese assegurar o direito de propriedade, o legislador constituinte submete-a ao cumprimento de sua função social, ou seja, de ser destinada à consecução de um interesse coletivo, *v.g.*, a produção de alimentos, a proteção de área de preservação permanente, a proteção de nascentes etc.; *d*) livre concorrência – anteriormente mencionada como liberdade de iniciativa, destina-se a garantir que os agentes econômicos atuem num ambiente de livre competição assegurado por meio de leis antitrustes e que coíbam os monopólios e outros meios de exercício ilegal da atividade econômica, como os cartéis e os oligopólios; *e*) defesa do consumidor – ou seja, de pessoa física ou jurídica, tomadora de serviços ou compradora de bens para consumo final de fornecedor de qualquer natureza ou procedência, assegurando a lei, no caso, o Código de Defesa do Consumidor, a proteção jurídica necessária contra abuso cometido por estes; *f*) defesa do meio ambiente – significa que o poder público deverá atuar no sentido de limitar ou coibir o exercício de qualquer atividade econômica danosa ao meio ambiente, podendo, inclusive, estabelecer tratamento diferenciado a agentes econômicos segundo o impacto ambiental gerado pelos seus produtos e serviços ou seus processos de elaboração e prestação; *g*) redução das desigualdades regionais e sociais – trata-se também de um dos objetivos fundamentais consagrados no artigo 3.º, III, da Constituição Federal e aqui significa que a ordem econômica orientará a consecução de negócios e investimentos com o objetivo de reduzir tais desigualdades; *h*) busca do pleno emprego – em uma economia dinâmica, a aceleração da atividade produtiva aumenta a demanda por mão de obra. Contudo, tem o Estado relevante papel indutor visando a garantir altas taxas de emprego por meio da execução de políticas públicas voltadas para esse fim, como, por exemplo, a realização de obras de infraestrutura; *i*) tratamento favorecido para as empresas de pequeno porte constituídas sob as leis brasileiras e que tenham sua sede e administração no País – este princípio tem por finalidade assegurar condições para o crescimento da pequena empresa no país, principalmente por meio da adoção de políticas de favorecimento fiscal e tributário.

Liberdade de iniciativa. O parágrafo único do artigo em comento assegura o livre exercício de atividade econômica, independentemente de autorização do poder público, ressalvado os casos expressamente previstos em lei. Esta norma é desdobramento da garantia inscrita no artigo 5.º, inciso XIII, que dispõe ser livre o exercício de qualquer trabalho, ofício ou profissão, atendidas as qualificações profissionais que a lei estabelecer. Certamente, atividades existem que, por sua natureza, devem ter o seu funcionamento autorizado pelo órgão competente; porém, esses casos devem limitar-se àqueles que interesse coletivo, como a segurança interna, ou interesse nacional, como segurança externa, que justifique a necessidade de autorização.

Direitos de liberdade econômica. Nos termos da Lei n.º 13.874, de 20 de setembro de 2019, fica instituída a Declaração de Direitos de Liberdade Econômica, que trata de estabelecer normas de proteção à livre iniciativa e ao livre exercício de atividade econômica e dispor sobre a atuação do Estado como agente normativo e regulador da atividade econômica, conforme inscrito no inciso IV do *caput* do artigo 1.º, parágrafo único do artigo 170 e do *caput* do artigo 174 do corpo permanente da Constituição Federal.

Princípios ordenadores da presente declaração. São princípios de ordenação do disposto naquela lei: *a*) a liberdade como garantia do exercício da atividade econômica; *b*) a boa-fé do particular perante o poder público (evidente que se trata de princípio fundado na reciprocidade); *c*) a intervenção, de forma subsidiária e excepcional, do Estado sobre o exercício da atividade econômica; *d*) o reconhecimento da condição de vulnerável do particular em face do Estado.

Direitos de liberdade econômica. Dispõe a declaração (art. 3.º) que são direitos de toda pessoa, natural ou jurídica, essenciais para o desenvolvimento e o crescimento do país, observado o contido no parágrafo único do artigo 170 da Constituição Federal: *a*) o desenvolver atividade econômica de baixo risco sem autorização de qualquer autoridade pública; *b*) exercer atividade econômica em período de sua conveniência, observadas as normas de proteção do meio ambiente, as restrições de contrato ou regulamentos e a legislação trabalhista; *c*) definir, exceto em mercados regulados, os preços de produtos e serviços; *d*) receber da autoridade pública tratamento análogo ao dispensado em casos anteriores para a prática de atos de liberação de sua atividade econômica; *e*) gozar da presunção de boa-fé com relação aos atos praticados no exercício da atividade econômica; *f*) criar e comercializar novos produtos ou serviços segundo nova regulação; *g*) ter a garantia que seus negócios serão pactuados livremente, conforme o avençado entre as partes, salvo os casos de normas de ordem pública; *h*) ver garantidas, nas solicitações de atos públicos de liberação econômica, que, cumpridos todos os requisitos, suas demandas serão apreciadas dentro do prazo estipulado, importando o silêncio da autoridade aprovação tácita, salvo as hipóteses proibidas em lei; *i*) arquivar qualquer documento por meio de microfilme ou por outro meio digital adequado para fins de prova de qualquer ato de direito público; *j*) não ser exigida medida ou prestação compensatória ou mitigatória abusiva em casos de estudos de impacto ou outras liberações de atividade econômica no âmbito do direito urbanístico; *l*) não ser exigida pela administração pública direta ou indireta certidão sem previsão expressa em lei.

Das garantias de livre iniciativa. Dispõe o artigo 4.° da declaração de direitos de liberdade econômica que é dever da administração pública (direta e indireta) e demais entes a ela vinculados evitarem o abuso do poder regulatório de forma a, indevidamente: *a*) criar reserva de mercado que favoreça grupo econômico ou profissional em prejuízo de concorrentes; *b*) criar norma que impeça a entrada de competidores, nacionais ou estrangeiros, no mercado; *c*) exigir especificação técnica que não seja necessária para atingir os fins desejados; *d*) criar norma que impeça ou retarde a inovação e a adoção de novas tecnologias; *e*) aumentar os custos de transação sem demonstração de benefícios; *f*) criar demanda artificial ou compulsória de produto, serviço ou atividade profissional, inclusive de uso de cartórios, registros ou cadastros; *g*) tentar limitar a criação de novas sociedades empresariais ou de atividades econômicas; *h*) restringir o uso da publicidade e da propaganda por setor econômico, salvo as hipóteses vedadas em lei federal; *i*) exigir, sob o pretexto de inscrição tributária, requerimentos de outra natureza de maneira a reduzir os efeitos pretendidos com o desenvolvimento de atividade econômica de baixo risco, cuja classificação mínima será feita por ato do Poder Executivo federal.

Análise de impacto regulatório. As propostas de edição ou de alteração de atos normativos de interesse geral de agentes econômicos serão precedidas, na forma do regulamento, de estudos e análise de impacto regulatório, que deverá conter informações e dados sobre os eventuais efeitos do ato normativo pretendido para a verificação da razoabilidade do seu impacto econômico.

Jurisprudência

"1. A intervenção estatal na economia como instrumento de regulação dos setores econômicos é consagrada pela Carta Magna de 1988. 2. Deveras, a intervenção deve ser exercida com respeito aos princípios e fundamentos da ordem econômica, cuja previsão resta plasmada no art. 170 da Constituição Federal, de modo a não malferir o princípio da livre iniciativa, um dos pilares da república (art. 1.º da CF/1988)" (STF – 1.ª Turma, RE 632.644 AgRg, rel. Min. Luiz Fux, j. 10.04.2012).

"I. A intervenção estatal na economia, mediante regulamentação e regulação de setores econômicos, faz-se com respeito aos princípios e fundamentos da Ordem Econômica. CF, art. 170. O princípio da livre iniciativa é fundamento da República e da Ordem econômica: CF, art. 1.º, IV; art. 170. II. Fixação de preços em valores abaixo da realidade e em desconformidade com a legislação aplicável ao setor: empecilho ao livre exercício da atividade econômica, com desrespeito ao princípio da livre iniciativa" (STF – 2.ª Turma, RE 422.941/DF, rel. Min. Carlos Velloso, j. 06.12.2005).

"Em face da atual Constituição, para conciliar o fundamento da livre iniciativa e do princípio da livre concorrência com os da defesa do consumidor e da redução das desigualdades sociais, em conformidade com os ditames da justiça social, pode o Estado, por via legislativa, regular a política de preços de bens e de serviços, abusivo que é o poder econômico que visa ao aumento arbitrário dos lucros" (STF – Pleno – ADIN 319/DF QO, rel. Min. Moreira Alves, DJ 1, 30.04.1993, p. 7.563).

"Lei municipal que proíbe a instalação de nova farmácia a menos de 500 metros de estabelecimento da mesma natureza. Extremo a que não se pode levar a competência municipal para o zoneamento da cidade, por redundar em reserva de mercado, ainda que relativa, e, consequentemente, em afronta aos princípios da livre concorrência, da defesa do consumidor e da liberdade do exercício das atividades econômicas, que informam o modelo de ordem econômica consagrado pela Carta da República (art. 170 e parágrafo, da CF)". (STF – 1.ª Turma, RE 203.909/SC, rel. Min. Ilmar Galvão, j. 14.10.1997).

"Esta Corte tem historicamente confirmado e garantido a proibição constitucional às sanções políticas, invocando, para tanto, o direito ao exercício de atividades econômicas e profissionais lícitas (art. 170, par. ún., da Constituição), a violação do devido processo legal substantivo (falta de proporcionalidade e razoabilidade de medidas gravosos que se predispõem a substituir os mecanismos de cobrança de créditos tributários) e a violação do devido processo legal manifestado no direito de acesso aos órgãos do Executivo ou do Judiciário tanto para controle da validade dos créditos tributários, cuja inadimplência pretensamente justifica a nefasta penalidade, quanto para controle do próprio ato que culmina na restrição. É inequívoco, contudo, que a orientação firmada pelo Supremo Tribunal Federal não serve de escusa ao deliberado e temerário desrespeito à legislação tributária. Não há que se falar em sanção política se as restrições à prática de atividade econômica objetivam combater estruturas empresariais que têm na inadimplência tributária sistemática e consciente sua maior vantagem concorrencial. Para ser tida como inconstitucional, a restrição ao exercício de atividade econômica deve ser desproporcional e não-razoável" (STF – Pleno, ADIN 173/DF, rel. Min. Joaquim Barbosa, j. 25.09.2008).

"1. O exercício de qualquer atividade econômica pressupõe o atendimento aos requisitos legais e às limitações impostas pela Administração no regular exercício de seu poder de polícia, principalmente quando se trata de distribuição de combustíveis, setor essencial para a economia moderna. 2. O princípio da livre iniciativa não pode ser invocado para afastar regras de regulamentação do mercado e de defesa do consumidor. O DL 395/38 foi editado em conformidade com o art. 180 da CF de 1936 e, na inexistência da lei prevista no art. 238 da Carta de 1988, apresentava-se como diploma plenamente válido para regular o setor de combustíveis" (STF – 2.ª Turma, RE 349.686/PE, rel. Min. Ellen Gracie, j. 14.06.2005).

"1. A CIDE foi criada com o propósito de financiar o Programa de Estímulo à Integração Universidade-Empresa e apoiar a inovação científica e tecnológica, sendo que os recursos arrecadados seriam destinados ao Fundo Nacional de Desenvolvimento Científico e Tecnológico. 2. Esse objetivo se coaduna com as políticas da ordem econômica e financeira e os objetivos fundamentais da República, consagrados na Magna Carta, de sorte que o apoio ao desenvolvimento tecnológico, através de programas de fomento à capacitação tecnológica e à pesquisa científica, se traduz em medida tendente a minimizar as desigualdades sociais e regionais existentes, incrementar a cadeia produtiva e garantir melhores condições de trabalho" (TRF3 – 4.ª Turma, AC 312.622/SP, rel. Des. Fed. Marcelo Saraiva, e-DJF3, 04.12.2018).

"Agravo regimental. Esta Corte, no julgamento da ADI 2.591, considerou aplicáveis às instituições financeiras as normas constantes do Código de Defesa do Consumidor. Entretanto, a análise da onerosidade excessiva da taxa fixada no contrato é vedada pelo contido na Súmula 279 desta Corte. Agravo regimental a que se nega provimento" (STF – 2.ª Turma, AgI 608.884/RS AgRg, rel. Min. Joaquim Barbosa, j. 09.12.2008).

"A incolumidade do meio ambiente não pode ser comprometida por interesses empresariais nem ficar dependente de motivações de índole meramente econômica, ainda mais se se tiver presente que a atividade econômica, considerada a disciplina constitucional que a rege, está subordinada, dentre outros princípios gerais, àquele que privilegia a 'defesa do meio ambiente' (CF, art. 170, VI), que traduz conceito amplo e abrangente das noções de meio ambiente natural, de meio ambiente cultural, de meio ambiente artificial (espaço urbano) e de meio ambiente laboral. Precedentes. Os instrumentos jurídicos de caráter legal e de natureza constitucional objetivam viabilizar a tutela efetiva do meio ambiente, para que não se alterem as propriedades e os atributos que lhe são inerentes, o que provocaria inaceitável comprometimento da saúde, segurança, cultura, trabalho e bem-estar da população, além de causar graves danos ecológicos ao patrimônio ambiental, considerado este em seu aspecto físico ou natural" (STF – Pleno, ADIN 3540/DF MC, rel. Min. Celso de Mello, j. 01.09.2005).

"(...). 2. Os valores sociais do trabalho constituem: a) fundamento da República Federativa do Brasil (inciso IV do artigo 1.º da CF); b) alicerce da Ordem Econômica, que tem por finalidade assegurar a todos existência digna, conforme os ditames da justiça social e, por um dos seus princípios, a busca do pleno emprego (artigo 170, *caput* e inciso VIII); c) base de toda a Ordem Social (artigo 193). Esse arcabouço principiológico, densificado em regras como a do inciso I do artigo 7.º da Magna Carta e as do artigo 10 do ADCT/88, desvela um mandamento constitucional que perpassa toda relação de emprego, no sentido de sua desejada continuidade" (STF – Pleno, ADIN 1.721/DF, rel. Min. Carlos Britto, j. 11.10.2006).

"(...). 3. A constitucionalização da valorização do trabalho humano importa que sejam tomadas medidas adequadas a fim de que metas como busca do pleno emprego (explicitamente consagrada no art. 170, VIII), distribuição equitativa e justa de renda e ampliação do acesso a bens e serviços sejam alcançadas. Além disso, valorizar o trabalho humano, conforme o preceito constitucional, significa defender condições humanas de trabalho, além de se preconizar por justa remuneração e defender o trabalho de abusos que o capital possa desarrazoadamente proporcionar" (STJ – 1.ª Turma, REsp 975.322, rel. Min. Luiz Fux, DJE, 03.11.2008).

"(...). Estabelece, ainda, o artigo 170, VII, da Constituição Federal de 1988 que a ordem econômica, fundada na valorização do trabalho humano e na livre iniciativa, tem por fim assegurar a todos existência digna, conforme os ditames da justiça social, observados o princípio da redução das desigualdades regionais e sociais" (TRF3 – 6.ª Turma, AC 426.976/SP, rel. Des. Fed. Lazarano Neto, DJF3, 16.06.2008).

"I. É necessária a colocação de etiquetas em todos os produtos, mesmo se adotado mecanismo de código de barras com os esclarecimentos nas gôndolas correspondentes. II. Por ser assegurado ao consumidor o direito de informação adequada e clara sobre os diferentes produtos e serviços, não há que se falar em 'intervenção abusiva no domínio econômico', com desrespeito aos arts. 1.º, IV, 170, *caput* e inciso II, e 174, *caput*, todos da CF/1988, porque incensurável o despacho proferido pelo Excelentíssimo Ministro de Estado da Justiça, publicado no DO 1, de 14-8-1998" (STJ – 1.ª Seção, MS 5.943/DF, rel. Min. Nancy Andrighi, DJ 1, 27.03.2000).

Art. 171. *(Revogado pela Emenda Constitucional n.º 6, de 15.08.1995).*

Art. 172. A lei disciplinará, com base no interesse nacional, os investimentos de capital estrangeiro, incentivará os reinvestimentos e regulará a remessa de lucros.

Doutrina

Disciplina do capital estrangeiro. Dispõe a norma inscrita no artigo 172 que a disciplina dos investimentos e reinvestimentos de capital estrangeiro no país, além da remessa de lucros para o exterior, será feita por meio de lei, norma primária emanada do Congresso Nacional, tendo em conta a defesa do interesse nacional. Trata-se, pois, apenas de disciplinar o ingresso do capital estrangeiro no país, sua permanência, por meio de reinvestimentos e, evidentemente, a remessa de lucros para os detentores estrangeiros desse capital, que se constitui em fonte de financiamento para viabilizar o crescimento da economia, complementando a poupança interna em larga escala, conquanto esta se mostra insuficiente para atender a demanda de recursos pelos vários setores da atividade produtiva.

Jurisprudência

> "(...). 9. Com a revogação explícita do art. 171 da Constituição pela EC 6/1995, caíram as discriminações contra empresas brasileiras fundadas na origem do seu capital, salvo raros casos objeto de tratamento constitucional específico. A partir desse momento, a lei não mais pode discriminar empresa brasileira de capital nacional de empresa brasileira de capital estrangeiro, ou seja, desde que uma empresa seja brasileira (constituída no Brasil e sujeita às leis brasileiras) a origem do seu capital é irrelevante. A discriminação só seria possível, hoje, nos casos previstos na própria Constituição, como ocorre com as empresas jornalísticas e de radiodifusão sonora e de sons e imagens, objeto de tratamento especial no artigo 222 da Carta. 10. É certo que o art. 172 da Constituição estabelece que 'a lei disciplinará, com base no interesse nacional, os investimentos de capital estrangeiro, incentivará os reinvestimentos e regulará a remessa de lucros'. Tal dispositivo, entretanto, não deve receber interpretação que permita restrições em setores não explicitamente previstos na Constituição, pois isso nulificaria a revogação do art. 171 pela EC 6/1995"

(STJ – 1.ª Seção, MS 19.088, rel. Min. Herman Benjamin, DJE, 03.02.2017).

"A Lei n.º 4.131, de 3 de setembro de 1962, que disciplina a aplicação do capital estrangeiro no país, bem como a remessa de valores para o exterior, instituiu (art. 3.º), junto à antiga Superintendência da Moeda e do Crédito, hoje Banco Central do Brasil, um serviço especial de registro de capitais estrangeiros, qualquer que seja sua forma de ingresso no país, bem como de operações financeiras com o exterior, para anotação do ingresso de investimentos diretos ou de empréstimos; remessas, em geral, feitas para o exterior; reinvestimentos de lucros do capital estrangeiro; e as alterações do valor monetário do capital das empresas procedidas na forma da legislação em vigor. Referido registro tem função escritural e de controle do ingresso do capital estrangeiro no país, sua destinação e forma de investimento, bem como das remessas para o exterior de recursos, com o retorno desses capitais ou de seus frutos, sendo evidente o interesse nacional ínsito nessa atividade registral da autoridade monetária, responsável pela gestão das nossas reservas cambiais. Da inteligência da norma legal, conclui-se que, qualquer que seja a forma de ingresso no país, do capital estrangeiro, deve, a autoridade monetária, desincumbir-se de sua atividade registral, sem impor condições outras que a lei não estabeleceu". (TRF3 – Turma Suplementar da 2.ª Seção, AMS 70.353/SP, rel. Juiz Federal Valdeci dos Santos, DJF3, 06.05.2008).

"Consolidada a jurisprudência, a partir de precedentes do Superior Tribunal de Justiça e desta Corte, com enfoque legal e constitucional, firme no sentido de que o investimento estrangeiro com participação em capital social, disciplinado pelo Banco Central do Brasil, exige a celebração de contrato de câmbio, em que incide a CPMF (artigo 2.º da Lei n.º 9.311/96), pois, os respectivos fatos geradores relacionam-se não apenas ao lançamento, liquidação e pagamento mediante circulação física de créditos, direitos e valores, como igualmente a outras formas de movimentação ou transmissão, ainda que apenas escritural, e mesmo que sem alteração de titularidade dos créditos, direitos e valores". (TRF3 – AMS 312.719/SP, rel. Des. Fed. Carlos Muta, DJF3, 09.06.2009, p. 146).

Art. 173. Ressalvados os casos previstos nesta Constituição, a exploração direta de atividade econômica pelo Estado só será permitida quando necessária aos imperativos da segurança nacional ou a relevante interesse coletivo, conforme definidos em lei.

§ 1.º A lei estabelecerá o estatuto jurídico da empresa pública, da sociedade de economia mista e de suas subsidiárias que explorem atividade econômica de produção ou comercialização de bens ou de prestação de serviços, dispondo sobre:

I – sua função social e formas de fiscalização pelo Estado e pela sociedade;

II – a sujeição ao regime jurídico próprio das empresas privadas, inclusive quanto aos direitos e obrigações civis, comerciais, trabalhistas e tributários;

III – licitação e contratação de obras, serviços, compras e alienações, observados os princípios da administração pública;

IV – a constituição e o funcionamento dos conselhos de administração e fiscal, com a participação de acionistas minoritários;

V – os mandatos, a avaliação de desempenho e a responsabilidade dos administradores.

§ 2.º As empresas públicas e as sociedades de economia

mista não poderão gozar de privilégios fiscais não extensivos às do setor privado.

§ 3.º A lei regulamentará as relações da empresa pública com o Estado e a sociedade.

§ 4.º A lei reprimirá o abuso do poder econômico que vise à dominação dos mercados, à eliminação da concorrência e ao aumento arbitrário dos lucros.

§ 5.º A lei, sem prejuízo da responsabilidade individual dos dirigentes da pessoa jurídica, estabelecerá a responsabilidade desta, sujeitando-a às punições compatíveis com sua natureza, nos atos praticados contra a ordem econômica e financeira e contra a economia popular.

Doutrina

Exploração da atividade econômica pelo Estado. Reafirmando a organização capitalista da ordem econômica, o artigo 173, *caput*, após ressalvar os casos já previstos na Constituição, dispõe que a exploração direta de atividade econômica pelo Estado somente será admitida quando necessária aos imperativos da segurança nacional ou a relevante interesse coletivo, na forma definida em lei. São, portanto, duas as hipóteses que autorizam o exercício de atividade econômica pelo Estado: *a)* a primeira, quando a atividade empresarial se fizer necessária aos imperativos da segurança nacional, quer dizer, essencial para a defesa do país contra ameaça interna e, principalmente, externa; *b)* a segunda, quando o exercício da atividade empresarial se fizer necessária a relevante interesse coletivo, ou seja, à consecução de interesse essencial para a vida em comunidade. Não basta que seja desejável a iniciativa do Estado, a norma constitucional exige que a iniciativa seja necessária, dotada de essencialidade, pois somente assim restará legitimada a exploração direta da atividade econômica pelo Estado. Quanto às ressalvas feitas pela norma constitucional, dizem respeito à exploração de atividades objeto de monopólio, como, por exemplo, a indústria da refinação de petróleo (art. 177, II); a indústria do transporte marítimo de petróleo (art. 177, III); a indústria da pesquisa, da lavra, do enriquecimento, do reprocessamento de minérios e minerais nucleares (art. 177, V).

Estatuto jurídico das empresas estatais. Dispõe o § 1.° da norma em comento que lei ordinária disporá sobre o estatuto jurídico da empresa pública, da sociedade de economia mista e de suas subsidiárias que explorem atividade econômica de produção ou comercialização de bens ou de prestação de serviços, definindo o seguinte: *a*) função social da empresa e mecanismos de fiscalização pelos órgãos do Estado e pela sociedade; *b*) submissão da empresa estatal ao mesmo regime jurídico aplicado às empresas privadas, principalmente quanto aos direitos e obrigações de natureza civil e comercial, obrigações trabalhistas e encargos tributários; *c*) submissão ao regime de licitação para contratar obras e serviços, realizar compras ou efetuar alienação de bens, observados os princípios norteadores da administração pública previstos no artigo 37, *caput*, da Constituição; *d*) constituição e funcionamento dos conselhos de administração e fiscal, assegurada, em ambos, a participação de representantes de acionistas minoritários; e *e*) disposição sobre mandatos, mecanismo de escolha de dirigentes e duração, normas de avaliação de desempenho e regras de responsabilidade dos administradores.

Benefícios fiscais. A norma do § 2.° não proíbe a concessão de benefícios fiscais para as empresas públicas e as sociedades de economia mista. O que veda é a concessão àquelas de privilégios fiscais não extensivos também às empresas privadas. Sob essa ótica, trata-se de estabelecer tratamento isonômico entre as empresas estatais e as privadas visando, inclusive, garantir condições para permitir a concorrência entre elas. Evidentemente, qualquer favor fiscal há de ser criado por lei do ente concedente.

Relações entre empresas públicas, Estado e sociedade. Na verdade, esta preocupação do § 3.° já está contida no § 1.°, que dispõe sobre um estatuto jurídico das empresas estatais e nada obsta que as regras de relacionamento da empresa pública com o Estado e com a sociedade estejam nele previstas, ainda que se compreenda que o legislador constituinte pretendeu estabelecer uma maior aproximação entre a empresa pública – cujo capital é estatal na sua totalidade – e a sociedade, origem primeira dos recursos públicos extraídos de todos os segmentos sociais por meio da cobrança de tributos.

Repressão ao abuso do poder econômico. Dispõe o § 4.º que a lei deverá reprimir o abuso do poder econômico, expressando que este ocorre por meio da dominação dos mercados, com a adoção de políticas de monopólios, cartéis, trustes e outras formas de concentração de mercados, com a eliminação da concorrência que decorre daquelas práticas, implicando o sucesso delas no aumento arbitrário dos lucros. É que as empresas que se valem desses expedientes acabam assumindo posição tal de poder que podem impor ao mercado a prática de preços abusivos, assegurando com isso margem abusiva de lucro, o que seria inviável num mercado de livre concorrência. Presentemente, várias leis dispõem sobre a matéria, *v.g.*, a Lei n.º 1.521, de 26.12.1951, que trata da defesa da economia popular; a Lei n.º 12.529, de 30.11.2011, que dispõe sobre medidas antitruste e reprime infrações à ordem econômica; e a Lei n.º 13.874, que institui a Declaração de Direitos de Liberdade Econômica e estabelece garantias de livre mercado. Por último, cabe mencionar que a repressão ao abuso do poder econômico é empreendida, no âmbito do Governo Federal, pela Secretaria de Direito Econômico, que funciona como instância prévia ao julgamento dos processos do Conselho Administrativo de Defesa Econômica – CADE, autarquia federal, com a finalidade de prevenir, apurar e reprimir abusos do poder econômico no país.

Responsabilidade por crimes praticados contra a ordem econômica. A norma contida no § 5.º dispõe que, ressalvada a responsabilidade individual dos dirigentes das pessoas jurídicas, a lei definirá a responsabilidade desses entes, que responderão pelas condutas praticadas contra a ordem econômica e financeira e contra a economia popular, sujeitando-se a punições compatíveis com sua natureza, ou seja, ficarão sujeitas ao cumprimento de penas de multa, de suspensão ou interdição de direitos, de prestação social alternativa e até de perda de bens (CF, art. 5.º, XLVI).

Jurisprudência

> "O juízo de conveniência, quanto a permanecer o Estado na exploração de certa atividade econômica, com a utilização da forma da empresa pública ou da sociedade de economia mista, há de concretizar-se em cada tempo e a vista do relevante interesse coletivo ou de imperativos da segurança nacional. Não será, destarte, admissível, no sistema da Constituição Federal que norma de Constituição estadual proíba, no Estado-membro, possa este reordenar, no âmbito da própria competência, sua posição na economia, transferindo à iniciativa privada atividades indevidas ou desnecessariamente exploradas pelo setor público. Não pode o constituinte estadual privar os Poderes Executivo e Legislativo do normal desempenho de suas atividades institucionais, na linha do que estabelece a Constituição Federal, aplicável aos Estados-membros" (STF – Pleno, ADIN 234/RJ, rel. Min. Néri da Silveira, j, 25.04.2000).
>
> "1. O serviço postal – conjunto de atividades que torna possível o envio de correspondência, ou objeto postal, de um remetente para endereço final e determinado – não consubstancia atividade econômica em sentido estrito. Serviço postal é serviço público. 2. A atividade econômica em sentido amplo é gênero que compreende duas espécies, o serviço público e a atividade econômica em sentido estrito. Monopólio é de atividade econômica em sentido estrito, empreendida por agentes econômicos privados. A exclusividade da prestação dos serviços públicos é expressão de uma situação de privilégio. Monopólio e privilégio são distintos entre si; não se os deve confundir no âmbito da linguagem jurídica, qual ocorre no vocabulário vulgar. 3. A Constituição do Brasil confere à União, em caráter exclusivo, a exploração do serviço postal e o correio aé-

reo nacional (artigo 20, inciso X). 4. O serviço postal é prestado pela Empresa Brasileira de Correios e Telégrafos – ECT, empresa pública, entidade da Administração Indireta da União, criada pelo decreto-lei n. 509, de 10 de março de 1969. 5. É imprescindível distinguirmos o regime de privilégio, que diz com a prestação dos serviços públicos, do regime de monopólio sob o qual, algumas vezes, a exploração de atividade econômica em sentido estrito é empreendida pelo Estado. 6. A Empresa Brasileira de Correios e Telégrafos deve atuar em regime de exclusividade na prestação dos serviços que lhe incumbem em situação de privilégio, o privilégio postal. 7. Os regimes jurídicos sob os quais em regra são prestados os serviços públicos importam em que essa atividade seja desenvolvida sob privilégio, inclusive, em regra, o da exclusividade. 8. Arguição de descumprimento de preceito fundamental julgada improcedente por maioria. O Tribunal deu interpretação conforme à Constituição ao artigo 42 da Lei n. 6.538 para restringir a sua aplicação às atividades postais descritas no artigo 9.º desse ato normativo". (STF – Pleno, ADPF 46/DF, rel. Min. Marco Aurélio, j. 05.08.2009).

"A submissão ao regime jurídico das empresas do setor privado, inclusive quanto aos direitos e obrigações tributárias, somente se justifica, como consectário natural do postulado da livre concorrência (CF, art. 170, IV), se e quando as empresas governamentais explorem atividade econômica em sentido estrito não se aplicando, por isso mesmo, a disciplina prevista no art. 173, § 1.º, da Constituição às empresas públicas (caso da INFRAERO), às sociedades de economia mista e suas subsidiárias que se qualifiquem como delegatárias de serviços públicos". (STF – 2.ª Turma, RE 363.412/BA AgRg, rel. Min. Celso de Mello, j. 07.08.2007).

"O art. 173, § 1.º, da Constituição Federal submete ao Direito Privado não apenas a forma de organização e funcionamento daquelas entidades, mas sua atividade empresarial. Esta, principalmente, não se pode afastar das normas civis, comerciais, tributárias e processuais aplicáveis às empresas privadas. Ao Estado não é lícito fazer concorrência desleal à iniciativa privada". (STJ – 1.ª Turma, REsp 38.601/SP, rel. Min. Humberto Gomes de Barros, DJ 1, 06.06.1994, p. 14.237).

"No domínio econômico – conjunto de bens e riquezas a serviço de atividades lucrativas – a liberdade de iniciativa, constitucionalmente assegurada, fica jungida ao interesse do desenvolvimento nacional e da justiça social e se realiza visando à harmonia e solidariedade entre as categorias sociais de produção, admitindo, a Lei Maior, que a União intervenha na esfera da economia para suprimir ou controlar o abuso de poder econômico". (STJ – 2.ª Seção, MS 351/DF, rel. Min. Demócrito Reinaldo, DJ 1, 01.08.1994, p. 18.572).

"(...). Cabível a distinção entre as entidades estatais que prestam serviço público e aquelas que desenvolvem a atividade privada. O artigo 173 prevê que a exploração direta de atividade econômica pelo Estado só será permitida quando necessária aos imperativos de segurança nacional ou a relevante interesse coletivo, o que é feito por maio das empresas públicas e das sociedades de economia mista, com a produção ou comercialização de bens ou prestação de serviços. – O Estado pode atuar tanto em concorrência com os particulares, desde que atendidos os requisitos de segurança nacional ou interesse coletivo, ou na prestação de serviços públicos, que podem ser objeto de concessão ou permissão ou executados diretamente pela administração" (TRF3 – 4.ª Turma, AC 1.789.650/SP, rel. Des. Fed. André Nabarrete, e-DJF3, 13.08.2013).

"A Companhia Nacional de Abastecimento CONAB é uma empresa pública federal, vinculada ao Ministério da Agricultura, Pecuária e Abastecimento, criada pela Medida Provisória 151, de 15 de março de 1990, transformada pela Lei 8.029, de 12 de abril do mesmo ano, com a finalidade de gerir as políticas agrícolas e de abastecimento. Com efeito, extrai-se da leitura do art. 173, § 1.º, III, da CF, que o estatuto jurídico da empresa pública deverá observar os princípios da administração pública, ao dispor sobre licitação e contratação de obras, serviços, compras e alienações. – Por sua vez, a Lei 8.666/93, que regulamentou o art. 37, inciso XXI, da Carta Magna, instituindo normas para licitações e contratos da Administração Pública, em seu art. 2.º, dispõe que as obras, serviços, inclusive de publicidade, compras alienações, concessões, permissões e locações da Administração Pública, quando contratadas com terceiros, serão necessariamente precedidas de licitação, ressalvadas as hipóteses previstas nesta lei. – Assim, a exigibilidade da licitação é proveniente da licitação é proveniente da Constituição Federal, devendo a legislação infraconstitucional ser compatibilizada com os preceitos insculpidos nos artigo 37, inciso XXI, e 173, § 1.º, III, da Constituição Federal" (TRF2, 8.ª Turma, AC 0019335-89.2007.4.02.5101, rel. Juíza Federal Vera Lúcia Lima, j. 02.10.2015).

Art. 174. Como agente normativo e regulador da atividade econômica, o Estado exercerá, na forma da lei, as funções de fiscalização, incentivo e planejamento, sendo este determinante para o setor público e indicativo para o setor privado.

§ 1.º A lei estabelecerá as diretrizes e bases do planejamento do desenvolvimento nacional equilibrado, o qual incorporará e compatibilizará os planos nacionais e regionais de desenvolvimento.

§ 2.º A lei apoiará e estimulará o cooperativismo e outras formas de associativismo.

§ 3.º O Estado favorecerá a organização da atividade garimpeira em cooperativas, levando em conta a proteção do meio ambiente e a promoção econômico-social dos garimpeiros.

§ 4.º As cooperativas a que se refere o parágrafo anterior terão prioridade na autorização ou concessão para pesquisa e lavra dos recursos e jazidas de minerais garimpáveis, nas áreas onde estejam atuando, e naquelas fixadas de acordo com o art. 21, XXV, na forma da lei.

Doutrina

Papel do Estado na economia. A norma contida no artigo 174, *caput*, dispõe que o Estado, na condição de agente normativo e regulador da atividade econômica, exercerá, segundo o que a lei estabelecer, as funções de fiscalização, de incentivo e de planejamento, sendo este determinante para o setor público e meramente indicativo para a iniciativa privada. Assim sendo, convém falar em papéis do Estado. De fato, *agente normativo* é aquele que estabelece linhas de atuação dos vários atores na economia, induzindo-os à consecução de tarefas essenciais para a execução da política econômica. *Agente regulador* é aquele que exerce fiscalização do cumprimento das regras da economia de mercado, corrigindo desvios como os decorrentes de abusos de poder econômico. As *funções de fiscalização* são aquelas voltadas para assegurar a eficácia das medidas adotadas para a eficiente gestão da economia. Por último, o *planejamento* é determinante, ou seja, compulsório para o Estado e simplesmente indicativo, de simples orientação, para a iniciativa privada.

Planejamento do desenvolvimento econômico. É disso que trata este § 1.º ao determinar que a lei deverá estabelecer as diretrizes e bases para planejar o desenvolvimento nacional equilibrado com a finalidade de corrigir as desigualdades regionais (art. 43), e, para tanto, incorporando e conciliando as metas previstas nos planos nacionais com aquelas constantes de planos regionais de desenvolvimento.

Cooperativismo e associativismo. Dispõe o § 2.º que a lei criará as bases de apoio e estímulo ao cooperativismo e outras formas de associativismo. O cooperativismo, na acepção democrática do termo, é o movimento de conjugação de recursos e esforços para alcançar um objetivo de interesse dos cooperados reunidos em uma cooperativa. As cooperativas são divididas em quatro tipos: *a*) *de consumo*, destinadas a oferecer aos cooperados bens de consumo a preços mais vantajosos que do mercado, *v.g.*, as de fornecimento de produtos alimentícios, ou de medicamentos; b) *de produção*, destinadas à produção de bens em nome de seus cooperados visando colocá-los no mercado consumidor sem a figura do intermediário, otimizando os resultados finais da exploração da atividade, como, por exemplo, as cooperativas de laticínios e de produção agrícola; c) *de crédito*, que têm por finalidade viabilizar empréstimos em dinheiro aos associados a taxas diferenciadas do mercado financeiro, como as cooperativas de crédito imobiliário; d) *de serviços*, que visam prestar serviços aos cooperados, como, por exemplo, as cooperativas de prestação de serviços médicos, de prestação de serviços de transporte, as cooperativas escolares etc. O associativismo é o movimento de integração deliberada de indivíduos voltados para a consecução de um interesse comum, daí surgindo as associações, organizadas quase sempre em bases contratuais ou estatutárias. São exemplos as associações de negócios, as associações culturais, as associações esportivas, os clubes associativos etc.

Organização da atividade garimpeira. Nos termos do § 3.º, o Estado facilitará a organização da atividade garimpeira por meio de cooperativas, levando em conta a adoção de políticas de proteção do meio ambiente e de promoção econômica e social dos garimpeiros. Portanto, essas sociedades cooperativas, na consecução de seus fins, quais sejam, a defesa dos interesses dos garimpeiros, deverão envidar esforços para evitar a degradação do meio ambiente e atuarão, ainda, visando assegurar a melhoria da condição de vida desses trabalhadores.

Prioridade na exploração de minerais garimpáveis. Dispõe o § 4.º que as cooperativas de garimpeiros terão preferência para obter a autorização ou concessão para pesquisa e lavra dos recursos e jazidas de minerais garimpáveis, nas áreas onde estejam atuando, e naquelas fixadas de acordo com o artigo 21, inciso XXV, da Constituição, na forma da lei. Referida prioridade deve ser entendida como existente apenas para a licença de exploração das áreas de garimpos existentes quando da promulgação da Constituição e, afora isso, somente nas áreas determinadas e segundo as condições estabelecidas por lei, no caso, a Lei n.º 7.805, de 18.07.1989.

Jurisprudência

Súmula Vinculante do STF: 49. "Ofende o princípio da livre concorrência lei municipal que impede a instalação de estabelecimentos comerciais do mesmo ramo em determinada área".

"(...). II – Precedente deste Tribunal (ADI 1.980, Rel. Min. Sydney Sanches) no sentido de que não invade esfera de competência da União, para legislar sobre normas gerais, lei paranaense que assegura ao consumidor o direito de obter informações sobre produtos combustíveis. III – Afronta ao texto constitucional indireta na medida em que se mostra indispensável o exame de conteúdo de outras normas infraconstitucionais, no caso, o Código do Consumidor. IV – Inocorre delegação de poder de fiscalização a particulares quando se verifica que a norma impugnada estabelece que os selos de qualidade serão emitidos por entidades vinculadas à Administração Pública estadual. V – Ação julgada parcialmente procedente apenas no ponto em que a lei impugnada estende os seus efeitos a outras unidades da Federação" (STF – Pleno, ADIN 2.832/PR, rel. Min. Ricardo Lewandowski, j. 07.05.2008).

"(...). 4. Nos termos do que foi decidido no Recurso Especial 1.347.136/DF, El. Ministra Eliana Calmon, Primeira Seção, julgado em 11.12.2013, DJE 7.3.2014, sob rito dos Recursos Repetitivos, decidiu que o suposto prejuízo decorrentes da fixação, pelo Poder Público, de preços para o setor sucroalcooleiro, em desacordo com os critérios previstos nos arts. 9.º, 10 e 11 da Lei 4.870/1965, deve ser efetivamente comprovado, sendo inadmissível 'a mera diferença entre o preço praticado pelas empresas e os valores estipulados pelo IAA/FGV como único parâmetro de definição do quantum debeatur'. Nesse sentido: AgRg no Resp 1.395.823/DF, Rel. Ministro Benedito Gonçalves, Primeira Turma, DJE 22.10.2014. 5. Nos presentes autos, o Tribunal de origem, com base no conjunto probatório dos autos, consignou que 'Ora, no caso dos autos, não há, na conduta da ora apelada, nada que tenha exorbitado de sua esfera de competência, quando do exercício de sua atribuição legítima de reguladora de atividades econômicas, desde que, como de fato ocorreu, nos lindes do artigo 174 da Constituição Federal. Portanto, embora a parte autora sustente que os preços aplicados ocasionaram-lhes danos patrimoniais no período de junho de 1995 a abril de 1998, tinha ciência de que os preços do setor estavam submetidos à política de preços do Governo Federal, que passaram a ser ditados pelo Ministério da Fazenda'" (STJ – 2.ª Turma, REsp 1.636.376, rel. Min. Herman Benjamin, DJE, 20.06.2017).

"A Constituição Federal, no seu art. 170, preceitua que a ordem econômica é fundada na valorização do trabalho humano e na livre iniciativa, tendo por finalidade assegurar a todos existência digna, conforme os ditames da justiça social, observados os princípios que indica. No seu art. 174 pontifica que, como agente normativo e regulador da atividade econômica, o Estado exercerá, na forma da lei, as funções de fiscalização, incentivo e planejamento. Desses dispositivos resulta claro que o Estado pode atuar como agente regulador das atividades econômicas em geral, sobretudo nas de que cuidam as empresas que atuam em um setor absolutamente estratégico, daí lhe ser lícito estipular os preços que devem ser por elas praticados". (STJ – 1.ª Seção, MS 2.887/DF, rel. Min. César Rocha, DJ 1, 13.12.1993, p. 27.369).

"O princípio constitucional da livre iniciativa não inviabiliza a intervenção do Estado na atividade econômica, na medida em que o artigo 174 da Carta Magna é expresso ao afirmar que o Estado exercerá as funções de fiscalização da atividade econômica, dada a sua condição de agente normativo e regulador da ordem econômica" (TRF1, MC 200601000076915, rel. Des. Fed. Selene Maria de Almeida, DJ 1, 24.08.2006, p. 76).

"1. É certo que não houve, na edição da Lei n.º 4.169/62, nenhuma obrigatoriedade de livros e/ou periódicos em Braille. 2. O regulamento não é lei. É norma infralegal que não pode e não deve sobrepor-se à lei, fixando direitos e obrigações. Só a lei obriga, segundo a regra do inciso II do art. 5.º da Constituição Federal. 3. A intervenção direta da União Federal nas empresas editoras ou assimiladas seria, da mesma forma, flagrantemente inconstitucional, pois ao Estado é reservado o papel de agente normativo e regulador da atividade econômica, exercendo, na forma da lei, as funções de fiscalização, incentivo e planejamento, determinantes para o setor público e indicativo, apenas para o setor privado" (TRF3, AC 1.404.755/SP, rel. Des. Fed. Marli Ferreira, DJ 1, 12.05.2011, p. 861).

"A preferência para a exploração mineral por cooperativas de garimpeiros, prevista no art. 174 da Carta da República, exerce-se nos termos da lei regulamentadora, de n. 7.805/89, a qual somente a admite quando as áreas se encontrem na situação jurídica prevista no art. 14 e seus incisos do mesmo diploma, hipóteses distintas da encontrada nos autos, pleiteada junto ao DNPM, fazendo surgir o 'direito de prioridade' em favor da empresa ré". (TRF1, REO 93.01.29670-5/DF, rel. Des. Fed. Aldir Passarinho Junior, DJ 2, 21.10.1996, p. 79.636).

Art. 175. Incumbe ao Poder Público, na forma da lei, diretamente ou sob regime de concessão ou permissão, sempre através de licitação, a prestação de serviços públicos.

Parágrafo único. A lei disporá sobre:

I – o regime das empresas concessionárias e permissionárias de serviços públicos, o caráter especial de seu contrato e de sua prorrogação, bem como as condições de caducidade, fiscalização e rescisão da concessão ou permissão;

II – os direitos dos usuários;

III – política tarifária;

IV – a obrigação de manter serviço adequado.

Doutrina

Prestação de serviços públicos. Serviços públicos são aqueles destinados à satisfação das demandas necessárias à vida em comunidade, sendo dever do Estado prestá-los, de forma direta ou mediante concessão ou permissão, na forma que a lei estabelecer e sempre precedido de licitação. *Concessão* é o regime de prestação de serviços que se caracteriza como contrato administrativo, firmado entre o poder concedente e o concessionário após licitação, dispondo sobre direitos e obrigações e estipulando as cláusulas e condições necessárias para a adequada execução de seu objeto, que pode ser um serviço, uma obra pública ou cessão de uso e exploração de um bem público. *Permissão* é também regime de prestação de serviços, que se configura como ato administrativo discricionário, unilateral e precário, por meio do qual a administração permite ao particular a prestação de serviço público ou a utilização de bem público. Convém lembrar que o serviço de transporte coletivo, que tem caráter essencial, pode ser prestado diretamente ou por meio de concessão ou permissão (CF, art. 30, V).

Regime legal das concessionárias e permissionárias. A lei referida no parágrafo único do artigo 175 é federal, pois, destinada a estabelecer as normas gerais relativas ao regime legal aplicável às concessionárias e permissionárias de serviço público e singularidades do contrato administrativo pertinente, devendo dispor, ainda, sobre os direitos dos usuários, que se traduzem, principalmente, na continuidade da prestação do serviço; política tarifária, ou mecanismo de remuneração do prestador do serviço; e a obrigação do prestador de manter serviço adequado, ou seja, serviço oferecido ao usuário com um padrão mínimo aceitável de qualidade. Trata-se de lei federal dispondo sobre normas gerais (CF, art. 22, XXVII), o que enseja às demais esferas de poder (Estados-membros, Distrito Federal e Municípios) legislarem sobre a matéria para atender ao interesse local.

Jurisprudência

> "1. O artigo 42 da lei complementar estadual afirma a continuidade das delegações de prestação de serviços públicos praticadas ao tempo da instituição da agência, bem assim sua competência para regulá-las e fiscalizá-las. Preservação da prestação dos serviços públicos. Hipótese de não violação de preceitos constitucionais. 2. O artigo 43, acrescentado à LC 94 pela LC 95, autoriza a manutenção, até 2008, de 'outorgas vencidas, com caráter precário' ou que estiverem em vigor com prazo indeterminado. Permite, ainda, que essa prestação se dê em condições irregulares, a manutenção do vínculo estabelecido entre as empresas que atualmente a ela prestam serviços públicos e a Administração estadual. Aponta como fundamento das prorrogações o § 2.º do artigo 42 da Lei federal n. 8.987, de 13 de fevereiro de 1995. Sucede que a reprodução do texto da lei federal, mesmo que fiel, não afasta a afronta à Constituição do Brasil. 3. O texto do artigo 43 da LC 94 colide com o preceito veiculado pelo artigo 175, *caput*, da CB/88 – 'incumbe ao poder público, na forma da lei, diretamente ou sob regime de concessão ou permissão, sempre através de licitação, a prestação de serviços públicos'. 4. Não há respaldo constitucional que justifique a prorrogação desses atos administrativos além do prazo razoável para a realização dos devidos procedimentos licitatórios. Segurança jurídica não pode ser confundida com preservação do ilícito. 5. Ação direta julgada parcialmente procedente para declarar inconstitucional o

artigo 43 da LC 94/02 do Estado do Paraná" (STF – Pleno, ADIN 3.521/PR, rel. Min. Eros Grau, j. 28.09.2006).

"1. O sistema federativo instituído pela Constituição Federal de 1988 torna inequívoco que cabe à União a competência legislativa e administrativa para a disciplina e a prestação dos serviços públicos de telecomunicações e energia elétrica (CF, arts. 21, XI e XII, 'b', e 22, IC). 2. A Lei n.º 3.449/04 do Distrito Federal, ao proibir a cobrança da tarifa de assinatura básica 'pelas concessionárias prestadoras de serviços de água, luz, gás, TV a cabo e telefonia no Distrito Federal' (art. 1.º, *caput*), incorreu em inconstitucionalidade formal, porquanto necessariamente inserida a fixação da 'política tarifária' no âmbito de poderes inerentes à titularidade de determinado serviço público, como prevê o art. 175, parágrafo único, III, da Constituição, elemento indispensável para a preservação do equilíbrio econômico-financeiro do contrato de concessão e, por consequência, da manutenção do próprio sistema de prestação das atividade. 3. Inexiste, *in casu*, suposto respaldo para o diploma impugnado na competência concorrente dos Estados-membros para dispor sobre direito do consumidor (CF, art. 24, V e VII), cuja interpretação não pode conduzir à frustração da teleologia da referida regra expressa contida no art. 175, parágrafo único, III, da CF, descabendo, ademais, a aproximação entre as figuras do consumidor e do usuário de serviços públicos, já que o regime jurídico deste último, além de informado pela lógica da solidariedade social (CF, art. 3.º, I), encontra sede específica na cláusula 'direitos dos usuários' prevista no art. 175, parágrafo único, II, da Constituição" (STF – Pleno, ADIN 3.343/DF, rel. Min. Ayres Brito, j. 01.09.2011).

"1. A licitação é imprescindível na outorga de serviço público – exploração de transporte coletivo de passageiros – formalidade imposta pelo Poder Constituinte Originário de 1988, consoante reconhecido pelo STF, no julgamento do RE n.º 264.621/CE, da relatoria do e. Ministro Joaquim Barbosa, publicado no DJ de 08.04.2005, no qual restou definido a necessidade de realização de prévia licitação para fins de prolongamento de trecho explorado por empresa de transporte interestadual, ao consagrar, que 'contraria os arts. 37 e 175 da Constituição federal decisão judicial que, fundada em conceito genérico de interesse público, sequer fundamentada em fatos e a pretexto de suprir omissão do órgão administrativo competente, reconhece ao particular o direito de exploração de serviço público sem a observância do procedimento de licitação'. 2. O art. 175 da Lei Fundamental, no qual é utilizado o advérbio sempre, não enseja dúvidas sobre a eficácia plena, imediata e automática do preceito, que está a obrigar, tanto o legislador e o poder regulamentar, quanto a vincular o ato concreto de concessão (como o ora impugnado pela impetrante, ora recorrente), à prévia licitação toda vez que não se trate de exploração direta do serviço pelo Poder Público" (STJ – 1.ª Turma, REsp 964.946, rel. Min. Luiz Fux, DJE, 06.03.2012).

"A tarifa, como instrumento de remuneração do concessionário de serviço público, é exigida diretamente dos usuários e, consoante cediço, não ostenta natureza tributária. Precedentes do STJ. O regime aplicável às concessionárias na composição da tarifa, instrumento bifronte de viabilização da prestação do serviço público concedido e da manutenção da equação econômico-financeira, é dúplice, por isso que na relação estabelecida entre o Poder Concedente e a Concessionária vige a normatização administrativa e na relação entre a Concessionária e o usuário o direito consumerista. Precedentes do STJ" (STJ – 1.ª Turma, REsp 976.836, rel. Min. Luiz Fux, DJE, 05.10.2010).

"I – O processo licitatório em questão teve como objetivo selecionar clínicas para execução de exames de saúde física e mental para habilitação de motoristas junto ao DETRAN/MG, sob a modalidade permissão, sendo possível a alteração da regra efetuada no que fiz respeito à impossibilidade de o médico ou psicólogo da entidade não ocupar ou exercer cargo ou função pública. II – Ainda que o artigo 175, da Constituição Federal, ao agregar os institutos da concessão e permissão, disponha sobre a necessidade da licitação, é preciso considerar que a ausência da licitação, no caso, não desnatura o instituto da permissão como sendo ato discricionário e precário da Administração, no que a alegação de afronta a dispositivos da Lei de Licitações que envolvem a regulação de contratos é totalmente descabida. III – Recurso improvido" (STJ – 1.ª Turma, REsp 839.940/MG, rel. Min. Francisco Falcão, DJ, 01.02.2007, p. 431).

Art. 176. As jazidas, em lavra ou não, e demais recursos minerais e os potenciais de energia hidráulica constituem propriedade distinta da do solo, para efeito de exploração ou aproveitamento, e pertencem à União, garantida ao concessionário a propriedade do produto da lavra.

§ 1.º A pesquisa e a lavra de recursos minerais e o aproveitamento dos potenciais a que se refere o *caput* deste artigo somente poderão ser efetuados mediante autorização ou concessão da União, no interesse nacional, por brasileiros ou empresa constituída sob as leis brasileiras e que tenha sua sede e administração no País, na forma da lei, que estabelecerá as condições específicas quando essas atividades se desenvolverem em faixa de fronteira ou terras indígenas.

§ 2.º É assegurada participação ao proprietário do solo nos resultados da lavra, na forma e no valor que dispuser a lei.

§ 3.º A autorização de pesquisa será sempre por prazo determinado, e as autorizações e concessões previstas neste artigo não poderão ser cedidas ou transferidas, total ou parcialmente, sem prévia anuência do poder concedente.

§ 4.° Não dependerá de autorização ou concessão o aproveitamento do potencial de energia renovável de capacidade reduzida.

Doutrina

Propriedade das jazidas, recursos minerais e potenciais de energia hidráulica. Dispõe o artigo 176, *caput*, que referidos bens são de propriedade distinta da do solo para fins de exploração ou aproveitamento, pertencendo à União, como, aliás, inscrito no artigo 20, VIII e IX, da Constituição Federal, assegurando-se, ademais, ao concessionário a propriedade do produto da lavra. Portanto, a propriedade mineral, ou seja, o subsolo, é bem da União, detendo o proprietário do solo apenas o chamado direito de superfície, sendo o resultado da exploração da jazida em lavra de propriedade do concessionário.

Regime de exploração e aproveitamento dos recursos minerais e hidráulicos. O § 1.° dispõe que o regime jurídico de exploração e aproveitamento industrial dos recursos minerais e dos potenciais de energia hidráulica estabelecerá que essas atividades serão exercidas por meio de autorização ou de concessão da União, observado o interesse nacional, por brasileiros ou empresas brasileiras e que tenham sede e administração no país, conforme dispuser a lei, que definirá, ainda, as condições específicas quando essas atividades forem desenvolvidas em área definida como de faixa de fronteira, em face das questões de segurança externa, ou em terras indígenas, visando a proteção dessas comunidades contra eventual atividade predatória de concessionários de lavra. O § 2.° do mesmo artigo assegura ao proprietário do solo participação nos resultados da lavra de jazida ou mina, na forma e no valor que a lei dispuser. O § 3.° dispõe que a autorização de pesquisa de que trata o § 1.° será sempre por prazo determinado, e as autorizações e concessões não poderão ser cedidas ou transferidas, total ou parcialmente, sem a prévia e expressa concordância do poder concedente. Por último, o § 4.° dispensa de qualquer autorização ou concessão o aproveitamento de potencial de energia renovável de capacidade reduzida, capacidade esta definida em lei, podendo, nesses casos, o proprietário do solo construir pequena usina de geração de energia, normalmente para consumo próprio.

Jurisprudência

> "(...). Recursos minerais e domínio constitucional da União. – O sistema de direito constitucional positivo vigente no Brasil – fiel à tradição republicana iniciada com a Constituição de 1934 – instituiu verdadeira separação jurídica entre a propriedade do solo e a propriedade mineral (que incide sobre as jazidas, em lavra ou não, e demais recursos minerais existentes no imóvel) e atribuiu à União Federal a titularidade da propriedade mineral, para o específico efeito de exploração econômica e/ou aproveitamento industrial. A propriedade mineral submete-se ao regime da dominialidade pública. Os bens que a compõem qualificam-se como bens públicos dominiais, achando-se constitucionalmente integrados ao patrimônio da União Federal. Concessão de lavra – Indenizabilidade – O sistema minerário vigente no Brasil atribui, à concessão de lavra – que constitui verdadeira *res in commercio* –, caráter negocial e conteúdo de natureza econômico-financeira. O impedimento causado pelo Poder Público na exploração empresarial das jazidas legitimamente concedidas gera o dever estatal de indenizar o minerador que detém, por efeito de regular delegação presidencial, o direito de industrializar e de aproveitar o produto resultante da extração mineral. Objeto de indenização há de ser o título de concessão de lavra, enquanto bem jurídico suscetível de apreciação econômica, e não a jazida em si mesma considerada, pois esta, enquanto tal, acha-se incorporada ao domínio patrimonial da União Federal. A concessão de lavra, que viabiliza a exploração empresarial das potencialidades das jazidas minerais, investe o concessionário em posição jurídica favorável, eis que, além de conferir-lhe a titularidade de deter-

minadas prerrogativas legais, acha-se essencialmente impregnada, quanto ao título que a legitima, de valor patrimonial e de conteúdo econômico. Essa situação subjetiva de vantagem atribui, ao concessionário da lavra, direito, ação e pretensão à indenização, toda vez que, por ato do Poder Público, vier o particular a ser obstado na legítima fruição de todos os benefícios resultantes do processo de extração mineral" (STF – 1.ª Turma, RE 140.254-7/SP AgRg, rel. Min. Celso de Mello, DJ 1, 06.06.1997, p. 24.876).

"(...). 5. Nos termos do art. 20, IX, da Constituição Federal, são bens da União os recursos minerais, inclusive os do subsolo, condicionada a pesquisa e lavra de tais recursos à autorização ou concessão do Poder Público, observados os requisitos previstos em lei. 6. O art. 176 da Carta Magna, por sua vez, dispõe que 'as jazidas, em lavra ou não, e demais recursos minerais e os potenciais de energia hidráulica constituem propriedade distinta da do solo, para efeito de exploração ou aproveitamento, e pertencem à União, garantida ao concessionário a propriedade do produto da lavra'. 7. À luz dos aludidos comandos constitucionais, qualquer aproveitamento da jazida sem o título de concessão de lavra deve ser considerado ilícito, clandestino e, por isso, insuscetível de gerar algum direito pessoal aos proprietários do solo. 8. Considerando que os recorridos não detinham concessão para explorar a jazida existente no imóvel objeto desta ação, a determinação do Tribunal de realização de nova perícia, para fins de incorporação do valor econômico da extração da areia nos cálculos da indenização, possibilita o enriquecimento ilícito dos expropriados em detrimento das empresas expropriantes – concessionárias de uso de bem público para a produção de energia elétrica. 10. Diante da impossibilidade de qualquer indenização pela jazida de areia existente na gleba expropriada, conclui-se que não há necessidade de realização de nova perícia para incluí-la no valor correspondente a título indenizatório" (STJ – 1.ª Turma, REsp 1.308.449, rel. Min. Gurgel de Faria, DJE, 13.11.2017).

"No Brasil os recursos minerais são propriedades da União desde 1934, quando o Código de Minas daquele ano estabeleceu que as jazidas conhecidas pertenciam aos proprietários do solo e as desconhecidas, quando descobertas, seriam incorporadas ao patrimônio da Nação. A Constituição da República de 1988 veio reforçar esta tese na medida em que dispôs que as jazidas e demais recursos minerais constituem propriedade distinta da do solo, para efeito de exploração ou aproveitamento, e pertencem à União, garantindo-se ao concessionário a propriedade do produto da lavra (art. 176, na redação da EC n.º 6/95)" (TRF1, AC 200531000004189, rel. Des. Fed. Selene Maria de Almeida, DJ 1, 10.10.2008, p. 123).

"A carta política vigente à data do decreto desapropriatório (23.11.67), dispunha que as jazidas, e demais recursos minerais, constituíam propriedade distinta da do solo (CF/67, art. 168, alterado pela EC n.º 1/69, art. 4.º) e assegurava o direito ao proprietário deste à participação nos resultados da lavra (art. 168, §§ 2.º e 3.º). Na vigência da atual CF (art. 176, § 2.º) foi mantido o direito à participação, na forma como disposto em lei regulamentadora – Lei n.º 8.901/94 – que fixa a participação mencionada em (cinquenta pontos percentuais), alterando em parte as disposições do Código de Mineração (DL 227/67). Indenizável, portanto, o direito à participação no resultado da lavra" (TRF4, EIAC 9604543873, rel. Des. Fed. Edgard Lippman Júnior, DJ 1, 04.10.2000, p. 71).

Art. 177. Constituem monopólio da União:

I – a pesquisa e a lavra das jazidas de petróleo e gás natural e outros hidrocarbonetos fluidos;

II – a refinação do petróleo nacional ou estrangeiro;

III – a importação e exportação dos produtos e deriva-

dos básicos resultantes das atividades previstas nos incisos anteriores;

IV – o transporte marítimo do petróleo bruto de origem nacional ou de derivados básicos de petróleo produzidos no País, bem assim o transporte, por meio de conduto, de petróleo bruto, seus derivados e gás natural de qualquer origem;

V – a pesquisa, a lavra, o enriquecimento, o reprocessamento, a industrialização e o comércio de minérios e minerais nucleares e seus derivados, com exceção dos radioisótopos cuja produção, comercialização e utilização poderão ser autorizadas sob regime de permissão, conforme as alíneas *b* e *c* do inciso XXIII do *caput* do art. 21 desta Constituição Federal.

§ 1.° A União poderá contratar com empresas estatais ou privadas a realização das atividades previstas nos incisos I a IV deste artigo observadas as condições estabelecidas em lei.

§ 2.° A lei a que se refere o § 1.° disporá sobre:

I – a garantia do fornecimento dos derivados de petróleo em todo o território nacional;

II – as condições de contratação;

III – a estrutura e atribuições do órgão regulador do monopólio da União.

§ 3.° A lei disporá sobre o transporte e a utilização de materiais radioativos no território nacional.

§ 4.° A lei que instituir contribuição de intervenção no domínio econômico relativa às atividades de importação ou comercialização de petróleo e seus derivados, gás natural e seus derivados e álcool combustível deverá atender aos seguintes requisitos:

I – a alíquota da contribuição poderá ser:

a) diferenciada por produto ou uso;

b) reduzida e restabelecida por ato do Poder Executivo, não se lhe aplicando o disposto no art. 150, III, *b*;

II – os recursos arrecadados serão destinados:

a) ao pagamento de subsídios a preços ou transporte de álcool combustível, gás natural e seus derivados e derivados de petróleo;

b) ao financiamento de projetos ambientais relacionados com a indústria do petróleo e do gás;

c) ao financiamento de programas de infraestrutura de transportes.

Doutrina

Monopólio. É o direito exclusivo ou o domínio exercido sobre determinado mercado, impondo o detentor da atividade monopolista tanto o preço quanto a quantidade do bem, mercadoria ou serviço colocados à disposição do consumidor. Em outras palavras, o monopólio se traduz pela dominação de uma atividade na vida econômica da sociedade, podendo ser *natural*, quando decorrer de circunstância da natureza ou de uma habilidade específica; ou *legal*, quando decorrer da atividade legislativa do Estado que cria e outorga a alguém o privilégio do exercício exclusivo de uma atividade monopolista. O monopólio legal, por sua vez, divide-se em: *a*) *público*, aquele que gravita na área de influência estatal, como os serviços de correios, ou a lavra de minerais nucleares; *b*) *privado*, aquele que permite ao particular a exploração de atividade que caracteriza um monopólio, como ocorre, por exemplo, na outorga de uma patente de medicamento.

Monopólio da União. Dispõe o artigo 177, *caput*, que constituem monopólio da União: *a*) as atividades de pesquisa e lavra das jazidas de petróleo e gás natural e outros hidrocarbonetos fluidos; *b*) as atividades de refinação do petróleo nacional ou estrangeiro; *c*) as atividades de importação e exportação de produtos e derivados básicos resultantes da pesquisa, lavra e refinação de petróleo; *d*) as atividades de transporte marítimo do petróleo bruto de origem nacional ou de derivados básicos de petróleo produzidos no país, bem assim o transporte, por meio de conduto, de petróleo bruto, seus derivados e gás natural de qualquer origem; *e*) as atividades de pesquisa, lavra, enriquecimento, reprocessamento, industrialização e comércio de minérios e minerais nucleares e seus derivados, com exceção dos radioisótopos.

Flexibilização do monopólio. A norma contida no § 1.º faculta à União a contratação de empresa estatal ou privada para a exploração das atividades listadas nos incisos I a IV do *caput* do artigo em tela, observadas as condições estabelecidas em lei. Da mesma forma, ressalvou da atividade monopolista os chamados radioisótopos, tanto aqueles utilizados para as pesquisas e usos médicos, agrícolas e industriais, quanto aqueles de meia-vida igual ou inferior a duas horas, podendo, nesses casos, a produção, comercialização e utilização ser autorizadas sob regime de permissão (CF, art. 21, XXIII, al. *b* e *c*).

Titularidade do monopólio. A titularidade do monopólio instituído no artigo 177 é da União, pois a este ente o legislador constituinte fez a outorga dele. Em seu nome, podem atuar a Agência Nacional do Petróleo, autarquia especial criada pela Lei n.º 9.478/1997, vinculada ao Ministério das Minas e Energia como ente de regulação e de fiscalização da indústria do petróleo e a Petróleo Brasileiro S.A. – Petrobrás, cuja constituição foi autorizada pela Lei n.º 2.004, de 03.10.1953, sob a forma de sociedade de economia mista, sendo, hoje, a principal detentora do privilégio legal da exploração da indústria petrolífera no país. Anote-se, principal concessionária, porém não mais a única, pois, com a mitigação do monopólio, empresas petroleiras têm sido contratadas, por meio de licitação, para a concessão das atividades de exploração, desenvolvimento e produção de petróleo e gás natural em áreas determinadas denominadas de blocos.

Legislação sobre política energética e monopólio do petróleo. O § 2.º do artigo sob comento estabelece que a lei disporá sobre a garantia de fornecimento dos derivados de petróleo em todo o país, sobre as condições de contratação e sobre a estrutura e atribuições do órgão regulador do monopólio da União (ANP). Referida legislação encontra-se, hoje, consolidada na Lei n.º 9.478, de 06.08.1997, que dispõe sobre a política energética nacional, as atividades relativas ao monopólio do petróleo, institui o Conselho Nacional de Política Energética e a Agência Nacional do Petróleo; e na Lei n.º 9.847, de 26.10.1999, que dispõe sobre a fiscalização das atividades relativas ao abastecimento nacional de combustíveis, estabelecendo, ainda, penalidades para sancionar eventuais ilícitos administrativos. O legislador infraconstitucional não regulamentou ainda a norma contida no § 3.º deste artigo, que determina seja definida em lei a política sobre o transporte e a utilização de materiais radioativos no território nacional.

Contribuição de intervenção no domínio econômico (Cide). A norma contida no § 4.º foi acrescentada à Constituição por meio da Emenda Constitucional n.º 33, de 11.12.2001, e autoriza a instituição e cobrança de uma contribuição de intervenção no domínio econômico relativa às atividades de importação ou comercialização de petróleo e seus derivados, gás natural e seus derivados e álcool combustível, contanto que atenda aos seguintes requisitos: *a*) *a alíquota* da contribuição poderá ser diferenciada por produto ou uso e poderá, ainda, ser reduzida e restabelecida por ato do Poder Executivo, não se lhe aplicando o disposto no art. 150, III, *b*, ou seja, não incide na hipótese o princípio da anterioridade da lei; *b*) *os recursos arrecadados* serão destinados ao pagamento de subsídios a preços ou transporte de álcool combustível, gás natural e seus derivados e derivados de petróleo; ao financiamento de projetos ambientais relacionados com a indústria do petróleo e do gás; e ao financiamento de programas de infraestrutura de transportes.

Legislação sobre a Cide. A contribuição foi criada por meio da Lei n.º 10.336, de 19.12.2001. Por sua vez, a Lei n.º 10.453, de 13.05.2002, destina parte dos recursos arrecadados à concessão de subvenção aos preços ou ao transporte de álcool combustível e de subsídios ao preço do gás liquefeito de petróleo – GLP, o gás de cozinha. Anote-se que na ADIN 2.925/8, de 19.12.2003, o STF deu interpretação conforme a Constituição ao inciso II, para definir que a abertura de crédito suplementar deveria ser destinada a todas as finalidades descritas nas alíneas nele contidas.

Jurisprudência

> 1. O conceito de monopólio pressupõe apenas um agente apto a desenvolver as atividades econômicas a ele correspondentes. Não se presta a explicitar características da propriedade, que é sempre exclusiva, sendo redundantes e desprovidas de significado as expressões 'monopólio da propriedade' ou 'monopólio do bem'. 2. Os monopólios legais dividem-se em duas espécies: (i) os que visam a impelir o agente econômico ao investimento – a propriedade industrial, monopólio privado; e (ii) os que instrumentam a atuação do Estado na economia. 3. A Constituição do Brasil enumera atividades que consubstanciam monopólio da União (art. 177) e os bens que são de sua exclusiva propriedade (art. 20). 4. A existência ou o desenvolvimento de uma atividade econômica sem que a propriedade do bem empregado no processo produtivo ou comercial seja concomitantemente detida pelo agente daquela atividade não ofende a Constituição. O conceito de atividade econômica (enquanto atividade empresarial) prescinde da propriedade dos bens de produção. 5. A propriedade não consubstancia uma instituição única, mas o conjunto de várias instituições, relacionadas a diversos tipos de bens e conformadas segundo distintos conjuntos normativos – distintos regimes – aplicáveis a cada um deles. 6. A distinção entre atividade e propriedade permite que o domínio do resultado da lavra das jazidas de petróleo, de gás natural e de outros hidrocarbonetos fluidos possa ser atribuída a terceiros pela União, sem qualquer ofensa à reserva de monopólio (art. 177 da CB/88). 7. A propriedade dos produtos ou serviços da

atividade não pode ser tida como abrangida pelo monopólio do desenvolvimento de determinadas atividades econômicas. 8. A propriedade do produto da lavra das jazidas minerais atribuídas ao concessionário pelo preceito do art. 176 da Constituição do Brasil é inerente ao modo de produção capitalista. A propriedade sobre o produto da exploração é plena, desde que exista concessão de lavra regularmente outorgada. 9. Embora o art. 20, IX, da CB/88, estabeleça que os recursos minerais, inclusive os do subsolo, são bens da União, o art. 176 garante ao concessionário da lavra a propriedade do produto de sua exploração. 10. Tanto as atividades previstas no art. 176 quanto as contratações de empresas estatais ou privadas, nos termos do disposto no § 1.° do art. 177 da Constituição, seriam materialmente impossíveis se os concessionários e contratados, respectivamente, não pudessem apropriar-se, direta ou indiretamente, do produto da exploração das jazidas. 11. A EC 9/95 permite que a União transfira ao seu contratado os riscos e resultados da atividade e a propriedade do produto da exploração de jazidas de petróleo e de gás natural, observadas as normais legais. 12. Os preceitos veiculados pelos § 1.° e 2.° do art. 177 da Constituição do Brasil são específicos em relação ao art. 176, de modo que as empresas estatais ou privadas a que se refere o § 1.° não podem ser chamadas de 'concessionárias'. Trata-se de titulares de um tipo de propriedade diverso daquele do qual são titulares os concessionários das jazidas e recursos minerais a que respeita o art. 176 da Constituição do Brasil. 13. A propriedade de que se cuida, no caso do petróleo e do gás natural, não é plena, mas relativa; sua comercialização é administrada pela União mediante a atuação de uma autarquia, a Agência Nacional do Petróleo – ANP. 14. A Petrobras não é prestadora de serviço público. Não pode ser concebida como delegada da União. Explora atividade econômica em sentido estrito, sujeitando-se ao regime jurídico das empresas privadas (§ 1.°, II, do art. 173 da CB/88). Atua em regime de competição com empresas privadas que se disponham a disputar, no âmbito de procedimentos licitatórios (art. 37, XXI, da CB/88), as contratações previstas no § 1.º do art. 177 da Constituição do Brasil. 15. O art. 26, § 3.º, da Lei n. 9.478/97, dá regulação ao chamado silêncio da Administração. Matéria infraconstitucional, sem ofensa direta à Constituição. 16. Os preceitos dos arts. 28, I e III; 43, parágrafo único; e 51, parágrafo único, da Lei n. 9.478/98 são próprios às contratações de que se cuida, admitidas expressamente pelo § 2.º do art. 177 da CB. 17. A opção pelo tipo de contrato a ser celebrado com as empresas que vierem a atuar no mercado petrolífero não cabe ao Poder Judiciário: este não pode se imiscuir em decisões de caráter político. 18. Não há falar-se em inconstitucionalidade do art. 60, *caput*, da Lei n. 9.478/97. O preceito exige, para a exportação do produto da exploração da atividade petrolífera, seja atendido o disposto no art. 4.º da Lei n. 8.176/91, observadas as políticas aprovadas pelo Presidente da República, propostas pelo Conselho Nacional de Política Energética – CNPE (art. 84, II, da CB/88). 19. Ação direta julgada improcedente" (STF – Pleno, ADIN 3.366/DF, rel. Min. Carlos Britto, rel. p/ o acórdão Min. Eros Grau, DJ 1, 02.03.2007, p. 26).

"Considerando o monopólio de exploração do petróleo detido pela União, o texto constitucional, com destaque para os artigos 177 e 238, reserva tratamento próprio e diferenciado às atividades relacionadas com a produção, importação, exportação, fornecimento, distribuição e comercialização de petróleo, gás natural e seus derivados, caracterizando, dessa forma, a intervenção regulatória do ente público sobre tais atividades econômicas, todas elas decisivas no processo de abastecimento de combustíveis. Nesse quadrante, foram editadas as Leis 9.478/97 (Lei do Petróleo) e 9.847/99 (dispõe sobre a fiscalização das atividades relativas à indústria do petróleo e ao abastecimento nacional de combustíveis), bem assim criada a Agência Nacional do Petróleo, Gás Natural e Biocombustíveis – ANP – (Decreto n.º 2.455/98), sucessora do Departamento Nacional de Combustíveis (DNC), na função de órgão regulador das atividades que integram a indústria do petróleo, gás natural e dos biocombustíveis no Brasil" (TRF2, AC 466.427, rel. Des. Fed. Ricardo Perlingeiro, E-DJF2R, 13.07.2012, p. 194).

"1. A contribuição de intervenção no domínio econômico, cuja competência da União ou pessoa jurídica da administração pública indireta federal, é legítima nos casos em que intervém necessariamente no sentido da realização dos princípios que informam a ordem econômica, estampados nos incisos do art. 170 da CRFB/88. O Estado, assim, executa atividades que lhe são constitucionalmente designadas em prol da coletividade, de acordo com as competências constitucionais. À União, no exercício destas atividades, é facultada a instituição de cobranças. Nada aleatório ou discricionário, mas necessidade especial da qual se vale, sendo um grupo específico que vai pagar a atuação estatal. Com a promulgação da EC 33/01, que acrescentou os parágrafos 1.º a 4.º ao art. 149 da CRFB/88, a Carta Constitucional expressamente veio admitir a intervenção da União, mediante instituição de contribuição interventiva, sobre a importação de petróleo e seus derivados, gás natural e seus derivados e álcool combustível, atividade objeto de monopólio. Cumprindo o desiderato constitucional, foi promulgada a Lei 10.336/01, especificando a forma de incidência e de recolhimento da CIDE, e fazendo com que a nova contribuição preencha todos os requisitos legais e constitucionais para gozar de legitimidade sua cobrança. 2. O adequado tratamento tributário a ser deferido às sociedades cooperativas, conforme previsão do art. 146 da CRFB/88, não pode significar a completa imunidade de tais entidades. Considerando a natureza da CIDE e a finalidade estatal que ela representa, é legítima a exigibilidade das cooperativas" (TRF4, AMS 200270030148521, rel. Des. Fed. Maria Lúcia Luz Leiria, DJ, 20.04.2005, p. 761).

"(...). 2. Reza a CF/88, acerca das atividades e dos minerais nucleares, a exemplo do urânio: 'Compete à União explorar os serviços e instalações nucleares de qualquer natureza e exercer monopólio estatal sobre a pesquisa, a lavra, o enriquecimento e reprocessamento, a industrialização e o comércio de minérios nucleares e seus derivados, atendidos os seguintes princípios e condições [...]' (art. 21, XXIII); 'Constituem monopólio da União a pesquisa, a lavra, o enriquecimento, o reprocessamento, a industrialização e o comércio de minérios e minerais nucleares e seus derivados [...]' (art. 177, V). Não se olvide, outrossim, a dicção do art. 22, XXVI, da Carta Magna, de acordo com a qual compete privativamente à União legislar sobre atividades nucleares de qualquer natureza. Realce-se que '[...] a questão da energia nuclear constitui verdadeiramente uma política de Estado, com repercussão no campo da estratégia militar e também da política exterior' (trecho do voto proferido pelo Ministro Ricardo Lewandowski, nos autos da ADI 1575, Relator Min. Joaquim Barbosa, Tribunal Pleno do STF, julgada em 07/04/2010). Em outros termos, o que disser respeito a serviços ou atividades nucleares, bem como a minérios ou minerais nucleares está inserido no campo do interesse nacional, sendo de incumbência da esfera federal. E tal se dá, não apenas por questões estratégicas (o que, por si, já seria motivação suficientes), mas também por conta da seriedade dos impactos decorrentes desse tipo de serviço, atividade ou exploração para a saúde das pessoas e para o meio ambiente, aspecto que, levados em conta, resultam na transcendência da consideração do meramente local" (TRF5, AC 516.042/CE, rel. Des. Federal Francisco Cavalcanti, DJE, 01.06.2012, p. 73).

Art. 178. A lei disporá sobre a ordenação dos transportes aéreo, aquático e terrestre, devendo, quanto à ordenação do transporte internacional, observar os acordos

firmados pela União, atendido o princípio da reciprocidade.

Parágrafo único. Na ordenação do transporte aquático, a lei estabelecerá as condições em que o transporte de mercadorias na cabotagem e a navegação interior poderão ser feitos por embarcações estrangeiras.

Doutrina

Disciplina legal do transporte nacional e internacional. Dispõe o artigo 178, *caput*, que a ordenação do transporte nacional e internacional será disciplinada por lei, norma primária emanada do Congresso Nacional, e, quanto ao último, deverá observar os acordos internacionais firmados pela União, destacando, expressamente, a observância ao princípio da reciprocidade. Atualmente, o exercício desta competência privativa da União se expressa por meio da Lei n.º 10.233, de 05.06.2001, que trata da reestruturação dos transportes aquaviário e terrestre, cria o Conselho Nacional de Integração de Políticas de Transportes Terrestres, a Agência Nacional de Transportes Aquaviários e o Departamento Nacional de Infraestrutura de Transportes; da Lei n.º 12.379, de 06.01.2011, que dispõe, dentre outros, sobre o subsistema de transporte ferroviário; e, quanto ao transporte aéreo, sua regulação consta principalmente da Lei 7.565, de 19.12.1986, que dispõe sobre o Código Brasileiro de Aeronáutica.

Acordos de transporte internacional e princípio da reciprocidade. O transporte internacional é aquele exercido para o estrangeiro, ou do estrangeiro com destino ao país, transportando, pelos meios adequados, pessoas, bens e mercadorias, sujeitando-se, em face de sua natureza e implicações econômicas e até políticas, a regras de observância comum inscritas em acordos, tratados e convenções. Nesse contexto é que se situa o *princípio da reciprocidade*, cuja compreensão se expressa por meio da assunção de compromissos mútuos entre países signatários daqueles atos, ou seja, o tratamento dispensado a um país deve por ele ser retribuído na mesma proporção, reciprocamente.

Forma de prestação dos serviços de transportes. A Constituição Federal dispõe que compete à União explorar, diretamente ou mediante autorização, concessão ou permissão, a navegação aérea, aeroespacial e os serviços de transporte ferroviário, aquaviário, rodoviário interestadual e internacional de passageiros (art. 21, XII, alíneas *c*, *d* e *e*). Usualmente, tais serviços são prestados por empresas privadas, escolhidas através de licitação, e que, vencedoras no certame, recebem autorização, concessão ou permissão para operarem as respectivas linhas.

Navegação de cabotagem por embarcações estrangeiras. Trata o parágrafo único do artigo 178 de ordenar ao legislador ordinário que, ao disciplinar o transporte aquaviário, trate de estabelecer as condições em que o transporte de mercadorias na cabotagem e a navegação interior poderão ser feitos por navios estrangeiros. Quer dizer, a preferência será sempre de navios brasileiros; contudo, em face de interesse público relevante, a lei disporá quanto à forma de exploração da atividade por embarcações de bandeira estrangeira. *Navegação de cabotagem* é aquela que opera rotas na costa brasileira, ligando portos brasileiros. *Navegação interior* é aquela que opera rotas em cursos de rios ou lagoas nacionais, como, por exemplo, a hidrovia Tietê-Paraná.

Jurisprudência

> "A Portaria n.º 06, de 05.01.98, do Ministério dos Transportes, que, com fulcro no art. 14, XX,' b', da Lei n.º 9.432/97, estabeleceu requisitos para a operação das empresas brasileiras de navegação, não extrapola a delegação legal. Inexiste, na hipótese, ofensa ao art. 178 e parágrafo único da Constituição Federal, segundo o qual a lei disporá sobre a ordenação dos transportes aéreo, terrestre e aquático e, no tocante a este, 'estabelecerá as condições em que o transporte de mercadorias na cabotagem e na navegação interior poderão ser feitos por embarcações estrangeiras'" (TRF2, AMS 26835, rel. Des. Fed. Nizete Lobato Rodrigues, DJU, 06.12.2002, p. 323).
>
> (...). 2. O Decreto-lei n.º 666/69, no bojo do seu art.

2.º, obriga que as mercadorias importadas com quaisquer favores governamentais – neste caso, o benefício da isenção do IPI – sejam, regra geral, transportadas por navios de bandeira brasileira, ressalvado expressamente o princípio da reciprocidade. 3. A lei que dispõe sobre a ordenação dos transportes aéreo, aquático e terrestre, nos termos do art. 178 da CF/88, deverá observar os acordos firmados pela União, atendido o princípio da reciprocidade; tendo os tratados e convenções internacionais o condão de revogar ou modificar a legislação tributária interna (art. 98 do CTN). 4. Há que se destacar a existência de acordo bilateral entre a República Federativa do Brasil e a República da Alemanha, promulgado pelo Decreto 88.947/83 e aprovado pelo Decreto Legislativo 54/83, estabelecendo, em seu art. IV, que: cada parte contratante concederá aos navios da outra parte contratante, em seus portos e águas territoriais, na base de reciprocidade, o mesmo tratamento que concede a seus próprios navios empregados em transportes internacionais no tocante ao acesso aos portos e sua utilização, à distribuição de lugar no cais, ao embarque e desembarque de mercadorias e passageiros, ao pagamento de taxas, taxas portuárias e outros. 5. No caso em apreço, o navio de bandeira alemã, em atenção ao princípio da reciprocidade, deve receber o mesmo tratamento dispensado aos navios brasileiros, de modo que a mercadoria importada pela apelada – máquina colheitadeira de cana-de-açúcar – deve gozar do benefício isentivo do IPI descrito na Lei n.º 8.191/91, razão pela qual não há nada a reparar na sentença ora recorrida, que julgou procedentes os embargos à execução" (TRF5, AC 268.024, rel. Des. Fed. José Maria Lucena, DJ, 30.05.2007, p. 718).

"(...). 2 – Compete à União explorar, diretamente ou mediante autorização, concessão ou permissão, os serviços de transporte interestadual de passageiros nas rodovias federais, conforme artigo 21, XII, 'e', CF/88. O artigo 175 da CF/88 também preceitua que para a execução de serviços públicos por particulares é necessária anuência do Poder público, além de, em seu artigo 178, dispor que caberá à lei disciplinar a ordenação dos transportes aéreo, aquático e terrestre. 3 – A Lei n.º 10.233/2001 estruturou as bases de prestação do serviço público de transporte e criou ANTT, disciplinando em seu artigo 22, III, que o transporte rodoviário interestadual e internacional de passageiros está na esfera da atuação da ANTT. 4 – Configurada a infração prevista no artigo 83, VI, do Decreto n.º 2.521/98, – prestação de serviço de transporte de passageiros não autorizado –, afigura-se legítima a aplicação de penalidades" (TRF5, AC 510.603, rel. Des. Fed. Francisco Wildo, DJE, 02.06.2011, p. 452).

Art. 179. **A União, os Estados, o Distrito Federal e os Municípios dispensarão às microempresas e às empresas de pequeno porte, assim definidas em lei, tratamento jurídico diferenciado, visando a incentivá-las pela simplificação de suas obrigações administrativas, tributárias, previdenciárias e creditícias, ou pela eliminação ou redução destas por meio de lei.**

Doutrina

Tratamento jurídico às microempresas e empresas de pequeno porte. Dispõe o artigo em comento que todos os entes políticos da Federação, cada qual na sua respectiva área de competência, dispensarão aos micros e aos pequenos negócios, segundo o limite de receita bruta definido em lei, tratamento jurídico que resulte em incentivo e apoio ao seu desenvolvimento, devendo adotar medidas que viabilizem o cumprimento de suas obrigações legais de forma mais simples e racional, portanto, com um menor custo.

Disciplina legal da matéria. A Lei Complementar n.º 123, de 14.12.2006, institui o Estatuto Nacional da Microempresa e da Empresa de Pequeno Porte, dispondo sobre o tratamento diferenciado, simplificado e favorecido, visando, com isso, o crescimento desses empreendimentos que têm se revelado como excelentes geradores de empregos. Cabe mencionar, ainda, o regime tributário diferenciado instituído pela Lei n.º 9.317, de 05.12.1996, que trata do Sistema Integrado de Pagamento de Impostos e Contribuições das Microempresas e das Pequenas Empresas – SIMPLES, voltado, especificamente, para a facilitação do cumprimento das obrigações tributárias e previdenciárias.

Jurisprudência

> "Recurso extraordinário. Repercussão geral reconhecida. Microempresa e empresa de pequeno porte. Tratamento diferenciado. Simples Nacional. Adesão. Débitos fiscais pendentes. Lei Complementar n.º 123/06. Constitucionalidade. Recurso não provido. 1. O Simples Nacional surgiu da premente necessidade de se fazer com que o sistema tributário nacional concretizasse as diretrizes constitucionais do favorecimento às microempresas e às empresas de pequeno porte. A Lei Complementar n.º 123, de 14 de dezembro de 2006, em consonância com as diretrizes traçadas pelos arts. 146, III, d e parágrafo único; 170, IX; e 179 da Constituição Federal, visa à simplificação e à redução das obrigações dessas empresas, conferindo a elas um tratamento jurídico diferenciado, o qual guarda, ainda, perfeita consonância com os princípios da capacidade contributiva e da isonomia. 2. Ausência de afronta ao princípio da isonomia tributária. O regime foi criado para diferenciar, em iguais condições, os empreendedores com menor capacidade contributiva e menor poder econômico, sendo desarrazoado que, nesse universo de contribuintes, se favoreçam aqueles em débito com os fiscos pertinentes, os quais participariam do mercado com um vantagem competitiva em relação àqueles que cumprem pontualmente com suas obrigações. 3. A condicionante do inciso V do art. 17 da LC 123/06 não se caracteriza, a priori, como fator de desequilíbrio concorrencial, pois se constitui em exigência imposta a todas

as pequenas e as microempresas (MEI), bem como a todos os microempreendedores individuais (MEI), devendo ser contextualizada, por representar também, forma indireta de se reprovas a infração das leis fiscais e de se garantir a neutralidade, com enfoque na livre concorrência. 4. A presente hipótese não se confunde com aquelas fixadas nas Súmulas 70, 323 e 547 do STF, porquanto a espécie não se caracteriza como meio ilícito de coação a pagamento de tributo, nem como restrição desproporcional e desarrazoada ao exercício da atividade econômica. Não se trata, na espécie, de forma de cobrança indireta de tributo, mas de requisito para fins de fruição a regime tributário diferenciado e facultativo. 5. Recurso extraordinário não provido" (STF – Pleno, RE 627.543/RS, rel. Min. Dias Toffoli, j. 30.10.2013).

"(...). 2. Ressalte-se que, conforme entendimento jurisprudencial desta Corte, ainda que a questão seja de ordem pública, é imprescindível o prequestionamento, o que, contudo, não ocorreu na hipótese dos autos. 3. No que se refere à alegada violação ao art. 2.°, parágrafo único, da Lei 10.147/2000, o Tribunal Regional Federal da 4.ª Região decidiu a controvérsia à luz do tratamento jurídico diferenciado a ser dispensado às empresas de pequeno porte, em conformidade com o art. 179 da Constituição, assim como do princípio constitucional da isonomia, previsto no art. 150, II, também da Constituição Federal, e concluiu pela constitucionalidade do dispositivo. 4. Dessa forma, por ser eminentemente constitucional a fundamentação de acórdão, é inviável a revisão da questão jurídica por este Superior Tribunal de Justiça conforme as razões do Recurso Especial interposto, sob pena de usurpação da competência do Supremo Tribunal Federal. 5. Agravo Regimental da contribuinte a que se nega provimento" (STJ – 1.ª Turma, REsp 1.216.215 AgRg, rel. Min. Napoleão Nunes Maia Filho, REPDJE, 26.02.2019).

"1. A intervenção do Estado no domínio econômico resulta de poder conferido pela Carta Constitucional que autoriza o poder público a intervir como agente que o regula e o normatiza, a fim de fiscalizar e incentivar as atividades do setor privado. 2. As microempresas e as empresas de pequeno porte à luz do artigo 146, inciso III, letra 'd', e do art. 179, da Lei Maior, ostentam tratamento jurídico diferenciado voltado à simplificação de suas obrigações administrativas, tributárias, previdenciárias e creditícias. 3. O Regime Especial Unificado de Arrecadação de Tributos e Contribuições devidos pelas Microempresas e Empresas de Pequeno Porte – Simples Nacional, instituído pela Lei Complementar n° 123, de 2006, estabelece tratamento tributário diferenciado e favorecido a empresas no âmbito da União, dos Estados, do Distrito Federal e dos Municípios, mediante regime único de arrecadação dos tributos. 4. O artigo 17, inciso V, do referido diploma legal, exige a regularidade fiscal da pessoa jurídica para os fins de aplicação do regime tributário sub judice, nos seguintes termos, in verbis: Art. 17. Não poderão recolher os impostos e contribuições na forma do Simples Nacional a microempresa ou a empresa de pequeno porte: (...) V – que possua débito com o Instituto Nacional do Seguro Social - INSS, ou com as Fazendas Públicas Federal, Estadual ou Municipal, cuja exigibilidade não esteja suspensa; 5. A inscrição no Simples Nacional submete-se à aferição quanto à inexistência de débitos com o Instituto Nacional do Seguro Social – INSS, ou com as Fazendas Públicas Federal, Estadual ou Municipal, nos termos no inciso V, do art. 17, da LC 123/2006, sem que, para tanto, esteja configurada qualquer ofensa aos princípios da isonomia, da livre iniciativa e da livre concorrência. Precedentes do STJ. 6. É que o tratamento tributário diferenciado e privilegiado para as micro e pequenas empresas não as exonera do dever de cumprir as suas obrigações tributárias. A exigência de regularidade fiscal do interessado em optar pelo regime especial não encerra ato discriminatório, porquanto é imposto a todos os contribuintes, não somente às micro e pequenas empresas. Ademais, ao estabelecer tratamento diferenciado entre as empresas que possuem débitos fiscais e as que não possuem, vedando a inclusão das primeiras no sistema, o legislador não atenta contra o princípio da isonomia, porquanto concede tratamento diverso para situações desiguais. 7. O Simples Nacional é um benefício que está em consonância com as diretrizes traçadas pelos arts. 170, IX, e 179, da Constituição da República, e com o princípio da capacidade contributiva, porquanto favorece as microempresas e empresas de pequeno porte, de menor capacidade financeira e que não possuem os benefícios da produção em escala. 8. A adesão ao Simples Nacional é uma faculdade do contribuinte, que pode anuir ou não às condições estabelecidas, razão pela qual não há falar-se em coação" (STJ – 1.ª Turma, ROMS 30.777, rel. Min. Luiz Fux, DJE, 30.11.2010, p. 526).

"(...). II – A Constituição da República estabelece, como princípio da ordem econômica, o tratamento favorecido para as pequenas empresas constituídas sob as leis brasileiras e que tenham sua sede e administração no País (art. 170, IX, com a redação dada pela EC n. 6/95), prevendo a adoção, pela União, Estados, Distrito Federal e Municípios, de tratamento jurídico diferenciado às microempresas e às empresas de pequeno porte, visando incentivá-las pela simplificação, redução ou eliminação de suas obrigações administrativas, tributárias, previdenciárias e creditícias (art. 179). III – A Carta Política determina, outrossim, caber à lei complementar estabelecer normas gerais em matéria de legislação tributária, dispondo sobre a definição de tratamento diferenciado e favorecido para as Microempresas e para as Empresas de Pequeno Porte, inclusive regimes especiais ou simplificados de tributação, bem como instituir regime único de arrecadação dos impostos e contribuições da União, dos Estados, do Distrito Federal e dos Municípios, de adesão opcional pelo contribuinte, cessando-se, a partir da respectiva instituição, os regimes especiais de tributação próprios das referidas pessoas políticas (art. 146, III, 'd', e parágrafo único; e art. 94, do ADCT, de acordo com as redações dadas pela EC n. 42/2003). IV – Dando cumprimento às referidas diretrizes constitucionais veio a lume a Lei Complementar n. 123/06, instituindo o Estatuto Nacional da Microempresa (ME) e da Empresa de Pequeno Porte (EPP), com normas gerais relativas ao tratamento diferenciado e favorecido às referidas empresas, no âmbito da União, dos Estados, do Distrito Federal e dos Municípios, em diversas áreas, especialmente quanto à apuração e recolhimento dos impostos e contribuições mediante regime único de arrecadação, revogando expressamente a Lei n. 9.317/96, que instituiu o Sistema Integrado de Pagamento de Impostos e Contribuições das Microempresas e das Empresas de Pequeno Porte – SIMPLES, restritos aos tributos e contribuições federais, e a Lei n. 9.841/99, antigo Estatuto da Microempresa e da Empresa de Pequeno Porte (art. 89). V – Nos termos do art. 13, da LC n. 123/06, a opção da Microempresa e da Empresa de Pequeno Porte ao Simples Nacional implica no recolhimento mensal, mediante documento único de arrecadação, abrangendo, além de tributos federais (IRPJ, IPI, CSLL, COFINS, PIS/PASEP e CPP), um imposto estadual (ICMS), e outro de competência dos municípios (ISS)" (TRF3 – AMS 334.027,/SP, rel. Des. Fed. Regina Costa, e-DJF3, Judicial 1, 20.09.2012).

Art. 180. A União, os Estados, o Distrito Federal e os Municípios promoverão e incentivarão o turismo como fator de desenvolvimento social e econômico.

Doutrina

Turismo. É o ato de viajar com o objetivo de conhecer ou rever lugares, para fins de cultura, entretenimento ou lazer, porém com a intenção de voltar para o lugar de origem. Pode ser classificado em *turismo internacional*, ou externo, com o trânsito de turista de um país para outro, e *turismo nacional*, ou interno, com o trânsito de turista dentro do próprio país. A indústria do turismo envolve sofisticada rede de operação (operadoras, agências de viagens etc.) e prestação de serviços (transporte, hotelaria etc.) e aproveita as belezas naturais, as construções humanas, normalmente com valor histórico, a cultura e os costumes de um país para torná-lo atraente ao turista.

Disciplina jurídica do turismo. A Política Nacional de Turismo, instituída pela Lei n.º 11.771, de 17.09.2008, é regida por um conjunto de normas voltadas ao planejamento e ordenação do setor, além de diretrizes, metas e programas definidos no Plano Nacional do Turismo, estabelecido pelo Governo Federal, devendo, ainda, obedecer aos princípios da livre iniciativa, da descentralização, da regionalização e do desenvolvimento econômico-social justo sustentável.

Composição do Sistema Nacional de Turismo. Compreende os seguintes órgãos: Ministério do Turismo; Embratur – Agência Brasileira de Promoção Internacional do Turismo; Conselho Nacional de Turismo; e Fórum Nacional de Secretários e Dirigentes Estaduais de Turismo.

Objetivos e metas do Sistema Nacional de Turismo. Referido sistema visa à promoção do desenvolvimento do turismo de forma sustentável, coordenando e integrando as iniciativas governamentais com as do setor privado, de modo a atingir as metas fixadas no plano nacional, estimular a integração dos diversos segmentos do setor, promover a regionalização do turismo e a melhoria da qualidade dos serviços turísticos prestados no país.

Jurisprudência

> "No intuito de promover o desenvolvimento do setor de turismo no país, foi editada a Lei n. 10.637, de 30 de dezembro de 2002, que contemplou a possibilidade de inclusão das agências de viagem e turismo no SIMPLES, desde que preenchidos os requisitos exigidos pela Lei n. 9.317/96 para demonstrar a capacidade técnica da empresa e de seus responsáveis" (STJ – 2.ª Turma, REsp 379.974, rel. Min. Franciulli Netto, DJ, 22.03.2004, p. 273).

"Incentivo Fiscal da EMBRATUR – Fundo Geral de Turismo – FUNGETUR. 1. Incentivo fiscal que impôs à empresa, pela resolução 1.906/82, pagamento de prestações por nove anos. 2. Prazo quinquenal inserido na Deliberação 2.802/82 como o lapso temporal para usufruiu a empresa da segunda parte do benefício fiscal. 3. Recurso especial improvido" (STJ – 2.ª Turma, REsp 389.870, rel. Min. Eliana Calmon, DJ, 31.03.2003, p. 198).

Art. 181. O atendimento de requisição de documento ou informação de natureza comercial, feita por autoridade administrativa ou judiciária estrangeira, a pessoa física ou jurídica residente ou domiciliada no País dependerá de autorização do Poder competente.

Doutrina

Requisição de documento ou informação comercial por autoridade estrangeira. Dispõe a norma que o atendimento à requisição dependerá de autorização expressa da autoridade brasileira competente, que, ao tomar conhecimento da exigência, deverá decidir declinando motivação para autorizar ou não a providência. Certamente, a requisição não poderá ser atendida quando ofender a soberania nacional, a ordem pública e os bons costumes.

Requisição feita por autoridade administrativa estrangeira. Para tentar dar consequência ao dispositivo constitucional, penso que, no caso de se tratar de requisição de autoridade administrativa estrangeira, destinada a pessoa física ou jurídica com residência ou domicílio no país, a forma capaz de viabilizar eventual cumprimento da requisição será aquela definida por meio de tratado bilateral, com regras de reciprocidade. São os chamados tratados de cooperação internacional, que podem ser firmados para viabilizar a troca de informações comerciais ou financeiras, bem como para facilitar a persecução criminal, ou, ainda, para outros assuntos de interesse comum dos países signatários.

Requisição feita por autoridade judiciária estrangeira. Quando se tratar de carta rogatória ou de sentença emanadas de país estrangeiro, a concessão do *exequatur* naquela ou a homologação desta são de competência do Superior Tribunal de Justiça (CF, art. 105, i). Após essas decisões, a execução de carta rogatória ou de sentença estrangeira é da competência do Juiz Federal (CF, art. 109, X) que tem jurisdição sobre o domicílio da pessoa física ou jurídica destinatária da decisão exequenda. No caso da carta rogatória, o Brasil promulgou, por meio do Decreto n.º 1.899, de 09.05.1996, a Convenção Interamericana sobre Cartas Rogatórias, de 30.01.1975.

Jurisprudência

> "Crime – Cooperação internacional – Combate – Diligências – Território Nacional – Meio. A prática de atos decorrentes de pronunciamento de autoridade judicial estrangeira, em território nacional, objetivando o combate ao crime, pressupõe carta rogatória a ser submetida, sob o ângulo da execução, ao crivo do Superior Tribunal de Justiça, não cabendo potencializar a cooperação internacional a ponto de colocar em segundo plano formalidade essencial à valia dos atos a serem realizados" (STF – 1.ª Turma, HC 85.588-1/RJ, rel. Min. Marco Aurélio, DJ 15.12.2006, p. 95).

> "Carta rogatória. Colaboração. Inexistência de tratado. A inexistência de tratado entre o país no qual situada a Justiça rogante e o Brasil não obstaculiza o cumprimento de carta rogatória, implementando-se atos a partir do critério da cooperação internacional no combate ao crime" (STF – Pleno, CR 9.854 AgRg, rel. Min. Marco Aurélio, j. 17.03.2004).

> "Nada impede a remessa à Procuradoria Geral da República, para fins de instrução de outros procedimentos, de cópias de documentos que instruíram ação

penal extinta, desde que respeitado acordo internacional de cooperação judicial" (STF – Pleno, AP 483/SP AgRg-AgRg, rel. Min. Ricardo Lewandowski, j. 12.03.2009).

"A realização de interrogatório, ato de simples instrução processual, é meio hábil ao exercício do direito de defesa e não viola a soberania nacional ou a ordem pública. Ademais, a realização de cooperação jurídica internacional não se limita às previsões de acordos específicos, mas funde-se, também, na garantia de aplicação do princípio da reciprocidade" (STJ – Corte Especial, CR 5.238 Ag., rel. Min. Ari Pargendler, DJE, 06.06.2012).

CAPÍTULO II
DA POLÍTICA URBANA

Art. 182. A política de desenvolvimento urbano, executada pelo Poder Público municipal, conforme diretrizes gerais fixadas em lei, tem por objetivo ordenar o pleno desenvolvimento das funções sociais da cidade e garantir o bem-estar de seus habitantes.

§ 1.º O plano diretor, aprovado pela Câmara Municipal, obrigatório para cidades com mais de vinte mil habitantes, é o instrumento básico da política de desenvolvimento e de expansão urbana.

§ 2.º A propriedade urbana cumpre sua função social quando atende às exigências fundamentais de ordenação da cidade expressas no plano diretor.

§ 3.º As desapropriações de imóveis urbanos serão feitas com prévia e justa indenização em dinheiro.

§ 4.º É facultado ao Poder Público municipal, mediante lei específica para área incluída no plano diretor, exigir, nos termos da lei federal, do proprietário do solo urbano não edificado, subutilizado ou não utilizado, que promova seu adequado aproveitamento, sob pena, sucessivamente, de:

I – parcelamento ou edificação compulsórios;

II – imposto sobre a propriedade predial e territorial urbana progressivo no tempo;

III – desapropriação com pagamento mediante títulos da dívida pública de emissão previamente aprovada pelo Senado Federal, com prazo de resgate de até dez anos, em parcelas anuais, iguais e sucessivas, assegurados o valor real da indenização e os juros legais.

Doutrina

Política de desenvolvimento urbano. Compreende um conjunto de iniciativas, de competência do município, que tem por objetivo ordenar o desenvolvimento das funções sociais da cidade, organizando a ocupação dos espaços públicos e regulando o uso da propriedade urbana, com a finalidade de garantir o bem-estar da população e assegurar a proteção devida ao meio ambiente.

Disciplina legal da política urbana. A Lei n.º 10.257, de 10.07.2001, estabelece, com base nos artigos 182 e 183, da Constituição Federal, as diretrizes gerais da política urbana, instituindo o Estatuto da Cidade, que dispõe sobre normas de ordem pública e de interesse social, tratando de diretrizes destinadas a garantir o direito dos munícipes a uma cidade sustentável, ou seja, com adequada oferta de moradia, água e esgotos, malha viária, transporte coletivo e serviços públicos essenciais, como educação, saúde, segurança, energia e lazer. Anote-se que, nesta matéria, a competência da União restringe-se a legislar sobre normas gerais de direito urbanístico e sobre normas para a cooperação a ser entabulada com Estados, Distrito Federal e Municípios, o que não inibe a promoção, em conjunto com estes entes políticos, de projetos visando a melhorar a condição geral de vida da população, como, por exemplo, os programas habitacionais. Ao lado do Estatuto da Cidade, a Lei n.º 12.587, de 03.01.2012, institui as diretrizes de uma política nacional de mobilidade urbana, como instrumento da política de desenvolvimento urbano, com os principais objetivos de assegurar meios de mobilidade, ou seja, de deslocamento de pessoas e cargas no espaço urbano, e de acessibilidade, ou seja, facilitar meios que viabilizem a todos a autonomia nos deslocamentos pela cidade.

***Plano diretor*.** Trata-se de uma ferramenta destinada ao planejamento da cidade e que se constitui no instrumento essencial da política de desenvolvimento e de expansão urbana, sendo obrigatório para cidades com mais de vinte mil habitantes. Como depende de aprovação da Câmara de Vereadores, significa que sua adoção se dá por meio de lei.

***Função social da propriedade urbana*.** Dispõe o § 2.º que a propriedade urbana cumpre sua função social quando atende às exigências básicas de ordenação da cidade contidas no seu plano diretor. Portanto, o plano diretor do município deverá indicar quais são as exigências essenciais ligadas ao cumprimento da função social da propriedade urbana e, certamente, dentre elas figurarão os serviços públicos, como os de transporte, segurança, saúde e educação, além de meios de mobilidade e de acessibilidade urbanas.

***Desapropriação de imóvel urbano*.** O poder público poderá desapropriar imóvel urbano necessário ao atendimento de interesse da coletividade, contanto que o faça mediante prévia e justa indenização em dinheiro, como dispõe o § 3.º Aliás, mera norma fundada no artigo 5.º, inciso XXIV, da Constituição Federal.

***Medidas administrativas para induzir ao aproveitamento do solo urbano*.** Nos termos deste § 4.º, o Município, por meio de lei específica e para imóveis localizados em áreas integrantes do plano diretor, obedecida a legislação federal a respeito, poderá exigir do proprietário de terreno urbano não edificado, subutilizado ou não utilizado, que adote providências, dentro do prazo assinalado, para viabilizar o seu adequado aproveitamento.

Sanções no caso de descumprimento da exigência. Restando descumprida a notificação emanada da autoridade competente, a norma constitucional autoriza a aplicação das seguintes sanções: *a*) parcelamento ou edificação compulsórios, ou seja, divisão do solo em lotes menores, ou construção compulsória a ser feita dentro do prazo previsto em lei; *b*) progressividade gradual do imposto sobre a propriedade predial e territorial urbana no tempo, ou seja, aplicação de alíquotas crescentes, com o cuidado de não caracterizar confisco (CF, art. 150, III, *b*); *c*) desapropriação com pagamento mediante títulos da dívida pública de emissão previamente aprovada pelo Senado Federal, com prazo de resgate de até dez anos, em parcelas anuais, iguais e sucessivas, assegurados o valor real da indenização e os juros legais. Portanto, aqui a norma autoriza a chamada desapropriação-sanção pelo descumprimento, por parte de proprietário de terreno urbano, das normas relativas à obediência à função social da propriedade. Anote-se, ademais, que, contrariamente da regra geral do § 3.º, de prévia e justa indenização em dinheiro, no caso de desapropriação-sanção a indenização será paga com títulos da dívida pública, que serão emitidos pelo Município, após aprovação da emissão pelo Senado Federal.

Jurisprudência

> "(...). 3. Ônus do proprietário de imóvel urbano. Instrumento próprio à política de desenvolvimento urbano, cuja expressão incumbe ao Poder Público municipal, nos termos do disposto no artigo 182 da Constituição do Brasil. Instrumento voltado à correção de distorções que o crescimento urbano desordenado acarreta, à promoção do pleno desenvolvimento das funções da cidade e a dar concreção ao princípio da função social da propriedade [art. 170, III, da CB]. 4. Recurso extraordinário conhecido, mas não provido" (STF – Pleno, RE 387.047/SC, rel. Min. Eros Grau, j. 06.03.2008)".

"1. O '*caput*' do art. 195 da Constituição do Estado do Amapá estabelece que 'o plano diretor, instrumento básico da política de desenvolvimento econômico e social e de expansão urbana, aprovado pela Câmara Municipal, é obrigatório para os Municípios com mais de cinco mil habitantes'. 2. Essa norma constitucional estadual estendeu, aos municípios com número de habitantes superior a cinco mil, a imposição que a Constituição Federal só fez àqueles com mais de vinte mil (art. 182, § 1.º). 3. Desse modo, violou o princípio da autonomia dos municípios com mais de cinco mil e até vinte mil habitantes, em face do que dispõem os artigos 25, 29, 30, I e VIII, da C.F. e art. 11 do A.D.C.T. 4. Ação Direta de Inconstitucionalidade julgada procedente, nos termos do voto do Relator" (STF – Pleno, ADIN 826/AP, rel. Min. Sydney Sanches, j. 17.09.1998).

"A progressividade do IPTU, que é imposto de natureza real em que não se pode levar em consideração a capacidade econômica do contribuinte, só é admissível para o fim extrafiscal de assegurar o cumprimento da função social da propriedade, obedecidos os requisitos previstos na Constituição Federal (art. 182, §§ 2.º e 4.º)" (STF – 2.ª Turma, RE 206.970-l/MG, rel., Min. Maurício Correa, DJ, 27.06.1997).

"I – Compete ao órgão ambiental municipal, ouvidos os órgãos componentes da União, dos Estados e do Distrito Federal, quando couber, o licenciamento ambiental de empreendimentos e atividades de impacto ambiental local e daquelas que lhe forem delegadas pelo Estado por instrumento legal ou convênio. II – O plano diretor aprovado pela Câmara Municipal, obrigatório para cidades com mais de vinte mil habitantes, é o instrumento básico de política de desenvolvimento e de expansão urbana. Art. 182, § 1.º, da CF/88" (TRF5, AgI 60245/01 AgRg, rel. p/acórdão Des. Fed. Paulo Gadelha, DJ 1, 15.03.2005, p. 540).

"Empreendimentos, iniciativas ou alterações urbanas relevantes exigem avaliação de impacto ambiental. Pertinência do artigo 225 da Constituição da República, combinado com art. 182, que trata da política de desenvolvimento urbano, tendo como objetivo ordenar o pleno desenvolvimento das funções sociais da cidade e garantir o bem-estar de seus habitantes. Matéria com desenvolvimento legislativo no Estatuto das Cidades (Lei n. 10.257/2001 e na Lei Orgânica do Município, quanto a transformações urbanísticas estruturais, melhorias sociais e valorização ambiental, conteúdos que a lei municipal específica, baseada no plano diretor, deve considerar (art. 32, § 1.°), onde se incluem modificação de índices e características de uso e ocupação do solo, bem como alterações das normas edilícias, considerando o impacto ambiental delas decorrentes" (TRF4, AG 200904000092992, rel. Des. Fed. Roger Raupp Rios, D.E., 19.08.2009).

Art. 183. Aquele que possuir como sua área urbana de até duzentos e cinquenta metros quadrados, por cinco anos, ininterruptamente e sem oposição, utilizando-a para sua moradia ou de sua família, adquirir-lhe-á o domínio, desde que não seja proprietário de outro imóvel urbano ou rural.

§ 1.° O título de domínio e a concessão de uso serão conferidos ao homem ou à mulher, ou a ambos, independentemente do estado civil.

§ 2.° Esse direito não será reconhecido ao mesmo possuidor mais de uma vez.

§ 3.° Os imóveis públicos não serão adquiridos por usucapião.

Doutrina

Usucapião urbano. É forma de aquisição originária da propriedade e, por meio desta norma, o legislador constituinte instituiu novo usucapião, que permite a todo aquele – nacional ou estrangeiro domiciliado –, que cumprir os requisitos legais adquirir o domínio de imóvel urbano.

Requisitos para aquisição. São requisitos necessários para a aquisição da propriedade por meio do usucapião especial: *a*) tratar-se de área urbana de no máximo 250 m²; *b*) deter o interessado a posse do imóvel sem interrupção e sem oposição pelo prazo mínimo de cinco anos, contados da promulgação da Constituição; *c*) usar o interessado a propriedade para sua moradia, ou de sua família; *d*) não ser o interessado proprietário de qualquer imóvel, urbano ou rural.

Outorga do usucapião. O título de domínio, que, necessariamente, deve ser a decisão judicial de outorga do usucapião, transitada em julgado, será conferido, nos termos do § 1.º, ao homem, à mulher, ou para ambos, sendo irrelevante o estado civil, querendo, com isso, o legislador constituinte viabilizar a concessão para aqueles que vivem sob união estável. Anote-se, que referido direito será reconhecido apenas uma vez (§ 2.º), pela evidente razão de se tratar de medida de política urbana, de forte conotação social.

Proibição do usucapião de imóveis públicos. A norma do § 3.º proíbe a aquisição de imóveis públicos, quer dizer, de propriedade da União, Estados, Distrito Federal e Municípios, e respectivas autarquias e fundações públicas, por meio do usucapião. Trata-se do reconhecimento da inalienabilidade originária dos bens públicos, decorrendo daí a impossibilidade de adquiri-los por usucapião.

Jurisprudência

> Súmula do STF: 340. "Desde a vigência do Código Civil, os bens dominicais, como os demais bens públicos, não podem ser adquiridos por usucapião".

"Usucapião urbano. Artigo 183 da Constituição Federal. Longe fica de vulnerar o preceito decisão no sentido de obstáculo ao reconhecimento da prescrição aquisitiva em face de acordo homologado judicialmente" (STF – 2.ª Turma, RE 172.726/SP, rel. Min. Marco Aurélio, j. 14.12.1998).

"Usucapião urbano. Aquisição. Requisitos. O acórdão recorrido concluiu que foram atendidos os requisitos exigidos pelo artigo 183 da Constituição do Brasil para a aquisição da propriedade por meio de usucapião urbano" (STF – 2.ª Turma, RE 593.566/MG AgRg, rel. Min. Eros Grau, j. 17.03.2009).

"Usucapião previsto no art. 183 da Constituição. Termo inicial da fluência do prazo. O termo inicial da fluência do prazo para ocorrer o usucapião previsto no artigo 183 da Constituição, a entrada em vigor desta, ou seja, 5-10-88. Precedentes do STF" (STF – 1.ª Turma, RE 214.851/SP, rel. Min. Moreira Alves, DJ 1, 08.05.1998, p. 16).

"Os bens públicos imóveis da União não podem ser adquiridos por usucapião (C.C., art. 67; Dec. 22.785/33; Decreto Lei 9.760/46, art. 200) ressalvados os casos de 'praescriptio longis simi temporis', a de 40 anos consumada antes de 1917, e os do art. 5.º, 'e', do Decreto Lei 9.760/46. A Lei 2.437/55, como disposição geral, não alterou o prazo de 20 anos da disposição especial do art. 5.º, 'e', de decreto Lei n.º 9.760/46 (Introd. ao C.C. art. 2.º, § 2.º)" (STF – Pleno, ACO 132/MT, rel. Min. Aliomar Baleeiro, DJ, 09.11.1973, p. 8.483).

"Usucapião. Sociedade de Economia Mista. CEB. O bem pertencente a sociedade de economia mista pode ser objeto de usucapião. Precedente" (STJ – REsp 120.702/DF, rel. Min. Ruy Rosado de Aguiar, DJ, 20.08.2001, p. 468).

"Usucapião. Herança jacente. O bem integrante de herança jacente só é devolvido ao Estado com a sentença de declaração da vacância, podendo, até ali, ser possuído *ad usucapionem*. Precedentes" (STJ – 4.ª Turma, REsp 253.719/RJ, rel. Min. Ruy Rosado de Aguiar, DJ, 27.11.2000, p. 169).

"(...). 3. Com relação ao primeiro pedido, por se tratar de terreno acrescido de marinha, não há que se falar em usucapião de imóvel público, cuja vedação decorre de expressa previsão constitucional, in verbis 'Art. 183 (...) § 3.º Os imóveis públicos não serão adquiridos por usucapião'" (TRF2, AC 0011876-69.2012.4.02.5001, rel. Des. Fed. Reis Friede, j. 15.10.2018).

"1. Cinge-se a controvérsia acerca do direito da autora de usucapir imóvel, sob o argumento de que exerce sobre ele posse mansa, pacífica e duradoura, com *animus domini*. 2. Conforme preceitua o *caput* do art. 183 da Constituição Federal: 'Aquele que possuir como sua área urbana de até duzentos e cinquenta metros quadrados, por cinco anos, ininterruptamente e sem oposição, utilizando-a para sua moradia ou de sua família, adquirir-lhe-á o domínio, desde que não seja proprietário de outro imóvel urbano ou rural'. Ocorre que o parágrafo 3.º do referido artigo dispõe que os imóveis públicos não serão adquiridos por usucapião. 3. Na hipótese dos autos, não resta dúvidas que o imóvel objeto do litígio é público, não podendo, por conseguinte, ser usucapido, pois de acordo com a informação da União, corroborada pelos documentos de fls. 49/50, 'o imóvel usucapiendo encontra-se situado em área conceituada em sua totalidade, como terreno acrescido de marinha'. 4. De acordo com o art. 20, VII, da Constituição Federal, os terrenos de marinha e seus acrescidos são bens da União, independente de sua localização. 5. Ademais, a Emenda Constitucional n.º 46/2005, ao modificar a redação ao inciso IV do art. 20, não afastou a titularidade da União sobre os terrenos de marinha, mesmo que estes se localizem em ilhas costeiras que contenham sede de Município" (TRF5, AC 570.222, rel. Res. Fed. Francisco Cavalcanti, DJE, 03.07.2014, p. 124).

"1. Pretensão dos Autores de adquirirem o domínio, mediante usucapião, de imóvel urbano, construído com recursos fornecidos pela CEF no âmbito do SFH, sob o argumento de que nele reside ininterruptamente, há mais de vinte anos, sem qualquer oposição. 2. Os bens públicos, por possuírem o caráter de imprescritibilidade, qualquer que seja a sua natureza, ainda que destituídos de finalidade pública, não podem ser usucapidos. 3. 'Não há espeço para ponderação entre o princípio social da moradia e o postulado da imprescritibilidade de bens públicos, haja vista que o Constituinte Originário, ao afirmar a exceção no sentido de que "os imóveis públicos não serão adquiridos por usucapião", implicitamente estendeu o ideal de imprescritibilidade, nas hipóteses em que o direito à moradia estivesse em jogo, já que este é requisito indispensável para a aquisição da propriedade, em razão do decurso temporal', impossibilita a aquisição originária da propriedade, nos termos delineados no art. 183, da CF. 4. A jurisprudência pátria já se manifestou pela impossibilidade de aquisição da propriedade, por meio de usucapião, em relação aos imóveis vinculados ao Sistema Financeiro da Habitação, por ser manifesta a precariedade da posse, além do caráter público de que se reveste o bem em questão, em função da origem dos recursos utilizados na sua constituição. Precedentes (...). 5. Apelação improvida" (TRF5, AC 568.729, rel. Des. Fed. Geraldo Apoliano, DJE, 06.05.2014, p. 90).

CAPÍTULO III
DA POLÍTICA AGRÍCOLA E FUNDIÁRIA E DA REFORMA AGRÁRIA

Art. 184. Compete à União desapropriar por interesse social, para fins de reforma agrária, o imóvel rural que não esteja cumprindo sua função social, mediante prévia e justa indenização em títulos da dívida agrária, com cláusula de preservação do valor real, resgatáveis no prazo de até vinte anos, a partir do segundo ano de sua emissão, e cuja utilização será definida em lei.

§ 1.º As benfeitorias úteis e necessárias serão indenizadas em dinheiro.

§ 2.º O decreto que declarar o imóvel como de interesse social, para fins de reforma agrária, autoriza a União a propor a ação de desapropriação.

§ 3.º Cabe à lei complementar estabelecer procedimento contraditório especial, de rito sumário, para o processo judicial de desapropriação.

§ 4.º O orçamento fixará anualmente o volume total de títulos da dívida agrária, assim como o montante de recursos para atender ao programa de reforma agrária no exercício.

§ 5.º São isentas de impostos federais, estaduais e municipais as operações de transferência de imóveis desapropriados para fins de reforma agrária.

Doutrina

Desapropriação para fins de reforma agrária. Nos termos da norma contida no artigo 184, *caput*, compete à União desapropriar por interesse social, para fins de reforma agrária, tratando-se, pois, de competência exclusiva deste ente político, que poderá se valer do instrumento da desapropriação para apropriar-se de imóvel rural e destiná-lo à reforma agrária, ou seja, para integrá-lo a um processo destinado a alterar a estrutura agrária do país, com a finalidade de melhorar as condições de vida dos trabalhadores rurais por meio da repartição da terra e do incremento da produção.

Desapropriação de imóveis rurais por Estados e Municípios. Estes entes da Federação poderão desapropriar imóveis rurais com base em interesse social, porém não para fins de reforma agrária, esta exclusiva da União. Aliás, Estados podem desapropriar imóvel rural para construção, por exemplo, de colônia penal agrícola e é comum a desapropriação de propriedades rurais por parte de Municípios para a construção de conjuntos habitacionais. Todavia, em todos os casos, a indenização haverá de ser prévia e em dinheiro.

Requisitos necessários para a desapropriação para fins de reforma agrária. Trata-se de desapropriação fundada no interesse social radicado na realização da reforma agrária e somente se legitima quando: *a*) *incidir apenas sobre imóvel rural que não esteja cumprindo a sua função social*, devendo ser entendido como tal aquele que não venha sendo aproveitado para a produção agrícola, pecuária, ou qualquer outra, segundo a sua vocação, não ocorrendo assim a adequada utilização de seus recursos, e, portanto, não ocorrendo nele exploração que favoreça ao proprietário e seus empregados; *b*) *precedida de justa e prévia indenização*, ou seja, a reparação econômica ao expropriado deve manter indene o seu patrimônio e ser feita previamente, em títulos da dívida agrária emitidos com cláusula de manutenção do valor real, com resgate no prazo de vinte anos, em parcelas sucessivas a partir do segundo ano de emissão e com qualquer outra utilização definida em lei; *c*) *indenizadas em dinheiro as benfeitorias úteis e necessárias* (§ 1.º), pois somente o valor da terra nua e das benfeitorias voluptuárias podem ser indenizadas com títulos da dívida agrária; d) *publicado o decreto que declarar o imóvel como de interesse social para fins de reforma agrária* (§ 2.º), pois somente em face de tal providência a União está autorizada a expropriar por meio de desapropriação especial e valer-se do procedimento contraditório especial, de rito sumário (§ 3.º), conforme disposto na Lei Complementar 76, de 06.07.1993.

Financiamento do programa de reforma agrária. O § 4.º dispõe que o orçamento fiscal fixará, em cada exercício financeiro, o volume total de títulos da dívida agrária que será emitido para financiar as desapropriações destinadas à reforma agrária, bem como proverá os recursos necessários para o resgate dos referidos títulos.

Imunidade de impostos. Em que pese o § 5.º referir-se a isenção, na verdade trata-se de imunidade de impostos federais, estaduais e municipais que poderiam incidir na transferência de imóveis desapropriados para o programa de reforma agrária.

Jurisprudência

"Administrativo. Decreto presidencial que declarou imóvel de interesse social para fins de reforma agrária.

O imóvel objeto da desapropriação deve ser definido da forma mais específica possível. A falta de exatidão do bem objeto da desapropriação gera a anulação do decreto expropriatório. A inexatidão traz consequências irreparáveis para a classificação do imóvel, tanto no que diz respeito à extensão do imóvel (pequena, média e grande propriedade), como no que diz respeito à produtividade da Fazenda. A identificação confusa do bem objeto do Decreto enseja a sua ilegalidade por ferimento a requisito essencial e pela consequente imprecisão da classificação do imóvel. Mandado de segurança concedido" (STF – Pleno, MS 23.335/SP, rel. Min. Nelson Jobim, j. 04.08.2004).

"A vistoria efetivada com fundamento no art. 2.º, § 2.º, da Lei n.º 8.629/93 tem por específica finalidade viabilizar o levantamento técnico de dados e informações sobre o imóvel rural, permitindo à União Federal – que atua por intermédio do Incra – constatar se a propriedade realiza, ou não, a função social que lhe é inerente. O ordenamento positivo determina que essa vistoria seja precedida de notificação regular ao proprietário, em face da possibilidade de o imóvel rural que lhe pertence – quando este não estiver cumprindo a sua função social – vir a constituir objeto de declaração expropriatória para fins de reforma agrária" (STF – Pleno, MS 23.949/DF, rel. Min. Celso de Mello, j. 01.02.2002).

"A existência de condomínio sobre o imóvel rural não impede a desapropriação-sanção do art. 184 da Constituição do Brasil, cujo alvo é o imóvel rural que não esteja cumprindo sua função social" (STF – Pleno, MS 24.573/DF, rel. Min. Gilmar Mendes, j. 12.06.2006).

"Desapropriação. Reforma Agrária. Indenização em títulos. Deságio. CF/67, art. 161; CF/88, art. 184. I – Indenização em títulos da dívida pública, CF art. 184: os títulos são entregues ao credor, previamente, 'pro soluto', pelo que se atende à exigência da indenização prévia, mas diferido no tempo, com cláusula de preservação do real valor (CF, art. 184). A Constituição é que estabelece que o resgate dos títulos, entregues 'pro soluto', será diferido no tempo – 'resgatáveis no prazo de até vinte anos, a partir do segundo ano de sua emissão'. (CF, art. 184). O que a Constituição exige é que seja preservado o seu valor real. II – Inviabilidade, portanto, de obrigar-se o poder público a garantir compensação pelo deságio, se levados os títulos ao mercado, antecipadamente" (STF – Pleno, RE 176.891-7 AgRg, rel. Min. Carlos Velloso, Informativo n. 37).

"A isenção de tributos de que trata o § 5.º do artigo 184 da Constituição Federal, deferida às operações relativas às transferências de imóveis desapropriados, há de ser entendida como imunidade e tem por fim não onerar o procedimento expropriatório ou dificultar a realização da reforma agrária, de competência exclusiva da União Federal. 2. Os títulos da dívida agrária constituem moeda de pagamento da justa indenização devida pela desapropriação de imóveis por interesse social e, dado o seu caráter indenizatório, não podem ser tributados. 3. Terceiro adquirente de títulos da dívida agrária. Imunidade. Extensão. Impossibilidade. O benefício alcança tão-somente o expropriado. O terceiro adquirente, que com ele realiza ato mercantil, em negócio estranho à reforma agrária, não é destinatário da norma constitucional" (STF – 2.ª Turma, RE 169.628/DF, rel. Min. Maurício Corrêa, d. 28.09.1999, DJ, 19.04.2002, p. 59).

"Recurso extraordinário. Alcance da imunidade tributária relativa aos títulos da dívida agrária. Há pouco, em 28.09.99, a Segunda Turma desta Corte, ao julgar o RE 169.628, relator o eminente Ministro Maurício Corrêa, decidiu, por unanimidade de votos, que o § 5.º do artigo 184 da Constituição, embora aluda a isenção de tributos com relação às operações de transferência de imóveis desapropriados para fins de reforma agrária, não concede isenção, mas, sim, imunidade que, por sua vez, tem por fim não onerar o procedimento expropriatório ou dificultar a realização da reforma agrária, sendo que os títulos da dívida agrária constituem moeda de pagamento da justa indenização devida pela desapropriação de imóveis por interesse social e, dado o seu caráter indenizatório, não podem ser tributados. Essa imunidade, no entanto, não alcança o terceiro adquirente desses títulos, o qual, na verdade, realiza com o expropriado negócio jurídico estranho à reforma agrária, não sendo assim também destinatário da norma constitucional em causa. Dessa orientação divergiu o acórdão recorrido. Recurso extraordinário conhecido e provido" (STF – Pleno, RE 168.110/DF, rel. Min. Moreira Alves, j. 20.06.2000).

Art. 185. São insuscetíveis de desapropriação para fins de reforma agrária:

I – a pequena e média propriedade rural, assim definida em lei, desde que seu proprietário não possua outra;

II – a propriedade produtiva.

Parágrafo único. A lei garantirá tratamento especial à propriedade produtiva e fixará normas para o cumprimento dos requisitos relativos a sua função social.

Doutrina

Proibição de desapropriação. Não está sujeita à desapropriação, para fins de reforma agrária, a propriedade rural de pequena ou média extensão, desde que seja a única de seu proprietário, que a mantém produtiva.

Tamanho da propriedade. O Estatuto da Terra (art. 39, § 3.º) já dispõe ser vedada a desapropriação do imóvel rural cuja área não ultrapasse a medida de três vezes o módulo de propriedade. Contudo, a lei referida na norma constitucional poderá definir outra extensão.

Propriedade produtiva. Trata-se daquela onde ocorre adequado aproveitamento de seus recursos e de suas potencialidades, que devem ser utilizados para gerar riqueza e bem-estar ao seu proprietário e a todos aqueles que dela tiram o seu sustento e o de sua família, sendo razoável remanescer excedente de produção para atender às demandas pelo menos da comunidade local.

Tratamento dispensado à propriedade produtiva. Nos termos do parágrafo único do artigo 185, a lei dispensará tratamento especial à propriedade produtiva, evitando a sua desapropriação para fins de reforma agrária e garantirá, ainda, meios para que possa cumprir os requisitos relativos à sua função social.

Jurisprudência

> "A pequena e a média propriedade rural, desde que o seu proprietário não possua outra, são insuscetíveis de desapropriação para fins de reforma agrária: C.F., art. 185, I. A classificação de propriedade rural em pequena, média ou grande subordina-se à extensão da área, vale dizer, da área medida" (STF – Pleno, MS 24.719/DF, rel. Min. Carlos Velloso, j. 14.12.2004).
>
> "A pequena e média propriedades rurais, ainda que improdutivas, não estão sujeitas ao poder expropriatório da União Federal, em tema de reforma agrária, em face da cláusula de inexpropriabilidade que deriva do art. 185, I, da Constituição da República. A incidência dessa norma constitucional não depende, para efeito de sua aplicabilidade, da cumulativa satisfação dos pressupostos nela referidos (dimensão territorial do imóvel ou grau adequado de produtividade fundiária). Basta que qualquer desses requisitos se verifique para que a imunidade objetiva prevista no art. 185 da Constituição atue plenamente, em ordem a pré-excluir a possibilidade jurídica de a União Federal valer-se do instrumento extraordinário da desapropriação-sanção" (STF – Pleno, MS 21.919/PE, rel. Min. Celso de Mello, j. 22.09.1994).

"Reforma agrária: desapropriação: imunidade constitucional da média propriedade rural, cujo reconhecimento subsiste, no caso, à invalidade do seu desmembramento posterior ao decreto expropriatório: mandado de segurança concedido" (STF – Pleno, MS 24.137/DF, rel. Min. Sepúlveda Pertence, j. 19.09.2002).

"1. Doação. Ato jurídico realizado com observância das formalidades legais. Desfazimento pelo Incra. Inviabilidade. Pretensão da autoridade coatora incompatível com o rito do mandado de segurança, que exige prova pré-constituída. Precedentes. 2. Caracterização de imóvel como pequena e média propriedade rural em decorrência de repartição e subsequente doação. Desapropriação. Impossibilidade. Inteligência do artigo 185, I, da Constituição Federal. Segurança concedida" (STF – Pleno, MS 22.911/PB, rel. Min. Ilmar Galvão, j. 25.06.2004).

"(...). 3. Não cabe a análise, em Mandado de Segurança, da alegada produtividade do imóvel rural. Tal perquirição melhor se ajusta a exame pelas instâncias ordinárias e mediante ampla dilação probatória. Precedentes. 4. A jurisprudência do Tribunal considera indispensável que a notificação prevista no parágrafo 2.°, do artigo 2.°, da Lei n.° 8.629/93 seja feita com antecedência, de modo a permitir a efetiva participação do proprietário, ou de preposto por ele designado, nos trabalhos de levantamento de dados que tem por objetivo a determinação da produtividade do imóvel. A notificação que inaugura o devido processo legal tem por objetivo dar ao proprietário a oportunidade real de acompanhar os trabalhos de levantamento de dados, fazendo-se assessorar por técnicos de sua confiança, para apresentar documentos, demonstrar a existência de criações e culturas e fornecer os esclarecimentos necessários à eventual caracterização da propriedade como produtiva e, portanto, isenta de desapropriação-sanção. Precedentes" (STF – Pleno, MS 24.547/DF, rel. Min. Ellen Gracie, j. 01.02.2005).

Art. 186. A função social é cumprida quando a propriedade rural atende, simultaneamente, segundo critérios e graus de exigência estabelecidos em lei, aos seguintes requisitos:

I – aproveitamento racional e adequado;

II – utilização adequada dos recursos naturais disponíveis e preservação do meio ambiente;

III – observância das disposições que regulam as relações de trabalho;

IV – exploração que favoreça o bem-estar dos proprietários e dos trabalhadores.

Doutrina

Função social da propriedade. A propriedade, do latim *proprietas*, expressa o domínio do homem sobre a coisa, com exclusão de qualquer outro, não se tratando, contudo, de um *dominus* com direito absoluto de dispor, usar e abusar, pois, na sua concepção contemporânea, de um lado, a propriedade constitui um direito pessoal, mas, de outro, gera responsabilidade social. Por isso mesmo, o legislador constituinte tratou de garantir o direito de propriedade (CF, art. 5.º, XXII) e de estabelecer que esta cumprirá a sua função social (CF, art. 5.º, XXIII), que se realiza, no caso da propriedade urbana, quando esta atender às exigências essenciais de ordenação da cidade (CF, art. 182, § 2.º) e, no caso da propriedade rural, quando esta atender a critérios de mensuração de produtividade, que devem levar em conta o aproveitamento de todos os recursos disponíveis, além de resultar em bens e meios necessários para a adequada qualidade de vida dos proprietários e dos trabalhadores, observados quanto a estes os direitos decorrentes da relação de trabalho.

Requisitos para o cumprimento da função social. Para o cumprimento de sua função social, a propriedade rural deverá atender, ao mesmo tempo, aos seguintes requisitos: *a*) *aprovei-*

tamento racional e adequado, ou seja, utilização da propriedade de forma a resultar em maior produtividade e melhor qualidade da produção; *b*) *utilização adequada dos recursos naturais disponíveis e preservação do meio ambiente*, quer dizer, os recursos naturais disponíveis, como pastagens, cobertura vegetal, nascentes, rios etc., devem ser utilizados de forma apropriada e conveniente, atentando-se, ainda, para a conservação ambiental; *c*) *observância das disposições que regulam as relações de trabalho*, requisito que impõe ao proprietário o cumprimento pleno das obrigações trabalhistas que decorrem do contrato de trabalho e da lei, em relação aos seus empregados; *d*) *exploração que favoreça o bem-estar dos proprietários e dos trabalhadores*, ou seja, a exploração da propriedade deve produzir riqueza o bastante para assegurar boas condições de vida, tanto para o proprietário, quanto para os trabalhadores que nela desenvolvam as suas atividades.

Jurisprudência

> "O direito de propriedade não se reveste de caráter absoluto, eis que, sobre ele, pesa grave hipoteca social, a significar que, descumprida a função social que lhe é inerente (CF, art. 5.°, XXIII), legitimar-se-á a intervenção estatal na esfera dominial privada, observados, contudo, para esse efeito, os limites, as formas e os procedimentos fixados na própria Constituição da República. O acesso à terra, a solução dos conflitos sociais, o aproveitamento racional e adequado do imóvel rural, a utilização apropriada dos recursos naturais disponíveis e a preservação do meio ambiente constituem elementos de realização da função social da propriedade. A desapropriação, nesse contexto – enquanto sanção constitucional imponível ao descumprimento da função social da propriedade – reflete importante instrumento destinado a dar consequência aos compromissos assumidos pelo Estado na ordem econômica e social. Incumbe, ao proprietário da terra, o dever jurídico-social de cultivá-la e de explorá-la adequadamente, sob pena de incidir nas disposições constitucionais e legais que sancionam os senhores de imóveis ociosos, não culti-

vados e/ou improdutivos, pois só se tem por atendida a função social que condiciona o exercício do direito de propriedade, quando o titular do domínio cumprir a obrigação (1) de favorecer o bem-estar dos que na terra labutam; (2) de manter níveis satisfatórios de produtividade; (3) de assegurar a conservação dos recursos naturais; e (4) de observar as disposições legais que regulam as justas relações de trabalho entre os que possuem o domínio e aqueles que cultivam a propriedade" (STF – Pleno, ADIN 2.213/DF MC, rel. Min. Celso de Mello, j. 04.04.2002).

"Função Social da propriedade e vistoria efetuada pelo Incra. A vistoria efetivada com fundamento no art. 2.º, § 2.º, da Lei n.º 8.629/93 tem por finalidade específica viabilizar o levantamento técnico de dados e informações sobre o imóvel rural, permitindo à União Federal – que atua por intermédio do Incra – constatar se a propriedade realiza, ou não, a função social que lhe é inerente. O ordenamento positivo determina que essa vistoria seja precedida de notificação regular ao proprietário, em face da possibilidade de o imóvel rural – quando este descumprir a função social que lhe é inerente – vir a ser objeto de desapropriação-sanção, para fins de reforma agrária" (STF – Pleno, MS 24.307/DF, rel. Min. Celso de Mello, j. 21.11.2002).

"1. A propriedade privada e a função social da propriedade estão previstas na Constituição Federal de 1988 dentre os direitos e garantias individuais (art. 5.º, XXIII), sendo pressupostos indispensáveis à promoção da política de desenvolvimento urbano (art. 182, § 2.º), e rural (art. 186, I a IV). 2. No caso da propriedade rural, sua função social é cumprida, nos termos do art. 186 da CF/1988, quando seu aproveitamento for racional e apropriado; quando a utilização dos recursos naturais disponíveis for adequada e o meio ambiente preservado, assim como quando as disposições que regulam as relações de trabalho forem observadas" (STJ – 4.ª Turma, REsp 1.040.296, rel. Min. Marco Buzzi, DJE, 14.08.2015).

"Ao tratar da política agrícola e fundiária, a Constituição Federal, igualmente, norteia os critérios e graus de exigência, a serem estabelecidos em lei, estipulando determinados requisitos, para o cumprimento da função social da propriedade rural, conforme se extrai do art. 186. Assim, cumpre sua função social a propriedade rural que, simultaneamente, atenda aos quatro requisitos estabelecidos" (TRF3 – AMS 325.434/SP, rel. Des. Fed. Cecília Marcondes, e-DJF3, 16.03.2012).

Art. 187. **A política agrícola será planejada e executada na forma da lei, com a participação efetiva do setor de produção, envolvendo produtores e trabalhadores rurais, bem como dos setores de comercialização, de armazenamento e de transportes, levando em conta, especialmente:**

I – os instrumentos creditícios e fiscais;

II – os preços compatíveis com os custos de produção e a garantia de comercialização;

III – o incentivo à pesquisa e à tecnologia;

IV – a assistência técnica e extensão rural;

V – o seguro agrícola;

VI – o cooperativismo;

VII – a eletrificação rural e irrigação;

VIII – a habitação para o trabalhador rural.

§ 1.º Incluem-se no planejamento agrícola as atividades agroindustriais, agropecuárias, pesqueiras e florestais.

§ 2.º Serão compatibilizadas as ações de política agrícola e de reforma agrária.

Doutrina

Política agrícola. A política agrícola brasileira, composta de ações planejadas e implementadas no interesse da economia rural, deverá contar com o concurso efetivo dos setores de produção, de comercialização, de armazenamento e de transportes, incluindo, ainda, a agroindústria, a agropecuária, o setor pesqueiro e o das atividades florestais, com a finalidade de desenvolver os negócios, garantir o abastecimento interno e buscar mercados externos para o excedente, assegurando renda para os capitais investidos e emprego e condições adequadas de vida para os trabalhadores das atividades ligadas ao agronegócio.

Disciplina legal da matéria. O regramento da política agrícola brasileira encontra-se na Lei 8.171, de 17.01.1991, que lhe define fundamentos, objetivos e competências institucionais, prevendo recursos para a consecução de seus objetivos e estabelecendo ações e instrumentos relativamente às atividades agropecuárias, agroindustriais e de planejamento das atividades pesqueiras e florestais.

Compatibilização da política agrícola e da reforma agrária. A norma contida no § 2.º é dirigida ao legislador infraconstitucional, determinando-lhe que adote ações capazes de harmonizar os objetivos da política agrícola com os da reforma agrária. Certamente, esta não deve representar empecilho para a produção de alimentos em larga escala, única forma de assegurar o abastecimento interno e garantir excedentes para venda ao exterior, garantindo, com isso, a geração de divisas.

Instrumentos de ação da política agrícola. Dispõe o legislador constituinte que a política agrícola a ser instituída por lei emanada do Congresso Nacional deverá contar com os seguintes meios de implementação dos vários programas nela previstos: a) *instrumentos creditícios e fiscais*: o financiamento da safra, por meio de linhas de crédito ao produtor, é fundamental para viabilizar a produção e, ao lado do crédito, são cabíveis subsídios para as culturas menos rentáveis ou de interesse do país. Os instrumentos fiscais podem se expressar por meio de isenções ou imunidades de impostos; b) *preços compatíveis com os custos de produção e garantia de comercialização*: devem ser garantidos preços mínimos capazes de cobrir os custos da produção e assegurar margem de lucro, pena de inviabilizar a atividade e, ademais, convém sejam instituídas garantias de comercialização, compreendida aqui a política de formação de estoques reguladores; c) *incentivo à pesquisa e à tecnologia*: convém que tais incentivos sejam destinados a centros de estudos e pesquisas vocacionados para a área agrícola, como as escolas agrícolas, os institutos e os laboratórios de pesquisas agrícolas, instituições capazes de otimizar os resultados dos investimentos na área; d) *assistência técnica e extensão rural*: os meios aqui compreendem a assistência prestada por engenheiros agrônomos, técnicos agrícolas, médicos veterinários, engenheiros florestais, engenheiros de pesca etc., profissionais cujo concurso pode melhorar em muito a produtividade das várias culturas; e) *seguro agrícola*: política de singular importância, pois coloca a salvo o produtor em caso de perda de safra ou ocorrência de outros sinistros, como incêndios de áreas reflorestadas, perda de rebanhos, pragas em lavouras e pomares etc.; f) *cooperativismo*: as atividades cooperativas podem reduzir em muito o custo da produção, assegurar vantagens na venda das safras e garantir bom resultado líquido decorrente da prática de qualquer atividade agrícola; g) *eletrificação rural e irrigação*: certamente, a eletrificação da propriedade rural, além de melhorar a qualidade de vida daquelas que nela habitam, garante o funcionamento de equipamentos que poderão facilitar as atividades e melhorar a produtividade. Da mesma forma, a irrigação de áreas com escassez de chuva garante o desenvolvimento das culturas e assegura bom resultado na colheita; h) *habitação para o trabalhador rural*: trata-se de preocupação com o bem-estar do trabalhador rural, um dos principais atores – e quase sempre esquecido – da vasta e complexa engrenagem do agronegócio.

Jurisprudência

“O artigo 187 da Constituição Federal é norma programática na medida em que prevê especificações em lei ordinária. Ausência, à primeira abordagem, da tese da inconstitucionalidade material. Medida liminar indeferida" (STF – Pleno, ADIN 1.330-MC/DF, rel. Min. Francisco Rezek, DJ, 20.09.2002, p. 87).

"O cadastro efetivado pelo SNCR-Incra possui caráter declaratório e tem por finalidade: i) o levantamento de dados necessários à aplicação dos critérios de lançamentos fiscais atribuídos ao Incra e à concessão de isenções a eles relativas, previstas na Constituição e na legislação específica; e ii) o levantamento sistemático dos imóveis rurais, para conhecimento das condições vigentes na estrutura fundiária das várias regiões do País, visando à provisão de elementos que informem a orientação da política agrícola a ser promovida pelos órgãos competentes" (STF – Pleno, MS 24.573/DF, rel. Min. Gilmar Mendes, DJ, 15.12.2006, p. 81).

"I. A securitização da dívida agrícola prevista na Lei 9.138/95 consubstancia direito subjetivo do devedor. Com vistas a implementar a política agrícola de caráter protetivo e de incentivo definida no art. 187, inc. I, da Constituição, o Governo Federal autorizou ao Tesouro Nacional a emissão de títulos que perfizessem sete bilhões de reais. Não haveria, desta forma, como fugir à determinação contida na Lei 9.138/95, que regula o programa de crédito rural, para refinanciamento da dívida dos produtores que, por circunstâncias alheias à sua vontade, não estavam em dia com suas obrigações junto às instituições financeiras. II. O não-emprego do dinheiro público para o fim destinado e a falta de implementação de uma política agrícola de desenvolvimento do setor rural descumpre o ordenamento jurídico vigente, que teve grande preocupação com o setor de política agrícola" (STJ – 4.ª Turma, REsp 166.592, rel. Min. Sálvio de Figueiredo Teixeira, DJ, 22.06.1998, p. 108).

Art. 188. A destinação de terras públicas e devolutas será compatibilizada com a política agrícola e com o plano nacional de reforma agrária.

§ 1.º A alienação ou a concessão, a qualquer título, de terras públicas com área superior a dois mil e quinhentos hectares a pessoa física ou jurídica, ainda que por interposta pessoa, dependerá de prévia aprovação do Congresso Nacional.

§ 2.º Excetuam-se do disposto no parágrafo anterior as alienações ou as concessões de terras públicas para fins de reforma agrária.

Doutrina

Terras públicas. São todas aquelas da dominialidade do Estado na qualidade de bens dominicais ou de bens de uso especial. As terras públicas compreendem as terras devolutas, a plataforma continental, os terrenos de marinha, as vias e logradouros públicos, como praças e parques, os parques nacionais, as reservas naturais, as terras ocupadas por indígenas etc.

Terras devolutas. São aquelas que restaram devolvidas ao patrimônio do Estado ou ainda aquelas que nunca pertenceram a alguém e porque, sem nenhum domínio de particular, são de propriedade do Estado. Assim, pertencem à União (CF, art. 20, II), as terras devolutas indispensáveis à defesa das fronteiras, das fortificações e construções militares, das vias federais de comunicação e à preservação ambiental, sendo as demais de propriedade dos Estados-membros (CF, art. 26, IV).

Alienação ou concessão de terras públicas. Dispõe o § 1.º que, pretendendo o Estado alienar ou fazer concessão, a qualquer título, de terras públicas com área superior a dois mil e quinhentos hectares, irrelevante se para pessoa física ou jurídica, ainda que por interposta pessoa, dependerá de prévia autorização do Congresso Nacional mediante lei ordinária.

Terras destinadas à reforma agrária. Nos termos do § 2.º, não dependem de autorização do Congresso Nacional as alienações ou as concessões de terras públicas quando destinadas à reforma agrária.

Jurisprudência

> "Terras devolutas se conceituam por exclusão. São devolutas as terras que nunca entraram, legitimamente, no domínio particular. Não cabe ao Estado provar que determinada gleba é devoluta. Cabe a quem a afirma no domínio particular o ônus de prová-lo. A ausência de transcrição da gleba em nome de particular não comprova seja ela devoluta" (STF, RE 72.020/SP, rel. Min. Rodrigues Alckmin, j. 10.10.1973).
>
> "Antigo Aldeamento de Índios de São Miguel e Guarulhos, no Estado de São Paulo. Extinção ocorrida antes do advento da Constituição de 1891. Decreto-Lei n.º 9.760/46; Art. 1.º, alínea H; CF/1891, art. 64; CF/46, art. 34. Tratando-se de aldeamento indígena abandonado antes da Carta de 1891, as terras nele compreendidas, na qualidade de devolutas, porque desafetadas do uso especial que as gravava, passaram ao domínio do Estado, por efeito da norma do art. 64 da primeira Carta republicana" (STF – 1.ª Turma, RE 212.251/SP, rel. Min. Ilmar Galvão, j. 23.06.1998).
>
> "I – A jurisprudência do Supremo Tribunal Federal, por diversas vezes, reconheceu que as terras dos aldeamentos indígenas que se extinguiram antes da Constituição de 1891, por haverem perdido o caráter de bens destinados a uso especial, passaram à categoria de terras devolutas. II – Uma vez reconhecidas como terras devolutas, por força do artigo 64 da Constituição de 1891, os aldeamentos extintos transferiram-se ao domínio dos Estados" (STF – Pleno, ADIN 255/RS, rel. Min. Ilmar Galvão, j. 16.03.2011).
>
> "Terras devolutas – União versus Estado-membro. Não são passíveis de enquadramento como terras de-

volutas, para o efeito previsto no *caput* do artigo 2.º do Decreto-Lei n.º 2.357/87, as glebas que tiveram situação jurídica devidamente constituída ou em processo de formação. Tal é o caso de imóvel matriculado no registro de imóveis em nome da União, ao tempo em que ocorre a tramitação de processos objetivando a titulação por posseiros via o Instituto Nacional de Colonização e Reforma Agrária (Incra)" (STF – Pleno, ACO 481/TO, rel. Min. Marco Aurélio, j. 02.04.2001).

'As concessões de terras devolutas situadas na faixa de fronteira, feitas pelos Estados, autorizam, apenas, o uso, permanecendo o domínio com a União, ainda que se mantenha inerte ou tolerante, em relação aos possuidores' (Súmula 447/STF). Tal posição, somada à impossibilidade de usucapir bem público, serve de norte a legitimar a pretensão do recorrido, porque autorizado o debate na ação civil pública sobre a titularidade de bens que sempre pertenceram à União, antes e depois de 1946. (STJ – 2.ª Turma, REsp 1.227.965/SC, rel. Min. Herman Benjamin, DJE, 15.06.2011).

Na linha da jurisprudência deste Tribunal, a mera possibilidade abstrata de ratificação dos títulos conferidos *a non domino*, prevista na Lei n. 9.871/1999, não impede a decretação, em juízo, da nulidade dos referidos títulos. O recurso especial não constitui via adequada para reexaminar todo o histórico fático, desde a instalação do Império no Brasil, com o propósito de aferir se as terras desapropriadas, situadas em faixa de fronteira, pertencem ou não à União (STJ – 2.ª Turma, REsp 1.003.032/PR, rel. Min. Cesar Asfor Rocha, DJE, 16.05.2011).

"Ato Administrativo. Terras públicas estaduais. Concessão de domínio para fins de colonização. Área superior a dez mil hectares. Falta de autorização prévia do Senado Federal. Ofensa ao art. 156, § 2.º, da Constituição Federal de 1946, incidente à data dos negócios jurídicos translativos de domínio. Inconstitucionalidade reconhecida. Nulidade não pronunciada. Atos celebrados há 53 anos. Boa-fé e confiança legítima dos adquirentes dos lotes. Colonização que implicou, ao longo do tempo, criação de cidades, fixação de famílias, construção de hospitais, estradas, aeroportos, residências, estabelecimentos comerciais, industriais e de serviços etc. Situação factual consolidada. Impossibilidade jurídica de anulação dos negócios, diante das consequências desastrosas que, do ponto de vista pessoal e socioeconômico, acarretaria. Aplicação dos princípios da segurança jurídica e da proteção à confiança legítima, como resultado da ponderação de valores constitucionais. Ação julgada improcedente, perante a singularidade do caso. Votos vencidos. Sob pena de ofensa aos princípios constitucionais da segurança jurídica e da proteção à confiança legítima, não podem ser anuladas, meio século depois, por falta de necessária autorização prévia do Legislativo, concessões de domínio de terras públicas, celebradas para fins de colonização, quando esta, sob absoluta boa-fé e convicção de validez dos negócios por parte dos adquirentes e sucessores, se consolidou, ao longo do tempo, com criação de cidades, fixação de famílias, construção de hospitais, estradas, aeroportos, residências, estabelecimentos comerciais, industriais e de serviços etc." (STF – Pleno, ACO 79/MT, rel. Min. Cezar Peluso, DJE, 28.05.2012).

Art. 189. Os beneficiários da distribuição de imóveis rurais pela reforma agrária receberão títulos de domínio ou de concessão de uso, inegociáveis pelo prazo de dez anos.

Parágrafo único. O título de domínio e a concessão de uso serão conferidos ao homem ou à mulher, ou a ambos, independentemente do estado civil, nos termos e condições previstos em lei.

Doutrina

Posse da terra na reforma agrária. Dispõe a norma constitucional que os imóveis rurais distribuídos por meio da reforma agrária serão destinados aos beneficiários dela e, como tal, receberão títulos de domínio ou de concessão de uso, sendo estes gravados com cláusula de inegociabilidade por dez anos. Isso significa que o imóvel não poderá ser objeto de nenhum negócio que tenha por finalidade a transferência de seu domínio.

Outorga do título de domínio ou de concessão de uso. Será feita, nos termos do parágrafo único, ao homem ou à mulher, ou a ambos, sendo irrelevante o estado civil, desejando, com isso, o legislador constituinte viabilizar a concessão para aqueles que vivem sob união estável.

Jurisprudência

> "O desapropriado figura em primeiro lugar na ordem preferencial de distribuição dos imóveis rurais expropriados, conforme disposição contida nos arts. 25, da Lei 4.504/64, e 19 da Lei 8.629/93, e a lei não lhe retira, nessa circunstância, o direito de ser indenizado pela perda de parte da propriedade. Entretanto, 'na peculiar situação em que, promovida a regularização, os desapropriados acabam contemplados com o título de domínio sobre a própria área objeto de desapropriação, sem qualquer ônus e sem jamais terem sido privados da posse ou do uso normal do imóvel no curso do processo desapropriatório, não há fundamento jurídico para pagamento de indenização' (Resp 614.738/PR, 1.ª Turma, rel. Min. Teori Albino Zavascki, DJE de 14.2.2008)" (STJ – 1.ª Turma, REsp 942.171/PR, rel. Min. Denise Arruda, DJE, 09.02.2009).
>
> "(...). O Incra é um dos agentes responsáveis pelo rearranjo da estrutura fundiária, que objetiva a distribuição mais justa das terras e o aumento de sua produtividade. Nesse cenário, a CRFB/88 traz o importante instrumento da desapropriação por interesse social,

em que a reforma agrária é promovida com o intuito de reestabelecer a função social da propriedade, recebendo os beneficiários da distribuição de imóveis rurais que passaram por tal procedimento, títulos de domínio ou de concessão de uso, inegociáveis pelo prazo de dez anos (art. 189)" (TRF2, AC 00071257320224025001, rel. Juiz Firly Nascimento Filho, j. 04.04.2017).

"A Constituição Federal, no seu artigo 189, e a Lei n.º 8.269/93, nos artigos 18 e 21, dispõem que a distribuição de imóveis rurais pela reforma agrária se faça através de títulos de domínio ou de concessão de uso, inegociáveis pelo prazo de dez anos. A beneficiária do movimento alienou o imóvel antes do decurso do prazo decenal, caracterizando o descumprimento das normas que disciplinam o processo de reforma agrária, razão pela qual a área deve ser restituída ao Incra" (TRF3 – 1.ª Turma, AgI 274.252, rel. Des. Fed. Vesna Kolmar, DJU, 04.09.2007).

"Os beneficiários da distribuição de imóveis rurais suportam um ônus, qual seja, uma cláusula restritiva temporária de seu direito de alienar o imóvel obtido. Caso, apesar da vedação constitucional, opere-se a transmissão do domínio, dentro do prazo em que ela é proibida (10 anos), ter-se-á verdadeiro desvio de finalidade da outorga estatal, importando, como consequência, na nulidade do negócio translativo" (TRF3, AC 1.166.219/SP, rel. Juiz Leonel Ferreira, DJF3, 29.09.2011, p. 810).

"Os títulos de domínio ou de concessão de uso de beneficiários da distribuição de imóveis rurais pela reforma agrária são inegociáveis pelo prazo de dez anos. Inteligência do art. 189 da CF/88. Hipótese em que o recorrente não comprovou nem o decurso do decêndio constitucional nem a legitimidade do título de aquisição do terreno" (TRF5, AgI 54.268, rel. Des. Fed. Luiz Alberto Gurgel de Faria, DJ, 30.06.2004, p. 1.049).

Art. 190. A lei regulará e limitará a aquisição ou o arrendamento de propriedade rural por pessoa física ou jurídica estrangeira e estabelecerá os casos que dependerão de autorização do Congresso Nacional.

Doutrina

Aquisição ou arrendamento de propriedade rural por estrangeiro. A Constituição garante à pessoa física ou jurídica estrangeira o arrendamento ou a aquisição de imóvel rural, como expressão do direito de propriedade assegurado a todos (CF, art. 5.°, XXII), devendo a lei tratar das limitações cabíveis, para a proteção dos interesses do país e da própria segurança nacional, além de definir os casos em que o Congresso Nacional deverá autorizar a operação (CF, art. 49, XVII). No caso de pessoa natural, o estrangeiro com residência fixa no país poderá adquirir imóvel rural; porém, no caso de pessoa jurídica, somente será permitida a aquisição ou arrendamento quando necessários para o exercício de seus objetivos sociais, expressos no contrato ou no estatuto.

Jurisprudência

"A sucessão legítima, a que alude o parágrafo 2.° do art. 1.° da Lei n. 5.709/71, só constitui motivo para o levantamento das restrições opostas, na citada lei, à aquisição de imóvel rural, quando se trata de estrangeiro residente no Brasil. A exceção em causa não favorece ao estrangeiro residente no exterior. Mandado de segurança indeferido" (STF – Pleno, MS 20.544/DF, rel. Min. Octávio Gallotti, DJ, 07.11.1986, p. 21.556).

"Imóvel rural cuja área excede de 50 (cinquenta) módulos. Defesa da posse por estrangeiro. Possibilidade. Mesmo que não tenha adquirido a propriedade do imóvel rural, o estrangeiro pode defender a posse que recebeu e mantém em função de negócio jurídico ajustado por instrumento particular – posse que, evidentemente, não induzirá ao usucapião por força do que dispõe a Lei n.º 5.709, de 1971. Recurso especial não conhecido" (STJ – 3.ª Turma, REsp 171.347, rel. Min. Carlos Alberto Menezes Direito, DJ, 12.06.2000, p. 105).

"Mandado de segurança. Aquisição de imóvel rural por cônjuge brasileiro casado com estrangeira. 1. O brasileiro, ao convolar núpcias com estrangeiro, sujeita-se à restrição da Lei 5.709/1971, se o regime de bens determinar a comunicação da propriedade. 2. Sendo assim, o cônjuge brasileiro para adquirir propriedade rural terá que solicitar autorização do Incra. Esta exigência não proíbe de se tornar proprietário, apenas o sujeita a um procedimento administrativo" (STJ – 1.ª Turma, ROMS 5.831, rel. Min. José Delgado, DJ, 22.04.1997, p. 14.373).

Art. 191. Aquele que, não sendo proprietário de imóvel rural ou urbano, possua como seu, por cinco anos ininterruptos, sem oposição, área de terra, em zona rural, não superior a cinquenta hectares, tornando-a produtiva por seu trabalho ou de sua família, tendo nela sua moradia, adquirir-lhe-á a propriedade.

Parágrafo único. Os imóveis públicos não serão adquiridos por usucapião.

Doutrina

***Usucapião especial rural ou* pro labore**. A norma constitucional autoriza a aquisição da propriedade àquele que, não possuindo qualquer imóvel rural ou urbano, tenha a posse, como se proprietário fosse, pelo prazo mínimo de cinco anos ininterruptos e sem oposição de ninguém, de área de terra rural, de até cinquenta hectares, e desde que a tenha feito produtiva com o seu trabalho ou de sua família, tendo nela moradia.

Proibição do usucapião de terras públicas. A norma contida no parágrafo único proíbe a aquisição de terras públicas por usucapião, pouco importando tratar-se de propriedade da União ou de Estados, Distrito Federal e Municípios. Firma-se, assim, o reconhecimento da inalienabilidade originária das terras públicas, daí serem insuscetíveis de aquisição por usucapião.

Jurisprudência

Súmula do STF: 340. "Desde a vigência do Código Civil, os bens dominicais como os demais bens públicos, não podem ser adquiridos por usucapião".

"Usucapião *pro labore*. Reconhecimento dos requisitos estabelecidos na Lei Magna, após a aferição da prova. Direito adquirido. Inocorrência de violação da Constituição Federal" (STF, RE 74.099/MG, rel. Min. Djaci Falcão, 25.10.1972).

"Manutenção de posse. Usucapião *pro labore. Lex propicit, non respicit*. Justo título. Reconvenção em ação possessória. Descabimento do recurso extraordinário" (STF – 2.ª Turma, RE 17.614/PA, rel. Min. Orozimbo Nonato, DJ, 30.11.1950, p. 10.845).

"(...). III. Tendo o imóvel sido incorporado ao patrimônio de entidade pública, com título dominial transcrito no registro de imóveis, passou ele a ser insusceptível de ser adquirido por usucapião, nos termos da Súmula n.º 340 do Supremo Tribunal Federal. IV. Diante do disposto no art. 200 do D.L. 9760 de 05/09/46, não há como acolher-se o pedido inicial de usucapião extraordinário, a cujos termos o presente julgamento está vinculado". (TRF3 – 2.ª Turma, AC 112.523/SP, rel. Juiz Batista Gonçalves, DJU, 16.11.2000, p. 487).

CAPÍTULO IV
DO SISTEMA FINANCEIRO NACIONAL

Art. 192. O sistema financeiro nacional, estruturado de forma a promover o desenvolvimento equilibrado do País e a servir aos interesses da coletividade, em todas as partes que o compõem, abrangendo as cooperativas de crédito, será regulado por leis complementares que disporão, inclusive, sobre a participação do capital estrangeiro nas instituições que o integram.

Doutrina

Nota preliminar sobre a matéria. Os incisos, alíneas e parágrafos constantes da redação original deste artigo foram revogados pela Emenda Constitucional n.º 40, de 29.05.2003.

A disciplina da matéria pelo legislador constituinte originário. Ao dispor sobre o sistema financeiro nacional, o legislador constituinte originário estabeleceu detalhado tratamento do assunto, que acabou se revelando pouco prático e de difícil implementação e, certamente, a regra mais polêmica e menos efetiva – por se tratar de norma constitucional de eficácia limitada, dependente de regulação por lei complementar – estava inscrita no § 3.° do artigo 192, que limitava as taxas de juros reais, nelas incluídas as comissões e quaisquer outras remunerações pelo empréstimo de dinheiro, ao máximo de doze por cento ao ano, definindo como crime de usura qualquer cobrança acima deste limite.

A nova disciplina da matéria pelo legislador constituinte derivado. A Emenda Constitucional n.° 40, de 29 de maio de 2003, dispõe sobre o sistema financeiro nacional de forma mais abstrata, desconstitucionalizando, na verdade, a matéria e ampliando o espaço de atuação do Congresso Nacional, que deverá legislar, por meio de leis complementares, para a regulação dos papéis das várias instituições financeiras, inclusive cooperativas de crédito, dispondo, ainda, sobre a participação do capital estrangeiro no sistema bancário do país e, até, sobre a autonomia do Banco Central do Brasil. Na prática, a referida emenda revogou oito incisos, duas alíneas e três parágrafos da redação original; contudo, manteve praticamente com a mesma redação o *caput* do artigo. Ademais, houve modificação no artigo 52 do ADCT, que dispõe ser vedada a instalação no país de novas instituições financeiras com sede no exterior, enquanto não ocorrer a regulação da matéria, conforme previsto no artigo 192, porém este rigor resta mitigado, pois ressalva as hipóteses decorrentes de acordos internacionais com regra de reciprocidade e, ainda, os casos de interesse do país.

Disciplina infraconstitucional da matéria. A Lei n.° 4.595, de 31 de dezembro de 1964, recepcionada como lei complementar, dispõe sobre a política e as instituições monetárias, bancárias e creditícias, criando, ainda, o Conselho Monetário Nacional. Ao lado dela, convém lembrar a Lei n.° 6.024, de 13 de março de 1974, que dispõe sobre a intervenção e a liquidação extrajudicial de instituições financeiras; a Lei n.° 7.492, de 16 de junho de 1986, que dispõe sobre os crimes contra o sistema financeiro; e a Lei n.° 9.613, de 3 de março de 1998, que dispõe sobre os crimes de lavagem ou ocultação de bens, direitos e valores, a prevenção da utilização do sistema financeiro para os ilícitos previstos nesta lei, além de criar o Conselho de Controle de Atividades Financeiras – COAF, recentemente transformado em Unidade de Inteligência Financeira radicada no âmbito do Banco Central do Brasil.

Estruturação do sistema financeiro nacional. Dispõe a norma constitucional em tela que o sistema financeiro nacional será estruturado objetivando o desenvolvimento do país e voltadas as instituições que o compõem a servir aos interesses coletivos, dispondo as leis complementares de regulação da matéria inclusive sobre a participação do capital estrangeiro no sistema bancário nacional. Certamente um sistema financeiro ágil e bem estruturado constitui-se em importante ferramenta, capaz de alavancar em muito o desenvolvimento do país por meio do financiamento de suas atividades produtivas.

Constituição do sistema financeiro nacional. É constituído do Conselho Monetário Nacional, do Banco Central do Brasil, do Banco do Brasil S.A., do Banco Nacional do Desenvolvimento Econômico e Social e das demais instituições financeiras públicas (Caixa Econômica Federal e bancos regionais de desenvolvimento) e privadas (bancos comerciais). Integram, ainda, o sistema financeiro nacional as companhias seguradoras, as de previdência privada e de capitalização. Instituições financeiras são as pessoas jurídicas públicas ou privadas que tenham como atividade principal ou acessória a coleta, a intermediação ou aplicação de recursos financeiros próprios ou de terceiros, em moeda nacional ou estrangeira, e a custódia de valores de propriedade de terceiros. Somente poderão funcionar no país mediante prévia autorização do Banco Central do Brasil ou decreto presidencial, quando se tratar de instituições financeiras estrangeiras.

Situação legal do Banco Central do Brasil. Em face de legislação recente, o Banco Central do Brasil passa a ostentar a condição de autarquia de natureza especial, sem vinculação com ministério algum, gozando de autonomia técnica, operacional, administrativa e financeira, sendo dirigido por uma diretoria composta de nove diretores e presidido por um deles, com mandato de quatro anos, não coincidente com o mandato do Presidente da República.

Objetivos do Banco Central do Brasil. A instituição tem por objetivos: *a)* manter o controle da inflação mediante política de controle de preços; *b)* zelar pela estabilidade e eficiência do sistema financeiro; *c)* administrar as flutuações do nível da atividade econômica; *d)* fomentar o pleno emprego.

Jurisprudência

> Súmula do STF: 596. "As disposições do Dec. 22.626/33 não se aplicam às taxas de juros e aos outros encargos cobrados nas operações realizadas por instituições públicas ou privadas, que integram o sistema financeiro nacional".
>
> "(...). 5. O Banco Central do Brasil está vinculado pelo poder-dever de fiscalizar as instituições financeiras, em especial na estipulação contratual das taxas de juros por elas praticadas no desempenho da intermediação de dinheiro na economia. 6. Ação direta julgada improcedente, afastando-se a exegese que submete às normas do Código de Defesa do Consumidor (Lei n. 8.078/90) a definição do custo das operações ativas e da remuneração das operações passivas praticadas por instituições financeiras no desempenho da intermediação de dinheiro na economia, sem prejuízo do controle, pelo Banco Central do Brasil, e do controle e revisão pelo Poder Judiciário, nos termos do disposto no Código Civil, em cada caso, de eventual abusividade, onerosidade excessiva ou outras distorções na composição contratual da taxa de juros. 7. O preceito veiculado pelo art. 192 da Constituição do Brasil consubstancia norma-objetivo que estabelece os fins a serem perseguidos pelo sistema financeiro nacional, a promoção do desenvolvimento equilibrado do País e a realização dos interesses da coletividade. 8. A exigência de lei comple-

mentar veiculada pelo art. 192 da Constituição abrange exclusivamente a regulamentação da estrutura do sistema financeiro. 9. O Conselho Monetário Nacional é titular de capacidade normativa de conjuntura – no exercício da qual lhe incumbe regular, além da constituição e fiscalização, o funcionamento das instituições financeiras, isto é, o desempenho de suas atividades no plano do sistema financeiro. 10. Tudo o quanto exceda esse desempenho não pode ser objeto de regulação por ato normativo produzido pelo Conselho Monetário Nacional. 11. A produção de atos normativos pelo Conselho Monetário Nacional, quando não respeitem ao funcionamento das instituições financeiras, é abusiva, consubstanciando afronta à legalidade" (STF – Pleno, ADIN 2.591/DF, rel. Min. Carlos Velloso, j. 07.06.2006).

"Aplicação da Taxa Referencial. Limite dos juros. Capitalização. A nova redação do artigo 192 da Constituição Federal alterado pela Emenda Constitucional n.º 40 assim dispõe: 'Art. 192. O sistema financeiro nacional, estruturado de forma a promover o desenvolvimento equilibrado do País e a servir aos interesses da coletividade, em todas as partes que o compõem, abrangendo as cooperativas de crédito, será regulado por leis complementares que disporão, inclusive, sobre a participação do capital estrangeiro nas instituições que o integram. (Redação da EC 40/03)'. Sendo assim, o § 3.º da CF foi revogado pela referida Emenda Constitucional, e não mais existe como norma constitucional, dirimindo por completo as dúvidas a respeito deste tema" (TRF3 – 2.ª Turma, AC 954.202/SP, rel. Des. Fed. Cecília Mello, e-DJF3, 08.03.2012).

"Crime contra o Sistema Financeiro Nacional. Consórcio. DE acordo com os artigos 1.º, parágrafo único e inciso I, e 16 da Lei n.º 7.492, de 16 de junho de 1986, consubstanciam crime contra o Sistema Financeiro Nacional a formação e o funcionamento de consórcio à margem de balizamento legal, de instrução do Banco

Central do Brasil. Precedente: *Habeas Corpus* n.º 83.729-8/SC, Primeira Turma, relator ministro Marco Aurélio. Legislação ordinária. Ficção jurídica. Crime contra o Sistema Financeiro Nacional. Carta de República. O fato de o Diploma Maior revelar o Sistema Financeiro Nacional, dispondo sobre temas a serem considerados, entre outros, pela legislação complementar, não é de molde a concluir-se não haver sido recebida a Lei n.º 7.492/86, no que procedida a equiparação dos consórcios, para efeito penal, à instituição financeira". (STF – 1.ª Turma, RHC 84.182/RS, rel. Min. Marco Aurélio, DJ, 10.09.2004, p. 59).

TÍTULO VIII
DA ORDEM SOCIAL

CAPÍTULO I
DISPOSIÇÃO GERAL

Art. 193. A ordem social tem como base o primado do trabalho, e como objetivo o bem-estar e a justiça sociais.

Parágrafo único. O Estado exercerá a função de planejamento das políticas sociais, assegurada, na forma da lei, a participação da sociedade nos processos de formulação, de monitoramento, de controle e de avaliação dessas políticas.

Doutrina

Ordem social. Somente é possível falar em ordem social no âmbito de uma sociedade organizada, que tenha objetivos políticos, econômicos e sociais bem definidos e uma estrutura de Estado capaz de dispor de meios necessários para a consecução dos fins sociais aspirados pela coletividade. Certamente, isso não se constituía em preocupação do antigo Estado Liberal, que buscava apenas em assegurar as condições para o funcionamento das atividades econômicas. As preocupações com as graves questões sociais somente se tornaram relevantes com a passagem do antigo liberalismo para o chamado Estado Social, de índole intervencionista, visando à consecução de políticas sociais capazes de reduzir desigualdades e assegurar a realização da justiça social.

Disciplina constitucional da ordem social no Brasil. Entre nós, a Constituição de 1934 foi a primeira a indicar a justiça como princípio de organização da ordem econômica. A Constituição de 1937 era omissa a respeito do assunto. A Constituição de 1946 fez menção direta da justiça social como princípio da ordem econômica. A Constituição de 1967 dispunha que a ordem econômica tinha por fim realizar a justiça social. A Emenda Constitucional n.º 1, de 1969, dispunha que a ordem econômica e social visava realizar o desenvolvimento nacional e a justiça social.

O conteúdo jurídico do artigo 193. Ao dispor que a ordem social tem como base o primado do trabalho e como objetivos a atingir o bem-estar e a justiça social, a norma constitucional destaca a primazia do trabalho para a consecução dos fins enunciados, em consonância com a ordem econômica (CF, art. 170), que se funda na valorização do trabalho humano. Trata-se de regra norteadora e de princípios, guardando conexão com o disposto nos artigos 1.º, IV, 3.º, *caput*, e 6.º, da Constituição Federal.

Planejamento das políticas sociais. A Constituição Federal dispõe que o Estado exercerá, na forma da lei, as funções de fiscalização, incentivo e planejamento, sendo esta determinante na atividade pública e apenas indicativa na atividade privada (art. 174). Por sua vez, no parágrafo único deste artigo 193, dispõe o legislador constituinte derivado que a função de planejamento das políticas sociais é exclusiva e obrigatória, assegurada a participação da sociedade principalmente nas atividades de formulação de políticas, além do acompanhamento e avaliação nas diversas etapas de execução.

Jurisprudência

"A ordem social erigida pela Constituição Federal de 1988 tem como objetivo o bem-estar de todos, encontrando fundamento no sumo princípio da dignidade humana, decorrendo daí a preocupação do legislador constituinte originário em dispor que a saúde é direito de todos e dever do Estado (art. 196) e, com relação à criança e ao adolescente, ordenar, de forma incisiva, no artigo 227, que é dever da família, da sociedade e do Estado assegurar-lhes, com absoluta prioridade, dentre outros, o direito à vida e à saúde" (TRF3, AC 1.446.057/SP, rel. Juiz Federal Valdeci dos Santos, e-DJF3, 09.08.2010, p. 318).

"Se a Ordem Social tem como base o primado do trabalho (CF, art. 193), as lacunas da lei devem ser interpretadas de forma favorável àquele que trabalhou mais. Portanto, há que prevalecer o critério do maior rendimento na definição da atividade primária" (JEF/SP – 1.ª Turma recursal, Recurso Inominado 00278386320044036302, rel. Juiz Federal Ricardo Pereira, DJF3, 15.06.2011).

CAPÍTULO II
DA SEGURIDADE SOCIAL

Seção I
DISPOSIÇÕES GERAIS

Art. 194. A seguridade social compreende um conjunto integrado de ações de iniciativa dos poderes públicos e da sociedade, destinadas a assegurar os direitos relativos à saúde, à previdência e à assistência social.

Parágrafo único. compete ao poder público, nos termos da lei, organizar a seguridade social, com base nos seguintes objetivos:

I – universalidade da cobertura e do atendimento;

II – uniformidade e equivalência dos benefícios e serviços às populações urbanas e rurais;

III – seletividade e distributividade na prestação dos benefícios e serviços;

IV – irredutibilidade do valor dos benefícios;

V – equidade na forma de participação no custeio;

VI – diversidade da base de financiamento, identificando-se, em rubricas contábeis específicas para cada área, as receitas e as despesas vinculadas a ações de saúde, previdência e assistência social, preservado o caráter contributivo da previdência social;

VII – caráter democrático e descentralizado da administração, mediante gestão quadripartite, com participação dos trabalhadores, dos empregadores, dos aposentados e do Governo nos órgãos colegiados.

Doutrina

Conceito de seguridade social. Entende-se por seguridade social o sistema de proteção que deve ser oferecido à pessoa e às famílias nos casos de eventos como as doenças, a aposentadoria, a morte e a invalidez, bem como em situação de infortúnios, como os acidentes, ou, ainda, a assistência aos necessitados, assegurando a todos condições de vida com um mínimo de dignidade, cabendo ao Estado e à sociedade garantir os meios necessários para a concessão de benefícios, de prestações ou de serviços.

Definição de seguridade social na Constituição. O artigo 194, *caput*, organiza a seguridade social (gênero) como um conjunto integrado de ações de iniciativa do Estado e da sociedade com a finalidade de assegurar os direitos relativos à saúde, à previdência e à assistência social (espécies).

Disciplina legal da matéria. A seguridade social está disciplinada por meio de quatro principais diplomas legais: Lei 8.212/1991, que trata da organização da Seguridade Social e do

Plano de Custeio; Lei 8.213/1991, que dispõe sobre o plano de benefícios da Previdência Social; Lei 8.742/1993, que dispõe sobre a Lei Orgânica da Assistência Social; e Lei 9.790/1999, que trata da promoção gratuita da saúde por meio de organizações da sociedade civil de interesse público.

Organização da seguridade social. Dispõe o parágrafo único que compete ao poder público, por meio de lei de iniciativa exclusiva da União (CF, art. 22, inc. XXIII), organizar a seguridade social, devendo indicar as tarefas a cargo do Estado e aquelas cometidas à sociedade, com a finalidade de atingir os objetivos de proteção social, fundada nos seguintes princípios: *a) universalidade da cobertura e do atendimento*: no aspecto objetivo, o da universalidade da cobertura, o princípio se reporta às contingências da vida que são geradoras de necessidades e que devem ser atendidas com uma prestação de seguridade social. Portanto, diz respeito aos eventos que serão cobertos pela seguridade social, *verbi gratia*, a doença, a invalidez, a aposentadoria, a morte etc. No aspecto subjetivo, o da universalidade do atendimento, o princípio se refere aos destinatários da proteção dispensada pelo sistema de seguridade social, ou seja, as pessoas – tanto nacionais quanto estrangeiros residentes –, que venham a necessitar de alguma prestação, por exemplo, auxílio-doença, aposentadoria, pensão por morte etc., para garantir-lhes o mínimo necessário à sobrevivência; *b) uniformidade e equivalência dos benefícios e serviços às populações urbanas e rurais*: a Constituição Federal de 1988 tratou de corrigir a histórica diferença de tratamento existente entre trabalhadores urbanos e rurais no que se refere à seguridade social e, por isso, dispõe sobre a uniformidade de benefícios e serviços, ou seja, serão idênticas as prestações instituídas em favor desses grupos e, ademais, deverão ser equivalentes, quer dizer, de valor igual. Porém, isso somente se verifica naquelas situações em que haja contraprestação idêntica, o que deve redundar em benefício uniforme e equivalente entre integrantes de uma ou outra população; *c) seletividade e distributividade na prestação dos benefícios e serviços*: por meio deste princípio, o legislador constituinte outorga ao legislador ordinário dupla atribuição: a de selecionar as prestações passíveis de serem oferecidas, segundo a disponibilidade de recursos financeiros e, feito isso, a de distribuir as prestações segundo o conceito de necessidade, ou seja, por princípio elementar de justiça, os mais necessitados deverão ser atendidos em suas demandas mais essenciais. Certamente, isso depende da natureza da prestação, pois a assistência médica deve ser prestada a todos que dela necessitem; *d) irredutibilidade do valor dos benefícios*: a preocupação aqui, presente também no artigo 201, § 4.°, é com a manutenção do poder de compra dos benefícios pecuniários, como as aposentadorias e as pensões, devendo ser preservado por meio de mecanismos de correção de valor previsto em lei. Todavia, a legislação específica não admite a adoção de fórmula para manter a equivalência em número de salários mínimos, critério de revisão previsto apenas para as situações previstas no artigo 58 do ADCT; *e) equidade na forma de participação no custeio*: como são vários os sujeitos chamados a participar do custeio da seguridade social, a regra da equidade assegura que cada qual deverá suportar o ônus segundo a sua capacidade contributiva. Assim, o trabalhador segurado arcará com valor menor que o da empresa, pois esta tem capacidade financeira maior; entre trabalhadores, aqueles com maior renda deverão contribuir com maior valor. Enfim, cada qual deverá contribuir para o custeio do sistema segundo a sua capacidade econômica; *f) diversidade da base de financiamento*: significa que serão várias as fontes de custeio da seguridade social e, de fato, o artigo 195, *caput* e incisos, dispõe que o sistema será financiado por toda a sociedade, mediante recursos previstos nos orçamentos da União, dos Estados, do Distrito Federal e dos Municípios, além de contribuições sociais dos empregadores em geral, dos trabalhadores e demais segurados da previdência social, daquelas incidentes sobre a receita de concursos de prognósticos e sobre as operações efetuadas por importadores e equiparados de bens e serviços oriundos do exterior; *g) administração democrática e descentralizada*: o princípio previsto no inciso VII impõe seja organizada a administração da seguridade social de forma democrática e descentralizada, prevendo, expressamente, a gestão quadripartite, com a participação de trabalhadores, de empregadores, de aposentados e do Governo nos órgãos colegiados. A gestão democrática se expressa por meio da participação de membros dos diversos segmentos da sociedade na administração da seguridade social, contribuindo para a sua eficiência e correção de conduta. Aliás, reforça-se, assim, o disposto no artigo 10 da Constituição Federal, que assegura a participação de representantes dos trabalhadores e dos empregadores nos colegiados dos órgãos públicos em que sejam discutidos e deliberados assuntos ligados aos seus interesses profissionais ou previdenciários. Já a descentralização da administração significa que esta se fará mediante a atuação de vários órgãos do Poder Público, pois, ainda que o papel de alguns tenha proeminência, como é o caso do Ministério do Trabalho e Previdência Social, da Secretaria Especial do Desenvolvimento Social do Ministério da Cidadania e do Instituto Nacional da Seguridade Social – INSS, isso não diminui a atuação relevante de outros, como é o caso dos Conselhos Nacionais de Seguridade Social, da Previdência Social e da Assistência Social, dos Conselhos Estaduais de Previdência Social e dos Conselhos Municipais de Previdência Social.

Jurisprudência

"O Ministério Público, ao defender o interesse da coletividade de idosos e portadores de deficiência física favorecidos pelo art. 203, V, da Constituição, possui legitimidade para a propositura de ação civil pública, considerado, sobretudo, o interesse social relevante. Trata-se de direito ligado à seguridade social, que, segundo o disposto no art. 194, *caput*, da Constituição, compreende um conjunto integrado de ações de iniciativa dos poderes públicos e da sociedade, destinadas a assegurar os direitos relativos à saúde, à previdência e à assistência social" (STF, RE 444.357/PR, rel. Min. Ricardo Lewandowski, decisão monocrática, DJE 211, 11.11.2009).

"A Seguridade Social compreende um conjunto integrado de ações de iniciativa dos poderes públicos e da sociedade, destinadas a assegurar os direitos relativos à Saúde, à Previdência e à Assistência Social. A assistência à saúde, efetivamente, não se confunde com assistência social, sendo ambas espécies do gênero Seguridade Social" (STJ – 2.ª Turma, ROMS 12.811, rel. Min. Eliana Calmon, DJ, 11.12.2006, p. 334).

"A atribuição da arrecadação da CSSL à Receita Federal não implica desvio de finalidade, tendo em vista que a Seguridade Social compreende um conjunto integrado de ações de iniciativa dos Poderes Públicos e da sociedade, destinadas a assegurar os direitos relativos à saúde, à previdência e à assistência social, nos termos do art. 194, da Constituição Federal" (TRF3, AC 177.126, rel. Des. Fed. Regina Costa, DJU, 30.07.2007).

"As contribuições previdenciárias recolhidas pelo segurado em razão de atividade remunerada sujeita ao RGPS são devidas, ainda que tais recursos não possam ser considerados, quanto a si, para a concessão de benefício. Tais valores revertem em proveito da Seguridade Social, que compreende não só a ação estatal no campo previdenciário, mas 'um conjunto integrado de ações de iniciativa dos Poderes Públicos e da sociedade, destinadas a assegurar os direitos relativos à saúde, à previdência e à assistência social' (art. 194 da CF)" (TRF4, REO 2000040112955156, rel. Des. Fed. Vivian Josete Pantaleão Caminha, DJ, 26.10.2005, p. 410).

"A Lei Orgânica da Assistência Social, Lei 8.742, de 07.12.1993, dispõe que a assistência social 'é um direito do cidadão e dever do Estado, sendo política de Seguridade Social não contributiva, que prevê os mínimos sociais, realizada por um conjunto integrado de ações de iniciativa pública e da sociedade para garantir o atendimento às necessidades básicas'" (TRF5, AC 307.997, rel. Des. Fed. Paulo Machado Cordeiro, DJ, 31.08.2004, p. 739).

"Por expressa dicção constitucional, as contribuições dos servidores são destinadas ao custeio da previdência social e não da seguridade social como um todo, compreendida esta, nos termos do art. 194, da Constituição Federal, como um conjunto integrado de ações de iniciativa dos Poderes Públicos e da sociedade, destinadas a assegurar os direitos relativos à assistência social, à previdência social e à saúde". (JEF/BA, Recurso Inominado 00921144520044013300, rel. Juíza Cynthia Lopes, DJBA, 22.03.2005).

"1. Esta Corte tem reconhecido aos portadores de moléstias graves, sem disponibilidade financeira para custear o seu tratamento, o direito de receber gratuitamente do Estado os medicamentos de comprovada necessidade. Precedentes. 2. O direito à percepção de tais medicamentos decorre de garantias previstas na Constituição Federal, que vela pelo direito à vida (art. 5.º, *caput*) e à saúde (art. 6.º), competindo à União, Estados, Distrito Federal e Municípios o seu cuidado (art. 23, II), bem como a organização da seguridade social, garantindo a 'universalidade da cobertura e do atendimento' (art. 194, parágrafo único, I)" (STJ – 2.ª Turma, ROMS 28.338, rel. Min. Eliana Calmon, DJE, 17.06.2009).

"Comprovada a atividade rural do trabalhador menor, a partir dos seus 12 anos, em regime de economia familiar, esse tempo deve ser computado para fins previdenciários. Princípio da universalidade da cobertura da Seguridade Social. A proibição do trabalho ao menor de 14 anos foi estabelecida em benefício do menor e não em seu prejuízo" (STJ – 3.ª Seção, Ação Rescisória 3.629, rel. Min. Maria Thereza de Assis Moura, DJE, 09.09.2008).

"No âmbito da Seguridade Social, sobreleva assentar que um dos seus objetivos é justamente assegurar a universalidade da cobertura e do atendimento, obedecendo à seletividade e distributividade na prestação dos benefícios e serviços, de acordo com o artigo 194, parágrafo único, incisos I e III da Lei Maior" (TNU, IU 2007783005039533, rel. Juiz Federal Cláudio Roberto Canata, DJ, 22.05.2009).

"Reconhecimento de Tempo de Serviço Rural para Contagem de Aposentadoria Urbana. A Constituição Federal de 1988 instituiu a uniformidade e a equivalência entre os benefícios dos segurados urbanos e rurais, disciplinado pela Lei n. 8.213/91, garantindo-lhes o devido cômputo, com a ressalva de que, apenas nos casos de recolhimento de contribuições para regimes de previdência diverso, haverá a necessária compensação financeira entre eles (art. 201, § 9.º, CF/88)" (STJ – 3.ª Seção, EREsp 597.155, rel. Min. Hélio Quaglia Barbosa, DJ, 09.05.2005, p. 294).

"I. Exigível de empresas urbanas, a contribuição destinada ao Incra, porquanto a Constituição da República estabelece como objetivos da seguridade social, dentre outros, a uniformidade e equivalência dos benefícios às populações urbanas e rurais, bem como a equidade na forma de participação e custeio (art. 194, parágrafo único, incisos II e V). II. Tratando-se de contribuição social, regida pelo princípio da solidariedade, insculpido no art. 195, da Constituição Federal, irrelevante o fato de empresas urbanas não possuírem empregados rurais" (TRF3, AC 536.599/SP, rel. Des. Fed. Regina Costa, DJU, 31.03.2008, p. 413).

"O conceito de indispensabilidade do labor rural para o sustento da família deve ser buscado em consonância com o sistema constitucional, que prevê, em relação à Seguridade Social, os princípios da seletividade e da distributividade na prestação dos benefícios e dos serviços, em aplicação ao sobreprincípio da isonomia, no sentido de tratar de forma desigual àqueles que merecem tutela especial do estado, quais sejam, os hipossuficientes" (TNU, IU 200870610001025, rel. Juiz Federal Otávio Port, DJ, 01.03.2010).

"1. A correção monetária tem a função de recompor o valor originário da moeda, a fim de manter o seu poder aquisitivo, eventualmente corroído pelo processo inflacionário. Dessa forma, se o valor nominal do débito judicialmente apurado diminuísse, por força do aludido processo inflacionário, além de desvirtuar a razão do instituto da correção monetária, produziria prejuízo ao credor, que receberia menos do que o devido no momento da liquidação da dívida. 2. Além disso, considerando a garantia constitucional da irredutibilidade do valor dos benefícios (art. 194, parágrafo único, IV da CF) e o fim social das normas previdenciárias, não há como se admitir a redução do valor nominal do benefício previdenciário pago em atraso, motivo pelo qual o índice negativo de correção para os períodos em que ocorre deflação deve ser substituído pelo fator de correção igual a zero, a fim de manter o valor do benefício da competência anterior (período mensal)" (STJ – 5.ª Turma, REsp 1.144.656, rel. Min. Napoleão Nunes Maia Filho, DJE, 16.11.2010).

"É firme o entendimento desta Corte de não ser possível incidir índice negativo de correção monetária sobre benefício previdenciário que deixou de ser pago à época correta, tendo em vista a própria finalidade da correção monetária e manutenção do poder aquisitivo da moeda e em respeito à vedação constitucional da irredutibilidade do valor dos benefícios" (STJ – 5.ª Turma, REsp 1.242.661 AgRg, rel. Min. Marco Aurélio Bellizze, DJE, 31.05.2012).

"A atual Constituição da República foi mais generosa ao abrigar a equidade e a solidariedade social. Não há dúvida de que toda a sociedade tem o dever de contribuir para o financiamento da seguridade social (CR, art. 195, *caput*), participando equitativamente no seu custeio (CR, art. 194, parágrafo único, V)" (TRF3, AMS 190.518/SP, rel. Des. Fed. André Nekatschalow, DJU, 11.04.2007).

"O fato de a empresa não possuir empregados em seus quadros não afasta a hipótese de incidência da contribuição social sobre o faturamento e o lucro, uma vez que deve ser observado o princípio da equidade na forma de participação no custeio (Carta Magna, art. 194, V), cabendo destacar que a hipótese de incidência da contribuição repousa sobre o faturamento e o lucro

(Carta Magna, art. 195, I) sendo irrelevante a inexistência de empregados" (TRF2, AMS 54.365, rel. Des. Fed. Alberto Nogueira, DJU, 06.06.2007, p. 213).

"A concepção atual de previdência social é diversa daquela sob a qual se edificou a legislação e a doutrina no regime constitucional anterior, tendo-se evoluído do princípio mutualista para o da diversificação da base de financiamento, abarcando toda a sociedade no custeio da seguridade social, independentemente de haver uma relação direta do contribuinte com os benefícios da tutela previdenciária" (TRF4, AC 9504123104, rel. Des. Fed. Tânia T. C. Escobar, DJ, 08.01.1997, p. 192).

"A tese de que somente os empregadores, na estrita acepção do termo veiculada pelo direito do trabalho, estão abrangidos pelo inciso I do art. 195 não se sustenta diante do princípio da diversidade da base de financiamento, que alia os princípios da capacidade contributiva e da proporcionalidade ao princípio da solidariedade" (TRF4, AC 2003072050064972, rel. Des. Fed. Vivian Josete Pantaleão Caminha, D.E., 24.04.2007).

"O legislador constituinte assegurou a participação dos trabalhadores e empregadores nos colegiados dos órgãos públicos, em que seus interesses profissionais ou previdenciários sejam objeto de discussão e deliberação, sem, contudo, dotar de instrumentalidade a norma constitucional, de forma a tornar exercitante, sem detença, o direito revelado" (STJ – 2.ª Turma, ROMS 9.495, rel. Min. Paulo Medina, DJ, 13.05.2002, p. 177).

Art. 195. A seguridade social será financiada por toda a sociedade, de forma direta e indireta, nos termos da lei, mediante recursos provenientes dos orçamentos da União, dos Estados, do Distrito Federal e dos Municípios, e das seguintes contribuições sociais:

I – do empregador, da empresa e da entidade a ela equiparada na forma da lei, incidentes sobre:

a) a folha de salários e demais rendimentos do trabalho pagos ou creditados, a qualquer título, à pessoa física que lhe preste serviço, mesmo sem vínculo empregatício;

b) a receita ou o faturamento;

c) o lucro;

II – do trabalhador e dos demais segurados da previdência social, podendo ser adotadas alíquotas progressivas de acordo com o valor do salário de contribuição, não incidindo contribuição sobre aposentadoria e pensão concedidas pelo Regime Geral de Previdência Social;

III – sobre a receita de concursos de prognósticos.

IV – do importador de bens ou serviços do exterior, ou de quem a lei a ele equiparar.

§ 1.º As receitas dos Estados, do Distrito Federal e dos Municípios destinadas à seguridade social constarão dos respectivos orçamentos, não integrando o orçamento da União.

§ 2.º A proposta de orçamento da seguridade social será elaborada de forma integrada pelos órgãos responsáveis pela saúde, previdência social e assistência social, tendo em vista as metas e prioridades estabelecidas na lei de diretrizes orçamentárias, assegurada a cada área a gestão de seus recursos.

§ 3.º A pessoa jurídica em débito com o sistema da seguridade social, como estabelecido em lei, não poderá contratar com o poder público nem dele receber benefícios ou incentivos fiscais ou creditícios.

§ 4.º A lei poderá instituir outras fontes destinadas a garantir a manutenção ou expansão da seguridade social, obedecido o disposto no art. 154, I.

§ 5.º Nenhum benefício ou serviço da seguridade social poderá ser criado, majorado ou estendido sem a correspondente fonte de custeio total.

§ 6.º As contribuições sociais de que trata este artigo só poderão ser exigidas após decorridos noventa dias da data da publicação da lei que as houver instituído ou modificado, não se lhes aplicando o disposto no art. 150, III, *b*.

§ 7.º São isentas de contribuição para a seguridade social as entidades beneficentes de assistência social que atendam às exigências estabelecidas em lei.

§ 8.º O produtor, o parceiro, o meeiro e o arrendatário rurais e o pescador artesanal, bem como os respectivos cônjuges, que exerçam suas atividades em regime de economia familiar, sem empregados permanentes, contribuirão para a seguridade social mediante a aplicação de uma alíquota sobre o resultado da comercialização da produção e farão jus aos benefícios nos termos da lei.

§ 9.º As contribuições sociais previstas no inciso I do *caput* deste artigo poderão ter alíquotas diferenciadas em razão da atividade econômica, da utilização intensiva de mão de obra, do porte da empresa ou da condição estrutural do mercado de trabalho, sendo também autorizada a adoção de bases de cálculo diferenciadas apenas no caso das alíneas *b* e *c* do inciso I do *caput*.

§ 10. A lei definirá os critérios de transferência de recursos para o sistema único de saúde e ações de assistência social da União para os Estados, o Distrito Federal e os Municípios, e dos Estados para os Municípios, observada a respectiva contrapartida de recursos.

§ 11. São vedados a moratória e o parcelamento em prazo superior a 60 (sessenta) meses e, na forma da lei complementar, a remissão e a anistia das contribuições sociais de que tratam a alínea *a* do inciso I e o inciso II do *caput*.

§ 12. A lei definirá os setores de atividade econômica para os quais as contribuições incidentes na forma dos incisos I, *b*; e IV do *caput*, serão não cumulativas.

§ 13. *(Revogado pela Emenda Constitucional n.º 103, de 13.11.2019).*

§ 14. O segurado somente terá reconhecida como tempo de contribuição ao Regime Geral de Previdência Social a competência cuja contribuição seja igual ou superior à contribuição mínima mensal exigida para sua categoria, assegurado o agrupamento de contribuições.

Doutrina

Custeio da seguridade social. Já foi dito no artigo anterior que um dos esteios de organização da seguridade social é o da diversidade da base de custeio, termo mais adequado que financiamento, pois, de fato, a consecução de seus altos objetivos passa pela arrecadação dos recursos necessários para o pagamento das prestações sociais devidas. Em outras palavras, donde virão os recursos para o custeio do sistema de proteção social criado pela seguridade social inscrita na vigente Carta da República.

Fontes indiretas de custeio. São aquelas constituídas de recursos previstos nos orçamentos da União, dos Estados, do Distrito Federal e dos Municípios, cujos recursos advêm de receitas que não se destinavam propriamente ao custeio da seguridade social.

Fontes diretas de custeio. São aquelas originárias de contribuições sociais destinadas a custear a seguridade social, principalmente de recolhimentos feitos por empregadores em geral, bem como por trabalhadores e demais segurados da previdência social, além de fontes que podem ser denominadas de complementares, como as decorrentes de concursos de prognósticos ou de operações efetuadas por importadores e equiparados de bens e serviços do exterior.

As contribuições sociais a cargo dos empregadores. Incidem referidas contribuições: *a)* sobre a folha de salários e demais rendimentos do trabalho pagos ou creditados, a qualquer título, à pessoa física, independentemente de vínculo de emprego; *b)* sobre a receita ou o faturamento, quer dizer, sobre as rendas resultantes das atividades econômicas das empresas; constituem exemplos, as contribuições ao FINSOCIAL, ao PIS e a COFINS; *c)* sobre o lucro, ou seja, sobre a diferença positiva decorrente das receitas deduzidas de todas as despesas em determinado exercício financeiro. Atualmente é exigida a esse título a chamada Contribuição Social sobre o Lucro Líquido – CSLL. Anote-se, ainda, que nos termos do § 9.°, as contribuições sociais dos empregadores poderão, conforme a lei dispuser, ter alíquotas ou bases de cálculo diferenciadas, em razão da atividade econômica, da utilização intensiva de mão de obra, do porte da empresa ou da condição estrutural do mercado de trabalho.

As contribuições sociais a cargo dos trabalhadores e demais segurados. Também dos trabalhadores é exigida contribuição social incidente sobre o salário ou outra remuneração auferida em razão do trabalho. Da mesma forma, recolhem contribuição os demais segurados da previdência social, encontrando-se nessa categoria as donas de casa, os empregados domésticos, o trabalhador eventual, o trabalhador autônomo, o trabalhador avulso, o parceiro, o meeiro e o arrendatário rurais, o pescador, o garimpeiro, o ministro de confissão religiosa, o estudante etc.

Imunidade da contribuição social. Dispõe a segunda parte do inciso II, do artigo 195, que não incidirá a contribuição social sobre os proventos das aposentadorias e das pensões concedidas pelo regime geral de previdência social de que trata o artigo

201. Ora, não incidência constitucional quer dizer imunidade e a razão de ser de a norma excepcionar a incidência de contribuição social sobre referidos proventos, desde que no âmbito do regime geral, é que, em relação aos servidores públicos, a Lei n.° 9.783/1999, tratou de criar contribuição social incidente sobre proventos pagos a servidores públicos inativos.

As contribuições sociais oriundas de fontes complementares. São aquelas incidentes sobre: *a)* a receita de concursos de prognósticos, considerados como tais os sorteios de números, as loterias, as apostas, inclusive aquelas feitas em hípicas, destinando-se à seguridade social a receita líquida de tais eventos; *b)* do importador de bens ou serviços do exterior, ou de quem a lei a ele equiparar, que contribuem por meio de contribuições denominadas PIS-Importação e COFINS-Importação.

Destinação de recursos para o custeio da seguridade social. A norma do § 1.° dispõe que as receitas dos Estados, do Distrito Federal e dos Municípios destinadas à seguridade social constarão dos respectivos orçamentos, não integrando o orçamento da União. Entendo que a norma, quando diz receitas, na verdade quis referir-se aos recursos previstos nos orçamentos dos mencionados entes e destinados ao custeio da seguridade social e que, porque constantes dos respectivos orçamentos, não poderiam mesmo integrar o orçamento da União.

Proposta de orçamento da seguridade social. Nos termos do § 2.°, será elaborada de forma integrada pelos órgãos responsáveis pelas áreas da saúde, da previdência social e da assistência social, observando as metas e prioridades previstas na lei de diretrizes orçamentárias, sendo assegurada a cada área a gestão de seus recursos. Convém lembrar que o orçamento da seguridade social integra a lei orçamentária anual da União (CF, art. 165, § 5.°, III) mas, apenas, para fins de consolidação; porém, a sua execução se dará pelas unidades orçamentárias das três áreas: saúde, previdência social e assistência social.

Sanções para a pessoa jurídica em débito com a seguridade social. Por meio da norma inscrita no § 3.°, o constituinte confere ao legislador ordinário poder para, mediante lei, proibir a pessoa jurídica em débito com o sistema da seguridade social de contratar com o Poder Público ou dele receber benefícios ou incentivos fiscais ou creditícios. Nada foi previsto com relação à pessoa física, que não poderá ser sancionada por meio deste dispositivo constitucional.

Outras fontes de custeio para manutenção ou expansão da seguridade social. Dispõe o § 4.º que poderão ser instituídas por lei, desde que obedecido o disposto no artigo 154, I, da Constituição, ou seja, qualquer nova contribuição social deverá ser não cumulativa e não ter fato gerador ou base de cálculo iguais a de outro tributo.

Proibição de concessão de benefício ou serviço sem fonte de custeio. Está expressamente previsto no § 5.º que nenhum benefício ou serviço da seguridade social poderá ser criado, majorado ou estendido sem a correspondente fonte de custeio total. O objetivo da norma é o de garantir a indenidade financeira do sistema de seguridade social, evitando seja atingido por *deficits* capazes de inviabilizar o seu funcionamento. Em razão disso, impõe-se a incidência do princípio da precedência do custeio em relação a qualquer benefício ou serviço prestados ao segurado.

Princípio da anterioridade mitigada. Dispõe o § 6.º que as contribuições sociais tratadas neste artigo 195 somente poderão ser exigidas após decorridos noventa dias da data da publicação da lei que as houver instituídas ou modificadas, afastando, com isso, a aplicação do princípio da anterioridade cerrada, previsto no art. 150, III, *b*, da Constituição Federal, que proíbe a cobrança de tributos no mesmo exercício financeiro de sua criação ou majoração. Contudo, não afasta totalmente a incidência do princípio, conquanto admite a cobrança da contribuição somente após decorrido o prazo de noventa dias da publicação da lei de sua instituição ou modificação, daí tratar-se de caso de aplicação do princípio da anterioridade mitigada.

Imunidade para entidades beneficentes de assistência social. Em que pese o § 7.º falar em isenção, trata-se de imunidade, dispensando o legislador constituinte as entidades beneficentes de assistência social do pagamento de contribuição para a seguridade social, desde que atendam às exigências estabelecidas em lei. O artigo 14 do Código Tributário Nacional subordina a imunidade ao cumprimento dos seguintes requisitos: não distribuírem as entidades qualquer parcela de seu patrimônio ou de suas rendas, a título de lucro ou participação no seu resultado; aplicarem integralmente no país os seus recursos na manutenção de seus objetivos institucionais; manterem escrituração de suas receitas e despesas em livros revestidos de formalidades capazes de assegurar sua exatidão.

Contribuição do produtor, parceiro, meeiro, arrendatário rural e pescador. O § 8.º dispõe que a contribuição para a seguridade social desses trabalhadores e de seus respectivos cônjuges, desde que exerçam suas atividades em regime de economia familiar, sem empregados permanentes, será exigida mediante a aplicação de uma alíquota sobre o resultado da comercialização da produção e eles farão jus às prestações que a lei estabelecer.

Critérios de transferência de recursos para o SUS e ações de assistência social. Nos termos do § 10, a lei disporá sobre os mecanismos de transferência de recursos da União para os Estados, Distrito Federal e Municípios, e dos Estados para os Municípios, levando em conta a contrapartida financeira de cada ente federado de maneira a assegurar o custeio do sistema único de saúde e das atividades de assistência social.

Proibição de remissão ou anistia de contribuições sociais. Dispõe o § 11 que é defeso ao poder público conceder remissão ou anistia de contribuições sociais devidas pelos empregadores, incidentes sobre a folha de salários e demais rendimentos do trabalho, bem como daquelas de responsabilidade dos trabalhadores e demais segurados da previdência social, sempre que os débitos ultrapassarem o montante fixado em lei complementar. Remissão é instituto jurídico de perdão total ou parcial de dívida; enquanto a anistia não compreende o valor principal da dívida, concedendo ao devedor apenas o benefício de quitá-la sem a incidência de multa e juros. A norma ora anotada somente admite a moratória e o parcelamento em prazo de até sessenta meses

Contribuições sociais não-cumulativas. Dispõe o § 12 que a lei definirá os setores da atividade econômica para os quais as contribuições incidentes sobre a receita ou faturamento, ou aquelas devidas pelos importadores de bens ou serviços do exterior, deverão ser não cumulativas. De fato, a COFINS, por exemplo, é contribuição com hipóteses específicas de não cumulatividade, ainda que na generalidade dos casos ocorra a cumulatividade, ou seja, não se deduz da base de cálculo para recolhimento da contribuição devida o valor da contribuição incidente em operação anterior.

Reconhecimento de tempo de contribuição. Somente será reconhecido como tal o valor de contribuição igual ou superior à contribuição mínima mensal exigível da categoria, permitida, porém, a formação de agrupamento de contribuições.

Jurisprudência

> "O § 7.º deve ser interpretado e aplicado em conjunto com o preceito constitucional transcrito, afastando-se dúvida quanto à reserva exclusiva de lei complementar para a disciplina das condições a serem observadas no exercício do direito à imunidade. No âmbito do sistema normativo brasileiro, e considerada a natureza tributária das contribuições sociais, é no Código Tributário Nacional, precisamente no artigo 14, que se encontram os requisitos exigidos (...)" (STF – Pleno, RE 566.622, rel. Min. Marco Aurélio, DJ, 23.08.2017. *RE julgado em sede de repercussão geral*).
>
> "As contribuições de seguridade social constituem uma subespécie da espécie tributo – contribuição social –, e seu custeio obedece ao princípio da universalidade, conforme preceitua o art. 195 da CF/88, devendo ser financiada por toda a sociedade, de forma direta e indireta" (STJ – 1.ª Turma, REsp 956.289, rel. Min. José Delgado, DJE, 23.06.2008).

"A contribuição para o Incra não se destina a financiar a Seguridade Social. Os valores recolhidos indevidamente a este título não podem ser compensados com outras contribuições arrecadadas pelo INSS que se destinam ao custeio da Seguridade Social. Não se aplica, portanto, o § 1.º do art. 66 da Lei n. 8.383/91. O encontro de contas só pode ser efetuado com prestações vincendas da mesma espécie, ou seja, destinadas ao mesmo orçamento" (STJ – 1.ª Seção, EREsp 805.166/PR AgRg, rel. Min. Humberto Martins, DJ, 20.08.2007).

"(...). 2. A eventual isenção do imposto de renda não influi na incidência expressa da CSSL sobre as empresas, posto tributos com finalidade e orçamentos distintos. 3. O art. 1.º, da Lei 7.689/88, dispõe que a Contribuição Social sobre o Lucro das pessoas jurídicas tem destinação orçamentária própria, qual seja o financiamento da seguridade social, em cumprimento ao preceito constitucional descrito no art. 195 da Carta Maior" (STJ – 1.ª Turma, REsp 728.000, rel. Min. Luiz Fux, DJ, 10.02.2006, p. 698).

"(...). 2. O artigo 195, *caput*, da Constituição Federal submete todas as pessoas políticas ao financiamento da seguridade social, mediante recursos provenientes de seus orçamentos. 3. O Pretório Excelso declarou, ao julgar a Ação Cível Originária n.º 471, a obrigatoriedade do recolhimento do PASEP pelos Municípios, ao fundamento de que '... o caráter voluntário da adesão ao PASEP, segundo admitido pelo art. 8.º da Lei Complementar Federal n.º 8, de 1970, não repercute na aplicação do disposto no art. 239 da Carta de 1988, pois, desde a sua promulgação, a contribuição para o PASEP de qualquer forma deixou de ser voluntária, para se tornar compulsória e indeclinável'. (Inf. STF n.º 264, Rel. Min. SIDNEY SANCHES – j. em 11.04.20023). Devido, pois, o recolhimento do PASEP pelos Municípios" (TRF3, REO 636.100, rel. Des Fed. Marli Ferreira, DJU, 25.11.2002).

"(...). 2. A Carta Magna, em seu artigo 195, originariamente, instituiu contribuições sociais devidas pelos 'empregadores' (entre outros sujeitos passivos), incidentes sobre a 'folha de salários', o 'faturamento' e o 'lucro' (inciso I). 3. A Contribuição para Financiamento da Seguridade Social – COFINS, que sucedeu o FINSOCIAL, é contribuição social que se enquadra no inciso I, do artigo 195, da Constituição Federal de 1988, incidindo sobre o 'faturamento', tendo sido instituída e, inicialmente, regulada pela Lei Complementar 70/91, segundo a qual: (i) a exação era devida pelas pessoas jurídicas inclusive as a elas equiparadas pela legislação do imposto de renda, (ii) sendo destinada exclusivamente às despesas com atividades-fim das áreas de saúde, previdência e assistência social, e (iii) incidindo sobre o faturamento mensal, assim considerado a receita bruta das vendas de mercadorias, de mercadorias e serviços e de serviço de qualquer natureza" (STJ – 1.ª Turma, REsp 1.141.065, rel. Min. Luiz Fux, DJE, 01.02.2010).

"I. Buscando o financiamento da seguridade social, a Constituição previu a criação de contribuição social a cargo da empresa ou entidade a ela equiparada, sobre a receita ou faturamento (art. 195, I, b, da CF). A Lei Complementar n.º 70/91, em face do mandamento constitucional, instituiu a COFINS a incidir sobre o faturamento mensal, assim considerado a receita bruta das vendas de mercadorias, de mercadorias e serviços e de serviços de qualquer natureza. II. A Lei n.º 9.718/98, no artigo 3.º, parágrafo 1.º, definiu que o faturamento corresponde à receita bruta da pessoa jurídica e que o conceito de receita bruta é a totalidade das receitas auferidas, sendo irrelevante o tipo de atividade e classificação contábil adotada para as receitas" (STJ – 1.ª Turma, REsp 983.061 AgRg, rel. Min. Francisco Falcão, DJE, 07.04.2008).

"1. O Superior Tribunal de Justiça fixou o entendimento de que as receitas provenientes das operações de locação de bens móveis caracterizam-se como faturamento, razão pela qual integram a base de cálculo do PIS e da COFINS. Precedentes. 2. Há, inclusive, no que tange à COFINS, verbete sumular editado por esta Corte (Súmula 423), que sintetiza sua diretriz jurisprudencial: a Contribuição para Financiamento da Seguridade Social – COFINS incide sobre as receitas provenientes das operações de locação de bens móveis. Recurso representativo da controvérsia: 1.ª Seção, EDcl no Resp 929.521/SP, Rel. Min. LUIZ FUX, DJE 12.05.2010" (STJ – 1.ª Turma, REsp 1.278.232 AgRg, rel. Min. Napoleão Nunes Maia Filho, DJE, 17.02.2012).

"O valor dos créditos da Contribuição para o PIS/Pasep e da Contribuição Social para o Financiamento da Seguridade Social (Cofins), apurados no regime não-cumulativo não constitui hipótese de exclusão do lucro líquido, para fins de apuração do lucro real (base de cálculo do IRPJ) e da base de cálculo da Contribuição Social sobre o Lucro Líquido (CSLL). Precedentes" (STJ – 2.ª Turma, REsp 1.254.311, rel. Min. Mauro Campbell Marques, DJE, 30.08.2011).

"1. O fato gerador da contribuição previdenciária não é o efetivo pagamento dos salários, mas o fato de o empregador encontrar-se em débito para com seus empregados, por serviços prestados. 2. Por conseguinte, o tributo deve ser recolhido à Autarquia Previdenciária até o segundo dia do mês, conforme dispõe o art. 22 da Lei n.º 8.212/91, c/c o art. 30, I, b, da citada Lei" (STJ – 1.ª Turma, AgI 727.948, rel. Min. Luiz Fux, DJ, 28.08.2006, p. 224).

"A legislação previdenciária determina sejam recolhidas as contribuições incidentes sobre a remuneração até o dia 02 do mês seguinte, enquanto a CLT ordena sejam pagos os salários a partir do quinto dia do mês seguinte ao trabalhado (art. 459, CLT). Compatibilidade das normas de igual hierarquia, prevalecendo a previsão contida na lei previdenciária, porque posterior" (STJ – 2.ª Turma, REsp 375.557/PR, rel. Min. Eliana Calmon, DJ, 14.10.2002).

"(...). 3. As verbas recebidas a título de gratificação natalina bem como o terço constitucional de férias possuem natureza remuneratória, consoante jurisprudência pacificada pelo STF com a edição das Súmulas n. 608/STF e 207/STF, que dispõem respectivamente: 'É legítima a incidência da contribuição previdenciária sobre o 13.º salário' e 'As gratificações habituais, inclusive as de Natal, consideram-se tacitamente convencionadas, integrando o salário'. Não se tem, pois, por vulnerado o princípio da legalidade pela integração de ambos ao salário-contribuição para efeitos previdenciários, não sendo possível eximir-se da obrigação tributária em questão" (STJ – 1.ª Turma, REsp 956.289, rel. Min. José Delgado, DJE, 23.06.2008).

"Com o advento da EC 20/98, a seguridade social passou a ser financiada 'pelo trabalhador e demais segurados da previdência social não incidindo contribuição sobre aposentadoria e pensão concedidas pelo regime geral de previdência social de que trata o art. 201'" (art. 195, II, CF, com a redação dada pela EC 20/98)" (TRF1, AC 200938130003900, rel. Des. Fed. Leomar de Sousa, DJF1, 17.07.2009, p. 579).

"(...). 2. O art. 195 e incisos da Constituição Federal, ao prever as formas de custeio da seguridade social, contempla os recursos oriundos do orçamento da União Federal e, bem assim, as contribuições sociais incidentes sobre a receita de concursos de prognósticos. 3. Impõe o interesse público, na espécie, a preservação da integridade desta fonte de receitas oriundas da atuação da LOTERJ, objeto de discussão na ação civil pública e que não encontra guarida, ao menos, em princípio, na legislação federal pátria" (TRF2, Ag. em suspensão de liminar 1.213/RJ, rel. Des. Fed. Frederico Gueiros, DJU, 24.03.2006, p. 234).

"(...). 3. A previsão constitucional e infraconstitucional de renda de 'concursos de prognósticos', como receita para o desporto e para a seguridade social, não informa de imediato a legalidade dos bingos, como pretende o agravante, pois tal previsão não embarga a necessária regulamentação daqueles 'concursos', isto é, quais deles e sob que condições poderão ser exercidos" (TRF4, AgI 200304010277275, rel. Des. Fed. Valdemar Capeletti, DJ, 17.05.2004, p. 621).

"(...). II – Fazendo uma interpretação teleológica da Lei 9.317/96, infere-se que, caso as contribuições PIS-IMPORTAÇÃO e COFINS-IMPORTAÇÃO já existissem à época da referida lei, certamente não teriam sido isentadas pelo legislador, uma vez que este não demonstrou interesse em isentar os optantes do SIMPLES das contribuições que custeiam a Seguridade Social. Tal fundamento é corroborado pela possibilidade de recolhimento do PIS e da COFINS, alíneas 'b' e 'd' do art. 3.º da citada lei, pelo Sistema Simplificado por ela regulado. III – E não poderia ser de outra forma, pois não seria razoável que esta isentasse contribuições destinadas à Seguridade Social, garantia estatal que deverá ser custeada por toda a sociedade, de forma direta e indireta, inclusive pelo importador de bens e serviços do exterior, ou quem a lei a ele equiparar, nos ditames do art. 195, IV, da Carta Magna" (STJ – 1.ª Turma, REsp 1.060.145, rel. Min. Francisco Falcão, DJE, 15.09.2008).

"1. A Medida Provisória n.º 164, de 29 de janeiro de 2004, convertida na Lei n.º 10.865, de 30 de abril de 2004, que instituiu a Contribuição para os Programas de Integração Social e de Formação do Patrimônio do Servidor Público incidente na Importação de Produtos Estrangeiros ou Serviços (PIS-PASEP importação) e a Contribuição Social para o Financiamento da Seguridade Social devida pelo Importador de Bens Estrangeiros ou Serviços do Exterior (COFINS importação) não padecem de inconstitucionalidade. 2. Precedentes das quatro Turmas deste Tribunal" (TRF5, AC 454.226, rel. Des. Fed. Frederico Pinto de Azevedo, DJE, 10.09.2010, p. 9).

"(...). 2. A administração e fiscalização da CSLL pela SRF (art. 6.º da Lei n.º 7.689/88) não interferem na elaboração da proposta de orçamento da Seguridade Social (art. 195, § 2.º, CF), porque a elaboração da proposta continua a cargo dos órgãos responsáveis pela saúde, previdência social e assistência social; nem alteram as previsões contidas na lei orçamentária anual (fiscal, seguridade social e de investimentos) (art. 165, § 5.º, CF). 3. Apelação não provida" (TRF1 – 7.ª Turma, AC 001991631120004013500, rel. Des. Federal Luciano Tolentino Amaral, unânime, DJF1, 16.04.2010, p. 309).

"1. O art. 195, § 3.º, da Constituição Federal, prescreve que a pessoa jurídica em débito com o sistema da seguridade social não poderá contratar com o Poder Público, nem dele receber benefícios ou incentivos fiscais ou creditícios. 2. Dessa forma, cabe ao interessado apresentar Certidão Negativa de Débito – CND ou Certidão Positiva de Débito com Efeito de Negativa – CPD-EN, as quais, em regra, não demandam apresentação de finalidade" (STJ – 2.ª Turma, REsp 746.930, rel. Min. Herman Benjamin, DJE, 18.12.2009).

"(...). IV – A instituição de contribuição previdenciária para servidor público aposentado, o qual não se encasa como 'trabalhador' (CF, art. 195, II), não pode ser feita por medida provisória. A dicção constitucional do § 4.º do art. 195 é efusiva: 'A lei poderá instituir outras fontes destinadas a garantir a manutenção ou expansão da seguridade social, obedecido o disposto no art. 154, I', ou seja, 'mediante lei complementar'. V – Arguição de inconstitucionalidade acolhida" (STJ – 1.ª Seção, AgMS 4.993, rel. Min. Adhemar Maciel, DJ, 19.02.2001, p. 128).

"(...). 2 – O art. 195, § 4.º, CR, ao determinar obediência ao artigo 154, I, o faz tão-somente em relação a 'outras fontes destinadas a garantir a manutenção ou expansão da seguridade social'; não no tocante às contribuições que ela própria, Constituição, prevê. Desse modo, refere-se, por óbvio, ao comando do art. 154, I, CR, porém, somente é aplicável às hipóteses 'novas' contribuições, isto é, que não estão previstas no texto constitucional vigente, tal como ocorre com a COFINS, que se encontra, de forma prévia e expressa, prevista pelo Supremo Texto Legal" (TRF2, ApReeNec 471.762, rel. Des. Fed. Luiz Antonio Soares, E-DJ2R, 11.09.2012, p. 127).

"1 – A Contribuição Social sobre o Lucro, instituída pela Lei n.º 7.689/88 e destinada ao financiamento da seguridade social, encontra fundamento no artigo 195, I, 'c', da Constituição Federal, incidindo sobre o lucro apurado pelo empregador, empresa ou entidade a ela equiparada, na forma da lei. 2 – A contribuição social referida não exige a veiculação por meio de lei complementar, ao contrário do que ocorre com outras fontes destinadas a garantir a manutenção ou expansão da seguridade social, as quais devem obediência ao disposto no artigo 154, I, a teor do parágrafo 4.º do artigo 195 da Carta Magna" (TRF3 – AMS 41.554, rel. Des. Fed. Lazarano Neto, DJU, 03.04.2007).

"Pela regra do art. 195, § 5.º, da Constituição Federal, 'nenhum benefício ou serviço da seguridade social poderá ser criado, majorado ou estendido sem a correspondente fonte de custeio total'. 'Não se pode criar fonte de custeio sem o benefício correspondente' (ADIN 790-4-DF)" (STJ – 2.ª Turma, REsp 796.889, rel. Min. Castro Meira, DJ, 20.02.2006, p. 325).

"As contribuições sociais da empresa sobre a remuneração paga aos empregados, instituídas pelas Leis n.º 7787/89 e 8212/91, com base no artigo 195, inciso I e alínea 'a', da Constituição Federal de 1988, não afrontaram o princípio contido no seu parágrafo 5.º segundo o qual 'nenhum benefício ou serviço da seguridade social poderá ser criado, majorado ou estendido sem a correspondente fonte de custeio total'" (TRF3, AC 648.072, rel. Des. Fed. Ramza Tartuce, e-DJF3, 22.08.2012).

"A jurisprudência do Supremo Tribunal Federal, que me parece juridicamente correta, é firme no sentido de que é constitucional a majoração da alíquota da CSLL pela MP 1.807/1999 e suas reedições e que a contagem do prazo nonagesimal se dá com a primeira edição da medida provisória" (STF – 2.ª Turma, RE 636.319/PR AgRg, rel. Min. Ayres Britto, DJE 205, 25.10.2011).

"É constitucional o art. 8.º da Lei 9.718/1998, que aumentou a alíquota da Cofins. Precedentes da Corte, reafirmados por ocasião do julgamento do RE 527.602, rel. min. Eros Grau, red. p/ acórdão min. Marco Aurélio, Pleno. O prazo da anterioridade nonagesimal começa a ser contado da medida provisória que modificou a contribuição em análise, e não da publicação da lei que resultou de sua conversão. Precedentes de ambas as Turmas. Agravo regimental conhecido, mas ao qual se nega provimento" (STF – 2.ª Turma, RE 367.935/GO AgRg, rel. Min. Joaquim Barbosa, DJE 218, 19.11.2009).

"(...). 4. A teor da decisão do Plenário do eg. Supremo Tribunal Federal, no julgamento do RE n.º 232896/PR, Relator Ministro CARLOS VELLOSO, a contagem do prazo nonagesimal, de medida provisória reeditada sem alterações e, posteriormente convertida em lei, conta-se a partir da veiculação da primeira medida provisória. 5. Assim, afigura-se como constitucional a incidência da contribuição previdenciária sobre os vencimentos dos servidores públicos civis ativos, decorridos noventa dias a contar da primeira edição na Medida Provisória n.º 560/94" (TRF1, AC 200101000320357, rel. Des. Fed. Ítalo Fioravanti, DJ 22.10.2001, p. 84).

"De há muito se firmou a jurisprudência desta Corte no sentido de que só é exigível lei complementar quando a Constituição expressamente a ela faz alusão com referência a determinada matéria, o que implica dizer que quando a Carta Magna alude genericamente a 'lei' para estabelecer princípio de reserva legal, essa expressão compreende toda a legislação ordinária, nas suas diferentes modalidades, quanto a legislação complementar. No caso, o artigo 195, § 7.°, da Carta Magna, com relação a matéria específica (as exigências a que devem atender as entidades beneficentes de assistências social para gozarem da imunidade aí prevista), determina apenas que essas exigências sejam estabelecidas em lei. Portanto, em face da referida jurisprudência desta Corte, em lei ordinária" (STF – Pleno, ADIN 2.028-5/DF, rel. Min. Moreira Alves, j. 11.11.1999, DJ, 16.06.2000).

"1. Põe-se o contribuinte a essencialmente debater, em plano teórico, o excedimento praticado pelas Leis 8.212/91 e 9.532/97, ao disciplinar o gozo da isenção das entidades de educação e assistência social com relação à COFINS, já que, sob sua ótica, tal matéria somente poderia ser regulada por lei complementar. 2. Ora, significando a imunidade uma limitação proibitiva ao poder de tributar (em contraposição às limitações afirmativas, em que se traduzem os princípios tributários), uma vedação constitucional ao exercício daquele segmento do Poder Soberano, realmente merece toda mensagem daquela espécie o devido cuidado, em sua delimitação e compreensão. 3. Em angulação formal, ao impor o parágrafo 7.° do art. 195, CF, devam as entidades beneficentes de assistência social, destinatárias da vedação, atender aos requisitos de lei, patente se revele ilegítimo o questionamento do papel exercido, no presente caso, como em outros, por meio de leis ordinárias, como assim o são as Leis 8.212/91 e 9.532/97" (TRF3, AMS 212.861, rel. Juiz Federal Silva Neto, DJU, 10.08.2005).

"(...). 2. A Constituição Federal de 1988, no art. 195, parágrafo 7.°, institui, não obstante falar em isenção, imunidade de contribuições para a seguridade social em favor das entidades beneficentes de assistência social que atendam às exigências estabelecidas em lei. 3. O preceito constitucional sobre a imunidade está regulado no art. 55 da Lei 8.212/91, na redação anterior à da Lei 9.732/98, que teve eficácia suspensa pelo Pleno do

STF, na ADI 2.028-5, com base em inconstitucionalidade material por limitar o direito previsto na Constituição. Assim, as entidades que gozam da imunidade, de acordo com o art. 55 da Lei 8.212/91, são as que prestam serviços relativos à assistência social (educação e saúde). 4. No caso, a entidade promove assistência social na área da saúde em caráter filantrópico e em benefício a pessoas carentes, preenchendo os requisitos exigidos pelo art. 55 da Lei 8.212/91" (TRF4, AC 200470010114095, rel. Des. Fed. Marga Inge Barth Tessler, DJ, 26.04.2006, p. 947).

"1. A Constituição de 1988 e a legislação posterior mantiveram a contribuição incidente sobre a comercialização da produção rural, prevendo tratamento distinto entre o produtor rural que trabalha em regime de economia familiar, o produtor rural pessoa física empregador e o produtor rural pessoa jurídica. 2. para o produtor rural pessoa física empregador, a contribuição sobre a comercialização da produção rural é indevida apenas de 25 de julho de 1982 (extinção do PRORURAL) até 22 de março de 1993 (prazo nonagesimal da Lei n.° 8.540/92, que recriou a contribuição), quando então era exigível a contribuição sobre a folha de salários. 3. O fato gerador da contribuição debatida é a comercialização da produção rural e ocorre com a venda ou a consignação da produção rural; a base de cálculo é a receita bruta proveniente da comercialização de tal produção, elementos da hipótese de incidência previstos nas Leis n.° 8.212/91 e n.° 8.870/94. 4. A base de cálculo – receita bruta – é equivalente, para efeitos fiscais, a faturamento, segundo precedente do e. STF, e representada pela venda ou consignação de mercadorias, no caso, produtos rurais. 5. Ausência de bis in idem, pois o produtor rural pessoa física empregador, porque não atende aos requisitos do art. 1.° da LC 70/91 (ser equiparado a pessoa jurídica pela legislação do Imposto de Renda), não é contribuinte da COFINS, inexistindo suposta indevida cumulação de contribuições" (TRF4, AC 200471040058059, rel. Des. Fed. Carla Hendges, DE, 02.09.2009).

"(...). 4. A modificação do texto constitucional pela EC n.º 20/98 não impede o aumento da alíquota da CSLL por meio de Medida Provisória. Precedente do STF (RE 403.512/SC, Rel. Ministro Cezar Peluso). 5. Não há que se falar em inconstitucionalidade material da MP 413/2008, em face de diferenciação de alíquota da CSLL em relação às instituições financeiras, eis que '... foi editada sob a égide da atual redação do art. 195 da Constituição Federal, que em seu § 9.º estabelece a possibilidade da definição de alíquotas ou base de cálculo diferenciadas, em razão da atividade econômica, da utilização intensiva de mão-de-obra, do porte da empresa ou da condição estrutural do mercado de trabalho.' (Cf. REOMS 2003.51.04.002896-2, TRF-2.ª Região; Rel. Juiz Federal Convocado José Antonio Lisboa Neiva, Sessão de 31/03/2009). 6. Também não há que se falar em violação ao princípio da isonomia, ante a distinção tributária em relação às instituições financeiras, considerando o princípio constitucional da capacidade contributiva (art. 145, § 1.º, CF). Precedentes da Corte" (TRF1, AMS 200834000274979, rel. Des. Fed. Reynaldo Fonseca, e-DJF1, 25.06.2010, p. 155).

"(...). 15. O artigo 195, § 9.º, da Constituição Federal ao prever que § 9.º 'as contribuições sociais previstas no inciso I do *caput* deste artigo poderão ter alíquotas ou bases de cálculo diferenciadas, em razão da atividade econômica, da utilização intensiva de mão de obra, do porte da empresa ou da condição estrutural do mercado de trabalho', não excluiu outras formas razoáveis de promover a igualdade tributária" (TRF2, AMS 67.095, rel. Des. Fed. Paulo Barata, DJU, 24.09.2008, p. 58).

"(...). 4. A Lei n.º 4.870/65 foi recepcionada pela Carta Magna, especialmente na parte que cria a obrigação das empresas do setor canavieiro de aplicar um percentual de sua produção em programa de assistência social aos trabalhadores da agroindústria canavieira, porquanto tem por principal finalidade o cumprimento dos princípios da dignidade humana, do direito à saúde, bem como o dever de prestar a assistência social a quem dela necessitar, princípios estes garantidos pela Constituição, independentemente de contribuição à seguridade social. 5. Inexiste, no presente caso, violação ao princípio da isonomia tributária pelo estabelecimento da aludida exação, uma vez que o escopo da instituição de tal discrímen é, eminentemente, beneficiar os trabalhadores da agroindústria em questão, qual seja, toda categoria de trabalhadores do setor canavieiro, cujas condições insalubres e penosas de trabalho são manifestas e incontestáveis. 6. Trata-se de legítima intervenção do Estado, compelindo os produtores do setor canavieiro (cana, açúcar e álcool) a custear a assistência social de seus trabalhadores, visando a reduzir os consabidos efeitos nocivos da atividade em questão e com amparo expresso no § 9.º, do art. 195 da Magna Carta, que prevê a possibilidade das contribuições sociais dos empregadores terem bases de cálculo ou alíquotas diferenciadas, em razão da atividade econômica, da utilização intensiva de mão de obra, do porte da empresa ou da condição estrutural do mercado de trabalho. 7. Por fim, não há que se falar em cumulação indevida da contribuição prevista no art. 36, alínea 'b', da Lei n.º 4.870/65, quer com a Contribuição Social sobre o Lucro (CSL), quer com a Contribuição Social para o Financiamento da Seguridade Social (COFINS), haja vista que possuem fato gerador e base de cálculo diversos" (TRF3, AC 932.305, rel. Des. Fed. Consuelo Yoshida, e-DJF3, 22.11.2012).

"A majoração da CSLL em alíquotas diferenciadas para as instituições financeiras determinada pelo art. 17 da MP 413/08, convertida na Lei 11.727/08 não viola a isonomia, eis que há autorização expressa (CF, art. 195, § 9.º) para a diferenciação de alíquotas, em razão da atividade econômica, da utilização intensiva de mão de obra, do porte da empresa ou da condição estrutural do mercado de trabalho. Precedentes do STF. Inexistência de violação à anterioridade nonagesimal, eis que o art. 41 da Lei n.º 11.727/2008 ressalvou a produção dos efeitos de forma a assegurá-la. Há expresso afastamento constitucional da aplicabilidade da anterioridade de exercício quando se tratar de contribuição prevista no art. 195, entre as quais está a CSLL (art. 195, inciso I, alínea 'c')" (TRF4, AC 200870000120195, rel. Des. Fed. Luciane Münch, DE, 14.10.2009).

"1. O § 12 do art. 195 da CF/88 remete à lei a definição dos setores da atividade econômica para os quais as contribuições em comento (PIS e COFINS) serão não cumulativas. 2. A legislação infraconstitucional (Leis ns. 10.833/2003 e 10.637/2002), que veda o creditamento pleno de insumos adquiridos de pessoa física, ateve-se aos limites da outorga legislativa prevista no referido dispositivo constitucional" (TRF1, AC 200433000262810, rel. Juiz Federal Cleberson Rocha, e-DJF1, 31.05.2010, p. 170).

"1. As Leis n.º 10.637/02 e n.º 10.833/03, que definiram novo regramento tributário para o recolhimento da contribuição para o PIS e da COFINS, estabeleceram hipóteses de não-cumulatividade e criaram o sistema de débitos e créditos, visando retirar dessas contribuições o efeito cascata provocado por suas incidências em toda a cadeia produtiva. 2. Essas leis foram reforçadas pela Emenda Constitucional 42/2003, que remeteu à lei a possibilidade de definição dos setores de atividade econômica para os quais as contribuições incidentes sobre a receita ou o faturamento do empregador serão não cumulativas, nos termos do § 12, do artigo 195, da CRFB/1988" (TRF2, AMS 70.897, rel. Des. Fed. Ricarlos Cunha, E-DJF2R, 22.04.2013).

"1. Primeiramente, cumpre afastar qualquer argumentação de inconstitucionalidade formal da Medida Provisória n.º 135/2003, convertida na Lei n.º 10.833/2003. 2. Estabelece o art. 246 da Constituição Federal que 'é vedada a adoção de medida provisória na regulamentação de artigo da Constituição cuja redação tenha sido alterada por meio de emenda promulgada entre 1.º de janeiro de 1995 até a promulgação desta emenda, inclusive (Redação dada pela Emenda Constitucional n.º 32, de 2001).' 3. O artigo acima transcrito, ao restringir a adoção de medidas provisórias, objetivou limitar a atuação do Chefe do Executivo. No entanto, tal proibição foi limitada no tempo pela própria Constituição, compreendendo-se entre o dia 01/01/1995 e o dia 11/09/2001. 4. De igual forma, a COFINS encontra seu fundamento de validade no art. 195, I, da Constituição Federal, como uma das fontes destinadas ao financiamento da seguridade social, não necessitando que sua regulamentação se faça por lei complementar, a teor do art. 146 da CF, uma vez que o art. 34 do ADCT autoriza, nos §§ 3.º e 4.º, os entes políticos a editarem as leis necessárias à aplicação do sistema tributário, incluindo-se, aí, as contribuições sociais, como espécies tributárias que são. 5. Relativamente à alegada violação aos Princípios da Isonomia e da Capacidade Contributiva, cumpre destacar que o art. 195, § 12, da Constituição Federal expressamente dispõe que cabe à lei definir os setores de atividade econômica para os quais as contribuições previstas no art. 195, I, 'b', e IV, serão não-cumulativas. 6. Diante disso, observa-se que a sistemática da não-cumulatividade não é aplicável a todas as pessoas jurídicas indistintamente, de modo que o art. 10 da Lei n.º 10.833/2003 disciplina as entidades e as receitas que permanecem sujeitas ao regime pretérito da cumulatividade da COFINS. 7. Nesse panorama, não há que se falar em ofensa aos Princípios da Isonomia e da Capacidade Contributiva, em razão de haver tributação distinta para contribuintes que se encontram em situações também distintas. Ao contrário, a distinção trazida pela Lei n.º 10.833/2003, ao identificar determinados setores e situações para os quais a COFINS serão não-cumulativa, confere efetividade aos mencionados princípios, pois a tributação é graduada conforme a capacidade econômica do contribuinte e diferenciada de acordo com as peculiaridades dos diversos setores econômicos". (TRF3, AMS 331.921, rel. Des. Fed. Cecília Marcondes, e-DJF3, 09.03.2012).

Seção II
DA SAÚDE

Art. 196. A saúde é direito de todos e dever do Estado, garantido mediante políticas sociais e econômicas que visem à redução do risco de doença e de outros agravos e ao acesso universal e igualitário às ações e serviços para sua promoção, proteção e recuperação.

Doutrina

Conceito de saúde. Para a OIT, saúde é "um estado completo de bem-estar físico, mental e social, e não somente a ausência de doença ou enfermidade". Portanto, saudável é a pessoa que se encontra em situação plena de satisfação física e emocional, decorrendo esse estado da harmonia de funcionamento de seus órgãos e funções.

Direito à saúde. Trata-se de direito subjetivo público da pessoa humana que pode ser exercido em face do Estado em caso de necessidade e de carência de recursos, dispondo o legislador constituinte originário (CF, art. 23, II) ser competência comum da União, dos Estados, do Distrito Federal e dos Municípios cuidar da saúde da população. Lembre-se, ainda, que a Constituição qualifica a saúde como direito social (art. 6.°, *caput*).

Garantia do direito à saúde. O direito à saúde é garantido mediante a adoção de políticas sociais e econômicas que visem a atingir os seguintes objetivos: *a*) a redução do risco de doença e outros agravos, o que se dá por meio de ações de saúde, como as campanhas de vacinação, de combate a endemias e obras de saneamento e por meio de políticas de preservação de meio ambiente saudável; *b*) o acesso universal e igualitário às ações e serviços para sua promoção, proteção e recuperação e isso significa que devem ser garantidos a toda pessoa – tanto nacional quanto estrangeiro residente –', o tratamento e os cuidados necessários para curar-se da doença que a aflige. Os princípios regentes da atuação estatal nesse ponto são os da universalidade e da igualdade.

Jurisprudência

> "O art. 196 da Constituição Federal estabelece como dever do Estado a prestação de assistência à saúde e garante o acesso universal e igualitário do cidadão aos serviços e ações para sua promoção, proteção e recuperação. O direito à saúde, como está assegurado na Carta, não deve sofrer embaraços impostos por autoridades administrativas, no sentido de reduzi-lo ou de dificultar o acesso a ele" (STF – 2.ª Turma, RE 226.835/RS, rel. Min. Ilmar Galvão, j. 03.05.2000).
>
> "O direito público subjetivo à saúde representa prerrogativa jurídica indisponível assegurada à generalidade das pessoas pela própria Constituição da República (art. 196). Traduz bem jurídico constitucionalmente tutelado, por cuja integridade deve velar, de maneira responsável, o Poder Público, a quem incumbe formular – e implementar – políticas sociais e econômicas idôneas que visem a garantir, aos cidadãos, o acesso universal e igualitário à assistência farmacêutica e médico-hospitalar. – O direito à saúde – além de qualificar-se como direito fundamental que assiste a todas as pessoas – representa consequência constitucional indissociável do direito à vida. O Poder Público, qualquer que seja a esfera institucional de sua atuação no plano da organização federativa brasileira, não pode mostrar-se indiferente ao problema da saúde da população, sob pena de incidir, ainda que por censurável omissão, em grave comportamento inconstitucional. – O caráter programático da regra inscrita no art. 196 da Carta Política – que tem por destinatários todos os entes políticos que

compõem, no plano institucional, a organização federativa do Estado brasileiro – não pode converter-se em promessa constitucional inconsequente, sob pena de o Poder Público, fraudando justas expectativas nele depositadas pela coletividade, substituir, de maneira ilegítima, o cumprimento de seu impostergável dever, por um gesto irresponsável de infidelidade governamental ao que determina a própria Lei Fundamental do Estado. O reconhecimento judicial da validade jurídica de programas de distribuição gratuita de medicamentos a pessoas carentes dá efetividade a preceitos fundamentais da Constituição da República (arts. 5.º, '*caput*', e 196) e representa, na concreção do seu alcance, um gesto reverente e solidário de apreço à vida e à saúde das pessoas, especialmente daquelas que nada têm e nada possuem, a não ser a consciência de sua própria humanidade e de sua essencial dignidade" (STF – 2.ª Turma, RE 393.175/RS AgRg, rel. Min. Celso de Mello, j. 12.12.2006).

"Consolidou-se a jurisprudência desta Corte no sentido de que, embora o art. 196 da Constituição de 1988 traga norma de caráter programático, o Município não pode furtar-se do dever de propiciar os meios necessários ao gozo do direito à saúde, por todos os cidadãos. Se uma pessoa necessita, para garantir o seu direito à saúde, de tratamento médico adequado, é dever solidário da União, do Estado e do Município providenciá-lo. Precedentes" (STF – 2.ª Turma, AgI 550.530/PR AgRg, rel. Min. Joaquim Barbosa, j. 26.02.2012).

"1. O art. 196 da CF impõe o dever estatal de implementação das políticas públicas, no sentido de conferir efetividade ao acesso da população à redução dos riscos de doenças e às medidas necessárias para proteção e recuperação dos cidadãos. 2. O Estado deve criar meios para prover serviços médico-hospitalares e fornecimento de medicamentos, além da implementação de políticas públicas preventivas, mercê de os entes federativos garantirem recursos em seus orçamentos para implementação das mesmas (arts. 23, II, e 198, § 1.º, da CF). 3. O recebimento de medicamentos pelo Estado é direito fundamental, podendo o requerente pleiteá-los de qualquer um dos entes federativos, desde que demonstre sua necessidade e a impossibilidade de custeá-los com recursos próprios. Isto porque, uma vez satisfeitos tais requisitos, o ente federativo deve se pautar no espírito de solidariedade para conferir efetividade ao direito garantido pela Constituição, e não criar entraves jurídicos para postergar a devida prestação jurisdicional" (STF – 1.ª Turma, RE 607.381/SC AgRg, rel. Min. Luiz Fux, j. 31.05.2011).

"A Carta Magna também dispõe que 'a saúde é direito de todos e dever do Estado, garantido mediante políticas sociais e econômicas que visem à redução do risco de doença e de outros agravos e ao acesso universal e igualitário às ações e serviços para sua promoção, proteção e recuperação' (art. 196), sendo que o 'atendimento integral' é uma diretriz constitucional das ações e serviços públicos de saúde (art. 198). O direito assim reconhecido não alcança a possibilidade de escolher o paciente o medicamento que mais se adeque ao seu tratamento. *In casu*, oferecido pelo SUS uma segunda opção de medicamento substitutivo, pleiteia o impetrante fornecimento de medicamento de que não dispõe o SUS, sem descartar em prova circunstanciada a imprestabilidade da opção ofertada" (STJ – 2.ª Turma, ROMS 28.338, rel. Min. Eliana Calmon, DJE, 17.06.2009).

"I – É direito de todos e dever do Estado assegurar aos cidadãos a saúde, adotando políticas sociais e econômicas que visem à redução do risco de doença e de outros agravos e permitindo o acesso universal igualitário às ações e serviços para sua promoção, proteção e recuperação (arts. 6.º e 196 da CF). II – Em obediência a tais princípios constitucionais, cumpre ao Estado, através do seu órgão competente, fornecer medicamentos indispensáveis ao tratamento de pessoa portadora de retardo mental, hemiatropia, epilepsia, tricotilomania e transtorno orgânico da personalidade" (STJ – 1.ª Turma, ROMS 13.452, rel. Min. Garcia Vieira, DJ, 07.10.2002, p. 172).

"1. O direito à saúde, constitucionalmente assegurado, 'mediante políticas sociais e econômicas que visem à redução do risco de doença e de outros agravos e ao acesso universal igualitário às ações e serviços para sua promoção, proteção e recuperação' (art. 196, CF), não pode ser entendido com a elasticidade pretendida, para autorizar, indistintamente, tratamentos no exterior, mormente quando, como no caso, não há comprovação científica da eficácia do tratamento, o qual, inclusive, já é realizado no Brasil. 2. Inexistência de ilegalidade do ato administrativo que, em conformidade com as normas regulamentares específicas, indeferiu o pedido da apelante" (TRF1, AMS 200334000318402, rel. Des. Fed. Daniel Paes Ribeiro, DJ, 02.07.2007, p. 43).

"Se é dever da família, da sociedade e do Estado, garantir à criança e ao adolescente, com absoluta prioridade, o direito à vida e à saúde, no caso em tela, não dispondo a família das crianças e dos adolescentes que sofreram amputação de seus membros, em razão de câncer ósseo, de meios para fazê-lo, restando impossibilitados de adquirir a prótese necessária para sua reabilitação, compete à sociedade e ao Estado a viabilização dos recursos para garantir a referida proteção. Frise-se, o comando constitucional assevera que se trata de dever que goza de absoluta prioridade, não podendo a Administração descurar quando instada a oferecer os meios adequados e razoáveis, segundo a necessidade e as circunstâncias de cada caso, certo que, na hipótese, a sentença deixou claro que o fornecimento das próteses, para as crianças e adolescentes atendidas por meio do Sistema Único de Saúde, no Hospital do Câncer de Barretos, devem ser solicitadas por médico ou comissão de médicos do corpo clínico do mencionado hospital, bem como ser acompanhadas por estudo da situação social do paciente, ou seja, quando tais aparelhos de substituição tenham um custo alto para o padrão de renda da família, não tendo, pois, meios para adquiri-lo". (TRF3, AC 1.446.057/SP, rel. Juiz Federal Convocado Valdeci dos Santos, e-DJF3, 09.08.2010, p. 318).

Art. 197. São de relevância pública as ações e serviços de saúde, cabendo ao poder público dispor, nos termos da lei, sobre sua regulamentação, fiscalização e controle, devendo sua execução ser feita diretamente ou através de terceiros e, também, por pessoa física ou jurídica de direito privado.

Doutrina

Qualificação das ações e serviços de saúde. O legislador constituinte qualifica as ações e serviços de saúde como de relevância pública porque necessários à execução das políticas sanitárias de proteção da coletividade contra enfermidades e endemias.

Regulamentação, fiscalização e controle das ações e serviços de saúde. Cabe ao Poder Público, com base em lei, dispor sobre a regulamentação das ações e serviços de saúde, estabelecendo, ainda, as normas de fiscalização e controle dessas atividades e das políticas de defesa sanitária, visando proteger a saúde da população.

Execução das ações e serviços de saúde. Em razão de sua relevância, as ações e serviços de saúde serão implementados e prestados pelo Poder Público – União, Estados, Distrito Federal e Municípios –, diretamente, por meio de seus próprios órgãos, como, por exemplo, a rede pública de hospitais, ou indiretamente, por terceiros, quer dizer, por meio de instituições como as fundações ou autarquias de saúde. A execução das ações e serviços de saúde poderá também ser feita por particulares – pessoas físicas ou pessoas jurídicas de direito privado –, atuando, nesse caso, de forma complementar à atuação estatal.

Jurisprudência

> "(...). 2. A Constituição Federal em seu artigo 197, dispôs que são de relevância pública as ações e serviços de saúde, cabendo ao Poder Público dispor, nos termos da lei, sobre sua regulamentação, fiscalização e controle, devendo sua execução ser feita diretamente ou através de terceiros e, também, por pessoa física ou jurídica de direito privado. A Lei 9.961/2000, à sua vez, estabelece expressamente que cabe à ANS regulamentar, controlar e fiscalizar o setor, de modo a resguardar o interesse público na assistência suplementar à saúde e garantir a prestação regular de serviços de qualidade à população usuária do sistema" (TRF2, AC 507.175, rel. Des. Fed. Carmen Silvia Lima de Arruda, E-DJF2R, 27.07.2011, p. 324/325).
>
> "(...). 2. A União Federal tem interesse no deslinde da demanda, ante a relevância pública das ações e serviços de saúde, cabendo ao Poder Público dispor, nos termos da lei, sobre sua regulamentação, fiscalização e controle, devendo sua execução ser feita diretamente ou através de terceiros e, também, por pessoa física ou jurídica de direito privado. 3. O Conselho Regional de Farmácia, na qualidade de 'longa manus' do Estado, tem competência para fiscalizar e autuar os estabelecimentos farmacêuticos no que tange ao cumprimento da exigência de manter um responsável técnico durante todo o período de funcionamento" (TRF3, AC 882.508, rel. Des. Fed. Marli Ferreira, DJU, 04.06.2004).
>
> "Ante a relevância pública da saúde, cabe ao Poder Público dispor sobre a regulamentação, fiscalização e controle das ações e serviços da saúde, que se integram em um sistema único e descentralizado, existindo responsabilidade solidária entre os entes federativos. A

atuação do Poder Judiciário se justifica ao assegurar a percepção de medicamento ao declarado hipossuficiente, desde que evidenciado nos autos que outra medicação fornecida gratuitamente pela rede pública não traz a mesma eficácia no combate à moléstia diagnosticada, o que não corre no caso dos autos" (TRF3, AgI 477.499, rel. Juiz Federal Convocado Paulo Domingues, e-DJF3, 25.10.2010).

"A Constituição, em seu art. 196, afirma que a saúde é um direito de todos e dever do Estado, devendo ser garantido mediante políticas sociais e econômicas que visem à redução do risco de doença e de outros agravos e ao acesso universal e igualitário às ações e serviços para sua promoção, proteção e recuperação. Essas ações e serviços de saúde são considerados como de relevância pública, cabendo ao poder público dispor, nos termos da lei, sobre sua regulamentação, fiscalização e controle, devendo sua execução ser feita diretamente ou através de terceiros e, também, por pessoa física ou jurídica de direito privado. A obrigação da Administração Pública de cumprir com as leis orçamentárias entra em choque com o direito fundamental à saúde, pois a observância de forma absoluta daquele pode acarretar restrição à efetividade deste. Cumpre salientar, de qualquer forma, que ao garantir o direito à saúde se está, consequentemente, protegendo à vida, o direito mais fundamental dentre todos os direitos, motivo da existência dos demais. Assim, deve o direito à vida ser preservado, assim como todos aqueles que lhe dão efetividade, como no caso, o direito à saúde, também considerado fundamental pela ordem constitucional vigente" (TRF4, AC 200071010032725, rel. Des. Fed. Jairo Gilberto Schafer, DE, 28.10.2009).

"(...). 2. A Constituição Federal garante o direito à saúde (art. 196), definindo, ainda, que as ações e serviços de saúde são de relevância pública, cabendo ao Poder Público dispor sobre sua regulamentação, fiscalização e controle (art. 197). Dessa forma, não se sustenta a alegação da apelante de que se trata de acordo de vontades, eximindo-se das regras consumeristas. (AC 407504, Des. Fed. Marcelo Navarro, DJ em 26.03.2009). 3. Não pode prosperar o argumento da empresa pública que o plano de saúde interno é subsidiado pelos funcionários e pela empresa pública e que possui verba limitada, porquanto motivos econômicos não podem ser considerados ante o valor da saúde, o que vai de encontro aos princípios morais da sociedade moderna. 4. A recusa administrativa de financiar a intervenção cirúrgica é causa de sofrimento e angústia para qualquer um que necessite de amparo da medicina, sobretudo levando em consideração que a parte autora se viu obrigada a recorrer judicialmente direito reconhecido em ampla jurisprudência" (TRF5, AC 548125, rel. Des. Fed. Ivan Lira de Carvalho, DJE, 25.10.2012, p. 556).

Art. 198. **As ações e serviços públicos de saúde integram uma rede regionalizada e hierarquizada e constituem um sistema único, organizado de acordo com as seguintes diretrizes:**

I – descentralização, com direção única em cada esfera de governo;

II – atendimento integral, com prioridade para as atividades preventivas, sem prejuízo dos serviços assistenciais;

III – participação da comunidade.

§ 1.° O sistema único de saúde será financiado, nos termos do art. 195, com recursos do orçamento da seguridade social, da União, dos Estados, do Distrito Federal e dos Municípios, além de outras fontes.

§ 2.° A União, os Estados, o Distrito Federal e os Municípios aplicarão, anualmente, em ações e serviços públi-

cos de saúde recursos mínimos derivados da aplicação de percentuais calculados sobre:

I – no caso da União, a receita corrente líquida do respectivo exercício financeiro, não podendo ser inferior a 15% (quinze por cento);

II – no caso dos Estados e do Distrito Federal, o produto da arrecadação dos impostos a que se refere o art. 155 e dos recursos de que tratam os arts. 157 e 159, inciso I, alínea *a*, e inciso II, deduzidas as parcelas que forem transferidas aos respectivos Municípios;

III – no caso dos Municípios e do Distrito Federal, o produto da arrecadação dos impostos a que se refere o art. 156 e dos recursos de que tratam os arts. 158 e 159, inciso I, alínea *b* e § 3.º

§ 3.º Lei complementar, que será reavaliada pelo menos a cada cinco anos, estabelecerá:

I – os percentuais de que tratam os incisos II e III do § 2.º;

II – os critérios de rateio dos recursos da União vinculados à saúde destinados aos Estados, ao Distrito Federal e aos Municípios, e dos Estados destinados a seus respectivos Municípios, objetivando a progressiva redução das disparidades regionais;

III – as normas de fiscalização, avaliação e controle das despesas com saúde nas esferas federal, estadual, distrital e municipal;

IV – *(Revogado pela Emenda Constitucional n.º 86, de 17.03.2015).*

§ 4.º Os gestores locais do sistema único de saúde poderão admitir agentes comunitários de saúde e agentes de combate às endemias por meio de processo seletivo público, de acordo com a natureza e complexidade de suas atribuições e requisitos específicos para sua atuação.

§ 5.º Lei federal disporá sobre o regime jurídico, o piso salarial profissional nacional, as diretrizes para os Planos de Carreira e a regulamentação das atividades de agente comunitário de saúde e agente de combate às endemias, competindo à União, nos termos da lei, prestar assistência financeira complementar aos Estados, ao Distrito Federal e aos Municípios, para o cumprimento do referido piso salarial.

§ 6.º Além das hipóteses previstas no § 1.º do art. 41 e no § 4.º do art. 169 da Constituição Federal, o servidor que exerça funções equivalentes às de agente comunitário de saúde ou de agente de combate às endemias poderá perder o cargo em caso de descumprimento dos requisitos específicos, fixados em lei, para o seu exercício.

§ 7º O vencimento dos agentes comunitários de saúde e dos agentes de combate às endemias fica sob responsabilidade da União, e cabe aos Estados, ao Distrito Federal e aos Municípios estabelecer, além de outros consectários e vantagens, incentivos, auxílios, gratificações e indenizações, a fim de valorizar o trabalho desses profissionais.

§ 8º Os recursos destinados ao pagamento do vencimento dos agentes comunitários de saúde e dos agentes de combate às endemias serão consignados no orçamento geral da União com dotação própria e exclusiva.

§ 9º O vencimento dos agentes comunitários de saúde e dos agentes de combate às endemias não será inferior a 2 (dois) salários mínimos, repassados pela União aos Municípios, aos Estados e ao Distrito Federal.

§ 10. Os agentes comunitários de saúde e os agentes de combate às endemias terão também, em razão dos riscos inerentes às funções desempenhadas, aposentadoria especial e, somado aos seus vencimentos, adicional de insalubridade.

§ 11. Os recursos financeiros repassados pela União aos Estados, ao Distrito Federal e aos Municípios para pagamento do vencimento ou de qualquer outra vantagem dos agentes comunitários de saúde e dos agentes de combate às endemias não serão objeto de inclusão no cálculo para fins do limite de despesa com pessoal.

§ 12. Lei federal instituirá pisos salariais profissionais nacionais para o enfermeiro, o técnico de enfermagem, o auxiliar de enfermagem e a parteira, a serem observados por pessoas jurídicas de direito público e de direito privado.

§ 13. A União, os Estados, o Distrito Federal e os Municípios, até o final do exercício financeiro em que for publicada a lei de que trata o § 12 deste artigo, adequarão a remuneração dos cargos ou dos respectivos planos de carreiras, quando houver, de modo a atender aos pisos estabelecidos para cada categoria profissional.

§ 14. Compete à União, nos termos da lei, prestar assistência financeira complementar aos Estados, ao Distrito Federal e aos Municípios e às entidades filantrópicas, bem como aos prestadores de serviços contratualizados que atendam, no mínimo, 60% (sessenta por cento) de seus pacientes pelo sistema único de saúde, para o cumprimento dos pisos salariais de que trata o § 12 deste artigo.

§ 15. Os recursos federais destinados aos pagamentos da assistência financeira complementar aos Estados, ao Distrito Federal e aos Municípios e às entidades filantrópicas, bem como aos prestadores de serviços contratualizados que atendam, no mínimo, 60% (sessenta por cento) de seus pacientes pelo sistema único de saúde, para o cumprimento dos pisos salariais de que trata o § 12 deste artigo serão consignados no orçamento geral da União com dotação própria e exclusiva.

Doutrina

Sistema Único de Saúde - SUS. O artigo 4.º, § 1.º, da Lei n.º 8.080/1990, dispõe que o Sistema Único de Saúde é constituído pelo conjunto de ações e serviços públicos de saúde prestados por órgãos e instituições públicas federais, estaduais e municipais, da administração direta e indireta e das fundações mantidas pelo Poder Público, encontrando-se também incluídas no mesmo sistema as instituições públicas federais, estaduais e municipais de controle de qualidade, pesquisa e produção de insumos, medicamentos, inclusive sangue e hemoderivados, e de equipamentos para a saúde.

Sistema privado de saúde. Além do sistema público de saúde, existe um sistema privado constituído por uma infinidade de hospitais, clínicas, laboratórios e instituições de benemerência, como as Santas Casas de misericórdia. Nada objeta – pelo contrário, tudo aconselha –, que esta rede privada participe do SUS em caráter suplementar.

Diretrizes de organização do SUS. São as seguintes as diretrizes que embasam a organização do SUS: *a*) descentralização, ou seja, as ações e serviços públicos de saúde devem ser descentralizados para obter maior eficiência. Contudo, haverá direção única em cada esfera de governo, visando assegurar maior controle na execução dos programas; *b*) atendimento integral, ou seja, acesso a hospitais com assistência médica plena, exames laboratoriais, medicamentos, terapias etc. Dispõe o legislador constituinte que devem ter prioridade as atividades preventivas, devendo o Estado agir de preferência preventivamente; *c*) participação da comunidade, ou seja, deve o Estado assegurar a participação dos cidadãos nos vários órgãos colegiados do SUS, como, por exemplo, nos conselhos de saúde e nas conferências de saúde.

Custeio do Sistema Único de Saúde. Conforme dispõe o artigo 195 da Constituição Federal, o SUS será custeado com recursos previstos nos orçamentos da seguridade social, da União, dos Estados, do Distrito Federal e dos Municípios, além de outras fontes da própria seguridade social, como os dinheiros oriundos de venda de bens, de locação de imóveis próprios e outras rendas, ou de fontes privadas, como os donativos e as doações.

Aplicação anual de recursos no SUS. Nos termos do § 2.º, a União, os Estados, o Distrito Federal e os Municípios deverão aplicar em ações e serviços públicos de saúde recursos mínimos derivados da incidência de percentuais calculados da seguinte forma: *a*) no caso da União, na forma definida nos termos da lei complementar prevista no § 3.º; *b*) no caso dos Estados e do Distrito Federal, o produto da arrecadação dos impostos a que se refere o art. 155 (transmissão *causa mortis* e doação, ICMS e IPVA) e dos recursos de que tratam os arts. 157 (IRRF) e 159, inciso I, alínea *a*, e inciso II (participação no IR e IPI), nesse caso, devendo ser deduzidas as parcelas que forem transferidas aos respectivos Municípios; *c*) no caso dos Municípios e do Distrito Federal, o produto da arrecadação dos impostos a que se refere o art. 156 (IPTU, transmissão *inter vivos*, ISS) e dos recursos de que tratam os arts. 158 (IIRF) e 159, inciso I, alínea *b* (FPM) e § 3.º (participação no IPI). Frise-se, a norma trata de estabelecer a obrigação dos entes federados aplicarem anualmente em saúde a receita resultante da incidência de percentuais mínimos sobre as bases de cálculo descritas nas alíneas acima.

Percentuais de aplicação, critérios de rateio, normas de cálculo e de fiscalização. Referidas matérias, nos termos do § 3.º, serão definidas por meio de lei complementar, que será reavaliada pelo menos a cada cinco anos. Hoje, tais matérias encontram-se reguladas pela Lei Complementar n.º 141, de 13 de janeiro de 2013.

Quanto aos percentuais de que trata o § 2.º do artigo 198. A União, nos termos da LC 141, aplicará, anualmente, em ações e serviços públicos de saúde, o montante correspondente ao valor empenhado no exercício financeiro anterior acrescido, no mínimo, do percentual relativo à variação nominal positiva do Produto Interno Bruto ocorrida no ano anterior ao da lei orçamentária anual. Os Estados aplicarão o percentual mínimo de 12% do produto da arrecadação de seus impostos, deduzidas as parcelas transferidas aos municípios, e 12% do IRRF e do produto da arrecadação de novos impostos que vierem a ser instituídos pela União. O Distrito Federal, da mesma forma, aplicará no mínimo 12% dos impostos estaduais que arrecada e da participação em novos impostos instituídos pela União, 15% da arrecadação dos impostos municipais e das receitas do IRRF, da participação na arrecadação do ITR, do IPVA, do ICMS e do FPM, além de 12% do produto da arrecadação direta dos impostos que não possam ser segregados em base estadual e em base municipal. Por último, os Municípios aplicarão no mínimo 15% dos impostos que arrecadam e dos recursos que recebem a título de IRRF, de ITR, de IPVA e da participação na arrecadação do ICMS, além do mesmo percentual daquilo que recebem a título de FPM.

Critérios de rateio dos recursos vinculados à saúde. Nos termos do artigos 17 e 19 da mesma lei complementar, o rateio dos recursos da União e repassados aos Estados, ao Distrito Federal e aos Municípios levará em conta as necessidades de saúde da população, as dimensões epidemiológicas, demográfica, socioeconômica, espacial e de capacidade de oferta de ações e de serviços de saúde. Da mesma forma e segundo os mesmos critérios, será efetuado o rateio dos recursos dos Estados e transferidos aos seus respectivos Municípios para que estes atendam as ações e serviços públicos de saúde destinados à população, objetivando, com isso, atingir a progressiva redução das disparidades regionais.

Transparência e visibilidade da gestão de saúde. Para a consecução desses objetivos, o artigo 31 da LC 141 dispõe que os órgãos gestores de saúde da União, dos Estados, do Distrito Federal e dos Municípios darão ampla divulgação, inclusive em meios eletrônicos de acesso público, das prestações de contas periódicas da área da saúde, para consulta e apreciação dos cidadãos e de instituições da sociedade, que deverão ser incentivadas a participar de audiências públicas realizadas durante o processo de elaboração do plano de saúde.

As normas de fiscalização, avaliação e controle das despesas com saúde. Serão voltadas para a gestão da saúde, devendo o

Poder Legislativo, diretamente ou com o auxílio do Tribunal de Contas, do sistema de auditoria do SUS, do órgão de controle interno e do Conselho de Saúde de cada ente da Federação, fiscalizar o cumprimento das metas estabelecidas, a aplicação dos recursos mínimos, das transferências aos Fundos de Saúde e aplicação dos recursos vinculados ao SUS, sem prejuízo da adoção de outras providências necessárias para a correção de irregularidades ou a coibição de abusos e desvios de finalidade.

As normas de cálculo do montante a ser aplicado pela União. Já foi dito antes que a União deverá aplicar em ações e serviços de saúde anualmente pelo menos o montante empenhado no exercício anterior acrescido da variação positiva do Produto Interno Bruto e, no caso de o PIB sofrer variação negativa, o valor acima não poderá sofrer redução em termos nominais de um exercício financeiro para outro. As normas de cálculo de que trata o inciso IV do parágrafo 3.º têm a finalidade de permitir mensuração segura da grandeza aritmética dos recursos que a União deverá destinar às ações e serviços de saúde.

Contratação de agentes comunitários de saúde e de combate às endemias. O § 4.º faculta aos gestores locais do SUS a contratação de agentes comunitários de saúde e agentes de combate às endemias para atender às necessidades do serviço e desde que o faça por meio de processo seletivo público, permitida a participação de todos os interessados que cumpram os requisitos próprios previstos em lei. O Agente Comunitário de Saúde tem como atribuição o exercício de atividades de prevenção de doenças e promoção da saúde, mediante ações domiciliares ou comunitárias, individuais ou coletivas, desenvolvidas em conformidade com as diretrizes do SUS e sob supervisão do gestor municipal, distrital, estadual ou federal. O Agente de Combate às Endemias deve exercer atribuições de atividades de vigilância, prevenção e controle de doenças e promoção da saúde, desenvolvidas em conformidade com as diretrizes do SUS e sob supervisão do gestor de cada ente federado.

Regime jurídico dos agentes comunitários de saúde e de combate às endemias. Dispõe o § 5.º que lei federal disporá sobre o regime jurídico dos empregos públicos de agente comunitário de saúde e agente de combate às endemias. De fato, a Lei n.º 11.350, de 05.10.2006, regulamenta referido dispositivo constitucional definindo, como visto na nota anterior, as atribuições próprias tanto do agente de saúde quanto do agente de combate às endemias (arts. 3.º e 4.º), que serão contratados pelo regime da Consolidação das Leis do Trabalho, salvo se lei local – do Estado, do Distrito Federal ou do Município –, dispuser de forma diversa (art. 8.º), isso após aprovação em processo seletivo público reverente aos princípios da legalidade, impessoalidade, moralidade, publicidade e eficiência (art. 9.º), dispensados da seleção pública somente os profissionais que já desempenhavam as atribuições de agentes de saúde e de combate às endemias em 14.02.2006, data de promulgação da EC 51, desde que tenham sido contratados a partir de anterior processo seletivo. Trata, ainda, a lei da rescisão unilateral do contrato de tais agentes, autorizando a providência somente nos casos de falta grave, nos termos do artigo 482, da CLT; de acumulação ilegal de cargos, empregos ou funções públicas; de necessidade de redução de quadro de pessoal, por excesso de despesa; e de insuficiência de desempenho, apurada por meio de procedimento reverente ao princípio do devido processo legal (art. 10). Por último, a lei estipula piso salarial, dispondo a regra constitucional que a União prestará assistência financeira complementar aos Estados, ao Distrito Federal e aos Municípios, para o pagamento do salário de tais empregados públicos.

Perda do cargo por servidor público estável. O § 6.º do artigo 198 trata do servidor público estável que, além das hipóteses previstas no § 1.º do art. 41 e no § 4.º do art. 169 da Constituição Federal, e desde que exerça funções equivalentes às de agente comunitário de saúde ou de agente de combate às endemias, poderá perder o cargo se descumprir quaisquer dos requisitos específicos previstos na lei para o seu exercício. Para o agente de saúde, os requisitos são: manter residência na área em que atuar; haver concluído, com aproveitamento, curso introdutório de formação inicial e continuada (art. 6.º). No caso do agente de combate às endemias, o requisito diz respeito à conclusão, com aproveitamento, curso introdutório de formação inicial e continuada (art. 7.º). E, em ambos os casos, o requisito comum é o da escolaridade, devendo o agente ter concluído o ensino médio, aliás, dispensado para quem, na data de publicação da lei, estivessem exercendo atividades próprias de agente de saúde ou de agente de combate às endemias.

Jurisprudência

1. O Programa Farmácia Popular do Brasil foi instituído, com base na Lei n.º 10.858, de 13 de abril de 2004, pelo Decreto n.º 5.090, de 20 de maio de 2004, destinado à execução das políticas de saúde estabelecidas no referido diploma legal, sendo certo que estas não prejudicarão as ações da rede nacional do Sistema Único de Saúde - SUS. 2. Ora, nada objeta, na Constituição Federal, a instituição de sistemas complementares de saúde, pois, no seu artigo 196, está inscrito que a saúde é direito de todos e dever do Estado, garantido mediante políticas sociais e econômicas que visem à redução do risco de doença e de outros agravos e ao acesso universal e igualitário às ações e serviços para sua promoção, proteção e recuperação. Com efeito, a norma constitucional refere-se a políticas sociais e econômicas e isso significa que ao Poder Público compete instituir as ações necessárias para a consecução do objetivo maior, de assegurar o direito à saúde para todos os membros da comunidade nacional, como decorrência lógica da consagração do princípio da dignidade da pessoa humana como um dos fundamentos da República brasileira. 3. Da inteligência do artigo 198, da Constituição Federal, ao inscrever que as ações e serviços públicos de saúde constituem um sistema único, não exclui a possibilidade da criação de sistemas complementares para a atuação estatal na área, mormente quando, como no caso, visam a atender segmentos distintos da população, pois, o SUS destina-se ao atendimento gratuito daqueles que não têm nenhum recurso para cuidar da saúde e o programa Farmácia Popular tem

por objetivo fornecer medicamentos a preço de custo para aqueles que contam com algum recurso, porém encontram nessa política pública um meio de aliviar o impacto causado pelos gastos com medicamentos no orçamento doméstico" (TRF3, AgI 244974, rel. Juiz Federal Convocado Valdeci dos Santos, DJU, 05.12.2007).

"A Constituição de 1988, ao instituir o sistema único de saúde, erigiu à condição de princípio o atendimento integral (art. 198, II), concretizando o compromisso pleno e eficaz do Estado com a promoção da saúde, em todos os seus aspectos, mediante a garantia de acesso a hospitais, tecnologias, tratamentos, equipamentos, terapias e medicamentos, e o que mais necessário à tutela do direito fundamental" (TRF3, AC 966.666, rel. Des. Fed. Carlos Muta, DJU, 22.03.2006, p. 291).

"(...). 3. É que a União, os Estados, o Distrito Federal e os Municípios, são solidariamente responsáveis pela prestação do serviço de saúde à população, máxime porque o financiamento do sistema único de saúde se dá com recursos do orçamento da seguridade social e desses entes, *ratio essendi* dos arts. 196 e 198, da Constituição Federal de 1988" (STJ – 1.ª Seção. CC 107.369, rel. Min. Luiz Fux, DJE, 19.11.2009).

"(...). 4. Desde o advento da Constituição Federal de 1988, a saúde deixou de ser prestada unicamente aos segurados e dependentes da previdência e passou a ser universal. 5. O novo sistema adota, como um de seus princípios, a diversidade na base de financiamento, sendo clara a redação do § 1.º do artigo acima transcrito, ao dispor que 'o sistema único de saúde será financiado, nos termos do art. 195, com recursos do orçamento da seguridade social, da União, dos Estados, do Distrito Federal e dos Municípios, além de outras fontes'. 6. Atualmente, o repasse dos recursos destinados à saúde será realizado de forma automática e regular, observados, consoante determinação do *caput* do art. 3.º da Lei n.º 8.142/90, os critérios previstos no art. 35 da Lei n.º 8.080/90. 7. Todos os entes federativos, dentre os quais estão incluídos os Municípios, devem contribuir com o financiamento do sistema único de saúde, restando ultrapassada a sistemática implantada pelos Sistemas Unificados e descentralizados de Saúde (SUDS), que previa o rateio das despesas para o setor na proporção de 20% para a União, 20% para os Estados e 10% para os Municípios" (TRF3, ApReeNec 1.373.133, rel. Des. Fed. Cecília Marcondes, e-DJF3, 31.08.2012).

Art. 199. A assistência à saúde é livre à iniciativa privada.

§ 1.º As instituições privadas poderão participar de forma complementar do sistema único de saúde, segundo diretrizes deste, mediante contrato de direito público ou convênio, tendo preferência as entidades filantrópicas e as sem fins lucrativos.

§ 2.º É vedada a destinação de recursos públicos para auxílios ou subvenções às instituições privadas com fins lucrativos.

§ 3.º É vedada a participação direta ou indireta de empresas ou capitais estrangeiros na assistência à saúde no País, salvo nos casos previstos em lei.

§ 4.º A lei disporá sobre as condições e os requisitos que facilitem a remoção de órgãos, tecidos e substâncias humanas para fins de transplante, pesquisa e tratamento, bem como a coleta, processamento e transfusão de sangue e seus derivados, sendo vedado todo tipo de comercialização.

Doutrina

***Liberdade de iniciativa na área da saúde*.** Em consonância com o disposto no artigo 170, *caput*, que consagra a livre iniciativa como princípio da ordem econômica, a norma contida no artigo 199, *caput*, assegura, no âmbito da assistência à saúde, a participação da livre iniciativa, que atuará em caráter complementar da atuação do Estado. Portanto, legítima a atuação da rede privada de hospitais, sanatórios, clínicas, cooperativas médicas, laboratórios etc., além de operadores de planos de saúde e empresas especializadas em seguro de saúde.

Atuação das instituições privadas. Dispõe o § 1.º que as instituições privadas terão participação complementar ao sistema único de saúde e atuarão segundo diretrizes fixadas pelo SUS, mediante contrato ou convênio regidos por normas de direito público. Ademais, o SUS firmará contrato ou convênio preferencialmente com entidades filantrópicas e aquelas sem fins lucrativos, como as santas casas de misericórdia, os hospitais universitários, as fundações públicas ou privadas de saúde etc.

Proibição de aplicação de recursos públicos. O § 2.º veda a destinação de recursos públicos para a prestação de auxílios ou subvenções a qualquer instituição privada que tenha fins lucrativos e isso em face do princípio elementar da moralidade administrativa. Isso não significa, contudo, que o SUS não possa credenciar hospital privado para a prestação de assistência médica e remunerá-lo pelo serviço prestado.

Proibição de participação de empresas ou capitais estrangeiros na saúde. O § 3.º veda a participação direta ou indireta de empresas ou capitais estrangeiros na assistência à saúde no país, ressalvados os casos previstos em lei. A regra destoa do princípio da livre iniciativa consagrado na Constituição, apesar da ressalva da parte final do dispositivo. Aliás, em face disso, a Lei n.º 8.080, de 19.09.1990, admite a participação estrangeira na assistência à saúde quando os recursos decorrerem de doações de organismos internacionais ligados à Organização das Nações Unidas, de entidades de cooperação técnica e de financiamento e empréstimos, sendo obrigatória, no caso, a autorização do órgão de direção nacional do SUS, submetendo-se ao seu controle as atividades desenvolvidas e os instrumentos eventualmente firmados.

Remoção de órgãos, tecidos e substâncias para transplante e pesquisa. O § 4.° remete à lei a regulação sobre as condições e requisitos necessários para a remoção de órgãos, tecidos e substâncias humanas destinados a transplante, pesquisa e tratamento, devendo dispor ainda sobre as condições de coleta, processamento e transfusão de sangue e seus derivados, proibindo todo tipo de comercialização de órgãos, de sangue e de seus derivados.

Disciplina legal da matéria. Referido dispositivo foi regulamentado por meio da Lei n.° 10.205, de 21.03.2001. Por sua vez, a Lei n.° 9.434, de 04.02.1997, dispõe sobre a remoção de órgãos, tecidos e partes do corpo humano para transplante e tratamento, sendo regulamentada pelo Decreto n.° 9.175, de 18.10.2017. Por último, a Lei n.° 10.972, de 02.12.2004, autorizou o Poder Executivo a criar a Empresa Brasileira de Hemoderivados e Biotecnologia – HEMOBRÁS, sob a forma de empresa pública.

Jurisprudência

> "Embora a saúde consubstancie direito social, sujeito à competência legislativa, regulamentadora e fiscalizadora do Poder Público, não configura monopólio estatal. Ao contrário, a Constituição Federal expressamente garante que 'A assistência à saúde é livre à iniciativa privada' (artigo 199, CF). Embora previsto o acesso universal à saúde pelo sistema público, a atuação do setor privado é fundamental para a efetiva garantia do direito social e, na realidade, tem servido muito mais do que à mera complementação da atuação estatal, cuja deficiência crônica e notória tem levado milhões de brasileiros para o sistema privado de prestação de saúde" (TRF3, CC 12.503/SP, rel. Des. Fed. Carlos Muta, e-DJF3, 17.01.2011, p. 33).

> "1 – A ANS é órgão da Administração Pública Indireta, configurando-se como uma autarquia de regime especial, com poder regulatório contra as operadoras de plano de assistência privada de saúde. 2 – A ação originária pressupõe uma relação entre segurado e segurador,

decorrente de contrato em que as duas partes firmaram em decorrência de suas vontades, sob a égide do Direito Privado. 3 – A ANS apenas cumpre papel fiscalizatório e regulatório, não sendo responsável pela inadimplência contratual da seguradora com o usuário do plano. 4 – Não houve qualquer delegação ou concessão de poderes da ANS à seguradora para que atuasse no mercado, posto que conforme com disposição constitucional (art. 199, *caput*), a assistência privada de saúde é livre à iniciativa privada, ou seja, qualquer empresa pode fazer parte da assistência privada de saúde, devendo a mesma possuir condições para exercer tal serviço. 5. A autarquia em comento apenas será responsável pela fiscalização e regulamentação destas empresas, verificando se a mesma promove o desenvolvimento das ações de saúde em prol do interesse público e não defendendo a respondendo aos interesses privados, em virtude do princípio da primazia do interesse público pelo privado que os entes da Administração Pública devem seguir" (TRF3, AgI 249.580/SP, rel. Des. Fed. Nery Junior, DJU, 11.07.2007).

"O § 4.º do art. 199 da Constituição, versante sobre pesquisas com substâncias humanas para fins terapêuticos, faz parte da seção normativa dedicada à 'SAÚDE' (Seção II do Capítulo II do Título VIII). Direito à saúde, positivado como um dos primeiros dos direitos sociais de natureza fundamental (art. 6.º da CF) e também como o primeiro dos direitos constitutivos da seguridade social (cabeça do artigo constitucional de n.º 194). Saúde que é 'direito de todos e dever do Estado' (*caput* do art. 196 da Constituição), garantida mediante ações e serviços de pronto qualificados como 'de relevância pública' (parte inicial do art. 197). A Lei de Biossegurança como instrumento de encontro do direito à saúde com a própria Ciência. No caso, ciências médicas, biológicas e correlatas, diretamente postas pela Constituição a serviço desse bem inestimável do indivíduo que é a sua própria higidez físico-mental" (STF – Pleno, ADIN 3.510/DF, rel. Min. Ayres Britto, j. 29.05.2008).

Art. 200. Ao sistema único de saúde compete, além de outras atribuições, nos termos da lei:

I – controlar e fiscalizar procedimentos, produtos e substâncias de interesse para a saúde e participar da produção de medicamentos, equipamentos, imunobiológicos, hemoderivados e outros insumos;

II – executar as ações de vigilância sanitária e epidemiológica, bem como as de saúde do trabalhador;

III – ordenar a formação de recursos humanos na área de saúde;

IV – participar da formulação da política e da execução das ações de saneamento básico;

V – incrementar, em sua área de atuação, o desenvolvimento científico e tecnológico e a inovação;

VI – fiscalizar e inspecionar alimentos, compreendido o controle de seu teor nutricional, bem como bebidas e águas para consumo humano;

VII – participar do controle e fiscalização da produção, transporte, guarda e utilização de substâncias e produtos psicoativos, tóxicos e radioativos;

VIII – colaborar na proteção do meio ambiente, nele compreendido o do trabalho.

Doutrina

Execução das atribuições conferidas ao SUS. As atribuições conferidas ao SUS por meio desta norma constitucional, da mesma forma que outras previstas em lei, serão exercidas pela complexa rede de instituições federais, estaduais, distritais e municipais, além das instituições privadas contratadas ou conveniadas, com a finalidade de oferecer aos seus destinatários as ações e serviços de saúde.

Competências constitucionais do SUS. Compete ao SUS, nos termos dos incisos constantes do artigo 200, as seguintes atribuições: *a*) exercer o controle e a fiscalização de procedimentos, produtos e substâncias destinadas à saúde, além de participar da produção de medicamentos, de equipamentos, imunobiológicos e hemoderivados e de outros insumos; *b*) executar as atividades de vigilância sanitária e epidemiológica, bem como as de saúde do trabalhador; *c*) dedicar-se à formação de recursos humanos na área de saúde; *d*) buscar ser ouvido na elaboração da política de saneamento básico; *e*) incentivar em sua área de atuação o desenvolvimento científico e tecnológico; *f*) exercer as atividades de inspeção de alimentos, inclusive quanto ao teor nutricional, bem como inspecionar bebidas e águas para consumo humano; *g*) colaborar no controle e fiscalização da produção, transporte, guarda e utilização de substâncias e produtos psicoativos, tóxicos e radioativos; *h*) colaborar na proteção do meio ambiente, nele compreendido o do trabalho.

Competências legais atribuídas ao SUS. Por sua vez, a Lei n.º 8.080/1990 atribui aos órgãos do SUS competência para: *a*) prestar assistência terapêutica integral, inclusive farmacêutica, aos usuários do sistema; *b*) oferecer orientação alimentar à população; *c*) formular e executar a política nacional de sangue e hemoderivados.

Jurisprudência

> "Relativamente ao sistema único de saúde (SUS), ele é formado, segundo a Constituição, por 'uma rede regionalizada e hierarquizada' de ações e serviços de saúde, observada, entre outras diretrizes, a da 'descentralização, com direção única em cada esfera de governo' (art. 198). 2. Atendendo ao preceito constitucional, a Lei 8.080/90 tratou da organização do SUS, inclusive no que se refere à distribuição das competências, das atribuições e das responsabilidades de seus vários órgãos integrantes, com o objetivo, não apenas de evitar a sobreposição de estruturas administrativas, mas para conferir eficiência, economicidade e agilidade ao siste-

ma, condição indispensável a garantir aos cidadãos, da melhor maneira possível, o acesso universal e igualitário aos serviços de saúde. 3. Relativamente à execução e prestação direta dos serviços, a Lei atribuiu aos Municípios essa responsabilidade (art. 18, incisos I, IV e V, da Lei n.º 8.080/90), compatibilizando o Sistema, no particular, com o estabelecido pela Constituição no seu artigo 30, VII: 'Compete aos Municípios (...) prestar, com a cooperação técnica e financeira da União e do Estado, serviços de atendimento à saúde da população'. No que se refere especificamente à assistência farmacêutica, cumpre à União, como gestora federal do SUS, o repasse de recursos financeiros, cabendo aos Municípios e, supletivamente, aos Estados, a aquisição e a adequada dispensação de medicamentos" (STJ – 1.ª Turma, REsp 873.196, rel. Min. José Delgado, DJ, 24.05.2007, p. 328).

"A CF, no art. 196, e a Lei 8.080/90 estabelecem um sistema integrado entre todas as pessoas jurídicas de Direito Público Interno, União, Estados e Municípios, responsabilizando-os em solidariedade pelos serviços de saúde, o chamado SUS. A divisão de atribuições não pode ser arguida em desfavor do cidadão, pois só tem validade internamente entre eles" (STJ – 2.ª Turma, REsp 661.821, rel. Min. Eliana Calmon, DJ, 13.06.2005, p. 258).

"No âmbito do Sistema Único de Saúde (Lei n.º 8.080/90), a função da União é de gestão, com repasse de recursos, mas não é a de distribuir, diretamente, os medicamentos (pelo menos em regra). Os medicamentos que a União adquire são apenas a exceção, por força de regras de divisão de atribuições" (TRF2, AgI 216.247/RJ, rel. Des. Fed. Guilherme Calmon, e-DJF2R, 26.09.2012, p. 354).

"(...). 2. É solidária a obrigação dos entes federados, integrantes do Sistema Único de Saúde, pelo fornecimento de tratamentos e medicamentos necessários à garantia da saúde e vida, por isso inviável o reconhecimento da ilegitimidade passiva da União. 3. Não se trata, pois, de distinguir, internamente, as atribuições de cada um dos entes políticos dentro do SUS, para efeito de limitar o alcance da ilegitimidade passiva para ações de tal espécie, cabendo a todos e a qualquer um deles a responsabilidade pelo efetivo fornecimento de medicamento à pessoa sem recursos financeiros através da rede pública de saúde, daí porque inexistente a ofensa aos preceitos legais invocados (artigos 8.°, 9.°, 16, XV, 17, e 18, I, IV e V, Lei 8.080/90) e a incompetência da Justiça Federal, donde a manifesta inviabilidade da reforma preconizada. 4. Consolidada a jurisprudência, firme no sentido da prevalência da garantia de tutela à saúde do cidadão hipossuficiente sobre eventual custo financeiro imposto ao Poder Público, pois o Sistema Único de Saúde deve prover os meios para fornecimento de medicamento e tratamento que sejam necessários, segundo prescrição médica, a pacientes sem condições financeiras de custeio pessoal ou familiar, sem o que se afasta o Estado de sua concepção de tutela social, reconhecida e declarada pela Constituição de 1988" (TRF3, AC 1.758.214/SP, rel. Des. Fed. Carlos Muta, e-DJF3, 26.10.2012).

"A alegação de ilegitimidade passiva do INSS não encontra fundamento, uma vez que o INAMPS, extinto pela Lei n.° 8.689/93, teve como substituto no que concerne às suas atribuições e funções, justamente o INSS, face às alterações na estrutura dos órgãos de Seguridade Social em nosso país. Essa autarquia, criada pela Lei n. 8.029/90, é o órgão encarregado no âmbito federal da Seguridade Social, abarcando, portanto, as atribuições que cabiam anteriormente ao extinto INAMPS. 2. A preliminar suscitada pela União quanto à sua ilegitimidade passiva também deve ser rejeitada. Após a extinção do INAMPS, por força do artigo 1.° da Lei n. 8.689/93, suas atribuições e competências foram absorvidas na instância federal pelo Sistema Único de Saúde (SUS), a teor do parágrafo único do mesmo preceito, sendo que o repasse de recursos para sua manutenção fica a cargo da União Federal, através do Ministério da Saúde, conforme disposto no artigo 14 do mesmo diploma legal. Ademais, a União sucederá o INAMPS nos seus direitos e obrigações, conforme dispõe o artigo 11 da referida norma" (TRF3, AC 356.299, rel. Des. Fed. Luiz Stefanini, e-DJF3, 18.02.2013).

Seção III
DA PREVIDÊNCIA SOCIAL

Art. 201. A previdência social será organizada sob a forma do Regime Geral de Previdência Social, de caráter contributivo e de filiação obrigatória, observados critérios que preservem o equilíbrio financeiro e atuarial, e atenderá, na forma da lei, a:

I - cobertura dos eventos de incapacidade temporária ou permanente para o trabalho e idade avançada;

II - proteção à maternidade, especialmente à gestante;

III - proteção ao trabalhador em situação de desemprego involuntário;

IV - salário-família e auxílio-reclusão para os dependentes dos segurados de baixa renda;

V - pensão por morte do segurado, homem ou mulher, ao cônjuge ou ao companheiro e aos seus dependentes, observado o disposto no § 2.º.

§ 1.º É vedada a adoção de requisitos ou critérios diferenciados para concessão de benefícios, ressalvada, nos termos de lei complementar, a possibilidade de previsão de idade e tempo de contribuição distintos da regra geral para concessão de aposentadoria exclusivamente em favor dos segurados:

I - com deficiência, previamente submetidos à avaliação biopsicossocial realizada por equipe multiprofissional e interdisciplinar;

II – cujas atividades sejam exercidas com efetiva exposição a agentes nocivos químicos, físicos e biológicos prejudiciais à saúde, ou associação desses agentes, vedada a caracterização por categoria profissional ou ocupação.

§ 2.º Nenhum benefício que substitua o salário de contribuição ou o rendimento do trabalho do segurado terá valor mensal inferior ao salário mínimo.

§ 3.º Todos os salários de contribuição considerados para o cálculo de benefício serão devidamente atualizados, na forma da lei.

§ 4.º É assegurado o reajustamento dos benefícios para preservar-lhes, em caráter permanente, o valor real, conforme critérios definidos em lei.

§ 5.º É vedada a filiação ao regime geral de previdência social, na qualidade de segurado facultativo, de pessoa participante de regime próprio de previdência.

§ 6.º A gratificação natalina dos aposentados e pensionistas terá por base o valor dos proventos do mês de dezembro de cada ano.

§ 7.º É assegurada aposentadoria no regime geral de previdência social, nos termos da lei, obedecidas as seguintes condições:

I – 65 (sessenta e cinco) anos de idade, se homem, e 62 (sessenta e dois) anos de idade, se mulher, observado tempo mínimo de contribuição;

II – 60 (sessenta) anos de idade, se homem, e 55 (cinquenta e cinco) anos de idade, se mulher, para os trabalhadores rurais e para os que exerçam suas atividades em regime de economia familiar, nestes incluídos o produtor rural, o garimpeiro e o pescador artesanal.

§ 8.º O requisito de idade a que se refere o inciso I do § 7.º será reduzido em 5 (cinco) anos, para o professor que comprove tempo de efetivo exercício das funções de magistério na educação infantil e no ensino fundamental e médio fixado em lei complementar.

§ 9.º Para fins de aposentadoria, será assegurada a contagem recíproca do tempo de contribuição entre o Regime Geral de Previdência Social e os regimes próprios de previdência social, e destes entre si, observada a compensação financeira, de acordo com os critérios estabelecidos em lei.

§ 9.º-A. O tempo de serviço militar exercido nas atividades de que tratam os arts. 42, 142 e 143 e o tempo de contribuição ao Regime Geral de Previdência Social ou a regime próprio de previdência social terão contagem recíproca para fins de inativação militar ou aposentadoria, e a compensação financeira será devida entre as receitas de contribuição referentes aos militares e as receitas de contribuição aos demais regimes.

§ 10. Lei complementar poderá disciplinar a cobertura de benefícios não programados, inclusive os decorrentes de acidente do trabalho, a ser atendida concorrentemente pelo Regime Geral de Previdência Social e pelo setor privado.

§ 11. Os ganhos habituais do empregado, a qualquer título, serão incorporados ao salário para efeito de contribuição previdenciária e consequente repercussão em benefícios, nos casos e na forma da lei.

§ 12. Lei instituirá sistema especial de inclusão previdenciária, com alíquotas diferenciadas, para atender aos trabalhadores de baixa renda, inclusive os que se encontram em situação de informalidade, e àqueles sem renda própria que se dediquem exclusivamente ao trabalho doméstico no âmbito de sua residência, desde que pertencentes a famílias de baixa renda.

§ 13. A aposentadoria concedida ao segurado de que trata o § 12 terá valor de 1 (um) salário mínimo.

§ 14. É vedada a contagem de tempo de contribuição fictício para efeito de concessão dos benefícios previdenciários e de contagem recíproca.

§ 15. Lei complementar estabelecerá vedações, regras e condições para a acumulação de benefícios previdenciários.

§ 16. Os empregados dos consórcios públicos, das empresas públicas, das sociedades de economia mista e das suas subsidiárias serão aposentados compulsoriamente, observado o cumprimento do tempo mínimo de contribuição, ao atingir a idade máxima de que trata o inciso II do § 1.º do art. 40, na forma estabelecida em lei.

Doutrina

Previdência Social. É um mecanismo de proteção social que, mediante contribuição, visa a garantir aos seus segurados e beneficiários destes, por meio de prestações, os recursos mínimos indispensáveis para a manutenção de existência digna em face de qualquer doença incapacitante, desemprego, idade avançada, tempo de serviço, encargos de ordem familiar, prisão ou morte daqueles de quem dependiam para a sobrevivência. Portanto, a previdência social é de caráter contraprestacional e quase sempre de filiação obrigatória, ao contrário da assistência social, que deverá ser prestada a quem dela necessitar independentemente de qualquer contribuição.

Organização da Previdência Social. Na verdade, a previdência social brasileira se organiza por meio de vários regimes. Com efeito, o Regime Geral da Previdência Social compreende os trabalhadores da iniciativa privada, enquanto os servidores públicos são filiados e contribuem para regimes próprios: os da União, nos termos do regime jurídico único deste ente; os dos Estados e dos Municípios para os respectivos regimes instituídos por meio de leis próprias. Ainda no âmbito da União, os servidores militares têm regime próprio de previdência, fundado principalmente na Lei n.º 6.880/1980.

Fins visados pela Previdência Social. O próprio *caput* da norma em comento destaca que referido sistema tem por finalidade atender ao seguinte: *a*) cobertura dos eventos de doença, invalidez, morte e idade avançada, por meio da concessão de benefícios apropriados, como o auxílio-doença, aposentadoria ou pensão; *b*) proteção à maternidade, especialmente à gestante, assegurando, por exemplo, o direito à licença maternidade; *c*) proteção ao trabalhador em situação de desemprego involuntário, por meio do pagamento do auxílio-desemprego; *d*) salário-família e auxílio-reclusão para os dependentes dos segurados de baixa renda, na forma da lei; *e*) pensão por morte do segurado, homem ou mulher, ao cônjuge ou companheiro, inclusive nos casos de união homoafetiva, e dependentes, de valor nunca inferior ao do salário mínimo.

Isonomia de requisitos e critérios para a concessão de aposentadoria. Proíbe a norma do § 1.º sejam adotados requisitos e critérios diferenciados para a concessão de aposentadoria aos segurados do chamado regime geral de previdência social, em homenagem ao princípio da igualdade entre todas as pessoas. Contudo, a mesma norma, na sua segunda parte, ressalva os casos de segurados que tenham exercido atividades sob condições especiais que prejudiquem a saúde ou a integridade física, como nos casos de atividades insalubres ou perigosas e, ainda, quando se tratar de segurados com deficiência física ou mental, tudo isso conforme definido em lei complementar. Portanto, o legislador constituinte admite aqui a discriminação em favor dessas categorias especiais de trabalhadores, fundando-a em *discrímem* legítimo, como no caso dos professores do ensino infantil, fundamental e médio, que podem se aposentar com tempo de contribuição reduzido em cinco anos (CF, art. 201, § 8.º).

Valor mínimo do benefício previdenciário. Assegura o § 2.º que nenhum benefício previdenciário concedido ao segurado terá valor mensal inferior ao do salário mínimo, considerando este como o mínimo necessário para atender às necessidades básicas do trabalhador e de sua família.

Correção monetária dos salários de contribuição. A norma inscrita no § 3.º assegura que os salários de contribuição considerados para o cálculo de benefício serão atualizados na forma da lei. Pretende, com isso, o legislador constituinte evitar a corrosão da base de cálculo do benefício previdenciário, donde decorre sua renda mensal inicial.

Garantia do poder de compra do benefício previdenciário. Dispõe o § 4.º que é assegurado o direito ao reajuste do valor do benefício de forma a preservar-lhe, em caráter permanente, o valor real de compra, segundo critérios definidos em lei. Esta disporá sobre a forma do reajuste e pagamento, afastando qualquer outro critério, ainda que mais benéfico ao segurado.

Proibição de inscrição facultativa. O § 5.º do artigo em comento proíbe a filiação ao regime geral de previdência social, na qualidade de segurado facultativo, de pessoa participante de regime próprio de previdência. Atente-se, a vedação atinge somente a pessoa inscrita em regime previdenciário próprio, de servidores públicos, por exemplo, pois, a inscrição facultativa tem importante função inclusiva ao regime geral de previdência daqueles que de outra forma ficariam à margem de qualquer proteção previdenciária, daí a lei permitir a inscrição facultativa da dona de casa; do estudante; do bolsista ou estagiário que prestem serviços na forma da Lei n.º 11.788/2008; do síndico de condomínio, quando não remunerado, etc.

Gratificação natalina. Assegurado por lei o pagamento a aposentados e pensionistas de gratificação natalina, dispõe o § 6.º que o seu valor terá por base o dos proventos do mês de dezembro de cada ano.

Aposentadoria pelo regime geral de previdência social. Nos termos do § 7.º, para os segurados deste regime são garantidas: *a) aposentadoria por tempo de contribuição*, deferida ao homem após trinta e cinco anos de contribuição e à mulher após trinta anos de contribuição (inciso I); *b) aposentadoria por idade*, deferida ao homem que contar sessenta e cinco anos de idade e à mulher que contar sessenta anos de idade, reduzido em cinco anos o limite para os trabalhadores rurais de ambos os sexos e para os que exerceram suas atividades em regime de economia familiar, nestes incluídos o produtor rural, o garimpeiro e o pescador artesanal (Inciso II).

Aposentadoria do professor pelo regime geral de previdência social. Nesse caso, a aposentadoria por tempo de contribuição será deferida ao homem após trinta anos de contribuição e à mulher após vinte e cinco anos de contribuição, desde que se comprove exclusivamente tempo de efetivo exercício das funções de magistério na educação infantil e no ensino fundamental e médio (§ 8.º). Portanto, a regra não se aplica ao professor universitário.

Aposentadoria por tempo de serviço integral e proporcional e regras de transição. Referida aposentadoria foi extinta pela Emenda Constitucional n.º 20, de 1998, ressalvado, contudo, o direito adquirido do segurado que já cumprira os requisitos previstos na legislação vigente à data da promulgação da referida emenda, ou seja, 16.12.1998, restando, ainda, previstas regras de transição para aqueles que já se encontravam inscritos no sistema na mesma data e não cumpriam integralmente os requisitos para a aposentadoria.

Contagem recíproca do tempo de contribuição. O § 9.º assegura a contagem recíproca do tempo de contribuição na administração pública e na atividade privada, rural e urbana, para fins de aposentadoria. Isso significa que aquele que contar com tempo de contribuição em regimes diferentes poderá requerer a contagem para obter aposentadoria por um deles, tanto do privado para o público quanto deste para aquele. A segunda parte da norma dispõe que os diversos regimes de previdência social se compensarão financeiramente, segundo critérios estabelecidos em lei, se compondo do ponto de vista atuarial, devendo o sistema que for suportar o ônus da aposentadoria receber do outro as contribuições que para este foram vertidas durante o tempo objeto de contagem.

Atividade no tempo de serviço militar e contagem recíproca. Dispõe o § 9.º A que o tempo de serviço militar prestado como membro de polícias miliares e no corpo de bombeiros militares, dos Estados, do Distrito Federal e dos territórios (art. 42); o tempo de serviço militar no âmbito da Marinha, do Exército e da Aeronáutica (art. 142); e o tempo de serviço prestado em caráter temporário nos tempos de paz por homens e mulheres que tenham habilidades de interesse das Forças Armadas, como médicos, dentistas, engenheiros, administradores etc., além dos eclesiásticos, e o tempo de contribuição ao regime geral ou a regime próprio, poderão contar referido tempo reciprocamente, para fins de inativação militar ou aposentação, efetuada a correspondente compensação financeira na forma da lei.

Cobertura acidentária. Nos termos do § 10, a lei deverá disciplinar a forma de cobertura do risco de acidente do trabalho, certo que esta cobertura deverá ser atendida de forma concorrente, tanto pelo regime geral de previdência social quanto pelo setor privado, visando, assim, a garantir maior proteção ao trabalhador acidentado.

Base de cálculo para as contribuições previdenciárias. Nos termos do § 11, os ganhos habituais do empregado, a qualquer título, serão incorporados ao salário para fins de recolhimento da contribuição previdenciária, devendo repercutir nos benefícios, nos casos e na forma que a lei estabelecer.

Inclusão previdenciária especial. O § 12 inscreve que lei disporá sobre a instituição de sistema especial de inclusão previdenciária, cuja finalidade é a de atender a trabalhadores de baixa renda e pessoas sem renda própria, por se dedicarem exclusivamente ao trabalho doméstico no âmbito de sua própria residência, desde que pertencentes a famílias de baixa renda, devendo ser assegurado aos mesmos benefícios de valor igual a um salário mínimo. Referido sistema especial de inclusão previdenciária exigirá contribuições com alíquotas e carências inferiores às vigentes para os demais segurados do regime geral de previdência social (§ 13) e isso bem demonstra o desejo do legislador constituinte de estender a esses grupos de hipossuficientes a segurança decorrente da proteção previdenciária.

Proibição de contagem de tempo fictício. Tempo fictício é aquele que decorre de uma ficção legal, não havendo tempo de serviço efetivo para contar. A norma do § 14 veda a contagem de qualquer tempo instituído de forma fictícia para fins de concessão de benefício previdenciário e de contagem recíproca.

Acumulação de benefícios previdenciários. Trata o § 15 de dispor que lei complementar disciplinará sobre proibições, regras e condições com a finalidade de admitir a acumulação de benefícios previdenciários. De fato, a regra geral garante ao segurado a fruição de um único benefício previdenciário, sendo a acumulação – por exceção – admitida apenas em situações singulares, cumpridos todos os requisitos legais.

Aposentadoria de empregados públicos. Dispõe o § 16 que os empregados dos consórcios públicos, instituídos para a exploração de atividade econômica, como os consórcios responsáveis por obras do metrô, ou ferrovias; das empresas públicas, como os empregados da Caixa Econômica Federal; como as sociedades de economia mista, como o Banco do Brasil, e das respectivas subsidiárias, serão aposentados compulsoriamente, cumprido o requisito do tempo mínimo de contribuição, ao atingir a idade máxima de setenta anos de idade, ou aos setenta e cinco anos de idade, na forma da lei complementar, com os proventos proporcionais, se o caso.

Jurisprudência

> "(...). 5. No sistema previdenciário brasileiro, o valor legal do benefício é o seu valor mínimo constitucional, uniforme em cada classe específica, a partir do qual varia em função do salário-de-contribuição, por força da natureza contributiva da previdência social, também constitucional (art. 201, *caput*, da Constituição Federal). 6. As modificações legais subsequentes do valor do benefício previdenciário, que visam, por mandamento constitucional, no seu valor mínimo, atender às necessidades vitais básicas do beneficiário e de sua família, incidem, a partir do termo inicial da sua vigên-

cia, nos benefícios de manutenção" (STJ – 6.ª Turma, REsp 263.697/AL, rel. Min. Hamilton Carvalhido, DJ 1, 18.12.2000, p. 280).

"Com o advento da EC 20/98, a seguridade social passou a ser financiada 'pelo trabalhador e demais segurados da previdência social não incidindo contribuição sobre aposentadoria e pensão concedidas pelo regime geral de previdência social de que trata o art. 201' (art. 195, II, CF, com a redação dada pela EC 20/98)" (TRF1, AC 200938130003900, rel. Des. Fed. Leomar de Sousa, DJF1, 17.07.2009, p. 579).

"Sobretudo a partir da Emenda Constitucional n.º 20/98, o Regime Geral de Previdência Social tem assumido uma feição notadamente contributiva, devendo observar critérios que preservem o equilíbrio financeiro e atuarial (vide *caput* do artigo 201 CF, introduzido pela EC 20). Cabe ao órgão judicial sopesar a proteção constitucional do direito adquirido com os demais direitos e garantias ali assegurados. Não há justificativa sustentável a amparar no prosseguimento de título executivo manifestamente inconstitucional, quer porque assim já o declarou o Supremo Tribunal Federal, quer por conferir tratamento desigual a segurados vinculados ao Regime Geral de Previdência Social, ferindo, em última instância, o princípio da solidariedade, seu pilar de sustentação" (TRF3, AC 866.596/SP, rel. Juíza Federal Convocada Giselle França, e-DJF3, 07.01.2011, p. 891).

"I – Segundo decorre do art. 201, IV, da Constituição, a renda do segurado preso é que a deve ser utilizada como parâmetro para a concessão do benefício e não a de seus dependentes. II – Tal compreensão se extrai da redação dada ao referido dispositivo pela EC 20/1998, que restringiu o universo daqueles alcançados pelo auxílio-reclusão, a qual adotou o critério da seletividade para apurar a efetiva necessidade dos beneficiários. III – Diante disso, o art. 116 do Decreto 3.048/1999 não padece do vício da inconstitucionalidade. IV – Recurso extraordinário conhecido e provido" (STF – Pleno, RE 587.365/SC, rel. Min. Ricardo Lewandowski, DJE, 08.05.2009).

"1. O Supremo Tribunal Federal assentou que, nos termos do art. 201, IV, da Constituição Federal, a renda do segurado preso é a que deve ser utilizada como parâmetro para a concessão do benefício e não a de seus dependentes" (STF – 2.ª Turma, AgI 767.352/SC AgRg, rel. Min. Ellen Gracie, DJE, 08.02.2011).

"(...). 4. O direito subjetivo do dependente por morte do segurado é o direito à pensão, no valor irredutível que a lei lhe atribua e, não, ao valor do tempo da concessão do benefício, como é do princípio constitucional da suficiência mínima do benefício previdenciário, insculpido no § 2.º do art. 201 da Constituição da República, do qual decorrem a sua natureza alimentar, o seu valor mínimo, que deve ser o suficiente para o atendimento das necessidades básicas do beneficiário e de sua família, e a sua uniformidade, por indiferençáveis, em termos de atendimento mínimo, a satisfação das necessidades vitais básicas da pessoa humana" (STJ – 6.ª Turma, REsp 263.697/AL, rel. Min. Hamilton Carvalhido, DJ 1, 18.12.2000, p. 280).

"A contagem recíproca é, na verdade, o direito à contagem de tempo de serviço prestado na atividade privada, rural ou urbana, para fins de concessão de aposentadoria no serviço público, ou, vice-versa, em face da mudança de regimes de previdência – geral e estatutário –', não se confundindo, pois, com a hipótese em tela, em que a segurada sempre prestou serviço na atividade privada e pretende a averbação do tempo de serviço trabalhado como rural a partir dos seus 12 anos de idade" (STJ – 3.ª Seção, AR 3.629, rel. Min. Maria Thereza de Assis Moura, DJE, 09.09.2008).

"A contagem recíproca prevista no art. 201, § 9.º, da Constituição, exige que haja compensação financeira entre o regime geral da previdência social e o da administração pública, visto que o benefício resultante do aproveitamento do tempo de serviço será concedido e pago pelo sistema a que o segurado estiver vinculado no momento do requerimento" (TRF4 – 1.ª Turma, AC 2003.71.11.001777-2, rel. Des. Fed. Maria Lúcia Luz Leiria, DJ, 13.07.2005, p. 287).

Art. 202. **O regime de previdência privada, de caráter complementar e organizado de forma autônoma em relação ao regime geral de previdência social, será facultativo, baseado na constituição de reservas que garantam o benefício contratado, e regulado por lei complementar.**

§ 1° A lei complementar de que trata este artigo assegurará ao participante de planos de benefícios de entidades de previdência privada o pleno acesso às informações relativas à gestão de seus respectivos planos.

§ 2° As contribuições do empregador, os benefícios e as condições contratuais previstas nos estatutos, regulamentos e planos de benefícios das entidades de previdência privada não integram o contrato de trabalho dos participantes, assim como, à exceção dos benefícios concedidos, não integram a remuneração dos participantes, nos termos da lei.

§ 3.° É vedado o aporte de recursos a entidade de previdência privada pela União, Estados, Distrito Federal e Municípios, suas autarquias, fundações, empresas públicas, sociedades de economia mista e outras entidades públicas, salvo na qualidade de patrocinador, situação na qual, em hipótese alguma, sua contribuição normal poderá exceder a do segurado.

§ 4.° Lei complementar disciplinará a relação entre a União, Estados, Distrito Federal ou Municípios, inclusi-

ve suas autarquias, fundações, sociedades de economia mista e empresas controladas direta ou indiretamente, enquanto patrocinadores de planos de benefícios previdenciários, e as entidades de previdência complementar.

§ 5.º A lei complementar de que trata o § 4.º aplicar-se-á, no que couber, às empresas privadas permissionárias ou concessionárias de prestação de serviços públicos, quando patrocinadoras de planos de benefícios em entidades de previdência complementar.

§ 6.º Lei complementar estabelecerá os requisitos para a designação dos membros das diretorias das entidades fechadas de previdência complementar instituídas pelos patrocinadores de que trata o § 4.º e disciplinará a inserção dos participantes nos colegiados e instâncias de decisão em que seus interesses sejam objeto de discussão e deliberação.

Doutrina

Previdência Privada. É um sistema de proteção baseado em contrato firmado entre uma instituição que opera, mediante autorização, planos de previdência privada e os oferecem aos interessados em obter a constituição de reservas que lhes assegurem no futuro a cobertura de contingências ou riscos sociais. Trata-se de relação fundada na autonomia da vontade, recebendo a parte contratante o que pactuou com a parte contratada, como característico do sistema de capitalização.

Características essenciais do regime de previdência privada. Nos termos do artigo 202, *caput*, o referido regime tem as seguintes características: *a*) caráter complementar, ou seja, complementa um regime previdenciário oficial; *b*) autonomia em relação ao regime geral de previdência social, não tendo com este qualquer vinculação; *c*) facultativo, quer dizer, de livre adesão; *d*) de natureza contratual, baseado na constituição de reservas que garantem o benefício contratado; *e*) regulação por meio de lei complementar, ensejando, assim, oportunidade para a formulação de uma política de previdência complementar, em que serão disciplinadas as atividades do setor e estabelecidos os padrões mínimos de segurança econômico-financeira e atuarial, além das regras de fiscalização das entidades de previdência complementar.

Entidades de previdência complementar privada. O objetivo dessas entidades é o de instituir e operar planos de benefícios de natureza previdenciária e se organizam sob a forma de entidade fechada ou de entidade aberta.

Entidades fechadas de previdência complementar privada. São aquelas organizadas sob a forma de fundação ou sociedade civil sem fins lucrativos e têm a finalidade de operar planos previdenciários oferecidos exclusivamente: *a*) aos empregados de uma empresa ou grupo de empresas e aos servidores da União, dos Estados, do Distrito Federal e dos Municípios, sendo estes entes chamados de patrocinadores; *b*) aos associados ou membros de pessoas jurídicas de caráter profissional, classista ou setorial, sendo estas chamadas de instituidoras. Tais entidades fechadas são conhecidas como fundos de pensões e quase sempre estão destinadas a assegurar o pagamento de complemento de aposentadorias e pensões para empregados de grandes empresas e seus dependentes. Constituem exemplos os fundos de pensões CENTRUS, dos servidores do Banco Central do Brasil, ELETROS, dos servidores das Centrais Elétricas Brasileiras – Eletrobrás, PETRUS, dos empregados da Petróleo Brasileiro S.A. – Petrobrás e o PREVI, dos empregados do Banco do Brasil S.A.

Entidades abertas de previdência complementar privada. São organizadas sob a forma de sociedades anônimas, inclusive de sociedades seguradoras, com o objetivo de instituir e operar planos de benefícios de natureza previdenciária, tanto na forma de pagamento continuado quanto de pagamento único, que poderão ser: *a*) individuais, acessíveis a quaisquer pessoas físicas; *b*) coletivos, que têm por objetivo garantir benefícios previdenciários a pessoas físicas vinculadas, direta ou indiretamente, a uma pessoa jurídica contratante.

Disciplina legal da matéria. No plano constitucional, foi a Emenda Constitucional n.º 20, de 15.12.1998, que dispôs sobre o regime de previdência privada fundado na constituição de reservas para a garantia do benefício contratado. No plano infraconstitucional, as Leis Complementares n.ºs 108, de 29.05.2001 e 109, de 29.05.2001, dispõem sobre o regime de previdência complementar.

Direito à informação e transparência de gestão. O § 1° do artigo em comento confere ao participante de planos de benefícios de entidades de previdência privada o direito de pleno acesso às informações relativas ao seu plano, garantindo publicidade e transparência de gestão.

Autonomia de contratos. A norma inscrita no § 2°, ao dispor que as contribuições do empregador ao plano de previdência, além de benefícios e condições contratuais oriundas de seus estatutos ou regulamentos, não integram o contrato de trabalho dos participantes e, via de consequência, não integram a remuneração do trabalhador, salvo naquilo que a lei de outro modo dispuser, reafirma a absoluta autonomia e independência existente entre o contrato de trabalho, regido pelo direito laboral, e o contrato do plano de previdência, de índole previdenciária. São vínculos de natureza jurídica distinta.

Proibição de custeio, exceção e regra de paridade. O § 3.º dispõe que é proibido o custeio, mediante aporte de recursos, a entidade de previdência privada pela União, Estados, Distrito Federal e Municípios, suas autarquias, fundações, empresas públicas, sociedades de economia mista e outras entidades públicas. A parte final do dispositivo ressalva a possibilidade de tais entes custearem planos de previdência privada, desde que na qualidade de patrocinadores, instituindo, contudo, regra de paridade, não podendo, em hipótese alguma, sua contribuição normal exceder a do segurado.

Disciplina das relações de entes políticos com suas entidades de previdência privada. Dispõe o § 4.º que a disciplina da matéria será feita por meio de lei complementar, no caso, a Lei Complementar n.º 108, de 29.05.2001, que trata da relação entre União, Estados, Distrito Federal e Municípios, inclusive suas autarquias, fundações, sociedades de economia mista e empresas controladas direta ou indiretamente, na condição de patrocinadoras de entidades fechadas de previdência privada.

Aplicação da disciplina legal às permissionárias e concessionárias de serviços públicos. Trata o § 5.º de assegurar a aplicação, naquilo que couber, da Lei Complementar 108/2001 às empresas privadas permissionárias ou concessionárias de serviços públicos, quando patrocinadoras de entidades fechadas de previdência privada.

Indicação de diretores de entidades fechadas de previdência privada. Trata o § 6.º de indicar que a lei complementar, no caso, a LC 108/2001, estabelecerá os requisitos para a designação de diretores de entidades fechadas de previdência privada, disciplinando, ainda, a inserção dos participantes desses planos nos colegiados e instâncias de decisão em que seus interesses sejam objeto de discussão e deliberação.

Jurisprudência

> "Entidade de previdência privada. Sendo mantida por expressiva contribuição dos empregados, ao lado de *satisfeita* pelos patrocinadores, não lhe assiste o direito ao reconhecimento da imunidade tributária prevista no art. 19, III, *c*, da Constituição de 1967, visto não se caracterizar, então, como instituição de assistência social" (STF – Pleno, RE 136.332/RJ, rel. Min. Octávio Gallotti, DJ 1, 25.06.1993, p. 12.641).
>
> "1. A faculdade que têm os interessados de aderirem a plano de previdência privada decorre de norma inserida no próprio texto constitucional (artigo 202 da CB/88). 2. Da não-obrigatoriedade de adesão ao sistema de previdência privada a que aderirem, especialmen-

te porque a liberdade de associação comporta, em sua dimensão negativa, o direito de desfiliação, conforme já reconhecido pelo Supremo em outros julgados. Precedentes. Agravo regimental a que se nega provimento" (STF – 2.ª Turma, RE 482.207/PR AgRg, rel. Min. Eros Grau, j. 12.05.2009).

"A adesão a regime de previdência privada, de caráter complementar, é facultativa, conforme previsto no art. 202 da Constituição. Ante o caráter facultativo da adesão, este Tribunal firmou entendimento no sentido de que a liberdade de associação, em sua dimensão negativa, comporta também o direito de não se filiar ou de não permanecer filiado" (STF – 2.ª Turma, RE 600.392/PR ED, rel. Min. Ricardo Lewandowski, j. 08.11.2011).

"1. Conforme prescreve o artigo 202 da Constituição Federal, o regime de previdência privada tem caráter autônomo – baseado na constituição de reservas que garantem o benefício contratado –, adesão facultativa e organização autônoma em relação ao regime geral de previdência social. 2. Os participantes são coinvestidores que, por isso mesmo, devem partilhar os eventuais superávits – não podendo as reservas comuns serem utilizadas para favorecimento de grupos específicos, que estão em igualdade de condições, dentro da coletividade do plano (relação contratual). Com efeito, não cabe desarrazoado tratamento discriminatório entre os participantes, devendo haver 'igualdade dos idênticos'. 3. Ademais, orienta a Súmula 312/STJ que o Código de Defesa do Consumidor é aplicável à relação jurídica entre a entidade de previdência privada e seus participantes. Com efeito, em se tratando de relação de consumo, há que ser reconhecida a vulnerabilidade do consumidor; impondo o princípio da boa-fé objetiva ao fornecedor o dever de respeito e lealdade, servindo como paradigma de conduta, cabendo ao magistrado avaliar se a atuação do fornecedor trespassou a razoabilidade e a equidade – o que, no caso, ressai nítido" (STJ – 4.ª Turma, REsp 1.060.882, rel. Min. Luis Felipe Salomão, DJE, 20.08.2013).

Seção IV
DA ASSISTÊNCIA SOCIAL

Art. 203. A assistência social será prestada a quem dela necessitar, independentemente de contribuição à seguridade social, e tem por objetivos:

I – a proteção à família, à maternidade, à infância, à adolescência e à velhice;

II – o amparo às crianças e adolescentes carentes;

III – a promoção da integração ao mercado de trabalho;

IV – a habilitação e reabilitação das pessoas portadoras de deficiência e a promoção de sua integração à vida comunitária;

V – a garantia de um salário mínimo de benefício mensal à pessoa portadora de deficiência e ao idoso que comprovem não possuir meios de prover à própria manutenção ou de tê-la provida por sua família, conforme dispuser a lei;

VI – a redução da vulnerabilidade socioeconômica de famílias em situação de pobreza ou de extrema pobreza.

Doutrina

Assistência social. Compreende as políticas sociais de atendimento aos pobres para provê-los em suas necessidades básicas por meio de prestações mínimas de serviços ou benefícios independentemente de qualquer contribuição à seguridade social. Trata-se, pois, de política social de proteção àqueles que dela necessitam, de caráter não contraprestacional, custeada principalmente por recursos do orçamento da seguridade social. Anote-se, ademais, que a assistência social não é prestada apenas por meio de órgãos estatais, conquanto dedicam-se também a ela entidades e organizações particulares sem fins lucrativos, como as santas casas de misericórdia, as organizações não governamentais de assistência, os asilos etc.

Objetivos da assistência social. As metas definidas pelo legislador constituinte para as políticas de assistência social são as seguintes: *a) proteção à família*, por meio de prestações mínimas para assegurar a sobrevivência de qualquer entidade familiar; *b) proteção à maternidade*, destinando às gestantes e nutrizes hipossuficientes prestações em alimentos e atendimento à saúde da mãe e do bebê; c) *proteção à infância e à adolescência*, devendo as prestações de assistência social proteger crianças e adolescentes dos riscos à integridade física e moral; *d) proteção à velhice*, mediante amparo mínimo, quando a família não tiver condições de fazê-lo, principalmente por meio de benefício de renda mensal de um salário mínimo; *e) amparo às crianças e adolescentes carentes*, protegendo-os principalmente do abandono e da fome; *f) promoção da integração ao mercado de trabalho*, como meio de resgate da dignidade e reintegração social proporcionadas pelo emprego ou qualquer outra ocupação; *g) habilitação e reabilitação de pessoas com deficiência*, como uma das mais relevantes tarefas da assistência social, decorrendo daí a proibição de qualquer forma de discriminação, inclusive quanto a salário; *h) promoção e integração de pessoas com deficiência na vida comunitária*, como meio poderoso de respeito e valorização à dignidade da pessoa humana; *i) garantia de renda mensal*, no valor de um salário mínimo, à pessoa com deficiência e ao idoso que comprovem não possuir meios de prover à própria manutenção ou de tê-la provida por sua família, na forma que a lei dispuser.

Fins da assistência social. Os fins colimados pelas políticas de assistência social têm supedâneo no princípio da dignidade humana (CF, art. 1.º, III) e buscam a realização de alguns objetivos fundamentais da República do Brasil, quais sejam, a construção de uma sociedade livre, justa e solidária (CF, art. 3.º,

I) e a erradicação da pobreza e da marginalização, reduzindo as desigualdades sociais e regionais (CF, art. 3.º, III).

Jurisprudência

"O conceito mais lato de assistência social – e que é admitido pela Constituição – é o que parece deva ser adotado para a caracterização da assistência prestada por entidades beneficentes, tendo em vista o cunho nitidamente social da Carta Magna" (STF – Pleno, ADIN 2.028-5/DF MC, rel. Min. Moreira Alves, DJ 1, 16.06.2000, p. 30).

"Assistência Social. Estrangeiros residentes no país. Artigo 203, inciso V, da Constituição Federal. Alcance. A assistência social prevista no artigo 203, inciso V, da Constituição Federal beneficia brasileiros natos, naturalizados e estrangeiros residentes no País, atendidos os requisitos constitucionais e legais" (STF – Pleno, RE 587.970/SP, rel. Min. Marco Aurélio, j. 20.04.2017).

"Na aferição da hipossuficiência tem cabimento o disposto no art. 34, parágrafo único, da Lei n.º 10.741/2003 (Estatuto do Idoso), excluindo do cálculo da renda mensal familiar, para fins de concessão de benefício assistencial, o rendimento oriundo de qualquer benefício previdenciário no valor de um salário mínimo percebido por outro membro da família do necessitado. Já decidiu o Excelso Tribunal inocorrer violação ao inciso V do artigo 203 da Constituição da República ou à decisão proferida na ADIN n.º 1.232-1-DF, a aplicação aos casos concretos do disposto supervenientemente pelo Estatuto do Idoso (artigo 34, parágrafo único, da Lei n.º 10.741/2003). Inexigibilidade da observância do art. 195, § 5.º, da Constituição Federal, em relação ao benefício de assistência social previsto no inciso V do art. 203 da Constituição Federal" (TRF3, ApReeNec 1.111.904/SP, rel. Des. Fed. Diva Malerbi, e-DJF3, 22.09.2010, p. 532).

Art. 204. As ações governamentais na área da assistência social serão realizadas com recursos do orçamento da seguridade social, previstos no art. 195, além de outras fontes, e organizadas com base nas seguintes diretrizes:

I – descentralização político-administrativa, cabendo a coordenação e as normas gerais à esfera federal e a coordenação e a execução dos respectivos programas às esferas estadual e municipal, bem como a entidades beneficentes e de assistência social;

II – participação da população, por meio de organizações representativas, na formulação das políticas e no controle das ações em todos os níveis.

Parágrafo único. É facultado aos Estados e ao Distrito Federal vincular a programa de apoio à inclusão e promoção social até cinco décimos por cento de sua receita tributária líquida, vedada a aplicação desses recursos no pagamento de:

I – despesas com pessoal e encargos sociais;

II – serviço da dívida;

III – qualquer outra despesa corrente não vinculada diretamente aos investimentos ou ações apoiados.

Doutrina

Custeio da assistência social. Dispõe o artigo 204, *caput*, que as atividades na área da assistência social serão custeadas com recursos do orçamento da seguridade social, previstos no artigo 195, portanto, mediante recursos provenientes dos orçamentos da União, dos Estados, do Distrito Federal e dos Municípios, de contribuições sociais e de recursos do Fundo Nacional de Assistência Social, sem prejuízo de outras fontes. Além disso, ao lado dessas fontes diretas podem ser enumeradas as fontes indiretas de custeio, como as isenções de tributos concedidas em favor de entidades filantrópicas e de assistência social e as subvenções destinadas pelo Estado a essas entidades.

Organização da assistência social. A mesma norma dispõe que a assistência social será organizada com base nas seguintes diretrizes: *a*) *descentralização política e de gestão*, competindo a coordenação e as normas de caráter geral à esfera federal e a coordenação e a execução dos respectivos programas aos Estados, Distrito Federal e Municípios, bem como às entidades beneficentes e de assistência social; *b*) *participação popular*, por meio de organizações representativas da comunidade, na formulação das políticas e no controle das ações em todos os níveis de atuação.

Vinculação de recursos para a assistência social. Nos termos do parágrafo único, os Estados e o Distrito Federal poderão vincular a programa de apoio à inclusão e promoção social até cinco décimos por cento de sua receita tributária líquida, sendo vedada a aplicação desses recursos no pagamento de despesas com pessoal e encargos sociais; serviço da dívida pública; e de despesas correntes não vinculadas diretamente aos investimentos ou ações apoiados.

Jurisprudência

> "Os dispositivos dos artigos 35 e 36 da Lei 4.870/1965 foram plenamente recepcionados pela Constituição Federal de 1988, já que seu escopo é atender, nos casos concretos, o princípio da dignidade humana, do direito à saúde, bem como à obrigação de prestar a assistência social a quem dela necessitar, princípios estes garantidos pela Constituição, independentemente de contribuição à seguridade social. (...). Em nenhum momento se afrontou o disposto no artigo 204 da Constituição Federal, o qual dispõe que as ações governamentais na área da assistência social serão realizadas com recursos do orçamento da seguridade social, previstos no art. 195, além de outras fontes. O dispositivo acima men-

cionado trata apenas das fontes de custeio das ações governamentais na área da assistência social. Todavia, como disciplinado no artigo 194, *caput*, da Constituição Federal, a seguridade social, que engloba a assistência social, compreende um conjunto integrado de ações de iniciativa dos Poderes Públicos e da sociedade. Desse modo, os programas destinados à assistência social não se esgotam nas políticas governamentais, impondo um vínculo obrigacional de solidariedade a toda sociedade" (TRF-3, AC 1.996.689/SP, rel. Des. Fed. Fausto de Sanctis, e-DJF3, 20.07.2015).

"Uma lei que instaura a cooperação do governo e da iniciativa privada na área de assistência social, como a Lei n.º 4.870/65 que criou o Plano de Assistência Social para os trabalhadores da indústria canavieira, está em perfeita consonância com os princípios constitucionais, de modo a estimular as ações da sociedade como um todo. Assim, não resta dúvidas quanto à possibilidade de cooperação conjunta do Poder Público e da iniciativa privada, como meio de participação popular, na positivação de ações governamentais com foco no desenvolvimento da Seguridade Social e suas políticas" (TRF-3, AC 1.230.133, rel. Des. Fed. David Dantas, e-DJF3, 08.02.2012).

CAPÍTULO III
DA EDUCAÇÃO, DA CULTURA E DO DESPORTO

Seção I
DA EDUCAÇÃO

Art. 205. A educação, direito de todos e dever do Estado e da família, será promovida e incentivada com a colaboração da sociedade, visando ao pleno desenvolvimento da pessoa, seu preparo para o exercício da cidadania e sua qualificação para o trabalho.

Doutrina

Educação. A educação é um processo dinâmico que tem por fim a promoção do desenvolvimento pleno da pessoa por meio da realização de suas potencialidades físicas, morais, intelectuais e espirituais. Para a consecução desses desideratos atuam a família, que tem a primazia na educação de sua prole, e, após, o Estado, que não substitui a família, salvo nos casos de abandono moral, cabendo-lhe, contudo, viabilizar os recursos e meios necessários para a educação de todos, pois se trata de direito subjetivo público dos cidadãos.

Objetivos do processo de educação. Nos termos do artigo 205, *caput*, segunda parte, a educação visa a atingir os seguintes objetivos: *a) pleno desenvolvimento da pessoa*, por meio do aproveitamento de suas aptidões mais pronunciadas, quer no plano físico quer no plano intelectual, cabendo lembrar que a educação é o caminho para a conquista da liberdade; *b) preparo para o exercício da cidadania*, o que inclui a aquisição de consciência crítica e a compreensão de que o cidadão tem um papel a cumprir no âmbito de sua comunidade, pois cidadania implica aquisição de capacidade política ativa (eleger alguém) e passiva (ser sufragado em pleito eleitoral); *c) qualificação para o trabalho*, certamente facilitada por meio da educação, que oferece instrumental para a assimilação de técnicas e rotinas da profissão ou ofício escolhido pelo indivíduo.

Jurisprudência

> "O art. 205 da Constituição Federal estabelece que a educação, direito de todos e dever do Estado e da família, será promovida e incentivada com a colaboração da sociedade, visando ao pleno desenvolvimento da pessoa, seu preparo para o exercício da cidadania e sua qualificação para o trabalho. Nesse sentido, visando dar eficácia ao aludido dispositivo constitucional, o Poder Público instituiu o Fundo de Financiamento ao Estudante de Ensino Superior – FIES, que é um programa destinado a financiar, na educação superior, a gradua-

ção de estudantes matriculados em instituições particulares que não possuem poder aquisitivo para enfrentar os custos de sua formação nas aludidas instituições particulares. Nessa linha de entendimento, este egrégio Tribunal já cristalizou a orientação jurisprudencial, no sentido de que 'a norma que prevê prazo de carência de 18 (dezoito) meses, na forma da Lei n.º 11.941/2009, há de se aplicar aos contratos vigentes, cujo referido direito ainda não foi realizado, mesmo que assinados no tempo anterior à vigência da Lei'. Atenção ao objetivo fundamental da República Federativa do Brasil de erradicar a pobreza e marginalização e redução das desigualdades sociais (art. 3.º, III, da CRFB/88)" (TRF1, AC 00099626720144013500, rel. Des. Fed. Souza Prudente, e-DJF1, 08.06.2015, p. 901).

"1. Os saldos das contas vinculadas ao FGTS constituem patrimônio do trabalhador e podem ser levantados quando configurada alguma das hipóteses elencadas no art. 20 da Lei n.º 8.036/90 ou em outro permissivo legal. Ponderando a questão, o Superior Tribunal de Justiça já decidiu que o rol previsto no referido dispositivo legal não é taxativo. 2. Considerando que o direito à educação é um direito social do cidadão, incluído entre os direitos e garantias fundamentais da pessoa humana constitucionalmente previstos e que deve ser promovido e incentivado com a colaboração da sociedade (Constituição Federal, art. 205), bem como que a finalidade do Fundo de Garantia do Tempo de Serviço – FGTS é garantir ao trabalhador a melhoria de suas condições sociais (Constituição Federal, art. 7.º), há que se conferir interpretação teleológica ao art. 20 da Lei n.º 8.036/90, conjugada com os princípios constitucionais, a fim de permitir a fruição desses direitos e garantias pelo cidadão" (TRF3, AgI 516558, rel. Des. Fed. Toru Yamamoto, e-DJF3, 10.03.2014).

"O artigo 205 da Constituição estabelece que a educação é direito de todos e dever do Estado e da família, devendo ser promovida e incentivada com a colaboração da sociedade, visando ao pleno desenvolvimento da pessoa, seu preparo para o exercício da cidadania e sua qualificação para o trabalho. Na medida em que a Constituição assegura tal direito, ainda que admitida a colaboração da iniciativa privada, desde que atendidas as exigências impostas pelo artigo 209 da referida carta, o oferecimento de ensino pelas escolas particulares deve se sujeitar aos mandamentos constitucionais que regulam a atividade. É certo que as instituições de ensino, através da chamada autonomia universitária prevista no artigo 207 da Magna Carta, podem estabelecer regras quanto ao seu funcionamento. Restou demonstrado nos autos um abuso por parte das instituição de ensino no que diz respeito ao prazo estabelecido de 10 a 20 meses para a expedição do diploma requerido pela impetrante. Tal prazo não se caracteriza razoável, em virtude dos inúmeros prejuízos sofridos pela impetrante. A despeito dos entraves burocráticos para a expedição de diplomas, entendo que impor à impetrante excessiva morosidade fere o princípio constitucional da moralidade" (TRF3, AC 327.061, rel. Des. Fed. Nery Junior, e-DJF3, 11.03.2011, p. 241).

Art. 206. O ensino será ministrado com base nos seguintes princípios:

I – igualdade de condições para o acesso e permanência na escola;

II – liberdade de aprender, ensinar, pesquisar e divulgar o pensamento, a arte e o saber;

III – pluralismo de ideias e de concepções pedagógicas, e coexistência de instituições públicas e privadas de ensino;

IV – gratuidade do ensino público em estabelecimentos oficiais;

V – valorização dos profissionais da educação escolar, garantidos, na forma da lei, planos de carreira, com ingresso exclusivamente por concurso público de provas e títulos, aos das redes públicas;

VI – gestão democrática do ensino público, na forma da lei;

VII – garantia de padrão de qualidade;

VIII – piso salarial profissional nacional para os profissionais da educação escolar pública, nos termos de lei federal;

IX – garantia do direito à educação e à aprendizagem ao longo da vida.

Parágrafo único. A lei disporá sobre as categorias de trabalhadores considerados profissionais da educação básica e sobre a fixação de prazo para a elaboração ou adequação de seus planos de carreira, no âmbito da União, dos Estados, do Distrito Federal e dos Municípios.

Doutrina

Princípios norteadores do ensino. Ensinar é transmitir conhecimentos e, no caso da norma em comento, por meio da instrução formal, sendo esta definida com base em programas de ensino com os conteúdos necessários para cada grau, quer seja fundamental, médio ou superior. Com efeito, o artigo 206, *caput*, estabelece que o ensino será ministrado com base nos seguintes princípios: *a) igualdade de acesso e de permanência*, referindo-se às condições materiais para frequentar um curso e nele permanecer até sua conclusão; certo, contudo, que se houver necessidade de concurso de ingresso, os requisitos deste deverão ser preenchidos, em condições iguais de concorrência, por todos os interessados, sendo aproveitados segundo a ordem de classificação; *b) liberdade de aprender e liberdade de cátedra*, ou seja, num regime de franquias democráticas, a liberdade de aprender assegura que ao educando não será objetado acesso a nenhum tipo de conteúdo legítimo. A liberdade de cátedra, por sua vez, expressa o lídimo direito do educador de ensinar e expressar livremente as suas ideias, sem objeção de qualquer natureza, sujeitando-se, porém, a ministrar o conteúdo curricular fixado pela autoridade competente; *c) pluralidade de pensamento e de concepções pedagógicas*, ou seja, a escola deve debater de forma exauriente as ideias e as teses pedagógicas até escolher um método adequado de ensino, não descurando de submetê-lo constantemente à avaliação, revisando sua metodologia se a prática assim aconselhar; *d) coexistência de instituições públicas e privadas de ensino*, quer dizer, convivem, no amplo espectro do setor, tanto as instituições privadas, inequivocamente reconhecidas pelo legislador constituinte, como as instituições públicas, devendo, ambas, envidarem esforços para o desenvolvimento e a melhoria da qualidade do ensino; *e) gratuidade do ensino público em estabelecimentos oficiais*, ou seja, o ensino público, oferecido em estabelecimentos oficiais, deve ser gratuito; *f) valorização dos profissionais da educação escolar*, explicitando o legislador constituinte que, aos da rede pública, deverão ser garantidos, na forma da lei, planos de carreira, com ingresso exclusivamente por concurso público de provas e títulos, não se aplicando, pois, aos profissionais da rede privada de ensino; *g) gestão democrática do ensino público*, ou seja, na forma que a lei estabelecer, a gestão dos estabelecimentos de ensino deverá agregar práticas colegiadas de decisão e assegurar a participação de docentes e discentes nesses processos decisórios; *h) garantia de padrão de qualidade*, com a finalidade de assegurar aos educandos formação pessoal e profissional adequadas, capazes de torná-los cidadãos e garantir-lhes inserção no mercado de trabalho; *i) piso salarial profissional nacional*, para todos os profissionais da educação escolar pública, nos termos de lei federal, o que engloba não somente professores, mas, também, diretores, coordenadores pedagógicos, servidores administrativos etc.; *j)garantia ao direito à educação e à aprendizagem ao longo vida*, ou seja, educação e treinamento técnico para adultos.

Definição das categorias de profissionais da educação básica. O parágrafo único do artigo em comento determina que a lei disporá sobre as categorias de trabalhadores considerados profissionais da educação básica, devendo fixar ainda o prazo para a elaboração ou adequação de seus planos de carreira, no âmbito da União, dos Estados, do Distrito Federal e dos Municípios. O dispositivo expressa, a meu ver, uma delimitação de alcance do contido no inciso VIII do *caput* que, em linha de princípio, não se coaduna com a intenção do legislador constituinte inscrita nessa norma.

Jurisprudência

> Súmula Vinculante do STF: 12. "A cobrança de taxa de matrícula nas universidades públicas viola o disposto no art. 206, IV, da Constituição Federal".
>
> "A cláusula de gratuidade do ensino superior em estabelecimentos oficiais (art. 206, IV, da CF), deve ser interpretada restritivamente, considerando-se a escala de prioridade na aplicação dos recursos destinados à educação, que privilegia o atendimento das necessidades do ensino obrigatório, ou seja, o fundamental e, progressivamente, o médio (CF, art. 208, I e II, e art. 212, § 3.º)" (TRF4, MS 92.04.28526/RS, rel. Des. Fed. Teori Albino Zavascki, DJ 2, 21.07.1993, p. 28.669).
>
> "O art. 206, V, da CF, embora não tenha repetido a exigência do art. 176, § 3.º, VI, da CF/69 (provimento de cargos iniciais e finais das carreiras de magistério de grau médio e superior mediante concurso público), não impede que a lei estabeleça, para o magistério superior, além da carreira que vai de professor auxiliar até a professor adjunto, o cargo isolado de professor titular, cujo provimento se dá através de concurso público de provas e títulos, e não de simples promoção (CF, art. 37, II)" (STF – 1.ª Turma, RE 206.629/AM, rel. Min. Ilmar Galvão, Informativo do STF n.º 144).

Art. 207. As universidades gozam de autonomia didático-científica, administrativa e de gestão financeira e

patrimonial, e obedecerão ao princípio de indissociabilidade entre ensino, pesquisa e extensão.

§ 1.º É facultado às universidades admitir professores, técnicos e cientistas estrangeiros, na forma da lei.

§ 2.º O disposto neste artigo aplica-se às instituições de pesquisa científica e tecnológica.

Doutrina

Autonomia da universidade. Autonomia, do grego *autós* (o próprio) e *nomos* (lei), é a condição daquele que se governa por meio de suas próprias leis. Assim, a autonomia universitária significa a autodeterminação da universidade em face da autoridade que lhe instituiu. Contudo, isso não se confunde com soberania, pois a autonomia da universidade encontra limites na própria Constituição Federal, que, se de um lado assegura, de outro limita o seu autogoverno, como de resto ocorre com outras instituições com outorga de autonomia.

Modalidades da autonomia universitária. Dispõe o artigo 207, *caput*, primeira parte, que são três as modalidades de autonomia conferidas às universidades: *a) autonomia didático-científica*, que se traduz na liberdade de ensinar, pesquisar e divulgar o pensamento, a arte e o saber (CF, art. 206, II), decorrendo daí a autonomia para a criação de seus cursos e suas linhas de pesquisa e da escolha das formas de propagação do saber; *b) autonomia administrativa*, aqui significando a administração e o gerenciamento do próprio ensino que oferece ao educando, devendo, para tanto, organizar-se por meio de regras próprias consolidadas em estatuto; *c) autonomia de gestão financeira e patrimonial*, ou seja, administração dos recursos financeiros oriundos das verbas orçamentárias que lhes são destinadas (CF, art. 212), além daquelas decorrentes de convênios firmados para a pesquisa ou prestação de serviços; e administração de seu patrimônio para a correta utilização de seus bens móveis e imóveis, títulos mobiliários etc., de forma a viabilizar a própria realização de seus fins ou a gerar renda para aplicação em suas finalidades.

Indissociabilidade entre ensino, pesquisa e extensão. O princípio da indissociabilidade, inscrito na segunda parte do artigo 207, *caput*, significa que ensino, pesquisa e extensão constituem áreas de atuação da universidade que deverão ser cuidadas de forma integrada, vedada a dissociação, a separação, de quaisquer delas. Quer dizer, a universidade deverá igualmente se preocupar em oferecer ensino (por meio de seus cursos regulares de graduação ou pós-graduação), pesquisa (por meio de seus institutos próprios) e, também, a chamada extensão universitária (por meio de cursos dessa natureza). Cabe anotar que o legislador constituinte, ao estabelecer que as universidades obedecerão ao dito princípio da indissociabilidade, impôs-lhes uma regra de organização, o que bem demonstra a diferença entre soberania e autonomia.

Admissão de profissionais estrangeiros. O § 1.º faculta às universidades a admissão de professores, técnicos e cientistas estrangeiros, na forma que a lei estabelecer. Certamente, tais admissões somente se legitimarão quando inexistentes profissionais brasileiros nas respectivas áreas de interesse, ou quando relevante interesse público aconselhar a contratação. Da mesma forma, o § 2.º autoriza a contratação de professores, técnicos e cientistas estrangeiros por instituições de pesquisa científica e tecnológica, não integrantes de universidades, como, por exemplo, a Fundação Osvaldo Cruz, com sede no Rio de Janeiro, e o Instituto Nacional de Pesquisas Espaciais, sediado em São José dos Campos.

Jurisprudência

> "Curso de mestrado. Expedição de diploma pela Universidade com validade nacional. Curso autorizado, mas não reconhecido. Lei n.º 9.394/96, art. 98. Autonomia administrativa da Universidade. Submissão à normas gerais da educação nacional. 1. Não há direito líquido e certo à expedição de diploma com validade

nacional se o curso de mestrado não é reconhecido, como expressamente prevê a lei. 2. As universidades gozam de autonomia administrativa, o que não as exime do dever de cumprir as normas gerais da educação nacional. 3. Recurso extraordinário a que se nega provimento" (STF – 1.ª Turma, RE 566.365/RJ, rel. Min. Dias Toffoli, j. 22.02.2011).

"A autonomia universitária, prevista no art. 207 da Constituição Federal, não pode ser interpretada como independência e, muito menos, como soberania. A sua constitucionalização não teve o condão de alterar o seu conceito ou ampliar o seu alcance, nem de afastar as universidades do poder normativo e de controle dos órgãos federais competentes" (STJ – 1.ª Seção, MS 3.318/DF, rel. Min. Pádua Ribeiro, DJ 1, 15.08.1994, p. 20.271).

Art. 208. O dever do Estado com a educação será efetivado mediante a garantia de:

I – educação básica obrigatória e gratuita dos 4 (quatro) aos 17 (dezessete) anos de idade, assegurada inclusive sua oferta gratuita para todos os que a ela não tiveram acesso na idade própria;

II – progressiva universalização do ensino médio gratuito;

III – atendimento educacional especializado aos portadores de deficiência, preferencialmente na rede regular de ensino;

IV – educação infantil, em creche e pré-escola, às crianças até 5 (cinco) anos de idade;

V – acesso aos níveis mais elevados do ensino, da pesquisa e da criação artística, segundo a capacidade de cada um;

VI – oferta de ensino noturno regular, adequado às condições do educando;

VII – atendimento ao educando, em todas as etapas da educação básica, por meio de programas suplementares de material didático-escolar, transporte, alimentação e assistência à saúde.

§ 1.º O acesso ao ensino obrigatório e gratuito é direito público subjetivo.

§ 2.º O não oferecimento do ensino obrigatório pelo poder público, ou sua oferta irregular, importa responsabilidade da autoridade competente.

§ 3.º Compete ao poder público recensear os educandos no ensino fundamental, fazer-lhes a chamada e zelar, junto aos pais ou responsáveis, pela frequência à escola.

Doutrina

A *educação como dever do Estado*. Como visto no artigo 205, *caput*, a educação, direito de todos, é dever do Estado e da família, sendo ministrada com a finalidade de promover o desenvolvimento da pessoa mediante a realização de suas potencialidades. Neste artigo, trata o legislador constituinte de estabelecer como o dever do Estado para com a educação será efetivado visando a assegurar este direito subjetivo público dos cidadãos.

***Compromisso do Estado*.** O dever do Estado para com a educação será cumprido mediante as seguintes garantias: *a) prestação de educação básica obrigatória e gratuita*, ou seja, o ensino de primeiro grau será ministrado de forma obrigatória e gratuita aos educandos dos quatro aos dezessete anos de idade, bem como a todos aqueles que a ele não tiveram acesso na idade própria; *b) prestação do ensino de segundo grau*, ou seja, o Estado buscará a progressiva universalização do ensino médio gratuito; *c) prestação de educação especial*, por meio de atendimento educacional especializado às pessoas com deficiência, de preferência no âmbito da própria rede regular de ensino; *d) prestação de educação infantil*, em creche e pré-escola, às crianças de até cinco anos de idade; *e) acesso ao ensino superior*, pois é disso que trata a norma ao referir-se aos níveis mais elevados do ensino, da pesquisa e da criação artística, sendo certo que isso se dará segundo a capacidade de cada um, ou seja, por meio de vestibular ou qualquer outro meio de avaliação de habilitação; *f) oferta de ensino noturno regular*, adequado às condições do educando, sendo a única alternativa de estudar para aqueles que, durante o dia, demandam emprego para garantir a sobrevivência de si próprio e não raro de sua família; e *g) atendimento especial ao educando*, restrito a todas as etapas da educação básica, por meio de programas suplementares de material didático escolar, transporte, alimentação e assistência à saúde.

Direito de acesso ao ensino. Dispõe o § 1.º que o acesso ao ensino obrigatório e gratuito é direito público subjetivo. Portanto, limita-se a garantia ao ensino de primeiro grau, nada mais.

Responsabilização da autoridade. Dispõe o § 2.º que o não-oferecimento do ensino obrigatório pelo Poder Público, ou sua oferta irregular, importa responsabilidade da autoridade competente. Portanto, a responsabilidade decorre da falta da prestação do serviço, ou de sua prestação de forma não regular.

Recenseamento dos estudantes. Dispõe o § 3.º que compete ao Poder Público recensear os educandos no ensino fundamental, fazer-lhes a chamada e zelar, junto aos pais ou responsáveis, pela frequência à escola. Deverá, pois, a autoridade escolar, contar os educandos do primeiro grau, certamente por meio da própria matrícula, fazer-lhes a chamada e exigir dos pais a frequência às aulas.

Jurisprudência

> "A educação infantil representa prerrogativa constitucional indisponível, que, deferida às crianças, a estas assegura, para efeito de seu desenvolvimento integral, e como primeira etapa do processo de educação básica, o atendimento em creche e o acesso à pré-escola (CF, art. 208, IV). – Essa prerrogativa jurídica, em consequência, impõe, ao Estado, por efeito de alta sig-

nificação social de que se reveste a educação infantil, a obrigação constitucional de criar condições objetivas que possibilitem, de maneira concreta, em favor das 'crianças até 5 (cinco) anos de idade', (CF, art. 208, IV), o efetivo acesso e atendimento em creches e unidades de pré-escola, sob pena de configurar-se inaceitável omissão governamental, apta a frustrar, injustamente, por inércia, o integral adimplemento, pelo Poder Público, de prestação estatal que lhe impôs o próprio texto da Constituição Federal" (STF – 2.ª Turma, ARE 639.337/SP AgRg, rel. Min. Celso de Mello, j. 23.08.2011).

"1. A política de ações afirmativas implementadas pelas Universidades por meio de suas resoluções tem amparo da Constituição e na legislação infraconstitucional, encontrando-se dentro da autonomia didático-científica e administrativa o estabelecimento de regras na seleção de candidatos. 2. Sendo o critério de acesso ao ensino superior previsto na Carta Política (art. 208), o tratamento desigual dado em favor de alguns candidatos deve ter por fundamento outro valor constitucionalmente eleito, tal como a igualdade fática ou a redução da desigualdade" (TRF4, 3.ª Turma, ApReeNec 2009.72.00.001078-7, rel. Des. Fed. João Pedro Gebran Neto, D.E. 04.11.2009).

Art. 209. O ensino é livre à iniciativa privada, atendidas as seguintes condições:

I – cumprimento das normas gerais da educação nacional;

II – autorização e avaliação de qualidade pelo poder público.

Doutrina

Liberdade de iniciativa na educação. A norma constitucional assegura a participação da iniciativa privada na educação. Isso significa que ao lado do sistema público e gratuito (CF, art. 205, *caput*), organizado em três níveis – fundamental, segundo grau e universitário –, a Constituição admite a atuação de um sistema privado de ensino, também organizado em três graus, sendo permitida a cobrança de mensalidade escolar. Funda-se essa organização no princípio da coexistência de instituições públicas e privadas de ensino (CF, art. 206, III).

Condições de cumprimento obrigatório. A atividade de ensino somente será franqueada à iniciativa privada mediante: *a*) o cumprimento das normas gerais da educação nacional, contidas, essencialmente, na Lei n.º 9.394, de 20.12.1996, a chamada Lei de Diretrizes e Bases da Educação Nacional, de competência da União (CF, art. 22, XXIV); *b*) autorização de funcionamento, expedida pelo órgão competente, que não poderá deixar de concedê-la se a escola provar que cumpre os requisitos necessários, tratando-se, pois, de ato vinculado; e *c*) avaliação de qualidade pelo Poder Público, ou seja, a escola será submetida a métodos de verificação que permita mensurar a qualidade do ensino oferecido. Nesse contexto se inserem os exames nacionais de avaliação realizados pelo Ministério da Educação, tanto nas escolas da rede pública quanto naquelas da rede particular de ensino.

Jurisprudência

> "I – A imunidade prevista no art. 150, VI, c, da Constituição em benefício das instituições de ensino busca incentivar a cooperação entre o Poder Público e a iniciativa privada na concretização do direito social à educação. II – A autorização pelo Poder Público, prevista no art. 209, II, da Constituição, constituiu requisito indispensável à legitimidade constitucional para o exercício da atividade de ensino pela iniciativa privada. III – Estender o benefício em questão às instituições de ensino não autorizadas a funcionar pelo Poder Público equivaleria a admitir-se que o texto constitucional estaria a fomentar o desempenho de atividade realizada em

desconformidade com as suas próprias disposições" (STF – 2.ª Turma, RE 378.666/DF AgRg, rel. Min. Ricardo Lewandowski, j. 03.04.2012).

"1. O princípio constitucional da livre iniciativa não tem caráter absoluto, estando sujeito a restrições e limitações expressas ou implícitas, indispensáveis à preservação de outros princípios constitucionais, com os quais deve se harmonizar. 2. No que se refere à atividade de ensino, a Constituição a erigiu como espécie de serviço público obrigatório, embora sem exclusividade, já que também livre à iniciativa privada. O princípio da livre iniciativa, nesse domínio, está subordinado, entre outros, a dois limites expressamente estabelecidos: 'I – cumprimento das normas gerais da educação nacional; II – autorização e avaliação de qualidade pelo Poder Público' (CF, art. 209). 3. É inteiramente compatível com os princípios constitucionais sobre a educação a norma do Conselho Estadual de Educação que, sem proibir a prestação particular do ensino supletivo, submete os respectivos exames a controle estatal ou por entidades credenciadas, em regime de gratuidade" (STJ – 1.ª Turma, ROMS 17.166, rel. Min. Luiz Fux, DJ, 14.09.2006, p. 256).

"Curso de Odontologia. Fechamento por inobservância da legislação de regência. Portaria 196, de 03/02/94, do Ministro da Educação e do Desporto. I – O ato ministerial atacado, apoiado no art. 209, II, da Constituição Federal, no art. 2.º do Decreto 359, de 09/12/91, no art. 2.º do Decreto 98.377, de 08/11/89, e no art. 3.º do Decreto 77.797, de 09/06/76, está ao amparo da legislação de regência e os decretos que lhe servem de fundamento não infringem o princípio da legalidade, não violam o princípio da autonomia universitária, nem exorbitam do poder regulamentar" (STJ – 1.ª Seção, MS 3.318/DF, rel. Min. Pádua Ribeiro, DJ 1, 15.08.1994, p. 20.271).

Art. 210. Serão fixados conteúdos mínimos para o ensino fundamental, de maneira a assegurar formação básica comum e respeito aos valores culturais e artísticos, nacionais e regionais.

§ 1.° O ensino religioso, de matrícula facultativa, constituirá disciplina dos horários normais das escolas públicas de ensino fundamental.

§ 2.° O ensino fundamental regular será ministrado em língua portuguesa, assegurada às comunidades indígenas também a utilização de suas línguas maternas e processos próprios de aprendizagem.

Doutrina

Conteúdos mínimos para o ensino fundamental. A fixação desses conteúdos mínimos para o ensino fundamental tem por objetivo assegurar uma formação básica comum aos educandos de todo o país no que se refere aos valores culturais e artísticos, nacionais e regionais.

O ensino religioso. Em que pese constituir disciplina dos horários normais das escolas públicas de ensino fundamental, o ensino religioso é de matrícula facultativa. Portanto, os pais do educando poderão, expressamente, manifestar a vontade de que ele não seja matriculado na disciplina, restando, assim, dispensado de cursá-la. E nem poderia ser diferente em face da liberdade de crença assegurada pela Constituição (CF, art. 5.°, VI). Convém lembrar ainda que o Estado é laico (CF, art. 19, I), decorrendo daí, de um lado, a facultatividade da matrícula na disciplina ensino religioso e, de outro, a proibição de escolha de qualquer fé religiosa ou religião por parte da escola pública, em obediência ao primado da laicidade consagrado na norma acima mencionada.

Uso da língua portuguesa. Dispõe o § 2.° que o ensino fundamental regular deverá ser ministrado em língua portuguesa e nem poderia ser diferente, considerando que se trata do idioma oficial do país (CF, art. 13).

Uso de línguas indígenas. A segunda parte da norma assegura às comunidades indígenas também a utilização de suas respectivas línguas, além de seus processos próprios de aprendizagem. Isso significa que o ensino fundamental nessas comunidades será ministrado em língua portuguesa e também na língua materna dos educandos.

Jurisprudência

> "1. Dados do recenseamento do Instituto Brasileiro de Geografia e Estatística demonstram redução do índice da população analfabeta, complementado pelo aumento da escolaridade de jovens e adultos. 2. Ausência de omissão por parte do Chefe do Poder Executivo federal em razão do elevado número de programas governamentais para a área de educação. 3. A edição da Lei n. 9.394/96 (Lei de Diretrizes e Bases da Educação Nacional) e da Lei n. 10.172/2001 (Aprova o Plano Nacional de Educação) demonstra atuação do Poder Público dando cumprimento à Constituição. 4. Ação direta de inconstitucionalidade por omissão improcedente". (STF – Pleno, ADIN 1.698/DF, rel. Min. Cármen Lúcia, j. 25.02.2010).
>
> "1. O Tribunal de origem manteve sentença que, em Ação Civil Pública, condenou o Estado do Rio de Janeiro a permitir a matrícula dos alunos das classes de educação infantil e de jovens e adultos no ensino religioso oferecido nas escolas públicas estaduais. 2. O recorrente acena com a Lei 9.394/1996 de forma genérica, sem especificar qual dispositivo teria sido violado. Deficiência na fundamentação que atrai a incidência, por analogia, da Súmula 284/STF. 3. O acórdão recorrido fundamenta-se, precipuamente, na Lei Estadual 3.459/2000, que trata do ensino religioso confessional nas escolas da rede pública do Rio de Janeiro. Assim, a sua reforma encontra óbice da Súmula 280/STF, porquanto deman-

daria análise de Direito local. 4. Recurso Especial não conhecido" (STJ – 2.ª Turma, REsp 1.025.178, rel. Min. Herman Benjamin, DJE, 27.08.2009).

Art. 211. A União, os Estados, o Distrito Federal e os Municípios organizarão em regime de colaboração seus sistemas de ensino.

§ 1.º A União organizará o sistema federal de ensino e o dos Territórios, financiará as instituições de ensino públicas federais e exercerá, em matéria educacional, função redistributiva e supletiva, de forma a garantir equalização de oportunidades educacionais e padrão mínimo de qualidade do ensino mediante assistência técnica e financeira aos Estados, ao Distrito Federal e aos Municípios.

§ 2.º Os Municípios atuarão prioritariamente no ensino fundamental e na educação infantil.

§ 3.º Os Estados e o Distrito Federal atuarão prioritariamente no ensino fundamental e médio.

§ 4.º Na organização de seus sistemas de ensino, a União, os Estados, o Distrito Federal e os Municípios definirão formas de colaboração, de forma a assegurar a universalização, a qualidade e a equidade do ensino obrigatório.

§ 5.º A educação básica pública atenderá prioritariamente ao ensino regular.

§ 6.º A União, os Estados, o Distrito Federal e os Municípios exercerão ação redistributiva em relação a suas escolas.

§ 7.º O padrão mínimo de qualidade de que trata o § 1.º deste artigo considerará as condições adequadas de oferta e terá como referência o Custo Aluno Qualidade

(CAQ), pactuados em regime de colaboração na forma disposto em lei complementar, conforme o parágrafo único do art. 23 desta Constituição.

Doutrina

Sistemas de ensino. Compreendem o conjunto de graus encontradiços nos sistemas próprios de ensino da União, dos Estados, do Distrito Federal e dos Municípios, dispondo a norma constitucional (CF, art. 211, *caput*) que estes entes políticos organizarão os seus respectivos sistemas em regime de mútua colaboração.

Competência da União. Dispõe o § 1.º que compete à União organizar e manter o sistema federal de ensino, bem como dos territórios federais – hoje não existentes –, assegurando o financiamento das atividades das instituições federais de ensino, devendo, ainda, no âmbito da educação, exercer função redistributiva e supletiva, de forma a garantir a equalização de oportunidades e padrão mínimo de qualidade do ensino por meio de assistência técnica e financeira aos Estados, ao Distrito Federal e aos Municípios. Quer dizer, além de organizar e manter o sistema federal de ensino, cabe à União, com a finalidade de garantir igualdade de oportunidades e padrão aceitável de qualidade do ensino, destinar recursos aos demais entes federados para o custeio de seus respectivos sistemas de ensino, bem como oferecer assistência técnica visando ao aperfeiçoamento das práticas educacionais.

Competência dos Municípios. A norma do § 2.º dispõe que os Municípios atuarão de forma prioritária no ensino fundamental e na educação infantil. Aliás, trata-se de atribuição típica do Município, ente político a quem cabe manter, com a cooperação técnica e financeira da União e do Estado, programas de educação infantil e de ensino fundamental (CF, art. 30, VI).

Competência dos Estados e do Distrito Federal. Dispõe o § 3.º que os Estados e o Distrito Federal atuarão de forma prioritária nos ensinos fundamental e médio. Atuar de forma prioritária significa agir de modo a garantir a primazia na destinação de recursos e esforços nas duas modalidades de ensino mencionadas.

Universalização do ensino obrigatório. Por ensino obrigatório deve-se entender o ensino de primeiro grau, que será ministrado de forma obrigatória e gratuita aos educandos dos quatro aos dezessete anos de idade, bem como a todos aqueles que a ele não tiveram acesso na idade própria (CF, art. 208, I). Dispõe o § 4.º que, na organização de seus sistemas de ensino, a União, os Estados, o Distrito Federal e os Municípios definirão formas de colaboração para assegurar a universalização desse ensino obrigatório mediante, *v.g.*, a assinatura de convênios de assistência técnica e financeira, o intercâmbio de práticas educacionais bem-sucedidas, a difusão de práticas e experiências pedagógicas comprovadamente eficientes etc.

Finalidade da educação básica. Dispõe o § 5.º que a educação básica pública atenderá prioritariamente ao ensino regular.

Ação redistributiva entre unidades escolares. Dispõe o § 6.º deste artigo que os entes federados (União, Estados, Distrito Federal e Municípios), adotarão ações redistributivas em relação às suas próprias escolas e, certamente, o objetivo aqui é o de melhor aproveitar os recursos humanos e materiais disponíveis para a consecução de suas finalidades.

Padrão mínimo de qualidade de ensino. O padrão mínimo de qualidade referido no § 1.º deste artigo funda-se em adequada assistência técnica e financeira aos Estados, ao Distrito Federal e aos Municípios. Acresça-se que essas condições terão como referência um índice, denominado de Custo Aluno Qualidade (CAQ), nos termos deste § 7.º, estabelecido em regime de colaboração.

Jurisprudência

"A educação infantil, por qualificar-se como direito fundamental de toda criança, não se expõe, em seu processo de concretização, a avaliações meramente discricionárias da Administração Pública nem se subordina a razões de puro pragmatismo governamental. – Os Municípios – que atuarão, prioritariamente, no ensino fundamental e na educação infantil (CF, art. 211, § 2.º) – não poderão demitir-se do mandato constitucional, juridicamente vinculante, que lhes foi outorgado pelo art. 208, IV, da Lei Fundamental da República, e que representa fator de limitação da discricionariedade político-administrativa dos entes municipais, cujas opções, tratando-se do atendimento das crianças em creche (CF, art. 208, IV), não podem ser exercidas de modo a comprometer, com apoio em juízo de simples conveniência ou de mera oportunidade, a eficácia desse direito básico de índole social. – Embora inquestionável que resida, primariamente, nos Poderes Legislativo e Executivo, a prerrogativa de formular e executar políticas públicas, revela-se possível, no entanto, ao Poder Judiciário, ainda que em bases excepcionais, determinar, especialmente nas hipóteses de políticas públicas definidas pela própria Constituição, sejam estas implementadas, sempre que os órgãos estatais competentes, por descumprirem os encargos político-jurídicos que sobre eles incidem em caráter impositivo, vierem a comprometer, com a sua omissão, a eficácia e a integridade de direitos sociais e culturais impregnados de estatura constitucional" (STF – 2.ª Turma, ARE 639.337/SP AgRg, rel. Min. Celso de Mello, j. 23.08.2011).

"Piso salarial nacional dos professores públicos de ensino fundamental (...). Alegada violação de reserva de lei de iniciativa do Chefe do Executivo local para dispor sobre o regime jurídico do servidor público, que se estende a todos os entes federados e aos municípios em razão da regra de simetria (aplicação obrigatória do art.

61, § 1.°, II, c, da Constituição). Suposta contrariedade ao pacto federativo, na medida em que a organização dos sistemas de ensino pertinentes a cada ente federado deve seguir regime de colaboração, sem imposições postas pela União aos entes federados que não se revelem simples diretrizes (arts. 60, § 4.°, I e 211, § 4.° da Constituição. Inobservância da regra da proporcionalidade, pois a fixação da carga horária implicaria aumento imprevisto e exagerado de gastos públicos" (STF – Pleno, ADIN 4.167/DF MC, rel. Min. Joaquim Barbosa, j. 17.12.2020).

Art. 212. A União aplicará, anualmente, nunca menos de dezoito, e os Estados, o Distrito Federal e os Municípios vinte e cinco por cento, no mínimo, da receita resultante de impostos, compreendida a proveniente de transferências, na manutenção e desenvolvimento do ensino.

§ 1.° A parcela da arrecadação de impostos transferida pela União aos Estados, ao Distrito Federal e aos Municípios, ou pelos Estados aos respectivos Municípios, não é considerada, para efeito do cálculo previsto neste artigo, receita do governo que a transferir.

§ 2.° Para efeito do cumprimento do disposto no *caput* deste artigo, serão considerados os sistemas de ensino federal, estadual e municipal e os recursos aplicados na forma do art. 213.

§ 3.° A distribuição dos recursos públicos assegurará prioridade ao atendimento das necessidades do ensino obrigatório, no que se refere a universalização, garantia de padrão de qualidade e equidade, nos termos do plano nacional de educação.

§ 4.° Os programas suplementares de alimentação e assistência à saúde previstos no art. 208, VII, serão fi-

nanciados com recursos provenientes de contribuições sociais e outros recursos orçamentários.

§ 5.º A educação básica pública terá como fonte adicional de financiamento a contribuição social do salário-educação, recolhida pelas empresas na forma da lei.

§ 6.º As cotas estaduais e municipais da arrecadação da contribuição social do salário-educação serão distribuídas proporcionalmente ao número de alunos matriculados na educação básica nas respectivas redes públicas de ensino.

§ 7.º É vedado o uso dos recursos referidos no *caput* e nos §§ 5.º e 6.º deste artigo para pagamento de aposentadorias e de pensões.

§ 8.º Na hipótese de extinção ou de substituição de impostos, serão redefinidos os percentuais referidos no *caput* deste artigo e no inciso II do *caput* do art. 212-A, de modo que resultem recursos vinculados à manutenção e ao desenvolvimento do ensino, bem como os recursos subvinculados aos fundos de que trata o art. 212-A desta Constituição, em aplicações equivalentes às anteriormente praticadas.

§ 9.º A lei disporá sobre normas de fiscalização, de avaliação e de controle das despesas com educação nas esferas estadual, distrital e municipal.

Doutrina

Vinculação de recursos para o ensino. Nos termos do artigo 212, *caput*, a vinculação de recursos para a manutenção e desenvolvimento do ensino se traduz na aplicação compulsória por parte da União, Estados, Distrito Federal e Municípios, de percentuais mínimos da receita de impostos, inclusive aquela proveniente de transferências decorrentes da participação no produto da arrecadação de impostos. Está claro que a vinculação dos percentuais mínimos incide somente sobre os valores arrecadados com impostos e não com os demais tributos.

Sanção em caso de descumprimento da regra da vinculação. Nos casos em que a União deixar de aplicar o percentual mínimo exigido, restará configurado crime de responsabilidade do Presidente da República (CF, art. 85, *caput* e inc. VII). Nos casos de descumprimento por parte de Estado-membro ou do Distrito Federal, caberá intervenção federal (CF, art. 34, inc. VII, al. *e*) a ser decretada pela União. Nos casos de descumprimento por parte de município o Estado decretará a intervenção, salvo no caso de município localizado em Território Federal, quando a competência para decretar a intervenção é da União (CF, art. 35, III).

Base de cálculo para a transferência. Cuida do assunto o § 1.º e, para fins do cálculo, a parcela da arrecadação de impostos transferida pela União aos Estados, ao Distrito Federal e aos Municípios, ou pelos Estados aos respectivos Municípios, não é considerada receita do governo que a transferir. Quer dizer, quando a União calcular a transferência, a parcela a transferir não é considerada receita dela; e, quando o Estado calcular a transferência, a parcela a transferir não é considerada receita dele.

Verificação da aplicação dos recursos vinculados. Para fins de verificação do cumprimento da aplicação dos percentuais mínimos previstos no *caput* do artigo, dispõe o seu § 2.º que serão considerados os gastos nos sistemas de ensino federal, estadual e municipal, bem como os recursos públicos destinados às escolas comunitárias, confessionais ou filantrópicas (CF, art. 213).

Prioridade na destinação dos recursos públicos. Dispõe o § 3.º que a distribuição dos recursos públicos dará prioridade ao atendimento das necessidades do ensino obrigatório (CF, art. 208, I), com a finalidade de torná-lo universal, garantir-lhe padrão de qualidade e buscar a equidade, isso tudo nos termos do plano nacional de educação.

Recursos para o custeio de programas suplementares. Dispõe o § 4.° que os programas suplementares de alimentação e assistência à saúde previstos no art. 208, VII, serão custeados com recursos provenientes de contribuições sociais e outras dotações orçamentárias. Entendo que esses recursos custearão também os programas suplementares de material didático-escolar e transporte, destinados aos estudantes.

Recursos adicionais de custeio. Dispõe o § 5.° que a educação básica pública terá como fonte adicional de financiamento a contribuição social do salário-educação, recolhida pelas empresas na forma da lei.

Critério de distribuição de cotas do salário-educação. Nos termos do § 6.°, as cotas estaduais e municipais da arrecadação da contribuição social do salário-educação serão distribuídas proporcionalmente ao número de alunos matriculados na educação básica nas respectivas redes públicas de ensino. Portanto, o critério é o da distribuição proporcional dos recursos tomando-se como base a totalidade de alunos matriculados nas redes públicas dos respectivos Estados e Municípios.

Extinção ou substituição de impostos. Dispõe o § 8.° que, nesse caso, serão redefinidos os percentuais referidos no *caput* deste artigo, ou do artigo 212-A, de modo que os novos recursos mantenham equivalência com as vinculações anteriores.

Mecanismos de fiscalização das despesas com educação. Trata o § 9.° deste artigo de dispor sobre a criação de lei veiculando normas de fiscalização, avaliação e controle da despesa empenhada nos programas de educação sob responsabilidade dos Estados, do Distrito Federal e dos Municípios.

Jurisprudência

> "A rejeição legislativa de contas públicas, com fundamento na ausência de aplicação do percentual compulsório mínimo determinado pelo Texto Constitucional em favor do ensino fundamental, não conduz, por si só, ao reconhecimento de uma situação caracteriza-

dora de improbidade administrativa (LC 64/90, art. 1.º, I, *g*)" (STF – 1.ª Turma, RE 160.432/SP, rel. Min. Celso de Mello, DJ 1, 06.05.1994, p. 10.494).

"1. O CAUC – Cadastro Único de Convênio – instituído pela Instrução Normativa (IN) n.º 1, de 04.05.2001, e posteriormente pela Instrução Normativa n.º 1, de 17/10/2005, ambas da Secretaria do Tesouro Nacional, consiste num subsistema desenvolvido dentro do Sistema Integrado de Administração Financeira do Governo Federal (SIAFI), com a função de retratar a situação financeira dos entes federados para fins de recebimento de transferências voluntárias de valores. Por estes dados disponibilizados no cadastro em questão se viabiliza que o gestor público do órgão ou entidade concedente tome conhecimento sobre a conduta dos convenentes e entes federativos beneficiados com os recursos transferidos da União Federal, a fim de poderem constatar se eles deram efetivo cumprimento às exigências traçadas pela Constituição Federal, pela Lei de Responsabilidade Fiscal, pela Lei de Diretrizes Orçamentárias e demais leis relacionadas com o caso. Consequentemente este cadastro reverbera em duas frentes, primeiro servindo para simplificação do procedimento da transferência de valores; segundo, impedindo concessão de benefícios àqueles entes que não atendem a dispositivos imperativos da ordem jurídica" (TRF3 – 3.ª Turma, AMS 339.221, rel. Des. Fed. Carlos Muta, e-DJF3, 02.12.2014).

Art. 212-A. Os Estados, o Distrito Federal e os Municípios destinarão parte dos recursos a que se refere o *caput* do art. 212 desta Constituição à manutenção e ao desenvolvimento do ensino na educação básica e à remuneração condigna de seus profissionais, respeitadas as seguintes disposições:

I – a distribuição dos recursos e de responsabilidades entre o Distrito Federal, o Estado e seus Municípios é

assegurada mediante a instituição, no âmbito de cada Estado e do Distrito Federal, de um Fundo de Manutenção e Desenvolvimento da Educação Básica e de Valorização dos Profissionais da Educação (Fundeb), de natureza contábil;

II – os fundos referidos no inciso I do *caput* deste artigo serão constituídos por 20% (vinte por cento) dos recursos a que se referem os incisos I, II e III do *caput* do art. 155, o inciso II do *caput* do art. 157, os incisos II, III e IV do *caput* do art. 158 e as alíneas *a* e *b* do inciso I e o inciso II do *caput* do art. 159 desta Constituição;

III – os recursos referidos no inciso II do *caput* deste artigo serão distribuídos entre cada Estado e seus Municípios, proporcionalmente ao número de alunos das diversas etapas e modalidades da educação básica presencial matriculados nas respectivas redes, nos âmbitos de atuação prioritária, conforme estabelecido nos §§ 2.º e 3.º do art. 211 desta Constituição, observadas as ponderações referidas na alínea *a* do inciso X do *caput* e no § 2.º deste artigo;

IV – a União complementará os recursos dos fundos a que se refere o inciso II do *caput* deste artigo;

V – a complementação da União será equivalente a, no mínimo, 23% (vinte e três por cento) do total de recursos a que se refere o inciso II do *caput* deste artigo, distribuída da seguinte forma:

a) 10 (dez) pontos percentuais no âmbito de cada Estado e do Distrito Federal, sempre que o valor anual por aluno (VAAF), nos termos do inciso III do *caput* deste artigo, não alcançar o mínimo definido nacionalmente;

b) no mínimo, 10,5 (dez inteiros e cinco décimos) pontos percentuais em cada rede pública de ensino municipal, estadual ou distrital, sempre que o valor anual total por aluno (VAAT), referido no inciso VI do *caput* deste artigo, não alcançar o mínimo definido nacionalmente;

c) 2,5 (dois inteiros e cinco décimos) pontos percentuais nas redes públicas que, cumpridas condicionalidades de melhoria de gestão previstas em lei, alcançarem evolução de indicadores a serem definidos, de atendimento e melhoria da aprendizagem com redução das desigualdades, nos termos do sistema nacional de avaliação da educação básica;

VI – o VAAT será calculado, na forma da lei de que trata o inciso X do *caput* deste artigo, com base nos recursos a que se refere o inciso II do *caput* deste artigo, acrescidos de outras receitas e de transferências vinculadas à educação, observado o disposto no § 1.º e consideradas as matrículas nos termos do inciso III do *caput* deste artigo;

VII – os recursos de que tratam os incisos II e IV do *caput* deste artigo serão aplicados pelos Estados e pelos Municípios exclusivamente nos respectivos âmbitos de atuação prioritária, conforme estabelecido nos §§ 2.º e 3.º do art. 211 desta Constituição;

VIII – a vinculação de recursos à manutenção e ao desenvolvimento do ensino estabelecida no art. 212 desta Constituição suportará, no máximo, 30% (trinta por cento) da complementação da União, considerados para os fins deste inciso os valores previstos no inciso V do *caput* deste artigo;

IX – o disposto no *caput* do art. 160 desta Constituição aplica-se aos recursos referidos nos incisos II e IV do *caput* deste artigo, e seu descumprimento pela autoridade competente importará em crime de responsabilidade;

X – a lei disporá, observadas as garantias estabelecidas

nos incisos I, II, III e IV do *caput* e no § 1.º do art. 208 e as metas pertinentes do plano nacional de educação, nos termos previstos no art. 214 desta Constituição, sobre:

a) a organização dos fundos referidos no inciso I do *caput* deste artigo e a distribuição proporcional de seus recursos, as diferenças e as ponderações quanto ao valor anual por aluno entre etapas, modalidades, duração da jornada e tipos de estabelecimento de ensino, observados respectivas especificidades e os insumos necessários para a garantia de suas qualidade;

b) a forma de cálculo do VAAF decorrente do inciso III do *caput* deste artigo e do VAAT referido no inciso VI do *caput* deste artigo;

c) a forma de cálculo para distribuição prevista na alínea *c* do inciso V do *caput* deste artigo;

d) a transparência, o monitoramento, a fiscalização e o controle interno, externo e social dos fundos referidos no inciso I do *caput* deste artigo, assegurada a criação, a autonomia, a manutenção e a consolidação de conselhos de acompanhamento e controle social, admitida sua integração aos conselhos de educação;

e) o conteúdo e a periodicidade da avaliação, por parte do órgão responsável, dos efeitos redistributivos, da melhoria dos indicadores educacionais e da ampliação do atendimento;

XI – proporção não inferior a 70% (setenta por centos) de cada fundo referido no inciso I do *caput* deste artigo, excluídos os recursos de que trata a alínea *c* do inciso V do *caput* deste artigo, será destinada ao pagamento dos profissionais da educação básica em efetivo exercício, observado, em relação aos recursos previstos na alínea *b* do inciso V do *caput* deste artigo, o percentual mínimo de 15% (quinze por cento) para despesas de capital;

XII – lei específica disporá sobre o piso salarial nacional para os profissionais do magistério da educação básica pública;

XIII – a utilização dos recursos a que se refere o § 5.° do art. 212 desta Constituição para a complementação da União ao Fundeb, referida no inciso V do *caput* deste artigo, é vedada.

§ 1.° O cálculo do VAAT, referido no inciso VI do *caput* deste artigo, deverá considerar, além dos recursos previstos no inciso II do *caput* deste artigo, pelo menos, as seguintes disponibilidades:

I – receitas de Estados, do Distrito Federal e de Municípios vinculadas à manutenção e ao desenvolvimento do ensino não integrantes dos fundos referidos no inciso I do *caput* deste artigo;

II – cotas estaduais e municipais da arrecadação do salário-educação de que trata o § 6.° do art. 212 desta Constituição;

III – complementação da União transferida a Estados, ao Distrito Federal e a Municípios nos termos da alínea *a* do inciso V do *caput* deste artigo.

§ 2.° Além das ponderações previstas na alínea *a* do inciso X do *caput* deste artigo, a lei definirá outras relativas ao nível socioeconômico dos educandos e aos indicadores de disponibilidade de recursos vinculados à educação e de potencial de arrecadação tributária de cada ente federado, bem como seus prazos de implementação.

§ 3.° Será destinada à educação infantil a proporção de 50% (cinquenta por centos) dos recursos globais a que se refere a alínea *b* do inciso V do *caput* deste artigo, nos termos da lei.

Doutrina

Fundo de manutenção e desenvolvimento da educação básica. Será formado por meio de percentuais mínimos das receitas de impostos e destinado ao financiamento da educação básica e da valorização dos profissionais da educação (FUNDEB). Os fundos referidos no inciso I do *caput* deste artigo serão formados a partir do produto da arrecadação dos impostos sobre a transmissão *causa mortis* e doação de bens, operações relativas à circulação de mercadorias e prestação de serviços de transporte interestadual e de comunicação e propriedade de veículos automotores, propriedade territorial rural, dentre outros passíveis de criação segundo competência inscrita na Constituição Federal. Os recursos referidos no inciso II serão distribuídos entre Estados e seus respectivos Municípios na proporcionalidade do número de alunos, etapas e modalidades da educação básica. Havendo necessidade, a União fará a complementação de recursos, em percentual mínimo de 23% (vinte e três por cento).

Art. 213. Os recursos públicos serão destinados às escolas públicas, podendo ser dirigidos a escolas comunitárias, confessionais ou filantrópicas, definidas em lei, que:

I – comprovem finalidade não lucrativa e apliquem seus excedentes financeiros em educação;

II – assegurem a destinação de seu patrimônio a outra escola comunitária, filantrópica ou confessional, ou ao poder público, no caso de encerramento de suas atividades.

§ 1.° Os recursos de que trata este artigo poderão ser destinados a bolsas de estudo para o ensino fundamental e médio, na forma da lei, para os que demonstrarem insuficiência de recursos, quando houver falta de vagas e cursos regulares da rede pública na localidade da residência do educando, ficando o poder público obrigado

a investir prioritariamente na expansão de sua rede na localidade.

§ 2.º As atividades de pesquisa, de extensão e de estímulo e fomento à inovação realizadas por universidades e/ou por instituições de educação profissional e tecnológica poderão receber apoio financeiro do Poder Público.

Doutrina

Destinação dos recursos públicos. Dispõe o *caput* do artigo em tela que os referidos recursos serão, obrigatoriamente, destinados às *escolas públicas* e, facultativamente, às *escolas comunitárias* – mantidas pela comunidade local a que servem –, às *escolas confessionais* – ligadas a uma confissão religiosa, v.g., cristã, evangélica, judaica etc., e às *escolas filantrópicas* – aquelas ligadas a qualquer instituição de filantropia. Portanto, o que a norma constitucional veda é a destinação de recursos públicos para escolas privadas que visem lucro. Anote-se, contudo, que isso não objeta a destinação de recursos públicos para a concessão de bolsas de estudo para alunos carentes que estudem em escolas privadas, como é o caso do Prouni.

Requisitos para a destinação facultativa de recursos públicos. De qualquer forma, a destinação facultativa de recursos públicos para escolas comunitárias, confessionais ou filantrópicas, somente se fará nos casos em que essas instituições comprovem os seus fins não lucrativos, a aplicação de suas sobras financeiras em educação e destinem o seu patrimônio para outra escola comunitária, filantrópica ou confessional, ou ao Poder Público, na hipótese de cessar as suas atividades.

Incentivo às atividades de pesquisa, de extensão e de estímulo e fomento à inovação. O Poder Público poderá oferecer apoio financeiro para referidas atividades, em razão de seu relevante interesse social. Aliás, o financiamento público dessas atividades –, *v.g.*, por meio de bolsas de estudos ou custeio de programas específicos, somente se justifica se voltadas para a realização de interesse público relevante.

Jurisprudência

"1. Os recursos públicos, por disposição constitucional, serão repassados às escolas públicas, podendo ser dirigidos às comunitárias, confessionais ou filantrópicas, definidas em lei, que comprovem finalidade não lucrativa e apliquem seus excedentes financeiros em educação e, ainda, que assegurem a destinação de seu patrimônio a outras instituições de idêntica natureza, ou ao poder público, no caso de encerramento de suas atividades. 2. Entidade privada declarada de utilidade pública pelo Governo Federal e reconhecida como de assistência social sem fins lucrativos. Repasse de verbas destinadas à educação. Necessidade de se observar as condições impostas pela Carta da República e de estabelecer convênio com o poder público." (STF – 1.ª Turma, RE 241.757 AgRg, rel. Min. Maurício Corrêa, j. 25.04.2000).

Art. 214. A lei estabelecerá o plano nacional de educação, de duração decenal, com o objetivo de articular o sistema nacional de educação em regime de colaboração e definir diretrizes, objetivos, metas e estratégias de implementação para assegurar a manutenção e desenvolvimento do ensino em seus diversos níveis, etapas e modalidades por meio de ações integradas dos poderes públicos das diferentes esferas federativas que conduzam a:

I – erradicação do analfabetismo;

II – universalização do atendimento escolar;

III – melhoria da qualidade do ensino;

IV – formação para o trabalho;

V – promoção humanística, científica e tecnológica do País.

VI – estabelecimento de meta de aplicação de recursos públicos em educação como proporção do produto interno bruto.

Doutrina

Plano nacional de educação. Trata-se de documento de duração de dez anos, objetivando a articulação do sistema nacional de educação, em regime de colaboração, definindo diretrizes, objetivos, metas e estratégias de execução para assegurar a manutenção e o desenvolvimento do ensino em os níveis, etapas e modalidades, por meio de ações integradas dos poderes públicos de todos os entes federativos (União, Estados, Distrito Federal e Municípios).

Metas visadas pelo plano nacional de educação. São as seguintes: *a*) extinguir o analfabetismo; *b*) universalizar o atendimento escolar, ou seja, oferecer escola para todos e em todos os graus; *c*) implementar as medidas necessárias para a melhoria da qualidade do ensino; *d*) garantir a formação para o trabalho; *e*) assegurar a promoção humanística, científica e tecnológica do país; e *e*) fixar meta de aplicação de recursos públicos em educação como proporção do produto interno bruto, quer dizer, estabelecer um percentual de aplicação de dinheiro em educação proporcional ao valor de todo a riqueza produzida no país.

Jurisprudência

> "Ação direta de inconstitucionalidade por omissão em relação ao disposto nos arts. 6.°, 23, inc. V, 208, inc. I, e 214, inc. I, da Constituição da República. Alegada inércia atribuída ao Presidente da República para erradicar o analfabetismo no país e para implementar o ensino fundamental obrigatório e gratuito a todos os brasileiros. 1. Dados do recenseamento do Instituto Brasilei-

ro de Geografia e Estatística demonstram redução do índice da população analfabeta, complementado pelo aumento da escolaridade de jovens e adultos. 2. Ausência de omissão por parte do Chefe do Poder Executivo federal em razão do elevado número de programas governamentais para a área de educação. 3. A edição da Lei n. 9.394/96 (Lei de Diretrizes e Bases da Educação Nacional) e da Lei n. 10.172/2001 (Aprova o Plano Nacional de Educação) demonstra atuação do Poder Público dando cumprimento à Constituição. 4. Ação direta de inconstitucionalidade por omissão improcedente." (STF – Pleno, ADIN 1.698/DF, rel. Min. Cármen Lúcia, j. 25.02.2010).

Seção II
DA CULTURA

Art. 215. O Estado garantirá a todos o pleno exercício dos direitos culturais e acesso às fontes da cultura nacional, e apoiará e incentivará a valorização e a difusão das manifestações culturais.

§ 1.° O Estado protegerá as manifestações das culturas populares, indígenas e afro-brasileiras, e das de outros grupos participantes do processo civilizatório nacional.

§ 2.° A lei disporá sobre a fixação de datas comemorativas de alta significação para os diferentes segmentos étnicos nacionais.

§ 3.° A lei estabelecerá o Plano Nacional de Cultura, de duração plurianual, visando ao desenvolvimento cultural do País e à integração das ações do poder público que conduzem à:

I – defesa e valorização do patrimônio cultural brasileiro;

II – produção, promoção e difusão de bens culturais;

III – formação de pessoal qualificado para a gestão da cultura em suas múltiplas dimensões;

IV – democratização do acesso aos bens de cultura;

V – valorização da diversidade étnica e regional.

Doutrina

Noção de cultura. Cultura é o conjunto da atividade humana relacionado à criação intelectual e artística e às manifestações da chamada cultura popular, constituindo no seu todo o patrimônio cultural do país.

Garantia de exercício dos direitos culturais. Dispõe o *caput* do artigo em referência que o Estado garantirá aos cidadãos o exercício de direitos culturais, viabilizando o acesso aos bens da cultura nacional, apoiando, incentivando, valorizando e difundindo as manifestações culturais pátrias. Portanto, trata-se de dever do Estado, que tem a obrigação de cumpri-lo definindo e implementando políticas públicas voltadas à garantia de acesso e fruição das pessoas aos bens culturais.

Proteção do Estado a determinadas manifestações culturais. É o que dispõe o § 1.°, de forma cogente, ao impor ao Estado a obrigação de proteger as manifestações das culturas populares, indígenas e afro-brasileiras, bem como das de outros grupos participantes do processo civilizatório nacional. O objetivo aqui colimado é o de preservar essas culturas e outras, como a de imigrantes, essenciais à compreensão do processo civilizatório nacional, devendo este, a meu ver, ser entendido como resultante da evolução da cultura desses grupos singulares, e até das manifestações culturais decorrentes das interações ocorridas entre os seus membros ao longo do tempo.

Datas comemorativas. Dispõe o § 2.° que a lei poderá instituir datas comemorativas de alta significação, – relevantes, portanto –, para os diferentes segmentos étnicos nacionais. Assim, são conhecidos os feriados ou pontos facultativos para as festas religiosas; festa do carnaval; memória de Zumbi dos Palmares; consciência negra; lembrança da imigração de origem japonesa ou europeia; dia do índio; etc.

Plano Nacional de Cultura. O § 3.° dispõe que a lei instituirá um plano nacional de cultura, de duração plurianual, visando ao desenvolvimento cultural do país e à integração das ações estatais que assegurem: *a*) a defesa e valorização do patrimônio cultural brasileiro; *b*) a produção, promoção e difusão de bens culturais; *c*) a formação de pessoal qualificado para a gestão da cultura em suas múltiplas dimensões; *d*) a democratização do acesso aos bens de cultura; *e*) a valorização da diversidade étnica e regional.

Jurisprudência

"A Lei 10.098/2000 materializou o direito à remoção de barreiras de comunicação para as pessoas com deficiência (arts. 17 e 19) e o Decreto 5.096/2004 determinou de que forma essa garantia à acessibilidade se daria nos meios de comunicação, enquanto a Norma Complementar n.º 01/2006 estabeleceu cronograma para efetivação das medidas de inclusão dos portadores de deficiência no que se refere à programação televisiva, visando dar eficácia plena aos comandos da Constituição da República Federativa do Brasil, que garante a todos (direito difuso e fundamental) o acesso à informação (CF, art. 5.º, XIV), promovendo a integração na vida comunitária das pessoas portadoras de deficiência (CF, art. 203, IV) e assegurando a todos o pleno exercício dos direitos culturais e acesso às fontes de cultura nacional (CF, art. 215, *caput*)" (TRF1, AC 47123820094013400, rel. Des. Fed. Souza Prudente, e-DJF1, 09.10.2013, p. 171).

"Mandado de Segurança. Tributário e Constitucional. Imposto de Importação. Entidade Cultural sem fins lucrativos. Bem importado que se incorpora ao patrimônio da entidade. Isenção. Lei n.º 8.032/90, art. 20, I, b). 'O Estado garantirá a todos o pleno exercício dos direitos culturais e acesso às fontes da cultura nacional, e apoiará e incentivará a valorização e a difusão das manifestações culturais' (art. 215 da CF/88). A entidade cultural, sem fins lucrativos, ao adquirir no exterior um piano de melhor qualidade que a dos fabricados no país para incorporação ao seu patrimônio mobiliário, com o escopo de difundir e incentivar comunitariamente a arte musical, isenta-se do imposto de importação, nos termos do art. 20, I, b, da Lei n.º 8.032/90 (TRF5, AMS 97053774511, rel. Des. Fed. Ridalvo Costa, DJ, 11.06.1999, p. 894).

Art. 216. Constituem patrimônio cultural brasileiro os bens de natureza material e imaterial, tomados individualmente ou em conjunto, portadores de referência à identidade, à ação, à memória dos diferentes grupos formadores da sociedade brasileira, nos quais se incluem:

I – as formas de expressão;

II – os modos de criar, fazer e viver;

III – as criações científicas, artísticas e tecnológicas;

IV – as obras, objetos, documentos, edificações e demais espaços destinados às manifestações artístico-culturais;

V – os conjuntos urbanos e sítios de valor histórico, paisagístico, artístico, arqueológico, paleontológico, ecológico e científico.

§ 1.º O poder público, com a colaboração da comunidade, promoverá e protegerá o patrimônio cultural brasileiro, por meio de inventários, registros, vigilância, tombamento e desapropriação, e de outras formas de acautelamento e preservação.

§ 2.º Cabem à administração pública, na forma da lei, a gestão da documentação governamental e as providências para franquear sua consulta a quantos dela necessitem.

§ 3.º A lei estabelecerá incentivos para a produção e o conhecimento de bens e valores culturais.

§ 4.º Os danos e ameaças ao patrimônio cultural serão punidos, na forma da lei.

§ 5.º Ficam tombados todos os documentos e os sítios detentores de reminiscências históricas dos antigos quilombos.

§ 6.º É facultado aos Estados e ao Distrito Federal vincular a fundo estadual de fomento à cultura até cinco décimos por cento de sua receita tributária líquida, para o financiamento de programas e projetos culturais, vedada a aplicação desses recursos no pagamento de:

I – despesas com pessoal e encargos sociais;

II – serviço da dívida;

III – qualquer outra despesa corrente não vinculada diretamente aos investimentos ou ações apoiados.

Doutrina

Constituição do patrimônio cultural brasileiro. Integram o patrimônio cultural brasileiro os bens materiais – aqueles que se expressam em base material, como, por exemplo, os monumentos (Cristo Redentor) – e os bens imateriais – aqueles que não se expressam em base material, como, por exemplo, a forma de manifestação de um pensamento ou a gesticulação de um mestre de bateria de escola de samba –, ou, o rodeio, a vaquejada e o laço, desde que, tomados de forma singular ou em conjunto, sejam portadores de referência à identidade, à ação, à memória dos diferentes grupos formadores da sociedade brasileira. Quer dizer, um bem, para integrar o patrimônio cultural brasileiro, deve ser portador de um traço qualquer de distinção que o singularize em relação aos demais e o torne expressão da identidade, da ação e da memória dos povos que estão na base da formação do povo brasileiro, como é o caso dos índios, dos portugueses e, mais tarde, dos africanos e dos imigrantes.

Bens integrantes do patrimônio cultural brasileiro. O próprio *caput* menciona os seguintes: *a*) as formas de expressão, como a literatura e o teatro; *b*) os modos de criar, fazer e viver, como a culinária das comidas típicas, as redes de dormir dos nordestinos, as modalidades esportivas equestres tradicionais, como as provas de laço, de velocidade, tambores e balizas, provas de rodeios, polo equestre etc.; *c*) as criações científicas, artísticas e tecnológicas, como o desenvolvimento de remédios e de sementes ou de aviões; *d*) as obras, objetos, documentos, edificações e demais espaços destinados às manifestações artístico-culturais, como o Obelisco do Ibirapuera, em São Paulo, ou o MASP; *e*) os conjuntos urbanos e sítios de valor histórico, paisagístico, artístico, arqueológico, paleontológico, ecológico e científico, como o Plano Piloto em Brasília, ou os parques nacionais, como o da Serra da Canastra, onde estão situadas as nascentes do rio São Francisco.

Proteção do patrimônio cultural brasileiro. Cabe, nos termos do § 1.º, ao Poder Público – União, Estados, Distrito Federal e Municípios –, com a colaboração da comunidade, proteger o patrimônio cultural brasileiro, providenciando o inventário (levantamento destinado à identificação, conhecimento e proteção de bens culturais), o registro (anotação em arquivos públicos), a vigilância (medidas de cuidado e proteção), o tombamento (registro feito no chamado Livro de Tombo de bens, de atribuição e responsabilidade de instituições públicas, como o Instituto do Patrimônio Histórico e Artístico Nacional – IPHAN) e até a desapropriação (modo de aquisição originária de bens culturais em poder de particulares, fundado em utilidade pública), além da adoção de outras formas de acautelamento e preservação (quer dizer, outras medidas – tanto administrativas quanto judiciais – de proteção e de conservação de bens integrantes do patrimônio cultural).

Gestão da documentação governamental. Na dicção do § 3.º, compreende todos os atos de administração e gerência do acervo documental, de qualquer esfera da administração pública (federal, estadual, distrital ou municipal), com a finalidade de identificação, classificação e catalogação dos documentos gerados, visando à guarda e conservação dos mesmos, além de permitir a consulta a todos os interessados (cidadãos, historiadores, pesquisadores de ciências sociais, jornalistas etc.). Ainda a propósito do tema, a Lei n.º 8.394, de 30.12.1991, dispõe sobre a preservação, organização e proteção de documentos privados de presidentes da República. Em princípio, tais acervos são de propriedade privada dessas autoridades, inclusive para fins de herança, doação ou venda; porém, são bens que integram o patrimônio cultural do país, podendo ser consultados para fins de elaboração de trabalho técnico ou acadêmico.

Incentivos para a criação e difusão de bens e valores culturais. Nos termos do § 3.º, a lei estabelecerá incentivos para a produção e o conhecimento de bens e valores culturais. O principal diploma legal que versa o assunto é a Lei n.º 8.313, de 23.12.1991, a chamada Lei Rouanet, que dispõe sobre benefícios fiscais concedidos a operações de caráter cultural ou artístico, como a produção nacional de filmes, de peças teatrais etc.

Prevenção e repressão de ameaças ou danos ao patrimônio cultural. Diz o § 4.º que os danos ou ameaças ao patrimônio cultural serão punidos na forma da lei. Entenda-se: a lei disporá sobre as medidas preventivas ou repressivas de ameaças ou danos ao patrimônio cultural, sendo tais medidas de polícia administrativa, como as inspeções, as constatações ou outras diligências que, em face de qualquer irregularidade, poderão resultar na aplicação de multa, ou medida protetiva, como, por exemplo, embargo de obra; ou em medida de natureza judicial de responsabilização civil por danos, com a indenização devida; ou, ainda, responsabilização de natureza criminal, quando a conduta for tipificada como crime, no caso de dano parcial ou destruição de bens integrantes do patrimônio cultural do país.

Tombamento de antigos quilombos. Nos termos do § 5.º, ficam tombados todos os documentos e os sítios detentores de reminiscências históricas dos antigos quilombos. Quilombos foram esconderijos ou comunidades formadas por escravos fugidos que neles se refugiavam, os chamados quilombolas. O mais importante deles foi o Quilombo dos Palmares, fundado no século XVII, no interior do atual Estado de Alagoas. O tombamento se funda na importância histórica dos quilombos como forma de organização social dos quilombolas, um dos grupos formadores da sociedade brasileira.

Fundo de fomento à cultura. Dispõe o § 6.º que os Estados e o Distrito Federal poderão, por meio da lei respectiva, vincular a fundo estadual de fomento à cultura até cinco décimos por cento de sua receita tributária líquida, para o financiamento de programas e projetos culturais, devendo ser vedada a aplicação desses recursos no pagamento de: *a*) remuneração de servidores e respectivos encargos sociais; *b*) de qualquer despesa ligada ao serviço da dívida pública, como pagamento de juros de empréstimos em geral; *c*) de qualquer outra despesa corrente não vinculada diretamente aos investimentos ou ações apoiados, como, por exemplo, materiais de consumo ou gasto de manutenção com órgãos da administração pública. Nos termos da norma constitucional, a faculdade de instituição de fundo de fomento à cultura não se estende aos Municípios.

Jurisprudência

> "O ordenamento positivo brasileiro – dando consequência e efetividade à cláusula constitucional que impõe ao Poder Público a obrigação de proteger os bens e valores culturais – legitima a punição criminal daquele cuja conduta desrespeita e ofende a integridade do patrimônio artístico, arqueológico ou histórico nacional (CP, arts. 165 e 166). Esses preceitos do Código Penal Brasileiro, que tipificam os crimes de dano cultura, objetivam tornar mais efetiva a proteção estatal destinada a resguardar a inviolabilidade do acervo histórico, arqueológico e artístico do País" (STF – 1.ª Turma, HC 72.506, rel. Min. Celso de Mello, j. 23.05.1995).

> "1. Prédio urbano elevado à condição de patrimônio cultural. Decreto Municipal 7.046/87. Legalidade. Limitação administrativa genérica, gratuita e unilateral ao exercício do direto de propriedade, em prol da memória da cidade. Inexistência de ofensa à Carta Federal. 2. Conservação do patrimônio cultural e paisagístico. Encargo conferido pela Constituição (EC 01/69, artigo 15, II) ao Poder Público, dotando-o de competência para, na órbita de sua atuação, coibir excessos que, se consumados, poriam em risco a estrutura das utilidades culturais e ambientais. Poder-dever de polícia dos entes estatais na expedição de normas administrativas que

visem a preservação da ordem ambiental e da política de defesa do patrimônio cultural. Recurso extraordinário conhecido e provido" (STF – 2.ª Turma, RE 121140, rel. Min. Maurício Corrêa, j. 26.02.2002).

Art. 216-A. O Sistema Nacional de Cultura, organizado em regime de colaboração, de forma descentralizada e participativa, institui um processo de gestão e promoção conjunta de políticas públicas de cultura, democráticas e permanentes, pactuadas entre os entes da Federação e a sociedade, tendo por objetivo promover o desenvolvimento humano, social e econômico com pleno exercício dos direitos culturais.

§ 1.º O Sistema Nacional de Cultura fundamenta-se na política nacional de cultura e nas suas diretrizes, estabelecidas no Plano Nacional de Cultura, e rege-se pelos seguintes princípios:

I – diversidade das expressões culturais;

II – universalização do acesso aos bens e serviços culturais;

III – fomento à produção, difusão e circulação de conhecimento e bens culturais;

IV – cooperação entre os entes federados, os agentes públicos e privados atuantes na área cultural;

V – integração e interação na execução das políticas, programas, projetos e ações desenvolvidas;

VI – complementaridade nos papéis dos agentes culturais;

VII – transversalidade das políticas culturais;

VIII – autonomia dos entes federados e das instituições da sociedade civil;

IX – transparência e compartilhamento das informações;

X – democratização dos processos decisórios com participação e controle social;

XI – descentralização articulada e pactuada da gestão, dos recursos e das ações;

XII – ampliação progressiva dos recursos contidos nos orçamentos públicos para a cultura.

§ 2.º Constitui a estrutura do Sistema Nacional de Cultura, nas respectivas esferas da Federação:

I – órgãos gestores da cultura;

II – conselhos de política cultural;

III – conferências de cultura;

IV – comissões intergestores;

V – planos de cultura;

VI – sistemas de financiamento à cultura;

VII – sistemas de informações e indicadores culturais;

VIII – programas de formação na área da cultura; e

IX – sistemas setoriais de cultura.

§ 3.º Lei federal disporá sobre a regulamentação do Sistema Nacional de Cultura, bem como de sua articulação com os demais sistemas nacionais ou políticas setoriais de governo.

§ 4.º Os Estados, o Distrito Federal e os Municípios organizarão seus respectivos sistemas de cultura em leis próprias.

Doutrina

Sistema Nacional de Cultura. Nos termos da norma constitucional, é organizado em regime de colaboração, de forma descentralizada e participativa, e institui um processo de gestão e promoção conjunta de políticas públicas de cultura, democráticas e permanentes, concertadas entre os entes federativos e a sociedade, tendo por objetivo promover o desenvolvimento humano, social e econômico com pleno exercício dos direitos culturais.

Fundamentos e princípios regentes do sistema nacional de cultura. Dispõe o § 1.º que os fundamentos do referido sistema repousam na política nacional de cultura e nas suas diretrizes, estabelecidas no Plano Nacional de Cultura, regendo-se pelos seguintes princípios: *a*) diversidade das expressões culturais, reconhecendo, assim, a multiplicidade dessas; *b*) universalização do acesso aos bens e serviços culturais, de forma a permitir a fruição deles por todos; *c*) fomento à produção, difusão e circulação de conhecimento e bens culturais, quer dizer, oferecer incentivo à criação de cultura e viabilizar a sua expansão e acesso; *d*) cooperação entre os entes federados, os agentes públicos e privados atuantes na área cultural, com o objetivo de tornar possível uma política cultural; *e*) integração e interação na execução das políticas, programas, projetos e ações desenvolvidas; *f*) complementaridade nos papéis dos agentes culturais, visando, com isso, otimizar a atuação de cada um; *g*) transversalidade das políticas culturais; *h*) autonomia dos entes federados e das instituições da sociedade civil, para permitir que cada qual atue também por iniciativa própria *i*) transparência e compartilhamento das informações; *j*) democratização dos processos decisórios com participação e controle social; porém, nenhuma forma de controle poderá objetar, interferir ou limitar a criação, pois, isso implicaria violação da liberdade de expressão; *k*) descentralização articulada e pactuada da gestão, dos recursos e das ações, ou seja, descentralizar de forma ordenada a gestão, a aplicação de recursos e as iniciativas de natureza cultural; *l*) ampliação progressiva dos recursos contidos nos orçamentos públicos para a cultura, quer dizer, viabilizar outras fontes de custeio ou financiamento para as ações de cultura.

Estrutura do Sistema Nacional de Cultura. Dispõe o § 2.º que será instituída no âmbito da União, dos Estados, do Distrito Federal e dos Municípios, e compõe-se de: *a*) órgãos gestores da cultura, encarregados das atividades de administração; *b*) conselhos de política cultural, órgãos consultivos e deliberativos de políticas culturais; *c*) conferências de cultura, com funções consultivas ou executivas; *d*) comissões intergestoras, com atribuições de colegiado; *e*) planos de cultura, documentos que resumem as políticas culturais para dado período de tempo; *f*) sistemas de financiamento à cultura, ou conjunto de fontes de recursos para o financiamento das ações de política cultural; *g*) sistemas de informações e indicadores culturais, ou seja, conjunto de instrumentos de levantamento e ordenação de informações e indicadores culturais; *h*) programas de formação na área da cultura, destinados a formar mão de obra para atuar nas diversas atividades culturais; e*i*) sistemas setoriais de cultura, conquanto a setorização tende a assegurar maior eficiência na implementação de ações culturais.

Disciplina legal do Sistema Nacional de Cultura. Nos termos do § 3.º, a regulamentação deverá ser feita pela União por meio de lei federal, que disporá também sobre a articulação com os demais sistemas nacionais ou políticas setoriais de governo.

Disciplina legal no âmbito dos demais entes federativos. Nos termos do § 4.º, Estados, Distrito Federal e Municípios organizarão os seus respectivos sistemas de cultura por meio de leis próprias, segundo a área de competência de cada um deles.

Jurisprudência

> "Agravo interno na ação cível originária. Administrativo. Processo de tombamento. Centro Histórico de Manaus. Decreto-Lei n.º 25/1937. Regramento específico próprio que disciplina o instituto do tombamento. Aplicação subsidiária da Lei n.º 9.784/1999. Princípio da especialidade da norma. Agravo interno a que se nega provimento. 1. A proteção jurídica do patrimônio cultural brasileiro, enquanto direito fundamental

de terceira geração, é matéria expressamente prevista no texto constitucional (art. 216 da CRFB/1988). 2. A ordem constitucional vigente recepcionou o Decreto-Lei n.º 25/1937, que, ao organizar a proteção do patrimônio histórico e artístico nacional, estabeleceu disciplina própria e específica ao instituto do tombamento, como meio de proteção de diversas dimensões do patrimônio cultural brasileiro. 3. *In casu*, ainda que houvesse irregularidades no processo administrativo questionado, a ausência de prejuízo delas decorrente impossibilita a declaração de qualquer nulidade, em aplicação do postulado *pas de nullité sans grief*. 4. Agravo Interno a que se nega provimento" (STF – Pleno, ACO 1.966/AM AgRg, rel. Min. Luiz Fux, DJE, 27.11.2017).

"Acervo da Biblioteca Nacional. Bem público de uso comum a qualquer do povo. Uso não privativo. Desnecessidade de licitação e de contrato administrativo. Cumprimento das finalidades estatutárias da Fundação Biblioteca Nacional. Políticas públicas constitucionais de difusão da cultura. (...). 5. Da perspectiva normativa, a proteção e ampla acessibilidade aos bens culturais e históricos (dentre os quais se inclui o acervo da Biblioteca Nacional), estão garantidas pela própria Constituição em seus arts. 215, 216 e 216-A. Portanto, se qualquer do povo poderia consultar o acervo da Fundação Biblioteca Nacional e obter autorização para reproduzir imagens e textos de domínio público pertencentes a tal acervo, não há que se falar em licitação e assinatura de contrato administrativo para este fim" (TRF2, ApReeNec 523.396, rel. Des. Fed. Marcus Abraham, e-DJF2R, 10.06.2014).

Seção III

DO DESPORTO

Art. 217. É dever do Estado fomentar práticas desportivas formais e não formais, como direito de cada um, observados:

I – a autonomia das entidades desportivas dirigentes e associações, quanto a sua organização e funcionamento;

II – a destinação de recursos públicos para a promoção prioritária do desporto educacional e, em casos específicos, para a do desporto de alto rendimento;

III – o tratamento diferenciado para o desporto profissional e o não profissional;

IV – a proteção e o incentivo às manifestações desportivas de criação nacional.

§ 1.º O Poder Judiciário só admitirá ações relativas à disciplina e às competições desportivas após esgotarem-se as instâncias da justiça desportiva, regulada em lei.

§ 2.º A justiça desportiva terá o prazo máximo de sessenta dias, contados da instauração do processo, para proferir decisão final.

§ 3.º O Poder Público incentivará o lazer, como forma de promoção social.

Doutrina

Compreensão do tema. A prática de atividade desportiva é direito individual da pessoa, competindo ao Estado apenas o incentivo e o fomento em face de seu interesse social (§ 3.º), não tendo o dever de oferecer – como um serviço – os meios necessários para a prática de qualquer esporte.

Limites da atuação do Estado. A atuação estatal na área do desporto deverá observar aos seguintes princípios: *a*) reconhecimento da autonomia quanto à organização e funcionamento das entidades desportivas dirigentes e de associações; *b*) destinação de recursos públicos para a promoção prioritária do desporto educacional (aquele praticado em unidades escolares de qualquer natureza), bem como para modalidades de desporto de alto rendimento, ou seja, desporto de competição; *c*) tratamento diferenciado para o desporto profissional (como profissão regulamentada) e o não profissional (de natureza amadora); e *d*) proteção e incentivo às práticas desportivas de criação nacional, ou seja, aquelas consagradas no gosto popular, como, por exemplo, campeonatos de futebol amador de várzea.

Justiça Desportiva. Para a solução dos conflitos legais na área do desporto, a norma constitucional veiculada no § 1.º assegura que as medidas relativas à disciplina e às competições desportivas devem ser ajuizadas perante a instância competente da chamada justiça desportiva, que decidirá dentro do prazo de sessenta dias (§ 2.º), e, somente após, serão admitidas as ações cabíveis junto ao Poder Judiciário.

Organização da justiça desportiva. Nos termos da Lei n.º 9.615, de 24.03.1998, que institui normas gerais sobre desportos, a Justiça Desportiva compõe-se dos seguintes órgãos: *a*) Superior Tribunal de Justiça Desportiva, com jurisdição nacional, funcionando junto às entidades nacionais de desportos; *b*) Tribunais de Justiça Desportiva, com jurisdição regional, funcionando junto às entidades regionais de desportos; e *c*) Comissões Disciplinares, com jurisdição local e para as medidas previstas nos códigos de justiça desportiva. Convém lembrar que a justiça desportiva é de natureza administrativa, não integrando o Poder Judiciário e nem exercendo a jurisdição, que se trata de função típica de Estado.

Jurisprudência

"Ação Direta de Inconstitucionalidade – Novo Código Civil (2002), Art. 59 – A questão da autonomia dos entes de direito privado, inclusive das entidades desportivas, e o poder de regulação normativa do Estado – o postulado constitucional da liberdade de associação – a evolução dessa liberdade de ação coletiva no constitucionalismo brasileiro – as múltiplas dimensões da liberdade de associação – modificação superveniente, de caráter substancial, introduzida no texto da norma estatal impugnada – hipótese de prejudicialidade – extinção anômala do processo de fiscalização normativa abstrata – precedentes do Supremo Tribunal Federal – ação direta julgada prejudicada" (STF – Pleno, ADIN 3.045-DF, rel. Min. Celso de Mello, DJU, 01.06.2007, p. 24).

"Estatuto de Defesa do Torcedor. Esporte. Alegação de incompetência legislativa da União, ofensa à autonomia das entidades desportivas, e de lesão a direitos e garantias individuais. Vulneração dos arts. 5.º, incs. X, XVII, VIII, LIV, LV e LVII, e § 2.º, 18, *caput*, 24, inc. IX e § 1.º, e 217, inc. I, da CF. Não ocorrência. Normas de caráter geral, que impõem limitações válidas à autonomia relativa das entidades de desporto, sem lesionar direitos e garantias individuais. Ação julgada improcedente. São constitucionais as normas constantes dos arts. 8.º, I, 9.º, § 5.º,incs. I e II, e § 4.º, 11, *caput* e §§ 1.º, 2.º, 3.º, 4.º, 5.º e 6.º, 12, 19 e 30, § único, 32, *caput*, e §§ 1.º e 2.º, 33, § único, incs. I e III e 37, *caput*, incs. I e II, § 1.º e inc. II, e § 3.º, da Lei federal n.º 10.671/2003, denominada Estatuto de Defesa do Torcedor" (STF – Pleno, ADIN 2.937/DF, rel. Min. Cezar Peluso, DJUe, 29.05.2012).

CAPÍTULO IV
DA CIÊNCIA, TECNOLOGIA E INOVAÇÃO

Art. 218. O Estado promoverá e incentivará o desenvolvimento científico, a pesquisa, a capacitação científica e tecnológica e a inovação.

§ 1.º A pesquisa científica básica e tecnológica receberá tratamento prioritário do Estado, tendo em vista o bem público e o progresso da ciência, tecnologia e inovação.

§ 2.º A pesquisa tecnológica voltar-se-á preponderantemente para a solução dos problemas brasileiros e para o desenvolvimento do sistema produtivo nacional e regional.

§ 3.º O Estado apoiará a formação de recursos humanos nas áreas de ciência, pesquisa, tecnologia e inovação, inclusive por meio de apoio às atividades de extensão tecnológica, e concederá aos que delas se ocupem meios e condições especiais de trabalho.

§ 4.º A lei apoiará e estimulará as empresas que invistam em pesquisa, criação de tecnologia adequada ao País, formação e aperfeiçoamento de seus recursos humanos e que pratiquem sistemas de remuneração que assegurem ao empregado, desvinculada do salário, participação nos ganhos econômicos resultantes da produtividade de seu trabalho.

§ 5.º É facultado aos Estados e ao Distrito Federal vincular parcela de sua receita orçamentária a entidades públicas de fomento ao ensino e à pesquisa científica e tecnológica.

§ 6.º O Estado, na execução das atividades previstas no *caput*, estimulará a articulação entre entes, tanto públicos quanto privados, nas diversas esferas de governo.

§ 7.º O Estado promoverá e incentivará a atuação no exterior das instituições públicas de ciência, tecnologia e inovação, com vistas à execução das atividades previstas no *caput*.

Doutrina

Atuação do Estado na área da ciência, da tecnologia e da inovação. Cabe ao Estado implementar, por meio de seus órgãos próprios, tais como os institutos de pesquisas e as universidades, as políticas públicas de promoção do desenvolvimento da ciência, da pesquisa científica, da tecnologia e da inovação. Compete, ainda, ao Estado oferecer incentivos oficiais, como o financiamento de estudos e pesquisas ou de desenvolvimento de produtos, tanto para instituições públicas quanto privadas, desde que voltadas para o estudo da ciência e da tecnologia.

Prioridade da atuação estatal. Dispõe o § 1.º que a pesquisa científica básica – aquela desenvolvida em áreas essenciais, como saúde e produção de alimentos –, terá prioridade na atuação do Estado, considerando o bem comum e o avanço da ciência. Isso significa que esta modalidade de pesquisa científica deve ser privilegiada na destinação de recursos estatais para viabilizar o seu desenvolvimento.

Destinação da pesquisa tecnológica. Nos termos do § 2.°, deverá voltar-se de forma preponderante para a busca de solução de problemas brasileiros e para o desenvolvimento do sistema produtivo nacional e regional. Nesta modalidade de pesquisa, a orientação da norma constitucional é no sentido de priorizar os estudos voltados para a solução de gargalos ao desenvolvimento da produção nacional.

Formação de recursos humanos. Dispõe o § 3.° que o Estado implementará políticas de apoio para a formação de recursos humanos nas áreas de ciência, pesquisa, tecnologia e inovação, concedendo aos profissionais que nelas atuam meios e condições especiais de trabalho. O objetivo é o de criar quadros de cientistas e de técnicos e especialistas nas mencionadas áreas, capazes de gerar conhecimento que leve à produção de bens e serviços e assegure ao país alguma autonomia científica.

Política de apoio e estímulo às empresas de pesquisa e tecnologia. Nos termos do § 4.°, a lei disporá sobre os instrumentos de apoio e estímulo às empresas voltadas para a pesquisa e criação de tecnologia no país, além da formação, aperfeiçoamento e especialização de recursos humanos, devendo, em relação aos seus empregados, praticarem política remuneratória que assegure, além do salário, participação nos resultados, financeiros principalmente, decorrentes da produtividade de seu trabalho.

Disciplina legal da matéria. A Lei n.° 8.248, de 23.10.1991, dispõe sobre a capacitação e competitividade do setor de informática e automação, determinando que órgãos e entidades da Administração Federal, na aquisição de bens e serviços de informática e automação, deem prioridade àqueles produzidos com tecnologia desenvolvida no país. Por sua vez, a Lei n.° 9.257, de 09.01.1996, dispõe sobre o Conselho Nacional de

Ciência e Tecnologia, órgão de assessoramento superior do Presidente da República para formular e implantar a política nacional de desenvolvimento científico e tecnológico, como parte integrante da política nacional de desenvolvimento.

Disciplina legal da biossegurança e da biotecnologia. Trata do assunto a Lei n.° 11.105, de 24.03.2005, que estabelece normas de segurança e mecanismos de fiscalização de atividades que envolvam organismos geneticamente modificados – OGM e seus derivados. Referidas normas têm como diretrizes o estímulo ao avanço científico nas áreas de biossegurança e de biotecnologia, a proteção à vida e à saúde humana, animal e vegetal e a observância do princípio da precaução para a proteção do meio ambiente.

Vinculação de receita. Faculta o § 5.° que Estados e Distrito Federal vinculem parcelas de suas respectivas receitas orçamentárias a entidades públicas de fomento ao ensino e à pesquisa científica e tecnológica. Trata-se, pois, de faculdade, sendo mais usual que referidos entes políticos façam a destinação de recursos a universidades estaduais, institutos ou fundações estaduais de pesquisa.

Articulação entre instituições públicas ou privadas. Dispõe a norma do § 6.° que o Estado promoverá meios de articulação entre os entes públicos ou privados voltados para a ciência, tecnologia e inovação, com a finalidade de estimular o desenvolvimento de suas atividades e otimizar os resultados de suas respectivas atuações.

Articulação com o exterior das instituições dedicadas à ciência, tecnologia e inovação. Dispõe a norma do § 7.° que o Estado promoverá e incentivará a atuação no exterior das referidas instituições. Isso significa que os órgãos governamentais deverão ter atuação ativa para viabilizar o intercâmbio das instituições nacionais com as congêneres do exterior, com o objetivo de facilitar a troca de estudos e de experiências nas suas áreas comuns de interesse.

Jurisprudência

"(...). VII – O Direito Constitucional à liberdade de expressão científica e a Lei de Biossegurança como densificação dessa liberdade. O termo 'ciência', enquanto atividade individual, faz parte do catálogo dos direitos fundamentais da pessoa humana (inciso IX do art. 5.º da CF). Liberdade de expressão que se afigura como clássico direito constitucional-civil ou genuíno direito de personalidade. Por isso que exigente do máximo de proteção jurídica, até como signo de vida coletiva civilizada. Tão qualificadora do indivíduo e da sociedade é essa vocação para os misteres da Ciência que o Magno Texto Federal abre todo um autonomizado capítulo para prestigiá-la por modo superlativo (capítulo de n.º IV do título VIII). A regra de que 'O Estado promoverá e incentivará o desenvolvimento científico, a pesquisa e a capacitação tecnológicas' (art. 218, *caput*) é de logo complementada com o preceito (§ 1.º do mesmo art. 218) que autoriza a edição de normas como a constante do art. 5.º da Lei de Biossegurança. A compatibilização da liberdade de expressão científica com os deveres estatais de propulsão das ciências que sirvam à melhoria das condições de vida para todos os indivíduos. Assegurada, sempre, a dignidade da pessoa humana, a Constituição Federal dota o bloco normativo posto no art. 5.º da Lei 11.105/2005 do necessário fundamento para dele afastar qualquer invalidade jurídica (Ministra Cármen Lúcia). VIII – Suficiência das cautelas e restrições impostas pela Lei de Biossegurança na condução das pesquisas com células-tronco embrionárias. A Lei de Biossegurança caracteriza-se como regração legal a salvo da mácula do açodamento, da insuficiência protetiva ou do vício da arbitrariedade em matéria tão religiosa, filosófica e eticamente sensível como a da biotecnologia na área da medicina e da genética humana. Trata-se de um conjunto normativo que parte do pressuposto da intrínseca dignidade de toda forma de vida humana, ou que tenha potencialidade para tanto. A Lei de Biossegurança não conceitua as categorias mentais ou entidades biomédicas a que se refere, mas nem por isso impede a facilitada exegese dos seus textos, pois é de se presumir que recepcionou tais categorias e as que lhe são correlatas com o significado que elas portam no âmbito das ciências médicas e biológicas" (STF – Pleno, ADIN 3.510/DF, rel. Min. Ayres Britto, j. 29.05.2008).

Art. 219. O mercado interno integra o patrimônio nacional e será incentivado de modo a viabilizar o desenvolvimento cultural e socioeconômico, o bem-estar da população e a autonomia tecnológica do País, nos termos de lei federal.

Parágrafo único. O Estado estimulará a formação e o fortalecimento da inovação nas empresas, bem como nos demais entes, públicos ou privados, a constituição e a manutenção de parques e polos tecnológicos e de demais ambientes promotores da inovação, a atuação de inventores independentes e a criação, absorção, difusão e transferência de tecnologia.

Doutrina

Compreensão de mercado interno na Constituição. O legislador constituinte, de forma consentânea com outros princípios de organização da ordem econômica (art. 170, *caput*), mormente o da valorização do trabalho e o da livre iniciativa, observados os ditames da justiça social, fez clara opção por uma economia de mercado, porém mitigada por uma visão social, daí a integração do mercado interno ao patrimônio nacional. Isso, na forma da lei federal que vier a dispor sobre a matéria.

Jurisprudência

"É inelutável, ainda, que mercado interno integra

o patrimônio público (art. 219 da Constituição Federal) e, consoante o Enunciado n. 329 da Súmula desta Corte, o Ministério Público tem legitimidade para propor ação civil pública em defesa do patrimônio público, este concebido sob o aspecto da soberania econômica nacional, de modo a viabilizar o desenvolvimento cultural e socioeconômico, a autonomia tecnológica do País e o bem-estar da população" (STJ – 2.ª Turma, REsp 1.181.060/MG, rel. Min. Mauro Campbell Marques, DJE, 15.12.2010).

Art. 219-A. A União, os Estados, o Distrito Federal e os Municípios poderão firmar instrumentos de cooperação com órgãos e entidades públicos e com entidades privadas, inclusive para o compartilhamento de recursos humanos especializados e capacidade instalada, para a execução de projetos de pesquisa, de desenvolvimento científico e tecnológico e de inovação, mediante contrapartida financeira ou não financeira assumida pelo ente beneficiário, na forma da lei.

Doutrina

Cooperação nas áreas de pesquisa, desenvolvimento científico e tecnológico e de inovação. A norma constitucional autoriza quaisquer dos entes federados a firmarem instrumentos de cooperação (*v.g.* convênios), com outros órgãos públicos ou instituições privadas, para o compartilhamento de recursos humanos ou uso de capacidade técnica instalada, objetivando a execução de projetos comuns de pesquisa, de desenvolvimento científico e tecnológico e de inovação, mediante contrapartida de recursos financeiros ou não financeiros, conforme definido em lei, visando a busca do desenvolvimento de todos os beneficiários da ação cooperada.

Art. 219-B. O Sistema Nacional de Ciência, Tecnologia e Inovação será organizado em regime de colaboração entre entes, tanto públicos quanto privados, com vistas a promover o desenvolvimento científico e tecnológico e a inovação.

§ 1.º Lei federal disporá sobre as normas gerais do Sistema Nacional de Ciência, Tecnologia e Inovação.

§ 2.º Os Estados, o Distrito Federal e os Municípios legislarão concorrentemente sobre suas peculiaridades.

Doutrina

Sistema Nacional de Ciência, Tecnologia e Inovação. Dispõe a norma constitucional que a ciência, a tecnologia e a inovação, áreas que integram campos vastos do conhecimento humano, constituem um sistema nacional que será organizado em regime de colaboração entre as instituições cooperadas – públicas ou privadas –, com a finalidade de alavancar o desenvolvimento nacional.

CAPÍTULO V
DA COMUNICAÇÃO SOCIAL

Art. 220. A manifestação do pensamento, a criação, a expressão e a informação, sob qualquer forma, processo ou veículo não sofrerão qualquer restrição, observado o disposto nesta Constituição.

§ 1.º Nenhuma lei conterá dispositivo que possa constituir embaraço à plena liberdade de informação jornalística em qualquer veículo de comunicação social, observado o disposto no art. 5.º, IV, V, X, XIII e XIV.

§ 2.º É vedada toda e qualquer censura de natureza política, ideológica e artística.

§ 3.º Compete à lei federal:

I – regular as diversões e espetáculos públicos, cabendo ao poder público informar sobre a natureza deles, as faixas etárias a que não se recomendem, locais e horários em que sua apresentação se mostre inadequada;

II – estabelecer os meios legais que garantam à pessoa e à família a possibilidade de se defenderem de programas ou programações de rádio e televisão que contrariem o disposto no art. 221, bem como da propaganda de produtos, práticas e serviços que possam ser nocivos à saúde e ao meio ambiente.

§ 4.º A propaganda comercial de tabaco, bebidas alcoólicas, agrotóxicos, medicamentos e terapias estará sujeita a restrições legais, nos termos do inciso II do parágrafo anterior, e conterá, sempre que necessário, advertência sobre os malefícios decorrentes de seu uso.

§ 5.º Os meios de comunicação social não podem, direta ou indiretamente, ser objeto de monopólio ou oligopólio.

§ 6.º A publicação de veículo impresso de comunicação independe de licença de autoridade.

Doutrina

Manifestação do pensamento. A Constituição Federal reafirma aqui o princípio inscrito no seu artigo 5.º, inciso IV, que trata da liberdade de manifestação do pensamento, assegurando que a criação, a expressão e a informação, sob qualquer forma, processo ou veículo não poderão sofrer qualquer restrição, devendo, contudo, ser observado o disposto na própria Lei Fundamental, como, por exemplo, a vedação do anonimato, com o objetivo de viabilizar a apuração de eventual responsabilidade e a indenização cabível a título de dano moral.

Informação jornalística. A norma constitucional do § 1.º proíbe a lei de veicular dispositivo que possa constituir embaraço à plena liberdade de informação jornalística em qualquer veículo de comunicação social, observado o disposto no artigo 5.º, incisos IV, V, X, XIII e XIV, da Constituição Federal. Portanto, a proibição atinge não somente a norma que viole a referida liberdade, mas, também, aquela que, potencialmente, possa embaraçar, atrapalhar dificultar ou tentar impedir o exercício da plena liberdade de informação outorgada aos órgãos de imprensa (televisão, rádio, jornal, revista etc.). Assim é, por se tratar de liberdade de mão dupla, quer dizer, assegura-se a liberdade plena de informação jornalística aos órgãos de imprensa para viabilizar a fruição, por parte das pessoas, do direito de serem informadas corretamente sobre os fatos.

Vedação à censura. A norma do § 2.° é categórica ao proibir toda e qualquer censura de natureza política – sendo livre a manifestação e a adesão a partido ou corrente política – '; ideológica – sendo livre a adesão a qualquer ideologia; – e artística, sendo livre a prática de qualquer forma de expressão entendida como arte.

Disciplina legal de diversões e espetáculos públicos. Dispõe o § 3.° que a lei federal regulará as diversões e espetáculos públicos, devendo os órgãos competentes do Poder Público (*I*) informarem sobre a natureza deles, as faixas etárias a que não se recomendem, locais e horários em que sua apresentação se mostre inadequada; (*II*) estabelecerem os meios legais de defesa da pessoa e da família contra programas ou programações de rádio e televisão que contrariem o disposto no artigo 221, bem como da propaganda de produtos, práticas e serviços que possam ser nocivos à saúde e ao meio ambiente. Presentemente, a Portaria n.° 502, de 23.11.2021, do Ministério da Justiça e Segurança Pública, regulamenta o exercício da Classificação Indicativa de diversões públicas e de obras audiovisuais destinadas à televisão e congêneres.

Restrições à propaganda de produtos nocivos à saúde. A lei disporá, nos termos do § 4.°, sobre as medidas restritivas à propaganda de tabaco, bebidas alcoólicas, agrotóxicos, medicamentos e terapias, observando-se os termos do inciso II, do parágrafo anterior, devendo conter, sempre que necessário, advertência sobre os malefícios decorrentes de seu uso. A Lei n.° 9.294, de 15.07.1996, dispõe sobre as restrições ao uso e à propaganda de produtos fumígenos, bebidas alcoólicas, medicamentos, terapias e defensivos agrícolas.

Proibição de monopólio ou oligopólio dos meios de comunicação social. A norma constitucional proíbe o monopólio (controle da atividade por uma única rede de comunicação) ou o oligopólio (controle da atividade por número reduzido de empresas de comunicação) dos veículos de comunicação social, quer de forma direta, quer de forma indireta. Há interesse público relevante na referida proibição, pois, quanto maior o número de emissoras – num setor que, por várias razões, tende a ser monopolista ou oligopolista –, mais diversificada será a produção de conteúdo e isso tende a facilitar o surgimento de programação de melhor qualidade.

Licença para publicação impressa. A norma do § 6.º dispõe, expressamente, que a publicação de veículo impresso de comunicação independe de licença de autoridade. Subtrai, portanto, a norma, do talante de qualquer autoridade, a exigência de qualquer espécie de licença para a publicação e circulação desses veículos, tais como, jornais, revistas, gibis etc. Todavia, a norma não dispensa a empresa publicadora de obter os registros usuais e próprios de qualquer atividade, como, por exemplo, alvará de funcionamento do estabelecimento comercial, ou a licença do corpo de bombeiros.

Jurisprudência

> "1. ARGUIÇÃO DE DESCUMPRIMENTO DE PRECEITO FUNDAMENTAL (ADPF). LEI DE IMPRENSA. ADEQUAÇÃO DA AÇÃO. A ADPF, fórmula processual subsidiária do controle concentrado de constitucionalidade, é via adequada à impugnação de norma pré-constitucional. Situação de concreta ambiência jurisdicional timbrada por decisões conflitantes. Atendimento das condições da ação. 2. REGIME CONSTITUCIONAL DA LIBERDADE DE IMPRENSA COMO REFORÇO DAS LIBERDADES DE MANIFESTAÇÃO DO PENSAMENTO, DE INFORMAÇÃO E DE EXPRESSÃO EM SENTIDO GENÉRICO, DE MODO A ABARCAR OS DIREITOS À PRODUÇÃO INTELECTUAL, ARTÍSTICA, CIENTÍFICA E COMUNICACIONAL. A Constituição reservou à imprensa todo um bloco normativo, com o apropriado nome 'Da Comunicação Social' (capí-

tulo V do título VIII). A imprensa como plexo ou conjunto de 'atividades' ganha a dimensão de instituição-ideia, de modo a poder influenciar cada pessoa de per se e até mesmo formar o que se convencionou chamar de opinião pública. Pelo que ela, Constituição, destinou à imprensa o direito de controlar e revelar as coisas respeitantes à vida do Estado e da própria sociedade. A imprensa como alternativa à explicação ou versão estatal de tudo que possa repercutir no seio da sociedade e como garantido espaço de irrupção do pensamento crítico em qualquer situação ou contingência. Entendendo-se por pensamento crítico o que, plenamente comprometido com a verdade ou essência das coisas, se dota de potencial emancipatório de mentes e espíritos. O corpo normativo da Constituição brasileira sinonimiza liberdade de informação jornalística e liberdade de imprensa, rechaçante de qualquer censura prévia a um direito que é signo e penhor da mais encarecida dignidade da pessoa humana, assim como do mais evoluído estado de civilização. 3. O CAPÍTULO CONSTITUCIONAL DA COMUNICAÇÃO SOCIAL COMO SEGMENTO PROLONGADOR DE SUPERIORES BENS DE PERSONALIDADE QUE SÃO A MAIS DIRETA EMANAÇÃO DA DIGNIDADE DA PESSOA HUMANA: A LIVRE MANIFESTAÇÃO DO PENSAMENTO E O DIREITO À INFORMAÇÃO E À EXPRESSÃO ARTÍSTICA, CIENTÍFICA, INTELECTUAL E COMUNICACIONAL. TRANSPASSE DA NATUREZA JURÍDICA DOS DIREITOS PROLONGADOS AO CAPÍTULO CONSTITUCIONAL SOBRE A COMUNICAÇÃO SOCIAL. O art. 220 da Constituição radicaliza e alarga o regime de plena liberdade de atuação da imprensa, porquanto fala: a) que os mencionados direitos de personalidade (liberdade de pensamento, criação, expressão e informação) estão a salvo de qualquer restrição em seu exercício, seja qual for o suporte físico ou tecnológico de sua veiculação; b) que tal exercício não se sujeita a outras disposições que não sejam as figurantes dela própria, Constituição. A liberdade de informação jornalística é versada pela Constituição Federal como expressão sinônima de liberdade de imprensa. Os direitos que dão conteúdo à liberdade de imprensa são bens de personalidade que se qualificam como sobredireitos. Daí que, no limite, as relações de imprensa e as relações de intimidade, vida privada, imagem e honra são de mútua excludência, no sentido de que as primeiras se antecipam, no tempo, às segundas; ou seja, antes de tudo prevalecem as relações de imprensa como superiores bens jurídicos e natural forma de controle social sobre o poder do Estado, sobrevindo as demais relações como eventual responsabilização ou consequência do pleno gozo das primeiras. A expressão constitucional 'observado o disposto nesta Constituição' (parte final do art. 220) traduz a incidência dos dispositivos tutelares de outros bens de personalidade, é certo, mas como consequência ou responsabilização pelo desfrute da 'plena liberdade de informação jornalística' (§ 1.º do mesmo art. 220 da Constituição Federal). Não há liberdade de imprensa pela metade ou sob as tenazes da censura prévia, inclusive a procedente do Poder Judiciário, pena de se resvalar para o espaço inconstitucional da prestidigitação jurídica. Silenciando a Constituição quanto ao regime da internet (rede mundial de computadores), não há como se lhe recusar a qualificação de território virtual livremente veiculador de ideias e opiniões, debates, notícias e tudo o mais que signifique plenitude de comunicação. 4. MECANISMO CONSTITUCIONAL DE CALIBRAÇÃO DE PRINCÍPIOS. O art. 220 é de instantânea observância quanto ao desfrute das liberdades de pensamento, criação, expressão e informação que, de alguma forma, se veiculem pelos órgãos de comunicação social. Isto sem prejuízo da aplicabilidade dos seguintes incisos do art. 5.º da mesma Constituição Federal: vedação do anonimato (parte final do inciso IV); do direito de resposta (inciso V); direito à indenização por dano material ou moral à intimidade, à vida privada, à honra e à imagem das pessoas (inciso X); livre exercício de qualquer trabalho, ofício ou profissão, atendidas as qualificações profissionais que a lei estabelecer (inciso XIII); direito ao resguardo do sigilo da fonte de informação, quando necessário ao exercício profissional (inciso XIV). Lógica diretamente constitucional de calibração temporal ou cronológica na empírica incidência desses dois blocos de dispositivos constitucionais (o art. 220 e os mencionados incisos do art. 5.º). Noutros termos, primeiramente, assegura-se o gozo dos sobredireitos de personalidade em que se traduz a 'livre' e 'plena' manifestação do pensamento, da criação e da informação. Somente depois é que se passa a cobrar do titular de tais situações jurídicas ativas um eventual desrespeito a direitos constitucionais alheios, ainda que também densificadores da personalidade humana. Determinação constitucional de momentânea paralisia à inviolabilidade de certas categorias de direitos subjetivos fundamentais, porquanto a cabeça do art. 220 da Constituição veda qualquer cerceio ou restrição à concreta manifestação do pensamento (vedado o anonimato), bem assim todo cerceio ou restrição que tenha por objeto a criação, a expressão e a informação, seja qual for a forma, o processo, ou o veículo de comunicação social. Com o que a Lei Fundamental do Brasil veicula o mais democrático e civilizado regime da livre e plena circulação das ideias e opiniões, assim como das notícias e informações, mas sem deixar de prescrever o direito de resposta e todo um regime de responsabilidades civis, penais e administrativas. Direito de resposta e responsabilidades que, mesmo atuando a posteriori, infletem sobre as causas para inibir abusos no desfrute da plenitude de liberdade de imprensa. 5. PROPORCIONALIDADE ENTRE LIBERDADE DE IMPRENSA E RESPONSABILIDADE CIVIL POR DANOS MORAIS E MATERIAIS. Sem embargo, a excessividade indenizatória é, em si mesma, poderoso fator de inibição da liberdade de imprensa, em violação ao princípio constitucional da proporcionalidade. A relação de proporcionalidade entre o dano moral ou material sofrido por alguém e a indenização que lhe caiba receber (quanto maior o dano maior a indenização) opera é no âmbito interno da potencialidade da ofensa e da concreta situação do ofendido. Nada tendo a ver com essa equação a circunstância em si da veiculação do agravo por órgão de imprensa, porque, senão, a liberdade de informação jornalística deixaria de ser um elemento de expansão e de robustez da liberdade de pensamento e de expressão lato sensu para se tornar um fator de contração e de esqualidez dessa liberdade. Em se tratando de agente público, ainda que injustamente ofendido em sua honra e imagem, subjaz à indenização uma imperiosa cláusula de modicidade. Isto porque todo agente público está sob permanente vigília da cidadania. E quando o agente estatal não prima por todas as aparências de legalidade e legitimidade no seu atuar oficial, atrai contra si mais fortes suspeitas de um comportamento antijurídico francamente sindicável pelos cidadãos. 6. RELAÇÃO DE MÚTUA CAUSALIDADE ENTRE LIBERDADE DE IMPRENSA E DEMOCRACIA. A plena liberdade de imprensa é um patrimônio imaterial que corresponde ao mais eloquente atestado de evolução político-cultural de todo um povo. Pelo seu reconhecido condão de vitalizar por muitos modos a Constituição, tirando-a mais vezes do papel, a Imprensa passa a manter com a democracia a mais entranhada relação de mútua dependência ou retroalimentação. Assim visualizada como verdadeira irmã siamesa da democracia, a imprensa passa a desfrutar de uma liberdade de atuação ainda maior que a liberdade de pensamento, de informação e de expressão dos indivíduos em si mesmos considerados. O § 5.º do art. 220 apresenta-se como norma constitucional de concretização de um pluralismo finalmente compreendido como fundamento das sociedades autenticamente democráticas; isto é, o pluralismo como a virtude democrática da respeitosa convivência dos contrários. A imprensa livre é, ela mesma, plural, devido a que são constitucionalmente proibidas a oligopolização e a monopolização do setor (§ 5.º do art. 220 da CF). A proibição do monopólio e do oligopólio como novo e autônomo fator de contenção de abusos do chamado 'poder social da imprensa'. 7. RELAÇÃO DE INERÊNCIA ENTRE PENSAMENTO CRÍTICO E IMPRENSA LIVRE. A IMPRENSA COMO INSTÂNCIA NATURAL DE FORMAÇÃO DA OPINIÃO PÚBLICA E COMO ALTERNATIVA À VERSÃO OFICIAL DOS FATOS. O pensamento crítico é parte integrante da informação plena e fidedigna. O possível conteúdo socialmente útil da obra compensa eventuais excessos de estilo e da própria verve do autor. O exercício concreto da liberdade de imprensa assegura ao jornalista o direito de expender críticas a qualquer pessoa, ainda que em tom áspero ou contundente, especialmente contra as autoridades e os agentes do Estado. A crítica jornalística, pela sua relação de inerência com o interesse público, não é aprioristicamente suscetível de censura, mesmo que legislativa ou judicialmente intentada. O próprio das atividades de imprensa é operar como formadora de opinião pública, espaço natural do pensamento crítico e 'real alternativa à versão oficial dos fatos' (Deputado Federal Miro Teixeira). 8. NÚCLEO DURO DA LIBERDADE DE IMPRENSA E A INTERDIÇÃO PARCIAL DE LEGISLAR. A uma atividade que já era 'livre' (incisos IV e IX do art. 5.º), a Constituição Federal acrescentou o qualificativo de 'plena' (§ 1.º do art. 220). Liberdade plena que, repelente de qualquer censura prévia, diz respeito à essência mesma do jornalismo (o chamado 'núcleo duro' da atividade). Assim entendidas as coordenadas de tempo e de conteúdo da manifestação do pensamento, da informação e da criação lato sensu, sem o que não se tem o desembaraçado trânsito das ideias e opiniões, tanto quanto da informação e da criação. Interdição à lei quanto às matérias nuclearmente de imprensa, retratadas no tempo de início e de duração do concreto exercício da liberdade, assim como de sua extensão ou tamanho do seu conteúdo. Tirante, unicamente, as restrições que a Lei Fundamental de 1988 prevê para o 'estado de sítio' (art. 139), o Poder Público somente pode dispor sobre matérias lateral ou reflexamente de imprensa, respeitada sempre a ideia-força de que quem quer que seja tem o direito de dizer o que quer que seja. Logo, não cabe ao Estado, por qualquer dos seus órgãos, definir previamente o que pode ou o que não pode ser dito por indivíduos e jornalistas. As matérias reflexamente de imprensa, suscetíveis, portanto, de conformação legislativa, são as indicadas pela própria Constituição, tais como: direitos de resposta e de indenização, proporcionais ao agravo; proteção do sigilo da fonte ('quando necessário ao exercício profissional'); responsabilidade penal por calúnia, injúria e difamação; diversões e espetáculos públicos; estabelecimento dos 'meios legais que garantam à pessoa e à família a possibilidade de se defenderem de programas ou programações de rádio e televisão que contrariem o disposto no art. 221, bem como da propaganda de produtos, práticas e serviços que possam ser nocivos à saúde e ao meio ambiente' (inciso II do § 3.º do art. 220 da CF); independência e proteção remuneratória dos profissionais de imprensa como elementos de sua própria qualificação técnica (inciso XIII do art. 5.º); participação do capital estrangeiro nas empresas de comunicação social (§ 4.º do art. 222 da CF); composição e funcionamento do Conselho de Comunicação Social (art. 224 da Constituição). Regulações estatais que, sobretudo incidindo no plano das consequências ou responsabilizações, repercutem sobre as causas de ofensas pessoais para inibir o cometimento dos abusos de imprensa. Peculiar fórmula constitucional de proteção de interesses privados em face de eventuais descomedimentos da imprensa (justa preocupação do Ministro Gilmar Mendes), mas sem prejuízo da ordem de precedência a esta conferida, segundo a lógica elementar de que não é pelo temor do abuso que se vai coibir o uso. Ou, nas palavras do Ministro Celso de Mello, 'a censura governamental, emanada de qualquer um dos três Poderes, é a expressão odiosa da face autoritária do poder público'. 9. AUTORREGULAÇÃO E REGULAÇÃO SOCIAL DA ATIVIDADE DE IMPRENSA. É da lógica encampada pela nossa Constituição de 1988 a autorregulação da imprensa como mecanismo de permanente ajuste de limites da sua liberdade ao sentir-pensar da sociedade civil. Os padrões de seletividade do próprio corpo social operam como antídoto que o tempo não cessa de aprimorar contra os abusos e desvios jornalísticos. Do dever de irrestrito apego à completude e fidedignidade das informações comunicadas ao público decorre a permanente conciliação entre liberdade e responsabilidade da imprensa. Repita-se: não é jamais pelo temor do abuso que se vai proibir o uso de uma liberdade de informação a que o próprio Texto Magno do País apôs o rótulo de 'plena' (§ 1 do art. 220). 10. NÃO RECEPÇÃO EM BLOCO DA LEI 5.250 PELA NOVA ORDEM CONSTITUCIONAL. 10.1. Óbice lógico à confecção de uma lei de imprensa que se orne de compleição estatutária ou orgânica. A própria Constituição, quando o quis, convocou o legislador de segundo escalão para o aporte regratório da parte restante de seus dispositivos (art. 29, art. 93 e § 5.° do art. 128). São irregulamentáveis os bens de personalidade que se põem como o próprio conteúdo ou substrato da liberdade de informação jornalística, por se tratar de bens jurídicos que têm na própria interdição da prévia interferência do Estado o seu modo natural, cabal e ininterrupto de incidir. Vontade normativa que, em tema elementarmente de imprensa, surge e se exaure no próprio texto da Lei Suprema. 10.2. Incompatibilidade material insuperável entre a Lei n° 5.250/67 e a Constituição de 1988. Impossibilidade de conciliação que, sobre ser do tipo material ou de substância (vertical), contamina toda a Lei de Imprensa: a) quanto ao seu entrelace de comandos, a serviço da prestidigitadora lógica de que para cada regra geral afirmativa da liberdade é aberto um leque de exceções que praticamente tudo desfaz; b) quanto ao seu inescondível efeito prático de ir além de um simples projeto de governo para alcançar a realização de um projeto de poder, este a se eternizar no tempo e a sufocar todo pensamento crítico no País. 10.3 São de todo imprestáveis as tentativas de conciliação hermenêutica da Lei 5.250/67 com a Constituição, seja mediante expurgo puro e simples de destacados dispositivos da lei, seja mediante o emprego dessa refinada técnica de controle de constitucionalidade que atende pelo nome de 'interpretação conforme a Constituição'. A técnica da interpretação conforme não pode artificializar ou forçar a descontaminação da parte restante do diploma legal interpretado, pena de descabido incursionamento do intérprete em legiferação por conta própria. Inapartabilidade de conteúdo, de fins e de viés semântico (linhas e entrelinhas) do texto interpretado. Caso-limite de interpretação necessariamente conglobante ou por arrastamento teleológico, a pré-excluir do intérprete/aplicador do Direito qualquer possibilidade da declaração de inconstitucionalidade apenas de determinados dispositivos da lei sindicada, mas permanecendo incólume uma parte sobejante que já não tem significado autônomo. Não se muda, a golpes de interpretação, nem a inextrincabilidade de comandos nem as finalidades da norma interpretada. Impossibilidade de se preservar, após artificiosa hermenêutica de depuração, a coerência ou o equilíbrio interno de uma lei (a Lei federal n.º 5.250/67) que foi ideologicamente concebida e normativamente apetrechada para operar em bloco ou como um todo pro indiviso. 11. EFEITOS JURÍDICOS DA DECISÃO. Aplicam-se as normas da legislação comum, notadamente o Código Civil, o Código Penal, o Código de Processo Civil e o Código de Processo Penal às causas decorrentes das relações de imprensa. O direito de resposta, que se manifesta como ação de replicar ou de retificar matéria publicada é exercitável por parte daquele que se vê ofendido em sua honra objetiva, ou então subjetiva, conforme estampado no inciso V do art. 5.º da Constituição Federal. Norma, essa, 'de eficácia plena e de aplicabilidade imediata', conforme classificação de José Afonso da Silva. 'Norma de pronta aplicação', na linguagem de Celso Ribeiro Bastos e Carlos Ayres Britto, em obra doutrinária conjunta. 12. PROCEDÊNCIA DA AÇÃO. Total procedência da ADPF, para o efeito de declarar como não recepcionado pela Constituição de 1988 todo o conjunto de dispositivos da Lei federal n.º 5.250, de 9 de fevereiro de 1967" (STF – Pleno, ADPF 130/DF, rel. Min. Carlos Britto, DJE 208, 05.11.2009).

"1. As normas impugnadas por esta ação direta de inconstitucionalidade são apenas as veiculadas pelos arts. 7.º a 10 do Decreto federal 5.820/2006. (...). 7. O Decreto 5.820/2006 não outorga, não modifica, nem renova concessão, permissão ou autorização de serviço de radiodifusão de sons e imagens. Tampouco prorroga qualquer prazo. Inexistência de violação ao art. 223 da Constituição Federal. Também não há ofensa ao § 5.º do art. 220 da Carta da República. Se monopólio ou oligopólio está a ocorrer, factualmente, nos meios de comunicação brasileiros, não é por conta do decreto ora impugnado, cuja declaração de inconstitucionalidade seria inútil para afastar a suposta afronta ao Texto Magno. 8. Ação que se julga improcedente" (STF – Pleno, ADIN 3944/DF, rel. Min. Ayres Britto, j. 05.08.2010, DJE 185, 01.10.2010, RTJ 216/252).

"Apelação em Mandado de Segurança. Agência Nacional de Vigilância Sanitária – ANVISA. Poder Regulamentar. Lei 9782/99. Resolução RDC 67 de 2007. 1. A Lei n.º 9.782/99, que criou o Sistema Nacional de Vigilância Sanitária, estabeleceu em seu artigo 6.º que a ANVISA tem por finalidade institucional 'promover a saúde da população, por intermédio do controle sanitário da produção e da comercialização de produtos e serviços submetidos à vigilância sanitária', entre outros. 2. No uso do seu poder regulamentar, previamente estabelecido em lei, a ANVISA editou a Resolução da Diretoria Colegiado – RDC n. 67 que no item 5.14, estabeleceu a proibição de exposição ao público de produtos manipulados, com o objetivo de propaganda, publicidade ou promoção. 3. O art. 7.º XXVI da Lei 9.782/99 estabeleceu dentre as competências da ANVISA, o de controlar a propaganda e publicidade de produtos submetidos ao regime de vigilância sanitária. O controle exercido pela agência pode, por óbvio, restringir total ou parcialmente a publicidade e propaganda da medicação fabricada pelas farmácias magistrais. 4. Não há violação ao princípio da livre iniciativa, uma vez que a restrição à propaganda de medicamentos encontra amparo constitucional nos dizeres do § 4.º do artigo 220 da Constituição Federal, que prevê que 'A propaganda comercial de tabaco, bebidas alcoólicas, agrotóxicos, medicamentos e terapias estará sujeita a restrições legais, nos termos do inciso II do parágrafo anterior, e conterá, sempre que necessário, advertência sobre os malefícios decorrentes de seu uso'. 5. Processo extinto sem resolução do mérito, por ausência de direito líquido e certo. Prejudicada a apelação" (TRF1, 5.ª Turma, AMS 00388474720074013400, rel. Des. Federal Selene Maria de Almeida, e-DJF1, 29.06.2012, p. 200).

Art. 221. A produção e a programação das emissoras de rádio e televisão atenderão aos seguintes princípios:

I – preferência a finalidades educativas, artísticas, culturais e informativas;

II – promoção da cultura nacional e regional e estímulo à produção independente que objetive sua divulgação;

III – regionalização da produção cultural, artística e jornalística, conforme percentuais estabelecidos em lei;

IV – respeito aos valores éticos e sociais da pessoa e da família.

Doutrina

Definição de radiodifusão. O Decreto n.º 52.795, de 31.10.1963, definia radiodifusão como o serviço de telecomunicações que permite a transmissão de sons (radiodifusão sonora), ou a transmissão simultânea de sons e imagens (televisão), com o fim de ser direta e livremente recebida pelo público. No Brasil, a primeira emissora de rádio (Rádio Sociedade do Rio de Janeiro) foi fundada por Roquette Pinto em 1923. A primeira emissora de televisão do país (TV Tupi, Canal 3, São Paulo) foi inaugurada em 1950.

Competência para exploração dos serviços. É da União a competência para explorar, diretamente ou mediante autorização, concessão ou permissão os serviços de radiodifusão sonora e de sons e imagens (CF, art. 21, XII, *a*). Portanto, quando a União não explora por si o serviço, poderá fazê-lo por meio de particulares, mediante uma das formas previstas na referida norma constitucional. Isso significa que todos os interessados poderão participar do processo licitatório próprio, cabendo ao Poder Público escolher a proposta que melhor atenda ao interesse coletivo.

Princípios norteadores da atividade de radiodifusão. Tanto a produção (atividade de criar conteúdo) quanto a programação (atividade de montar uma grade de exibição de programas) das emissoras de rádio e televisão atenderão aos princípios da (*a*) preferência a finalidades educativas, artísticas, culturais e informativas; da (*b*) promoção da cultura nacional e regional e estímulo à produção independente que objetive sua divulgação; da (*c*) regionalização da produção cultural, artística e jornalística, conforme percentuais estabelecidos em lei; e, finalmente, do (*d*) respeito aos valores éticos e sociais da pessoa e da família.

Jurisprudência

> "A proteção das crianças e dos adolescentes foi erigida pela Constituição como valor de 'absoluta prioridade' (art. 227), autorizando, inclusive, restrições quanto

à veiculação de programas audiovisuais por emissoras de rádio e televisão, que fica subordinada a classificação por horários e faixas etárias (artigos, 21, XVI, 220 e 221)" (STJ – 1.ª Seção, MS 14.041/DF, rel. Min. Teori Albino Zavascki, DJE, 27.10.2009, RSTJ, vol. 217, p. 430).

"(...). – O art. 220, *caput*, da Constituição Federal prevê que a manifestação do pensamento, a criação, a expressão e a informação, sob qualquer forma, processo ou veículo não sofrerão qualquer restrição, observado o disposto nesta Constituição. – Além do referido dispositivo determinar que os limites da Constituição devem ser observados, o artigo 221 estabelece que a produção e a programação das emissoras de rádio e televisão atenderão aos princípios da preferência a finalidades educativas, artísticas, culturais e informativas e do respeito aos valores éticos e sociais da pessoa e da família. – Evidente, pois, que o direito à liberdade de expressão não é absoluta, devendo respeitar valores éticos e sociais e da família. – No caso, em que pese as declarações fortes, enfáticas e agressivas, proferidas pela referida jornalista, estas foram ditas dentro dos limites aceitáveis do exercício da liberdade de imprensa. Sob o ponto de vista jurídico posto na perspectiva da presente ação civil pública, os direitos e garantias constitucionais não foram violados. – Remessa oficial e apelação improvidas" (TRF3 – 4.ª Turma, AC 2.235.269/SP, rel. Des. Fed. Mônica Nobre, e-DJF3, Judicial 1, 26.09.2018).

"(...). 4. O artigo 37 da Constituição Federal é aplicável à Administração Pública, assim a Municipalidade não poderia veicular, com uso de recursos públicos, propaganda de cunho pessoal de prefeito e de qualquer outra autoridade ou servidor. Para os meios de comunicação social, notadamente televisão e rádio, a produção e programação devem observar princípios conforme o artigo 221 da Constituição Federal: 'I – preferência a finalidades educativas, artísticas, culturais e informativas; II – promoção da cultura nacional e regional e estímulo à produção independente que objetive sua divulgação; III – regionalização da produção cultural, artística e jornalística, conforme percentuais estabelecidos em lei; IV – respeito aos valores éticos e sociais da pessoa e da família.' (...). 6. A responsabilidade social que decorre da exploração, em regime de concessão, de serviço público, deveria permitir que se evitasse a contaminação e degradação prejudicial a interesse social e difuso, porém nem sempre é possível porque, não raro, isto poderia atingir a liberdade de imprensa e, segundo assentado, ainda é melhor suportar o abuso do exercício da liberdade de imprensa do que adotar regime de censura. O direito de resposta e a indenização por danos são mecanismos consagrados para tratar de eventual abuso da liberdade de imprensa, embora cresça a consciência, inclusive social, de que o direito de resposta e indenização são instrumentos notadamente reparatórios e, nem sempre, a honra maculada numa linha da imprensa escrita ou num instante da imprensa falada ou televisiva, que se torna perpétua na era da informação digital, pode ser reparada até porque, para muitos ainda, a honra não tem preço, assim nenhum dinheiro pode lavar ou compensar o 'bom nome' lançado à lama" (TRF3 – 3.ª Turma, AC 1.495.823/SP, rel. Des. Fed. Carlos Muta, e-DJF3, Judicial 1, 20.07.2012).

Art. 222. A propriedade de empresa jornalística e de radiodifusão sonora e de sons e imagens é privativa de brasileiros natos ou naturalizados há mais de dez anos, ou de pessoas jurídicas constituídas sob as leis brasileiras e que tenham sede no País.

§ 1.º Em qualquer caso, pelo menos setenta por cento do capital total e do capital votante das empresas jornalísticas e de radiodifusão sonora e de sons e imagens deverá pertencer, direta ou indiretamente, a brasileiros natos ou naturalizados há mais de 10 (dez) anos, que

exercerão obrigatoriamente a gestão das atividades e estabelecerão o conteúdo da programação.

§ 2.º A responsabilidade editorial e as atividades de seleção e direção da programação veiculada são privativas de brasileiros natos ou naturalizados há mais de dez anos, em qualquer meio de comunicação social.

§ 3.º Os meios de comunicação social eletrônica, independentemente da tecnologia utilizada para a prestação do serviço, deverão observar os princípios enunciados no art. 221, na forma de lei específica, que também garantirá a prioridade de profissionais brasileiros na execução de produções nacionais.

§ 4.º Lei disciplinará a participação de capital estrangeiro nas empresas de que trata o § 1.º

§ 5.º As alterações de controle societário das empresas de que trata o § 1.º serão comunicadas ao Congresso Nacional.

Doutrina

Propriedade de empresa jornalística e de radiodifusão. O *caput* do artigo ora anotado dispõe, expressamente, que a propriedade de empresa jornalística e de radiodifusão sonora e de sons e imagens é privativa de brasileiros natos ou naturalizados há mais de dez anos, ou de pessoas jurídicas constituídas sob as leis brasileiras e que tenham sede no país. Portanto, somente brasileiro nato ou que tenha obtido a naturalização há mais de dez anos, bem como pessoa jurídica organizada na forma da lei nacional e com sede no país, poderão ser proprietários de tais empresas.

Controle acionário, gestão do negócio e controle de conteúdo. O § 1.º, por sua vez, dispõe que, em qualquer caso, pelo menos setenta por cento do capital total e do capital votante das empresas jornalísticas e de radiodifusão sonora e de sons e imagens deverá pertencer, direta ou indiretamente, a brasileiros natos ou naturalizados há mais de dez anos. Trata-se de controle acionário no percentual mínimo previsto pela norma – tanto da totalidade das ações como das ações que dão direito a voto –, e, além disso, tais acionistas responderão, obrigatoriamente, pela gestão do negócio e pela definição de conteúdo da programação.

Responsabilidade editorial e de conteúdo. Dispõe o § 2.º que, em qualquer veículo de comunicação social, a responsabilidade editorial e as atividades de seleção e direção da programação veiculada são privativas de brasileiros natos ou naturalizados há mais de dez anos.

Veículos de comunicação eletrônica e princípios norteadores da radiodifusão. O § 3.º impõe aos meios de comunicação social eletrônica, independentemente da tecnologia utilizada para a prestação do serviço, a necessária observância aos princípios que norteiam a atividade de radiodifusão, inscritos no artigo 221, segundo o que a lei específica determinar, que também garantirá a prioridade na contratação de profissionais brasileiros para a execução de produções nacionais.

Participação do capital estrangeiro. O § 4.º dispõe que lei disciplinará a participação de capital estrangeiro nas empresas jornalísticas e de radiodifusão sonora e de sons e imagens, conforme disposto no § 1.º A disciplina legal da matéria é tratada pela Lei n.º 10.610, de 20.12.2002.

Controle do Congresso Nacional. O § 5.º dispõe que as alterações de controle societário das empresas jornalísticas e de radiodifusão sonora e de sons e imagens serão comunicadas ao Congresso Nacional. Isso para fins de fiscalização da participação do capital estrangeiro nas referidas empresas.

Jurisprudência

> "Contrato Administrativo. Desconstituição. Ato complexo. Código Nacional de Telecomunicações (art.

38). Recepção constitucional. Vigência. Concessionárias de radiodifusão. Composição acionária. Consentimento da União (L. 4.117/62 – art. 38). 1 – É lícito à autoridade que celebra contrato administrativo, declarar-lhe a nulidade, sem desconstituir os respectivos atos preparatórios. 2 – O art. 38 da Lei 4.117/62 não foi derrogado pela Constituição Federal de 1988. 3 – A teor do art. 21, XII, 'a', da CF, compete à União explorar os serviços de telecomunicações. Ora, quem explora, pode estabelecer as condições em que tal exploração pode ser concedida. Na hipótese, tais condições encontram-se no art. 38 de Lei 4.117 (Código Nacional de Telecomunicações). 4 – O controle estatal sobre a composição do capital das concessionárias de telecomunicações liga-se radicalmente ao potencial de influência que tais empresas exercem sobre a população. Não é à toa que os exploradores de tais serviços arrogam-se o epíteto de 'formadores de opinião'. 5 – A alteração na composição acionária das concessionárias de telecomunicações, dependem de autorização da União, 'ouvido o Conselho Nacional de Telecomunicações' (CBT, art. 38). 6 – Em meio ao processo de que resultou a candidata à concessão, é defeso à concessionária alterar seus estatutos sociais, sem as cautelas do CBT (art. 38)" (STJ – 1.ª Seção, MS 8.937, rel. Min. Humberto Gomes de Barros, DJ, 09.12.2003, p. 202).

"(...). 6. A moderna concepção do princípio da legalidade, em sua acepção principiológica ou formal axiológica, chancela a atribuição de poderes normativos ao Poder Executivo, desde que pautada por princípios inteligíveis (*intelligible principles*) capazes de permitir o controle legislativo e judicial sobre os atos da Administração. 7. *In casu*, os arts. 9.º, parágrafo único, 21 e 22 da Lei n.º 12.485/11, apesar de conferirem autoridade normativa à Agência Nacional do Cinema (ANCINE), estão acompanhados por parâmetros aptos a conformar a conduta de todas as autoridades do Estado envolvidas na disciplina do setor audiovisual brasileiro (*ex vi* do art. 3.º da Lei do SeAC), impedindo que qualquer delas se transforme em órgão titular de um pretenso poder regulatório absoluto. Não ocorrência de violação material à Carta da República. 8. A Constituição de 1988 não estabeleceu qualquer regra jurídica que interdite a distinção entre brasileiro e estrangeiro, ao contrário do que acontece com a situação do brasileiro nato e do naturalizado, para a qual há explícita reserva constitucional acerca das hipóteses de tratamento diferenciado (CRFB, art. 12, § 2.º). Destarte, é juridicamente possível ao legislador ordinário fixar regimes distintos, desde que, em respeito ao princípio geral da igualdade (CRFB, art. 5.º, *caput*), revele fundamento constitucional suficiente para a discriminação, bem como demonstre a pertinência entre o tratamento diferenciado e a causa jurídica distintiva. 9. *In casu*, o art. 10, *caput* e § 1.º, da Lei n.º 12.485/11, ao restringir a gestão, a responsabilidade editorial e as atividades de seleção e direção inerentes à programação e ao empacotamento a brasileiros natos ou naturalizados há mais de 10 (dez) anos, representou típica interpretação legislativa evolutiva do comando constitucional encartado no art. 222, § 2.º, da Lei Maior, de todo condizente com os vetores axiológicos que informam, no plano constitucional, a atividade de comunicação de massa, dentre os quais a preservação da soberania e identidade nacionais, o pluralismo informativo e a igualdade entre os prestadores de serviço a despeito da tecnologia utilizada na atividade" (STF – Pleno, ADIN 4.923/DF, rel. Min. Luiz Fux, j. 08.11.2017).

Art. 223. Compete ao Poder Executivo outorgar e renovar concessão, permissão e autorização para o serviço de radiodifusão sonora e de sons e imagens, observado o princípio da complementaridade dos sistemas privado, público e estatal.

§ 1.º O Congresso Nacional apreciará o ato no prazo do art. 64, §§ 2.º e 4.º, a contar do recebimento da mensagem.

§ 2.º A não renovação da concessão ou permissão dependerá de aprovação de, no mínimo, dois quintos do Congresso Nacional, em votação nominal.

§ 3.º O ato de outorga ou renovação somente produzirá efeitos legais após deliberação do Congresso Nacional, na forma dos parágrafos anteriores.

§ 4.º O cancelamento da concessão ou permissão, antes de vencido o prazo, depende de decisão judicial.

§ 5.º O prazo da concessão ou permissão será de dez anos para as emissoras de rádio e de quinze para as de televisão.

Doutrina

Competência para autorizar a exploração do serviço de radiodifusão. Repete a primeira parte do *caput* deste artigo o que já consta, expressamente, do artigo 21, inciso XII, que estabelece competência exclusiva ao Poder Executivo para outorgar e renovar concessão, permissão e autorização para a exploração do serviço de radiodifusão sonora e de sons e imagens.

Princípio da complementaridade. A segunda parte do *caput* dispõe ser de observância obrigatória o princípio da complementaridade dos sistemas privado, público e estatal, ou seja, os referidos sistemas devem se completar para cumprir a relevante função social da radiodifusão que, a rigor, é sempre serviço público, ainda quando explorado por empresa privada mediante concessão, permissão ou autorização.

Controle da outorga no âmbito do Congresso Nacional. Tendo o Poder Executivo, após licitação, feito a outorga ou reforma da concessão, da permissão ou da autorização para o exercício da atividade de radiodifusão, submeterá o ato respectivo, por meio de mensagem, ao Congresso Nacional, que o apreciará dentro do prazo previsto no § 1.º, a contar do seu recebimento. O Congresso Nacional decidirá pelo voto de, no mínimo, dois quintos de seus membros, em votação nominal (§ 2.º), sendo certo que o ato de outorga somente produzirá efeitos após a decisão congressual (§ 3.º), estendendo-se a concessão ou a permissão pelo prazo de dez anos para as emissoras de rádio e de quinze anos para as de televisão (§ 5.º). Anote-se que a autorização – e apenas esta –, por se tratar de ato unilateral, poderá ser cancelada a qualquer tempo.

Controle da outorga no âmbito do Poder Judiciário. Nos termos do § 4.º, o cancelamento da concessão ou da permissão, antes de vencido o prazo de outorga, portanto, na vigência dele, depende de decisão judicial transitada em julgado.

Jurisprudência

> "A transmissão obrigatória do programa 'Voz do Brasil' é objeto da Lei Federal n.º 4117/62. 2. A Lei Federal n.º 9472, de 1997, no artigo 215, expressamente ressalvou a vigência da norma acima citada. 3. Trata-se de dispositivo recepcionado pela atual Constituição Federal. Nesta, o sistema de radiodifusão é regido pelo princípio da complementaridade, pelo qual os segmentos privado, público e estatal compartilham a responsabilidade pela execução do serviço, nos termos do artigo 223, '*caput*'. 4. A disciplina da complementaridade prevista na Constituição Federal é privativa dos Poderes Legislativo e Executivo. A proclamação individual da pauta de valores do magistrado é insuficiente tanto para a criação, a modificação ou a extinção de direitos, quanto para a abdicação da grave responsabilidade de garantidor do exercício da competência alheia. 5. O Supremo Tribunal Federal tem mantido estrito rigor na observância da cláusula constitucional da separação dos poderes, quando se trata de exigência da elaboração de lei, para a criação, a modificação e a extinção de direitos (RE 322348-AgR/SC). 6. Apelação improvida" (TRF3, AC 1611788, rel. Des. Fed. Fábio Prieto, e-DJF3, 17.06.2011, p. 420).

"1. A Constituição Federal de 1988, em seu art. 223, preceitua competir ao Poder Executivo a outorga e renovação de concessão, permissão e autorização para o serviço de radiodifusão sonora e de sons e imagens, observado o princípio da complementaridade dos sistemas privado, público e estatal. 2. A intervenção do Poder Judiciário, nesses casos, não aceita a substituição do Legislador pelo Juiz, limitando a assinalar um prazo para que a Administração delibere sobre o processo administrativo, consoante entendimento assente no Colendo Tribunal da Cidadania. Precedentes: (...). 3. Por força disso, é de se confirmar a sentença que entendeu não ser possível o funcionamento de rádios comunitárias sem o prévio controle estatal, mas que, diante da comprovação da demora da Administração em apreciar os pedidos de autorização formulados pela autora, reconheceu a violação aos princípios constitucionais da eficiência e da razoabilidade, determinando a apreciação do pleito administrativo em 180 dias, sob pena de multa diária de R$ 150,00" (TRF5, AC 517432, rel. Des. Fed. Manoel Erhardt, DJE, 26.04.2013, p. 28).

Art. 224. Para os efeitos do disposto neste capítulo, o Congresso Nacional instituirá, como seu órgão auxiliar, o Conselho de Comunicação Social, na forma da lei.

Doutrina

Criação e papel do Conselho de Comunicação Social. Referido Conselho foi instituído pelo Congresso Nacional, como seu órgão auxiliar, por meio da Lei n.º 8.389, de 30.12.1991, com a atribuição de realizar estudos, pareceres, recomendações e atender a outras solicitações do parlamento a respeito de assuntos pertinentes à comunicação social, tais como liberdade de pensamento, de criação, de expressão e de informação; produção e programação das emissoras de rádio e televisão; promoção da cultura nacional e regional etc.

Composição do Conselho de Comunicação Social. Nos termos do artigo 4.º da lei acima mencionada, o Conselho de Comunicação Social compõe-se de: I – um representante das empresas de rádio; II – um representante das empresas de televisão; III – um representante de empresas da imprensa escrita; IV – um engenheiro com notórios conhecimentos na área de comunicação social; V – um representante da categoria profissional dos jornalistas; VI – um representante da categoria profissional dos radialistas; VII – um representante da categoria profissional dos artistas; VIII – um representante das categorias profissionais de cinema e vídeo; IX – cinco membros representantes da sociedade civil. Deverão ser brasileiros (natos ou naturalizados), maiores de idade e de reputação ilibada, serão eleitos para mandatos de dois anos, permitida uma recondução, gozando de estabilidade no emprego durante o período de duração do mandato.

Jurisprudência

> 7. "O Decreto 5.820/2006 não outorga, não modifica, nem renova concessão, permissão ou autorização de serviço de radiodifusão de sons e imagens. Tampouco prorroga qualquer prazo. Inexistência de violação ao art. 223 da Constituição Federal. Também não há ofensa ao § 5.º do art. 220 da Carta da República. Se monopólio ou oligopólio está a ocorrer, factualmente, nos meios de comunicação brasileiros, não é por conta do decreto ora impugnado, cuja declaração de inconstitucionalidade seria inútil para afastar a suposta afronta ao Texto Magno" (STF – Pleno, ADIN 3944/DF, rel. Min. Ayres Britto, j. 05.08.2010, DJE 185, 01.10.2010, RTJ 216/252).

CAPÍTULO VI
DO MEIO AMBIENTE

Art. 225. Todos têm direito ao meio ambiente ecologicamente equilibrado, bem de uso comum do povo e essencial à sadia qualidade de vida, impondo-se ao Poder Público e à coletividade o dever de defendê-lo e preservá-lo para as presentes e futuras gerações.

§ 1.º Para assegurar a efetividade desse direito, incumbe ao Poder Público:

I – preservar e restaurar os processos ecológicos essenciais e prover o manejo ecológico das espécies e ecossistemas;

II – preservar a diversidade e a integridade do patrimônio genético do País e fiscalizar as entidades dedicadas à pesquisa e manipulação de material genético;

III – definir, em todas as unidades da Federação, espaços territoriais e seus componentes a serem especialmente protegidos, sendo a alteração e a supressão permitidas somente através de lei, vedada qualquer utilização que comprometa a integridade dos atributos que justifiquem sua proteção;

IV – exigir, na forma da lei, para instalação de obra ou atividade potencialmente causadora de significativa degradação do meio ambiente, estudo prévio de impacto ambiental, a que se dará publicidade;

V – controlar a produção, a comercialização e o emprego de técnicas, métodos e substâncias que comportem risco para a vida, a qualidade de vida e o meio ambiente;

VI – promover a educação ambiental em todos os níveis de ensino e a conscientização pública para a preservação do meio ambiente;

VII – proteger a fauna e a flora, vedadas, na forma da lei, as práticas que coloquem em risco sua função ecológica, provoquem a extinção de espécies ou submetam os animais a crueldade.

VIII – manter regime fiscal favorecido para os biocombustíveis destinados ao consumo final, na forma de lei complementar, a fim de assegurar-lhes tributação inferior à incidente sobre os combustíveis fósseis, capaz de garantir diferencial competitivo em relação a estes, especialmente em relação às contribuições de que tratam a alínea *b* do inciso I e o inciso IV do *caput* do art. 195 e o art. 239 e ao imposto a que se refere o inciso II do *caput* do art. 155 desta Constituição.

§ 2.º Aquele que explorar recursos minerais fica obrigado a recuperar o meio ambiente degradado, de acordo com solução técnica exigida pelo órgão público competente, na forma da lei.

§ 3.º As condutas e atividades consideradas lesivas ao meio ambiente sujeitarão os infratores, pessoas físicas ou jurídicas, a sanções penais e administrativas, independentemente da obrigação de reparar os danos causados.

§ 4.º A Floresta Amazônica brasileira, a Mata Atlântica, a Serra do Mar, o Pantanal Mato-Grossense e a Zona Costeira são patrimônio nacional, e sua utilização far-se-á, na forma da lei, dentro de condições que assegurem a preservação do meio ambiente, inclusive quanto ao uso dos recursos naturais.

§ 5.º São indisponíveis as terras devolutas ou arrecadadas pelos Estados, por ações discriminatórias, necessárias à proteção dos ecossistemas naturais.

§ 6.º As usinas que operem com reator nuclear deverão ter sua localização definida em lei federal, sem o que não poderão ser instaladas.

§ 7.º Para fins do disposto na parte final do inciso VII do § 1.º, não se consideram cruéis as práticas desportivas que utilizem animais, desde que sejam manifestações culturais, conforme o § 1.º do art. 215 desta Constituição Federal, registradas como bem de natureza imaterial integrante do patrimônio cultural brasileiro, devendo ser regulamentadas por lei específica que assegure o bem-estar dos animais envolvidos.

Doutrina

Noção de meio ambiente. Compreende o meio ambiente todas as condições naturais e materiais que influenciam nos ciclos de existência dos seres vivos, mormente dos seres humanos.

Noção de meio ambiente ecologicamente equilibrado. É aquele que reúne condições ideais para fruição por todos os seres vivos. Portanto, aquele capaz de assegurar a vida em condições adequadas. Aliás, o *caput* do artigo assegura que todos têm direito ao meio ambiente ecologicamente equilibrado e declara que se trata de bem de uso comum do povo e essencial à sadia qualidade de vida.

Dever de defesa e preservação do meio ambiente. A defesa e preservação do meio ambiente para as gerações presentes e futuras é dever do Poder Público e da coletividade. Portanto, trata-se de responsabilidade compartilhada, cabendo ao Estado definir as políticas públicas mais eficientes para a finalidade de conservação e à comunidade a adoção das condutas que permitam o uso adequado dos recursos disponíveis.

Atribuições do Poder Público na defesa do meio ambiente ecologicamente equilibrado. O § 1.º dispõe que, para tornar efetivo referido direito, incumbe aos órgãos competentes do Poder Público: *a*) a preservação e restauração dos processos ecológicos essenciais, tais como conservação ou recuperação de solos e de florestas, provendo, ainda, o manejo ecológico das espécies (vegetais e animais) e ecossistemas, também de sistemas de vegetais e de animais, visando o uso adequado e a conservação para o futuro; *b*) a preservação da diversidade e a integridade do patrimônio genético do brasileiro, por meio da respectiva característica essencial, além da fiscalização das entidades dedicadas à pesquisa e manipulação de material genético, com a finalidade de garantir a correção de procedimentos; *c*) a definição, em todas as unidades da Federação, de espaços territoriais e seus componentes a serem especialmente protegidos, sendo a alteração e a supressão permitidas somente através de lei, vedada qualquer utilização que comprometa a integridade dos atributos que justifiquem sua proteção. O que se busca é a identificação e delimitação de tais áreas (públicas ou privadas) para fins de proteção e conservação; *d*) a exigência, na forma da lei, para instalação de obra ou atividade potencialmente causadora de significativa degradação do meio ambiente, de estudo prévio de impacto ambiental, a que se dará publicidade, para fins de mensuração de danos, avaliação de alternativas e adoção de medidas capazes de reduzir a degradação ambiental ao mínimo possível. O estudo de impacto ambiental compreenderá todas as abordagens pertinentes e avaliações cabíveis, ensejando, com isso, a elaboração do chamado Relatório de Impacto Ambiental – RIMA, documento técnico de observância obrigatória, que orientará a execução da obra e a atuação dos órgãos de fiscalização, podendo, ainda, oferecer supedâneo para eventual iniciativa do Ministério Público; *e*) o controle da produção, da comercialização e do emprego de técnicas, métodos e substâncias que comportem risco para a vida, a qualidade de vida e o meio ambiente, devendo o Poder Público fiscalizar a segurança da fabricação e distribuição de agrotóxicos e venenos de uso em plantações, bem como fiscalizar as técnicas de produção dessas substâncias; *f*) a promoção da educação ambiental em todos os níveis de ensino e a conscientização pública para a preservação do meio ambiente, fazendo despertar, principalmente nas novas gerações, a consciência ecológica; *g*) a proteção da fauna e da flora, vedadas, na forma da lei, as práticas que coloquem em risco sua função ecológica, provoquem a extinção de espécies ou submetam os animais a crueldade, quer dizer, todos os animais e todas as formas de vegetação devem receber a proteção estatal, proibindo a norma constitucional qualquer iniciativa que represente risco ao papel ecológico de cada qual, ou possa provocar a extinção de qualquer espécie (*v.g.*, caça ou pesca predatórias), ou, ainda, implicar tratamento cruel a animais (*v.g.*, cativeiro ilegal, briga de galo, uso de esporas para castigar animais de montarias, meios para dificultar a piracema de cardumes de peixes, que arribam para as nascentes dos rios para a desova).

Exploração de recursos minerais. Nos termos do § 2.°, aquele que explorar recursos minerais fica obrigado a recuperar o meio ambiente degradado, de acordo com a solução técnica exigida pelo órgão público competente, na forma da lei. Portanto, o concessionário ou autorizatário de exploração de jazidas e demais recursos minerais deverá desenvolver e implantar plano de recuperação da área degradada segundo a solução técnica previamente exigida pelo órgão competente, com base em lei, no caso, o Código de Mineração (Decreto-lei n.° 227, de 28.02.1967). Anote-se, pois, que o dano ao meio ambiente, em face de exploração de recursos minerais, é de responsabilidade daquele que exerce a exploração por meio de concessão ou autorização.

Responsabilidade por danos ambientais. A responsabilidade por danos ambientais, nos termos do § 3.°, será de qualquer pessoa física ou jurídica que praticar conduta ou atividade tida como lesiva ao meio ambiente, sujeitando o infrator a sanções penais e administrativas, sem prejuízo da obrigação de reparar o dano causado. Portanto, a norma trata tanto da responsabilidade penal, aquela que decorre da prática de um crime (*v.g.*, derramar, clandestinamente, substância tóxica no leito de um rio), quanto da responsabilidade administrativa, aquela que decorre da violação de uma norma administrativa (descumprir cláusula contratual relativa a prazo, sujeitando-se ao pagamento de multa), ou da responsabilidade civil, aquela que decorre do dever de indenizar o dano causado (*v.g.*, descumprimento de cláusula contratual relativa ao objeto do contrato).

Proteção legal de ecossistemas como patrimônio nacional. É o que dispõe o § 4.° acima, com relação à Floresta Amazônica brasileira, a Mata Atlântica, a Serra do Mar, o Pantanal Mato-Grossense e a Zona Costeira, dispondo, ainda, que a utilização de seus recursos se dará na forma da lei, regrando esta as condições que assegurem a preservação do meio ambiente e o uso adequado de tais recursos. Convém lembrar que a norma constitucional não exclui a proteção legal aos demais ecossistemas existentes no país; portanto, a lista nela contida é meramente exemplificativa. Ademais, o regramento da matéria poderá ser feito por meio de lei ordinária, não existindo reserva de lei complementar para tratar do assunto. Por último, a norma constitucional dispõe, expressamente, por via das dúvidas, que a proteção legal destina-se à Floresta Amazônica *brasileira* – conquanto tratar-se de ecossistema que se estende por vários países –, sendo elementar que a incidência da soberania nacional limita-se aos lindes do território do país.

Terras devolutas ou arrecadadas. Nos termos do § 5.°, são indisponíveis as terras devolutas ou arrecadadas pelos Estados, por ações discriminatórias, necessárias à proteção dos ecossistemas naturais. Portanto, são gravadas com a indisponibilidade apenas as terras devolutas – aquelas que pertencem ao patrimônio público e não afetadas a uso comum ou especial – em poder dos Estados membros. Apesar de a norma referir-se a ações discriminatórias, o procedimento discriminatório pode ser feito administrativamente.

Localização de usinas nucleares. Dispõe o § 6.º que as usinas destinadas a operar com reator nuclear deverão ter sua localização definida em lei federal, sem o que não poderão ser instaladas. O conteúdo da norma decorre do disposto no artigo 21, inciso XXIII, da Constituição Federal, que outorga à União competência para explorar os serviços e instalações nucleares de qualquer natureza, exercendo, ainda, o monopólio estatal sobre a pesquisa, a lavra, o enriquecimento e reprocessamento, a industrialização e o comércio de minérios nucleares e seus derivados. Assim sendo, são inconstitucionais as leis estaduais e municipais que legislarem sobre construção e localização de plantas de usinas nucleares.

Práticas desportivas com a utilização de animais. Dispõe o § 7.º que não se consideram cruéis as práticas desportivas que utilizem animais, desde que sejam manifestações culturais, de natureza imaterial e compreendidas no patrimônio cultural brasileiro. Portanto, a questão essencial reside na conciliação do princípio do acesso aos bens culturais (art. 215, *caput*, § 1.º) com o da proibição da prática de tratamento cruel aos animais (art. 225, § 1.º, VII). Assim, são permitidas as atividades que não impliquem violência e danos físicos aos animais, tais como as corridas de cavalos em jóqueis clubes e os rodeios com a utilização de cavalos e touros, com o de Barretos, com as cautelas devidas para a proteção dos animais e não são permitidas – segundo o entendimento do Supremo Tribunal Federal – a prática da farra do boi e as brigas de galo em rinhas, onde os animais combatem até a morte.

Jurisprudência

> "1. A Corte Suprema já firmou a orientação de que é dever do Poder Público e da sociedade a defesa de um meio ambiente ecologicamente equilibrado para as presentes e futuras gerações. 2. Assim, pode o Poder Judiciário, em situações excepcionais, determinar que a Administração pública adote medidas assecuratórias desse direito, reputado essencial pela Constituição Federal, sem que isso configure violação do princípio

da separação de poderes. 3. A Administração não pode justificar a frustração de direito previstos na Constituição da República sob o fundamento da insuficiência orçamentária" (STF – 1.ª Turma, RE 658.171/DF AgRg, rel. Min. Dias Toffoli, j. 01.04.2014).

"2. Arguição de descumprimento dos preceitos fundamentais constitucionalmente estabelecidos: decisões judiciais nacionais permitindo a importação de pneus usados de Países que não compõem o Mercosul: objeto de contencioso na Organização Mundial do Comércio – OMC, a partir de 20.6.2005, pela Solicitação de Consulta da União Europeia ao Brasil. 3. Crescente aumento da frota de veículos no mundo a acarretar também aumento de pneus novos e, consequentemente, necessidade de sua substituição em decorrência do seu desgaste. Necessidade de destinação ecologicamente correta dos pneus usados para submissão dos procedimentos às normas constitucionais e legais vigentes. Ausência de eliminação total dos efeitos nocivos da destinação dos pneus usados, com malefícios ao meio ambiente: demonstração pelos dados. 4. Princípios constitucionais (art. 225) a) do desenvolvimento sustentável e b) da equidade e responsabilidade intergeracional. Meio ambiente ecologicamente equilibrado: preservação para a geração atual e para as gerações futuras. Desenvolvimento sustentável: crescimento econômico com garantia paralela e superiormente respeitada da saúde da população, cujos direitos devem ser observados em face das necessidades atuais e daquelas previsíveis e a serem prevenidas para garantia e respeito às futuras gerações. Atendimento aso princípio da precaução, acolhido constitucionalmente, harmonizado com os demais princípios da ordem social e econômica." (STF – Pleno, ADPF 101/DF, rel. Min. Cármen Lúcia, j. 24.06.2009).

"Importação de pneumáticos usados. Manifesto interesse público. Dano ambiental. Demonstração de grave lesão à ordem pública, considerada em termos de ordem administrativa, tendo em conta a proibição geral de não importação de bens de consumo ou matéria-prima usada. Precedentes. 4. Ponderação entre as exigências para preservação da saúde e do meio ambiente e o livre exercício da atividade econômica (art. 170 da Constituição Federal). 5. Grave lesão à ordem pública, diante do manifesto e inafastável interesse público à saúde e ao meio ambiente ecologicamente equilibrado (art. 225 da Constituição Federal). Precedentes" (STF – Pleno, Suspensão de Tutela Antecipada 118/RJ AgRg, rel. Min. Ellen Gracie, j. 12.12.2007).

"O critério para a repartição de competências para o licenciamento ambiental é o da preponderância do interesse, cabendo ao IBAMA realizar o licenciamento quando o impacto ambiental for de relevância nacional ou regional. Não há, pois, que se falar em critério de dominialidade para a aferição da competência do IBAMA quanto ao licenciamento ambiental. Precedentes desta Corte". (TRF5, ApReeNec 11.383/CE, rel. Des. Fed. Edílson Nobre, DJE, 16.08.2012, p. 616).

"A Constituição do Brasil atribui ao Poder Público e à coletividade o dever de defender um meio ambiente ecologicamente equilibrado. (CB/88, art. 225, § 1.°, III). 2. A delimitação dos espaços territoriais protegidos pode ser feita por decreto ou por lei, sendo esta imprescindível apenas quando se trate de alteração ou supressão desses espaços. Precedentes. Segurança denegada para manter os efeitos do decreto do Presidente da República, de 23 de março de 2006" (STF – Pleno, MS 26.064/DF, rel. Min. Eros Grau, j. 17.06.2010).

"O artigo 225 da Constituição Federal, aliado às Constituições do Estado e às Leis Orgânicas do Município, estabelece que é dever do Poder Público, nas suas três esferas de entes federados, a defesa e a preservação do meio ambiente para as presentes e futuras gerações. A Política Nacional do Meio Ambiente, estabelecida pela Lei n.º 6938/1981, prevê, por sua vez, que a ação governamental deve ser exercida na manutenção do equilíbrio ecológico, considerando o meio ambiente como um patrimônio público a ser necessariamente assegurado e protegido, tendo em vista o uso coletivo. 5. As pessoas jurídicas de direito público interno podem ser responsabilizadas por ações e omissões lesivas ao meio ambiente. O Município, dentro da sua esfera de atuação, pode ser responsabilizado quando se afasta da imposição legal de agir ou quando age deficientemente na consecução da preservação do meio ambiente assegurada constitucionalmente, tendo em vista que deriva da norma constitucional seu dever qualificado, dentro de um sistema de gestão ambiental, de fiscalizar e impedir a ocorrência do dano ambiental. 6. A responsabilidade pelo dano causado ao meio ambiente é objetiva, informada pela teoria do risco integral, sendo suficiente que o prejuízo tenha sido acarretado pelo exercício de determinada atividade, ou seja, o nexo causal, não sendo necessária a demonstração da culpa. A responsabilidade pelo dano ambiental causado pelo Município encontra fundamento no artigo 225 e § 3.º, 23, VI e VII, da Constituição Federal, e, ainda, no disposto no § 1.º do artigo 14 da Lei n.º 6938/81". (TRF2, AC 491.185/RJ, rel. Des. Fed. Frederico Gueiros, e-DJF2R, 26.06.2012, p. 159/160).

"Incumbe ao Poder Público o dever constitucional de proteger a flora e de adotar as necessárias medidas que visem a coibir práticas lesivas ao equilíbrio ambiental. Esse encargo, contudo, não exonera o Estado da obrigação de indenizar os proprietários cujos imóveis venham a ser afetados, em sua potencialidade econômica, pelas limitações impostas pela Administração Pública. (...). A norma inscrita no art. 225, par. 4.º, da Constituição deve ser interpretada de modo harmonioso com o sistema jurídico consagrado pelo ordenamento fundamental, notadamente com a cláusula que, proclamada pelo art. 5.º, XXII, da Carta Política, garante e assegura o direito de propriedade em todas as suas projeções, inclusive aquela concernente a compensação financeira devida pelo Poder Público ao proprietário atingido por atos imputáveis a atividade estatal. O preceito consubstanciado no art. 225, par. 4.°, da Carta da República, além de não haver convertido em bens públicos os imóveis particulares abrangidos pelas florestas e pelas matas nele referidas (Mata Atlântica, Serra do Mar, Floresta Amazônica brasileira), também não impede a utilização, pelos próprios particulares, dos recursos naturais existentes naquelas áreas que estejam sujeitas ao domínio privado, desde que observadas as prescrições legais e respeitadas as condições necessárias a preservação ambiental. A ordem constitucional dispensa tutela efetiva ao direito de propriedade (CF/88, art. 5.°, XXII). Essa proteção outorgada pela Lei Fundamental da República estende-se, na abrangência normativa de sua incidência tutelar, ao reconhecimento, em favor do *dominus*, da garantia de compensação financeira, sempre que o Estado, mediante atividade que lhe seja juridicamente imputável, atingir o direito de propriedade em seu conteúdo econômico, ainda que o imóvel particular afetado pela ação do Poder Público esteja localizado em qualquer das áreas referidas no art. 222, par. 4.°, da Constituição. Direito ao meio ambiente ecologicamente equilibrado: a consagração constitucional de um típico direito de terceira geração (CF, art. 225, *caput*)" (STF – 1.ª Turma, RE 134297/SP, rel. Min. Celso de Mello, j. 13.06.1995).

"Embora válido o argumento de que MP não pode tratar de matéria submetida pela Constituição Federal a Lei Complementar, é de se considerar que, no caso, a Constituição Federal não exige Lei Complementar para alterações no Código Florestal, ao menos ao concernente à Floresta Amazônica" (STF, Pleno, ADIN 1.516/DF MC, rel. Min. Sydney Sanches, DJ, 13.08.1999, p. 3).

"Costume – Manifestação cultural – Estímulo – Razoabilidade – Preservação da fauna e da flora – Animais

– Crueldade. A obrigação de o Estado garantir a todos o pleno exercício de direitos culturais, incentivando a valorização e a difusão das manifestações, não prescinde da observância da norma do inciso VII do artigo 225 da Constituição Federal, no que veda prática que acabe por submeter os animais à crueldade. Procedimento discrepante da norma constitucional denominado 'farra do boi'" (STF – 2.ª Turma, RE 153.531, rel. para o acórdão o Min. Marco Aurélio, j. 03.06.1997).

CAPÍTULO VII
DA FAMÍLIA, DA CRIANÇA, DO ADOLESCENTE, DO JOVEM E DO IDOSO

Art. 226. A família, base da sociedade, tem especial proteção do Estado.

§ 1.º O casamento é civil e gratuita a celebração.

§ 2.º O casamento religioso tem efeito civil, nos termos da lei.

§ 3.º Para efeito da proteção do Estado, é reconhecida a união estável entre o homem e a mulher como entidade familiar, devendo a lei facilitar sua conversão em casamento.

§ 4.º Entende-se, também, como entidade familiar a comunidade formada por qualquer dos pais e seus descendentes.

§ 5.º Os direitos e deveres referentes à sociedade conjugal são exercidos igualmente pelo homem e pela mulher.

§ 6.º O casamento civil pode ser dissolvido pelo divórcio.

§ 7.º Fundado nos princípios da dignidade da pessoa humana e da paternidade responsável, o planejamento familiar é livre decisão do casal, competindo ao Estado propiciar recursos educacionais e científicos para o exercício desse direito, vedada qualquer forma coercitiva por parte de instituições oficiais ou privadas.

§ 8.º O Estado assegurará a assistência à família na pessoa de cada um dos que a integram, criando mecanismos para coibir a violência no âmbito de suas relações.

Doutrina

Noção de família. Família é o grupo formado de pessoas ligadas por laços afetivos e por tratar-se de entidade pilar da sociedade recebe a proteção do Estado nos termos da Constituição. Assim, a família compreende o pai, a mãe e os filhos; o pai, ou a mãe, e os filhos; e, ainda, o casal em união estável.

Natureza e celebração do casamento. Trata-se de contrato civil, sendo gratuita a sua celebração (§ 1.º), produzindo o casamento religioso efeito civil, segundo o que dispuser a lei (§ 2.º).

Entidade familiar. Nos termos do § 3.º, para fins de proteção do Estado é reconhecida a união estável entre o homem e a mulher como entidade familiar, devendo a lei facilitar sua conversão em casamento. Cabe lembrar, contudo, que essa proteção jurídica não tem o condão de equiparar a união estável ao casamento, pois se tratam de institutos diversos. Acrescente-se, ademais, que o Supremo Tribunal Federal já decidiu que nada objeta seja a união de pessoas do mesmo sexo reconhecida como entidade familiar a merecer igual proteção estatal.

Família monoparental. Dispõe o § 4.º que entende-se como entidade familiar também a comunidade formada por qualquer dos pais e seus descendentes. Assim, também a família monoparental merece a proteção do Estado.

Direitos e deveres no âmbito da sociedade conjugal. Na forma do § 5.º, os direitos e deveres referentes à sociedade conjugal são exercidos igualmente pelo homem e pela mulher. Trata-se aqui de aplicação da regra geral contida no art. 5.º, inc. I, que dispõe serem homens e mulheres iguais em direitos e obrigações. Decorre da regra em comento o dever recíproco dos pais no sustento de seus filhos.

Divórcio direto. O § 6.º dispõe que o casamento civil pode ser dissolvido pelo divórcio. A EC n.º 66/2010, extinguiu a exigência de separação judicial por mais de um ano ou comprovação de separação de fato por mais de dois anos. Isso caracteriza o instituto do divórcio direto, que independe do cumprimento de qualquer prazo, ou comprovação de culpa.

Planejamento familiar. Nos termos do § 7.º, fundado nos princípios da dignidade da pessoa humana e da paternidade responsável, o planejamento familiar é livre decisão do casal, competindo ao Estado propiciar recursos educacionais e científicos para o exercício desse direito, vedada qualquer forma coercitiva por parte de instituições oficiais ou privadas. Trata-se de consagração constitucional do princípio da paternidade responsável.

Assistência à família e coibição da violência doméstica. Dispõe o § 8.º sobre a assistência estatal à família, na pessoa de cada um dos que a integram, por meio de mecanismos para coibir a violência no âmbito das relações domésticas. Trata-se de desdobramento da regra contida na segunda metade do *caput* do artigo, que inscreve merecer a família especial proteção do Estado.

Jurisprudência

"O Supremo Tribunal Federal – apoiando-se em valiosa hermenêutica construtiva e invocando princípios essenciais (como os da dignidade da pessoa humana, da liberdade, da autodeterminação, da igualdade, do pluralismo, da intimidade, da não discriminação e da busca da felicidade) – reconhece assistir, a qualquer pessoa, o direito fundamental à orientação sexual, havendo proclamado, por isso mesmo, a plena legitimidade ético-jurídica da união homoafetiva como entidade familiar, atribuindo-lhe, em consequência, verdadeiro estatuto de cidadania, em ordem a permitir que se extraiam, em favor de parceiros homossexuais, relevantes consequências no plano do Direito, notadamente no campo previdenciário, e, também, na esfera das relações sociais e familiares. – A extensão, às uniões homoafetivas, do mesmo regime jurídico aplicável à união estável entre pessoas de gênero distinto justifica-se e legitima-se pela direta incidência, dentre outros, dos princípios constitucionais da igualdade, da liberdade, da dignidade, da segurança jurídica e do postulado constitucional implícito que consagra o direito à busca da felicidade, os quais configuram, numa estrita dimensão que privilegia o sentido de inclusão decorrente da própria Constituição da República (art. 1.º, III, e art. 3.º, IV), fundamentos autônomos e suficientes aptos a conferir suporte legitimador à qualificação das conjugalidades entre pessoas do mesmo sexo como espécie do gênero entidade familiar. – Toda pessoa tem o direito fundamental de constituir família, independentemente de sua orientação sexual ou de identidade de gênero. A família resultante da união homoafetiva não pode sofrer discriminação, cabendo-lhe os mesmos direitos, prerrogativas, benefícios e obrigações que se mostram acessíveis a parceiros de sexo distinto que integrem uniões homoafetivas. O reconhecimento do afeto como valor jurídico impregnado de natureza constitucional: um novo paradigma que informa e inspira a formulação do próprio conceito de família. Doutrina." (STF – 2.ª Turma, RE 477.554/MG AgRg, rel. Min. Celso de Mello, j. 16.08.2011).

Art. 227. É dever da família, da sociedade e do Estado assegurar à criança, ao adolescente e ao jovem, com absoluta prioridade, o direito à vida, à saúde, à alimentação, à educação, ao lazer, à profissionalização, à cultura, à dignidade, ao respeito, à liberdade e à convivência familiar e comunitária, além de colocá-los a salvo de toda forma de negligência, discriminação, exploração, violência, crueldade e opressão.

§ 1.º O Estado promoverá programas de assistência integral à saúde da criança, do adolescente e do jovem, admitida a participação de entidades não governamentais, mediante políticas específicas e obedecendo aos seguintes preceitos:

I – aplicação de percentual dos recursos públicos destinados à saúde na assistência materno-infantil;

II – criação de programas de prevenção e atendimento especializado para as pessoas portadoras de deficiência física, sensorial ou mental, bem como de integração social do adolescente e do jovem portador de deficiência, mediante o treinamento para o trabalho e a convivência, e a facilitação do acesso aos bens e serviços coletivos, com a eliminação de obstáculos arquitetônicos e de todas as formas de discriminação.

§ 2.º A lei disporá sobre normas de construção dos logradouros e dos edifícios de uso público e de fabricação de veículos de transporte coletivo, a fim de garantir acesso adequado às pessoas portadoras de deficiência.

§ 3.º O direito a proteção especial abrangerá os seguintes aspectos:

I – idade mínima de quatorze anos para admissão ao trabalho, observado o disposto no art. 7.º, XXXIII;

II – garantia de direitos previdenciários e trabalhistas;

III – garantia de acesso do trabalhador adolescente e jovem à escola;

IV – garantia de pleno e formal conhecimento da atribuição de ato infracional, igualdade na relação processual e defesa técnica por profissional habilitado, segundo dispuser a legislação tutelar específica;

V – obediência aos princípios de brevidade, excepcionalidade e respeito à condição peculiar de pessoa em desenvolvimento, quando da aplicação de qualquer medida privativa da liberdade;

VI – estímulo do Poder Público, através de assistência jurídica, incentivos fiscais e subsídios, nos termos da lei, ao acolhimento, sob a forma de guarda, de criança ou adolescente órfão ou abandonado;

VII – programas de prevenção e atendimento especializado à criança, ao adolescente e ao jovem dependente de entorpecentes e drogas afins.

§ 4.° A lei punirá severamente o abuso, a violência e a exploração sexual da criança e do adolescente.

§ 5.° A adoção será assistida pelo poder público, na forma da lei, que estabelecerá casos e condições de sua efetivação por parte de estrangeiros.

§ 6.° Os filhos, havidos ou não da relação do casamento, ou por adoção, terão os mesmos direitos e qualificações, proibidas quaisquer designações discriminatórias relativas à filiação.

§ 7.° No atendimento dos direitos da criança e do adolescente levar-se- á em consideração o disposto no art. 204.

§ 8.° A lei estabelecerá:

I – o estatuto da juventude, destinado a regular os direitos dos jovens;

II – o plano nacional de juventude, de duração decenal, visando à articulação das várias esferas do poder público para a execução de políticas públicas.

Doutrina

Direitos da criança e do adolescente. A norma inscrita no *caput* deste artigo dispõe que a família, a sociedade e o Estado devem garantir à criança, ao adolescente e ao jovem, com total prioridade, os direitos inerentes à vida, à saúde, à alimentação, à educação, ao lazer, à profissionalização, à cultura, à dignidade, ao respeito, à liberdade e à convivência familiar e comunitária, além de protegê-los de qualquer forma de negligência, discriminação, exploração, violência, crueldade e opressão.

Encargos do Estado. O § 1.º encarrega o Estado de promover programas de assistência integral à saúde da criança, do adolescente e do jovem, podendo admitir a participação de entidades não governamentais, desde que o faça por meio de políticas públicas específicas e obedientes aos seguintes princípios: *a)* aplicação de percentual dos recursos públicos destinados à saúde na assistência materno-infantil; *b)* implementação de programas de prevenção e atendimento especializado para as pessoas com deficiência física, sensorial ou mental; *c)* programas de integração social do adolescente e do jovem com deficiência, mediante o treinamento para o trabalho e a convivência, e a facilitação do acesso aos bens e serviços coletivos, com a eliminação de obstáculos arquitetônicos e de todas as formas de discriminação.

Política de mobilidade urbana e acessibilidade. Determina o § 2.º que a lei disporá sobre normas de construção dos logradouros e dos edifícios de uso público e de fabricação de veículos de transporte coletivo, a fim de garantir acesso adequado às pessoas com deficiência.

Proteção especial. Diz o § 3.º que o direito à proteção especial abrangerá os seguintes pontos: *a)* idade mínima de quatorze anos para admissão ao trabalho, observado o disposto no art.

7.º, XXXIII; *b)* garantia de direitos previdenciários e trabalhistas; *c)* acesso à escola do trabalhador adolescente e jovem; *d)* garantia de pleno e formal conhecimento da atribuição de ato infracional, igualdade na relação processual e defesa técnica por profissional habilitado, segundo dispuser a legislação tutelar específica; *e)* obediência aos princípios de brevidade, excepcionalidade e respeito à condição peculiar de pessoa em desenvolvimento, quando da aplicação de qualquer medida privativa da liberdade; *f)* estímulo do Poder Público, através de assistência jurídica, incentivos fiscais e subsídios, nos termos da lei, ao acolhimento, sob a forma de guarda, de criança ou adolescente órfão ou abandonado; *g)* programas de prevenção e atendimento especializado à criança, ao adolescente e ao jovem dependente de entorpecentes e drogas afins. A mim parece que tais itens se enquadram muito bem no conjunto de princípios inscritos no *caput* deste artigo.

Proteção da criança e do adolescente contra qualquer forma de abuso. Dispõe o § 4.º que a lei punirá severamente o abuso, a violência e a exploração sexual da criança e do adolescente. O objetivo é colocá-los a salvo de qualquer forma de agressão física ou moral e permitir o desenvolvimento pleno da personalidade.

Adoção por estrangeiros. O § 5.º dispõe que a adoção terá assistência do Poder Público, na forma da lei, estabelecendo esta os casos e condições de sua efetivação por parte de estrangeiros.

Direitos de filiação. Diz o § 6.º que os filhos, havidos ou não da relação do casamento, ou por adoção, terão os mesmos direitos e qualificações, proibidas quaisquer designações discriminatórias relativas à filiação.

Financiamento das ações de atendimento aos direitos da criança e do adolescente. Diz o § 7.º que levar-se-á em consideração o disposto no artigo 204, que dispõe serem as ações de assistência social financiadas com recursos do orçamento da seguridade social, sem prejuízo de outras fontes.

Estatuto da Juventude. Dispõe o § 8.º que a lei instituirá o estatuto da juventude, destinado a regular os direitos dos jovens, e tratará, ainda, da elaboração de um plano nacional de juventude, de duração decenal, visando à articulação das várias esferas do poder público para a execução de políticas públicas.

Jurisprudência

> "*Habeas Corpus* – A criança e o adolescente – Pertinência. À família, à sociedade e ao Estado, a Carta de 1988 impõe o dever de assegurar, com prioridade, à criança e ao adolescente o direito à vida, à saúde, à alimentação, à educação, ao lazer, à profissionalização, à cultura, à dignidade, ao respeito, à liberdade e à convivência familiar e comunitária, e de colocá-los a salvo de toda forma de negligência, discriminação, exploração, violência, crueldade e opressão – art. 227. As paixões condenáveis dos genitores, decorrentes do término litigioso da sociedade conjugal, não podem envolver os filhos menores, com prejuízo dos valores que lhes são assegurados constitucionalmente. Em idade viabilizadora de razoável compreensão dos conturbados caminhos da vida, assiste-lhes o direito de serem ouvidos e de terem as opiniões consideradas quanto à permanência nesta ou naquela localidade, neste ou naquele meio familiar, alfim e, por consequência, de permanecerem na companhia deste ou daquele ascendente, uma vez inexistam motivos morais que afastem a razoabilidade da definição. Configura constrangimento ilegal a determinação de sentido de, peremptoriamente, como se coisas fossem, voltarem a determinada localidade, objetivando a permanência sob a guarda de um dos pais. O direito a esta não se sobrepõe ao dever que o próprio titular tem de preservar a formação do menor, que a letra do artigo 227 da Constituição Federal tem como alvo prioritário. Concede-se a ordem para emprestar à manifestação de vontade dos menores – de permanecerem na residência dos avós maternos e na companhia destes e da própria mãe – eficácia maior, sobrepujando

a definição da guarda que sempre teve color relativo e, por isso mesmo, possível de ser modificada tão logo as circunstâncias reinantes reclamem" (STF – 2.ª Turma, HC 69.303/MG, rel. p/ acórdão o Min. Marco Aurélio, j. 30.06.1992).

"A Convenção Sobre os Aspectos Civis do Sequestro Internacional de Crianças, ao estabelecer como uma de suas finalidades possibilitar o exercício das relações parentais dentro da legalidade e a preservação dos vínculos familiares e rechaçar qualquer atitude unilateral que possa macular o pleno exercício dessas relações, nada mais fez do que proteger os superiores interesses das crianças, preservando-lhes a dignidade que a condição humana lhes garante" (STJ – 1.ª Turma, REsp 1.315.342/RJ, rel. Min. Napoleão Nunes Maia Filho, DJE, 04.12.2012).

"(...). 5. Há que se ressaltar a posição central, em nosso ordenamento jurídico, da doutrina da proteção integral e do princípio da prioridade absoluta, previstos no art. 227 da Constituição Federal, no ECA e, ainda, na Convenção Internacional dos Direitos da Criança, ratificada pelo Decreto Presidencial n. 99.710/90" (STJ – 6.ª Turma, HC 356.668, rel. Min. Rogério Schietti Cruz, DJE, 28.06.2016).

"A Convenção da Haia, ora em debate, não agride o bom senso do homem comum ou os nossos costumes e regras internas. A norma internacional, não obstante contundente na reprimenda ao sequestro e na determinação de retorno imediato do menor ilicitamente transferido, revela, de forma equilibrada, grande preocupação com o bem-estar deste, assegurando-lhe, sobretudo, o equilíbrio emocional e a integridade física. Nesse contexto, hão de ser sopesados, sem dúvida em árdua tarefa, os valores envolvidos nessas delicadas situações trazidas ao crivo do Judiciário. De um lado, o acordo internacional de que o Brasil é signatário que, de forma escorreita, visa coibir as transferências ilícitas para outros países e, de outro, o interesse do menor, cuja integridade deve ser preservada em todos os aspectos" (STJ – 2.ª Turma, REsp 1.239.777/PE, rel. Min. Cesar Asfor Rocha, DJE, 19.04.2012, trecho do voto do relator).

Art. 228. São penalmente inimputáveis os menores de dezoito anos, sujeitos às normas da legislação especial.

Doutrina

Responsabilidade penal. O artigo 228 considera inimputável o menor de dezoito anos, sujeitando-o, contudo, às normas da legislação especial que, no direito vigente, é o Estatuto da Criança e do Adolescente, definindo este os atos tipificados como infracionais e as medidas socioeducativas cabíveis em cada caso.

Jurisprudência

"Considera-se penalmente inimputável o agente que pratica o crime no dia que está completando dezoito anos de idade, não obstante tenha sido o ilícito cometido em horário anterior ao de seu nascimento" (STJ – 5.ª Turma, RHC 3.358/RJ, rel. Min. José Dantas, DJ, 07.03.1994, p. 3.669).

"A menoridade deve ser comprovada mediante documento hábil, como a certidão de nascimento ou a carteira de identidade fornecida pelo órgão oficial" (STF – 2.ª Turma, HC 71.887/RJ, rel. Min. Carlos Velloso, DJ1, 19.05.1995, p. 13.996).

Art. 229. Os pais têm o dever de assistir, criar e educar os filhos menores, e os filhos maiores têm o dever de ajudar e amparar os pais na velhice, carência ou enfermidade.

Doutrina

Dever de proteção recíproca. Aos deveres dos pais de criação, assistência e educação dos filhos menores, correspondem os deveres dos filhos maiores de ajuda e amparo aos pais na velhice, ou nas situações de carência ou enfermidade.

Jurisprudência

> "A Constituição Federal, em seu art. 229, prevê, expressamente, o dever dos pais de assistir, criar e educar os filhos, bem como o dever dos filhos maiores de ajudar a amparar os pais na velhice, carência ou enfermidade. O Código Civil, nos arts. 1.694 a 1.697, também prevê a obrigação de prestar alimentos dos pais em favor dos filhos, dos filhos maiores em favor dos pais e dos irmãos entre si. Assim a responsabilidade do Estado pelo sustento é subsidiária em relação à da família" (TRF3, JEF, Recurso Inominado 1600080261820164036301, rel. Juiz Federal Herbert de Bruyn Junior, DJF3, 26.01.2017).

Art. 230. A família, a sociedade e o Estado têm o dever de amparar as pessoas idosas, assegurando sua participação na comunidade, defendendo sua dignidade e bem-estar e garantindo-lhes o direito à vida.

§ 1.º Os programas de amparo aos idosos serão executados preferencialmente em seus lares.

§ 2.º Aos maiores de sessenta e cinco anos é garantida a gratuidade dos transportes coletivos urbanos.

Doutrina

Proteção social ao idoso. Constitui dever da família, da sociedade e do Estado dispensar aos idosos o amparo devido, protegendo-lhes a vida, assegurando-lhes participação nas atividades de sua comunidade e viabilizando o seu bem-estar social.

Amparo aos idosos. Deverá ser garantido por meio de programas que ofereçam atenção em seus lares, como, por exemplo, o atendimento médico domiciliar.

Gratuidade dos transportes coletivos urbanos. Trata-se de benefício inscrito no § 2.º do artigo ora em comento e conferido aos maiores de sessenta e cinco anos de idade.

Jurisprudência

"O art. 39 da Lei n. 10.741/2003 (Estatuto do Idoso) apenas repete o que dispõe o § 2.º do art. 230 da Constituição do Brasil. A norma constitucional é de eficácia plena e aplicabilidade imediata, pelo que não há eiva de invalidade jurídica na norma legal que repete os seus termos e determina que se concretize o quanto constitucionalmente disposto" (STF – Pleno, ADIN 3.768/DF, rel. Min. Cármen Lúcia, DJ, 26.10.2007).

"Plano de saúde. Reajuste em razão da idade tido como abusivo. (...). 3. No caso, o direito fundamental tutelado está entre os mais importantes, qual seja, o direito à saúde. Ademais, o grupo de consumidores potencialmente lesado é formado por idosos, cuja condição de vulnerabilidade já é reconhecida na própria Constituição Federal, que dispõe no seu art. 230, sob o Capítulo VII do Título VIII ('Da Família, da Criança, do Adolescente. Do Jovem e do Idoso'): 'A família, a sociedade e o Estado têm o dever de amparar as pessoas idosas, assegurando sua participação na comunidade, defendendo sua dignidade e bem-estar e garantindo-lhes o direito à vida'" (STJ, Corte Especial, EREsp 1.192.577, rel. Min. Laurita Vaz, DJE, 13.11.2015).

CAPÍTULO VIII
DOS ÍNDIOS

Art. 231. São reconhecidos aos índios sua organização social, costumes, línguas, crenças e tradições, e os direitos originários sobre as terras que tradicionalmente ocupam, competindo à União demarcá-las, proteger e fazer respeitar todos os seus bens.

§ 1.º São terras tradicionalmente ocupadas pelos índios as por eles habitadas em caráter permanente, as utilizadas para suas atividades produtivas, as imprescindíveis à preservação dos recursos ambientais necessários a seu bem-estar e as necessárias a sua reprodução física e cultural, segundo seus usos, costumes e tradições.

§ 2.º As terras tradicionalmente ocupadas pelos índios destinam-se a sua posse permanente, cabendo-lhes o usufruto exclusivo das riquezas do solo, dos rios e dos lagos nelas existentes.

§ 3.º O aproveitamento dos recursos hídricos, incluídos os potenciais energéticos, a pesquisa e a lavra das riquezas minerais em terras indígenas só podem ser efetivados com autorização do Congresso Nacional, ouvidas as comunidades afetadas, ficando-lhes assegurada participação nos resultados da lavra, na forma da lei.

§ 4.º As terras de que trata este artigo são inalienáveis e indisponíveis, e os direitos sobre elas, imprescritíveis.

§ 5.º É vedada a remoção dos grupos indígenas de suas terras, salvo, *ad referendum* do Congresso Nacional, em caso de catástrofe ou epidemia que ponha em risco sua população, ou no interesse da soberania do País, após deliberação do Congresso Nacional, garantido, em qualquer hipótese, o retorno imediato logo que cesse o risco.

§ 6.º São nulos e extintos, não produzindo efeitos jurídicos, os atos que tenham por objeto a ocupação, o domínio e a posse das terras a que se refere este artigo, ou a exploração das riquezas naturais do solo, dos rios e dos lagos nelas existentes, ressalvado relevante interesse público da União, segundo o que dispuser lei complementar, não gerando a nulidade e a extinção direito a indenização ou a ações contra a União, salvo, na forma da lei, quanto às benfeitorias derivadas da ocupação de boa-fé.

§ 7.º Não se aplica às terras indígenas o disposto no art. 174, §§ 3.º e 4.º

Doutrina

Organização social dos índios. A primeira parte da norma contida no *caput* do artigo em tela reconhece aos índios sua organização social, costumes, línguas, crenças e tradições, admitindo, assim, tais comunidades como partes integrantes do País, a merecer proteção do Estado.

Terras tradicionalmente ocupadas pelos índios. Na segunda parte da norma inscrita no *caput* são reconhecidos os direitos originários sobre referidas terras, sendo da competência da União a demarcação das áreas de reservas indígenas, além da adoção de medidas de proteção e respeito a todos os bens dos índios. Releva anotar que essas terras integram os bens da União (CF, art. 20, XI), afetados à finalidade de ocupação perene pelos índios.

Definição de terras tradicionalmente ocupadas pelos índios. Dispõe o § 1.° que são as terras por eles habitadas em caráter permanente aquelas utilizadas para as suas atividades produtivas, aquelas imprescindíveis à preservação dos recursos ambientais necessários a seu bem-estar e aquelas necessárias à sua reprodução física e cultural, segundo seus usos, costumes e tradições.

Destinação das terras tradicionalmente ocupadas pelos índios. O § 2.° dispõe que são destinadas à sua posse permanente, cabendo-lhes o usufruto exclusivo das riquezas do solo, dos rios e dos lagos nelas existentes. Portanto, a posse no caso se reveste do *animus* de possuir para si, de ter para si, na expressão mais lídima do indigenato.

Aproveitamento dos recursos hídricos e do subsolo. Nos termos do § 3.°, tanto a exploração dos recursos hídricos, incluídos aí os potenciais energéticos, quanto do subsolo, incluindo a pesquisa e a lavra das riquezas minerais em reservas indígenas, somente serão permitidos com autorização do Congresso Nacional (CF, arts. 49, XVI e 231, § 3.°), ouvidas as comunidades afetadas, ficando-lhes assegurada participação nos resultados da lavra, conforme a lei estabelecer.

Terras indígenas e propriedade. Referidas terras, nos termos do § 4.°, são indisponíveis, não se sujeitam à alienação e são imprescritíveis, quer dizer, não são passíveis de usucapião. O que se pretende é assegurar que as terras indígenas não sejam alienadas de qualquer forma.

Proibição de remoção de comunidades indígenas. Dispõe o § 5.° que é vedada a remoção dos grupos indígenas de suas terras, salvo, "ad referendum" do Congresso Nacional, em caso de catástrofe ou epidemia que ponha em risco sua população, ou no interesse da soberania do País, após deliberação do Congresso Nacional, garantido, em qualquer hipótese, o retorno imediato logo que cesse o risco. A norma constitucional inscreve aqui o chamado princípio de irremovibilidade de grupos indígenas de suas terras, salvo nas hipóteses nela previstas.

Nulidade de atos que objetivem a ocupação, o domínio e a posse de terras indígenas. Dispõe o § 6.º que são nulos e extintos, não produzindo efeitos jurídicos, os atos que tenham por objeto a ocupação, o domínio e a posse das terras indígenas, ou a exploração das riquezas naturais do solo, dos rios e dos lagos nelas existentes, ressalvado relevante interesse público da União, segundo o que dispuser lei complementar, não gerando a nulidade e a extinção direito a indenização ou a ações contra a União, salvo, na forma da lei, quanto às benfeitorias derivadas da ocupação de boa-fé. Anote-se que, nos casos de interesse público relevante da União, lei complementar poderá autorizar atos de ocupação, domínio e posse de terras indígenas.

Proibição de acesso de garimpeiros em terras indígenas. É o que dispõe o § 7.º ao asseverar que não se aplica às terras indígenas o disposto no art. 174, § 3.º e § 4.º, que tratam da organização da atividade garimpeira.

Jurisprudência

> É de natureza civil e não criminal (cf. arts. 7.º e 8.º da Lei n.º 6.001/73 e art. 6.º, parágrafo único do CC), a tutela que a Carta Federal, no *caput* do art. 231, cometeu à União ao reconhecer 'aos índios sua organização social, costumes, línguas, crenças e tradições, e os direitos originários sobre as terras que tradicionalmente ocupam', não podendo ser confundida com o dever que tem o Estado de proteger a vida e a integridade física dos índios, dever não restrito a estes, estendendo-se, ao revés, a todas as demais pessoas" (STF – 1.ª Turma, HC 79.530/PA, rel. Min. Ilmar Galvão, j. 17.11.2003).

"1. Nos termos do art. 231 da Constituição Federal, compete à União a demarcação das terras tradicionalmente ocupadas pelos índios, em caráter originário e permanente. 2. Não se afigura possível discutir, nos augustos limites do mandado de segurança, matéria fática sobre se as terras são ou não de posse indígena, o que, de plano, não ficou demonstrado extreme de dúvida. Precedentes do STJ. 3. A pretensão do Estado federado de se insurgir contra a portaria ministerial em causa somente subsistiria se houvesse prova documental e pré-constituída que comprovasse, de plano, a existência de liquidez e certeza de direito subjetivo a ele pertencente, não evidenciando o alegado cerceamento de defesa nem eivas de ilegalidade suscetíveis de anularem o despacho ministerial questionado" (STJ – 1.ª Seção, MS 6.210, rel. Min. Laurita Vaz, DJ, 06.10.2003, p. 197).

Art. 232. Os índios, suas comunidades e organizações são partes legítimas para ingressar em juízo em defesa de seus direitos e interesses, intervindo o Ministério Público em todos os atos do processo.

Doutrina

Legitimidade processual para a defesa dos direitos dos índios. A norma constitucional confere aos índios, suas comunidades e organizações legitimidade para ingressar em juízo para pugnar por seus direitos e interesses, devendo o Ministério Público atuar em todos os atos processuais (CF, art. 129, V). Trata-se de direitos coletivos, porquanto titularizados por comunidades indígenas.

Funai e defesa dos direitos dos índios. A legitimidade processual conferida aos índios não retira da Fundação Nacional do Índio a legitimidade para a defesa, em juízo ou fora dele, de tais direitos e interesses.

Justiça competente. Compete à Justiça Federal processar e julgar as causas relativas a disputa sobre direitos indígenas (CF, art. 109, XI). Assim sendo, as ações envolvendo posse de terras silvícolas serão processadas e julgadas nesta Justiça. Da mesma forma, no caso de indenizações em razão de invasões perpetradas por índios em propriedades particulares. Ainda, compete à Justiça Federal processar e julgar as ações criminais relativas a crimes praticados contra a vida de índios no interior de reserva ou de sua aldeia. No entanto, é da competência da Justiça Estadual processar e julgar as ações relativas a crimes que não envolvam disputa de direitos indígenas e tenham sido praticados fora da reserva ou aldeia, como nos casos de homicídios ocorridos em zona urbana, ainda que nas imediações de suas comunidades.

Jurisprudência

> "O art. 232 da Constituição da República, ao dispor que os índios são partes legítimas para ingressar em juízo em defesa de seus direitos e interesses, não afasta a legitimidade da Funai para defesa judicial ou extrajudicial dos direitos dos silvícolas e das comunidades indígenas (Lei n. 6.001/73, art. 35)" (TRF3, 5.ª Turma, AC 1.830.703, rel. Des. Fed. André Nekatschalow, e-DJF3, 09.12.2014).
>
> "(...). 4. A Constituição Federal em seu artigo 232 estabeleceu que, 'Os índios, suas comunidades e organizações são partes legítimas para ingressar em juízo em defesa de seus direitos e interesses, intervindo o Ministério Público em todos os atos do processo.' 5. No caso em concreto a questão gira em torno de invasão de terra que estaria dentro da área demarcada pela Funai, surgindo então o interesse da Comunidade Indígena Potiguar de Monte Mor, acatando a Constituição o ingresso da Comunidade Indígena em juízo na defesa de seus direitos sem que venha a depender de intermediação. A Funai age dentro de seu caráter institucional sem prejuízo da capacidade processual dos indígenas" (TRF5 – 1.ª Turma, AC 547.132, rel. Des. Fed. Frederico Pinto de Azevedo, DJE, 18.01.2013, p. 208).

TÍTULO IX

DAS DISPOSIÇÕES CONSTITUCIONAIS GERAIS

Art. 233. *(Revogado pela Emenda Constitucional n.º 28, de 25.05.2000)*

Doutrina

Natureza das disposições constitucionais gerais. São normas de caráter geral, portanto, abstratas e impessoais, passíveis de aplicação em hipóteses várias, não legisladas em títulos próprios do corpo de normas permanentes da Constituição.

Art. 234. É vedado à União, direta ou indiretamente, assumir, em decorrência da criação de Estado, encargos referentes a despesas com pessoal inativo e com encargos e amortizações da dívida interna ou externa da administração pública, inclusive da indireta.

Doutrina

Proibição à União de conceder ajuda a novos Estados. A norma constitucional proíbe a União de conceder ajuda a novos Estados, de forma direta ou indireta, assumindo despesas com servidores ativos ou inativos ou honrando encargos e amortização da dívida interna ou externa da unidade federada ou de órgãos de sua administração indireta.

Jurisprudência

> "1. A União Federal responde pelos débitos do Estado do Amapá com seus servidores (Ato das Disposições Transitórias da Constituição Federal de 1988, art. 14, § 2.º). 2. O art. 234 da Constituição da República tão-somente vetou que a União Federal, em razão da criação de novos estados, assumisse os encargos referentes a despesas com pessoal e encargos e amortizações da dívida interna e externa da administração pública" (TRF1, 1.ª Turma, AC 00147801419894019199, rel. Juiz Hamilton de Sá Dantas, DJ, 13.06.2002, p. 317).

Art. 235. Nos dez primeiros anos da criação de Estado, serão observadas as seguintes normas básicas:

I – a Assembleia Legislativa será composta de dezessete Deputados se a população do Estado for inferior a seiscentos mil habitantes, e de vinte e quatro, se igual ou superior a esse número, até um milhão e quinhentos mil;

II – o Governo terá no máximo dez Secretarias;

III – o Tribunal de Contas terá três membros, nomeados, pelo Governador eleito, dentre brasileiros de comprovada idoneidade e notório saber;

IV – o Tribunal de Justiça terá sete Desembargadores;

V – os primeiros Desembargadores serão nomeados pelo Governador eleito, escolhidos da seguinte forma:

a) cinco dentre os magistrados com mais de trinta e cinco anos de idade, em exercício na área do novo Estado ou do Estado originário;

b) dois dentre promotores, nas mesmas condições, e advogados de comprovada idoneidade e saber jurídico, com dez anos, no mínimo, de exercício profissional, obedecido o procedimento fixado na Constituição;

VI – no caso de Estado proveniente de Território Federal, os cinco primeiros Desembargadores poderão ser escolhidos dentre juízes de direito de qualquer parte do País;

VII – em cada comarca, o primeiro juiz de direito, o primeiro promotor de justiça e o primeiro defensor público serão nomeados pelo Governador eleito após concurso público de provas e títulos;

VIII – até a promulgação da Constituição Estadual, responderão pela Procuradoria-Geral, pela Advocacia-Geral e pela Defensoria-Geral do Estado advogados de notório saber, com trinta e cinco anos de idade, no mínimo, nomeados pelo Governador eleito e demissíveis *ad nutum*;

IX – se o novo Estado for resultado de transformação de Território Federal, a transferência de encargos financeiros da União para pagamento dos servidores optantes que pertenciam à Administração Federal ocorrerá da seguinte forma:

a) no sexto ano de instalação, o Estado assumirá vinte por cento dos encargos financeiros para fazer face ao pagamento dos servidores públicos, ficando ainda o restante sob a responsabilidade da União;

b) no sétimo ano, os encargos do Estado serão acrescidos de trinta por cento e, no oitavo, dos restantes cinquenta por cento;

X – as nomeações que se seguirem às primeiras, para os cargos mencionados neste artigo, serão disciplinadas na Constituição Estadual;

XI – as despesas orçamentárias com pessoal não poderão ultrapassar cinquenta por cento da receita do Estado.

Doutrina

Normas básicas de observância obrigatória na criação de novos Estados federados. O artigo 235 estabelece um conjunto de normas que servem de base para a organização de novos Estados que venham a ser criados no âmbito da Federação. Referidas normas têm por finalidade viabilizar a implementação da estrutura inicial das instituições do novo Estado, por um período de dez anos, dispondo sobre o Poder Executivo, quando, trata, por exemplo, da instalação do Governo, com no máximo dez Secretarias; sobre o Poder Legislativo, quando dispõe sobre o número de deputados estaduais e conselheiros do Tribunal de Contas; e sobre o Poder Judiciário, quando trata da composição do Tribunal de Justiça, ou da instalação inicial de comarcas.

Jurisprudência

> "1. Afastam do parâmetro federal obrigatório as normas estaduais que não reservam ao Governador a iniciativa da livre escolha de Conselheiro do Tribunal de Contas, submetendo-o a nomear quem indicado pela Assembleia Legislativa ou quem já ocupa cargo de audi-

tor no mesmo Tribunal. 2. Contrariam a Carta Magna as normas estaduais que subtraem do Chefe do Executivo Estadual prerrogativa que lhe está constitucionalmente conferida de indicar e nomear Conselheiros do Tribunal de Contas nos dez primeiros anos de criação do Estado. 3. Inconstitucionalidade dos §§ 3.º e 4.º e dos incisos I e II do art. 113 da Constituição do Estado do Amapá, bem como do inciso III do art. 10 e do parágrafo único do art. 100, da Lei Complementar Estadual n.º 010/95, em face do art. 73, § 2.º, incisos I e II, c/c os arts. 75 e 235 e seu inciso III, da Constituição Federal" (STF – Pleno, ADIN 1.389, rel. Min. Maurício Corrêa, j. 19.12.1995).

"A inconstitucionalidade da criação do Tribunal de Contas dos Municípios do Estado do Tocantins resulta, entretanto, na espécie, de ofensa ao art. 235, da Constituição Federal, que define normas básicas para a organização e funcionamento dos novos Estados, durante os dez primeiros anos de sua criação. No art. 235, III, prevê-se a existência de um tribunal de contas, no Estado, com três membros, não se fazendo qualquer remissão do art. 31 e seus parágrafos da mesma Carta Magna" (STF – Pleno, ADIN 445, rel. Min. Néri da Silveira, j. 02.06.1993).

Art. 236. Os serviços notariais e de registro são exercidos em caráter privado, por delegação do Poder Público.

§ 1.º Lei regulará as atividades, disciplinará a responsabilidade civil e criminal dos notários, dos oficiais de registro e de seus prepostos, e definirá a fiscalização de seus atos pelo Poder Judiciário.

§ 2.º Lei federal estabelecerá normas gerais para fixação de emolumentos relativos aos atos praticados pelos serviços notariais e de registro.

§ 3.º O ingresso na atividade notarial e de registro depende de concurso público de provas e títulos, não se

permitindo que qualquer serventia fique vaga, sem abertura de concurso de provimento ou de remoção, por mais de seis meses.

Doutrina

Serviços notariais e de registro. São aqueles prestados por tabeliães, notários e registradores em geral, como atividade privada exercida mediante delegação do Poder Público. Nesse sentido, são serviços públicos prestados por particulares, mediante delegação estatal.

Responsabilidade civil e criminal de tabeliães, notários e registradores. Responderão, todos, civil e criminalmente, na forma da lei, que regulará, ainda, as suas atividades, definindo, ademais, a fiscalização de seus atos, cometida ao Poder Judiciário, que a exercerá por meio de corregedoria.

Fixação de emolumentos. Dispõe o § 2.º que lei federal estabelecerá normas gerais para fixação da tabela de custos para remunerar os atos praticados pelos serviços notariais e de registro.

Ingresso na atividade notarial e de registro. Nos termos do § 3.º, referido ingresso somente se dará por meio de concurso público de provas e títulos, sendo vedado que qualquer serventia fique vaga, sem abertura de concurso de provimento ou de remoção, por mais de seis meses.

Jurisprudência

> "A criação, o provimento e a instalação das serventias extrajudiciais pelos Estados-membros não implicam usurpação da matéria reservada à lei nacional pelo art. 236 da Carta Federal" (STF – Pleno, ADIN 865/MA MC, rel. Min. Celso de Mello, DJ1, 08.04.1994, p. 7.225).

Art. 237. A fiscalização e o controle sobre o comércio exterior, essenciais à defesa dos interesses fazendários nacionais, serão exercidos pelo Ministério da Fazenda.

Doutrina

Fiscalização e controle do comércio exterior. Nos termos da norma constitucional, o exercício dessas atividades é de competência do Ministério da Fazenda, por meio de seus órgãos próprios (Receita Federal, Secretaria de Comércio Exterior etc.), sempre que essenciais à defesa dos interesses fazendários do país.

Jurisprudência

> "A vedação à importação de bens de consumo usados materializada na Portaria 8/91 do Decex decorre de regra de competência assegurada ao Ministério da Fazenda pelo art. 237 da Carta, não havendo como situar, na espécie, a alegada afronta aos princípios da isonomia e da legalidade" (STF – 2.ª Turma, RE 204.365/CE, rel. Min. Francisco Rezek, j. 04.02.1997).
>
> "I – A fiscalização e o controle sobre o comércio exterior, que compreende a autorização para licenciar a importação ou exportação de mercadoria, é da competência do Ministério da Fazenda, por expressa determinação da Constituição Federal (art. 237). II – A atuação das autoridades administrativas, no particular, tem por objetivo 'a defesa dos interesses fazendários nacionais'. Não há ilegitimidade, assim, na determinação administrativa (Portaria 8, de 13-5-1991) que veda a importação de máquinas, equipamentos ou instrumentos usados, produzidos no país ou que aqui tenham similares" (TRF4, AMS 94.04.20634/PR, rel. Juiz Teori Albino Zavascki, DJ2, 21.09.1994. p. 52.779).

Art. 238. A lei ordenará a venda e revenda de combustíveis de petróleo, álcool carburante e outros combustíveis derivados de matérias-primas renováveis, respeitados os princípios desta Constituição.

Doutrina

Natureza e finalidade da lei reportada. Lei ordinária federal disporá sobre a comercialização de combustíveis de petróleo, álcool carburante e outros derivados de matérias-primas renováveis. Portanto, trata-se de combustíveis oriundos de pesquisa e lavra de jazidas petrolíferas, que constituem monopólio da União (CF, art. 177), da produção de álcool combustível (ou carburante, para motores a explosão), principalmente por via biológica, por meio da fermentação de matérias-primas açucaradas (cana-de-açúcar), ou por via sintética, a partir de carburetos e outros produtos da cadeia química, como o eteno, o acetileno etc. Isso basta para demonstrar que há um interesse estratégico ligado à distribuição de tais produtos, com a finalidade de assegurar o regular funcionamento da intensa rede de transportes rodoviários no país, além do desenvolvimento das indústrias química e petroquímica, importantes para o desenvolvimento nacional.

Jurisprudência

> "Mandado de segurança. Posto revendedor de derivados de petróleo e de álcool etílico hidratado. Combustível. Registro. Indeferimento pelo CNP. Portaria 670/90, do Ministério da Infraestrutura. – Com o advento da citada portaria, dispondo de maneira coerente com o objetivo do Programa Federal de Desregulamentação, pode o impetrante se dirigir ao Departamento Nacional de Combustíveis e obter o que pretende, sem os entraves que lhe foram opostos anteriormente. – Segurança prejudicada" (STJ – 1.ª Seção, MS 355/DF, rel. Min. Américo Luz, DJ 1, 26.11.1990, p. 13.761).

Art. 239. A arrecadação decorrente das contribuições para o Programa de Integração Social, criado pela Lei Complementar n.º 7, de 7 de setembro de 1970, e para o Programa de Formação do Patrimônio do Servidor Público, criado pela Lei Complementar n.º 8, de 3 de dezembro de 1970, passa, a partir da promulgação desta Constituição, a financiar, nos termos que a lei dispuser, o programa do seguro-desemprego, outras ações da previdência social e o abono de que trata o § 3.º deste artigo.

§ 1.º Dos recursos mencionados no *caput*, no mínimo 28% (vinte e oito por cento) serão destinados para o financiamento de programas de desenvolvimento econômico, por meio do Banco Nacional de Desenvolvimento Econômico e Social, com critérios de remuneração que preservem o seu valor.

§ 2.º Os patrimônios acumulados do Programa de Integração Social e do Programa de Formação do Patrimônio do Servidor Público são preservados, mantendo-se os critérios de saque nas situações previstas nas leis específicas, com exceção da retirada por motivo de casamento, ficando vedada a distribuição da arrecadação de que trata o *caput* deste artigo, para depósito nas contas individuais dos participantes.

§ 3.º Aos empregados que percebam de empregadores que contribuem para o Programa de Integração Social ou para o Programa de Formação do Patrimônio do Servidor Público, até dois salários mínimos de remuneração mensal, é assegurado o pagamento de um salário mínimo anual, computado neste valor o rendimento das contas individuais, no caso daqueles que já participavam dos referidos programas, até a data da promulgação desta Constituição.

§ 4.º O financiamento do seguro-desemprego receberá uma contribuição adicional da empresa cujo índice de rotatividade da força de trabalho superar o índice médio da rotatividade do setor, na forma estabelecida por lei.

§ 5.º Os programas de desenvolvimento econômico financiados na forma do § 1.º e seus resultados serão anualmente avaliados e divulgados em meio de comunicação social eletrônico e apresentados em reunião de comissão mista permanente de que trata o § 1.º do art. 166.

Doutrina

Destinação da arrecadação do PIS e do PASEP. Determina o *caput* do artigo 239 que a arrecadação do PIS e do PASEP, desde a data da promulgação da Constituição, destina-se, nos termos da lei, ao financiamento do seguro-desemprego e do abono anual, no valor de até um salário mínimo.

Breve histórico da legislação de regência do PIS e do PASEP. O PIS foi criado pela Lei Complementar n.º 7, de 7 de setembro de 1970, e o PASEP foi criado pela Lei Complementar n.º 8, de 3 de dezembro de 1970. A Lei n.º 7.998, de 11 de janeiro de 1990, regula o programa do seguro-desemprego, o abono salarial e institui o Fundo de Amparo ao Trabalhador. A Lei n.º 9.701, de 17 de novembro de 1998, dispõe sobre a base de cálculo do Finsocial e do PIS/PASEP. A Lei n.º 9.715, de 25 de novembro de 1998, dispõe sobre as contribuições devidas ao PIS/PASEP. A Lei n.º 9.718, de 27 de novembro de 1998, altera a legislação federal que dispõe sobre as contribuições ao PIS/PASEP e à COFINS.

Outra destinação da arrecadação do PIS e do PASEP. O § 1.º dispõe que do produto da arrecadação do PIS e do PASEP no mínimo vinte e oito cento serão destinados ao financiamento de programas de desenvolvimento econômico, no âmbito de atuação do Banco Nacional de Desenvolvimento Econômico e Social – BNDES, com critérios de remuneração que lhes preservem o valor. Portanto, além do financiamento do seguro-desemprego e do abono anual, parte da arrecadação do PIS/PASEP é destinada ao financiamento de capital de giro das empresas por meio de programas vinculados ao BNDES.

Preservação do patrimônio e critérios de saques. Dispõe o § 2.º que os patrimônios acumulados do PIS e do PASEP serão preservados com a manutenção dos critérios de saque, nas situações previstas nas leis específicas, com exceção da retirada por motivo de casamento, ficando vedada a distribuição de parte da arrecadação de que trata o *caput* deste artigo para depósito nas contas individuais dos participantes. A vedação de depósito em contas individuais é de rigor, conquanto a arrecadação do PIS/PASEP destina-se hoje ao financiamento dos programas acima mencionados.

Abono salarial anual. Dispõe o § 3.º que aos empregados que recebam de empregadores que contribuam para o PIS ou para o PASEP é assegurado o pagamento de um salário mínimo anual, computado neste valor o rendimento das contas individuais, no caso daqueles que já participavam dos referidos programas, até a data da promulgação da Constituição. Registre-se, as contas eram individuais no período anterior ao da promulgação da Carta, daí a possibilidade de computar no valor do abono os rendimentos delas.

Adicional em razão da rotatividade da força de trabalho. O § 4.º prevê a criação, por meio de lei ordinária, de contribuição adicional da empresa para o financiamento do seguro-desemprego quando o seu índice de rotatividade da força de trabalho superar o índice médio da rotatividade do setor. Quer dizer, a lei que regular a criação da contribuição adicional disporá, também, sobre os critérios de cálculo do índice médio de rotatividade nos vários setores da atividade empresarial e as empresas que ultrapassarem o índice médio de seus respectivos setores deverão recolher a contribuição mensal acrescida do valor da contribuição adicional.

Avaliação dos programas de desenvolvimento econômico. Dispõe o § 5.º que os referidos programas de desenvolvimento econômico e social serão avaliados e levados ao conhecimento público por meio de veículos de comunicação social em reunião da Comissão Mista de Planos, Orçamentos Públicos e Fiscalização – CMO, instalada junto ao Congresso Nacional.

Jurisprudência

"Contribuição para o PIS. O Plenário desta Corte, ao julgar o RE 148.754, declarou a inconstitucionalidade dos Decretos-leis 2.445 e 2.449, ambos de 1988. Declarada a inconstitucionalidade desses Decretos-leis, a cobrança da contribuição em causa continuou regida pela Lei Complementar n.º 7/70" (STF – 1.ª Turma, RE 218.625/SP, rel. Min. Moreira Alves, DJ1, 17.04.1998, p. 22).

"Finame. PIS/Pasep. BNDES. Financiamento. Correção monetária. A correção de financiamento concedido pelo BNDES, com recursos oriundos dos programas PIS/Pasep, repassados pelo Finame, deve ser feita pelo IPC, na forma das Leis 7.998/90 e 8.019/90, embora as contas PIS/Pasep tenham sido atualizadas pelo BTN, no período março/89 a junho 90, de acordo com a Lei 7.959/89" (STJ – 4.ª Turma, REsp 49.875/RS, rel. Min. Ruy Rosado Aguiar, DJ1, 18.12.1995, p. 44.575).

"(...). 3. O Pretório Excelso declarou, ao julgar a Ação Cível Originária n.º 471, a obrigatoriedade do recolhimento do PASEP pelos Municípios, ao fundamento de que 'o caráter voluntário da adesão ao PASEP, segundo admitido pelo art. 8.º da Lei Complementar Federal n.º 8, de 1970, não repercute na aplicação do disposto no art. 239 da Carta de 1988, pois, desde a sua promulgação, a contribuição para o PASEP de qualquer forma deixou de ser voluntária, para se tornar compulsória e indeclinável'. (Inf. STF n.º 264, Rel. Min. SIDNEY SANCHES – j. em 11.04.2002). Devido, pois, o recolhimento do PASEP pelos Municípios" (TRF3, REO 636.100, rel. Des Fed. Marli Ferreira, DJU, 25.11.2002).

Art. 240. Ficam ressalvadas do disposto no art. 195 as atuais contribuições compulsórias dos empregadores sobre a folha de salários, destinadas às entidades privadas de serviço social e de formação profissional vinculadas ao sistema sindical.

Doutrina

Entidades privadas de serviço social e de formação profissional. São entidades ligadas à organização sindical da indústria (SESI, SENAI), do comércio (SESC, SENAC), da agricultura (SENAR) e do setor de transportes (SEST e SENAT). São, usualmente, serviços autônomos voltados para a prestação de serviços aos seus filiados e, principalmente, para a formação profissional de mão de obra. Esses serviços integram o chamado Sistema S. O SEBRAE, por sua vez, é um serviço autônomo de apoio à pequena e média empresa.

Financiamento das entidades privadas de serviço social e de formação profissional. As atividades dessas entidades são financiadas por meio de contribuições compulsórias dos empregadores, incidentes sobre a folha de salários. São essas contribuições que o artigo 240 da Constituição Federal ressalva da incidência da norma contida no artigo 195, retirando-as do rol de fontes de financiamento da Seguridade Social. Referidas contribuições são arrecadadas pela Receita Federal, que apura mensalmente o montante da arrecadação, calcula o *quantum* de cada instituição, providencia o crédito em conta, podendo exigir o pagamento de remuneração pelo serviço prestado.

Jurisprudência

> "(...). 3. As contribuições referidas visam a concretizar a promessa constitucional insculpida no princípio pétreo da 'valorização do trabalho humano' encartado no artigo 170 da Carta Magna (...). 4. As empresas de construção civil são entidades inequivocamente industriais, quer à luz do contrato social, quer por força do

seu enquadramento na CNI (Confederação Nacional das Indústrias). 5. Deveras, sobremodo influente sob o ângulo fático que os trabalhadores da indústria da construção civil pertencem a um dos segmentos mais beneficiados pela atuação do SESI, em sede de assistência social, e pelo SENAI, na formação profissional, por meio de inúmeros cursos, sendo certo que na cidade onde possui sede a recorrente, existe até um Centro de Treinamento exclusivo de Construção Civil. 6. À luz da regra do art. 5.º, da LICC – norma supralegal que informa o direito tributário, a aplicação da lei, e nesse contexto a verificação se houve sua violação, passa por esse aspecto teleológico-sistêmico impondo-se considerar que o acesso aos serviços sociais, tal como preconizado pela Constituição, é um 'direito universal do trabalhador', cujo dever correspectivo é do empregador no custeio dos referidos benefícios. 7. Consectariamente, a natureza constitucional e de cunho social e protetivo do empregado, das exações sub judice, implica em que o empregador contribuinte somente se exonere do tributo, quando integrado noutro serviço social, visando a evitar relegar ao desabrigo os trabalhadores do seu segmento, em desigualdade com os demais, gerando situação anti-isonômica e injusta. 8. A pretensão de exoneração dos empregadores quanto à contribuição compulsória em exame recepcionada constitucionalmente em benefício dos empregados, encerra arbítrio patronal, mercê de gerar privilégio abominável aos que através a via judicial pretendem dispor daquilo que pertence aos empregados, deixando à calva a ilegitimidade da pretensão deduzida" (STJ – 1.ª Turma, REsp 524.239/DF, rel. Min. Luiz Fux, DJ, 01.03.2004, p. 135).

"(...). Portanto, além das contribuições devidas em caráter compulsório pelos empregadores, outras existem, ainda que não vinculadas ao custeio da Seguridade Social, para o financiamento das atividades privadas de serviço social e de formação profissional, desenvolvidas pelas mencionadas entidades. 5. A jurisprudência do Superior Tribunal de Justiça consolidou-se no sentido da legitimidade da cobrança de tais exações das empresas prestadores de serviços. 6. Quanto ao pleito de restituição, por meio do mecanismo de compensação, sendo exigíveis as contribuições questionadas, não há falar na existência de indébito fiscal a legitimar o pleito, pois, como restou demonstrado, sempre foram legítimas as cobranças das contribuições ao SEBRAE e ao SESC, porquanto fundadas em legislação cuja constitucionalidade e legalidade restaram indubitáveis. 7. Apelações e remessa oficial a que se dá provimento" (TRF3, ApReeNec 1.349.544/SP, Rel. Juiz Federal Valdeci dos Santos, DJF3, 04.08.2009, p. 127).

Art. 241. A União, os Estados, o Distrito Federal e os Municípios disciplinarão por meio de lei os consórcios públicos e os convênios de cooperação entre os entes federados, autorizando a gestão associada de serviços públicos, bem como a transferência total ou parcial de encargos, serviços, pessoal e bens essenciais à continuidade dos serviços transferidos.

Doutrina

Disciplina legal da matéria. A redação atual, dada pela Emenda Constitucional n.º 19, de 4 de setembro de 1998, com regulamentação disposta por meio da Lei n.º 11.107, de 6 de abril de 2005, tem por objetivo disciplinar os serviços públicos que poderão ser prestados nos termos de regras definidas em consórcios ou convênios de cooperação. Referidos instrumentos poderão ser firmados entre os entes federados para a execução ou a gestão associada de serviços públicos, ou para a transferência integral ou parcial de encargos, serviços, pessoal e os respectivos bens essenciais à continuidade dos serviços transferidos.

Objetivos na norma constitucional. Na verdade, a Constituição Federal já dispõe, no artigo 23, parágrafo único, que leis complementares fixarão normas para a cooperação entre a União e os Estados, o Distrito Federal e os Municípios. Portanto, quando o artigo 241 dispõe sobre a disciplina de seu conteúdo por meio de lei, está se reportando à lei municipal, quando se tratar de consórcios ou convênios firmados entre municípios, à lei estadual, para dispor sobre consórcios ou convênios firmados entre Estados-membros, ou, entre estes e o Distrito Federal.

Jurisprudência

> "(...). 4. Aglomerações urbanas e saneamento básico. O art. 23, IX, da Constituição Federal conferiu competência comum à União, aos estados e as municípios para promover a melhora das condições de saneamento básico. Nada obstante a competência municipal do poder concedente do serviço público de saneamento básico, o alto custo e o monopólio natural do serviço, além da existência de várias etapas – como captação, tratamento, adução, reserva, distribuição de água e o recolhimento, condução e disposição final de esgoto – que comumente ultrapassam os limites territoriais de um município, indicam a existência de interesse comum do serviço de saneamento básico. A função pública do saneamento básico frequentemente extrapola o interesse local e passa a ter natureza de interesse comum no caso de instituição de regiões metropolitanas, aglomerações urbanas e microrregiões, nos termos do art. 25, § 3.°, da Constituição Federal. Para o adequado atendimento do interesse comum, a integração municipal do serviço de saneamento básico pode ocorrer tanto voluntariamente, por meio de gestão associada, empregando convênios de cooperação ou consórcios públicos, consoante os arts. 3.°, II, e 24 da Lei Federal 11.445/2007 e o art. 241 da Constituição Federal, como compulsoriamente, nos termos em que prevista na lei complementar estadual que institui as aglomerações urbanas. A instituição de regiões metropolitanas, aglomerações

urbanas ou microrregiões pode vincular a participação de municípios limítrofes, com o objetivo de executar e planejar a função pública do saneamento básico, seja para atender adequadamente às exigências de higiene e saúde pública, seja para dar viabilidade econômica e técnica aos municípios menos favorecidos. Repita-se que este caráter compulsório da integração metropolitana não esvazia a autonomia municipal" (STF – Pleno, ADIN 1.842/RJ, rel. Min. Luiz Fux, j. 06.03.2013).

Art. 242. O princípio do art. 206, IV, não se aplica às instituições educacionais oficiais criadas por lei estadual ou municipal e existentes na data da promulgação desta Constituição, que não sejam total ou preponderantemente mantidas com recursos públicos.

§ 1.º O ensino da História do Brasil levará em conta as contribuições das diferentes culturas e etnias para a formação do povo brasileiro.

§ 2.º O Colégio Pedro II, localizado na cidade do Rio de Janeiro, será mantido na órbita federal.

Doutrina

Princípio da gratuidade do ensino público nas escolas oficiais. A norma inscrita no artigo 206, IV, da Constituição Federal, consagra o princípio da gratuidade do ensino público em instituições oficiais de ensino.

Exceção ao princípio da gratuidade do ensino público nas escolas oficiais. O artigo 242, *caput*, por sua vez, dispõe que referido princípio não se aplica às instituições oficiais de ensino criadas por lei estadual ou municipal e existentes na data da promulgação da Constituição, que não sejam total ou preponderantemente mantidas com recursos públicos. Refere-se, pois, àquelas instituições estaduais ou municipais que são financiadas majoritariamente por meio de recursos provindos da arrecadação de mensalidades de seus alunos, excetuando, assim, as instituições federais, que obedecerão ao princípio da gratuidade.

Ensino da História do Brasil. Dispõe o § 1.º que o ensino da História do Brasil levará em conta as contribuições das diferentes culturas e etnias para a formação do povo brasileiro. Quer dizer, o ensino da História do Brasil deverá considerar os valores e os fundamentos que embasam as suas instituições, as origens destas e os elementos assimilados de outras culturas e de outros grupos sociais, no caso brasileiro, indígenas, africanos e europeus, amálgama do qual resultou a formação do povo brasileiro.

Colégio Pedro II. Dispõe o § 2.º que o Colégio Pedro II, com sede na cidade do Rio de Janeiro, é mantido como instituição federal de ensino. Referida escola foi convertida em colégio secundário por decreto de 2 de dezembro de 1837, tendo origem no antigo Seminário de São Joaquim, destinado a educar meninos órfãos, e passou a ser mantido pelo Imperador. Desde 1967 funciona como autarquia federal ligada ao Ministério da Educação.

Jurisprudência

> "Constituindo-se o Colégio Pedro II como instituição especial de ensino, de tradicional qualidade, as suas regras específicas de acesso não podem, sob pena de ofensa ao princípio da *lex specialis derogat generali* – art. 2.º, § 2.º, da LICC – ser nulificadas pelas normas gerais que asseguram a transferência para estabelecimento semelhante à de origem, mas não para qualquer estabelecimento, ao líbito do aluno, mormente aqueles que, dado a escassez de vagas, exigem aprovação em concorrido processo de seleção" (STJ – 2.ª Turma, REsp 842.800/RJ, Rel. Min. Castro Meira, DJ, 29.08.2006, p. 155).
>
> "1. Para a aplicação por analogia da Súmula 175/STJ, com o fim de dispensar as autarquias e fundações

do depósito prévio para o ajuizamento de ação rescisória, mister que haja lei específica assegurando à autarquia os mesmos privilégios da Fazenda Pública 2. Conquanto o Colégio Pedro II ostente natureza de autarquia federal, até a edição da primeira MP n. 1.984-20, de 28/7/2000, que transferiu a representação da autarquia para a AGU, não havia qualquer disposição legal que lhe assegurasse tais privilégios. 3. Tendo sido a ação rescisória ajuizada em 1997, descabe aplicar, por analogia, a Súmula 175/STJ para dispensar o Colégio Pedro II do depósito prévio previsto no art. 488, II, do CPC (Precedentes)" (STJ – 6.ª Turma, REsp 457.255 AgRg, Rel. Min. Néfi Cordeiro, , DJE, 06.10.2014).

Art. 243. As propriedades rurais e urbanas de qualquer região do País onde forem localizadas culturas ilegais de plantas psicotrópicas ou a exploração de trabalho escravo na forma da lei serão expropriadas e destinadas à reforma agrária e a programas de habitação popular, sem qualquer indenização ao proprietário e sem prejuízo de outras sanções previstas em lei, observado, no que couber, o disposto no art. 5.º

Parágrafo único. Todo e qualquer bem de valor econômico apreendido em decorrência do tráfico ilícito de entorpecentes e drogas afins e da exploração de trabalho escravo será confiscado e reverterá a fundo especial com destinação específica, na forma da lei.

Doutrina

Confisco de propriedades utilizadas para a cultura ilegal de plantas psicotrópicas ou exploradas por meio de trabalho escravo. Dispõe o artigo 243, *caput*, que propriedades rurais ou urbanas, localizadas em qualquer região do território nacional, serão expropriadas e destinadas a programas de reforma agrária ou de habitação popular sem qualquer indenização ao proprietário e sem prejuízo de outras sanções previstas em lei. Ora, se a norma determina a expropriação da propriedade sem indenização, a hipótese é de confisco. Isso não dispensa o devido processo legal, perante o juízo competente.

Destinação dos bens confiscados. Dispõe o parágrafo único do artigo em tela que todo e qualquer bem de valor econômico apreendido em decorrência do tráfico ilícito de entorpecentes e drogas afins ou em decorrência da constatação de trabalho escravo serão confiscados e revertidos para fundo especial com destinação específica.

Jurisprudência

"A decretação da perda de um bem ou de qualquer valor, ainda que após a verificação da existência do crime de tráfico de entorpecentes (e drogas afins) e da identificação da sua autoria, só deve ser efetivada através de sentença judicial, observado o princípio constitucional proeminente – o do devido processo legal. Nenhum cidadão pode ser privado de seus bens (ou coagido a efetuar pagamento) sem defesa, em processo em que se lhe assegure o contraditório, porquanto o direito de propriedade constitui garantia constitucional" (STJ – 1.ª Turma, ROMS 6.594/RJ, rel. Min. Demócrito Reinaldo, DJ1, 01.07.1996, p. 23.987).

"1. Pela dicção do art. 243 da Constituição (EC n.º 81/2014), 'As propriedades rurais e urbanas de qualquer região do País onde forem localizadas culturas ilegais de plantas psicotrópicas ou a exploração de trabalho escravo na forma da lei serão expropriadas e destinadas à reforma agrária e a programas de habitação popular, sem qualquer indenização ao proprietário e sem prejuízo de outras sanções previstas em lei, observado, no que couber, o disposto no art. 5.º'. 2. A remissão ao art. 5.º, que alude à inviolabilidade da propriedade, mesmo na exceção prevista na Constituição, impõe que haja demonstração inequívoca do cultivo de plantas psicotrópicas, e que o proprietário possa dispor dos meios de defesa adequados. 3. É imprescindível, sem prejuízo da eficácia do preceito constitucional, que haja o devido processo legal com a observância do direito de defesa, não somente em decorrência da Constituição, pela qual ninguém será privado dos seus bens sem o devido processo legal (art. 5.º, LIV), como também em função da Lei 8.257, de 26/11/1991, que dispõe sobre a exploração das glebas nas quais haja cultura ilegal de plantas psicotrópicas" (STJ, 1.ª Turma, REsp 1.479.657, Rel. Min. Olindo Menezes (desembargador convocado do TRF1), DJE, 04.12.2015).

Art. 244. A lei disporá sobre a adaptação dos logradouros, dos edifícios de uso público e dos veículos de transporte coletivo atualmente existentes a fim de garantir acesso adequado às pessoas portadoras de deficiência, conforme o disposto no art. 227, § 2.º

Doutrina

Garantia de acesso adequado às pessoas com deficiência. O *caput* deste artigo comete à lei dispor sobre obras de adaptação de logradouros, de edifícios públicos e de veículos de transporte coletivo atualmente existentes, quer dizer, em uso quando da promulgação da Constituição. Estes devem ser adaptados. Quanto aos novos, nos termos do artigo 227, § 2.º, devem ser projetados e construídos de forma a garantir acessibilidade às pessoas com deficiência.

Disciplina legal da matéria. A Lei n.º 10.098, de 19 de dezembro de 2000, estabelece normas gerais e critérios básicos para a promoção de acessibilidade das pessoas com deficiência ou com mobilidade reduzida.

Jurisprudência

> "A ordem constitucional brasileira, inaugurada em 1988, trouxe desde seus escritos originais a preocupação com a proteção das pessoas portadoras de necessidades especiais, construindo políticas e diretrizes de inserção nas diversas áreas sociais e econômicas da comunidade (trabalho privado, serviço público, previdência e assistência social). Estabeleceu, assim, nos arts. 227, § 2.º e 244, a necessidade de se conferir amplo acesso e plena capacidade de locomoção às pessoas com deficiência, no que concerne tanto aos logradouros públicos, quanto aos veículos de transporte coletivo, determinando ao legislador ordinário a edição de diplomas que estabeleçam as formas de construção e modificação desses espaços e desses meios de transporte" (STF – Pleno, ADIN 903/MG, rel. Min. Dias Toffoli, j. 22.05.2013).

Art. 245. A lei disporá sobre as hipóteses e condições em que o poder público dará assistência aos herdeiros e dependentes carentes de pessoas vitimadas por crime doloso, sem prejuízo da responsabilidade civil do autor do ilícito.

Doutrina

Assistência a herdeiros e dependentes carentes de vítimas de crimes dolosos. A norma constitucional prescreve que a lei disporá sobre as hipóteses e condições em que o Poder Público será obrigado a dar assistência aos herdeiros e dependentes carentes de pessoas vitimadas por crime doloso, isso sem prejuízo da responsabilidade civil do autor do ilícito, conforme previsto no artigo 37, § 6.º, da Constituição. O dispositivo ainda não foi objeto de regulamentação; porém, a Lei Complementar n.º 79, de 7 de janeiro de 1994, que dispõe sobre o Fundo Nacional Penitenciário – FUNPEN, trata da destinação de recursos para atendimento de tais pessoas.

Jurisprudência

> "(...). 5. O princípio constitucional da reserva de administração impede a ingerência do Poder Judiciário em matérias sujeitas à exclusiva competência administrativa do Poder Executivo, sob pena de violação de preceito constitucional – a separação dos poderes. 6. A intervenção judicial somente é possível para garantir a eficácia plena dos direitos fundamentais quando ausentes as políticas públicas. No entanto, se tais ações forem deficitárias ou insuficientes, não poderá o Poder Judiciário se imiscuir, pois cabe ao Executivo decidir em quais setores da sociedade serão aplicados os recursos públicos. 7. As cópias de relatórios de gestão de fls. 724/820 demonstram que a Lei Complementar n.º 79/94 vem sendo cumprida de maneira a atender – o quanto possível – a toda comunidade, não sendo possível ao magistrado emitir um juízo de valor sobre tais questões, sob pena de malferimento ao postulado da separação de poderes. 8. Se a Lei Complementar 79/94 não fixou prazo para o Tesouro Nacional repassar os recursos ao FUNPEN foi porque a lei pretendeu outorgar exclusivamente ao Poder Executivo a análise sobre o momento, a conveniência e a oportunidade de repassá-los. 9. Quanto ao alegado dano moral coletivo, reconhecida a regularidade da conduta impugnada, com a aplicação, ainda que parcial, dos recursos destinados ao FUNPEN, somada à inexistência de risco de o montante destinado ao fundo ser utilizado em finalidades outras que as previstas na lei, não há que se falar em dever de indenizar. 10. Agravo retido, apelação e remessa oficial improvidos. Sentença mantida" (TRF3 – 3.ª Turma, AC 1.120.662/SP, rel. Des. Fed. Nery Junior, eDJF3, 10.01.2014).

Art. 246. É vedada a adoção de medida provisória na regulamentação de artigo da Constituição cuja redação tenha sido alterada por meio de emenda promulgada entre 1.º de janeiro de 1995 até a promulgação desta emenda, inclusive.

Doutrina

Restrição à adoção de medida provisória. Dispõe o atual artigo 246, com a redação dada pela Emenda Constitucional n.º 32, de 11.09.2001, que é vedada a adoção de medida provisória na regulamentação de artigo da Constituição cuja redação tenha sido alterada por meio de emenda promulgada entre 1.º de janeiro de 1995 até a promulgação da referida emenda, inclusive.

Jurisprudência

"(...). 3. Prosseguimento do julgamento quanto à análise das alegações de vícios formais presentes na Medida Provisória n.º 144/203, por violação ao art. 246 da Constituição: 'É vedada a adoção de medida provisória na regulamentação de artigo da Constituição cuja redação tenha sido alterada por meio de emenda promulgada entre 1.º de janeiro de 1995 até a promulgação desta emenda, inclusive'. Em princípio, a medida provisória impugnada não viola o art. 246 da Constituição, tendo em vista que a Emenda Constitucional n.º 6/95 não promoveu alteração substancial na disciplina constitucional do setor elétrico, mas restringiu-se, em razão da revogação do art. 171 da Constituição, a substituir a expressão 'empresa brasileira de capital nacional' pela expressão 'empresa constituída sob as leis brasileiras e que tenha sede e administração no país', incluída no § 1.º do art. 176 da Constituição. Em verdade, a Medida Provisória n.º 144/2003 não está destinada a dar eficácia às modificações introduzidas pela EC n.º 6/95, eis que versa sobre a matéria tratada no art. 175 da Constituição, ou seja, sobre o regime de prestação de serviços públicos no setor elétrico. Vencida a tese que vislumbrava a afronta ao art. 246 da Constituição, propugnando pela interpretação conforme a Constituição para afastar a aplicação da medida provisória, assim como da lei de conversão, a qualquer atividade relacionada à exploração do potencial hidráulico para fins de produção de energia. 4. Medida cautelar indeferida, por maioria de votos" (STF – Pleno, ADIN 3.090/DF MC, rel. Min. Gilmar Mendes, j. 11.10.2006).

Art. 247. As leis previstas no inciso III do § 1.º do art. 41 e no § 7.º do art. 169 estabelecerão critérios e garantias especiais para a perda do cargo pelo servidor público estável que, em decorrência das atribuições de seu cargo efetivo, desenvolva atividades exclusivas de Estado.

Parágrafo único. Na hipótese de insuficiência de desempenho, a perda do cargo somente ocorrerá mediante processo administrativo em que lhe sejam assegurados o contraditório e a ampla defesa.

Doutrina

Gênese da norma constitucional. A norma inscrita no artigo 247 foi acrescentada ao Texto Magno por meio da Emenda Constitucional n.º 19, de 4 de junho de 1998.

Regras para a mitigação da estabilidade do servidor público. Tanto no caso da lei prevista no inciso III do § 1.º do artigo 41 (exigência de processo administrativo em que se assegure ao servidor estável o devido processo legal e a ampla defesa), quanto no caso da lei prevista no § 7.º do artigo 169 (que estabelece limite para a despesa com pessoal ativo e passivo da União), trata-se de lei complementar que disporá sobre critérios e garantias especiais para a perda do cargo pelo servidor público estável, considerando, ainda, as atribuições de seu cargo efetivo, a natureza de atividades exclusivas de Estado, tais como aquelas ligadas à segurança pública, defesa nacional, exercício da função jurisdicional, atividades do Ministério Público etc. A Lei Complementar n.º 101, de 04 de maio de 2000 (Lei de Responsabilidade Fiscal), trata dos limites da despesa com a manutenção dos servidores ativos e inativos da União.

Hipótese de insuficiência de desempenho. No caso de desempenho insuficiente do servidor estável, dispõe o parágrafo único da norma que a perda do cargo será necessariamente precedida de processo administrativo que lhe assegure o contraditório e a ampla defesa, ou seja, o devido processo legal.

Jurisprudência

> "1. Insurgindo-se o impetrante contra ato da autoridade impetrada que lhe exonerou do serviço público e comprovados os fatos por documentos, mostra-se adequada a via processual escolhida. Preliminar rejeitada. 2. O estágio probatório do servidor público não autoriza sua exoneração por insuficiência de desempenho profissional sem a observância do devido processo legal, já que deve ser facultada a ampla defesa quanto às avaliações negativas. 3. Concluindo pela nulidade do ato administrativo que culminou com a exoneração do servidor, os efeitos se operam *ex tunc*, restabelecendo-se o estado anterior, com a reintegração ao cargo e direito ao tempo de serviço, vencimentos e às vantagens que seriam pagas ao servidor durante todo o afastamento, de modo a preservar-lhe todos os direitos atingidos pela ilegalidade. 4. Apelação e remessa oficial não providas" (TRF1, AMS 00145563219974013400, rel. Des. Federal Antonio Sávio de Oliveira, DJ, 01.10.2007, p. 4).

Art. 248. Os benefícios pagos, a qualquer título, pelo órgão responsável pelo regime geral de previdência social, ainda que à conta do Tesouro Nacional, e os não sujeitos ao limite máximo de valor fixado para os benefícios

concedidos por esse regime observarão os limites fixados no art. 37, XI.

Doutrina

Gênese da norma constitucional. O artigo 248 foi acrescentado ao Texto da Constituição por meio da Emenda Constitucional n.º 20, de 15 de dezembro de 1998.

Benefícios pagos no âmbito do regime geral de previdência social. Dispõe a norma em comento que os benefícios pagos pelo órgão responsável pelo regime geral de previdência social, atualmente o INSS, ainda que de responsabilidade do Tesouro Nacional (*v.g.*, a pensão especial para as pessoas com síndrome de talidomida) e não sujeitos ao limite máximo dos benefícios pago por este regime geral, ficam sujeitos ao limite (teto de remuneração) de que trata o artigo 37, XI, da Constituição. Anote-se que os servidores públicos sujeitos ao regime geral de previdência são aqueles contratados para o desempenho de funções temporárias ou exercentes de atividades não organizadas em carreiras. Os funcionários públicos são aqueles que exercem cargos públicos, de provimento efetivo ou em comissão.

Jurisprudência

> "(...). II – Quando o Decreto 2172/97 limitou o valor das pensões concedidas aos ex-combatentes ao teto remuneratório previsto no artigo 37, XI, da Constituição Federal agiu em contrariedade ao disposto no artigo 149 da Lei 8213/91, que reservou a regulamentação desta matéria a legislação específica, excedendo de forma evidente sua atribuição delimitada no artigo 84, IV, da Carta Magna. III – O artigo 248 da Constituição Federal, incluído pela Emenda Constitucional n.º 20 de 1998, determinou que os benefícios pagos, a qualquer título, pelo órgão responsável pelo regime geral de previdência social, ainda que à conta do Tesouro Nacional, e os

não sujeitos ao limite máximo de valor fixado para os benefícios concedidos por esse regime observarão os limites fixados no art. 37, XI, da Constituição da República" (TRF2, AC 05061733820054025101/RJ, rel. Juíza Sandra Chalu Barbosa, j. 01.04.2009).

Art. 249. Com o objetivo de assegurar recursos para o pagamento de proventos de aposentadoria e pensões concedidas aos respectivos servidores e seus dependentes, em adição aos recursos dos respectivos tesouros, a União, os Estados, o Distrito Federal e os Municípios poderão constituir fundos integrados pelos recursos provenientes de contribuições e por bens, direitos e ativos de qualquer natureza, mediante lei que disporá sobre a natureza e administração desses fundos.

Doutrina

Gênese da norma constitucional. O artigo 249 foi acrescentado ao Texto da Constituição por meio da Emenda Constitucional n.º 20, de 15 de dezembro de 1998.

Regime de previdência dos servidores públicos. O artigo 40, *caput*, dispõe que aos servidores públicos, titulares de cargos efetivos, de quaisquer dos entes federados, inclusive autarquias e fundações, é assegurado regime próprio de previdência, de caráter contributivo e solidário, mediante contribuição destes – ativos ou inativos –, e do ente público, com a adoção de critérios que visem a preservar o equilíbrio financeiro e atuarial e assegurar o pagamento de aposentadorias, pensões e outros benefícios, segundo o que a lei dispuser.

Financiamento adicional da previdência dos servidores públicos. O artigo 249, *caput*, da Constituição Federal, prescreve que, com a finalidade de assegurar recursos para o pagamento de proventos de aposentadoria e pensões devidas aos respectivos servidores e dependentes, em adição aos recursos dos respectivos tesouros, a União, os Estados, o Distrito Federal e os Municípios poderão constituir fundos integrados pelos recursos provenientes de contribuições e por bens, direitos e ativos de qualquer natureza, mediante lei que disporá sobre a natureza e administração desses fundos. Trata-se, pois, de fontes adicionais de financiamento que poderão ser instituídas segundo a necessidade de cada ente federado, apurada a partir de cálculos atuariais, para assegurar a indenidade e solvabilidade do sistema de previdência.

Jurisprudência

"Trata-se de recurso extraordinário, manejado com suporte na alínea 'a' do inciso III do art. 102 da Constituição Republicana, contra acórdão do Tribunal de Justiça do Estado do Rio de Janeiro. Acórdão assim ementado (fls. 71): 'Embargos Infringentes. Ação Ordinária com objetivo de impor ao Tesouro Estadual a obrigação de arcar com o pagamento de todos os aposentados e pensionistas associados seus. Rioprevidência. 1 – Na forma do acórdão embargado cumpre ao Tesouro do Estado do Rio de Janeiro arcar com o pagamento dos proventos e pensões tanto daqueles que por ocasião da Lei 3.189/99 já se encontravam na condição de aposentados e pensionistas, mas também daqueles que vierem a sê-lo se já se encontravam no serviço público por ocasião da previdência complementar estadual, salvo se optaram diferentemente, na forma da Lei. Ao se adotar raciocínio diverso, afrontar-se-ia o direito adquirido. 2 – O artigo 249 da CF não retirou do Tesouro Estadual a obrigação de arcar com o pagamento dos proventos e pensões, mas sim, facultou a criação de um fundo, cujos recursos adirão aos do Tesouro, para o fim de assegurar aqueles pagamentos. Recurso desprovido, nos termos do voto do Desembargador Relator.' 2. Pois bem, a parte recorrente sustenta violação ao art. 249 da Magna Carta de 1988. 3. A seu turno, a Procuradoria-Geral da República, em parecer da lavra da Subprocuradora-

-Geral Sandra Cureau, opina pelo não-conhecimento do recurso. 4. Tenho que a insurgência não merece acolhida. Isso porque entendimento diverso do adotado pela instância judicante de origem exigiria o reexame da legislação infraconstitucional pertinente. Providência vedada neste momento processual, conforme a Súmula 280/STF. Ante o exposto, e frente ao *caput* do art. 557 do CPC e ao § 1.º do art. 21 do RI/STF, nego seguimento ao recurso" (STF, RE 591.654/RJ, rel. Min. Ayres Brito, decisão monocrática, DJE-069, 10.04.2012).

Art. 250. Com o objetivo de assegurar recursos para o pagamento dos benefícios concedidos pelo regime geral de previdência social, em adição aos recursos de sua arrecadação, a União poderá constituir fundo integrado por bens, direitos e ativos de qualquer natureza, mediante lei que disporá sobre a natureza e administração desse fundo.

Doutrina

Gênese da norma constitucional. O artigo 250 foi acrescentado ao Texto da Constituição por meio da Emenda Constitucional n.º 20, de 15 de dezembro de 1998.

Regime geral de previdência social. O artigo 201, *caput*, dispõe que a previdência social, organizada sob a forma de regime geral, de natureza contributiva e filiação compulsória, observará a critérios que preservem o equilíbrio financeiro e atuarial do sistema. O objetivo é o de garantir o pagamento de aposentadorias, pensões e outros benefícios devidos aos seus beneficiários, segundo o que a lei dispuser.

Financiamento adicional do sistema de previdência social geral. O artigo 250, *caput*, da Constituição Federal, prescreve que, com a finalidade de assegurar recursos para o pagamento de proventos de aposentadoria e pensões devidas aos respectivos beneficiários e dependentes, a União – como responsável única pelo sistema – poderá, para adicionar recursos ao produto da arrecadação das contribuições recolhidas, constituir fundo integrado por bens, direitos e ativos de qualquer natureza, mediante lei que disporá também sobre a natureza e administração do fundo. Referida lei deverá estabelecer também regras de controle gerencial, de auditoria e de cálculos atuariais, com a finalidade de assegurar a indenidade e solvabilidade do sistema de previdência social geral.

Jurisprudência

> "(...). XX – Art. 68, *caput*: o art. 250 da Carta-Cidadã, ao prever a instituição de fundo integrado por bens, direitos e ativos de qualquer natureza, não excluiu a hipótese de os mais recursos pertencentes à previdência social, até mesmo os provenientes da arrecadação de contribuições, virem a compor o referido fundo. Ademais, nada impede que providência legislativa de caráter ordinário seja veiculada em lei complementar. Lei Complementar n.° 101/2000. Interpretação conforme a Constituição (STF – Pleno, ADIN 2.238 MC/DF, rel. Min. Ilmar Galvão, 08.08.2007, DJE-172, 19.02.2008).

ATO DAS DISPOSIÇÕES CONSTITUCIONAIS TRANSITÓRIAS

Art. 1.º O Presidente da República, o Presidente do Supremo Tribunal Federal e os membros do Congresso Nacional prestarão o compromisso de manter, defender e cumprir a Constituição, no ato e na data de sua promulgação.

Doutrina

Natureza jurídica do Ato das Disposições Constitucionais Transitórias. Trata-se de documento constitucional de caráter transitório destinado a regular situações singulares e as normas nele inscritas se exaurem uma vez cumprida a sua finalidade essencial, qual seja, fazer cumprir a transição entre a antiga e a nova ordem constitucional.

Compromisso de respeito à Constituição Federal. O artigo 1.º do ADCT impôs às autoridades nele mencionadas o compromisso de manter, defender e cumprir a Constituição. Referido dever constitucional foi cumprido no ato solene de promulgação da nova Carta Política em 5 de outubro de 1988, na sede do Congresso Nacional.

Jurisprudência

> "O ato das Disposições Transitórias, promulgado em 1988 pelo legislador constituinte, qualifica-se, juridicamente, como um estatuto de índole constitucional. A estrutura normativa que nele se acha consubstanciada ostenta, em consequência, a rigidez peculiar às regras inscritas no texto básico da Lei Fundamental da República. Disso decorre o reconhecimento de que inexistem, entre as normas inscritas no ADCT e os preceitos constantes da Carta Política, quaisquer desníveis ou desigualdades quanto à intensidade de sua eficácia ou à prevalência de sua autoridade" (STF – 1.ª Turma, RE 160.486/SP, rel. Min. Celso de Mello, DJU, 09.06.1995, p. 17.246).

Art. 2.° No dia 7 de setembro de 1993 o eleitorado definirá, através de plebiscito, a forma (república ou monarquia constitucional) e o sistema de governo (parlamentarismo ou presidencialismo) que devem vigorar no País.

§ 1.° Será assegurada gratuidade na livre divulgação dessas formas e sistemas, através dos meios de comunicação de massa cessionários de serviço público.

§ 2.° O Tribunal Superior Eleitoral, promulgada a Constituição, expedirá as normas regulamentadoras deste artigo.

Doutrina

Plebiscito sobre a forma e o sistema de governo. Por força do disposto na Emenda Constitucional n.° 2, de 1992, a consulta prévia aos cidadãos, prevista para 07.09.1993, foi antecipada para 21.04.1993, restando confirmada a forma republicana e o sistema presidencialista de governo. Foi assegurada, conforme previsto na Lei n.º 8.624, de 04.02.1993, a gratuidade na divulgação das formas e sistemas de governo nos meios de comunicação de massa, assegurada a igualdade de tempo e a paridade de horários.

Jurisprudência

> "Ação Direta de Inconstitucionalidade. Antecipação do Plebiscito a que alude o art. 2.º do ADCT da Constituição de 1988. Não há dúvida de que, em face do novo sistema constitucional, é o S.T.F. competente para, em controle difuso ou concentrado, examinar a constitucionalidade ou não, de Emenda Constitucional. – No caso a n.º 2, de 25 de agosto de 1992 – impugnada por violadora de cláusulas pétreas explícitas ou implícitas. – Contendo as normas constitucionais transitórias exceções à parte permanente da Constituição, não tem sentido pretender-se que o ato que as contém seja independente desta, até porque é da natureza mesma das coisas que, para haver exceção, é necessário que haja regra, de cuja existência aquela, como exceção, depende, A enumeração autônoma, obviamente, não tem o condão de dar independência aquilo que, por sua natureza mesma, é dependente. Ação Direta de Inconstitucionalidade que se julga improcedente" (STF – Pleno, ADIN 830/DF, rel. Min. Moreira Alves, j. 14.04.1993).

Art. 3.º A revisão constitucional será realizada após cinco anos, contados da promulgação da Constituição, pelo voto da maioria absoluta dos membros do Congresso Nacional, em sessão unicameral.

Doutrina

Revisão Constitucional. É o instrumento por meio do qual o legislador constituinte derivado exerce o poder de rever, parcial ou totalmente, a Constituição. A revisão prevista no artigo 3.° foi feita pelo Congresso Nacional, em sessão unicameral, resultando em apenas seis Emendas Constitucionais de Revisão promulgadas entre 01.03.1994 a 07.06.1994. Registre-se que, exaurida a revisão constitucional, a Constituição somente poderá ser reformada por meio de emenda, na forma prevista no § 2.° do artigo 60, que dispõe sobre um rito especial de apreciação e aprovação da matéria, restando caracterizada a nossa Carta Política como rígida.

Jurisprudência

"Ação Direta de Inconstitucionalidade. Resolução n. 1 – RCF, do Congresso Nacional, de 18.11.1993, que dispõe sobre o funcionamento dos trabalhos de Revisão Constitucional e estabelece normas complementares específicas. (...). 'Emenda' e 'Revisão', na história constitucional brasileira. Emenda ou Revisão, como processos de mudança na Constituição, são manifestações do Poder Constituinte instituído e, por sua natureza, limitados. Esta, a 'revisão' prevista no art. 3 do ADCT de 1988 sujeita aos limites estabelecidos no parágrafo 4 e seus incisos, do art. 60, da Constituição. O resultado do plebiscito de 21 de abril de 1993 não tornou sem objeto a Revisão a que se refere o art. 3 do ADCT. Após 5 de outubro de 1993, cabia ao Congresso Nacional deliberar no sentido da oportunidade ou necessidade de proceder à aludida Revisão Constitucional, a ser feita 'uma só vez'. As mudanças na Constituição, decorrentes da 'Revisão' do art. 3 do ADCT, estão sujeitas ao controle judicial, diante das 'cláusulas pétreas' consignadas no art. 60, par. 4, e seus incisos, da Lei Magna de 1988. Não se fazem, assim, configurados os pressupostos para a concessão de medida liminar, suspendendo a eficácia da Resolução n. 01, de 1993 – RCF, do Congresso Nacional, até o julgamento final da ação. Medida cautelar indeferida" (STF – Pleno, ADIN 981/PR MC, rel. Min. Néri da Silveira, j. 17.12.1993).

"Revisão Constitucional – Cartas Estaduais. Ao primeiro exame concorrem o sinal do bom direito, o risco de manter-se com plena eficácia o ato normativo estadual e a conveniência de suspensão no que, mediante emenda constitucional aprovada por assembleia legislativa, previu-se a revisão da Carta local, estipulando-se mecanismo suficiente a torná-la flexível, ou seja, jungindo-se a aprovação de emendas a votação em turno único e por maioria absoluta. Ao Poder Legislativo, Federal ou Estadual, não está aberta a via da introdução, no cenário jurídico, do instituto da Revisão Constitucional" (STF – Pleno, ADIN 1.722/TO MC, rel. Min. Marco Aurélio, j. 10.12.1997).

Art. 4.º O mandato do atual Presidente da República terminará em 15 de março de 1990.

§ 1.º A primeira eleição para Presidente da República após a promulgação da Constituição será realizada no dia 15 de novembro de 1989, não se lhe aplicando o disposto no art. 16 da Constituição.

§ 2.º É assegurada a irredutibilidade da atual representação dos Estados e do Distrito Federal na Câmara dos Deputados.

§ 3.º Os mandatos dos Governadores e dos Vice-Governadores eleitos em 15 de novembro de 1986 terminarão em 15 de março de 1991.

§ 4.º Os mandatos dos atuais Prefeitos, Vice-Prefeitos e Vereadores terminarão no dia 1.º de janeiro de 1989, com a posse dos eleitos.

Doutrina

Término do mandato presidencial e eleição para o cargo de Presidente da República. O artigo 4.°, *caput*, tratou de limitar o mandato do Presidente da República – no exercício da Presidência na data da promulgação da Constituição – e de determinar a realização da primeira eleição presidencial sob a égide da nova Carta.

Representação na Câmara Federal. O § 2.° tratou de assegurar a irredutibilidade da representação dos Estados e do Distrito Federal na Câmara dos Deputados, ou seja, garantiu-se que as bancadas não fossem reduzidas na legislatura imediata.

Término de mandatos no Poder Executivo e no Poder Legislativo. Os mandatos de Governadores, Vice-Governadores (§ 3.°), Prefeitos, Vice-Prefeitos e Vereadores (§ 4.°) também tiveram datas de término definidas.

Consequência da fixação do calendário acima. Com as datas acima previstas, os mandatos do Presidente e do Vice-Presidente eleitos em 1989 restaram mais curtos.

Jurisprudência

> "Mandado de Injunção. Aumento do número de Deputados Federais. Autoaplicabilidade do parágrafo 1 do artigo 45, da Constituição. Exegese desse dispositivo e do parágrafo 2 do artigo 4 do Ato das Disposições Constitucionais Transitórias. Hipótese de convocação de suplentes de Deputados Federais. Ilegitimidade ativa dos suplentes. – O parágrafo 1 do artigo 45 da Constituição Federal, como resulta claramente de seu próprio texto, não é autoaplicável. A interposição de mandado de injunção, que visa a compelir o Congresso Nacional a editar a lei complementar a que se refere esse dispositivo, não se concilia, por incoerência, com a afirmação de sua autoaplicabilidade, a depender apenas de atos executórios da Câmara dos Deputados. – Por outro lado, quando o texto do parágrafo 1 do artigo 45 da Consti-

tuição manda proceder, no ano anterior às eleições, aos reajustes necessários no número de deputados fixados na lei complementar de que ela cuida, não permite a conclusão de que essa alteração inicial na composição da Câmara dos Deputados atinja a legislatura em curso, com o preenchimento das vagas criadas, pela convocação de suplentes. Essa exegese, que emerge clara do texto do citado dispositivo, que só tem aplicação às eleições subsequentes a edição da lei complementar, é também confirmada pelo disposto no parágrafo 2 do artigo 4 do Ato das Disposições Constitucionais Transitórias, que prevê a irredutibilidade do número atual de representantes das unidades federativas na Câmara Federal, na legislatura imediata" (STF – Pleno, MI 233/DF, rel. Min. Moreira Alves, j. 02.08.1990).

Art. 5.º Não se aplicam às eleições previstas para 15 de novembro de 1988 o disposto no art. 16 e as regras do art. 77 da Constituição.

§ 1.º Para as eleições de 15 de novembro de 1988 será exigido domicílio eleitoral na circunscrição pelo menos durante os quatro meses anteriores ao pleito, podendo os candidatos que preencham este requisito, atendidas as demais exigências da lei, ter seu registro efetivado pela Justiça Eleitoral após a promulgação da Constituição.

§ 2.º Na ausência de norma legal específica, caberá ao Tribunal Superior Eleitoral editar as normas necessárias à realização das eleições de 1988, respeitada a legislação vigente.

§ 3.º Os atuais parlamentares federais e estaduais eleitos Vice-Prefeitos, se convocados a exercer a função de Prefeito, não perderão o mandato parlamentar.

§ 4.º O número de Vereadores por município será fixado,

para a representação a ser eleita em 1988, pelo respectivo Tribunal Regional Eleitoral, respeitados os limites estipulados no art. 29, IV, da Constituição.

§ 5.º Para as eleições de 15 de novembro de 1988, ressalvados os que já exercem mandato eletivo, são inelegíveis para qualquer cargo, no território de jurisdição do titular, o cônjuge e os parentes por consanguinidade ou afinidade, até o segundo grau, ou por adoção, do Presidente da República, do Governador de Estado, do Governador do Distrito Federal e do Prefeito que tenham exercido mais da metade do mandato.

Doutrina

Eleições municipais de 15.11.1988. É sobre este assunto que tratam as normas do artigo 5.º do ADCT, dispondo sobre a inaplicabilidade ao referido pleito das regras inscritas nos artigos 16 e 77 do corpo permanente da Constituição (*caput*); domicílio eleitoral e registro de candidatura (§ 1.º); outorga de competência ao Tribunal Superior Eleitoral para regulamentar a realização da eleição, na ausência de norma legal específica (§ 2.º); preservação de mandato se o parlamentar for convocado para exercer a função de Prefeito (§ 3.º); fixação de número de vereadores por município (§ 4.º); e regras de inelegibilidade (§ 5.º).

Jurisprudência

> "Parlamentar. Eleição para Vice-Prefeito. Perda do mandato. Interpretação do § 3.º do art. 5.º do ADCT. – O disposto no § 3.º do art. 5.º do ADCT aplica-se aos atuais parlamentares, eleitos Vice-Prefeitos, que passem a ser titulares de mandato eletivo em face da eleição de 15.11.1988, os quais, se vierem a exercer a função de Prefeito, não perderão o mandato parlamentar" (TSE – Pleno, Resolução 14.928, de 01.12.1988, Consulta 9.671, Classe 10.ª. DF, rel. Min. Aldir Passarinho, j. 01.12.1988).

Art. 6.º Nos seis meses posteriores à promulgação da Constituição, parlamentares federais, reunidos em número não inferior a trinta, poderão requerer ao Tribunal Superior Eleitoral o registro de novo partido político, juntando ao requerimento o manifesto, o estatuto e o programa devidamente assinados pelos requerentes.

§ 1.º O registro provisório, que será concedido de plano pelo Tribunal Superior Eleitoral, nos termos deste artigo, defere ao novo partido todos os direitos, deveres e prerrogativas dos atuais, entre eles o de participar, sob legenda própria, das eleições que vierem a ser realizadas nos doze meses seguintes a sua formação.

§ 2.º O novo partido perderá automaticamente seu registro provisório se, no prazo de vinte e quatro meses, contados de sua formação, não obtiver registro definitivo no Tribunal Superior Eleitoral, na forma que a lei dispuser.

Doutrina

Regras para a criação de novo partido político. O *caput* do artigo autorizou parlamentares federais (senadores e deputados federais), em número de pelo menos trinta, a requererem junto ao Tribunal Superior Eleitoral registro de novo partido político. O registro provisório deveria ser concedido de plano, deferindo ao novo partido direitos, deveres e prerrogativas inerentes aos partidos então existentes (§ 1.º). O registro definitivo deveria ser requerido dentro do prazo de vinte e quatro meses, contados da formação, pena de perda automática do registro provisório anteriormente concedido (§ 2.º).

Jurisprudência

> "Partido Político. Registro Provisório. Prorrogação de prazo. Impossibilidade. Partido Democrata – PD. Exclu-

são da aplicabilidade do art. 6.°, parágrafo 2.°, do ADCT. Vedação, pelo tribunal, do prazo estipulado pelo art. 12 da LOPP. Precedente: Resolução n. 17.178/90. Indefiro o pedido. Unânime" (TSE, Registro de partido 178/DF, Resolução 17.395, de 25.04.1991, rel. Min. Célio Borja).

"Consulta. Partido político. Registro provisório e prazo de organização definitiva. O partido consulente perdeu sua capacidade jurídica provisória, não possuindo mais o Órgão Nacional que o legitime para formulação de consulta. Ilegitimidade do consulente (CE, art. 23, XII). Não conhecida. Unânime" (TSE, Consulta 10.910/DF, Resolução 18.077, de 28.04.1992, rel. Min. Torquato Lorena Jardim, DJ, 28.05.1992, p. 7.655).

Art. 7.° O Brasil propugnará pela formação de um tribunal internacional dos direitos humanos.

Doutrina

Criação de um tribunal internacional dos direitos humanos. Os sistemas regionais de proteção dos direitos humanos, tais como a Corte Europeia e a Corte Interamericana, encontram-se consolidados. Contudo, a norma consagrada neste artigo busca a formação de corte internacional, ou seja, instituída e integrada por vários países e com âmbito de atuação mais universalista possível.

Tribunal Penal Internacional. Nesse sentido, o Tribunal Penal Internacional, conforme previsto no Tratado de Roma, de 1998, atende, ainda que parcialmente, a intenção do legislador constituinte. Aliás, intenção reforçada pela Emenda Constitucional n.° 45, de 08.12.2004, que acrescentou o § 4.° ao artigo 5.° da Constituição, rezando que o Brasil se submete à jurisdição de um tribunal penal internacional desde que a cuja criação tenha manifestado adesão. Esta adesão ocorreu por meio do Decreto n.° 4.388, 25.09.2002. Todavia, existem desafios a superar, como a sujeição à jurisdição do país a um tribunal penal internacional quando a Carta Política consagra, categoricamente, o princípio da soberania como um de seus fundamentos.

Jurisprudência

> "Não obstante a importância político-jurídica de que se reveste essa solene proclamação constitucional, a norma que recomenda ao Estado brasileiro a adoção de medidas tendentes a instituir 'um tribunal internacional dos direitos humanos' (ADCT/88, art. 7.º) – embora qualificando-se como relevantíssima diretriz de política internacional – tem sido interpretada por alguns doutrinadores como regra destituída de qualquer força cogente" (STF, MS 22.483-5/DF, rel. Min. Celso de Mello, DJ1, 09.04.1996, p. 10.595).

Art. 8.º É concedida anistia aos que, no período de 18 de setembro de 1946 até a data da promulgação da Constituição, foram atingidos, em decorrência de motivação exclusivamente política, por atos de exceção, institucionais ou complementares, aos que foram abrangidos pelo Decreto Legislativo n.º 18, de 15 de dezembro de 1961, e aos atingidos pelo Decreto-Lei n.º 864, de 12 de setembro de 1969, asseguradas as promoções, na inatividade, ao cargo, emprego, posto ou graduação a que teriam direito se estivessem em serviço ativo, obedecidos os prazos de permanência em atividade previstos nas leis e regulamentos vigentes, respeitadas as características e peculiaridades das carreiras dos servidores públicos civis e militares e observados os respectivos regimes jurídicos.

§ 1.º O disposto neste artigo somente gerará efeitos financeiros a partir da promulgação da Constituição, vedada a remuneração de qualquer espécie em caráter retroativo.

§ 2.º Ficam assegurados os benefícios estabelecidos neste artigo aos trabalhadores do setor privado, dirigentes e representantes sindicais que, por motivos exclusivamente políticos, tenham sido punidos, demitidos ou compelidos ao afastamento das atividades remuneradas que exerciam, bem como aos que foram impedidos de exercer atividades profissionais em virtude de pressões ostensivas ou expedientes oficiais sigilosos.

§ 3.º Aos cidadãos que foram impedidos de exercer, na vida civil, atividade profissional específica, em decorrência das Portarias Reservadas do Ministério da Aeronáutica n.º S-50-GM5, de 19 de junho de 1964, e n.º S-285-GM5, será concedida reparação de natureza econômica, na forma que dispuser lei de iniciativa do Congresso Nacional e a entrar em vigor no prazo de doze meses a contar da promulgação da Constituição.

§ 4.º Aos que, por força de atos institucionais, tenham exercido gratuitamente mandato eletivo de vereador serão computados, para efeito de aposentadoria no serviço público e previdência social, os respectivos períodos.

§ 5.º A anistia concedida nos termos deste artigo aplica-se aos servidores públicos civis e aos empregados em todos os níveis de governo ou em suas fundações, empresas públicas ou empresas mistas sob controle estatal, exceto nos Ministérios militares, que tenham sido punidos ou demitidos por atividades profissionais interrompidas em virtude de decisão de seus trabalhadores, bem como em decorrência do Decreto-Lei n.º 1.632, de 4 de agosto de 1978, ou por motivos exclusivamente políticos, assegurada a readmissão dos que foram atingidos a partir de 1979, observado o disposto no § 1.º

Doutrina

Anistia. Trata-se de ato estatal, de natureza política, por meio do qual são adotadas medidas necessárias ao esquecimento (do grego *amnestía*) de condutas delitivas praticadas por pessoas contra o Estado, os chamados crimes políticos. A concessão de anistia é de competência do Congresso Nacional, com a sanção do Presidente da República (CF, art. 48, *caput*, e inc. VIII), sendo geral ou restrita, segundo as condições definidas para a sua adoção. Na Grécia antiga (388 a.C.), quando da vitória de Trasíbulo sobre os trinta tiranos, este resolveu que ninguém sofreria perseguição por motivo de crime político, salvo os referidos tiranos. A finalidade da anistia é a de afastar o processo criminal e a reprimenda contra autores de crime político praticado em detrimento do Estado. Pode, contudo, implicar indenização, segundo o que restar definido em lei. Aliás, a Lei n.° 10.559, de 13.11.2002, conhecida como Lei da Anistia, dispõe sobre reparações econômicas, em forma de prestações mensais, aos anistiados que comprovadamente foram atingidos por atos de perseguição política ou punidos com base em atos de exceção, institucionais ou complementares.

Limitação dos efeitos financeiros da anistia política. Dispõe o § 1.° que os efeitos financeiros serão gerados somente a partir da promulgação da Constituição, vedada a remuneração de qualquer espécie em caráter retroativo. Portanto, a norma constitucional estabelece clara delimitação, proibindo qualquer paga retroativa e determinando que a data de início de geração de efeito financeiro é o da promulgação da Carta Política.

Destinatários dos efeitos financeiros da lei de anistia. São assegurados os benefícios aos anistiados trabalhadores do setor privado, dirigentes e representantes sindicais que cumpram os requisitos legais, bem como aos que foram impedidos de exercer atividades profissionais em virtude de pressões ostensivas ou expedientes oficiais sigilosos (§ 2.°). Nos termos do § 3.°, são assegurados ainda os benefícios aos cidadãos impedidos de exercer, na vida civil, atividade profissional específica, em decorrência das Portarias Reservadas do Ministério da Aeronáutica n.º S-50-GM5, de 19 de junho de 1964, e n.º S-285-GM5, na forma que dispuser lei de iniciativa do Congresso Nacional e a entrar em vigor no prazo de doze meses a contar da promulgação da Constituição.

Contagem de tempo de exercício de mandato de vereador. Assegura o § 4.º aos que, por força de atos institucionais, tenham exercido gratuitamente mandato eletivo de vereador, o cômputo dos respectivos mandatos para fins de aposentadoria no serviço público e previdência social. Na verdade, o caso previsto na norma não é de anistia, pois não há crime político a anistiar.

Extensão da anistia a outras categorias de trabalhadores. Dispõe o § 5.º que a anistia concedida neste artigo aplica-se também aos servidores públicos civis e aos empregados em todos os níveis de governo ou em suas fundações, empresas públicas ou empresas mistas sob controle estatal, exceto nos ministérios militares, que tenham sido punidos ou demitidos por atividades profissionais interrompidas em virtude de decisão de seus trabalhadores, bem como em decorrência do Decreto-Lei n.º 1.632, de 4 de agosto de 1978, ou por motivos exclusivamente políticos, assegurada a readmissão dos que foram atingidos a partir de 1979, observado os limites previstos no § 1.º

Jurisprudência

> "Anistia. – Esta Corte, por ambas as suas Turmas e pelo seu Plenário, já firmou o entendimento de que a anistia concedida pelo artigo 4.º e seus parágrafos, da Emenda Constitucional n.º 26/85, só se aplica aos militares punidos por ato de exceção, institucionais ou complementares, e não aos expulsos, disciplinarmente, com base na legislação comum (assim, a título de exemplo, nos RREE 116.310, 116.386, 117.058 e 123.511 da Primeira Turma, e nos RREE 114.869, 116.028 e 116.589 da Segunda Turma), bem como assentou a orientação de que 'a teor do disposto no artigo 8.º do ADCT-CF/88 somente aos militares punidos com base em ato institucional ou complementar são asseguradas as promoções na inatividade, e não àqueles afastados com base

em dispositivo da legislação comum' (RE 123.337, Pleno, com citação de precedentes). – Desses entendimentos dissentiu o acórdão recorrido. Recurso extraordinário conhecido e provido" (STF – 1.ª Turma, RE 248.825/SE, rel. Min. Moreira Alves, j. 16.05.2000).

"Constitucional art. 8.º, § 3.º, do ADCT. Anistia. Reparação econômica àqueles que foram impedidos de exercerem, na vida civil, atividade profissional. Portarias reservadas do Ministério da Aeronáutica. Mora do Congresso Nacional. Projetos de lei vetados pelo Chefe do Poder Executivo. *Writ* pretende a mudança de orientação deste Tribunal, para que este fixe os limites da reparação e acompanhe a execução do acórdão. O Tribunal decidiu assegurar, de plano, o direito à indenização, sem constituir em mora o Congresso Nacional, para, mediante ação de liquidação, independentemente de sentença de condenação, a fixar o valor da indenização. Mandado de Injunção deferido em parte" (STF – Pleno, MI 543/DF, rel. Min. Octávio Gallotti, j. 26.10.2000).

"(...). 3. O direito subjetivo dos recorrentes ao ajuizamento da presente ação de perdas e danos para se ressarcirem do prejuízo que hajam sofrido em decorrência de sua expulsão da Força Aérea e da proibição imposta de exercerem suas profissões no âmbito da aviação civil, independentemente de nova comunicação ao Congresso Nacional do estado de mora em que se encontrava, adveio da decisão proferida pelo Supremo Tribunal Federal no Mandado de Injunção n.º 447-1/DF, que declarou ausente qualquer lei regulamentadora do art. 8.º, § 3.º, do ADCT. 4. A superveniência da Lei 10.559/02, quando já proferida a sentença de mérito que julgou procedente o pedido de indenização material formulado pelos recorrentes, não implica perda do interesse processual. Poderia o Tribunal de origem, no máximo, no julgamento da remessa necessária e do recurso voluntário da União, utilizar referido diploma legal como parâmetro a ser adotado para a fixação da reparação pleiteada, caso a entendesse devida. 5. A adoção de entendimento diverso implicaria solução contrária à *mens legis* da Lei 10.559/02, regulamentadora do art. 8.°, § 3.°, do ADCT, cuja finalidade é favorecer àqueles que, como os requerentes, tiveram direitos indevidamente cassados pelo Estado por motivos exclusivamente políticos. Isso porque os obrigaria a reprisar todos os argumentos e provas produzidas nos presentes autos em processo administrativo a ser aberto perante a Comissão de Anistia do Ministério da Justiça" (STJ – 5.ª Turma, REsp 1.040.686/DF, rel. Min. Arnaldo Esteves Lima, DJE, 19.10.2009).

Art. 9.° Os que, por motivos exclusivamente políticos, foram cassados ou tiveram seus direitos políticos suspensos no período de 15 de julho a 31 de dezembro de 1969, por ato do então Presidente da República, poderão requerer ao Supremo Tribunal Federal o reconhecimento dos direitos e vantagens interrompidos pelos atos punitivos, desde que comprovem terem sido estes eivados de vício grave.

Parágrafo único. O Supremo Tribunal Federal proferirá a decisão no prazo de cento e vinte dias, a contar do pedido do interessado.

Doutrina

Reconhecimento de direitos e vantagens. Admite a norma constitucional que pessoas que, por razões exclusivas de ordem política – *v.g.* contestação ao regime –, tenham sido cassadas ou tiveram os seus direitos políticos suspensos (votar ou ser votado, por exemplo), no período indicado, por ato do então Presidente da República, têm a faculdade de requerer ao Supremo Tribunal Federal o reconhecimento dos direitos e vantagens interrompidos pelos respectivos atos punitivos, desde que provem, necessariamente, terem sido estes eivados de vício grave, como, por exemplo, ausência de motivação ou ato fundado em motivo falso ou inexistente. Dispõe o parágrafo único que o Supremo deve proferir decisão dentro do prazo de cento e vinte dias, a contar da data de protocolo do pedido por parte do interessado.

Jurisprudência

"Atos Revolucionários. Militar. Cassação por motivos exclusivamente políticos. Art. 9 do ADCT da nova Constituição Federal. Inaplicação à hipótese. O pedido formulado sob o respaldo no art. 9 do ADCT deve ser considerado como uma ação, embora sob rito especial e sumaríssimo. Não há como julgar-se inepta inicial se possui ela os elementos essenciais para que tenha curso a ação. Se resulta dos autos que a medida punitiva aplicada ao autor com base no AI-5 não decorreu de motivos políticos, não incide, no caso, o disposto no art. 9 do ADCT da nova Carta Política, pois abrange tal dispositivo legal apenas aqueles que foram cassados ou tiveram seus direitos políticos suspensos exclusivamente sob fundamentação daquela natureza" (STF – Pleno, AO Especial 12/DF, rel. Min. Aldir Passarinho, j. 18.05.1989).

"(...). 2. O vocábulo 'cassação' do art. 9.º do ADCT contempla a situação de todos os que, com fundamento na legislação excepcional, sofreram ato punitivo de demissão, disponibilidade, aposentadoria, transferência para a reserva ou reforma, afetando, portanto, direitos de índole funcional. 3. A expressão 'vício grave' do art. 9.º do ADCT tem sentido abrangente, alcançando tanto os vícios formais quanto os materiais do ato de cassação ou de suspensão dos direitos políticos. Incluem-se entre essas hipóteses o vício da vontade presidencial e o da dupla punição, ainda que na esfera militar. Precedente [AOE n. 13, Relator o Ministro Celso de Mello, DJ, 26.03.93]. 4. A escolha para o cargo de Vice-Almirante pelo Chefe do Poder Executivo deve atender ao critério do merecimento, construído ao longo da carreira do militar [art. 26 da Lei n. 4.822/65]. Precedente [AOE n. 13, Relator o Ministro Celso de Mello, DJ, 26.03.93]. 5. A aferição do merecimento do militar é precedida por quem o aprecia, bem como assim em quantos analisaram a sua conduta [critério subjetivo], concedendo-lhe menções a partir de preceitos legais que estabelecem os critérios para promoção dos Oficiais [critério objetivo]. 6. Impõe-se o reconhecimento do direito ao posto militar e reflexos financeiros, requeridos na forma do art. 9.° do ADCT, se o beneficiário comprovar que, não fosse o ato de cassação compulsória, teria formado a lista de merecimento. 7. O objetivo da ação ordinária especial prevista no art. 9.° do ADCT é absolutamente restrito. O dano moral não consubstancia direito interrompido pela cassação compulsória, mas um direito que surge do próprio ato nulo. Incabível o ressarcimento dos danos morais por meio de ação originária especial, facultado o uso das vias ordinárias. 8. Ação originária especial parcialmente procedente" (STF – Pleno, AO Especial 16/RJ, rel. Min. Eros Grau, j. 06.10.2005).

Art. 10. Até que seja promulgada a lei complementar a que se refere o art. 7.°, I, da Constituição:

I – fica limitada a proteção nele referida ao aumento, para quatro vezes, da porcentagem prevista no art. 6.°, *caput* e § 1.°, da Lei n.° 5.107, de 13 de setembro de 1966;

II – fica vedada a dispensa arbitrária ou sem justa causa:

a) do empregado eleito para cargo de direção de comissões internas de prevenção de acidentes, desde o registro de sua candidatura até um ano após o final de seu mandato;

b) da empregada gestante, desde a confirmação da gravidez até cinco meses após o parto.

§ 1.º Até que a lei venha a disciplinar o disposto no art. 7.º, XIX, da Constituição, o prazo da licença-paternidade a que se refere o inciso é de cinco dias.

§ 2.º Até ulterior disposição legal, a cobrança das contribuições para o custeio das atividades dos sindicatos rurais será feita juntamente com a do imposto territorial rural, pelo mesmo órgão arrecadador.

§ 3.º Na primeira comprovação do cumprimento das obrigações trabalhistas pelo empregador rural, na forma do art. 233, após a promulgação da Constituição, será certificada perante a Justiça do Trabalho a regularidade do contrato e das atualizações das obrigações trabalhistas de todo o período.

Doutrina

Relação de emprego garantida contra a despedida arbitrária. A proteção ao emprego em face da despedida arbitrária torna concreto o direito à segurança ao trabalho. Nos termos do artigo 10 do ADCT, até que venha a ser promulgada a lei complementar a que se refere o artigo 7.º, inciso I, da Constituição Federal, para dispor sobre o assunto, fica limitada a proteção nele referida ao aumento, para quatro vezes, da porcentagem prevista no art. 6.º, *caput* e § 1.º, da Lei n.º 5.107, de 13 de setembro de 1966, ou seja, fica majorada por quatro a multa relativa ao FGTS nos casos de despedida imotivada ou sem justa causa.

Proibição da dispensa arbitrária ou sem justa causa. Dispõe o inciso II que é defesa a dispensa arbitrária ou sem justa causa do empregado eleito para cargo de direção de comissões internas de prevenção de acidentes, desde o registro de sua candidatura até um ano após o final de seu mandato, bem como da empregada gestante, desde a confirmação da gravidez até cinco meses após o parto. São hipóteses de estabilidade provisória.

Duração da licença-paternidade. Dispõe o § 1.º que, enquanto não vier a ser disciplinado o disposto no art. 7.º, XIX, da Constituição, o prazo da licença-paternidade a que se refere o inciso é de cinco dias.

Cobrança de contribuições sindicais. Dispõe o § 2.º que, até ulterior disposição de lei, a cobrança das contribuições para o custeio das atividades dos sindicatos rurais será feita juntamente com a do imposto territorial rural e pelo mesmo órgão arrecadador.

Verificação do cumprimento das obrigações trabalhistas. Dispõe o § 3.º que, na primeira comprovação do cumprimento das obrigações trabalhistas pelo empregador rural, na forma do art. 233, após a promulgação da Constituição, será certificada perante a Justiça do Trabalho a regularidade do contrato e das atualizações das obrigações trabalhistas de todo o período. Ocorre, contudo, que o referido artigo 233 foi revogado pela Emenda Constitucional n.º 28, de 25 de maio de 2000, restando esvaziada a norma sob comento.

Jurisprudência

> "Recurso Extraordinário. Acórdão do Tribunal Superior do Trabalho, que reconheceu a professor de estabelecimento de ensino superior a estabilidade prevista no art. 37 da Lei n.º 5.540/68. Alegada contrariedade ao art. 7.º, I, da Constituição Federal. A Carta de 1988 extinguiu a estabilidade laboral, ao prever, no art. 7.º, I, como proteção contra despedida arbitrária ou sem justa causa dos trabalhadores, urbanos e rurais, indenização compensatória, a ser prevista em lei complementar, proteção que, enquanto não promulgada a referida lei, ficou limitada à modalidade indenizatória estipulada nas disposições transitórias (art. 10, I). Havendo o aresto recorrido reconhecido, em favor do recorrido, a estabilidade prevista na art. 37 da Lei n.º 5.540/68, determinando a sua reintegração aos quadros docentes da instituição, afastou a incidência da norma do art. 7.º, I, que, assim, resultou afrontada. Recurso extraordiná-

rio conhecido e provido" (STF – 1.ª Turma, RE 217.207/BA, rel. Min. Ilmar Galvão, j. 12.04.2000).

Art. 11. Cada Assembleia Legislativa, com poderes constituintes, elaborará a Constituição do Estado, no prazo de um ano, contado da promulgação da Constituição Federal, obedecidos os princípios desta.

Parágrafo único. Promulgada a Constituição do Estado, caberá à Câmara Municipal, no prazo de seis meses, votar a Lei Orgânica respectiva, em dois turnos de discussão e votação, respeitado o disposto na Constituição Federal e na Constituição Estadual.

Doutrina

Poder Constituinte Decorrente. É aquele instituído pelo Poder Constituinte Originário e por meio do qual se organizam os Estados-membros, adotando constituição e leis próprias, dentro dos limites da Constituição Federal. Os Estados federados, por meio das respectivas Assembleias Legislativas, eleitas em 1986, adotaram constituições próprias, promulgadas até 5 de outubro de 1989, dentro do prazo de um ano, contado da promulgação da Carta Federal.

Organização política dos Municípios. Como entes federados (CF, art. 1.º *caput*), após a promulgação da Constituição dos respectivos Estados-membros, os Municípios, por meio da Câmara de Vereadores, dentro do prazo de seis meses, adotaram lei orgânica, aprovada em dois turnos de votação, respeitadas as disposições constantes tanto da Constituição Federal quanto da Constituição Estadual.

Jurisprudência

"Ação Direta de Inconstitucionalidade. Medida Cautelar. Processo contra Governador, Vice-Governador e Secretários de Estado. 'Quórum' da Assembleia Legislativa para autoriza a instauração de processo e, depois, para admitir a acusação. Artigos 51, I e 86 da Constituição Federal, art. 11 do A.D.C.T. e artigos 54, I e 88 da Constituição da Paraíba. Embora juridicamente relevantes os fundamentos da Ação Direta de Inconstitucionalidade de dispositivos da Constituição do Estado da Paraíba, que fixam 'quórum' de maioria absoluta – e não de dois terços – dos membros da Assembleia Legislativa, para autorizar a instauração de processo contra Governador, Vice-Governador e Secretário de Estado, e, também, para admitir acusação contra o Governador, não é de se deferir, no caso, medida cautelar da eficácia de tais normas, porque, a sua falta, não haveria, durante o curso da ação, indicação de 'quórum' algum e também porque se retiraria da Assembleia competência que lhe deve ser privativa. Sobretudo diante da circunstância de poderem se socorrer do Judiciário, pelas vias próprias, o Governador, o Vice e os Secretários, caso venham a ser afetados por decisões de tal natureza (da Assembleia), eventualmente tomadas sem o 'quórum' de 2/3. Medida Cautelar indeferida" (STF – Pleno, ADIN 218/PB MC, rel. Min. Sydney Sanches, j. 22.06.1990).

Art. 12. Será criada, dentro de noventa dias da promulgação da Constituição, Comissão de Estudos Territoriais, com dez membros indicados pelo Congresso Nacional e cinco pelo Poder Executivo, com a finalidade de apresentar estudos sobre o território nacional e anteprojetos relativos a novas unidades territoriais, notadamente na Amazônia Legal e em áreas pendentes de solução.

§ 1.º No prazo de um ano, a Comissão submeterá ao Congresso Nacional os resultados de seus estudos para, nos termos da Constituição, serem apreciados nos doze meses subsequentes, extinguindo-se logo após.

§ 2.º Os Estados e os Municípios deverão, no prazo de três anos, a contar da promulgação da Constituição, promover, mediante acordo ou arbitramento, a demarcação de suas linhas divisórias atualmente litigiosas, podendo para isso fazer alterações e compensações de área que atendam aos acidentes naturais, critérios históricos, conveniências administrativas e comodidade das populações limítrofes.

§ 3.º Havendo solicitação dos Estados e Municípios interessados, a União poderá encarregar-se dos trabalhos demarcatórios.

§ 4.º Se, decorrido o prazo de três anos, a contar da promulgação da Constituição, os trabalhos demarcatórios não tiverem sido concluídos, caberá à União determinar os limites das áreas litigiosas.

§ 5.º Ficam reconhecidos e homologados os atuais limites do Estado do Acre com os Estados do Amazonas e de Rondônia, conforme levantamentos cartográficos e geodésicos realizados pela Comissão Tripartite integrada por representantes dos Estados e dos serviços técnico-especializados do Instituto Brasileiro de Geografia e Estatística.

Doutrina

Comissão de Estudos Territoriais. Referida Comissão teria por finalidade apresentar estudos sobre o território do país e elaborar anteprojetos de lei visando à criação de novos Estados, principalmente na área da chamada Amazônia Legal. Contudo, jamais foi criada, restando exaurido o prazo estabelecido na Constituição Federal.

Demarcação de linhas divisórias litigiosas. Da mesma forma, exaurido o prazo de três anos (§ 2.º), a contar da promulgação da Constituição, para que Estados e Municípios promovessem, mediante acordo ou arbitramento, a demarcação de linhas divisórias em litígio. Assim, atualmente, compete à União determinar os limites das áreas litigiosas mencionadas (§ 4.º).

Reconhecimento e homologação dos limites do Estado do Acre. Dispõe o § 5.º sobre o reconhecimento e homologação dos atuais limites do Estado do Acre com os Estados do Amazonas e de Rondônia, na forme de levantamentos cartográficos e geodésicos feitos pela Comissão Tripartite integrada por representantes dos referidos Estados, com o apoio dos serviços técnicos do Instituto Brasileiro de Geografia e Estatística.

Jurisprudência

> "1) Direito Constitucional. Demarcação das divisas entre os Estados da Bahia, Goiás, Piauí e de Tocantins. Julgamento conjunto desta ACO e da ACO 652. 2) Processo de mediação conduzido nos autos que acarretou a celebração de acordos entre os Estados da Bahia e Tocantins e com o Estado de Minas Gerais e demais partes desta ação. 3) Conflito subsistente em relação ao parâmetro a ser adotado para a demarcação das divisas entre os Estados da Bahia e Goiás e entre Piauí e Tocantins. 4) A perícia realizada pelo Exército Brasileiro, e requerida pelas próprias partes do processo, demonstrou maior precisão técnica e um melhor resultado. Ademais, o abandono do longo, complexo e detalhado laudo realizado pelo Exército após sua juntada aos autos é medida, deveras, ineficiente e configura comportamento contraditório abominado pelo instituto do *venire contra factum proprium*, que tem alicerce em nosso ordenamento jurídico no princípio da segurança jurídica. 5) O Estado de incerteza quanto à demarcação das áreas em litígio precede à promulgação da Carta de 1988, o que permite, em conjunto com a reversibilidade da situação fática, o afastamento do critério estabelecido pela Carta do IBGE. 6) Voto pela parcial procedência desta ação e da ACO 652, a fim de determinar a utilização do laudo do Exército Brasileiro como parâmetro para a demarcação da área ainda sub judice nas divi-

sas entre os Estados da Bahia, Goiás, Piauí e Tocantins. 7) Ficam preservados os títulos de posse e propriedade anteriormente definidos, e eventuais disputas de posse e de propriedade relativas às áreas delimitadas não serão decididas originariamente por esta Corte. As ações judiciais referentes às áreas abrangidas por estas ações ainda não sentenciadas deverão ser redistribuídas ao juízo competente. 8) Prejudicados todos os recursos interpostos nesta ação e na ACO 652" (STF – Pleno, ACO 652/PI, rel. Min. Luiz Fux, j. 08.10.2014).

Art. 13. É criado o Estado do Tocantins, pelo desmembramento da área descrita neste artigo, dando-se sua instalação no quadragésimo sexto dia após a eleição prevista no § 3.º, mas não antes de 1.º de janeiro de 1989.

§ 1.º O Estado do Tocantins integra a Região Norte e limita-se com o Estado de Goiás pelas divisas norte dos Municípios de São Miguel do Araguaia, Porangatu, Formoso, Minaçu, Cavalcante, Monte Alegre de Goiás e Campos Belos, conservando a leste, norte e oeste as divisas atuais de Goiás com os Estados da Bahia, Piauí, Maranhão, Pará e Mato Grosso.

§ 2.º O Poder Executivo designará uma das cidades do Estado para sua Capital provisória até a aprovação da sede definitiva do governo pela Assembleia Constituinte.

§ 3.º O Governador, o Vice-Governador, os Senadores, os Deputados Federais e os Deputados Estaduais serão eleitos, em um único turno, até setenta e cinco dias após a promulgação da Constituição, mas não antes de 15 de novembro de 1988, a critério do Tribunal Superior Eleitoral, obedecidas, entre outras, as seguintes normas:

I – o prazo de filiação partidária dos candidatos será encerrado setenta e cinco dias antes da data das eleições;

II – as datas das convenções regionais partidárias destinadas a deliberar sobre coligações e escolha de candidatos, de apresentação de requerimento de registro dos candidatos escolhidos e dos demais procedimentos legais serão fixadas, em calendário especial, pela Justiça Eleitoral;

III – são inelegíveis os ocupantes de cargos estaduais ou municipais que não se tenham deles afastado, em caráter definitivo, setenta e cinco dias antes da data das eleições previstas neste parágrafo;

IV – ficam mantidos os atuais diretórios regionais dos partidos políticos do Estado de Goiás, cabendo às comissões executivas nacionais designar comissões provisórias no Estado do Tocantins, nos termos e para os fins previstos na lei.

§ 4.° Os mandatos do Governador, do Vice-Governador, dos Deputados Federais e Estaduais eleitos na forma do parágrafo anterior extinguir-se-ão concomitantemente aos das demais unidades da Federação; o mandato do Senador eleito menos votado extinguir-se-á nessa mesma oportunidade, e os dos outros dois, juntamente com os dos Senadores eleitos em 1986 nos demais Estados.

§ 5.° A Assembleia Estadual Constituinte será instalada no quadragésimo sexto dia da eleição de seus integrantes, mas não antes de 1.° de janeiro de 1989, sob a presidência do Presidente do Tribunal Regional Eleitoral do Estado de Goiás, e dará posse, na mesma data, ao Governador e ao Vice-Governador eleitos.

§ 6.° Aplicam-se à criação e instalação do Estado do Tocantins, no que couber, as normas legais disciplinadoras da divisão do Estado de Mato Grosso, observado o disposto no art. 234 da Constituição.

§ 7.° Fica o Estado de Goiás liberado dos débitos e encargos decorrentes de empreendimentos no território do novo Estado, e autorizada a União, a seu critério, a assumir os referidos débitos.

Doutrina

Criação do Estado do Tocantins. Dispõe a norma constitucional em comento que é criado o Estado do Tocantins, pelo desmembramento da área descrita neste artigo, dando-se sua instalação no quadragésimo sexto dia após a eleição prevista no § 3.º, mas não antes de 1.º de janeiro de 1989, dispondo, ainda, que referida unidade federada integra a Região Norte do país. Portanto, o Estado foi criado e instalado diretamente pelas regras em tela que tratam, ainda, de sua auto-organização, de eleições, e de mandatos de eleitos para cargos do Poder Executivo e da Assembleia Legislativa.

Jurisprudência

> "Ação Direta de Inconstitucionalidade. Medida Provisória 069/89 convertida na Lei 104/1989, de Tocantins. Impugnação ao art. 1.º Ausência de afronta à Constituição da República. 1. O art. 13 do Ato das Disposições Constitucionais Transitórias da Constituição da República estabeleceu a criação do Estado do Tocantins pelo desmembramento de parte do Estado de Goiás. 2. O Poder Legislativo Estadual do Tocantins estabeleceu a adoção, no que couber, da legislação do Estado de Goiás. Excluída a que se referisse à autonomia administrativa do novo Estado. 3. O Estado do Tocantins pode revogar a Lei quando entender conveniente, no exercício da autonomia que lhe é assegurada pelo art. 25 da Constituição da República. 4. Ação Direta de Inconstitucionalidade julgada parcialmente procedente, sem redução de texto, para considerar constitucional a Lei n. 104/1989, de Tocantins, relativamente ao recebimento da legislação do Estado de Goiás, vigente até a promulgação da Constituição tocantinense e das leis que a regulamentaram,

e que já vigorava, no Estado goiano" (STF – Pleno, ADIN 1.109/TO, rel. Min. Cármen Lúcia, j. 16.05.2007).

"Constitucional. Estado do Tocantins: criação. Tribunal de Justiça: número de membros. Lei Complementar estadual 17, de 16.11.98. CF, art. 235; ADCT, art. 13, I. – A criação do Estado do Tocantins deu-se com a promulgação da Constituição de 1988, 05.10.1988: ADCT, art. 13. A sua instalação é que se projetou no tempo. II. – A Lei Complementar n.º 17, de 16.11.98, do Estado do Tocantins, ocorreu quando já decorridas 10 (dez) anos da criação do Estado, motivo por que não estava obrigada a observar as regras básicas inscritas no art. 235 da CF/88. Inocorrência de inconstitucionalidade. III. – ADI julgada improcedente" (STF – Pleno, ADIN 1.921/TO, rel. Min. Carlos Velloso, j. 23.06.2004).

"Constitucional e Administrativo. Decisão do Estado de Goiás. Transferência de servidor. Legislação pertinente (ADCT/88 e LC 31/77). 1 – As regras relativas à divisão do Estado do Mato Grosso aplicam-se, no que couber, à criação e instalação do Estado de Tocantins (art. 13, § 6.º, do ADCT). 2 – Descumprimento às disposições da LC 31/77 referentes à instituição de quadros provisórios e definitivos, não há como negar-se a transferência pretendida. 3 – Ademais, sendo o servidor regularmente concursado, havendo vacância do cargo, identidade de vencimentos, inexistência de prejuízos funcional e remuneratório, é inadmissível a invocação da conveniência administrativa. 4 – Recurso conhecido e provido" (STJ – 2.ª Turma, ROMS 1.395/GO, rel. Min. Peçanha Martins, DJ 1, 29.03.1993, p. 5.244).

Art. 14. Os Territórios Federais de Roraima e do Amapá são transformados em Estados Federados, mantidos seus atuais limites geográficos.

§ 1.º A instalação dos Estados dar-se-á com a posse dos governadores eleitos em 1990.

§ 2.º Aplicam-se à transformação e instalação dos Estados de Roraima e Amapá as normas e critérios seguidos na criação do Estado de Rondônia, respeitado o disposto na Constituição e neste Ato.

§ 3.º O Presidente da República, até quarenta e cinco dias após a promulgação da Constituição, encaminhará à apreciação do Senado Federal os nomes dos governadores dos Estados de Roraima e do Amapá que exercerão o Poder Executivo até a instalação dos novos Estados com a posse dos governadores eleitos.

§ 4.º Enquanto não concretizada a transformação em Estados, nos termos deste artigo, os Territórios Federais de Roraima e do Amapá serão beneficiados pela transferência de recursos prevista nos arts. 159, I, *a*, da Constituição, e 34, § 2.º, II, deste Ato.

Doutrina

Transformação de Territórios Federais em Estados Federados. Os Territórios Federais de Roraima e do Amapá foram transformados em Estados Federados, mantidos os seus limites geográficos à data da promulgação da Constituição Federal. As normas constantes dos parágrafos dispõem sobre regras de transição até a efetiva instalação das novas unidades federadas.

Jurisprudência

> "Constitucional. Território Federal. Governador nomeado pelo Presidente da República. Demissão. CF/88, ADCT, art. 14. Lei Complementar n. 41, de 22.12.81, art. 5. Lei Complementar n. 20, de 01.07.74, art. 4.º I – A transformação dos Territórios de Roraima e do Amapá em Estados-membros somente ocorreria com a posse dos governadores eleitos em 1990. CF/88, ADCT, art. 14, I e 4. Aplicabilidade das normas e critérios seguidos na criação do Estado de Rondônia, que estão na Lei Com-

plementar n. 41, de 22.12.81, 'ex vi' do disposto no par. 2 do art. 14 do ADCT à CF/88. Demissibilidade 'ad nutum' do Governador nomeado. Lei Complementar n. 41, de 1981, art. 4, par. 1. II – A disposição inscrita no par. 3 do art. 14 do ADCT à CF/88 fixa, apenas, o termo final do exercício dos cargos e não um mandato a termo, pelo que não representa vedação imposta ao Presidente da República de não demitir o Governador nomeado. III – Mandado de segurança indeferido" (STF – Pleno, MS 21.100/AP, rel. Min. Célio Borja, j. 06.12.1990).

"Ação direta de inconstitucionalidade. Decreto Legislativo n.º 009/98, da Assembleia Legislativa de Roraima, que dispôs sobre a indicação às vagas de Conselheiros do Tribunal de Contas do Estado de Roraima. 2. Alegação de afronta ao parágrafo 1.º, do artigo 14, do ADCT, e art. 235 e inciso III, da Constituição Federal. 3. O § 4.º do art. 14 do ADCT prevê tratamento de Estado, no que concerne a Amapá e Roraima, mesmo antes da posse dos Governadores eleitos em 1990, ou seja, antes da instalação a que se refere o dispositivo em foco, relativamente a benefícios tributários. 4. Distinção entre criação e instalação. O art. 235 prevê a criação e não instalação; a data considerada é o dia 5.10.1988. Liminar indeferida" (STF – Pleno, ADIN 1.903/RR MC, rel. Min. Néri da Silveira, j. 27.10.2000).

Art. 15. Fica extinto o Território Federal de Fernando de Noronha, sendo sua área reincorporada ao Estado de Pernambuco.

Doutrina

Extinção do Território Federal de Fernando de Noronha. O artigo 15 do ADCT extinguiu o mencionado Território Federal, reincorporando a sua área ao Estado de Pernambuco. Nos termos do artigo 96 da Constituição deste Estado, a nova condição jurídica do Arquipélago de Fernando de Noronha é de Distrito Estadual, podendo vir a ser transformado em Município (art. 96, § 3.º, da Constituição do Estado) quando cumprir os requisitos mínimos necessários para tanto.

Jurisprudência

> "Conflito de competência – Lei 6.368/76 – Jurisdição do antigo Território de Fernando de Noronha. – Com o advento da Constituição Federal de 1988, o antigo Território Federal de Fernando de Noronha passou a integrar a jurisdição do Estado de Pernambuco (art. 15 do ADCT). – Não se caracterizando a internacionalidade do tráfico, os crimes previstos na Lei n. 6.368/76 são de competência da justiça comum estadual, ex vi do disposto na Súmula 522/STF. – Competência da Justiça Estadual de Pernambuco" (STJ – 3.ª Seção, CC 725/PE, rel. Min. Cid Flaquer Scartezzini, DJ, 04.12.1989, p. 17.877).

Art. 16. Até que se efetive o disposto no art. 32, § 2.º, da Constituição, caberá ao Presidente da República, com a aprovação do Senado Federal, indicar o Governador e o Vice-Governador do Distrito Federal.

§ 1.º A competência da Câmara Legislativa do Distrito Federal, até que se instale, será exercida pelo Senado Federal.

§ 2.º A fiscalização contábil, financeira, orçamentária, operacional e patrimonial do Distrito Federal, enquanto não for instalada a Câmara Legislativa, será exercida pelo Senado Federal, mediante controle externo, com o auxílio do Tribunal de Contas do Distrito Federal, observado o disposto no art. 72 da Constituição.

§ 3.º Incluem-se entre os bens do Distrito Federal aqueles que lhe vierem a ser atribuídos pela União na forma da lei.

Doutrina

Regras de transição para a autonomia do Distrito Federal. Nos termos do artigo 32, *caput*, da Constituição da República, o Distrito Federal, ente federado (CF, art. 1.°, *caput*), portanto titular de autonomia, reger-se-á por lei orgânica, aprovada por dois terços dos membros da Câmara Legislativa Distrital, acumulando esta competências legislativas reservadas aos Estados e Municípios e sujeitando-se, ainda –, tanto a Casa quanto os seus membros –, ao disposto no artigo 17 do corpo permanente da Constituição, que dispõe sobre a criação de partidos políticos, sua organização e funcionamento.

Jurisprudência

> "Mandado de segurança. Competência. Mandado de segurança contra ato do Governador do Distrito Federal, de nomeação de Conselheiro do Tribunal de Contas do Distrito Federal. Vaga reservada a auditor da mesma Corte. Lista tríplice composta pelos três únicos auditores do Tribunal de Contas referido. Ato complexo que se aperfeiçoou com o decreto de nomeação firmado pelo Governador do Distrito Federal, que escolheu, dentre os integrantes da lista tríplice, a litisconsorte passiva, cujo nome foi aprovado pelo Senado Federal, no exercício de competência da Câmara Legislativa do Distrito Federal, à época, ainda não instalada (ADCT, da Constituição de 1988, art. 16, par. 1.º)" (STF – Pleno, MS 21.263/DF, rel. Min. Néri da Silveira, j. 13.02.1992).

Art. 17. Os vencimentos, a remuneração, as vantagens e os adicionais, bem como os proventos de aposentadoria que estejam sendo percebidos em desacordo com a Constituição serão imediatamente reduzidos aos limites dela decorrentes, não se admitindo, neste caso, invocação de direito adquirido ou percepção de excesso a qualquer título.

§ 1.º É assegurado o exercício cumulativo de dois cargos ou empregos privativos de médico que estejam sendo exercidos por médico militar na administração pública direta ou indireta.

§ 2.º É assegurado o exercício cumulativo de dois cargos ou empregos privativos de profissionais de saúde que estejam sendo exercidos na administração pública direta ou indireta.

Doutrina

Limitação constitucional ao recebimento de vencimentos ou proventos de aposentadoria. A norma contida no *caput* deste artigo tratou de estabelecer limites ao recebimento de vencimentos, remuneração, vantagens e adicionais, além de proventos de aposentadoria percebidos em desacordo com a Constituição, dispondo que referidas remunerações serão reduzidas aos limites previstos nas novas regras constitucionais, não se admitindo, no caso, invocação de direito adquirido ou percepção de excesso a qualquer título.

Aplicação extensiva das regras de limitação previstas neste artigo. O artigo 9.º da Emenda Constitucional n.º 41, de 19 de dezembro de 2003, dispõe que se aplica o disposto no artigo 17 do ADCT aos vencimentos, remunerações e subsídios auferidos por ocupantes de cargos, funções e empregos públicos da administração direta, autárquica e fundacional, dos membros de Poderes da União, dos Estados, do Distrito Federal e dos Municípios, dos detentores de mandato eletivo e demais agentes políticos e proventos e pensões ou qualquer outra espécie remuneratória percebida de forma cumulativa ou não, incluídas as vantagens pessoais ou de qualquer outra natureza.

Invocação de direito adquirido. A parte final da norma em comento proíbe a invocação ao direito adquirido ou rogo para a percepção de valor acima do limite legal a qualquer título.

Penso que, em qualquer caso, a aplicação de qualquer limite somente se dará após o devido processo legal.

Outorga de direito ao exercício cumulativo de cargos ou empregos públicos. O § 1.º assegura o direito ao exercício cumulativo de dois cargos ou empregos privativos de médico que estejam sendo exercidos por médico militar na administração pública direta ou indireta. O § 2.º, por sua vez, assegura o direito ao exercício cumulativo de dois cargos ou empregos privativos de profissionais de saúde que estejam sendo exercidos na administração pública direta ou indireta na data da promulgação da Carta Política de 1988. De qualquer forma, tratava-se de situação anômala, somente corrigida com o advento da Emenda Constitucional n.º 34, de 13 de dezembro de 2001, que deu nova redação à alínea *c* do inciso XVI do artigo 37 da Constituição, passando a admitir a acumulação remunerada de dois cargos ou empregos de profissionais de saúde, com profissões regulamentadas, conferindo, portanto, tratamento isonômico a todos os servidores da referida área de atuação profissional.

Jurisprudência

> "Agravo regimental em recurso extraordinário. Estado de São Paulo. Procuradores autárquicos. Proventos. Irredutibilidade. Artigo 17 do ADCT/88. 1. O Decreto estadual n. 26.233/86, editado anteriormente à Constituição de 1988, estabeleceu vinculação vedada de vencimentos ao promover a extensão aos Procuradores Autárquicos de vantagens remuneratórias previstas em lei complementar estadual que disciplinava carreira diversa – a dos Procuradores do Estado de São Paulo. 2. Não há qualquer vício na supressão, por meio de decreto, de parcelas remuneratórias ilegalmente pagas a servidores. Consoante dispõe o Enunciado n. 473 da Súmula desta Corte, a Administração, no exercício de sua autotutela, pode anular seus próprios atos quando eivados de vícios que os tornem ilegais. 3. Reconhecida a inconstitucionalidade da norma, não há falar em direito à percepção de vantagem por ela disciplinada,

nem em ofensa ao princípio da irredutibilidade de vencimentos, eis que a jurisprudência desta Corte é no sentido de que são irredutíveis os vencimentos e proventos constitucionais e legais, jamais os ilegais (Precedentes). Como se isso não bastasse, a Constituição de 1988, no artigo 17 do ADCT, expressamente permitiu a supressão de verbas remuneratórias quando percebidas em desacordo com o texto constitucional. Agravo regimental a que se nega provimento" (STF – 1.ª Turma, RE 411.327/SP AgRg, rel. Min. Eros Grau, j. 31.05.2005).

"Recurso Extraordinário. Constitucional. Administrativo. Adicional por tempo de serviço. Servidores do quadro do Magistério do Estado de São Paulo. Lei Complementar Estadual 645/89. 1. A Lei Complementar 645/89, ao determinar que o reenquadramento dos servidores se fizesse sem considerar as referências anteriormente obtidas por efeito da referida vantagem, limitou-se a dar cumprimento às normas contidas no artigo 37, XIV da Constituição Federal e no artigo 17 do ADCT-CF/88. 2. Efeito cumulativo de adicionais sobre o mesmo fundamento. Direito proscrito pela Constituição Federal. Direito adquirido. Inexistência. Recurso conhecido e provido" (STF – 2.ª Turma, RE 169.791/SP, rel. Min. Maurício Corrêa, j. 10.09.2002).

Art. 18. Ficam extintos os efeitos jurídicos de qualquer ato legislativo ou administrativo, lavrado a partir da instalação da Assembleia Nacional Constituinte, que tenha por objeto a concessão de estabilidade a servidor admitido sem concurso público, da administração direta ou indireta, inclusive das fundações instituídas e mantidas pelo Poder Público.

Doutrina

Concessão de estabilidade a servidor admitido sem concurso público. A norma constitucional declarou a extinção dos efeitos jurídicos decorrentes de ato legislativo ou administrativo, baixado a partir da instalação da Assembleia Nacional Constituinte (01.02.1987), cujo objeto tenha sido a concessão de estabilidade a servidor admitido sem concurso público, tanto da administração direta ou indireta, quanto de fundações instituídas e mantidas pelo Poder Público.

Jurisprudência

> "Dispensa imotivada de empregado de sociedade de economia mista, admitido sob o regimento do Fundo de Garantia do Tempo de Serviço. Estabilidade outorgada por lei municipal, no período proscrito pelo art. 18 do Ato das Disposições Constitucionais Transitórias de 1988. Não se aplica, aos empregados de sociedade de economia mista e empresas públicas, a estabilidade excepcional outorgada pelo art. 19, também do ADCT. Recurso extraordinário provido, para julgar improcedente a reclamação trabalhista" (STF – 1.ª Turma, RE 208.046/RJ, rel. Min. Octávio Gallotti, j. 03.02.1998).

Art. 18-A. Os atos administrativos praticados no Estado do Tocantins, decorrentes de sua instalação, entre 1° de janeiro de 1989 e 31 de dezembro de 1994, eivados de qualquer vício jurídico e dos quais decorram efeitos favoráveis para os destinatários ficam convalidados após 5 (cinco) anos, contados da data em que foram praticados, salvo comprovada má-fé.

Art. 19. Os servidores públicos civis da União, dos Estados, do Distrito Federal e dos Municípios, da administração direta, autárquica e das fundações públicas, em exercício na data da promulgação da Constituição, há

pelo menos cinco anos continuados, e que não tenham sido admitidos na forma regulada no art. 37, da Constituição, são considerados estáveis no serviço público.

§ 1.º O tempo de serviço dos servidores referidos neste artigo será contado como título quando se submeterem a concurso para fins de efetivação, na forma da lei.

§ 2.º O disposto neste artigo não se aplica aos ocupantes de cargos, funções e empregos de confiança ou em comissão, nem aos que a lei declare de livre exoneração, cujo tempo de serviço não será computado para os fins do *caput* deste artigo, exceto se se tratar de servidor.

§ 3.º O disposto neste artigo não se aplica aos professores de nível superior, nos termos da lei.

Doutrina

Estabilidade especial no serviço público. Dispõem as normas contidas neste artigo sobre a estabilidade no serviço público, concedida pela Constituição Federal aos servidores civis da União, dos Estados, do Distrito Federal e dos Municípios, da administração direta, autárquica e das fundações públicas, que se encontravam em efetivo exercício na data da promulgação da Constituição (05.10.1988), há pelo menos cinco anos continuados, e que não tenham sido admitidos na forma do artigo 37, da Carta Política. Referido tempo de serviço será contado, na forma da lei, como título quando os servidores se submeterem a concurso para fins de efetivação (§ 1.º).

Servidores não alcançados pela estabilidade constitucional. Nos termos do § 2.º, a estabilidade prevista neste artigo não se aplica aos ocupantes de cargos, funções e empregos de confiança ou em comissão, nem aos que a lei declare de livre exoneração, cujo tempo de serviço não será computado para os fins do *caput* deste artigo, exceto se se tratar de servidor. Por seu turno, a norma contida no § 3.º assevera que o disposto neste artigo não se aplica aos professores de nível superior, nos termos da lei.

Jurisprudência

"Servidor Público. Estabilidade. Interpretação do artigo 19 do ADCT da Constituição Federal. O destinatário do artigo 19 do ADCT da Carta Magna, no tocante ao requisito do '*exercício na data da promulgação da Constituição há pelo menos cinco anos continuados*', é aquele que esteja vinculado a uma das pessoas jurídicas de direito público ali relacionadas na qualidade de servidor público, embora não admitido na forma regulada no art. 37 da Constituição, sem hiatos quanto a essa relação jurídica, ainda que a títulos diversos, desde que se sucedam sem solução de continuidade. Precedentes do STF. Ocorrência, no caso, de interrupção, nesse período de cinco anos, do vínculo do servidor com o Estado, o que é bastante para a não-aquisição da estabilidade excepcional, independentemente do maior ou menor tempo de duração desse hiato. Recurso extraordinário conhecido e provido" (STF – 1.ª Turma, RE 161.419/SP, rel. Min. Moreira Alves, DJ1, 91-E, 15.05.1998, p. 57).

"(...). 2. Recurso. Extraordinário. Estabilidade. Artigo 19 do Dispositivo Transitório. Requisito temporal. Adquire a estabilidade anômala, prevista no artigo 19 do ADCT, aquele que prestou serviço por mais de cinco anos, até 05.10.1988" (STF – 2.ª Turma, RE 230.435/MG AgRg, rel. Min. Cezar Peluso, j. 19.02.2006).

"(...). 3. O servidor que preenchera as condições exigidas pelo art. 19 do ADCT-CF/88 é estável no cargo para o qual fora contratado pela Administração Pública, mas não é efetivo. Por isso não se equipara ao servidor público efetivo no que concerne aos efeitos legais que dependam da efetividade. 4. Pedido de liminar deferido, em parte" (STF – Pleno, ADIN 1.695/PR MC, rel. Min. Maurício Corrêa, j. 30.10.1997).

Art. 20. Dentro de cento e oitenta dias, proceder-se-á à revisão dos direitos dos servidores públicos inativos e pensionistas e à atualização dos proventos e pensões a eles devidos, a fim de ajustá-los ao disposto na Constituição.

Doutrina

Revisão de proventos e pensões. Dispõe a norma constitucional que, dentro do prazo de cento e oitenta dias, serão revistos os direitos dos servidores inativos, além de revistos os direitos de pensionistas, com a finalidade de adequá-los ao disposto na Constituição. O prazo de que trata o dispositivo conta-se da data de promulgação da Constituição.

Jurisprudência

> "Mandado de segurança. Administrativo. Servidores civis inativos. Reposicionamento que beneficiou os funcionários em atividade. Revisão dos proventos. Constituição Federal (art. 40) e Ato das Disposições Constitucionais Transitórias (art. 20), preliminares de decadência e ilegitimidade passiva, ambas repelidas. Segurança concedida. Tratando-se de ato omissivo, no caso, não há que se falar em decadência do direito à impetração da segurança. Afasta-se, igualmente, a ilegitimidade passiva, tendo em vista caber ao impetrado determinar o pagamento das vantagens devidas. Configurada a omissão, com evidente prejuízo aos aposentados, cumpre assegurar a estes quaisquer benefícios ou vantagens posteriormente concedidas aos servidores da ativa" (STJ – 1.ª Seção, MS 1.116/DF, rel. Min. Hélio Mosimann, DJ 1, 23.11.1992, p. 21.829).

Art. 21. Os juízes togados de investidura limitada no tempo, admitidos mediante concurso público de provas

e títulos e que estejam em exercício na data da promulgação da Constituição, adquirem estabilidade, observado o estágio probatório, e passam a compor quadro em extinção, mantidas as competências, prerrogativas e restrições da legislação a que se achavam submetidos, salvo as inerentes à transitoriedade da investidura.

Parágrafo único. A aposentadoria dos juízes de que trata este artigo regular-se-á pelas normas fixadas para os demais juízes estaduais.

Doutrina

Juízes Togados de Investidura Temporária. A Constituição Federal de 1967 autorizou a criação, mediante lei, de quadros de juízes togados de investidura limitada no tempo – temporária, portanto –, admitidos após aprovação em concurso público de provas e títulos e com competência para processar e julgar causas de pequeno valor, podendo substituir juiz vitalício. Com o advento da Emenda Constitucional n.º 7, de 1977, a competência desses juízes temporários foi ampliada para permitir que processassem e julgassem crimes não punidos com pena de reclusão.

Extinção dos quadros de juízes temporários. A Constituição Federal de 1988 extinguiu os quadros de juízes de investidura temporária e determinou (art. 98) que a União, no Distrito Federal e nos Territórios, e os Estados, no âmbito de seus respectivos domínios, criariam – como de fato criaram – juizados especiais, providos por juízes togados, ou togados e leigos, competentes para a conciliação, o julgamento e a execução de causas cíveis de menor complexidade e infrações penais de menor potencial ofensivo, além de Justiça de Paz.

Estabilidade para juízes de investidura temporária. Os juízes de investidura temporária que se encontravam em efetivo exercício na data da promulgação da Constituição de 1988 adquiriram estabilidade, observado o estágio probatório, passando a compor quadro em extinção, mantidas as competências, prerrogativas e restrições da legislação a que se achavam submetidos, salvo as inerentes à transitoriedade da investidura. Ademais, foi-lhes garantida aposentadoria nos mesmos moldes daquela concedida aos juízes estaduais.

Jurisprudência

"Juízes temporários – Lei n.° 6.903/81 – Ausência de distinção entre homem e mulher – Harmonia com a Carta da República. Não há violação à Carta da República no que, ao dispor a Lei n.° 6.903/81, sobre a aposentadoria de juiz temporário, o legislador, em opção político-normativa, não cogitou de diferença considerados os gêneros masculino e feminino" (STF – 1.ª Turma, RE 432.484/PA AgRg, rel. Min. Marco Aurélio, j. 16.12.2014).

"Agravo regimental no recurso extraordinário. Pretensão de reconhecimento da inconstitucionalidade da Lei n.° 9.766/98 rejeitada com base na pacífica jurisprudência da Suprema Corte a respeito do tema. 1. Inexiste paridade entre juízes classistas de primeira instância e juízes togados da Justiça Federal do Trabalho a amparar a pretensão deduzida pelo agravante. 2. Não incumbe ao Poder Judiciário promover o aumento de vencimentos de servidores públicos sob o fundamento da isonomia. 3. Orientação recentemente reafirmada pelo Plenário da Corte, no julgamento do RMS n.° 25.841. 4. Agravo regimental não provido" (STF – 1.ª Turma, RE 598.009/SC AgRg, rel. Min. Dias Toffoli, j. 25.06.2013).

"1. Somente o juiz classista que haja completado cinco anos de exercício antes do dia 13.10.96, data em que entrou em vigor a MP 1.523/96, convertida na Lei n. 9.528/97, terá direito à aposentadoria especial. Precedentes" (STF – 2.ª Turma, RE 432.445/PB AgRg ED, rel. Min. Eros Grau, j. 16.10.2007).

Art. 22. É assegurado aos defensores públicos investidos na função até a data de instalação da Assembleia Nacional Constituinte o direito de opção pela carreira, com a observância das garantias e vedações previstas no art. 134, parágrafo único, da Constituição.

Doutrina

Opção pela carreira de defensor público. Nos termos da norma constitucional, foi assegurado aos defensores públicos o direito de opção pela carreira, desde que o interessado se encontrasse investido no exercício da função até a data de instalação da Assembleia Nacional Constituinte, ou seja, até 31.01.1987, observando-se ademais, as restrições e garantias previstas, atualmente, no § 1.º do artigo 134, da Constituição Federal, como, por exemplo, ingresso na carreira em cargo da classe inicial e garantia de inamovibilidade, dentre outras.

Jurisprudência

"Recurso Extraordinário. Defensores Públicos. Interpretação do artigo 22 do ADCT. Servidor investido da função de defensor público até a data em que foi instalada a Assembleia Nacional constituinte tem direito a opção pela carreira, independentemente da forma da investidura originária. Interpretação do artigo 22 do ADCT. Recurso Extraordinário não conhecido" (STF – Pleno, RE 161.712/RS, rel. Min. Paulo Brossard, j. 01.12.1994).

"1 – Extrapola dos limites da excepcionalidade para o aproveitamento na carreira de Defensor Público, em face da investidura derivada (art. 22 do ADCT/88), dispositivo transitório da Constituição de Estado-membro que amplia o conceito definido no modelo federal. I – Verificada a ocorrência de quadro fático-jurídico distinto da previsão do permissivo constitucional federal, a opção automática para a investidura de Assistente Jurídico, no Quadro de Carreiras de Defensor Público ao Estado-membro, vulnera o art. 37, II, da Carta Política Federal, que exige para a investidura em cargo ou emprego da União, dos Estados, do Distrito Federal e dos Municípios, a aprovação prévia em concurso público de provas ou de provas e títulos. II – De igual forma, ultrapassa as balizas definidoras da opção para a carreira da Defensoria Pública, 'de caráter excepcional', a norma de Lei Complementar Estadual, que, a pretexto de disciplinar dispositivo constitucional transitório do Estado-membro, fixa como termo inicial para efeitos de titularidade da investidura derivada a data da promulgação da Constituição Estadual e não aquela decorrente do art. 22 do Ato das Disposições Constitucionais Transitórias da Constituição Federal de 1988, ou seja, até a data da instalação da Assembleia Nacional Constituinte" (STF – Pleno, ADIN 1.267-3/AP, rel. Min. Maurício Corrêa, DJ 1, 10.11.1995, p. 38.310).

Art. 23. Até que se edite a regulamentação do art. 21, XVI, da Constituição, os atuais ocupantes do cargo de censor federal continuarão exercendo funções com este compatíveis, no Departamento de Polícia Federal, observadas as disposições constitucionais.

Parágrafo único. A lei referida disporá sobre o aproveitamento dos Censores Federais, nos termos deste artigo.

Doutrina

Aproveitamento de ocupantes do cargo de censor federal. Com a vedação de toda e qualquer censura de natureza política, ideológica e artística (CF, art. 220, § 2.º), os antigos censores federais foram aproveitados em funções compatíveis junto ao Departamento de Polícia Federal, até a regulamentação do disposto no artigo 21, inciso XVI, da Constituição, que trata da classificação, para fins meramente indicativos, de diversões públicas e de programas de emissoras de rádio e televisão. A Lei n.º 9.688, de 6 de julho de 1998, dispôs sobre a extinção do cargo de censor federal e o aproveitamento dos servidores ocupantes deste cargo.

Jurisprudência

"Ação direta de inconstitucionalidade. Lei federal n.º 9.688/98. Servidor público. Cargo de censor federal. Extinção. Enquadramento dos ocupantes em cargos doutros carreiras. Norma de caráter ou efeito concreto exaurido. Impossibilidade de controle abstrato de constitucionalidade. Pedido não conhecido. Votos vencidos. Lei ou norma de caráter ou efeito concreto já exaurido não pode ser objeto de controle abstrato de constitucionalidade, em ação direta de inconstitucionalidade" (STF – Pleno, ADIN 2.980/DF, rel. Min. Marco Aurélio, j. 05.02.2009).

"Mandado de Injunção. Alegação de ter o parágrafo único do art. 23 do ADCT concedido aos censores federais direito de serem transformados em delegados de polícia, direito esse cujo exercício estaria inviabilizado por falta de regulamentação. – Inexistência de direito pretendido como resulta manifesto da conjugação do disposto nos arts. 21, XVI e parágrafo único do art. 23, o primeiro do texto permanente da Constituição e o segundo do ADCT. – Falta, em consequência, legitimação ao impetrante para propor o mandado de injunção. – Mandado de Injunção não concedido" (STF – Pleno, MI 241/DF, rel. Min. Moreira Alves, DJ 1, 08.02.1991, p. 742).

Art. 24. A União, os Estados, o Distrito Federal e os Municípios editarão leis que estabeleçam critérios para a compatibilização de seus quadros de pessoal ao disposto no art. 39 da Constituição e à reforma administrativa dela decorrente, no prazo de dezoito meses, contados da sua promulgação.

Doutrina

Compatibilização de quadros de servidores e adoção de regime jurídico único. A norma constitucional dispôs que a União, os Estados, o Distrito Federal e os Municípios editariam leis estabelecendo critérios de compatibilização de seus quadros de servidores ao disposto no artigo 39 da Constituição e à reforma administrativa dela decorrente. Isso no prazo de dezoito meses, contados da promulgação da Carta Federal. Contudo, o regime jurídico único jamais se viabilizou e planos de carreira são promessas jamais cumpridas, salvo algumas exceções. Registre-se, ademais, que o referido artigo 39 foi modificado pela Emenda Constitucional n.º 19, de 4 de junho de 1998, implicando alterações profundas no regime jurídico que fora inicialmente estabelecido pelo legislador constituinte originário.

Jurisprudência

> "(...), se o legislador constituinte de 1988 quisesse, teria inscrito na Carta Magna preceito no sentido de que todos os empregos públicos seriam convertidos em cargos públicos e, consequentemente, todos os empregados celetistas passariam a ser regidos pelo regime único a ser oportunamente adotado pela Administração Pública. No entanto, não foi isso que a Constituição da República de 1988 estipulou ao determinar, em seu art. 24 do ADCT, que 'A União, os Estados, o Distrito Federal e os Municípios editarão leis que estabeleçam critérios para a compatibilização de seus quadros de pessoal ao disposto no art. 39 da Constituição e à reforma administrativa dela decorrente, no prazo de dezoito meses, contados da sua promulgação'. Sendo assim, as normas de compatibilização a que se refere o dispositivo citado, poderão conter regras de conversão de vínculos, desde que obedeçam ao comando cogente do art. 37, II, da Constituição Federal. Saliente-se que a contratação do autor sem prévia aprovação em concurso público, porque havida sob o pálio da Constituição de 1967, é plenamente válida, porém, o mesmo não se pode dizer acerca da alegada transmudação de regime. Sendo assim, o

município do Recife, ao criar a Lei n. 15.335/90, dispôs sobre a mudança do regime jurídico único dos servidores celetistas para o regime estatutário. No entanto, não observou a necessidade de submissão a concurso público, tal como também preconizam o § 1.°, do art. 19, do ADCT e o art. 37, inciso II, da Lei Maior. Portanto, referida Lei Municipal é inconstitucional, de modo que no momento de sua vigência o reclamante permaneceu sob o regime celetista". (STF – Recl. 19.859/PE MC, rel. Min. Roberto Barroso, j. 30.03.2015, DJE, 07.04.2015).

Art. 25. Ficam revogados, a partir de cento e oitenta dias da promulgação da Constituição, sujeito este prazo a prorrogação por lei, todos os dispositivos legais que atribuam ou deleguem a órgão do Poder Executivo competência assinalada pela Constituição ao Congresso Nacional, especialmente no que tange a:

I – ação normativa;

II – alocação ou transferência de recursos de qualquer espécie.

§ 1.° Os decretos-lei em tramitação no Congresso Nacional e por este não apreciados até a promulgação da Constituição terão seus efeitos regulados da seguinte forma:

I – se editados até 2 de setembro de 1988, serão apreciados pelo Congresso Nacional no prazo de até cento e oitenta dias a contar da promulgação da Constituição, não computado o recesso parlamentar;

II – decorrido o prazo definido no inciso anterior, e não havendo apreciação, os decretos-lei ali mencionados serão considerados rejeitados;

III – nas hipóteses definidas nos incisos I e II, terão plena validade os atos praticados na vigência dos respecti-

vos decretos-lei, podendo o Congresso Nacional, se necessário, legislar sobre os efeitos deles remanescentes.

§ 2.º Os decretos-lei editados entre 3 de setembro de 1988 e a promulgação da Constituição serão convertidos, nesta data, em medidas provisórias, aplicando-se-lhes as regras estabelecidas no art. 62, parágrafo único.

Doutrina

Revogação de normas de outorga de delegação de competência. O *caput* da norma constitucional em comento revoga, a partir de cento e oitenta dias, contados da promulgação da Constituição Federal, podendo este prazo ser prorrogado mediante lei, todos os dispositivos legais de atribuição ou delegação a órgão do Poder Executivo de competência que a Carta Magna confere ao Congresso Nacional, mormente quando se referir à ação normativa ou à alocação ou transferência de recursos de qualquer espécie. Como o legislador constituinte *revogou* tais normas, ainda que se alegue prorrogação mediante lei, a meu ver, a esta altura, qualquer ato praticado por órgão do Executivo neste sentido resta maculado de inconstitucionalidade.

Normas de transição para os decretos-lei em tramitação no Congresso Nacional. Nos termos do § 1.º, aqueles não apreciados até a data de promulgação da Constituição tiveram os seus efeitos regulados da seguinte forma: a) se editados até 02.09.1988, deveriam ser apreciados pelo Congresso Nacional no prazo de até cento e oitenta dias a contar da promulgação da Constituição, não computado o recesso parlamentar. Decorrido o prazo definido no inciso I, não havendo apreciação, referidos decretos-lei seriam considerados rejeitados; b) nas hipóteses tratadas nos incisos I e II, teriam plena validade os atos praticados na vigência dos respectivos decretos-lei, devendo o Congresso Nacional, se necessário, legislar sobre os efeitos deles remanescentes. Quanto aos decretos-lei editados entre 03.09.1988 e a promulgação da Constituição (05.10.1988) seriam convertidos, nesta data, em medidas provisórias, cuja tramitação deveria obedecer às regras constantes do artigo 62, parágrafo único, este, então vigente.

Jurisprudência

> "Agravo Regimental no Recurso Extraordinário. Tributário. Selo de controle do Imposto sobre Produtos Industrializados. Ressarcimento. Estipulação dos critérios de cobrança pelo Ministro da Fazenda. Art. 3.º do Decreto-lei 1.347/1975. Insubsistência da delegação após o advento da nova ordem constitucional. Art. 25 do ADCT. Possibilidade de cobrança com fundamento nos atos normativos editados em momento anterior ao prazo fixado no art. 25 do ADCT. Agravo improvido. I – A jurisprudência desta Corte fixou orientação no sentido de que o art. 25 do ADCT, ao determinar a revogação de todos os dispositivos legais que atribuam ou deleguem a órgão do Poder Executivo competência assinalada pela Constituição ao Congresso Nacional, tornou insubsistentes, perante a nova ordem constitucional, apenas as delegações anteriormente concedidas, sem, contudo, invalidar os diplomas normativos editados sob a ordem constitucional precedente com fulcro nas atribuições delegadas. II – Agravo regimental improvido" (STF – 2.ª Turma, RE 435.278/RS AgRg, rel. Min. Ricardo Lewandowski, j. 06.03.2012).

Art. 26. No prazo de um ano a contar da promulgação da Constituição, o Congresso Nacional promoverá, através de Comissão mista, exame analítico e pericial dos atos e fatos geradores do endividamento externo brasileiro.

§ 1.º A Comissão terá a força legal de Comissão parlamentar de inquérito para os fins de requisição e convocação, e atuará com o auxílio do Tribunal de Contas da União.

§ 2.º Apurada irregularidade, o Congresso Nacional pro-

porá ao Poder Executivo a declaração de nulidade do ato e encaminhará o processo ao Ministério Público Federal, que formalizará, no prazo de sessenta dias, a ação cabível.

Doutrina

Endividamento externo brasileiro. Dispõe o artigo 26, *caput*, que, no prazo de um ano, a contar da data da promulgação da Constituição Federal, o Congresso Nacional promoveria, por meio de Comissão mista, a exame analítico e pericial dos atos e fatos geradores do endividamento externo brasileiro. A finalidade louvável da norma é a de permitir a investigação da dívida externa, com o claro objetivo de tentar atribuir responsabilidades aos agentes públicos que atuaram na contratação de empréstimos causando prejuízo ao país. Todavia, trata-se, na verdade, de iniciativa de pouca valia e melhor seria aferir os resultados objetivos decorrentes da aplicação dos recursos tomados por meio desses empréstimos. De qualquer forma, a Comissão instalada em 13.06.1989 produziu um relatório aprovado pelo Senado Federal em 04.10.1989 e que jamais foi submetido à Câmara dos Deputados para fins de ciência e aprovação.

Jurisprudência

> "Processual Civil. Ação Popular. Indeferimento da petição inicial. Ausência de indicação de ato específico a ser apreciado. Questionamento da dívida externa brasileira como fenômeno global. Descabimento da ação popular. 1. Indeferimento da petição inicial de ação popular em que se questiona a licitude do endividamento externo brasileiro, como fenômeno global. 2. A Constituição Federal (art. 5.°, inciso LXXIII) e o *caput* do art. 1.° da Lei 4.717/65 (Lei da Ação Popular) exigem que o objeto da ação popular sejam atos específicos, determinados, não servindo à impugnação de acontecimentos de natureza genérica e ampla. 3. No caso sob análise, verifica-se que a petição inicial questiona a idoneidade da dívida externa como um todo, faltando a indicação do

ato específica que seria objeto de apreciação judicial. 4. A licitude do endividamento externo dependeria também de juízo político sobre a conveniência e oportunidade de sua realização e da aplicação dos respectivos recursos, se considerarmos que ela é plasmada como ato de governo. 5. Inviável, pois, ao Poder Judiciário, o conhecimento e a decisão acerca de fenômeno de tamanha complexidade, quando mais porque a ação popular tem prazo decadencial de 5 (cinco) anos para ser ajuizada (art. 21 da Lei 4.717/65). 6. Negado provimento à apelação e à remessa oficial, tida por ocorrida" (TRF3 – 3.ª Turma, AC 621.897/SP, rel. Juiz Federal Rubens Calixto, unânime, e-DJF3, Judicial 1, 25.10.2010, p. 152).

Art. 27. O Superior Tribunal de Justiça será instalado sob a Presidência do Supremo Tribunal Federal.

§ 1.º Até que se instale o Superior Tribunal de Justiça, o Supremo Tribunal Federal exercerá as atribuições e competências definidas na ordem constitucional precedente.

§ 2.º A composição inicial do Superior Tribunal de Justiça far-se-á:

I – pelo aproveitamento dos Ministros do Tribunal Federal de Recursos;

II – pela nomeação dos Ministros que sejam necessários para completar o número estabelecido na Constituição.

§ 3.º Para os efeitos do disposto na Constituição, os atuais Ministros do Tribunal Federal de Recursos serão considerados pertencentes à classe de que provieram, quando de sua nomeação.

§ 4.º Instalado o Tribunal, os Ministros aposentados do Tribunal Federal de Recursos tornar-se-ão, automaticamente, Ministros aposentados do Superior Tribunal de Justiça.

§ 5.º Os Ministros a que se refere o § 2.º, II, serão indicados em lista tríplice pelo Tribunal Federal de Recursos, observado o disposto no art. 104, parágrafo único, da Constituição.

§ 6.º Ficam criados cinco Tribunais Regionais Federais, a serem instalados no prazo de seis meses a contar da promulgação da Constituição, com a jurisdição e sede que lhes fixar o Tribunal Federal de Recursos, tendo em conta o número de processos e sua localização geográfica.

§ 7.º Até que se instalem os Tribunais Regionais Federais, o Tribunal Federal de Recursos exercerá a competência a eles atribuída em todo o território nacional, cabendo-lhe promover sua instalação e indicar os candidatos a todos os cargos da composição inicial, mediante lista tríplice, podendo desta constar juízes federais de qualquer região, observado o disposto no § 9.º

§ 8.º É vedado, a partir da promulgação da Constituição, o provimento de vagas de Ministros do Tribunal Federal de Recursos.

§ 9.º Quando não houver juiz federal que conte o tempo mínimo previsto no art. 107, II, da Constituição, a promoção poderá contemplar juiz com menos de cinco anos no exercício do cargo.

§ 10. Compete à Justiça Federal julgar as ações nela propostas até a data da promulgação da Constituição, e aos Tribunais Regionais Federais, bem como ao Superior Tribunal de Justiça, julgar as ações rescisórias das decisões até então proferidas pela Justiça Federal, inclusive daquelas cuja matéria tenha passado à competência de outro ramo do Judiciário.

§ 11. São criados, ainda, os seguintes Tribunais Regionais Federais: o da 6.ª Região, com sede em Curitiba, Estado do Paraná, e jurisdição nos Estados do Paraná, Santa Catarina e Mato Grosso do Sul; o da 7.ª Região, com sede em Belo Horizonte, Estado de Minas Gerais, e jurisdição no Estado de Minas Gerais; o da 8.ª Região, com sede em Salvador, Estado da Bahia, e jurisdição nos Estados da Bahia e Sergipe; e o da 9.ª Região, com sede em Manaus, Estado do Amazonas, e jurisdição nos Estados do Amazonas, Acre, Rondônia e Roraima.

Doutrina

Superior Tribunal de Justiça. A Corte uniformizadora do direito federal foi criada pelo artigo 104 da Carta Magna de 1988 e instalada sob a Presidência do Supremo Tribunal Federal. Seu quadro sempre foi integrado por trinta e três ministros e sua composição inicial se deu mediante aproveitamento de ministros do antigo Tribunal Federal de Recursos e outros nomeados até completar o número previsto na referida norma constitucional. Com a sua instalação, passou a exercer competências anteriormente conferidas ao TFR.

Tribunais Regionais Federais. Foram criados cinco Tribunais Regionais Federais (§ 6.º) instalados dentro do prazo de seis meses, contado da data de promulgação da Constituição Federal de 1988, com a finalidade de assumir as competências do antigo Tribunal Federal de Recursos. São os seguintes: Tribunal Regional Federal da 1.ª Região, com sede em Brasília; Tribunal Regional Federal da 2.ª Região, com sede no Rio de Janeiro; Tribunal Regional Federal da 3.ª Região, com sede em São Paulo; Tribunal Regional Federal da 4.ª Região, com sede em Porto Alegre; e Tribunal Regional Federal da 5.ª Região, com sede em Recife.

Novos Tribunais Regionais Federais. Por meio da Emenda Constitucional n.º 73, de 6 de junho de 2013, foram criados os seguintes tribunais: Tribunal Regional Federal da 6.ª Região, com sede em Curitiba; Tribunal Regional Federal 7.ª Região, com sede em Belo Horizonte; Tribunal Regional da 8.ª Região, com sede em Salvador; e o Tribunal Regional Federal da 9.ª Região, com sede em Manaus. Em 2021, foi sancionada a Lei n.º 14.226, de 20 de outubro, determinando a criação do Tribunal Regional Federal da 6.ª Região, com sede em Belo Horizonte e jurisdição no Estado de Minas Gerais. O Tribunal foi instalado em 19 de agosto de 2022. Os demais tribunais foram criados, porém ainda não instalados.

Jurisprudência

"Competência. Recurso Extraordinário interposto, pelas letras 'a' e 'd' do art. 119 da E.C. n.º 1/69, com arguição de relevância da questão federal. Apelo admitido na instância de origem, pela letra 'd', apenas em face da superveniência da Súmula 621 do S.T.F. Irrelevância da deserção da questão de relevância, pois não havia, no caso, óbice regimental (embargos de terceiro) (art. 325, V, 'c', do RISTF, na redação anterior à E.R. n.º 2/85). Instalação superveniente do Superior Tribunal de Justiça, que se tornou competente para julgar o recurso, convertido, 'ipsu jure', em especial por tratar, apenas, a Súmula 621, de interpretação de leis federais (matéria infraconstitucional). Questão de Ordem que o S.T.F. resolve, não conhecendo do recurso e determinando a remessa dos autos ao S.T.J., para que o julgue como de direito. Interpretação dos arts. 119, III, 'd', da E.C. n.º 1/69, 105, III, 'c', da C.F. de 1988 e art. 27, § 1.º, do ADCT" (STF – Pleno, RE 106.157/SP QO, rel. Min. Sydney Sanches, j. 10.05.1989).

"*Habeas Corpus* impetrado contra decisão de Juiz Federal, nos termos do parágrafo 7 do artigo 27 do Ato das Disposições Constitucionais Transitórias, cabia ao Tribunal Federal de Recursos o seu julgamento, no exercício da competência dos Tribunais Regionais Federais. Uma vez instalado o Superior Tribunal de Justiça, a essa Corte compete julgar o recurso ordinário das decisões do antigo Tribunal Federal de Recursos, nos termos do artigo 105, II, 'A', da Constituição. Recurso não conhecido, remetidos os autos ao Egrégio Superior Tribunal de Justiça" (STF – 2.ª Turma, RHC 67.486/RJ QO, rel. Min. Carlos Madeira, j. 02.05.1989).

"Recurso de 'habeas corpus'. Decisão de Tribunal de Justiça do Estado. Instalação do Superior Tribunal de Justiça. Exaurimento da norma do § 1.º do art. 27 do ADCT da nova Constituição Federal. Aplicação da regra do art. 105, II, letra 'a'. Em se tratando de recurso, no qual o impetrante se insurge contra decisão de Tribunal de Justiça do Estado, em 'habeas corpus', a competência para julgá-lo é do Superior Tribunal de Justiça, ante o disposto no art. 105, II, letra 'a' da nova Constituição Federal, e em face de já se ter exaurido, com a instalação de tal Corte, a competência residual do Supremo Tribunal Federal, prevista no § 1.º do artigo 27 do seu ADCT. Remessa dos autos ao Superior Tribunal de Justiça" (STF – 2.ª Turma, RHC 67.141/SP, rel. Min. Aldir Passarinho, j. 02.05.1989).

Art. 28. Os juízes federais de que trata o art. 123, § 2.º, da Constituição de 1967, com a redação dada pela Emenda Constitucional n.º 7, de 1977, ficam investidos na titularidade de varas na Seção Judiciária para a qual tenham sido nomeados ou designados; na inexistência de vagas, proceder-se-á ao desdobramento das varas existentes.

Parágrafo único. Para efeito de promoção por antiguidade, o tempo de serviço desses juízes será computado a partir do dia de sua posse.

Doutrina

Regime jurídico dos juízes federais à luz do direito constitucional anterior. Nos termos do artigo 123, *caput* e parágrafo 1.º, da Constituição Federal de 1967, os juízes federais eram nomeados pelo Presidente da República, após aprovação em concurso de provas e títulos, organizado pelo Tribunal Federal de Recursos, devendo atender aos requisitos de idoneidade moral e idade superior a vinte e cinco anos, além de outros previstos em lei. Proviam cargos de juízes federais, podendo a lei, no entanto, atribuir-lhes exclusivamente funções de substituição em seções judiciárias e, ainda, as de auxílio a juízes titulares de Varas, quando não estivessem na condição de substitutos (art. 123, § 2.º).

Condição jurídica desses juízes federais à luz da Constituição Federal de 1988. Referidos magistrados – juízes federais de que trata o art. 123, § 2.°, da Constituição de 1967, com a redação dada pela Emenda Constitucional n.° 7, de 1977 –, é que, nos termos do disposto no artigo 28 do ADCT da Carta Política atual, ficam investidos na titularidade de Varas na Seção Judiciária para a qual tenham sido nomeados ou designados. Caso inexistentes vagas em número necessário, as varas existentes seriam desdobradas na razão de uma instalada para uma desdobrada. Efetuado o desdobramento de Vara, para fins de promoção por antiguidade o tempo de serviço desses magistrados deveria ser computado desde o dia da posse respectiva.

Jurisprudência

> "Constitucional. Juiz Federal. Titularização. Direito líquido e certo. Inexistência. I – O art. 28 do ADCT não confere direito líquido e certo aos Juízes Federais, que discrimina, à titularidade de varas que vagaram após 05 de outubro de 1988, mas, apenas, àquelas vagas existentes nessa data. II – As vagas surgidas com a ascensão de Juízes Federais ao Tribunal Regional Federal, destinam-se a concurso de remoção. III – Segurança denegada" (TRF3 – Pleno, MS 89.03.29261/SP, rel. Juiz Aricê Amaral, DOE, 19.08.1991, p. 105).

Art. 29. Enquanto não aprovadas as leis complementares relativas ao Ministério Público e à Advocacia-Geral da União, o Ministério Público Federal, a Procuradoria-

-Geral da Fazenda Nacional, as Consultorias Jurídicas dos Ministérios, as Procuradorias e Departamentos Jurídicos de autarquias federais com representação própria e os membros das Procuradorias das Universidades fundacionais públicas continuarão a exercer suas atividades na área das respectivas atribuições.

§ 1.º O Presidente da República, no prazo de cento e vinte dias, encaminhará ao Congresso Nacional projeto de lei complementar dispondo sobre a organização e o funcionamento da Advocacia-Geral da União.

§ 2.º Aos atuais Procuradores da República, nos termos da lei complementar, será facultada a opção, de forma irretratável, entre as carreiras do Ministério Público Federal e da Advocacia-Geral da União.

§ 3.º Poderá optar pelo regime anterior, no que respeita às garantias e vantagens, o membro do Ministério Público admitido antes da promulgação da Constituição, observando-se, quanto às vedações, a situação jurídica na data desta.

§ 4.º Os atuais integrantes do quadro suplementar dos Ministérios Públicos do Trabalho e Militar que tenham adquirido estabilidade nessas funções passam a integrar o quadro da respectiva carreira.

§ 5.º Cabe à atual Procuradoria-Geral da Fazenda Nacional, diretamente ou por delegação, que pode ser ao Ministério Público Estadual, representar judicialmente a União nas causas de natureza fiscal, na área da respectiva competência, até a promulgação das leis complementares previstas neste artigo.

Doutrina

Normas de transição e extensão de competência. Dispõe o *caput* do artigo que, na pendência de aprovação das leis complementares relativas à organização e definição de atribuições do Ministério Público da União e da Advocacia-Geral da União, o Ministério Público Federal, a Procuradoria-Geral da Fazenda Nacional, as consultorias jurídicas de Ministérios, as procuradorias e departamentos jurídicos de autarquias federais e as procuradorias de universidades organizadas como fundações públicas continuariam a exercer suas atividades nas áreas das respectivas atribuições. Portanto, pendente de organização as novas instituições, aquelas existentes à data de promulgação da Constituição tiveram estendidas as respectivas competências para evitar solução de continuidade no exercício de suas atividades.

Outras normas de transição. O § 1.º estabeleceu prazo de cento e vinte dias para encaminhamento, pelo Presidente da República, ao Congresso Nacional, de projeto de lei complementar tratando da organização e funcionamento da Advocacia-Geral da União. O § 2.º facultou, aos Procuradores da República, o exercício de opção irretratável, entre as carreiras do Ministério Público Federal e da Advocacia-Geral da União. O § 3.º delimitou regras para a opção pelo regime anterior apenas ao membro do Ministério Público admitido antes da promulgação da Constituição. O § 4.º tratou da integração dos integrantes do quadro suplementar dos Ministérios Públicos do Trabalho e Militar, desde que tenham adquirido estabilidade nessas funções. O § 5.º outorgou à atual Procuradoria-Geral da Fazenda Nacional, de forma direta ou por delegação, inclusive ao Ministério Público Estadual, a representação judicial da União nas causas de natureza fiscal, na área da respectiva competência, até a promulgação das leis complementares previstas neste artigo.

Jurisprudência

> "I – Mandado de segurança. Autoridade coatora. Presidente da República, quando competente para o provimento de cargos do Poder Judiciário da União, ainda quando a impetração se funde em vício atinente a fase anterior do respectivo provimento, qual a data composição da lista de candidatos à vaga. II – Ministé-

rio Público do Trabalho. Substitutos de Procurador. Antiguidade na carreira a partir da vigência do art. 29, § 4.°, ADCT/88 – que os integrou na carreira –, para o efeito de concorrerem à eleição de lista sêxtupla de candidatos à respectiva cota dos Tribunais do Trabalho, nos termos do art. 94 da Constituição" (STF – Pleno, MS 21.168-7/DF, rel. Min. Sepúlveda Pertence, DJ 1, 16.09.1994, p. 24.279).

"Constitucional. Processual Civil. Tributário. Imposto Territorial Rural – ITR. Inscrição e cobrança pela Procuradoria da Fazenda Nacional. Leis 8.022/90 e 8.383/91. As Disposições Constitucionais Transitórias – elementos formais de aplicabilidade – têm a primazia de regrar a vigência e, até o período de eficácia de preceitos da Constituição, e possuem, por definição e natureza, vida efêmera, porquanto, tão logo produzem os seus efeitos, se exaurem no tempo. Promulgadas as leis complementares (organização do Ministério Público e Advocacia-Geral da União), perdeu a eficácia o art. 29 do ADCT, aplicando-se já agora, a legislação complementar e ordinária que rege a instituição do Imposto Territorial Rural. Conquanto o ITR seja tributo de propriedade da União, a sua apuração, inscrição e cobrança competem à Procuradoria da Fazenda Nacional, sendo descabida a continuidade da Procuradoria do Incra (Instituto Nacional de Colonização e Reforma Agrária) no polo ativo da execução fiscal pertinente àquele tributo. Recurso provido. Decisão unânime" (STJ – 1.ª Turma, REsp 41.653/RJ, rel. Min. Demócrito Reinaldo, DJ 1, 14.11.1994, p. 30.921).

Art. 30. A legislação que criar a justiça de paz manterá os atuais juízes de paz até a posse dos novos titulares, assegurando-lhes os direitos e atribuições conferidos a estes, e designará o dia para a eleição prevista no art. 98, II, da Constituição.

Doutrina

Justiça de Paz. A União, no Distrito Federal e nos Territórios, e os Estados-membros, no âmbito de suas respectivas áreas de atuação, criarão, por meio de lei própria, Justiça de Paz remunerada, composta de cidadãos eleitos pelo voto direto, universal e secreto, que ocuparão o cargo pelo prazo de quatro anos, com competência estabelecida em lei para celebrar casamentos, verificar processo de habilitação e exercer a conciliação, sem caráter jurisdicional, podendo a legislação cometer-lhes outras atribuições.

Jurisprudência

> "Remuneração – Juiz de Paz – Previsão legal. A remuneração dos juízes de paz há de estar prevista em lei – artigos 98, inciso II, do corpo permanente da Carta Federal e 30 do Ato das Disposições Transitórias" (STF – 1.ª Turma, RE 480.328/DF, rel. Min. Marco Aurélio, DJE 162, 28.08.2009).

Art. 31. Serão estatizadas as serventias do foro judicial, assim definidas em lei, respeitados os direitos dos atuais titulares.

Doutrina

Estatização das serventias do foro judicial. Existem as serventias do foro judicial e as serventias do foro extrajudicial. As primeiras exercem funções auxiliares dos órgãos judiciários e as segundas funcionam como cartórios, como os de registro civil, os de registro de imóveis etc. Desde a Constituição de 1969, o artigo 206 já dispunha sobre a oficialização das serventias do foro judicial e, agora, reitera-se a disposição no artigo 31 do ADCT da Carta vigente.

Jurisprudência

"Aposentadoria dos titulares das serventias de notas e registros. Aplicação a eles da aposentadoria compulsória prevista no artigo 40, II, da Constituição Federal. – Há pouco, o Plenário desta Corte, por maioria de votos, ao julgar o RE 178.236, relator o Sr. Ministro Octávio Gallotti, decidiu que os titulares das serventias de notas e registros estão sujeitos à aposentadoria compulsória prevista no artigo 40, II, da Constituição Federal. Entendeu a maioria deste Tribunal, em síntese, que o sentido do artigo 236 da Carta Magna foi o de tolher, sem mesmo reverter, a oficialização dos cartórios de notas e registros, em contraste com a estatização estabelecida para as serventias do foro judicial pelo art. 31 do ADCT; ademais, pelas características desses serviços (inclusive pagamento por emolumentos que são taxas) e pelas exigências feitas pelo artigo 236 da Carta Magna (assim, o concurso público de provas e títulos para provimento e o concurso de remoção), os titulares dessas serventias são servidores públicos em sentido amplo, aplicando-se-lhes o preceito constitucional relativo à aposentadoria compulsória determinada pelo citado artigo 40, II, da Constituição Federal. – Dessa decisão não diverge o acórdão recorrido. Recurso extraordinário conhecido pela letra 'c' do inciso III do artigo 102 da Constituição, mas não provido" (STF – 1.ª Turma, RE189.736/SP, rel. Min. Moreira Alves, j. 26.03.1996).

"1. Com a entrada em vigor da Constituição Federal de 1988, que estatizou 'as serventias do foro judicial', extinguiu-se a participação dos serventuários de cartórios em custas e emolumentos, 'respeitados os direitos dos atuais titulares'. 2. O art. 31 do ADCT é dotado de eficácia plena e imediata, vale dizer que a estatização nele expressada opera independentemente de regulamentação. Precedentes. 3. Em *obter dictum*, ressalte-se que à lei o constituinte de 1988 deixou apenas a definição do que sejam 'serventias do foro judicial'. Mas, mesmo aqui, ao legislador ordinário é vedado contrariar o senso comum ou o entendimento anterior consolidado, com isso restringindo a aplicação e o alcance da determinação constitucional. 4. Recurso ordinário não provido" (STJ – 2.ª Turma, ROMS 9.953. rel. Min. Herman Benjamin, DJE, 04.03.2009).

Art. 32. O disposto no art. 236 não se aplica aos serviços notariais e de registro que já tenham sido oficializados pelo Poder Público, respeitando-se o direito de seus servidores.

Doutrina

Inaplicabilidade da norma do art. 236 aos serventuários das serventias oficializadas. Respeitados os direitos dos servidores de serventias oficiais ou oficializadas, a estes não tem aplicação a regra do artigo 236, que dispõe serem os serviços notariais e de registros prestados em caráter privado, mediante delegação do Poder Público.

Jurisprudência

"Notariado e registros públicos: razoabilidade da alegação da reserva a competência legislativa da União para dispor a respeito (CF, arts. 22, XXV, e 236, par. 1); privatização de serventias anteriormente oficializadas: difícil conciliação com o art. 32 ADCT (ADIN 126, Gallotti, Lex 169/48); caráter público dos serviços notariais e de registro, persistente sob o art. 236 CF (RE 141.347, Pertence, Lex 168/344); investidura de interinos na titularidade de serventias, independentemente de concurso público: inconstitucionalidade já declarada de normas similares (ADIN 126, Gallotti, RTJ 169/48); plausibilidade, por tudo isso, da arguição de inconstitucionalidade do art. 30 ADCT de Alagoas: suspensão cautelar deferida" (STF – Pleno, ADIN 1.047/AL MC, rel. Min. Sepúlveda Pertence, j. 25.03.1994).

"Administrativo. Oficial de Registro Público. Natureza jurídica do serviço notarial. Aposentadoria compulsória aos setenta anos de idade. Constituição Federal, arts.40 e 236. 1 – O Notário executa serviço público de características especiais, sob o amálgama de função pública. Tanto que o serventuário é investido, em caráter permanente, em cargo público, criado por lei, com denominação própria. A serventia é regulada por lei, com atividade sujeita a hierarquia administrativa e fiscalização do Poder Judiciário e o acesso aos cargos depende de concurso público (§§ 1.º e 3.º, art. 236, CF), embora desempenhe, por delegação do Estado, atividade de caráter privado, o Notário guarda a qualificação de servidor público. 2 – Os emolumentos e custas têm o crivo de receita pública. 3 – Não descaracterizada a natureza da função pública do Notário, aplicam-se-lhe as disposições do art. 40, II, Constituição Federal (aposentadoria compulsória aos setenta anos de idade). 4 – Precedentes jurisprudenciais. 5 – Recurso improvido" (STJ – 1.ª Turma, ROMS 330/SP, rel. Min. Milton Luiz Pereira, DJ 1, 15.03.1993, p. 3.777).

"Não obstante o conteúdo inserto no art. 236 da Constituição Federal de 1988, verifica-se a inexistência do direito líquido e certo dos agravantes, titulares de cartórios oficializados pelo Poder Público, em período anterior à vigência da atual Carta Magna, tendo em vista a vedação contida no art. 32 do Ato das Disposições Constitucionais Transitórias, que assim dispõe, verbis: 'o disposto no art. 236 não se aplica aos serviços notariais e de registro que já tenham sido oficializados pelo Poder Público, respeitando-se o direito de seus servidores'. II – Nos termos do art. 557 do CPC, com a redação dada pela Lei n.º 9.756/98; 'o relator negará seguimento a recurso manifestamente inadmissível, improcedente, prejudicado ou em confronto com súmula ou com jurisprudência dominante do respectivo Tribunal, do Supremo Tribunal Federal ou de Tribunal Superior'. III – Agravo regimental desprovido" (STJ – 5.ª Turma, ROMS 10.205 AgRg, rel. Min. Gilson Dipp, DJ, 25.02.2002, p. 396).

Art. 33. **Ressalvados os créditos de natureza alimentar, o valor dos precatórios judiciais pendentes de pagamento na data da promulgação da Constituição, incluído o remanescente de juros e correção monetária, poderá ser pago em moeda corrente, com atualização, em prestações anuais, iguais e sucessivas, no prazo máximo de oito anos, a partir de 1.º de julho de 1989, por decisão editada pelo Poder Executivo até cento e oitenta dias da promulgação da Constituição.**

Parágrafo único. Poderão as entidades devedoras, para o cumprimento do disposto neste artigo, emitir, em cada ano, no exato montante do dispêndio, títulos de dívida pública não computáveis para efeito do limite global de endividamento.

Doutrina

Pagamento de débitos da Fazenda Pública constantes de precatórios judiciais. A norma transitória teve por finalidade admitir o parcelamento de débitos constantes de precatórios judiciais pendentes de pagamento na data da promulgação da Constituição, em até oito anos, em prestações anuais, iguais e sucessivas. Ocorre que, de um lado, exauriu-se o prazo de oito anos, contados a partir de 01.07.1989, e, de outro, as Emendas Constitucionais n.º 30, de 13.09.2000, e n.º 37, de 12.06.2002, modificaram o tratamento da matéria exaurindo, também sob essa ótica, a capacidade de a regra produzir algum efeito.

Jurisprudência

"Inexiste qualquer relação de antinomia real ou insuperável entre a norma inscrita no art. 33 do ADCT e os postulados da isonomia, da justa indenização, do direito adquirido e do pagamento mediante precatórios, consagrados pelas disposições permanentes da Constituição da República, eis que todas essas cláusulas normativas, inclusive aquelas de índole transitória, ostentam grau idêntico de eficácia e de autoridade jurídicas. - O preceito consubstanciado no art. 33 do ADCT – somente inaplicável aos créditos de natureza alimentar – compreende todos os precatórios judiciais pendentes de pagamento em 5.10.1988, inclusive aqueles relativos a valores decorrentes de desapropriações efetivadas pelo Poder Público" (STF – 1.ª Turma, RE 160.486/SP, rel. Min. Celso de Mello, DJU, 09.06.1995, p. 17.246).

Art. 34. O sistema tributário nacional entrará em vigor a partir do primeiro dia do quinto mês seguinte ao da promulgação da Constituição, mantido, até então, o da Constituição de 1967, com a redação dada pela Emenda n.º 1, de 1969, e pelas posteriores.

§ 1.º Entrarão em vigor com a promulgação da Constituição os arts. 148, 149, 150, 154, I, 156, III, e 159, I, c, revogadas as disposições em contrário da Constituição de 1967 e das Emendas que a modificaram, especialmente de seu art. 25, III.

§ 2.º O Fundo de Participação dos Estados e do Distrito Federal e o Fundo de Participação dos Municípios obedecerão às seguintes determinações:

I – a partir da promulgação da Constituição, os percentuais serão, respectivamente, de dezoito por cento e de vinte por cento, calculados sobre o produto da arrecadação dos impostos referidos no art. 153, III e IV, mantidos

os atuais critérios de rateio até a entrada em vigor da lei complementar a que se refere o art. 161, II;

II – o percentual relativo ao Fundo de Participação dos Estados e do Distrito Federal será acrescido de um ponto percentual no exercício financeiro de 1989 e, a partir de 1990, inclusive, à razão de meio ponto por exercício, até 1992, inclusive, atingindo em 1993 o percentual estabelecido no art. 159, I, *a*;

III – o percentual relativo ao Fundo de Participação dos Municípios, a partir de 1989, inclusive, será elevado à razão de meio ponto percentual por exercício financeiro, até atingir o estabelecido no art. 159, I, *b*.

§ 3.º Promulgada a Constituição, a União, os Estados, o Distrito Federal e os Municípios poderão editar as leis necessárias à aplicação do sistema tributário nacional nela previsto.

§ 4.º As leis editadas nos termos do parágrafo anterior produzirão efeitos a partir da entrada em vigor do sistema tributário nacional previsto na Constituição.

§ 5.º Vigente o novo sistema tributário nacional, fica assegurada a aplicação da legislação anterior, no que não seja incompatível com ele e com a legislação referida nos § 3.º e § 4.º

§ 6.º Até 31 de dezembro de 1989, o disposto no art. 150, III, *b*, não se aplica aos impostos de que tratam os arts. 155, I, *a* e *b*, e 156, II e III, que podem ser cobrados trinta dias após a publicação da lei que os tenha instituído ou aumentado.

§ 7.º Até que sejam fixadas em lei complementar, as alíquotas máximas do imposto municipal sobre vendas a varejo de combustíveis líquidos e gasosos não excederão a três por cento.

§ 8.º Se, no prazo de sessenta dias contados da promulgação da Constituição, não for editada a lei complementar necessária à instituição do imposto de que trata o art. 155, I, *b*, os Estados e o Distrito Federal, mediante convênio celebrado nos termos da Lei Complementar n.º 24, de 7 de janeiro de 1975, fixarão normas para regular provisoriamente a matéria.

§ 9.º Até que lei complementar disponha sobre a matéria, as empresas distribuidoras de energia elétrica, na condição de contribuintes ou de substitutos tributários, serão as responsáveis, por ocasião da saída do produto de seus estabelecimentos, ainda que destinado a outra unidade da Federação, pelo pagamento do imposto sobre operações relativas à circulação de mercadorias incidente sobre energia elétrica, desde a produção ou importação até a última operação, calculado o imposto sobre o preço então praticado na operação final e assegurado seu recolhimento ao Estado ou ao Distrito Federal, conforme o local onde deva ocorrer essa operação.

§ 10. Enquanto não entrar em vigor a lei prevista no art. 159, I, c, cuja promulgação se fará até 31 de dezembro de 1989, é assegurada a aplicação dos recursos previstos naquele dispositivo da seguinte maneira:

I – seis décimos por cento na Região Norte, através do Banco da Amazônia S.A.;

II – um inteiro e oito décimos por cento na Região Nordeste, através do Banco do Nordeste do Brasil S.A.;

III – seis décimos por cento na Região Centro-Oeste, através do Banco do Brasil S.A.

§ 11. Fica criado, nos termos da lei, o Banco de Desenvolvimento do Centro-Oeste, para dar cumprimento, na referida região, ao que determinam os arts. 159, I, c, e 192, § 2.º, da Constituição.

§ 12. A urgência prevista no art. 148, II, não prejudica a cobrança do empréstimo compulsório instituído, em benefício das Centrais Elétricas Brasileiras S.A. (Eletrobrás), pela Lei n.º 4.156, de 28 de novembro de 1962, com as alterações posteriores.

Doutrina

Vigência do novo sistema tributário nacional. Dispõe o artigo 34, *caput*, que o sistema tributário nacional, instituído pela Constituição Federal de 1988, entrará em vigor a partir do primeiro dia do quinto mês seguinte ao da promulgação da Constituição, ou seja, no dia 01.03.1989, vigendo, até então, o sistema instituído pela Constituição Federal de 1967, com a redação dada pela Emenda Constitucional 1, de 1969, e modificações posteriores.

Demais regras de transição inscritas no artigo. Nos termos do § 1.º, entraram em vigor com a promulgação da Constituição os artigos 148 (instituição de empréstimos compulsórios), 149 (instituição de contribuições), 150 (regras de limitação ao poder de tributar), 154, I (criação de impostos extraordinários), 156, III (instituição, pelos municípios, do imposto sobre serviços, ressalvada a competência dos Estados e do Distrito Federal), e 159, I, *c* (repartição do produto da arrecadação do imposto sobre a renda e do imposto sobre produtos industrializados), revogadas as disposições em contrário da Constituição de 1967 e das Emendas que a modificaram, especialmente de seu art. 25, III. O § 2.º tratou de estabelecer normas de regência sobre o Fundo de Participação dos Estados e do Distrito Federal e o Fundo de Participação dos Municípios, mormente relativas a percentuais de distribuição. O § 3.º dispôs que, uma vez promulgada a Constituição, a União, os Estados, o Distrito Federal e os Municípios poderão editar as leis necessárias à aplicação do sistema tributário nacional nela previsto. O § 4.º tratou de estabelecer que as leis editadas nos termos do parágrafo anterior produziriam efeitos a partir da entrada em vigor do sistema tributário nacional previsto na Constituição. O § 5.º dispôs que, vigente o novo sistema tributário nacional, restava assegurada a aplicação da legislação anterior, no que não incompatível com ele e com a legislação referida nos § 3.º e § 4.º, admitindo a recepção de leis com ele compatíveis. O § 6.º dispôs que, até 31 de dezembro de 1989, o disposto no art. 150, III, *b*, não se aplica aos impostos de que tratam os artigos 155, I, *a* e *b*, e 156, II e III, que poderão ser cobrados trinta dias após a publicação da lei que os tenha instituído ou aumentado, afastando, assim, o princípio da anterioridade. O § 7.º tratou de estabelecer que, até que fixadas por meio de lei complementar, as alíquotas máximas do imposto municipal sobre vendas a varejo de combustíveis líquidos e gasosos não excederão a três por cento, estabelecendo uma limitação de alíquota. O § 8.º dispôs que, se no prazo de sessenta dias, contados da promulgação da Constituição, não for editada a lei complementar necessária à instituição do imposto de que trata o artigo 155, I, *b*, na verdade, com a edição da Emenda Constitucional n.º 3, refere-se ao inciso II, os Estados e o Distrito Federal, mediante convênio celebrado nos termos da Lei Complementar n.º 24, de 7 de janeiro de 1975, fixarão normas para regular provisoriamente a matéria (imposto sobre a circulação de mercadorias e sobre a prestação de serviços de transporte interestadual e intermunicipal e de comunicação). O § 9.º dispôs que, até que lei complementar disponha sobre a matéria, as empresas distribuidoras de energia elétrica, na condição de contribuintes ou de substitutos tributários, serão as responsáveis, por ocasião da saída do produto de seus estabelecimentos, ainda que destinado a outra unidade da Federação, pelo pagamento do imposto sobre operações relativas à circulação de mercadorias incidente sobre energia elétrica, desde a produção ou importação até a última operação, calculado o imposto sobre o preço então praticado na operação final e assegurado seu recolhimento ao Estado ou ao Distrito Federal, conforme o local onde deva ocorrer essa operação. O § 10 estabeleceu que enquanto não entrasse em vigor a lei prevista no artigo 159, I, *c*, cuja promulgação se fará até 31 de dezembro de 1989, restava assegurada a aplicação dos recursos previstos naquele dispositivo da forma definida na segunda parte do dispositivo em tela. O § 11, criou, nos termos da lei, o Banco de Desenvolvimento do Centro-Oeste, para dar cumprimento, na referida região, ao que determinam os artigos 159, I, *c*, e 192, § 2.º, da Constituição; todavia, restou exaurida a norma e não implementado o seu objetivo. Por último, o § 12 dispôs que a urgência prevista no artigo 148, II, não prejudicaria a cobrança do empréstimo compulsório instituído, em benefício das Centrais Elétricas Brasileiras S.A. – Eletrobrás, pela Lei n.º 4.156, de 28 de novembro de 1962, com as alterações legais posteriores.

Jurisprudência

"Ação direta de inconstitucionalidade. Lei 10.723, de 29.12.88, do Estado de Goiás. Tributário. Adicional de Imposto de Renda (art. 155, II, CF). Arts. 146 e 24, § 3.º, da parte permanente da CF e art. 24, §§ 3.º, 4.º e 5.º do ADCT. O adicional de imposto de renda de que trata o inciso II do art. 155 não pode ser instituído pelos Estados e Distrito Federal, sem que, antes, a lei complementar nacional prevista no *caput* do art. 146 disponha sobre as matérias referidas em seus incisos e alíneas, não estando sua edição dispensada pelo § 3.º do art. 24 da parte permanente da Constituição Federal nem pelos §§ 3.º, 4.º e 5.º do art. 34 do ADCT. Ação julgada procedente, declarada a inconstitucionalidade da Lei b10.723, de 29/12/88, do Estado de Goiás" (STF – Pleno, ADIN 615/GO, rel. Min. Sydney Sanches, DJ 1, 05.11.1993, p. 23.286).

"Recurso extraordinário. Constitucional. Empréstimo compulsório em favor das Centrais Elétricas Brasileiras S.A. – Eletrobrás. Lei 4.156/62. Incompatibilidade do tributo com o sistema constitucional introduzido pela Constituição Federal de 1988. Inexistência. Art. 34, § 12, ADCT-CF/88. Recepção e manutenção do imposto compulsório sobre energia elétrica. Integrando o Sistema Tributário Nacional, o empréstimo compulsório disciplinado no art. 148 da Constituição Federal entrou em vigor, desde logo, com a promulgação da Constituição de 1988. E não só a partir do primeiro dia do quinto mês seguinte à sua promulgação. A regra constitucional transitória inserta no art. 34, § 12, preservou a exigibilidade do empréstimo compulsório instituído pela Lei 4.156/62, com as alterações posteriores, até o exercício de 1993, como previsto no art. 1.º da Lei 7.181/83. Recurso extraordinário não conhecido" (STF – 1.ª Turma, RE 46.615/PE, rel. Min. Maurício Corrêa, DJ 1, 30.06.1995, p. 20.417).

Art. 35. O disposto no art. 165, § 7.º, será cumprido de forma progressiva, no prazo de até dez anos, distribuindo-se os recursos entre as regiões macroeconômicas em razão proporcional à população, a partir da situação verificada no biênio 1986-87.

§ 1.º Para aplicação dos critérios de que trata este artigo, excluem-se das despesas totais as relativas:

I – aos projetos considerados prioritários no plano plurianual;

II – à segurança e defesa nacional;

III – à manutenção dos órgãos federais no Distrito Federal;

IV – ao Congresso Nacional, ao Tribunal de Contas da União e ao Poder Judiciário;

V – ao serviço da dívida da administração direta e indireta da União, inclusive fundações instituídas e mantidas pelo Poder Público federal.

§ 2.º Até a entrada em vigor da lei complementar a que se refere o art. 165, § 9.º, I e II, serão obedecidas as seguintes normas:

I – o projeto do plano plurianual, para vigência até o final do primeiro exercício financeiro do mandato presidencial subsequente, será encaminhado até quatro meses antes do encerramento do primeiro exercício fi-

nanceiro e devolvido para sanção até o encerramento da sessão legislativa;

II – o projeto de lei de diretrizes orçamentárias será encaminhado até oito meses e meio antes do encerramento do exercício financeiro e devolvido para sanção até o encerramento do primeiro período da sessão legislativa;

III – o projeto de lei orçamentária da União será encaminhado até quatro meses antes do encerramento do exercício financeiro e devolvido para sanção até o encerramento da sessão legislativa.

Doutrina

Cumprimento da meta de redução das desigualdades regionais. Dispõe o *caput* do artigo 35 do ADCT de 1988 que a meta de redução das desigualdades inter-regionais será cumprida de forma progressiva, no prazo máximo de dez anos, com a distribuição de recursos orçamentários entre as regiões macroeconômicas em razão proporcional à população, a partir da situação constatada no biênio 1986-87.

Implementação da política de redução das desigualdades regionais. O artigo 165, § 7.°, do corpo permanente da Constituição Federal, define que o orçamento anual compreende o orçamento fiscal, o orçamento de investimento das empresas em que a União detenha maioria do capital com direito a voto e o orçamento da seguridade social, devendo os dois primeiros – fiscal e de investimentos –, serem compatibilizados com o plano plurianual para que cumpram as metas de redução das desigualdades inter-regionais, segundo critério populacional.

Disposições transitórias contidas nos §§ 1.° e 2.° Referem-se as normas do § 1.° a critérios para definição dos recursos destinados à implementação da política de redução das desigualdades regionais. Aquelas inscritas no § 2.° dispõem sobre elaboração de planos plurianuais e leis orçamentárias e, a meu ver, a lei complementar referida no dispositivo é a Lei n.º 4.320, de 1964, recepcionada como lei complementar.

Jurisprudência

> "I – O AFRMM é contribuição social recepcionada pela atual Carta em face da aprovação dos decretos-leis instituidores da exação, pelo Congresso Nacional. II – A isenção da exação só se aplica quando o ato internacional a estabelecer de forma expressa e específica. III – Apelação improvida" (TRF3, AMS 90.03.03405-4/SP, rel. Juíza Lúcia Figueiredo, DJ 2, 22.08.1995, p. 53.422).

Art. 36. Os fundos existentes na data da promulgação da Constituição, excetuados os resultantes de isenções fiscais que passem a integrar patrimônio privado e os que interessem à defesa nacional, extinguir-se-ão, se não forem ratificados pelo Congresso Nacional no prazo de dois anos.

Doutrina

Fundos de financiamento de programas estatais. São constituídos com recursos provenientes de receitas não vinculadas, destinados a financiar determinadas atividades públicas ou programas de governo, como, por exemplo, um fundo de combate à pobreza, um fundo de incentivo à educação, ou um fundo de investimento regional.

Extinção ou preservação de tais fundos. Nos termos do artigo 36 em tela, os fundos existentes na data da promulgação da Constituição Federal (05.10.1988) e não ratificados pelo Congresso Nacional foram extintos dentro de dois anos, ou seja, até 05.10.1990. Todavia, os fundos resultantes de isenções fiscais que integrassem o patrimônio privado e aqueles de interesse da defesa nacional foram mantidos.

Jurisprudência

"AFRMM. Decreto-Lei 2.404/87 e Decreto-Lei 2.414/88. Princípio da recepção. Constitucionalidade. I – O Adicional ao Frete para a Renovação da Marinha Mercante – AFRMM –, regulado pelo Decreto-Lei 2.404/87, com a redação que lhe deu o Decreto-Lei 2.414/88, é contribuição social de intervenção no domínio econômico, tendo sido recepcionado pela nova ordem constitucional, com a qual não é incompatível. II – Não-extinção pela atual Constituição Federal dos fundos mantidos por contribuições sociais. III – Os fundos mantidos por contribuições sociais, entre os quais o Fundo Nacional da Marinha Mercante, não restaram extintos em face da entrada em vigor do art. 36 do ADCT/88. IV – Ato internacional de natureza contratual. V – A isenção prevista no art. 5.°, IV, c, do Decreto-Lei 2.404/87 exige ato internacional de natureza contratual, não bastando acordos internacionais normativos e genéricos (*navegação internacional*). VI – Não há como reconhecer a aplicação da alíquota de 10% (dez por cento) utilizada em navegação de cabotagem para transporte aquático internacional" (TRF4, AMS 91.04.41739/RS, rel. Juiz Vilson Darós, DJ 2, 16.11.1995, p. 78.839).

Art. 37. A adaptação ao que estabelece o art. 167, III, deverá processar-se no prazo de cinco anos, reduzindo-se o excesso à base de, pelo menos, um quinto por ano.

Doutrina

Prazo para cumprimento do limite de contratação de operações de crédito. A norma inscrita no artigo 167, III, do corpo permanente da Constituição Federal veda a contratação de operações de crédito que ultrapassem da soma das despesas de capital, exceto quando autorizadas por meio de créditos suplementares ou especiais. Dispõe o artigo 37 do ADCT da Constituição Federal de 1988 que a adequação ao limite mencionado ocorra dentro do prazo máximo de cinco anos, contados da promulgação da Carta Magna.

Art. 38. Até a promulgação da lei complementar referida no art. 169, a União, os Estados, o Distrito Federal e os Municípios não poderão despender com pessoal mais do que sessenta e cinco por cento do valor das respectivas receitas correntes.

§ 1.º A União, os Estados, o Distrito Federal e os Municípios, quando a respectiva despesa de pessoal exceder o limite previsto neste artigo, deverão retornar àquele limite, reduzindo o percentual excedente à razão de um quinto por ano.

§ 2.º As despesas com pessoal resultantes do cumprimento do disposto nos §§ 12, 13, 14 e 15 do art. 198 da Constituição Federal serão contabilizadas, para fins dos limites de que trata o art. 169 da Constituição Federal, da seguinte forma:

I – até o fim do exercício financeiro subsequente ao da publicação deste dispositivo, não serão contabilizadas para esses limites;

II – no segundo exercício financeiro subsequente ao da publicação deste dispositivo, serão deduzidas em 90% (noventa por cento) do seu valor;

III – entre o terceiro e o décimo segundo exercício financeiro subsequente ao da publicação deste dispositivo, a dedução de que trata o inciso II deste parágrafo será reduzida anualmente na proporção de 10% (dez por cento) de seu valor.

Doutrina

Limite de gasto com pessoal. O artigo em comento tratou de estabelecer limite de despesa com pessoal, denotando, este vocábulo, que se refere a qualquer gasto na rubrica de servidores. A norma restou superada, primeiramente, em face da Lei Complementar n.º 82, de 1995, e, após, com o advento da Lei Complementar n.º 101, de 4 de maio de 2000 (Lei de Responsabilidade Fiscal).

Jurisprudência

> "Servidores públicos contratados pelo regime da Consolidação das Leis do Trabalho Direito aos reajustes concedidos pela legislação federal aos trabalhadores em geral. – O Plenário desta Corte já firmou o entendimento de que, se o Estado-membro admite servidores sob o regime da legislação trabalhista, fica ele sujeito à legislação federal sobre os reajustes salariais (RE 164.715, Pleno, 13.06.96). – Por outro lado, tem razão o aresto ara atacado, ao salientar que a limitação constitucional com relação aos gastos com o pessoal (o '*caput*' do artigo 169 da Constituição e 38 de seu ADCT) visa a que o Poder Público tome providências no sentido de não ultrapassar essa limitação como não aumentar o número de servidores e extinguir cargos públicos vagos. Não impede, porém, ela a percepção pelos servidores dos direitos que lhes são assegurados pela lei. Recurso extraordinário não conhecido" (STF – 1.ª Turma, RE 201.866/PR, rel. Min. Moreira Alves, j. 03.11.1998).
>
> "A norma inserta no artigo 38 do Ato das Disposições Constitucionais Transitórias, em que se prevê um certo limite percentual da receita a ser consumido com despesas de pessoal, não serve ao afastamento de preceito mediante o qual Estado-membro disciplina a revisão dos vencimentos dos respectivos servidores" (STF – 2.ª Turma, RE 193.285/RJ, rel. Min. Marco Aurélio, j. 16.12.1997).

Art. 39. Para efeito do cumprimento das disposições constitucionais que impliquem variações de despesas e receitas da União, após a promulgação da Constituição, o Poder Executivo deverá elaborar e o Poder Legislativo apreciar projeto de revisão da lei orçamentária referente ao exercício financeiro de 1989.

Parágrafo único. O Congresso Nacional deverá votar no prazo de doze meses a lei complementar prevista no art. 161, II.

Doutrina

Revisão da lei orçamentária de 1989. Promulgada a Constituição Federal em 05.10.1988, já com o orçamento de 1989 elaborado, o constituinte entendeu por bem de admitir revisão com a finalidade de adequá-lo para viabilizar o cumprimento de disposições constitucionais constantes da nova Carta Política.

Jurisprudência

"(...). 2. A Carta Federal delegou à Lei Complementar o estabelecimento de normas sobre a entrega dos recursos referidos no art. 159 e sobre os critérios de rateio dos fundos previstos no seu inciso I. Competência do TCU para efetuar cálculo das quotas referentes a esses fundos. 3. Não se pode pretender que o Poder Judiciário exerça a competência atribuída pela Constituição em substituição à Corte de Contas. 4. Mandado de segurança denegado" (STF – Pleno, MS 24.014/DF, rel. Min. Néri da Silveira, j. 08.10.2002).

"(...). Descumprimento do mandamento constitucional constante do art. 161, II, da Constituição, segundo o qual lei complementar deve estabelecer os critérios de rateio do Fundo de Participação dos Estados, com a finalidade de promover o equilíbrio socioeconômico entre entes federados. Ações julgadas procedentes para declarar a inconstitucionalidade, sem a pronúncia da nulidade, do art. 2.º, incisos I e II, §§ 1.º, 2.º, e 3.º, e do Anexo Único, da Lei Complementar n.º 62/1989, assegurada a sua aplicação até 31 de dezembro de 2012" (STF – Pleno, ADI 875/DF, rel. Min. Gilmar Mendes, j. 24.02.2010).

Art. 40. É mantida a Zona Franca de Manaus, com suas características de área livre de comércio, de exportação e importação, e de incentivos fiscais, pelo prazo de vinte e cinco anos, a partir da promulgação da Constituição.

Parágrafo único. Somente por lei federal podem ser modificados os critérios que disciplinaram ou venham a disciplinar a aprovação dos projetos na Zona Franca de Manaus.

Doutrina

Zona franca. Compreende área delimitada no território de um país onde autorizada a prática de livre comércio, por meio de importação ou exportação de mercadorias, com isenção de tributos, mediante limites ou condições estabelecidos em lei.

Zona Franca de Manaus. Dispõe a norma contida no artigo 40 que é mantida a Zona Franca de Manaus, com suas características de área livre de comércio, de exportação e importação, e de incentivos fiscais, pelo prazo de vinte e cinco anos, a partir da promulgação da Constituição. Portanto, o dispositivo exauriu-se em 05.10.2013. No referido período, somente por meio de lei federal poderiam ter sido modificados os critérios que disciplinaram a aprovação de projetos na mencionada área de livre comércio.

Jurisprudência

"Zona Franca de Manaus – Preservação constitucional. Configuram-se a relevância e o risco de manter-se com plena eficácia o diploma atacado se este, por via direta ou indireta, implica a mitigação da norma inserta no artigo 40 do Ato das Disposições Constitucionais Transitórias da Carta de 1988: Art. 40. É mantida a Zona Franca de Manaus, com suas características de área livre de comércio, de exportação e importação, e de incentivos fiscais, pelo prazo de vinte e cinco anos, a partir da promulgação da Constituição. Parágrafo único. Somente por lei federal podem ser modificados os critérios que disciplinaram ou venham a disciplinar a aprovação dos projetos na Zona Franca de Manaus. Suspensão de dispositivos da Medida Provisória n.º 2.037-24, de novembro de 2000" (STF – Pleno, ADIN 2348/DF MC, rel. Min. Marco Aurélio, j. 19.05.2004).

"Processual Civil. Mandado de segurança. Zona Franca de Manaus. Área de livre comércio. Lei 2.410/55 e Decreto-Lei 288/67. Art. 40 do ADCT. I – Não mais subsistem as restrições comerciais impostas pela Lei 2.410/55, em relação à Zona Franca de Manaus, por força do Decreto-Lei 288/67, c/c o art. 40 do ADCT da CF/88. II – Remessa desprovida" (TRF1 – 3.ª Turma, REO 91.01.049135/AM, rel. Juiz Adhemar Maciel, DJ 2, 09.04.1992, p. 8.705).

Art. 41. Os Poderes Executivos da União, dos Estados, do Distrito Federal e dos Municípios reavaliarão todos os incentivos fiscais de natureza setorial ora em vigor, propondo aos Poderes Legislativos respectivos as medidas cabíveis.

§ 1.º Considerar-se-ão revogados após dois anos, a partir da data da promulgação da Constituição, os incentivos que não forem confirmados por lei.

§ 2.º A revogação não prejudicará os direitos que já tiverem sido adquiridos, àquela data, em relação a incentivos concedidos sob condição e com prazo certo.

§ 3.º Os incentivos concedidos por convênio entre Estados, celebrados nos termos do art. 23, § 6.º, da Consti-

tuição de 1967, com a redação da Emenda Constitucional n.º 1, de 17 de outubro de 1969, também deverão ser reavaliados e reconfirmados nos prazos deste artigo.

Doutrina

Reavaliação dos incentivos fiscais de natureza setorial. Determinou o artigo 41, *caput*, que União, Estados, Distrito Federal e Municípios, por meio dos respectivos Poderes Executivos, reavaliassem os incentivos fiscais de natureza setorial vigentes na data da promulgação da Constituição Federal de 1988, propondo aos Poderes Legislativos respectivos as medidas cabíveis, ou seja, proposta, por meio de projeto de lei, de confirmação ou revogação de tais incentivos.

Revogação dos incentivos fiscais então vigentes. Dispôs o § 1.º que serão tidos como revogados, após dois anos, contados da promulgação da Carta Política, os incentivos fiscais não confirmados por meio de lei.

Proteção dos direitos adquiridos. Dispôs o § 2.º que a revogação de que trata o § 1.º não prejudicará direitos adquiridos, àquela data, em relação a incentivos fiscais concedidos sob condição e com prazo certo.

Reavaliação dos incentivos concedidos por meio de convênios entre Estados. Dispôs o § 3.º que os incentivos fiscais concedidos por convênio firmado entre Estados, com base na norma contida no artigo 23, § 6.º, da Constituição de 1967, com a redação dada pela Emenda Constitucional n.º 1, de 17 de outubro de 1969, ou seja, referentes ao então imposto sobre operações relativas à circulação de mercadorias, também deveriam ser reavaliados e confirmados ou não dentro do prazo de dois anos da promulgação da Carta de 1988.

Jurisprudência

"I – O crédito-prêmio de IPI constitui um incentivo fiscal de natureza setorial de que trata o art. 41, *caput*, do Ato das Disposições Constitucionais Transitórias da Constituição. II – Como o crédito-prêmio de IPI não foi confirmado por lei superveniente no prazo de dois anos, após a publicação da Constituição Federal de 1988, segundo dispõe o § 1.º do art. 41 do ADCT, deixou ele de existir. III – O incentivo fiscal instituído pelo art. 1.º do Decreto-Lei 491, de 5 de março de 1969, deixou de vigorar em 5 de outubro de 1990, por força do disposto no § 1.º 41 do Ato de Disposições Constitucionais Transitórias da Constituição Federal de 1988, tendo em vista sua natureza setorial. IV – Recurso conhecido e desprovido" (STF – Pleno, RE 577.348/RS, rel. Min. Ricardo Lewandowski, j. 13.08.2009).

"ICMS. Befiex. Isenção, a prazo certo e em função de determinadas condições, concedidas pela União anteriormente à atual Constituição. Direito adquirido. Incidência do § 2.º do artigo 41 do ADCT. – É certo que a atual Constituição, no artigo 151, III, vedou à União instituir isenções de tributos da competência dos Estados, do Distrito Federal ou dos Municípios. No artigo 41 do ADCT, porém, estabeleceu, em seu '*caput*', que os Poderes Executivos da União, dos Estados, do Distrito Federal e dos Municípios reavaliariam todos os incentivos fiscais de natureza setorial em vigor, propondo aos Poderes Legislativos respectivos as medidas cabíveis, e, complementando essa disposição, declarou que se considerariam revogados após dois anos, a partir da data da promulgação da Constituição, os incentivos que não fossem confirmados por lei (§ 1.º), estabelecendo, entretanto, no § 2.º, que essa revogação não prejudicaria os direitos que já tiverem sido adquiridos, àquela data, em relação a incentivos concedidos sob condição e com prazo certo. – Por outro lado, se havia legislação federal e a matéria passou pela nova Constituição ao âmbito de competência estadual ou municipal, a legislação federal é recebida como estadual ou municipal. Recurso extraordinário conhecido e provido" (STF – 1.ª Turma, RE 218.160/SP, rel. Min. Moreira Alves, j. 02.12.1997).

Art. 42. Durante 40 (quarenta) anos, a União aplicará dos recursos destinados à irrigação:

I – 20% (vinte por cento) na Região Centro-Oeste;

II – 50% (cinquenta por cento) na Região Nordeste, preferencialmente no Semiárido.

Parágrafo único. Dos percentuais previstos nos incisos I e II do *caput*, no mínimo 50% (cinquenta por cento) serão destinados a projetos de irrigação que beneficiem agricultores familiares que atendam aos requisitos previstos em legislação específica.

Doutrina

Aplicação de recursos em programas regionais de irrigação. É sobre isso que dispõe a norma constitucional, assegurando que a União aplicará, dos recursos destinados à irrigação, durante quarenta anos, contados da promulgação da Constituição, os percentuais de vinte por cento na Região Centro-Oeste e cinquenta por cento na Região Nordeste, com preferência para o semiárido. Outrossim, dos percentuais mencionados, cinquenta por cento será destinado à irrigação que atenda à agricultura familiar.

Art. 43. Na data da promulgação da lei que disciplinar a pesquisa e a lavra de recursos e jazidas minerais, ou no prazo de um ano, a contar da promulgação da Constituição, tornar-se-ão sem efeito as autorizações, concessões e demais títulos atributivos de direitos minerários, caso os trabalhos de pesquisa ou de lavra não hajam sido comprovadamente iniciados nos prazos legais ou estejam inativos.

Doutrina

Revogação de outorgas concedidas para a exploração de recursos minerais. Dispõe o artigo em comento que, na data da promulgação da lei que disciplinar a pesquisa e a lavra de recursos e jazidas minerais, no caso, a Lei n.º 7.886, de 20 de novembro de 1989, ou no prazo de um ano, a contar da promulgação da Constituição, perderão efeito as autorizações, concessões e demais títulos atributivos de direitos minerários, no caso de os trabalhos de pesquisa ou de lavra não hajam sido comprovadamente iniciados nos prazos legais ou estejam inativos. Quer dizer, restam revogadas todas as outorgas em face da inércia de seus titulares.

Jurisprudência

> "1. Não se afigura eivado de ilegalidade o ato do Diretor-Geral do Departamento Nacional de Produção Mineral (DNPM) que, com fundamento nos arts. 5.º e 6.º da Lei n. 7.886/89, cancelou o manifesto de mina da impetrante, eis que encontra amparo no art. 43 do ADCT/88, o qual, expressamente autoriza a tornar sem efeito as autorizações, concessões e demais títulos atributivos de direitos minerários, caso os trabalhos de pesquisa ou de lavra não tenham sido comprovadamente iniciados nos prazos legais ou estejam inativos. 2. Comprovado, nos autos, que a impetrante nunca explorou atividade minerária na área objeto do manifesto de que era portadora, confirma-se a sentença que denegou a segurança. 3. Apelação desprovida" (TRF1, AMS 00049411819974013400, rel. Des. Fed. Daniel Paes Ribeiro, DJ 1, 08.10.2004, p. 31).
>
> "(...). Por meio de ato publicado em 20.09.1991, foi concedida anuência e autorizada a averbação de escritura pública de cessão e transferência de titularidade dos direitos à concessão de lavra, sendo cedente a Carbomil S.A. Mineração e Indústria e cessionária a Carbomil Química S.A., ambas integrantes do mesmo grupo econômico. Outro registro importante de ser feito

é que, desde – ao menos – fevereiro de 1991, o DNPM registrava a ausência de exploração suficiente da lavra: 1. Em 06.02.1991, o DNPM anotou a falta de apresentação pela titular da concessão de lavra do 'relatório de lavra', tendo ficado comprovado através das informações contidas nos Relatórios Anuais de Lavra de produção simbólica dos trabalhos de lavra, portanto o processo foi incluído na lista dos processos tornados sem efeito pelo art. 43 do ADCT da CF" (TRF5 – 1.ª Turma, AC 568.404/CE, rel. Des. Fed. Francisco Cavalcanti, DJE, 18.06.2014, p. 226).

Art. 44. As atuais empresas brasileiras titulares de autorização de pesquisa, concessão de lavra de recursos minerais e de aproveitamento dos potenciais de energia hidráulica em vigor terão quatro anos, a partir da promulgação da Constituição, para cumprir os requisitos do art. 176, § 1.º

§ 1.º Ressalvadas as disposições de interesse nacional previstas no texto constitucional, as empresas brasileiras ficarão dispensadas do cumprimento do disposto no art. 176, § 1.º, desde que, no prazo de até quatro anos da data da promulgação da Constituição, tenham o produto de sua lavra e beneficiamento destinado a industrialização no território nacional, em seus próprios estabelecimentos ou em empresa industrial controladora ou controlada.

§ 2.º Ficarão também dispensadas do cumprimento do disposto no art. 176, § 1.º, as empresas brasileiras titulares de concessão de energia hidráulica para uso em seu processo de industrialização.

§ 3.º As empresas brasileiras referidas no § 1.º somente poderão ter autorizações de pesquisa e concessões de lavra ou potenciais de energia hidráulica, desde que a

energia e o produto da lavra sejam utilizados nos respectivos processos industriais.

Doutrina

Mudança de regime jurídico. Com o advento da Emenda Constitucional n.º 6, de 15 de agosto de 1995, que deu nova redação ao § 1.º do artigo 176, do corpo permanente da Constituição, penso que o regime jurídico estabelecido pelo constituinte originário foi modificado em larga extensão, restando exaurido o disposto neste artigo 44 do ADCT de 1988.

Jurisprudência

> "1 – A pesquisa e a lavra de recursos minerais e o aproveitamento dos potenciais mencionados no artigo 176, da Constituição Federal, somente poderão ser efetuados mediante autorização ou concessão da União, no interesse nacional, por brasileiros ou empresa brasileira de capital nacional (C.F., arts. 171, II, e 176, parágrafo 1.º). 2 – O art. 44, do Ato das Disposições Constitucionais Transitórias, da Constituição Federal de 1988, só beneficia a empresa brasileira, que não tem capital nacional (C.F., art. 171, I), se, à data da promulgação da aludida Carta Magna, era titular de autorização de pesquisa em vigor. 3 – Apela provido. 4 – Remessa oficial prejudicada. 5 – Sentença reformada" (TRF1, AMS 00124592119904010000, rel. Juiz Plauto Ribeiro, DJ, 10.06.1996, p. 38.826).

Art. 45. Ficam excluídas do monopólio estabelecido pelo art. 177, II, da Constituição as refinarias em funcionamento no País amparadas pelo art. 43 e nas condições do art. 45 da Lei n.º 2.004, de 3 de outubro de 1953.

Parágrafo único. Ficam ressalvados da vedação do art. 177, § 1.º, os contratos de risco feitos com a Petróleo Bra-

sileiro S.A. (Petrobrás), para pesquisa de petróleo, que estejam em vigor na data da promulgação da Constituição.

Doutrina

Exclusão do monopólio estatal do petróleo. Veicula o artigo 45 hipótese de exclusão do monopólio da União sobre a refinação do petróleo nacional ou estrangeiro para assegurar o direito das refinarias privadas então existentes a continuarem a funcionar no país, com base no artigo 43 e nas condições do art. 45, ambos da Lei n.º 2.004, de 3 de outubro de 1953, que dispôs sobre a política nacional do petróleo e autorizou a criação da Petróleo Brasileiro S.A. - PETROBRÁS. Ressalva, ainda, o parágrafo único do mesmo artigo, da vedação do artigo 177, § 1.º, do corpo permanente, os contratos de risco celebrados com a PETROBRÁS, para a pesquisa e a lavra de petróleo, gás natural e outros hidrocarbonetos fluídos, desde que se encontrassem vigentes na data da promulgação da Constituição.

Art. 46. São sujeitos à correção monetária desde o vencimento, até seu efetivo pagamento, sem interrupção ou suspensão, os créditos junto a entidades submetidas aos regimes de intervenção ou liquidação extrajudicial, mesmo quando esses regimes sejam convertidos em falência.

Parágrafo único. O disposto neste artigo aplica-se também:

I – às operações realizadas posteriormente à decretação dos regimes referidos no *caput* deste artigo;

II – às operações de empréstimo, financiamento, refinanciamento, assistência financeira de liquidez, cessão ou sub-rogação de créditos ou cédulas hipotecárias, efetivação de garantia de depósitos do público ou de compra de obrigações passivas, inclusive as realizadas com recursos de fundos que tenham essas destinações;

III – aos créditos anteriores à promulgação da Constituição;

IV – aos créditos das entidades da administração pública anteriores à promulgação da Constituição, não liquidados até 1.º de janeiro de 1988.

Doutrina

Incidência de correção monetária sobre débitos de instituições financeiras. O artigo 46, *caput*, ora em comento, dispõe que estão sujeitos à incidência de correção monetária, desde a data do vencimento, até a de seu efetivo pagamento, sem interrupção ou suspensão, os créditos junto a entidades submetidas aos regimes de intervenção ou liquidação extrajudicial – instituições financeiras e entidades equiparadas – mesmo quando esses regimes sejam convertidos em falência. O parágrafo único impõe a incidência de correção monetária às demais operações que menciona e determina seja o cálculo retroativo.

Jurisprudência

> "1. A recorrente, instituição financeira que sofreu liquidação extrajudicial nos termos da Lei 6.024/74, assinou, com a recorrida, na qualidade de sucessora do BNH, confissão de dívida, concernente a valores recebidos do extinto Banco Nacional de Habitação (BNH) para operação de financiamento imobiliário. Estabeleceram-se, na ocasião da assinatura do termo, índices de correção monetária para os montantes devidos, reservando-se o direito de discussão judicial dos mesmos. 2. Segundo o art. 46 do ADCT 'são sujeitos à correção monetária desde o vencimento, até seu efetivo pagamento, sem interrupção ou suspensão, os créditos junto a entidades submetidas aos regimes de intervenção ou liquidação extrajudicial, mesmo quando esses regimes sejam convertidos em falência.' 3. Os índices de correção monetária cobrados pela recorrida são aqueles

pelos quais os mutuários de financiamento imobiliário respondem. Assim, o pagamento destes índices de correção pela recorrente, que colocou os valores recebidos do BNH no mercado justamente para o financiamento de imóveis, assegura a necessária igualdade entre a correção monetária do ativo e do passivo, evitando o desequilíbrio do sistema financeiro da habitação e o enriquecimento sem causa da devedora. 4. 'No pagamento antecipado de débito oriundo de contrato de mútuo com garantia hipotecária, de que conste correção monetária anual, o saldo devedor será atualizado de acordo com a variação da UPC.' Súmula n, 265, do TFR. 5. 'Está pacificado pela Corte Especial do Superior Tribunal de Justiça, em definitivo, por maioria absoluta, o entendimento de que o índice aplicável ao reajuste do saldo devedor dos contratos de financiamento habitacional, relativamente ao mês de março de 1990, é de 84,32%, consoante a variação do IPC (EREsp n. 218.426/ES, Corte Especial, DJU de 19.04.2004).' (AgRg nos EREsp 684.466/DF, Rel. Ministro Fernando Gonçalves, Corte Especial, julgado em 15/08/2007, DJ 03/09/2007, p. 111). 6. Agravo regimental a que se nega provimento (STJ – 4.ª Turma, REsp 591.448 AgRg, rel. Min. Maria Isabel Gallotti, DJE, 08.11.2013).

Art. 47. Na liquidação dos débitos, inclusive suas renegociações e composições posteriores, ainda que ajuizados, decorrentes de quaisquer empréstimos concedidos por bancos e por instituições financeiras, não existirá correção monetária desde que o empréstimo tenha sido concedido:

I – aos micro e pequenos empresários ou seus estabelecimentos no período de 28 de fevereiro de 1986 a 28 de fevereiro de 1987;

II – ao mini, pequenos e médios produtores rurais no período de 28 de fevereiro de 1986 a 31 de dezembro de 1987, desde que relativos a crédito rural.

§ 1.º Consideram-se, para efeito deste artigo, microempresas as pessoas jurídicas e as firmas individuais com receitas anuais de até dez mil Obrigações do Tesouro Nacional, e pequenas empresas as pessoas jurídicas e as firmas individuais com receita anual de até vinte e cinco mil Obrigações do Tesouro Nacional.

§ 2.º A classificação de mini, pequeno e médio produtor rural será feita obedecendo-se às normas de crédito rural vigentes à época do contrato.

§ 3.º A isenção da correção monetária a que se refere este artigo só será concedida nos seguintes casos:

I – se a liquidação do débito inicial, acrescido de juros legais e taxas judiciais, vier a ser efetivada no prazo de noventa dias, a contar da data da promulgação da Constituição;

II – se a aplicação dos recursos não contrariar a finalidade do financiamento, cabendo o ônus da prova à instituição credora;

III – se não for demonstrado pela instituição credora que o mutuário dispõe de meios para o pagamento de seu débito, excluído desta demonstração seu estabelecimento, a casa de moradia e os instrumentos de trabalho e produção;

IV – se o financiamento inicial não ultrapassar o limite de cinco mil Obrigações do Tesouro Nacional;

V – se o beneficiário não for proprietário de mais de cinco módulos rurais.

§ 4.º Os benefícios de que trata este artigo não se estendem aos débitos já quitados e aos devedores que sejam constituintes.

§ 5.º No caso de operações com prazos de vencimento posteriores à data-limite de liquidação da dívida, havendo interesse do mutuário, os bancos e as instituições financeiras promoverão, por instrumento próprio, alteração nas condições contratuais originais de forma a ajustá-las ao presente benefício.

§ 6.º A concessão do presente benefício por bancos comerciais privados em nenhuma hipótese acarretará ônus para o Poder Público, ainda que através de refinanciamento e repasse de recursos pelo banco central.

§ 7.º No caso de repasse a agentes financeiros oficiais ou cooperativas de crédito, o ônus recairá sobre a fonte de recursos originária.

Doutrina

Não incidência de correção monetária sobre empréstimos. O artigo 47, *caput*, ora em exame, dispõe que, na liquidação de débitos, inclusive nos casos de renegociação ou composição futura, decorrentes de empréstimos concedidos por bancos ou outras instituições financeiras, não incidirá correção monetária quando os tomadores deles forem micro e pequenos empresários, mini, pequenos e médios produtores rurais, nos interstícios mencionados. Os demais dispositivos constantes do artigo ocupam-se de descrever, detalhadamente, os requisitos e condições para a concessão do benefício, dispensando qualquer regulamentação no plano infraconstitucional e encontrando-se completamente exauridos em seus objetos.

Jurisprudência

"Recurso extraordinário. Alienação fiduciária. Art. 47 do ADCT – CF/88. Correção monetária. Incidência não avençada. Anistia referente aos juros pactuados. Carência de ação. 1 – A norma constitucional não faz qualquer referência à isenção dos juros nem previu que, nos empréstimos concedidos sem estipulação de correção monetária, somente eram devidos os juros legais disciplinados pelo Código Civil. 2 – Ainda que o depósito tenha se efetivado no prazo de noventa dias após a promulgação da Constituição de 1988, e que a empresa preencha os demais requisitos estatuídos na norma constitucional para o caso nela disciplinado, a recorrente é carecedora do direito à isenção postulada, visto que é incontroverso nos autos que o contrato firmado não previa a incidência de correção monetária. 3 – A anistia da correção monetária prevista na norma constitucional transitória tem como destinatário o mini e pequeno empresário, se demonstrada esta condição e preenchidos os pressupostos nela estatuídos. Recurso extraordinário não conhecido" (STF – 2.ª Turma, RE 141.278-0/MG, rel. Min. Maurício Corrêa, DJ 1, 19.04.96, p. 12.221).

Art. 48. O Congresso Nacional, dentro de cento e vinte dias da promulgação da Constituição, elaborará código de defesa do consumidor.

Doutrina

Fundamento constitucional para a defesa do Consumidor. O fundamento constitucional para a elaboração do referido código está inscrito no artigo 5.º, inciso XXXII, do corpo permanente da Constituição Federal que determina ao Estado a promoção, na forma da lei, da defesa do consumidor.

Legislação de Regência da matéria. O Código de Proteção e Defesa do Consumidor foi instituído por meio da Lei n.º 8.078, de 11 de setembro de 1990, e dispõe sobre a proteção do consumidor. O Decreto n.º 2.181, de 20 de março de 1997, trata do Sistema Nacional de Defesa do Consumidor. Por sua vez, a Lei n.º 12.529, de 30 de novembro de 2011, dispõe sobre a prevenção e repressão às infrações contra a ordem econômica.

Jurisprudência

"(...). 5. Deflui clara a mensagem a partir dos artigos 6.º, inciso III, e 31, da Lei 8.078/90 (esta com fundamento de validade no Texto Constitucional vigente, artigos 5.º, inciso XXXII, e 48, ADCT), no sentido da necessidade de reunir toda oferta e apresentação de produto informações corretas, claras, precisas e ostensivas sobre suas características, dentre as quais se destacando em relevância, por ora debatido, o preço. 6. Ao normatizar o Poder Público (como no particular se deu genuinamente com a decisão do DPDC) o 'modus operandi', hábil a tornar induvidosa a todos a identificação das mercadorias, em estabelecimento como o da recorrente, está, por patente, a um só tempo, dando cumprimento estrito aos dispositivos antes enfocados, do Código do Consumidor, que têm seu engate lógico, seu supedâneo maior, na Constituição Federal atual, bem como atuando em obediência, inarredável, ao seu papel de agente disciplinador de valor máximo, inerente à Ordem Econômica, qual seja, o de defesa do consumidor, art. 170, inciso V, C.F. 7. No embate por busca de equilíbrio de relações entre o capital e os consumidores, notório inadmita-se tenham estes que sucumbir por força de diretrizes econômicas exclusivamente aneladas aos interesses daquele" (TRF3 – 6.ª Turma, AC 687.967/SP, rel. Juiz Federal Convocado Silva Neto, e-DJF3, Judicial 1, 22.03.2010, p. 579).

"(...). 8. Consagrado o direito constitucional de proteção ao consumidor (arts. 170, V, Lei Maior, e 48, ADCT), cujo estatuto – C.D.C. – estabelece ao consumidor o direito de objetiva e segura informação sobre as características do bem a adquirir, enquanto ao fornecedor o dever de colocar no mercado bens em conformidade com as normas incidentes para a espécie, respectivamente nos termos do inciso III de seu art. 6.º e do inciso VIII de seu art. 39, este a *contrario sensu*, claramente assim a tanto desobedece o polo ora apelante, ao descumprir com a normação de estilo. 9. Superior o direito constitucional de defesa do consumidor (inciso V do art. 170, CF), nenhuma ilegitimidade se extrair da conduta administrativa, em seu lavor de mérito, nesta controvérsia. 10. Improvimento da apelação" (TRF3, AMS 183.927/SP, rel. Des. Federal Salette Nascimento, unânime, e-DJF3, Judicial 1, 13.04.2010, p. 514).

Art. 49. A lei disporá sobre o instituto da enfiteuse em imóveis urbanos, sendo facultada aos foreiros, no caso de sua extinção, a remição dos aforamentos mediante aquisição do domínio direto, na conformidade do que dispuserem os respectivos contratos.

§ 1.° Quando não existir cláusula contratual, serão adotados os critérios e bases hoje vigentes na legislação especial dos imóveis da União.

§ 2.° Os direitos dos atuais ocupantes inscritos ficam assegurados pela aplicação de outra modalidade de contrato.

§ 3.° A enfiteuse continuará sendo aplicada aos terrenos de marinha e seus acrescidos, situados na faixa de segurança, a partir da orla marítima.

§ 4.° Remido o foro, o antigo titular do domínio direto deverá, no prazo de noventa dias, sob pena de responsabilidade, confiar à guarda do registro de imóveis competente toda a documentação a ele relativa.

Doutrina

Enfiteuse. Trata-se de contrato perpétuo de arrendamento de terras não cultiváveis ou de terrenos destinados à construção, mediante pagamento de pensão ou foro anual. O senhorio é o proprietário e o enfiteuta detém o domínio útil. A enfiteuse constitui direito real de fruição de coisa alheia imóvel e uma vez extinta, por qualquer meio, consolida-se a propriedade em mãos do proprietário. O atual Código Civil (Lei n.º 10.406, de 10 de janeiro de 2002) proíbe, no seu artigo 2.038, a constituição de enfiteuse e subenfiteuses, subordinando as existentes, até sua extinção, às disposições do Código Civil anterior.

Jurisprudência

"(...). 5. Quanto ao mérito. Para a definição dos terrenos de marinha, prescreve o Decreto-Lei n. 9.760/1946, que dispõe quanto aos bens imóveis da União e dá outras providências. Como se lê, nos termos do art. 2.º, do Decreto-Lei n. 9.760/1946, acima transcrito, são terrenos de marinha, em uma profundidade de 33 (trinta e três) metros, medidos horizontalmente, para a parte da terra, da posição da linha do preamar-médio de 1831, os situados: a) no continente; b) na costa marítima; e c) nas margens dos rios e lagoas, até onde se faça sentir a influência das marés. 6. Quanto aos terrenos de marinha, prescreveu, o art. 49 do ADCT da CF/1988, que seriam mantidas as enfiteuses neles constituídas. Destaco que o simples fato da definição de 'terreno de marinha' constar apenas da legislação especial dos imóveis da União, que é o Decreto-Lei n. 9.760/1946, promulgado pelo então presidente Eurico Gaspar Dutra, por si só não lhe acarreta qualquer inconstitucionalidade ou ilegalidade, pois a norma foi editada com base no art. 180 da Constituição da República de 1937, que autorizava o uso desse meio legislativo para a disciplina das matérias de competência legislativa da União. Há que se considerar, ainda, que a norma vem sendo sucessivamente atualizada ao longo dos últimos sessenta anos, tanto por meio de decretos, de medidas provisórias e de leis em sentido estrito, nela sendo disciplinados temas importantíssimos aos interesses nacionais, pelo que não se poderia presumir sua não-recepção" (TRF3, AC 1.741.445/SP, rel. Des. Federal Hélio Nogueira, e-DJF3, DJ 1, 28.08.2017).

Art. 50. Lei agrícola a ser promulgada no prazo de um ano disporá, nos termos da Constituição, sobre os objetivos e instrumentos de política agrícola, prioridades, planejamento de safras, comercialização, abastecimento interno, mercado externo e instituição de crédito fundiário.

Doutrina

Política agrícola. O artigo 187, do corpo permanente da Constituição, dispõe que a política agrícola será planejada e executada na forma da lei, tratando, ainda, de estabelecer outros requisitos para orientar a elaboração desse diploma legal. Por sua vez, a norma em comento, do ADCT de 1988, tratou de fixar prazo de um ano, contado da promulgação da Carta, para que o Congresso Nacional votasse referida lei. Contudo, exaurido o prazo, desde sempre, a lei não foi votada ainda.

Jurisprudência

> "(...). 6. O cadastro efetivado pelo SNCR-Incra possui caráter declaratório e tem por finalidade: i) o levantamento de dados necessários à aplicação dos critérios de lançamentos fiscais atribuídos ao Incra e à concessão das isenções a eles relativas, previstas na Constituição e na legislação específica; e ii) o levantamento sistemático dos imóveis rurais, para conhecimento das condições vigentes na estrutura fundiária das várias regiões do País, visando à provisão de elementos que informem a orientação da política agrícola a ser promovida pelos órgãos competentes" (STF – Plenário, MS 26.129/DF, rel. Min. Eros Grau, j. 14.06.2017).

Art. 51. Serão revistos pelo Congresso Nacional, através de Comissão mista, nos três anos a contar da data da promulgação da Constituição, todas as doações, vendas e concessões de terras públicas com área superior a três

mil hectares, realizadas no período de 1.º de janeiro de 1962 a 31 de dezembro de 1987.

§ 1.º No tocante às vendas, a revisão será feita com base exclusivamente no critério de legalidade da operação.

§ 2.º No caso de concessões e doações, a revisão obedecerá aos critérios de legalidade e de conveniência do interesse público.

§ 3.º Nas hipóteses previstas nos parágrafos anteriores, comprovada a ilegalidade, ou havendo interesse público, as terras reverterão ao patrimônio da União, dos Estados, do Distrito Federal ou dos Municípios.

Doutrina

Ratificação de alienações e concessões de terras devolutas. O artigo 51 dispôs que seriam revistos pelo Congresso Nacional, por meio de Comissão mista, dentro do prazo de três anos, contados da data da promulgação da Constituição Federal, todos os atos de doações, vendas e concessões de terras públicas, com área superior a três mil hectares, no período de 1.º de janeiro de 1962 a 31 de dezembro de 1987. No direito constitucional anterior, a competência era do Senado Federal, tendo o legislador constituinte de 1988 feito outorga da mesma ao Congresso Nacional. Os parágrafos 1.º e 2.º trataram de estabelecer critérios de revisão tanto para as vendas quanto para as concessões, dispondo o § 3.º que, em caso de comprovada ilegalidade, ou no caso de interesse público, as terras retomadas serão revertidas ao patrimônio da União, dos Estados, do Distrito Federal ou dos Municípios.

Jurisprudência

"(...). Consignou a 1.ª Turma que desde a Constituição Federal de 1934 existe limitação territorial à alienação de terras públicas sem autorização do Senado (atualmente, a CF/88 exige autorização do Congresso Nacional – art. 49). Da mesma forma, o art. 1.º da Lei n.º 6.739/79 também prevê que, a requerimento de pessoa jurídica de direito público ao Corregedor-Geral da Justiça, sejam declarados inexistentes e cancelados a matrícula e o registro de imóvel rural vinculado a título nulo de pleno direito, ou feitos em desacordo com o art. 221 e seguintes da Lei n.º 6.015/73. A questão, portanto, é de inconstitucionalidade, não de simples ilegalidade" (STF, MS 30.222/DF, rel. Min. Rosa Weber, decisão monocrática, j. 29.08.2016, DJE-184, 31.08.2016).

Art. 52. Até que sejam fixadas as condições do art. 192, são vedados:

I – a instalação, no País, de novas agências de instituições financeiras domiciliadas no exterior;

II – o aumento do percentual de participação, no capital de instituições financeiras com sede no País, de pessoas físicas ou jurídicas residentes ou domiciliadas no exterior.

Parágrafo único. A vedação a que se refere este artigo não se aplica às autorizações resultantes de acordos internacionais, de reciprocidade, ou de interesse do Governo brasileiro.

Doutrina

Nova disciplina legal aplicável ao sistema financeiro nacional. O artigo em tela dispõe que, enquanto não estabelecidas as condições do artigo 192 do corpo permanente, são vedados a instalação no país de novas agências de instituições financeiras com sede no exterior e o aumento do percentual de participação societária de instituições financeiras com sede no país de pessoas físicas ou jurídicas residentes ou domiciliadas no exterior, afastando-se, contudo, as referidas vedações nos casos de autorização resultante de acordos internacionais de reciprocidade ou no caso de interesse nacional e não do governo brasileiro. Na verdade, a Emenda Constitucional n.º 40, de 29 de maio de 2003, revogou todos os incisos, alíneas e parágrafos do artigo 192, na sua redação original, conferindo ao *caput* nova redação, restando alteradas as regras que o legislador constituinte originário estabelecera para a nova disciplina legal do sistema financeiro nacional.

Art. 53. Ao ex-combatente que tenha efetivamente participado de operações bélicas durante a Segunda Guerra Mundial, nos termos da Lei n.º 5.315, de 12 de setembro de 1967, serão assegurados os seguintes direitos:

I – aproveitamento no serviço público, sem a exigência de concurso, com estabilidade;

II – pensão especial correspondente à deixada por segundo-tenente das Forças Armadas, que poderá ser requerida a qualquer tempo, sendo inacumulável com quaisquer rendimentos recebidos dos cofres públicos, exceto os benefícios previdenciários, ressalvado o direito de opção;

III – em caso de morte, pensão à viúva ou companheira ou dependente, de forma proporcional, de valor igual à do inciso anterior;

IV – assistência médica, hospitalar e educacional gratuita, extensiva aos dependentes;

V – aposentadoria com proventos integrais aos vinte e cinco anos de serviço efetivo, em qualquer regime jurídico;

VI – prioridade na aquisição da casa própria, para os que não a possuam ou para suas viúvas ou companheiras.

Parágrafo único. A concessão da pensão especial do inciso II substitui, para todos os efeitos legais, qualquer outra pensão já concedida ao ex-combatente.

Doutrina

Ex-combatentes da Segunda Guerra. Entende-se como tal, nos termos do artigo 53, *caput*, do ADCT de 1988, apenas aqueles soldados que efetivamente participaram de operações bélicas durante os conflitos da Segunda Guerra Mundial, conforme definido pela Lei n.º 5.315, de 12 de setembro de 1967.

Benefícios assegurados aos ex-combatentes de guerra. Nos termos da norma em comento, são assegurados aos ex-combatentes os seguintes benefícios: *a*) aproveitamento no serviço público; *b*) pensão especial, que poderá ser requerida a qualquer tempo; *c*) pensão à viúva ou companheira ou dependente; *d*) assistência médica, hospitalar e educacional gratuita, extensiva aos dependentes; *e*) aposentadoria com proventos integrais; *f*) prioridade na aquisição da casa própria. Em todas as hipóteses, devem ser cumpridos os requisitos previstos na própria regra constitucional.

Jurisprudência

> "Administrativo. Pensão. Ex-combatente. CF, ADCT, art. 53, II e III, parágrafo único. I – A CF/88, art. 53, ADCT, assegurou pensão especial ao ex-combatente no valor correspondente à deixada por segundo-tenente das Forças Armadas, pensão que substitui qualquer outra pensão já concedida ao ex-combatente (ADCT, art. 53, II, parágrafo único). O direito do filho ou filha à pensão está condicionado à condição de dependente (ADCT, art. 53, III). II – Eficácia plena e aplicabilidade imediata do art. 53, II e III, e seu parágrafo único, ADCT. III – Mandado de segurança indeferido" (STF – Pleno, MS 21.707-3/DF, rel. Min. Carlos Velloso, DJ 1, 22.09.1995, p. 30.590).

> "É firme a jurisprudência do Superior Tribunal de Justiça no sentido de que, para efeito de concessão da pensão especial prevista no art. 53 do ADCT, ex-combatente seria não apenas aquele que participou da Segunda Guerra Mundial no Teatro de Operações da Itália, como também aquele que foi deslocado de sua unida-

de para fazer o patrulhamento da costa em defesa do litoral brasileiro, nos termos da Lei 5.315/67" (STJ – 5.ª Turma, REsp 431.114, rel. Min. Arnaldo Esteves Lima, DJ, 25.09.2006, p. 295).

Art. 54. Os seringueiros recrutados nos termos do Decreto-Lei n.º 5.813, de 14 de setembro de 1943, e amparados pelo Decreto-Lei n.º 9.882, de 16 de setembro de 1946, receberão, quando carentes, pensão mensal vitalícia no valor de dois salários mínimos.

§ 1.º O benefício é estendido aos seringueiros que, atendendo a apelo do Governo brasileiro, contribuíram para o esforço de guerra, trabalhando na produção de borracha, na Região Amazônica, durante a Segunda Guerra Mundial.

§ 2.º Os benefícios estabelecidos neste artigo são transferíveis aos dependentes reconhecidamente carentes.

§ 3.º A concessão do benefício far-se-á conforme lei a ser proposta pelo Poder Executivo dentro de cento e cinquenta dias da promulgação da Constituição.

Doutrina

Pensão vitalícia para seringueiros carentes. A norma constitucional em comento assegura aos seringueiros recrutados nos termos do Decreto-Lei n.º 5.813/1943 e amparados pelo Decreto-Lei n.º 9.882/1946, quando carentes, pensão mensal vitalícia no valor de dois salários mínimos. Registre-se, o benefício somente será concedido àqueles que foram recrutados ou aderiram ao esforço de guerra e foram trabalhar na produção de borracha, na Região Amazônica, durante a Segunda Guerra Mundial. Referido benefício poderá ser transferido aos dependentes reconhecidamente carentes (§ 2.º) e tudo se fará nos termos da lei (§ 3.º).

Jurisprudência

"A vedação à utilização da prova exclusivamente testemunhal e a exigência do início de prova material para o reconhecimento judicial da situação descrita no art. 54 do ADCT e no art. 1.º da Lei n.º 7.986/89 não vulneram os incisos XXXV, XXXVI e LVI do art. 5.º da CF. O maior relevo conferido pelo legislador ordinário ao princípio da segurança jurídica visa a um maior rigor na verificação da situação exigida para o recebimento do benefício. Precedentes da Segunda Turma do STF: Res 226.588, 238.446, 226.772, 236.759 e 238.444, todos de relatoria do eminente Ministro Marco Aurélio. Descabida a alegação de ofensa a direito adquirido. O art. 21 da Lei 9.711/98 alterou o regime probatório no processo de concessão do benefício citado, sendo pacífico o entendimento fixado por esta Corte de que não há direito adquirido a regime jurídico. Ação direta cujo pedido se julga improcedente" (STF – Pleno, ADIN 2.555/DF, rel. Min. Ellen Gracie, j. 03.03.2003, DJ, 02.05.2003, p. 25).

Art. 54-A. Os seringueiros de que trata o art. 54 deste Ato das Disposições Constitucionais Transitórias receberão indenização, em parcela única, no valor de R$ 25.000,00 (vinte e cinco mil reais).

Doutrina

Indenização. Além da pensão mensal vitalícia, por meio da Emenda Constitucional n.º 78, de 14.05.2014, foi concedida aos seringueiros que contribuíram para o esforço de guerra indenização, em parcela única, no valor acima mencionado.

Art. 55. Até que seja aprovada a lei de diretrizes orçamentárias, trinta por cento, no mínimo, do orçamento da seguridade social, excluído o seguro-desemprego, serão destinados ao setor de saúde.

Doutrina

Destinação de recursos para a saúde. A norma do artigo 55 do ADCT de 1988 estipulou destinação de recursos do orçamento da seguridade social para o setor de saúde, com exclusão do seguro-desemprego. A regra reportava-se apenas ao exercício de 1989 e exauriu-se em seus efeitos, quer a providência tenha sido adotada ou não.

Jurisprudência

> "(...). Do ponto de vista do direito fundamental à saúde, havia, desde a redação originária da Carta de 1988, dispositivo que assegurava proporcionalidade mínima do custeio desse setor no bojo do Orçamento da Seguridade Social (OSS). Isso porque o artigo 55 do Ato das Disposições Constitucionais Transitórias (ADCT) previa a necessidade de resguardar, no mínimo, 30% desse orçamento especial para a política pública de saúde. Se tivéssemos mantido, ao longo do tempo, tal proporção dada transitoriamente pelo Constituinte Originário, o Sistema Único de Saúde contaria atualmente com disponibilidade de custeio quase 2,5 vezes maior que a dotação prevista para o exercício de 2016" (STF – Pleno, ADIN 5.595/DF MC, rel. Min. Ricardo Lewandowski, j. 31.08.2017, DJE 198, 04.09.2017).

Art. 56. Até que a lei disponha sobre o art. 195, I, a arrecadação decorrente de, no mínimo, cinco dos seis décimos percentuais correspondentes à alíquota da contribuição de que trata o Decreto-Lei n.° 1.940, de 25 de

maio de 1982, alterada pelo Decreto-Lei n.º 2.049, de 1.º de agosto de 1983, pelo Decreto n.º 91.236, de 8 de maio de 1985, e pela Lei n.º 7.611, de 8 de julho de 1987, passa a integrar a receita da seguridade social, ressalvados, exclusivamente no exercício de 1988, os compromissos assumidos com programas e projetos em andamento.

Doutrina

Disciplina legal da matéria. O diploma legal que dispôs sobre a matéria é a Lei Complementar n.º 70, de 30 de dezembro de 1991, que instituiu contribuição para o financiamento da Seguridade Social e adotou outras providências, como a majoração da alíquota da contribuição social sobre o lucro das instituições financeiras. Convém anotar que a redação original do artigo 195, I, do corpo permanente da Constituição foi alterada por meio da Emenda Constitucional n.º 20, de 15 de dezembro de 1998.

Jurisprudência

> "Constitucional. Finsocial. Subsistência da contribuição instituída pelo Decreto-Lei 1.940/82, nos termos do art. 56 do Ato das Disposições Constitucionais Transitórias. Sua substituição pela Contribuição para a Seguridade Social, criada pela Lei Complementar 70/91. Irrelevância do modo de arrecadação, quando prevista a destinação constitucional para custeio da Previdência Social. Inexistência de bitributação, dada a autorização expressa do art. 195, CF. Apelação improvida" (TRF5, AMS 93.05.21273/RE, rel. Juiz Lázaro Guimarães, DJ 2, 30.04.1993, p. 15.606).

Art. 57. Os débitos dos Estados e dos Municípios relativos às contribuições previdenciárias até 30 de junho de 1988 serão liquidados, com correção monetária, em cento e vinte parcelas mensais, dispensados os juros e

multas sobre eles incidentes, desde que os devedores requeiram o parcelamento e iniciem seu pagamento no prazo de cento e oitenta dias a contar da promulgação da Constituição.

§ 1.º O montante a ser pago em cada um dos dois primeiros anos não será inferior a cinco por cento do total do débito consolidado e atualizado, sendo o restante dividido em parcelas mensais de igual valor.

§ 2.º A liquidação poderá incluir pagamentos na forma de cessão de bens e prestação de serviços, nos termos da Lei n.º 7.578, de 23 de dezembro de 1986.

§ 3.º Em garantia do cumprimento do parcelamento, os Estados e os Municípios consignarão, anualmente, nos respectivos orçamentos as dotações necessárias ao pagamento de seus débitos.

§ 4.º Descumprida qualquer das condições estabelecidas para concessão do parcelamento, o débito será considerado vencido em sua totalidade, sobre ele incidindo juros de mora; nesta hipótese, parcela dos recursos correspondentes aos Fundos de Participação, destinada aos Estados e Municípios devedores, será bloqueada e repassada à previdência social para pagamento de seus débitos.

Doutrina

Parcelamento de débitos previdenciários de Estados e Municípios. Dispôs a norma do artigo 57 do ADCT que os débitos de Estados e Municípios, relativos às contribuições previdenciárias até 30 de junho de 1988, seriam liquidados, com incidência de correção monetária, em até cento e vinte parcelas mensais, dispensados os juros e multas, desde que os referidos entes políticos apresentassem pedido de parcelamento e iniciassem o pagamento no prazo de cento e oitenta dias, a contar da data da promulgação da Constituição. Os parágrafos tratam dos mecanismos do parcelamento e das formas de garantias a serem oferecidas à União.

Jurisprudência

"Administrativo. Fundo de Participação dos Municípios. Retenção. Débitos com a Previdência Social. CF, art. 160, parágrafo único. I – A Constituição Federal de 1988 na sua redação originária não agasalhava ato administrativo que permitisse a retenção, por parte da União, de cotas do Fundo de Participação, em virtude de Débito do Município com a Previdência Social, autarquia com personalidade distinta (Art. 160, parágrafo único). II – Alteração do texto do parágrafo único do art. 160 da Carta Política pela Emenda 03/93, legítima, a partir de sua promulgação, a retenção impugnada" (TRF2, AMS 94.01.01325-0/DF, rel. Juiz Jirair Aram Meguerian, DJ 1, 16.10.1995, p. 70.149).

Art. 58. Os benefícios de prestação continuada, mantidos pela previdência social na data da promulgação da Constituição, terão seus valores revistos, a fim de que seja restabelecido o poder aquisitivo, expresso em número de salários mínimos, que tinham na data de sua concessão, obedecendo-se a esse critério de atualização até a implantação do plano de custeio e benefícios referidos no artigo seguinte.

Parágrafo único. As prestações mensais dos benefícios atualizadas de acordo com este artigo serão devidas e pagas a partir do sétimo mês a contar da promulgação da Constituição.

Doutrina

Benefícios de prestação continuada. São aqueles devidos aos segurados enquanto persistirem as razões pelas quais foram concedidos. Constituem exemplos: aposentadoria por invalidez; auxílio-acidente; aposentadoria por tempo de contribuição; aposentadoria ao trabalhador rural; salário-família; pensão por morte; auxílio-reclusão.

Critério de revisão de valores. Nos termos do artigo 57 do ADCT de 1988, os benefícios de prestação continuada, pagos pela Previdência Social na data da promulgação da Constituição, teriam os seus valores corrigidos a fim de se restabelecer o respectivo poder de compra, expresso em número de salários mínimos que tinham na data de sua concessão, obedecendo-se a esse critério de atualização até a implantação do plano de custeio e benefícios referidos no artigo 58 do ADCT. As prestações devidas seriam pagas a partir do sétimo mês da promulgação da Carta Política, ou seja, a partir de abril de 1989 e até a implantação dos planos de custeio e benefícios.

Jurisprudência

> "Benefício previdenciário. Prestação continuada. Manutenção do poder aquisitivo. O que previsto no art. 58 do Ato das Disposições Constitucionais Transitórias tem como termo inicial o mês de abril de 1989. Assim, somente cabe a equivalência quanto às prestações que tenham se tornado vencidas após tal data. Precedentes: Recursos Extraordinários 142391-9/SP e 153852-0/SP, relatados pelos Ministros Ilmar Galvão e Carlos Velloso, perante a Primeira e Segunda Turmas, respectivamente, cujos acórdãos foram publicados nos Diários dos dias 17 de dezembro de 1993 e 13 de maio de 1994" (STF – 2.ª Turma, RE 195.172-9/SP, rel. Min. Marco Aurélio, DJ 1, 02.02.1996, p. 882).
>
> "(...). – O art. 58 do ADCT da Constituição de 1988, de caráter evidentemente temporário, objetivando restabelecer o poder aquisitivo, assegurou, até a implan-

tação dos Planos de Custeio e Benefícios, a revisão dos valores dos benefícios de prestação continuada, como são os proventos de aposentadoria, mantidos pela Previdência Social. – Visando a preservar a possibilidade de o benefício atender às necessidades mínimas de quem o recebe, o parâmetro da revisão é o número de salários mínimos correspondentes à data da concessão. – Se as leis dependiam de regulamentação, faltava-lhes eficácia plena, não havendo até então a implantação definitiva, que só se operou com o advento de decreto regulamentador. – Depois é que o reajustamento passaria a ser regido pela parte permanente da Carta Federal, garantido o valor real" (STJ – 1.ª Seção, MS 1.468/DF, rel. Min. Hélio Mosimann, DJ 1, 23.11.1992, p. 21.830).

"(...). III – O critério de revisão previsto no art. 58 do ADCT, da CF 88, teve caráter transitório, aplicado aos benefícios concedidos até 4.10.88, a partir do sétimo mês da promulgação da Constituição até a implantação do Plano de Custeio de Benefícios da Previdência Social (art. 58, parágrafo único, do ADCT CF 88). A equivalência do valor de benefício previdenciário em número de salários mínimos, fora do período a que se refere o art. 58, do ADCT, encontra óbice no art. 7.º, da CF 88" (TRF1, 1.ª Turma Recursal, Recurso Inominado 582642520034013400, rel. Juiz Rafael Soares Pinto, DJDF, 28.11.2003).

Art. 59. Os projetos de lei relativos à organização da seguridade social e aos planos de custeio e de benefício serão apresentados no prazo máximo de seis meses da promulgação da Constituição ao Congresso Nacional, que terá seis meses para apreciá-los.

Parágrafo único. Aprovados pelo Congresso Nacional, os planos serão implantados progressivamente nos dezoito meses seguintes.

Doutrina

Disciplina legal da estrutura de organização da Previdência Social. O artigo 59 em comento determinou que os projetos de lei relativos à organização da seguridade social e aos planos de custeio e de benefício deveriam ser apresentados ao Congresso Nacional dentre do prazo de seis meses, contados da promulgação da Constituição Federal, devendo ser apreciados pelas Casas do Poder Legislativo da União dentro do prazo de seis meses, contado, evidentemente, da apresentação dos projetos. Em cumprimento a esse dispositivo constitucional, em 24 de julho de 1991, entraram em vigor a Lei n.º 8.212, que trata do custeio do sistema de seguridade social, e a Lei n.º 8.213, que dispõe sobre os benefícios garantidos aos segurados que cumprirem os requisitos necessários à fruição deles.

Jurisprudência

> "Mandado de injunção. – Legitimidade ativa da requerente para impetrar mandado de injunção por falta de regulamentação do disposto no § 7.º do art. 195 da Constituição Federal. – Ocorrência, no caso, em face do disposto no art. 59 do ADCT, de mora, por parte do Congresso, na regulamentação daquele preceito constitucional. – Mandado de injunção conhecido, em parte, e, nessa parte, deferido para declarar o estado de mora em que se encontra o Congresso Nacional, a fim de que, no prazo de seis meses, adote ele as providências legislativas que se impõem para o cumprimento da obrigação de legislar decorrente do art. 195, § 7.º, da Constituição, sob pena de, vencido esse prazo sem que essa obrigação se cumpra, passar o requerente a gozar da imunidade requerida" (STF – Pleno, MI 232/RJ, rel. Min. Moreira Alves, DJ 1, 27.03.1992, p. 3.800).

Art. 60. A complementação da União referida no inciso IV do *caput* do art. 212-A da Constituição Federal será implementada progressivamente até alcançar a propor-

ção estabelecida no inciso V do *caput* do mesmo artigo, a partir de 1.º de janeiro de 2021, nos seguintes valores mínimos:

I – 12% (doze por cento), no primeiro ano;

II – 15% (quinze por cento), no segundo ano;

III – 17% (dezessete por cento), no terceiro ano;

IV – 19% (dezenove por cento), no quarto ano;

V – 21% (vinte e um por cento), no quinto ano;

VI – 23% (vinte e três por cento), no sexto ano.

§ 1.º A parcela da complementação de que trata a alínea *b* do inciso V do *caput* do art. 212-A da Constituição Federal observará, no mínimo, os seguintes valores:

I – 2 (dois) pontos percentuais, no primeiro ano;

II – 5 (cinco) pontos percentuais, no segundo ano;

III – 6,25 (seis inteiros e vinte e cinco centésimos) pontos percentuais, no terceiro ano;

IV – 7,5 (sete inteiros e cinco décimos) pontos percentuais, no quarto ano;

V – 9 (nove pontos percentuais), no quinto ano;

VI – 10,5 (dez inteiros e cinco décimos) pontos percentuais, no sexto ano.

§ 2.º A parcela da complementação de que trata a alínea *c* do inciso V do *caput* do art. 212-A da Constituição Federal observará os seguintes valores:

I – 0,75 (setenta e cinco centésimos) ponto percentual, no terceiro ano;

II – 1,5 (um inteiro e cinco décimos) ponto percentual, no quarto ano;

III – 2 (dois) pontos percentuais, no quinto ano;

IV – 2,5 (dois inteiros e cinco décimos) pontos percentuais, no sexto ano.

Art. 60-A. Os critérios de distribuição da complementação da União e dos fundos a que se refere o inciso I do *caput* do art. 212-A da Constituição Federal serão revistos em seu sexto ano de vigência e, a partir dessa primeira revisão, periodicamente, a cada 10 (dez) anos.

Doutrina

Mudança constitucional. O artigo 60 em tela teve sua redação original alterada pela Emenda Constitucional n.º 14, de 13 de setembro de 1996, e esta redação foi profundamente alterada pela Emenda Constitucional n.º 53, de 19 de dezembro de 2006, que também deu nova redação aos artigos 7.º, 23, 30, 206, 208, 211 e 212, todos do corpo permanente da Constituição Federal.

Fundos de valorização da educação básica. A Emenda Constitucional n.º 14/96 criou o Fundo de Manutenção e Desenvolvimento do Ensino Fundamental e de Valorização do Magistério – FUNDEF, com vigência pelo prazo de dez anos, portanto, até o ano de 2006. Contudo, no final desse período, o legislador constituinte derivado, por meio da Emenda Constitucional n.º 53/2006, criou o Fundo de Manutenção e Desenvolvimento da Educação Básica e de Valorização dos Profissionais da Educação – FUNDEB, mais amplo, por envolver o ensino fundamental, a educação infantil (creche e pré-escola) e o ensino médio em plano que se estenderia pelo menos até o ano de 2020, reforçando a preocupação do país com a educação básica e com a valorização dos profissionais da educação. As fontes de financiamento de tais programas são as contribuições de Estados, Distrito Federal e Municípios e mais o mecanismo de complementação de recursos por parte da União.

Jurisprudência

"(...). Indefiro o pedido de suspensão da liminar, eis que, tendente à liberação de receita proveniente do FUNDEF, que tem destinação certa para ser aplicada na educação, tal pleito acena, em princípio, para uma clara violação do art. 212 da Constituição Federal, o que descaracteriza os argumentos, por ele expendidos, no sentido da prevenção, no caso, de grave lesão à ordem, à saúde, à segurança, à economia públicas do ente municipal, não havendo, pois que falar-se em seu benefício de manifesto interesse público, a ser preservado, ou de flagrante ilegitimidade do ato que questiona. Intimem-se. Sem recurso, arquivem-se os autos" (TRF1, Suspensão de Liminar 00355919620164010000, Des. Federal Hilton Queiroz, Presidente, j. 08/07/2016, publicado em 08.07.2016).

Art. 61. As entidades educacionais a que se refere o art. 213, bem como as fundações de ensino e pesquisa cuja criação tenha sido autorizada por lei, que preencham os requisitos dos incisos I e II do referido artigo e que, nos últimos três anos, tenham recebido recursos públicos, poderão continuar a recebê-los, salvo disposição legal em contrário.

Doutrina

Financiamento das atividades de entidades privadas. Dispõe o artigo 61 do ADCT de 1988, que as entidades educacionais mencionadas no artigo 213 do corpo permanente da Constituição (escolas comunitárias, confessionais ou filantrópicas) e as fundações de ensino e pesquisa (*v.g.* Fundação de Apoio à Pesquisa do Estado de São Paulo – FAPESP, Fundação Jorge Duprat Figueiredo de Segurança, Higiene e Medicina do Trabalho), entidades privadas, portanto, desde que cumpridos os requisitos exigidos pela regra constitucional, poderão receber recursos públicos para o financiamento de suas atividades educacionais ou científicas.

Art. 62. A lei criará o Serviço Nacional de Aprendizagem Rural (Senar) nos moldes da legislação relativa ao Serviço Nacional de Aprendizagem Industrial (Senai) e ao Serviço Nacional de Aprendizagem do Comércio (Senac), sem prejuízo das atribuições dos órgãos públicos que atuam na área.

Doutrina

A criação do Senar. O artigo 62 em comento determinou a criação, por meio de lei, do Serviço Nacional de Aprendizagem Rural – Senar, nos mesmos moldes do Senai e do Senac e isso se deu por meio da Lei n.º 8.315, de 23 de dezembro de 1991. São serviços sociais autônomos que integram o denominado Sistema "S".

Jurisprudência

"Processual Civil. Recurso Especial. Ação civil pública. Improbidade administrativa. Código de Processo Civil de 1973. Aplicabilidade. 'Sistema S'. Interesse federal. Legitimidade ativa do Ministério Público Federal. Competência da Justiça Federal. I – Consoante o decidido pelo Plenário desta Corte na sessão realizada em 09.03.2016, o regime recursal será determinado pela data da publicação do provimento jurisdicional impugnado. *In casu*, aplica-se o Código de Processo Civil de 1973. II – As entidades que compõem os chamados serviços sociais autônomos – Sistema S – foram criadas mediante lei e, apesar de possuírem natureza jurídica de direito privado, tem como missão institucional a promoção de atividades de interesse público. III – O Serviço Nacional de Aprendizagem Rural (SENAR), criado pela Lei n. 8.315/92, tem como objetivos a organização, administração e execução, em todo o território nacional, de ensino, formação profissional rural e promoção social do trabalhador do campo. IV – O cometimento de atos de improbidade na gestão dessas entidades compromete o desempenho da função social para a qual foram criadas, o que demonstra o interesse federal na causa e consequente legitimidade ativa do Ministério Público Federal. V – Recursos Especiais improvidos" (STJ – 1.ª Turma, REsp 1.588.251, rel. Min. Regina Helena Costa, DJE, 19.12.2018).

Art. 63. É criada uma Comissão composta de nove membros, sendo três do Poder Legislativo, três do Poder Judiciário e três do Poder Executivo, para promover as comemorações do centenário da proclamação da República e da promulgação da primeira Constituição republicana do País, podendo, a seu critério, desdobrar-se em tantas subcomissões quantas forem necessárias.

Parágrafo único. No desenvolvimento de suas atribuições, a Comissão promoverá estudos, debates e avaliações sobre a evolução política, social, econômica e cultural do País, podendo articular-se com os governos estaduais e municipais e com instituições públicas e privadas que desejem participar dos eventos.

Doutrina

Criação de Comissão Comemorativa. De fato, foi instituída a Comissão para promover as comemorações do centenário da proclamação da República e da promulgação da primeira Constituição republicana do País e, também para promover estudos, debates e avaliações sobre a evolução política, social, econômica e cultural do País, tendo se revelado um fracasso retumbante.

Art. 64. A Imprensa Nacional e demais gráficas da União, dos Estados, do Distrito Federal e dos Municípios, da administração direta ou indireta, inclusive fundações instituídas e mantidas pelo Poder Público, promoverão edição popular do texto integral da Constituição, que será posta à disposição das escolas e dos cartórios, dos sindicatos, dos quartéis, das igrejas e de outras instituições representativas da comunidade, gratuitamente, de modo que cada cidadão brasileiro possa receber do Estado um exemplar da Constituição do Brasil.

Doutrina

Divulgação da nova Constituição Federal. A norma constitucional determina que a Imprensa Nacional, gráficas de todos os entes federados e de órgãos da administração direta ou indireta, inclusive fundações instituídas e mantidas pelo Poder Público, farão a impressão de edição popular do texto integral da Constituição da República, que será distribuída para escolas, cartórios, sindicatos, quartéis, igrejas e instituições representativas da comunidade, como as universidades, gratuitamente, de modo que cada cidadão brasileiro possa receber do Estado um exemplar da Constituição de seu país.

Jurisprudência

> "1. A Constituição Federal, no art. 64, do ADCT, dispõe, *verbis*: 'A Imprensa Nacional e demais gráficas da União, dos Estados, do Distrito Federal e dos Municípios, da administração direta ou indireta, inclusive fundações instituídas e mantidas pelo Poder Público, promoverão edição popular do texto integral da Constituição, que será posta à disposição das escolas e dos cartórios, dos sindicatos, dos quartéis, das igrejas e de outras instituições representativas da comunidade, gratuitamente, de modo que cada cidadão brasileiro possa receber do Estado um exemplar da Constituição do Brasil.' 2.

O art. Quinto, inciso XXXIV, letra 'b', da Magna Carta, garante a todos, independentemente do pagamento de taxas 'a obtenção de certidões em repartições públicas, para defesa de direitos e esclarecimentos de situações de interesse pessoal'. 3. Conforme o enunciado destes dispositivos da Magna Carta, Estatuto Maior do Cidadão brasileiro, todo ele deverá ter acesso, gratuitamente, a Constituição. Destarte, o Regimento Interno do Conselho Regional de Farmácia, Seccional de Alagoas, deverá ser distribuído, também de forma não onerosa, aos seus próprios associados. Afinal, se assim se deve proceder com a Lei Maior, inadmissível que não se faça o mesmo com uma norma inferior (Regimento Interno), posto que 'quem pode o mais, pode o menos'" (TRF5, 2.ª Turma, REO 36.824/AL, rel. Des. Fed. José Delgado, DJ, 28.03.1994).

Art. 65. O Poder Legislativo regulamentará, no prazo de doze meses, o art. 220, § 4.º

Doutrina

Restrições legais à propaganda de alguns produtos nocivos à saúde. A regulamentação do disposto no artigo 220, § 4.º, da Constituição Federal, veio por intermédio da Lei n.º 9.294, de 15 de julho de 1996, que dispôs sobre as restrições ao uso e à propaganda de produtos fumígenos, bebidas alcoólicas, medicamentos, terapias, e defensivos agrícolas.

Jurisprudência

"Anvisa. Poder regulamentar. (...). 4. Não há violação ao princípio da livre iniciativa, uma vez que a restrição à propaganda de medicamentos encontra amparo constitucional nos dizeres do § 4.º do artigo 220 da Constituição Federal, que prevê que 'A propaganda comercial de tabaco, bebidas alcoólicas, agrotóxicos, medicamentos e terapias estará sujeita a restrições legais, nos termos do inciso II do parágrafo anterior, e conterá, sempre que necessário, advertência sobre os malefícios decorrentes de seu uso'" (TRF1, AMS 00388474720074013400, rel. Des. Federal Selene Maria de Almeida, DJF1, 29.06.2012, p. 200).

Art. 66. São mantidas as concessões de serviços públicos de telecomunicações atualmente em vigor, nos termos da lei.

Doutrina

Concessões de serviços de telecomunicações. A norma constitucional decidiu pela manutenção das concessões de serviços de telecomunicações vigentes à data da promulgação da Constituição. A matéria foi objeto da Emenda Constitucional n.º 8, de 15 de agosto de 1995, que confirmou a exceção, nos termos da lei.

Art. 67. A União concluirá a demarcação das terras indígenas no prazo de cinco anos a partir da promulgação da Constituição.

Doutrina

Demarcação de terras indígenas. Trata-se de atividade destinada a estabelecer limites, fixando-se marcos e balizas para identificar uma porção de terras. Nos termos da Constituição Federal, a demarcação de terras indígenas é de competência da União, que a realiza por meio de procedimento administrativo de responsabilidade da Funai, sendo aprovada a demarcação mediante portaria do Ministro da Justiça e posterior homologação por decreto do Presidente da República, com registro no Serviço do Patrimônio da União e inscrição no Registro de Imóveis da comarca de localização das terras demarcadas.

Jurisprudência

"Dispõe o artigo 231 da Constituição Federal ser da competência da União demarcar as terras tradicionalmente ocupadas pelos indígenas, além de proteger e fazer respeitar todos os bens dos silvícolas, e, nos termos do artigo 67, do ADCT da CF, estipula o prazo de cinco anos, contados de sua promulgação, para conclusão dos trabalhos de demarcação, o que não foi cumprido" (STF, ARE 1.003.849/SP, rel. Min. Edson Fachin, decisão monocrática, j. 07.03.2017).

"I – Esta Corte possui entendimento no sentido de que o marco temporal previsto no art. 67 do ADCT não é decadencial, mas que se trata de um prazo programático para conclusão de demarcações de terras indígenas dentro de um período razoável. Precedentes. II – O processo administrativo visando à demarcação de terras indígenas é regulamentado por legislação própria – Lei 6.001/1973 e Decreto 1.775/1996 – cujas regras foram declaradas constitucionais pelo Supremo Tribunal Federal. Precedentes" (STF – 1.ª Turma, ROMS 22.212, rel. Min. Ricardo Lewandowski, DJE, 18.05.2011).

Art. 68. Aos remanescentes das comunidades dos quilombos que estejam ocupando suas terras é reconhecida a propriedade definitiva, devendo o Estado emitir-lhes os títulos respectivos.

Doutrina

Quilombos e quilombolas. Quilombos eram comunidades formadas em torno de redutos fortificados, no interior do país, geralmente muito distante das comunidades urbanas e em locais de difícil acesso. Representavam uma forma de resistência à escravidão e se expandiram com a invasão holandesa em Pernambuco. O mais importante dos quilombos da história brasileira foi o Quilombo dos Palmares, situado na serra da Barriga, no atual Estado de Alagoas, em que, liderados por Zumbi, resistiram bravamente aos ataques das forças da Coroa, conduzidas por Domingos Jorge Velho; contudo, sucumbiram na chamada Guerra dos Palmares (1694/1695). Quilombolas eram os habitantes dos quilombos, todos negros africanos ou descendentes diretos deles.

Reconhecimento de propriedade. Por meio da norma em comento, a Constituição Federal assegura o direito de propriedade aos remanescentes das comunidades dos quilombos que se encontravam ocupando efetivamente – pressuposto da ocupação – suas terras quando da promulgação da Carta Política, impondo ao Estado o dever de conceder-lhes os títulos respectivos, ou seja, os títulos de domínio.

Jurisprudência

> "(...). 4. Razão jurídica não assiste aos Agravantes. 5. O Tribunal de origem decidiu que 'a matéria não é objeto de prova pré-constituída, não havendo nos autos qualquer laudo antropológico ou equivalente comprovando que os remanescentes de quilombos não ocuparam historicamente a área hoje ocupada pelos autores. Ao contrário, às fls. 962/1274 consta dos autos "Relatório Antropológico de Identificação e Delimitação da Comunidade Quilombola Dezidério de Oliveira (Dourados-MS)", de setembro de 2007 (...). Dessa maneira, inexistindo nos autos prova inequívoca de que a área objeto de litígio pertence ou não à comunidade quilombola, os particulares não conseguem provas suas assertivas, nem elidir a presunção que militar em favor da Administração. Somente a instrução poderá eventualmente constituir a prova de que necessita a autora. Não se justifica, assim, a alegação de nulidade do procedimento de identificação, reconhecimento, delimitação, demar-

cação e titulação das terras ocupadas por remanescentes das comunidades dos quilombos de que trata o art. 68 do ADCT, regulamentado pelo decreto n. 4.887/2003'" (STF, ARE 949.000/DF, rel. Min. Cármen Lúcia, decisão monocrática, j. 12/04/2016, DJE-082, 28.04.2016).

"Administrativo e Processual Civil. Recurso Especial. Ação de Reintegração de Posse. Terreno de Marinha. Ilha de Marambaia. Comunidade Remanescente de Quilombos. Decreto n.º 4.887, de 20 de novembro de 2003, e art. 68 do ADCT. 1. A Constituição de 1988, ao consagrar o Estado Democrático de Direito em seu art. 1.º como cláusula imodificável, fê-lo no afã de tutelar as garantias individuais e sociais dos cidadãos, através de um governo justo e que propicie uma sociedade igualitária, sem nenhuma distinção de sexo, raça, cor, credo ou classe social. 2. Essa novel ordem constitucional, sob o prismado dos direitos humanos, assegura aos remanescentes das comunidades dos quilombos a titulação definitiva de imóvel sobre o qual mantém a posse de boa-fé há mais de 150 (cento e cinquenta) anos, consoante expressamente previsto no art. 68 do Ato das Disposições Constitucionais Transitórias. 3. A sentença proferida no bojo da Ação Civil Pública n.º 2002.51.11.000118-2, pelo Juízo da Vara Federal de Angra dos Reis/RJ (Diário Oficial do Estado do Rio de Janeiro/ Poder Judiciário, de 29 de março de 2007, páginas 71/74), reconheceu a comunidade de Ilhéus da Marambaia/RJ como comunidade remanescente de quilombos, de sorte que não há nenhum óbice para a titulação requerida. 4. Advirta-se que a posse dos remanescentes das comunidades dos quilombos é justa e de boa-fé. Nesse sentido, conforme consta dos fundamentos do provimento supra, a Fundação Cultural Palmares, antiga responsável pela identificação do grupo, remeteu ao juízo prolator do *decisum* em comento relatório técnico-científico contendo [...] 'todo o histórico relativo à titularidade da Ilha de Marambaia, cujo primeiro registro de propriedade fora operado em 1856, junto ao Registro de Terras da

Paróquia de Itacuruçá, em nome do Comendador Joaquim José de Souza Breves, que instalou no local um entreposto do tráfico negreiro, de modo que, ao passar para o domínio da União, afetado ao uso especial pela Marinha, em 1906, já era habitado por remanescentes de escravos, criando comunidade com características étnico-culturais próprias, capazes de inseri-los no conceito fixado pelo artigo 2.º do indigitado Decreto 4.887/03'. 5. A equivocada valoração jurídica do fato probando permite ao STJ sindicar a respeito de fato notório, máxime no caso *sub examinem*, porque o contexto histórico-cultural subjacente ao *thema iudicandum* permeia a alegação do recorrente de verossimilhança. 6. Os quilombolas têm direito à posse das áreas ocupadas pelos seus ancestrais até a titulação definitiva, razão pela qual a ação de reintegração de posse movida pela União não há de prosperar, sob pena de pôr em risco a continuidade dessa etnia, com todas as suas tradições e culturas. O que, em último, conspira contra pacto constitucional de 1988 que assegura uma sociedade justa, solidária e com diversidade étnica. 7. Recurso especial conhecido e provido" (STJ – 1.ª Turma, REsp 931.060/RJ, rel. Min. Benedito Gonçalves, DJE, 19.03.2010).

"1. O art. 68 do Ato das Disposições Constitucionais Transitórias da Constituição Federal de 1988 garante aos remanescentes das comunidades dos quilombos que estejam ocupando suas terras o reconhecimento da propriedade definitiva, cabendo ao Estado a emissão dos títulos respectivos. 2. O Decreto n.º 4.887/2003, que regulamenta o procedimento para titulação dessas terras, estabelece, em seu art. 13, a adoção dos atos necessários à desapropriação dos territórios ocupados por titulares de domínio particular. 3. O art. 14 do referido Decreto prevê, na hipótese de ser verificada a presença de ocupantes nas terras dos remanescentes das comunidades dos quilombos, que o Incra providencie o reassentamento das famílias de agricultores pertencentes à clientela da reforma agrária ou a indenização das benfeitorias de boa-fé, quando couber. 4. No caso em exame, como não há prova da ocupação irregular ou de má-fé por parte dos expropriados, cabe indenização pelas benfeitorias realizadas nas terras por eles ocupadas, sem a qual não pode haver imissão na posse por parte do Incra. (...)" (TRF3 – 11.ª Turma, AgI 477.414/SP, rel. Des. Federal Nino Toldo, DJF3, 31.08.2015).

"(...). 2. Aresto embargado que não padece de vício de omissão, sendo expresso e claro no sentido de que o alcance do art. 68 do ADCT, ao conferir aos remanescentes das comunidades quilombolas o direito à propriedade das terras habitadas, não é irrestrito, como se pode depreender da expressão 'estejam ocupando suas terras', contida no texto. 3. Reconhecimento da propriedade definitiva que deve ser conferido às terras tradicionalmente ocupadas pelos remanescentes dos quilombos ao tempo do advento da Constituição Federal de 1988. (...)" (TRF3, ApReeNec 1.597.605/SP, rel. Des. Fed. Luiz Stefanini, DJF3, 17.03.2015).

Art. 69. Será permitido aos Estados manter consultorias jurídicas separadas de suas Procuradorias-Gerais ou Advocacias-Gerais, desde que, na data da promulgação da Constituição, tenham órgãos distintos para as respectivas funções.

Doutrina

Organização da Advocacia Pública. A norma constitucional em comento permitiu aos Estados-membros que, na data de promulgação da Constituição, tivessem uma consultoria-geral que a mantivesse separada – como órgão distinto – da respectiva Procuradoria-Geral ou Advocacia-Geral, cada qual exercendo a sua função própria, ou seja, estas cuidando da representação judicial e extrajudicial e aquela da consultoria jurídica.

Jurisprudência

"Direito Constitucional e Administrativo. Ação Direta de Inconstitucionalidade. Arts. 68 e 69 da Constituição do Estado do Rio Grande do Norte. Consultoria e Assessoramento do Governador por Consultoria-Geral do Estado fora da exceção prevista no art. 69 do ADCT. 1. O art. 132 da Constituição Federal confere às Procuradorias dos Estados e do Distrito Federal a atribuição exclusiva das funções de representação judicial, consultoria e assessoramento jurídico das unidades federativas aos seus respectivos procuradores, organizados em carreira única. 2. A norma do art. 69 do Ato das Disposições Constitucionais Transitórias, que permitiu aos Estados manter consultorias jurídicas separadas de suas procuradorias-Gerais ou Advocacias-Gerais, desde que, na data da promulgação da Constituição, tivessem órgãos distintos para as respectivas funções, não autoriza a perpetuação de órgãos consultivos paralelos às Procuradorias dos Estados e do Distrito Federal. 3. É possível, excepcionalmente, a fixação de um marco futuro para a incidência dos efeitos da medida cautelar concedida em sede de ação direta de inconstitucionalidade, tendo em vista razões de segurança jurídica e excepcional interesse social. Interpretações teleológica do art. 11, § 1.º, e analógica do art. 27, da Lei n.º 9.868/1999. 4. Medida cautelar deferida (...)" (STF, ADIN 5.393/RN MC, rel. Min. Roberto Barroso, decisão monocrática, j. 22.05.2017).

Art. 70. Fica mantida a atual competência dos tribunais estaduais até que a mesma seja definida na Constituição do Estado, nos termos do art. 125, § 1.º, da Constituição.

Doutrina

Organização da Justiça Estadual. Cuidou o artigo 70 do ADCT de manter a competência dos tribunais estaduais – tal como vigente na data de promulgação da Constituição Federal – até que a Constituição Estadual a definisse. Anote-se que, nos termos do § 1.º, do artigo 125, a lei estadual de organização judiciária é de iniciativa do Tribunal de Justiça.

Jurisprudência

"Penal/Processual. Decreto-Lei 201/67. Inconstitucionalidade rejeitada. Competência do Tribunal de Justiça. Correta aplicação de normas processuais. I – Não há revogação do Decreto-Lei 201/67 pela superveniência da Constituição de 88, pelo só fato de não contemplar o seu texto a possibilidade de legislar por decreto-lei. Aplicação do princípio da recepção das normas não incompatíveis com a Lei Fundamental. II – É de aplicação imediata a regra de competência do art. 29, VIII, da Constituição, não atingido pelo art. 70 do ADCT. III – Observado o devido processo legal, não se conhece de recurso especial, sob a invocação de negativa de vigência de normas processuais sem a demonstração de prejuízo para a defesa e com o objetivo de rediscutir prova que se louva o julgamento" (STJ – 6.ª Turma, REsp 1.408/MS, rel. Min. Dias Trindade, DJ 1, 03.12.1990, p. 14.330).

Art. 71. É instituído, nos exercícios financeiros de 1994 e 1995, bem assim nos períodos de 01/01/1996 a 30/06/1997 e 01/07/1997 a 31/12/1999, o Fundo Social de Emergência, com o objetivo de saneamento financeiro da Fazenda Pública Federal e de estabilização econômica, cujos recursos serão aplicados prioritariamente no custeio das ações dos sistemas de saúde e educação, incluindo a complementação de recursos de que trata o § 3.º do art. 60 do Ato das Disposições Constitucionais Transitórias, benefícios previdenciários e auxílios assistenciais de prestação continuada, inclusive liquidação de passivo previdenciário, e despesas orçamentárias

associadas a programas de relevante interesse econômico e social.

§ 1.º Ao Fundo criado por este artigo não se aplica o disposto na parte final do inciso II do § 9.º do art. 165 da Constituição.

§ 2.º O Fundo criado por este artigo passa a ser denominado Fundo de Estabilização Fiscal a partir do início do exercício financeiro de 1996.

§ 3.º O Poder Executivo publicará demonstrativo da execução orçamentária, de periodicidade bimestral, no qual se discriminarão as fontes e usos do Fundo criado por este artigo.

Doutrina

Gênese da norma constitucional. O artigo em comento foi, na sua redação originária (*caput* e parágrafo único), acrescido ao texto do ADCT de 1988, por meio da Emenda Constitucional de Revisão n.º 1, de 1 de março de 1994. Em seguida, a Emenda Constitucional n.º 10, de 4 de março de 1996, deu-lhe nova redação e converteu o parágrafo único em parágrafo 1.º, incluindo, ainda, ao dispositivo, os parágrafos 2.º e 3.º E, finalmente, o *caput* do artigo foi alterado pela Emenda Constitucional n.º 17, de 22 de novembro de 1997, redação ora vigente.

Fundo Social de Emergência. O artigo em tela instituiu, para os exercícios financeiros de 1994 e 1995, bem assim para os períodos de 01/01/1996 a 30/06/1997 e 01/07/1997 a 31/12/1999, referido fundo com a finalidade de promover o saneamento financeiro da Fazenda Pública Federal e a estabilização da economia, determinando que os recursos financeiros destinados ao fundo seriam aplicados, prioritariamente, no custeio das ações nas áreas da saúde e educação, incluindo a complementação de recursos de que trata o § 3.º do art. 60 do Ato das Disposições Constitucionais Transitórias (valor anual mínimo por aluno do ensino fundamental), benefícios previdenciários e auxílios assistenciais de prestação continuada, inclusive liquidação de passivo previdenciário, além das despesas orçamentárias associadas a programas de relevante interesse econômico e social. O § 1.º afastou a aplicação do disposto na parte final do inciso II do § 9.º do art. 165 da Constituição Federal ao fundo de emergência, conquanto as condições para sua instituição já constam da norma constitucional, restando despicienda regulamentação adicional.

Fundo de Estabilização Fiscal. Com o advento da Emenda Constitucional n.º 10, de 04.03.1996, que deu nova redação ao § 2.º deste artigo, o fundo de emergência passou a denominar-se Fundo de Estabilização Fiscal e, no contexto da política econômica da época, não se tratou de mera mudança de nomenclatura, pois, na verdade, a alteração de fundo de emergência – que compreendia ajuste apenas no âmbito da Fazenda Pública Federal –, para fundo de estabilização fiscal, permitiu a adoção de instrumentos para agregar os Estados-membros no esforço do ajuste fiscal e da estabilização da economia. Registre-se que a implantação bem-sucedida do Plano Real (Lei 8.697/1993), para o controle da inflação, permitiu a criação do Real, moeda que passou a circular a partir de 1.º de julho de 1994, e, nesse cenário, a realização da renegociação das dívidas dos Estados, a execução de um programa de saneamento financeiro do sistema bancário (PROER) e outro de privatização, tudo a ensejar a retomada do crescimento econômico.

Jurisprudência

> "Ação direta de inconstitucionalidade. Medida Cautelar. 2. Fundo Social de Emergência. 3. Arguição de inconstitucionalidade de expressões constantes dos arts. 72 e § 2.º; incisos III e V, do ADCT da Constituição de 1988, com redação introduzida pela Emenda Constitucional n.º 10, de 4.3.1996. 4. Controle de validade de emenda à Constituição, à vista do art. 60 e parágrafos, da Constituição Federal. Competência do Supremo Tribunal Federal (art. 102, I, a). Cláusulas pétreas. 5. Os

arts. 71, 72 e 73 foram incluídos do Ato das Disposições Constitucionais Transitórias de 1988 pela Emenda Constitucional de Revisão n.º 1, de 1.º de março de 1994. 6. A Emenda Constitucional n.º 10/1996 alterou os arts. 71 e 72, do ADCT, prorrogando-se a vigência do Fundo Social de Emergência, no período de 1.º de janeiro de 1996 a 30 de junho de 1997. 7. A inicial sustenta que, exaurido o prazo de vigência do Fundo Social de Emergência a 31.12.1995, não poderia a Emenda Constitucional n.º 10, que é de 4.3.1996, retroagir, em seus efeitos, a 1.º de janeiro de 1996, pois, em assim dispondo, feriria o direito adquirido dos Estados, do Distrito Federal e dos Municípios, no que concerne à participação no Fundo a que se refere o art. 159, inciso I, da Constituição, e à incidência do art. 160 da mesma Lei Maior, no período de 1.º de janeiro até o início de vigência da aludida Emenda Constitucional n.º 10, de 4.3.1996. 8. Não invoca a inicial, entretanto, especificamente, ofensa a qualquer dos incisos do art. 60 da Constituição, sustentando, de explícito, lesão ao art. 5.º, XXXVI, à vista do disposto nos arts. 159 e 160, todos da Constituição. Decerto, dessa fundamentação poderia decorrer, por via de consequência, ofensa ao art. 60, I e IV, da Lei Magna, o que, entretanto, nem sequer é alegado. 9. Embora, se possa, em princípio, admitir relevância jurídica à discussão da *quaestio juris*, exato é, entretanto, que não cabe reconhecer, aqui, desde logo, o *periculum in mora*, máxime, porque nada se demonstrou, de plano, quanto a prejuízos irreparáveis aos Estados, Distrito Federal e Municípios, se a ação vier a ser julgada procedente. É de observar, no ponto, ademais, que a Emenda Constitucional de Revisão n.º 1, que introduziu, no ADCT, os arts. 71, 72 e 73, sobre o Fundo Social de Emergência, entrou em vigor em março de 1994, com efeitos, também, a partir de janeiro do mesmo ano. 10. Medida cautelar indeferida" (STF – Pleno, ADIN 1.420/DF, rel. Min. Néri da Silveira, unânime, j. 17.05.1996).

"1. Não se mostram inconstitucionais as Emendas 10/96 e 17/97 ao prorrogarem a vigência do Fundo Social de Emergência, instituído pela Emenda de Revisão n.º 1/94, que acrescentou os arts. 71, 72 e 73 ao ADCT (ADI 1420). 2. Apelação não provida" (TRF1, AMS 00650836619984010000, rel. Des. Fed. Tolentino Amaral, e-DJF1, 16.10.2009, p. 494).

"(...). 2. A contribuição ao PIS foi instituída na vigência da ordem constitucional anterior mediante lei complementar (LC 7/70), que previu, no tocante às instituições financeiras e equiparadas, dentre as quais se enquadra a embargante, que não realizavam vendas de mercadorias, a incidência à alíquota de 5% sobre imposto de renda devido, o chamado PIS-Repique. 3. A este respeito, cumpre observar que a contribuição ao PIS foi destinada, provisoriamente e em parte, no que se refere ao produto da arrecadação devida pelos contribuintes a que se refere o § 1.º do art. 22 da Lei n.º 8.212/91, ao Fundo Social de Emergência criado pela EC de Revisão n.º 1/94, prorrogada pelas Emendas n.º 10/96 e n.º 17/97, que acrescentaram os artigos 71 a 73 ao ADCT. 4. Conforme previsto no art. 72 do ADCT, diante da sujeição à alteração posterior da base de cálculo da contribuição por meio de lei ordinária, editou-se a edição da MP n.º 517/94, reeditada até a MP n.º 1.674-57/98 e ao final convertida na Lei n.º 9.701/98, que estabeleceu a base de cálculo do PIS para as pessoas jurídicas referidas no § 1.º do art. 22 da Lei n.º 8.212/91. 5. Após muita controvérsia acerca da constitucionalidade da base de cálculo prevista nos arts. 71 e 72 da ADCT e das medidas provisórias regulamentadoras que culminaram na edição da Lei n.º 9.718/98, o Supremo Tribunal Federal entendeu pela ausência de afronta ao texto constitucional" (TRF3 – 6.ª Turma, ApReeNec 2.015.734/SP, rel. Des. Fed. Consuelo Yoshida, unânime, j. 18.02.2016, e-DJF3, Judicial 1, 02.03.2016).

Art. 72. Integram o Fundo Social de Emergência:

I – o produto da arrecadação do imposto sobre renda e proventos de qualquer natureza incidente na fonte sobre pagamentos efetuados, a qualquer título, pela União, inclusive suas autarquias e fundações;

II – a parcela do produto da arrecadação do imposto sobre renda e proventos de qualquer natureza e do imposto sobre operações de crédito, câmbio e seguro, ou relativas a títulos e valores mobiliários, decorrente das alterações produzidas pela Lei n.° 8.894, de 21 de junho de 1994, e pelas Leis n.°s 8.849 e 8.848, ambas de 28 de janeiro de 1994, e modificações posteriores;

III – a parcela do produto da arrecadação resultante da elevação da alíquota da contribuição social sobre o lucro dos contribuintes a que se refere o § 1.° do art. 22 da Lei n.° 8.212, de 24 de julho de 1991, a qual, nos exercícios financeiros de 1994 e 1995, bem assim no período de 1.° de janeiro de 1996 a 30 de junho de 1997, passa a ser de trinta por cento, sujeita a alteração por lei ordinária, mantidas as demais normas da Lei n.° 7.689, de 15 de dezembro de 1988;

IV – vinte por cento do produto da arrecadação de todos os impostos e contribuições da União, já instituídos ou a serem criados, excetuado o previsto nos incisos I, II e III, observado o disposto nos §§ 3.° e 4.°;

V – a parcela do produto da arrecadação da contribuição de que trata a Lei Complementar n.° 7, de 7 de setembro de 1970, devida pelas pessoas jurídicas a que se refere o inciso III deste artigo, a qual será calculada, nos exercícios financeiros de 1994 a 1995, bem assim nos períodos de 1.°de janeiro de 1996 a 30 de junho de 1997 e de 1.° de julho de 1997 a 31 de dezembro de 1999, mediante a aplicação da alíquota de setenta e cinco centésimos por cento, sujeita a alteração por lei ordinária posterior, sobre a receita bruta operacional, como definida na legislação do imposto sobre renda e proventos de qualquer natureza.

VI – outras receitas previstas em lei específica.

§ 1.° As alíquotas e a base de cálculo previstas nos incisos III e V aplicar-se-ão a partir do primeiro dia do mês seguinte aos noventa dias posteriores à promulgação desta Emenda.

§ 2.° As parcelas de que tratam os incisos I, II, III e V serão previamente deduzidas da base de cálculo de qualquer vinculação ou participação constitucional ou legal, não se lhes aplicando o disposto nos artigos, 159, 212 e 239 da Constituição.

§ 3.° A parcela de que trata o inciso IV será previamente deduzida da base de cálculo das vinculações ou participações constitucionais previstas nos artigos 153, § 5.°, 157, II, 212 e 239 da Constituição.

§ 4.° O disposto no parágrafo anterior não se aplica aos recursos previstos nos artigos 158, II e 159 da Constituição.

§ 5.° A parcela dos recursos provenientes do imposto sobre renda e proventos de qualquer natureza, destinada ao Fundo Social de Emergência, nos termos do inciso II deste artigo, não poderá exceder a cinco inteiros e seis décimos por cento do total do produto da sua arrecadação.

Doutrina

Gênese da norma constitucional. O artigo em comento foi, na sua redação originária, acrescido ao texto do ADCT de 1988, por meio da Emenda Constitucional de Revisão n.° 1, de 1.° de março de 1994. Após, por meio da Emenda Constitucional n.° 10, de 4 de março de 1996, foi dada nova redação aos incisos II a IV. Anote-se, ainda, que o artigo 4.° da Emenda Constitucional n.º 17, de 22 de novembro de 1997, alterou várias normas dos artigos 71 e 72 do ADCT de 1988, passando este último artigo a viger desde 01.07.1997.

Fontes de financiamento do fundo. Dispõe o *caput* deste artigo sobre as fontes de financiamento do fundo em tela, constituídas pelo produto da arrecadação do imposto de renda incidente sobre várias modalidades de aquisição de rendas e proventos e de outros impostos e contribuições arrecadados pela União.

Jurisprudência

"Direito Tributário. Segundo agravo interno em Recurso Extraordinário. Fundo de Estabilização Social Fiscal. Contribuição Social sobre o Lucro. Contribuição para o PIS. Natureza jurídica. Contribuições Sociais. Observância da anterioridade nonagesimal. Precedentes. 1. Em regra a destinação da arrecadação integra a própria regra-matriz da norma impositiva de uma contribuição, todavia, excepcionalmente, é possível a desvinculação com relação ao fim originalmente previsto parte desde que tal desvinculação seja feita diretamente na própria Constituição. 2. O fato de a arrecadação do PIS e da CSLL estar voltada momentaneamente a fim diverso, por determinação constitucional, não faz com que tais contribuições sejam trasladadas ao regime das contribuições sociais gerais, o que faria com que a anterioridade aplicável ao caso fosse a anual (art. 150, III, b), não a anterioridade especial de noventa dias (195, § 6.º). Admitir o contrário importaria em reconhecer que o fato de os recursos se voltarem à seguridade seria exclusivamente o fator determinante para fixação do regime jurídico do tributo. 3. Um deslocamento temporário, cujo caráter excepcional parte do próprio texto constitucional, não pode se prestar a derrogar todo um regime jurídico identificado com as espécies tributárias criadas para o fim precípuo de custear a seguridade. 4. As contribuições destinadas ao Fundo devem ser mantidas hígidas e inalteradas sob o enfoque tributário, de modo que o deslocamento dos recursos auferidos será, na hipótese, mera implicação financeira. Daí por que o Supremo Tribunal Federal reconheceu a necessidade de se aguardar os noventa dias e não o exercício financeiro subsequente na espécie. 5. Agravo interno a que se nega provimento, com aplicação da multa prevista no art. 557, § 2.º, do CPC/1973" (STF – 1.ª Turma, RE 426.484/MG AgRg, rel. Min. Roberto Barroso, unânime, Sessão Virtual de 23 a 29.09.2016).

"(...). 4. Correta a dedução do percentual de 5,6% para o Fundo Social de Emergência – FSE e para o Fundo de Estabilização Fiscal – FEF, nos termos do art. 72, § 5.º, do Ato das Disposições Constitucionais Transitórias de 1988. 5. De fato, não há que se falar em indevida dedução para FSE/FEF, tendo por base o limite máximo permitido, vez que todos os dados indicam que as variações do IR e do IPI sempre foram, no mínimo, igual ou superior a 5,6% da arrecadação total, o que caracteriza a inexistência de qualquer diferença a favor dos municípios em decorrência das divergências eventualmente verificadas. Ademais, conforme a decisão do TCU, restou demonstrada a impossibilidade, em face dos dados contábeis disponíveis, de se determinar se os Municípios ou Estados sofreram qualquer prejuízo com a utilização do percentual no máximo permitido. 6. Correto o procedimento adotado pela STN para a obtenção da base de cálculo do FPM, em que os valores correspondentes à contribuições ao PIN e ao PROTERRA são deduzidos do imposto original" (TRF1 – 7.ª Turma, AC 2000.34.00.007892-2/DF, rel. Des. Fed. Antônio Ezequiel da Silva, DP, 10.11.2006, p. 64).

"I – Reconhecida, implicitamente, a recepção da Lei Complementar 7/70 pela Constituição da República de 1988 nos inúmeros julgados deste Tribunal sobre a inconstitucionalidade dos Decretos-Leis 2.445/88 e 2.449/88. II – A Emenda Constitucional de Revisão 1, de 1.º/03/94, ao alterar a redação do art. 72 do Ato das Disposições Constitucionais Transitórias, definiu expressamente a aplicação da lei impugnada. III – Denegada a segurança" (TRF3, MS 93.03.031598/SP, rel. Juíza Ana Maria Pimentel, DJ 2, 19.04.95, p. 22.301).

Art. 73. Na regulação do Fundo Social de Emergência não poderá ser utilizado o instrumento previsto no inciso V do art. 59 da Constituição.

Doutrina

Gênese da norma constitucional. O artigo 73 foi acrescido ao texto do ADCT, de 1988, por meio da Emenda Constitucional de Revisão n.° 1, de 1.° de março de 1994.

Vedação de medida provisória. Dispunha o artigo 73 que, na regulação do Fundo Social de Emergência, posteriormente, Fundo de Estabilização Fiscal, restava vedado o uso da medida provisória.

Jurisprudência

"I – Aplicabilidade da anterioridade nonagesimal (art. 195, § 6.°, da CF) à prorrogação da alíquota mantida pela Emenda Constitucional 17/1997. Precedentes. II – A matéria disciplinada pela Medida Provisória 517/1994 – exclusões e deduções na base de cálculo da contribuição para o PIS – não diz respeito à regulação do Fundo Social de Emergência, não se aplicando a ela, portanto, a vedação prevista no art. 73 do ADCT. Conceito inalterado de receita bruta previsto no art. 72, V, do ADCT. Precedentes. III – Agravo regimental parcialmente provido" (STF – 2.ª Turma, RE 550.376/MG AgRg, rel. Min. Ricardo Lewandowski, j. 28.05.2013).

"Agravo regimental no recurso extraordinário. Fundo Social de Emergência. PIS. Base de cálculo. Receita bruta. Conceito. MP n.° 517/94. ADCT, arts. 72, inciso V e

73. Improcedência. Precedentes. 1. A decisão agravada está em consonância com a jurisprudência de ambas as Turmas desta Corte no sentido de que a Medida Provisória n.º 517/94 apenas dispôs sobre deduções e exclusões da base de cálculo da contribuição ao PIS, mantendo inalterado o conceito de receita bruta previsto no art. 72, inciso V, do ADCT, com a redação dada pelas EC n.º 1/94 e n.º 10/96. 2. Agravo regimental não provido" (STF – 1.ª Turma, RE 331.496/SP AgRg, rel. Min. Dias Toffoli, j.13.11.2012).

"(...). II – O conceito de receita bruta operacional é dado pelo art. 44 da Lei 4.506/64, art. 12 do Decreto-Lei 1.598/77 e 226 do Decreto 1.041/94, que veiculou o Regulamento do Imposto de Renda em vigor. Estas as normas aplicáveis quando da edição da Emenda Constitucional de Revisão 1/94, que não poderiam ser alteradas por legislação infraconstitucional superveniente, mormente por medida provisória, instrumento expressamente vedado pelo art. 73 do ADCT" (TRF3, MC 95.03.036471/SP, rel. Juiz Homar Cais, DJ 2, 10.10.95, p. 68.895).

Art. 74. A União poderá instituir contribuição provisória sobre movimentação ou transmissão de valores e de créditos e direitos de natureza financeira.

§ 1.º A alíquota da contribuição de que trata este artigo não excederá a vinte e cinco centésimos por cento, facultado ao Poder Executivo reduzi-la ou restabelecê-la, total ou parcialmente, nas condições e limites fixados em lei.

§ 2.º A contribuição de que trata este artigo não se aplica o disposto nos arts. 153, § 5.º, e 154, I, da Constituição.

§ 3.º O produto da arrecadação da contribuição de que trata este artigo será destinado integralmente ao Fundo Nacional de Saúde, para financiamento das ações e serviços de saúde.

§ 4.º A contribuição de que trata este artigo terá sua exigibilidade subordinada ao disposto no art. 195, § 6.º, da Constituição, e não poderá ser cobrada por prazo superior a dois anos.

Doutrina

Gênese da norma constitucional. O artigo 74 foi incluído no ADCT de 1988 por meio da Emenda Constitucional n.º 12, de 15 de agosto de 1996.

Contribuição Provisória sobre Movimentação Financeira. O *caput* do artigo 74 autorizou a União a instituir referida contribuição provisória com incidência sobre a movimentação ou transmissão de valores e de créditos e direitos de natureza financeira, mais conhecida pela sigla CPMF, que, de fato, foi instituída por meio da Lei n.º 9.311, de 24 de outubro de 1996, e modificada pela Lei n.º 9.539, de 12 de dezembro de 1997, com vigência para mais trinta e seis meses.

Alíquotas da CPMF. Dispunha o § 1.º que a alíquota da contribuição não excederia de vinte e cinco centésimos por cento, sendo facultado ao Poder Executivo reduzi-la ou restabelecê-la, total ou parcialmente, nas condições e dentro dos limites fixados em lei. Todavia, por meio da Emenda Constitucional n.º 21, de 18 de março de 1999, que incluiu o artigo 75 ao ADCT de 1988, a alíquota foi majorada para trinta e oito centésimos por cento, nos doze meses iniciais, e de trinta centésimos nos meses subsequentes.

Destinação da arrecadação da CPMF. O produto da arrecadação da CPMF tinha a seguinte distribuição: *a)* 0,20% destinava-se ao Fundo Nacional da Saúde para financiamento das ações e serviços de saúde; *b)* 0,10% destinava-se ao custeio da Previdência Social; *c)* 0,08% destinava-se ao Fundo de Combate e Erradicação da Pobreza.

Princípio da anualidade mitigado. O § 4.º dispõe que a CPMF terá sua exigibilidade subordinada ao disposto no art. 195, § 6.º, da Constituição, quer dizer, somente poderá ser exigida após decorridos noventa dias de sua criação.

Jurisprudência

"(...). 3. Consoante a redação do inciso II do art. 2.º da Lei n.º 9.311/96, o lançamento a débito por instituição financeira, em contas correntes de depósito, em contas correntes de empréstimo, em contas correntes de depósito de poupança etc., correspondente ao valor vertido às entidades de previdência complementar a título de contribuição da patrocinadora, seria levado à tributação pela CPMF, não fosse pelo art. 69 da LC n.º 109/01, que exclui a incidência sobre tais contribuições. 4. O legislador definiu expressamente no § 1.º do art. 69 da Lei Complementar n.º 109/01 o regime fiscal aplicável às contribuições vertidas para as entidades de previdência complementar, destinadas ao custeio dos planos de benefícios de natureza previdenciária, criando hipótese legal de não incidência tributária sobre as referidas contribuições, o que, em outras palavras, significa que tais contribuições não constituem fato gerador de tributação, relativamente aos patrocinadores e aos participantes/beneficiários. 5. Tamanha foi a preocupação em excluir o montante das contribuições vertidas para as entidades de previdências complementar de incidência tributária que o legislador, além da referência à não incidência tributária, também fez referência expressa à não incidência de contribuições de qualquer natureza sobre os referidos montantes, apesar de, hodiernamente, ser pacífica a natureza tributária das contribuições especiais, dentre quais se encontra aquela prevista nos arts. 74 e 75 do ADCT, a saber, a CPMF objeto do presente recurso especial. 6. Não cabe ao intérprete restringir o alcance do dispositivo legal que, a teor do art. 111 do CTN, deva ter sua aplicação orientada pela interpretação literal, a qual não implica, necessariamente, diminuição do seu alcance, mas sim sua exata compreensão pela literalidade da norma. 7. Recurso especial não provido" (STJ – 2.ª Turma, REsp 1.468.436, rel. Min. Mauro Campbell Marques, DJE, 09.12.2015).

Art. 75. É prorrogada, por trinta e seis meses, a cobrança da contribuição provisória sobre movimentação ou transmissão de valores e de créditos e direitos de natureza financeira de que trata o art. 74, instituída pela Lei n.º 9.311, de 24 de outubro de 1996, modificada pela Lei n.º 9.539, de 12 de dezembro de 1997, cuja vigência é também prorrogada por idêntico prazo.

§ 1.º Observado o disposto no § 6.º do art. 195 da Constituição Federal, a alíquota da contribuição será de trinta e oito centésimos por cento, nos primeiros doze meses, e de trinta centésimos, nos meses subsequentes, facultado ao Poder Executivo reduzi-la total ou parcialmente, nos limites aqui definidos.

§ 2.º O resultado do aumento da arrecadação, decorrente da alteração da alíquota, nos exercícios financeiros de 1999, 2000 e 2001, será destinado ao custeio da previdência social.

§ 3.º É a União autorizada a emitir títulos da dívida pública interna, cujos recursos serão destinados ao custeio da saúde e da previdência social, em montante equivalente ao produto da arrecadação da contribuição, prevista e não realizada em 1999.

Doutrina

Prorrogação de prazo de vigência da CPMF. Este artigo 75, incluído no ADCT de 1988 por meio da Emenda Constitucional n.º 21, de 19 de março de 1999, prorrogou, por trinta e seis meses, a exigência da CPMF instituída mediante faculdade contida no artigo 74 do mesmo ADCT.

Modificações de alíquotas. O § 1.º dispôs que, observado o prazo nonagesimal disposto no § 6.º do art. 195 do corpo permanente da Constituição Federal, a alíquota da contribuição seria de trinta e oito centésimos por cento, nos primeiros doze meses, e de trinta centésimos, nos vinte e quatro meses seguintes.

Destinação do aumento de arrecadação. O § 2.º dispôs que o resultado do aumento da arrecadação, decorrente da majoração de alíquota, nos exercícios financeiros de 1999, 2000 e 2001, seria destinado ao custeio da previdência social.

Autorização para a emissão de títulos da dívida pública. O § 3.º autorizou a União a emitir títulos da dívida pública interna, cujos recursos seriam destinados ao custeio da saúde e da previdência social, até o montante equivalente ao produto da arrecadação da contribuição, prevista e não realizada no exercício financeiro de 1999.

Jurisprudência

> "1. Embargos de declaração convertidos em agravo regimental. 2. Contribuição Provisória sobre Movimentação ou Transmissão de Valores e de Créditos de Natureza Financeira – CPMF –, de que tratam as LL. 9.311/96 e 9.539/97: prorrogação da cobrança por trinta e seis meses pela Emenda Constitucional n. 21/99: constitucionalidade afirmada pelo Plenário da Corte (cf. ADIN 2.031, 3.10.2002, Ellen Gracie, Informativo STF n. 284), sob o argumento de que a alteração implantada pela Câmara dos Deputados, do art. 75, § 1.º, do ADCT, não importou mudança substancial no texto aprovado no Senado Federal, sendo desnecessária nova apreciação da matéria pela Casa Legislativa de origem. Na ocasião, foram afastadas as alegações de ofensa aos princípios da isonomia, da legalidade e da vedação ao confisco e à bitributação" (STF – 1.ª Turma, AgI 617.568/SP ED, rel. Min. Sepúlveda Pertence, unânime, j. 24.04.2007).

Art. 76. São desvinculados de órgão, fundo ou despesa, até 31 de dezembro de 2023, 30% (trinta por cento) da arrecadação da União relativa às contribuições sociais, sem prejuízo do pagamento das despesas do Regime Geral da Previdência Social, às contribuições de intervenção no domínio econômico e às taxas, já instituídas ou que vierem a ser criadas até a referida data.

§ 1.º *(Revogado pela Emenda Constitucional n.º 93, de 08.09.2016).*

§ 2.º Excetua-se da desvinculação de que trata o *caput* a arrecadação da contribuição social do salário-educação a que se refere o § 5.º do art. 212 da Constituição Federal.

§ 3.º *(Revogado pela Emenda Constitucional n.º 93, de 08.09.2016).*

§ 4.º A desvinculação de que trata o caput não se aplica às receitas das contribuições sociais destinadas ao custeio da seguridade social.

Doutrina

Desvinculação de recursos da arrecadação federal. O artigo 76 do ADCT, com a redação dada pela Emenda Constitucional n.º 93, de 8 de setembro de 2016, determinou a desvinculação de recursos anteriormente destinados a órgão, fundo ou despesa, até 31 de dezembro de 2023, no percentual de trinta por cento da arrecadação federal de contribuições sociais e de intervenção no domínio econômico, já instituídas ou que vierem a ser criadas até a referida data, além de adicionais e respectivos acréscimos legais.

Exceção à regra da desvinculação. O § 2° foi acrescentado ao texto por meio da Emenda Constitucional n.º 27, de 21 de março de 2000, e dispôs excetuar da desvinculação definida no *caput* a arrecadação da contribuição social do salário-educação a que se refere o art. 212, § 5.º, da Constituição, ou seja, o salário-educação devido pelas empresas.

Vinculação das receitas de contribuições sociais. Proíbe a norma do § 4.º a desvinculação das receitas de contribuições sociais arrecadadas para o pagamento de benefícios e custeio da seguridade social.

Jurisprudência

> "Constitucional. Financeiro. Repartição do produto da arrecadação da CIDE-Combustíveis. Art. 159, III, da CF. Apuração do montante devido. Art. 1.º-A da Lei 10.336/01, cuja parte final determina a dedução das parcelas desvinculadas, nos termos do art. 76 do ADCT. Superveniência da EC 93/16. A DRU, no formato atual, não implica alteração da destinação federativa dos recursos arrecadados. Cautelar deferida. 1. A desvinculação das Receitas da União – DRU, instituto que sucedeu o Fundo Social de Emergência (criado pela Emenda Constitucional de Revisão 4/94, nos arts. 71 e 72 do ADCT) e o Fundo Social de Estabilização Fiscal (criado por meio da EC 10/96, é um mecanismo financeiro cujo escopo é neutralizar temporariamente a vinculação de parte da arrecadação tributária a suas finalidades originárias. 2. As redações atribuídas ao longo do tempo ao *caput* do art. 76 do ADCT estabeleceram que diferentes percentuais da arrecadação deveriam ser desvinculados 'de órgão, fundo ou despesa', sem jamais se referir à destinação federativa. O § 1.º do art. 76 do ADCT, hoje revogado pela EC 93/16, continha norma de valor auxiliar, que explicitava que a DRU não interferia com a base de cálculo das transferências intergovernamentais a Estados e Distrito Federal. A sua supressão, pela EC 93/16, não pode induzir a um raciocínio – tirado a contrario sensu – segundo o qual estaria autorizada a dedução da DRU do montante a ser transferido aos demais entes federados. 3. Ao determinar a dedução das parcelas referentes à DRU do montante a ser repartido com Estados e

Distrito Federal, o comando veiculado na parte final no art. 1.º-A da Lei 10.336/01 incorre em aparente contraste com o art. 159, III, da CF e, consequentemente, com o equilíbrio federativo que ele objetiva consolidar. Presença de risco de dano financeiro a Estados-membros e Distrito Federal, acentuado pelo cenário de crise econômica, a dificultar o cumprimento de metas de responsabilidade fiscal pelas unidades federadas. 4. Cautelar deferida, ad referendum do Plenário, para suspender, até o julgamento definitivo da presente ação direta, a eficácia da parte final do art. 1.º-A da Lei 10.336/01, na redação conferida pela Lei 10.866/04, no que determina a dedução da 'parcela desvinculada nos termos do art. 76 do Ato das Disposições Constitucionais Transitórias' do montante a ser repartido com Estados e Distrito Federal na forma do art. 159, III, da CF" (STF – Pleno, ADIN 5.628/DF MC, rel. Min. Teori Zavascki, j. 19.12.2016, DJE-017, 01.02.2017).

Art. 76-A. São desvinculados de órgão, fundo ou despesa, até 31 de dezembro de 2023, 30% (trinta por cento) das receitas dos Estados e do Distrito Federal relativas a impostos, taxas e multas, já instituídos ou que vierem a ser criados até a referida data, seus adicionais e respectivos acréscimos legais, e outras receitas correntes.

Parágrafo único. Excetuam-se da desvinculação de que trata o *caput*:

I – recursos destinados ao financiamento das ações e serviços públicos de saúde e à manutenção e desenvolvimento do ensino de que tratam, respectivamente, os incisos II e III do § 2.º do art. 198 e o art. 212 da Constituição Federal;

II – receitas que pertencem aos Municípios decorrentes de transferências previstas na Constituição Federal;

III – receitas de contribuições previdenciárias e de assistência à saúde de servidores;

IV – demais transferências obrigatórias e voluntárias entre entes da Federação com destinação específica em lei;

V – fundos instituídos pelo Poder Judiciário, pelos Tribunais de Contas, pelo Ministério Público, pelas Defensorias Públicas e pelas Procuradorias-Gerais dos Estados e do Distrito Federal.

Doutrina

Desvinculação de recursos da arrecadação dos Estados e do Distrito Federal. O artigo 76-A do ADCT, acrescentado à Constituição Federal por meio da Emenda Constitucional n.º 93, de 8 de setembro de 2016, determinou a desvinculação de recursos anteriormente destinados a órgão, fundo ou despesa, até 31 de dezembro de 2023, no percentual de trinta por cento das receitas impostos, taxas e multas, já instituídos ou que vierem a ser criados até a referida data, além de adicionais e respectivos acréscimos legais e outras eventuais receitas correntes.

Exceção à regra da desvinculação. O parágrafo único dispõe que excetuam-se da desvinculação prevista no *caput* recursos federais destinados a financiar as ações de saúde e de educação; receitas destinadas aos municípios pela Constituição Federal (Fundo de Participação dos Municípios); receitas oriundas de contribuições previdenciárias e de assistência à saúde descontadas de servidores em folha de pagamento; transferências obrigatórias; e fundos criados pelas instituições mencionadas no inciso V da norma ora anotada.

Art. 76-B. São desvinculados de órgãos, fundo ou despesa, até 31 de dezembro de 2023, 30% (trinta por cento)

das receitas dos Municípios relativas a impostos, taxas e multas, já instituídos ou que vierem a ser criados até a referida data, seus adicionais e respectivos acréscimos legais, e outras receitas correntes.

Parágrafo único. Excetuam-se da desvinculação de que trata o *caput*:

I – recursos destinados ao financiamento das ações e serviços públicos de saúde e à manutenção e desenvolvimento do ensino de que tratam, respectivamente, os incisos II e III do § 2.° do art. 198 e o art. 212 da Constituição Federal;

II – receitas de contribuições previdenciárias e de assistência à saúde de servidores;

III – demais transferências obrigatórias e voluntárias entre entes da Federação com destinação especificada em lei;

IV – fundos instituídos pelo Tribunal de Contas do Município.

Doutrina

Desvinculação de recursos da arrecadação dos Municípios. O artigo 76-B do ADCT, acrescentado à Constituição Federal por meio da Emenda Constitucional n.° 93, de 8 de setembro de 2016, determinou a desvinculação de recursos anteriormente destinados a órgão, fundo ou despesa, até 31 de dezembro de 2023, no percentual de trinta por cento das receitas de impostos, taxas e multas, já instituídos ou que vierem a ser criados até a referida data, além de adicionais e respectivos acréscimos legais e outras eventuais receitas correntes.

Exceção à regra da desvinculação. O parágrafo único dispõe que excetuam-se da desvinculação prevista no *caput* recursos federais destinados a financiar as ações de saúde e de educação;

receitas oriundas de contribuições previdenciárias e de assistência à saúde descontadas de servidores em folha de pagamento; transferências obrigatórias e voluntárias entre entes federados; e fundos criados pelo Tribunal de Contas do Município (somente existem nos Municípios de São Paulo e Rio de Janeiro).

Art. 77. Até o exercício financeiro de 2004, os recursos mínimos aplicados nas ações e serviços públicos de saúde serão equivalentes:

I – no caso da União:

a) no ano 2000, o montante empenhado em ações e serviços públicos de saúde no exercício financeiro de 1999 acrescido de, no mínimo, cinco por cento;

b) do ano 2001 ao ano 2004, o valor apurado no ano anterior, corrigido pela variação nominal do Produto Interno Bruto - PIB;

II – no caso dos Estados e do Distrito Federal, doze por cento do produto da arrecadação dos impostos a que se refere o art. 155 e dos recursos de que tratam os arts. 157 e 159, inciso I, alínea *a*, e inciso II, deduzidas as parcelas que forem transferidas aos respectivos Municípios; e

III – no caso dos Municípios e do Distrito Federal, quinze por cento do produto da arrecadação dos impostos a que se refere o art. 156 e dos recursos de que tratam os arts. 158 e 159, inciso I, alínea *b* e § 3.º.

§ 1.º Os Estados, o Distrito Federal e os Municípios que apliquem percentuais inferiores aos fixados nos incisos II e III deverão elevá-los gradualmente, até o exercício financeiro de 2004, reduzida a diferença à razão de, pelo menos, um quinto por ano, sendo que, a partir de 2000, a aplicação será de pelo menos sete por cento.

§ 2.º Dos recursos da União apurados nos termos deste artigo, quinze por cento, no mínimo, serão aplicados nos Municípios, segundo o critério populacional, em ações e serviços básicos de saúde, na forma da lei.

§ 3.º Os recursos dos Estados, do Distrito Federal e dos Municípios destinados às ações e serviços públicos de saúde e os transferidos pela União para a mesma finalidade serão aplicados por meio de Fundo de Saúde que será acompanhado e fiscalizado por Conselho de Saúde, sem prejuízo do disposto no art. 74 da Constituição Federal.

§ 4.º Na ausência da lei complementar a que se refere o art. 198, § 3.º, a partir do exercício financeiro de 2005, aplicar-se-á à União, aos Estados, ao Distrito Federal e aos Municípios o disposto neste artigo.

Doutrina

Definição de recursos mínimos destinados à saúde. O artigo 77 do ADCT de 1988 foi acrescentado ao referido texto por meio da Emenda Constitucional n.º 29, de 13 de setembro de 2000, que acrescentou, ainda, os parágrafos 2.º e 3.º ao artigo 198 do corpo permanente da Constituição. A norma transitória vinculou recursos de aplicação obrigatória da data da promulgação da emenda constitucional até o exercício de 2004, inclusive. Destinatários das disposições legais sobre a aplicação de recursos em ações e serviços públicos de saúde são todos os entes federados, ou seja, União, Estados, Distrito Federal e Municípios.

Jurisprudência

"1. Hipótese em que o MM. Juiz a quo julgou parcialmente procedente o pedido para 'ordenar que a União proceda à exclusão do registro do nome do município de Pedra Preta/RN do Sistema Integrado de Administração Financeira do Governo Federal – SIAFI e do CAUC, levado a efeito em razão da não prestação de informações pelo aludido município, nos exercícios de 2006 e 2007, acerca do cumprimento do disposto no art. 77, III, do ADCT, bem como para ordenar o recebimento das referidas informações junto ao Sistema de Informações sobre Orçamentos Públicos em saúde do Ministério da Saúde – SIOPS'. 2. A Primeira Seção do Superior Tribunal de Justiça firmou o entendimento de que 'deve ser liberada da inadimplência a prefeitura administrada pelo prefeito que sucedeu o administrador faltoso, quando tomadas todas as providências objetivando o ressarcimento ao erário, em conformidade com os parágrafos 2.º e 3.º, da Instrução Normativa n. 01/STN'. (MS 200600076030, Luiz Fux, STJ – Primeira Seção, 27/08/2007)" (TRF5, AC 515.072/RN, rel. Des. Fed. Francisco Cavalcanti, DJE, 16.03.2012, p. 185).

Art. 78. Ressalvados os créditos definidos em lei como de pequeno valor, os de natureza alimentícia, os de que trata o art. 33 deste Ato das Disposições Constitucionais Transitórias e suas complementações e os que já tiverem os seus respectivos recursos liberados ou depositados em juízo, os precatórios pendentes na data de promulgação desta Emenda e os que decorram de ações iniciais ajuizadas até 31 de dezembro de 1999 serão liquidados pelo seu valor real, em moeda corrente, acrescido de juros legais, em prestações anuais, iguais e sucessivas, no prazo máximo de dez anos, permitida a cessão dos créditos.

§ 1.º É permitida a decomposição de parcelas, a critério do credor.

§ 2.º As prestações anuais a que se refere o *caput* deste artigo terão, se não liquidadas até o final do exercício a que se referem, poder liberatório do pagamento de tributos da entidade devedora.

§ 3.º O prazo referido no *caput* deste artigo fica redu-

zido para dois anos, nos casos de precatórios judiciais originários de desapropriação de imóvel residencial do credor, desde que comprovadamente único à época da imissão na posse.

§ 4.º O Presidente do Tribunal competente deverá, vencido o prazo ou em caso de omissão no orçamento, ou preterição ao direito de precedência, a requerimento do credor, requisitar ou determinar o sequestro de recursos financeiros da entidade executada, suficientes à satisfação da prestação.

Doutrina

Exceção à regra de parcelamento de precatórios. O *caput* deste artigo, em sua primeira parte, ressalva da regra geral de parcelamento de precatórios os créditos de pequeno valor, os de natureza alimentícia, aqueles tratados no artigo 33 deste ADCT, bem como suas complementações e aqueles que já tiverem os respectivos recursos liberados ou depositados em juízo, os precatórios pendentes na data de promulgação da Emenda Constitucional n.º 37, de 13.06.2002, e decorrentes de ações iniciais ajuizadas até 31.12.1999.

Aplicação da regra de parcelamento de precatórios. Como regra geral, as dívidas da Fazenda Pública, decorrentes de condenações com decisão transitada em julgado, serão quitadas segundo a ordem cronológica que as divide em precatórios de créditos alimentares e precatórios de natureza diversa (não alimentares). Estes últimos serão liquidados pelo seu valor real, em moeda corrente, acrescido de juros legais, em prestações anuais, iguais e sucessivas, no prazo máximo de dez anos, permitida a cessão dos créditos. Permite-se, ademais, a decomposição de parcelas, a critério do credor (§ 1.º) e se as prestações anuais não forem liquidadas até o final do exercício a que se referem, terão poder liberatório do pagamento de tributos da entidade devedora (§ º).

Redução de prazo do parcelamento de precatórios. Dispõe o § 3.º que o prazo de dez anos, definido no *caput* deste artigo, será reduzido para dois anos, quando se tratar de precatório judicial originário de desapropriação de imóvel residencial do credor, desde que comprovadamente único à época da imissão na posse.

Requisição ou sequestro para satisfação de precatório. Nos termos do § 4.º deste artigo, deverá o Presidente do Tribunal competente, desde que vencido o prazo de pagamento, ou em caso de omissão de verba no orçamento, ou, ainda, quando caracterizada a preterição ao direito de precedência, a requerimento do credor, requisitar ou determinar o sequestro dos recursos financeiros do ente devedor suficientes para o pagamento da prestação devida.

Jurisprudência

> "I – Não incidem juros compensatórios e moratórios no pagamento de precatórios efetuado na forma prevista no art. 33 do ADCT, salvo, quanto aos últimos, na hipótese de atraso na quitação das prestações mencionadas naquele dispositivo. II – O art. 78 do ADCT possui a mesma *mens legis* do art. 33 deste Ato, razão pela qual, uma vez calculado o precatório pelo valor real do débito, acrescido de juros legais, não há mais falar em incidência destes nas parcelas anuais, iguais e sucessivas em que é fracionado, desde que adimplidas a tempo e corrigidas monetariamente" (STF – 2.ª Turma, RE 561.149/SP AgRg, rel. Min. Ricardo Lewandowski, j. 22.05.2012).

> "1. A decisão proferida na Ação Direta de Inconstitucionalidade n. 1.662/DF versou sobre a satisfação de precatórios e ofícios requisitórios decorrentes de créditos de natureza alimentar, nos termos do art. 100, § 2.º, da Constituição da República, 2. Decisão reclamada que tem origem em desapropriação e ordem de sequestro fundamentada no art. 78, § 4.º, do Ato das Disposições Constitucionais Transitórias. 3. Ausência de identidade

material entre a decisão reclamada e o que decidido pelo Supremo Tribunal Federal na ação-paradigma. 4. Reclamação julgada improcedente" (STF – Pleno, Recl. 4.746/MG, rel. Min. Cármen Lúcia, j. 13.04.2011).

"Agravo regimental em recurso ordinário em mandado de segurança. Tributário. Compensação. Débito de ICMS. Precatórios remanescentes de oitavos (decorrentes da moratória constitucional anterior – ADCT. Art. 33). Cessão de crédito. Art. 78, § 2.°, do ADCT. Inviabilidade. 1. O poder liberatório do pagamento de tributos da Entidade devedora pode ser invocado somente em relação aos precatórios pendentes na data da promulgação da EC 30/00 e os que decorram de ações iniciais ajuizadas até 31 de dezembro de 1999, cujas parcelas não forem liquidadas até o final exercício a que se referem, afastados, portanto, os de pequeno valor, os de natureza alimentícia e os remanescentes de oitavos. 2. Os créditos remanescentes de oitavos compõem a primeira moratória, estabelecida pelo art. 33, do ADCT, a eles não se aplicando a disposição do parágrafo 2.°, do art. 78, do ADCT/88, porquanto expressamente ressalvados no *caput* do artigo, razão pela qual não podem ser utilizados para compensação de ICMS. 3. Agravo regimental desprovido" (STJ – 1.ª Turma, ROMS 30.491 AgRg, rel. Min. Luiz Fux, unânime, DJE, 27.08.2010).

"Constitucional – Recurso ordinário em mandado de segurança – Art. 78 § 2.°, do ADCT – Poder liberatório do pagamento de tributos – crédito de natureza alimentar. 1. As parcelas do precatório submetido à moratória do art. 78 do ADCT, se não liquidadas até o final do prazo previsto, passam a ter poder liberatório do pagamento de tributos da entidade devedora, nos moldes do § 2.° do mesmo dispositivo constitucional. 2. À luz do referido enunciado normativo, ressalvados os créditos de pequeno valor, os de natureza alimentícia, os previstos no art. 33 do ADCT e sua complementações e ainda os que já tiverem os recursos liberados, os precatórios que forem objeto de parcelamento e cujas parcelas não forem pagas até o final do prazo constitucional, terão eficácia liberatória do pagamento de tributos. 3. Hipótese em que os créditos contidos no precatório objeto de compensação originam-se de honorários de sucumbência em ação indenizatória, qualificando-se como créditos alimentares. 4. Recurso ordinário em mandado de segurança não provido" (STJ – 2.ª Turma, ROMS 31.160, rel. Min. Eliana Calmon, DJE, 08.09.2010).

"1. O § 4.º do art. 78 do ADCT permite o deferimento do pedido de sequestro quando vencido o prazo para pagamento de uma ou mais das prestações anuais do precatório complementar de natureza não alimentar sujeito ao parcelamento de que trata o referido artigo. Decidiu com acerto o Tribunal de origem, ainda, quando considerou que o sequestro para satisfação de prestações do precatório complementar de natureza não alimentar não viola a ordem cronológica prevista no *caput* do art. 100 da Constituição da República, na medida em que o sequestro não insere novo precatório na fila ordenada cronologicamente. 2. Segundo o regime da moratória previsto no artigo 78 do ADCT, o montante apurado no início da execução será decomposto em, no máximo, dez prestações anuais. Todavia, no momento de efetuar-se o pagamento de cada uma dessas parcelas, não haverá incidência de um novo percentual de juros compensatórios ou moratórios, salvo quanto a esses últimos, se não for realizado o pagamento dentro do prazo constitucional estabelecido. 3. Recurso ordinário provido, em parte, para desconstituir a ordem de sequestro, tão-somente no que diz respeito à satisfação dos juros compensatórios" (STJ – 2.ª Turma, ROMS 23.374, rel. Min. Mauro Campbell Marques, DJE, 03.02.2011).

Art. 79. É instituído, para vigorar até o ano de 2010, no âmbito do Poder Executivo Federal, o Fundo de Combate

e Erradicação da Pobreza, a ser regulado por lei complementar com o objetivo de viabilizar a todos os brasileiros acesso a níveis dignos de subsistência, cujos recursos serão aplicados em ações suplementares de nutrição, habitação, educação, saúde, reforço de renda familiar e outros programas de relevante interesse social voltados para melhoria da qualidade de vida.

Parágrafo único. O Fundo previsto neste artigo terá Conselho Consultivo e de Acompanhamento que conte com a participação de representantes da sociedade civil, nos termos da lei.

Doutrina

Fundo de Combate e Erradicação da Pobreza. O artigo 79 foi acrescentado ao ADCT de 1988, por meio da Emenda Constitucional n.º 31, de 14 de dezembro de 2000, e, por meio dele, foi criado, para viger até o ano de 2010, no âmbito do Poder Executivo Federal, o Fundo de Combate e Erradicação da Pobreza, regulamentado pela Lei Complementar n.º 111, de 6 de julho de 2001, com o objetivo de viabilizar a todos os brasileiros acesso a níveis dignos de subsistência, cujos recursos deverão ser aplicados em ações suplementares de nutrição, habitação, educação, saúde, reforço de renda familiar e outros programas de relevante interesse social, todos voltados para a melhoria da qualidade de vida. Referido Fundo, por disposição constante da Emenda Constitucional n.º 67, de 22 de dezembro de 2010, teve sua vigência prorrogada por prazo indeterminado. Certamente, isso se justifica em face dos níveis profundos de pobreza existentes no país e, principalmente, por constituir objetivo fundamental da República a erradicação da pobreza e da marginalização, além da redução das desigualdades sociais (CF, art. 3.º, III).

Jurisprudência

"Agravo regimental no recurso extraordinário. ICMS. Adicional. Instituição por lei estadual. Fundo Estadual de Combate à Pobreza. Lei 4.056/2002 do Estado do Rio de Janeiro. Convalidação pelo art. 4.º da Emenda Constitucional 42/2003. Agravo improvido. I – O art. 4.º da EC 42/2003 validou os adicionais instituídos pelos Estados e pelo Distrito Federal para financiar os Fundos de Combate à Pobreza. Precedentes. II – Agravo regimental improvido" (STF – 1.ª Turma, RE 508.993/RJ, rel. Min. Ricardo Lewandowski, unânime, j. 26.11.2013, DJE-114, 13.06.2014).

"Tributário. CPMF. EC n.º 31/2000. Majoração de alíquota. Fundo de Combate e Erradicação da Pobreza. Constitucionalidade. Ofensa aos princípios da legalidade e moralidade. Necessidade de lei complementar. – A Emenda Constitucional, pela sua própria superioridade hierárquica, pode dispor acerca de matéria reservada à legislação infraconstitucional, como a instituição de tributos, envolvendo toda a estrutura legal do tributo. Não há impedimento a que o poder constituinte derivado atue como legislador ordinário, majorando a alíquota da CPMF, como o fez através da EC n.º 31/00. Apelação desprovida" (TRF4 – 2.º Turma, AMS 200171050010988, rel. Juiz João Surreaux Chagas, unânime, DJ, 23.07.2003, p. 200).

Art. 80. Compõem o Fundo de Combate e Erradicação da Pobreza:

I – a parcela do produto da arrecadação correspondente a um adicional de oito centésimos por cento, aplicável de 18 de junho de 2000 a 17 de junho de 2002, na alíquota da contribuição social de que trata o art. 75 do Ato das Disposições Constitucionais Transitórias;

II – a parcela do produto da arrecadação correspondente a um adicional de cinco pontos percentuais na alíquota do Imposto sobre Produtos Industrializados (IPI), ou do imposto que vier a substituí-lo, incidente sobre produtos supérfluos e aplicável até a extinção do Fundo;

III – o produto da arrecadação do imposto de que trata o art. 153, inciso VII, da Constituição;

IV – dotações orçamentárias;

V- doações, de qualquer natureza, de pessoas físicas ou jurídicas do País ou do exterior;

VI – outras receitas, a serem definidas na regulamentação do referido Fundo.

§ 1.º Aos recursos integrantes do Fundo de que trata este artigo não se aplica o disposto nos arts. 159 e 167, IV, da Constituição, assim como qualquer desvinculação de recursos orçamentários.

§ 2.º A arrecadação decorrente do disposto no inciso I deste artigo, no período compreendido entre 18 de junho de 2000 e o início da vigência da lei complementar a que se refere a art. 79, será integralmente repassada ao Fundo, preservado o seu valor real, em títulos públicos federais, progressivamente resgatáveis após 18 de junho de 2002, na forma da lei.

Doutrina

Gênese da norma constitucional. A norma constitucional em comento foi acrescentada no ADCT de 1988 por meio da Emenda Constitucional n.º 31, de 14 de dezembro de 2000, regulamentada pelo Lei Complementar n.º 111, de 6 de julho de 2001.

Fontes de financiamento do fundo. Dispõe o *caput* deste artigo sobre as fontes de financiamento do Fundo de Combate e Erradicação da Pobreza, constituídas pelo produto da arrecadação de impostos e adicionais, de dotações orçamentárias constantes do orçamento federal, de doações, de qualquer natureza, recebidas de pessoas físicas ou jurídicas, do país ou do exterior, e de receitas de outras fontes definidas em lei.

Jurisprudência

"Constitucional. Tributário. Contribuição Provisória sobre Movimentação ou Transmissão de Valores e de Créditos e de Direitos de Natureza Financeira – CPMF. Adicional de 0.08%. Inconstitucionalidade. Inexistência. Emenda Constitucional 31/00. 1. A Emenda Constitucional n.º 31/00 determina a edição de lei complementar apenas para a regulamentação do Fundo de Combate e Erradicação da Pobreza, o mesmo não ocorrendo com a majoração da alíquota da CPMF estabelecida no seu texto. 2. A Emenda Constitucional, por ser norma hierarquicamente superior, é instrumento hábil a regulamentar matéria reservada à legislação infraconstitucional, como a majoração da alíquota da CPMF. 3. O princípio da anterioridade nonagesimal foi observado com o Decreto n.º 3.775/01, que, ao regulamentar o art. 80 do Ato das Disposições Transitórias, determinou com a CPMF deveria incidir à alíquota de trinta e oito centésimos por sento, no período de 18 de março de 2001 até 17 de junho de 2002. 4. Apelação a que se nega provimento" (TRF1, AMS 00153363020014013400, rel. Des. Federal Antônio Ezequiel da Silva, DJ, 26.05.2006, p. 63).

Art. 81. É instituído Fundo constituído pelos recursos recebidos pela União em decorrência da desestatização de sociedades de economia mista ou empresas públicas por ela controladas, direta ou indiretamente, quando a operação envolver a alienação do respectivo controle acionário a pessoa ou entidade não integrante da Administração Pública, ou de participação societária remanescente após a alienação, cujos rendimentos, gerados a partir de 18 de junho de 2002, reverterão ao Fundo de Combate e Erradicação de Pobreza.

§ 1.º Caso o montante anual previsto nos rendimentos transferidos ao Fundo de Combate e Erradicação da

Pobreza, na forma deste artigo, não alcance o valor de quatro bilhões de reais, far-se-á complementação na forma do art. 80, IV, do Ato das disposições Constitucionais Transitórias.

§ 2.º Sem prejuízo do disposto no § 1.º, o Poder Executivo poderá destinar ao Fundo a que se refere este artigo outras receitas decorrentes da alienação de bens da União.

§ 3.º A constituição do Fundo a que se refere o *caput*, a transferência de recursos ao Fundo de Combate e Erradicação da Pobreza e as demais disposições referentes ao § 1.º deste artigo serão disciplinadas em lei, não se aplicando o disposto no art. 165, § 9.º, inciso II, da Constituição.

Doutrina

Fonte adicional de recursos para o Fundo de Combate à Pobreza. O artigo 81 do ADCT, acrescentado pela Emenda Constitucional n.º 31, de 14 de dezembro de 2000, criou um fundo, constituído de recursos recebidos pela União em decorrência da privatização de sociedades de economia mista ou de empresas públicas por ela controladas, de forma direta ou indireta, nos casos em que a operação envolver a alienação do controle acionário a pessoa ou entidade não integrante da Administração Pública, ou de participação societária remanescente após a alienação, destinando os rendimentos, gerados a partir de 18 de junho de 2002, ao Fundo de Combate e Erradicação de Pobreza. Dispõe, ainda, o § 2.º que o Poder Executivo poderá destinar ao Fundo a que se refere este artigo outras receitas decorrentes da alienação de bens da União.

Art. 82. Os Estados, o Distrito Federal e os Municípios devem instituir Fundos de Combate à Pobreza, com os recursos de que trata este artigo e outros que vierem a destinar,

devendo os referidos Fundos ser geridos por entidades que contem com a participação da sociedade civil.

§ 1.º Para o financiamento dos Fundos Estaduais e Distrital, poderá ser criado adicional de até dois pontos percentuais na alíquota do Imposto sobre Circulação de Mercadorias e Serviços (ICMS), sobre os produtos e serviços supérfluos e nas condições definidas na lei complementar de que trata o art. 155, § 2.º, XII, da Constituição, não se aplicando, sobre este percentual, o disposto no art. 158, IV, da Constituição.

§ 2.º Para o financiamento dos Fundos Municipais, poderá ser criado adicional de até meio ponto percentual na alíquota do Imposto sobre serviços ou do imposto que vier a substituí-lo, sobre serviços supérfluos.

Doutrina

Criação de Fundos de Combate à Pobreza por entes federados. Dispõe o artigo 82 que Estados, Distrito Federal e Municípios deverão instituir os seus respectivos fundos de combate à pobreza, com fontes de financiamento constituídas por adicionais do ICMS e do ISS, por Estados e Municípios, respectivamente, podendo o Distrito Federal utilizar ambos os adicionais como fonte de recursos para financiar as atividades de seu fundo.

Jurisprudência

> "Dívida Pública – Amortização – Receita líquida real – Cálculo – Fundo de Combate à Pobreza – Receita – Comprometimento. De início, surgem a relevância do pedido e o risco de se manter com plena eficácia quadro a revelar o cômputo de receita prevista no § 1.º do artigo 82 do Ato das Disposições Constitucionais Transitórias no cálculo da Receita Líquida Real definidora da amortização, pelo Estado, da dívida pública consolidada" (STF – Pleno, AC 268 MC, rel. Min. Marco Aurélio, DJ, 10.08.2006).

"Agravo regimental no recurso extraordinário. ICMS. Adicional. Lei Estadual n. 4.056/02. Fundo Estadual de Combate à Pobreza. Controvérsia após a EC 42/03. O Supremo Tribunal Federal, na decisão proferida na ADI n. 2.869, Relator o Ministro Carlos Britto, DJ, de 13.5.04, fixou que 'o art. 4.º da Emenda Constitucional n.º 42/2003 validou os adicionais criados pelos Estados e pelo Distrito Federal, ainda que estes estivessem em desacordo com o previsto na Emenda Constitucional n.º 31/2000. Sendo assim, se pairavam dúvidas acerca da constitucionalidade dos diplomas normativos ora adversados, estas foram expressamente enxotadas pelo mencionado art. 4.º'. Agravo regimental a que se nega provimento" (STF – 2.ª Turma, RE 570.016/RJ AgRg, rel. Min. Eros Grau, j. 19.08.2008).

"O entendimento adotado no acórdão recorrido diverge da jurisprudência firmada no âmbito deste Supremo Tribunal Federal, no sentido de que o art. 4.º da Emenda Constitucional 42/2003 validou os adicionais criados pelos Estados e pelo Distrito Federal destinados aos Fundos de Combate e Erradicação à Pobreza" (STF, RE 764.224/SE, rel. Min. Rosa Weber, decisão monocrática, j. 21.09.2015, DJE-192, 25.09.2015).

"Agravo regimental no recurso extraordinário. ICMS. Adicional. Instituição por lei estadual. Fundo Estadual de Combate à Pobreza. Lei 4.056/2002 do Estado do Rio de Janeiro. Convalidação pelo art. 4.º da Emenda Constitucional 42/2003. Agravo Improvido. I – O art. 4.º da EC 42/2003 validou os adicionais instituídos pelos Estados e pelo Distrito Federal para financiar os Fundos de Combate à Pobreza. Precedentes. II – Agravo regimental improvido" (STF – 1.ª Turma, RE 508.993/RJ, rel. Min. Ricardo Lewandowski, j. 26.11.2013).

Art. 83. Lei federal definirá os produtos e serviços supérfluos a que se referem os arts. 80, II, e 82, § 2.º

Doutrina

Definição legal de produtos e serviços supérfluos. Dispõe a norma que referida definição, para os fins dos artigos 80, II, e 82, § °, será feita por lei federal. De fato, cabe à lei definir o que é bem ou serviço supérfluos. Quase sempre o critério levado em conta é o da essencialidade, ou seja, quanto mais essencial o bem ou serviço, menor a alíquota incidente; quanto menos essencial o bem ou serviço maior a alíquota incidente.

Art. 84. A contribuição provisória sobre movimentação ou transmissão de valores e de créditos e direitos de natureza financeira, prevista nos arts. 74, 75 e 80, I, deste Ato das Disposições Constitucionais Transitórias, será cobrada até 31 de dezembro de 2004.

§ 1.° Fica prorrogada até a data referida no *caput* deste artigo, a vigência da Lei n.° 9.311, de 24 de outubro de 1996, e suas alterações.

§ 2.° Do produto da arrecadação da contribuição social de que trata este artigo será destinada a parcela correspondente à alíquota de:

I – vinte centésimos por cento ao Fundo Nacional de Saúde, para financiamento das ações e serviços de saúde;

II – dez centésimos por cento ao custeio da previdência social;

III – oito centésimos por cento ao Fundo de Combate e Erradicação da Pobreza, de que tratam os arts. 80 e 81 deste Ato das Disposições Constitucionais Transitórias.

§ 3.° A alíquota da contribuição de que trata este artigo será de:

I – trinta e oito centésimos por cento, nos exercícios financeiros de 2002 e 2003.

II – *(Revogado pela Emenda Constitucional n.º 42, de 19.12.2003).*

Doutrina

Prorrogação da cobrança da CPMF. O artigo 84 foi acrescentado ao ADCT de 1988 pela Emenda Constitucional n.º 37, de 12 de junho de 2002, e estendeu a cobrança da contribuição provisória sobre movimentação ou transmissão de valores e de créditos e direitos de natureza financeira até 31 de dezembro de 2004. Outrossim, o artigo ora em comento alterou a destinação da CPMF, mantendo parte da arrecadação para o Fundo Nacional de Saúde, canalizando parte para o Fundo de Combate à Riqueza e outra parte para o custeio da Previdência Social.

Jurisprudência

> "Tributário. CPMF. Emenda Constitucional n.º 42/2003. Alíquota. Majoração não configurada. Inexistência de afronta ao art. 195, § 6.º da CF/88. Mera prorrogação de tributo. Constitucionalidade da exigência. 1. A EC 42/2003 não instituiu nem modificou tributo que ensejasse o atendimento ao princípio da anterioridade mitigada prevista no art. 195, § 6.º, da CF/88, mas somente prorrogou a cobrança da CPMF com mesmo fato gerador, base de cálculo e alíquota (0,38%) definidos pela legislação anterior. 2. De fato, a EC n.º 37/2002, previu a incidência da alíquota de 0,085 para o exercício financeiro de 2004 (II do § 3.º do art. 84 do ADCT). No entanto, com o advento da EC n.º 42/2003, essa alíquota sequer chegou a ser concretizada, tornando-se uma mera expectativa do contribuinte, prevista na lei, mas que jamais produziu efeitos. 3. Nesse sentido foi o entendimento firmado pelo STF, em julgamento do RExt. n.º 566032, em sessão realizada no dia 24.06.2009. 4. Apelação desprovida" (TRF4, AC 200870000292553, rel. Des. Fed. Joel Ilan Paciornik, D.E., 25.08.2009).

"Tributário. CPMF. Emenda Constitucional 42/2003. Prorrogação da alíquota de 0,38%. Inaplicabilidade do prazo nonagesimal insculpido no art. 195, parágrafo 6.º, da CF/88. Precedentes. – O Colendo STF, quando do julgamento do RE 566032, Rel. Ministro Gilmar Mendes, cuja repercussão geral já havia sido reconhecida, manifestou-se no sentido de que com a edição da Emenda Constitucional 42/2003, revogando o art. 84, parágrafo 3.º, II do ADCT, houve tão-somente a prorrogação da incidência da CPMF com a alíquota que vinha sendo cobrada, não ocorrendo a hipótese de majoração, sendo desnecessária a observância do prazo nonagesimal, insculpido no art. 195, parágrafo 6.º, da CF/88. A diminuição da alíquota para 0,08% não se concretizou ante a revogação do dispositivo legal que a previu. – Precedentes desta colenda Corte (AC 470944/PE, Rel. Des. Federal Geraldo Apoliano, DJ 31.07.2009, pág. 362, unânime e AC 470727/PE, Rel. Des. Federal Margarida Cantarelli, DJ 18.06.2009, unânime). – Apelação desprovida" (TRF5, AC 487.568, rel. Des. Fed. Rubens de Mendonça Canuto, DJE, 26.11.2009, p. 707).

"Apelação em mandado de segurança – CPMF – Lei n.º 9.311/96, modificada pela Lei 9.539/97 – EC 12/96 – EC 21/99 – EC 37/02 – Constitucionalidade. 1. A Contribuição Provisória sobre Movimentação ou Transmissão de Valores e de Créditos e Direitos de Natureza Financeira – CPMF, foi instituída pela Lei 9.311, de 24.10.96, que estipulou sua cobrança por 13 meses – dentro dos 24 meses permitidos pela Emenda Constitucional n.º 12 de 15.8.96. A vigência da CPMF ficou marcada de 23 de janeiro de 1997 até 23 de fevereiro de 1998. 2. A Lei 9.539, de 12.12.97 ampliou o período de exigência da contribuição por mais 11 meses (art. 1.º) contados justamente desde o dies a quo originário derivado da primeira. Em 18 de março de 1999 sobreveio a Emenda Constitucional n.º 21 (DOU de 19.3.99), para prorrogar a cobrança por 36 meses, bem como a vigência da Lei 9.539 que, saliente-se, foi julgada constitucional pelo C. Supremo Tribunal Federal. 3. Posteriormente, a Emenda Constitucional n.º 37, de 12.06.2002, acrescentou, entre outros, o artigo 84 do Ato das Disposições Constitucionais Transitórias, prorrogando, até 31 de dezembro de 2004, a cobrança da contribuição em comento e a vigência da lei n.º 9.311/96 e suas alterações. 4. O Supremo Tribunal Federal, quando do julgamento das ADINs n.ºs 2666/DF e 2673/DF (03.10.2002), afirmou a constitucionalidade da Emenda Constitucional n.º 37/02, ao fundamento de tratar-se de mera prorrogação da exação, não importando instituição ou modificação da contribuição social e, pois, não sendo aplicável a noventena do artigo 195, § 6.º, da Constituição Federal. 5. Apelação da União e remessa oficial providas" (TRF3 – 6.ª Turma, ApReeNec 247.753/SP, rel. Des. Federal Lazarano Neto, unânime, DJF3, 24.11.2008, p. 716).

Art. 85. A contribuição a que se refere o art. 84 deste Ato das Disposições Constitucionais Transitórias não incidirá, a partir do 30.º (trigésimo) dia da data de publicação desta Emenda Constitucional, nos lançamentos:

I – em contas correntes de depósito especialmente abertas e exclusivamente utilizadas para operações de:

a) câmaras e prestadoras de serviços de compensação e de liquidação de que trata o parágrafo único do art. 2.º da Lei n.º 10.214, de 27 de março de 2001;

b)companhias securitizadoras de que trata a Lei n.º 9.514, de 20 de novembro de 1997;

c) sociedades anônimas que tenham por objeto exclusivo a aquisição de créditos oriundos de operações praticadas no mercado financeiro;

II – em contas correntes de depósito, relativos a:

a) operações de compra e venda de ações, realizadas em recintos ou sistemas de negociação de bolsas de valores e no mercado de balcão organizado;

b) contratos referenciados em ações ou índices de ações, em suas diversas modalidades, negociados em bolsas de valores, de mercadorias e de futuros;

III – em contas de investidores estrangeiros, relativos a entradas no País e a remessas para o exterior de recursos financeiros empregados, exclusivamente, em operações e contratos referidos no inciso II deste artigo.

§ 1.º O Poder Executivo disciplinará o disposto neste artigo no prazo de trinta dias da data de publicação desta Emenda Constitucional.

§ 2.º O disposto no inciso I deste artigo aplica-se somente às operações relacionadas em ato do Poder Executivo, dentre aquelas que constituam o objeto social das referidas entidades.

§ 3.º O disposto no inciso II deste artigo aplica-se somente a operações e contratos efetuados por intermédio de instituições financeiras, sociedades corretoras de títulos e valores mobiliários, sociedades distribuidoras de títulos e valores mobiliários e sociedades corretoras de mercadorias.

Doutrina

Hipóteses de não incidência da CPMF. Este artigo 85 foi acrescentado ao ADCT por meio da Emenda Constitucional n.º 37, de 12 de junho de 2002, e estabelece hipóteses de não incidência da referida contribuição sobre contas correntes de depósitos mencionados nos incisos I, II e III, e respectivas alíneas, e nas condições nelas previstas.

Jurisprudência

"Agravo de Instrumento – Contribuição Provisória sobre Movimentação Financeira – CPMF – E. C. n.º 37/2002 – Constitucionalidade da Exação. 1. A Emenda

Constitucional n.º 37/2002 apenas dispôs sobre a continuidade da CPMF, não instituindo ou modificando tal exação de forma a exigir o lapso nonagesimal previsto no art. 195, § 6.º, da Constituição Federal. 2. O Supremo Tribunal Federal, por unanimidade, considerou constitucional a norma em questão no julgamento da ADIN n.º 2666-6/DF e da ADIN n.º 2673-9/DF, eis que a contribuição foi prorrogada até 2004, não tendo sido alterados os critérios de determinação de seu montante. 3. Ausência de vício de inconstitucionalidade formal e material. 4. Agravo de instrumento provido. 5. Agravo regimental prejudicado" (TRF3 – 6.ª Turma, AgI 160.392/SP, rel. Des. Federal Consuelo Yoshida, unânime, DJU, 17.03.2003).

Art. 86. Serão pagos conforme disposto no art. 100 da Constituição Federal, não se lhes aplicando a regra de parcelamento estabelecida no caput do art. 78 deste Ato das Disposições Constitucionais Transitórias, os débitos da Fazenda Federal, Estadual, Distrital ou Municipal oriundos de sentenças transitadas em julgado, que preencham, cumulativamente, as seguintes condições:

I – ter sido objeto de emissão de precatórios judiciários;

II – ter sido definidos como de pequeno valor pela lei de que trata o § 3.º do art. 100 da Constituição Federal ou pelo art. 87 deste Ato das Disposições Constitucionais Transitórias;

III – estar, total ou parcialmente, pendentes de pagamento na data da publicação desta Emenda Constitucional.

§ 1.º Os débitos a que se refere o *caput* deste artigo, ou os respectivos saldos, serão pagos na ordem cronológica de apresentação dos respectivos precatórios, com precedência sobre os de maior valor.

§ 2.° Os débitos a que se refere o *caput* deste artigo, se ainda não tiverem sido objeto de pagamento parcial, nos termos do art. 78 deste Ato das Disposições Constitucionais Transitórias, poderão ser pagos em duas parcelas anuais, se assim dispuser a lei.

§ 3.° Observada a ordem cronológica de sua apresentação, os débitos de natureza alimentícia previstos neste artigo terão precedência para pagamento sobre todos os demais.

Doutrina

Regras especiais para pagamento de débitos da Fazenda Pública. O artigo 86 foi acrescentado ao ADCT de 1988 com a finalidade de excluir das regras de parcelamento os débitos da Fazenda Pública (federal, estadual, distrital ou municipal) oriundos de sentenças transitadas em julgado, que preencham, cumulativamente, as seguintes condições: *a)* ter sido objeto de emissão de precatórios judiciários; *b)* ter sido definidos como de pequeno valor pela lei pertinente; e *c)* estar, total ou parcialmente, pendentes de pagamento na data da publicação desta Emenda Constitucional. Referidos débitos, ou saldos remanescentes, deverão ser pagos na rigorosa ordem cronológica de apresentação dos respectivos precatórios, com precedência sobre os de maior valor (§ 1.°). Os débitos que não foram objeto de pagamento parcial poderão ser pagos em duas parcelas anuais, na forma da lei (§ 1.°). Por último, obedecida a rigorosa ordem cronológica de apresentação, os débitos de natureza alimentar terão precedência para pagamento sobre todos os demais (§ 3.°).

Art. 87. Para efeito do que dispõem o § 3.° do art. 100 da Constituição Federal e o art. 78 deste Ato das Disposições Constitucionais Transitórias serão considerados de pequeno valor, até que se dê a publicação oficial das respectivas leis definidoras pelos entes da Federação, observado o disposto no § 4.° do art. 100 da Constituição

Federal, os débitos ou obrigações consignados em precatório judiciário, que tenham valor igual ou inferior a:

I – quarenta salários mínimos, perante a Fazenda dos Estados e do Distrito Federal;

II – trinta salários mínimos, perante a Fazenda dos Municípios.

Parágrafo único. Se o valor da execução ultrapassar o estabelecido neste artigo, o pagamento far-se-á, sempre, por meio de precatório, sendo facultada à parte exequente a renúncia ao crédito do valor excedente, para que possa optar pelo pagamento do saldo sem o precatório, da forma prevista no § 3.º do art. 100.

Doutrina

Definição de débitos fazendários de pequeno valor. O artigo 87 foi acrescentado no ADCT de 1988 por meio da Emenda Constitucional n.º 37, de 12 de junho de 2002, dispondo que serão considerados de pequeno valor, até que se dê a publicação oficial das respectivas leis definidoras, pelos respectivos entes da Federação, débitos ou obrigações consignados em precatórios que montem valor igual ou inferior a quarenta salários mínimos, perante a Fazenda dos Estados e do Distrito Federal, e de trinta salários mínimos, perante a Fazenda dos Municípios.

Jurisprudência

> "Fazenda – Título judicial a revelar obrigação de dar – Pagamento imediato. Enquadrando-se cada qual das obrigações contidas no título executivo judicial na previsão do artigo 87 do Ato das Disposições Constitucionais Transitórias de 1988, não cabe a junção visando submeter os créditos a satisfação mediante precatório – inteligência do artigo 100, § 3.º e § 8.º, da Carta Federal" (STF – 1.ª Turma, RE 634.707/SP, rel. Min. Marco Aurélio, j. 17.04.2012, DJE-086, 04.05.2012).

Art. 88. Enquanto lei complementar não disciplinar o disposto nos incisos I e III do § 3.º do art. 156 da Constituição Federal, o imposto a que se refere o inciso III do *caput* do mesmo artigo:

I – terá alíquota mínima de dois por cento, exceto para os serviços a que se referem os itens 32, 33 e 34 da Lista de Serviços anexa ao Decreto-Lei n.º 406, de 31 de dezembro de 1968;

II – não será objeto de concessão de isenções, incentivos e benefícios fiscais, que resulte, direta ou indiretamente, na redução da alíquota mínima estabelecida no inciso I.

Doutrina

Alíquotas do Imposto sobre Serviços. O artigo 88 foi acrescentado ao ADCT de 1988 pela Emenda Constitucional n.º 37, de 12 de junho de 2002, e dispõe que, enquanto lei complementar não disciplinar a matéria, o imposto sobre serviços de qualquer natureza terá alíquota mínima de 2%, salvo as exceções a que se refere a própria norma e não será objeto de isenções, incentivos ou benefícios fiscais que implique redução da alíquota mínima acima prevista.

Art. 89. Os integrantes da carreira policial militar e os servidores municipais do ex-Território Federal de Rondônia que, comprovadamente, se encontravam no exercício regular de suas funções prestando serviço àquele ex-Território na data em que foi transformado em Estado, bem como os servidores e os policiais militares alcançados pelo disposto no art. 36 da Lei Complementar n.º 41, de 22 de dezembro de 1981, e aqueles admitidos regularmente nos quadros do Estado de Rondônia até a data de posse do primeiro Governador eleito, em 15

de março de 1987, constituirão, mediante opção, quadro em extinção da administração federal, assegurados os direitos e as vantagens a eles inerentes, vedado o pagamento, a qualquer título, de diferenças remuneratórias.

§ 1.º Os membros da Polícia Militar continuarão prestando serviços ao Estado de Rondônia, na condição de cedidos, submetidos às corporações da Polícia Militar, observadas as atribuições de função compatíveis com o grau hierárquico.

§ 2.º Os servidores a que se refere o *caput* continuarão prestando serviços ao Estado de Rondônia na condição de cedidos, até seu aproveitamento em órgão ou entidade da administração federal direta, autárquica ou fundacional.

Doutrina

Opção de servidores de território federal a quadros em extinção da União. O artigo 89 foi acrescentado ao ADCT de 1988 pela Emenda Constitucional n.º 38, de 12 de junho de 2002, com a finalidade de incorporar aos quadros da União policiais militares do antigo Território Federal de Rondônia que se encontravam no exercício regular de suas funções na data em que o território foi transformado em Estado federado, bem como, num segundo momento, a incorporação de servidores e de policiais militares alcançados pelo disposto no art. 36 da Lei Complementar n.º 41, de 22 de dezembro de 1981, e aqueles admitidos regularmente nos quadros do Estado de Rondônia até a data de posse de seu primeiro Governador eleito (em 15 de março de 1987). Posteriormente, a Emenda Constitucional n.º 60, de 11 de novembro de 2009, alterou a redação do artigo para estender a opção oferecida aos policiais militares aos servidores civis do antigo território federal.

Jurisprudência

"Processo civil. Suspensão de tutela antecipada. Administrativo. Policiais e servidores municipais do ex-território federal de Rondônia. Transposição para quadro em extinção da Administração Pública Federal. Inexistência do alegado erro material. Agravo regimental não provido. 1. Consoante o disposto na EC 60/2009, os integrantes da carreira policial militar e os servidores municipais do ex-Território Federal de Rondônia, admitidos regularmente nos quadros do Estado até 15.03.87, têm direito, mediante opção, de integrar quadro em extinção da administração federal, assegurados os direitos e as vantagens a eles inerentes. 2. Os agravantes alegam erro material e pugnam para que sejam excluídos do presente pleito suspensivo 'os casos específicos dos processos n.º 001092788.2014.401.4100, 0006812-24.2014.401.4100 e 0006099-83.2013.401.4100, por se tratarem de casos de servidores admitidos até 15.03.1987 e que não estão abrangidos, nem pela fundamentação da União, nem pela pretensão deste, nem pelos fundamentos da própria decisão Agravada' (fl.689). 3. Alegam que 'toda a fundamentação de União baseia-se no fato de que, segundo seus argumentos, as sentenças de antecipação de tutela impugnadas teriam ampliado a data-limite da transposição para até 31.12.1991' (fl. 685). 4. Todavia, as sentenças referentes aos mencionados processos foram no sentido de a União e o INSS promoverem 'o enquadramento (transposição dos autores nos quadros em extinção da administração federal – inativos ou instituidores de pensão que estivessem ativos até 31/12/1991, desde que tenha mantido vínculo empregatício com o órgão público e atendam as demais condições constitucionais, legais e regulamentares vigentes, a cargo de análise pela administração, garantindo-se-lhes todos os direitos e vantagens funcionais decorrente de tal enquadramento' (fls. 172, 203 e 623). 5. Não há que se falar em erro material, não sendo as alegações dos agravantes suficientes para infirmar ou ilidir as razões que fundamentaram a decisão recorrida, tendo em vista a presença do potencial lesivo à economia pública, bem como do efeito multiplicador. 6. Agravo regimental não provido" (TRF1, AgRg 0071192-03.2015.4.01.0000, rel. Des. Fed. Hilton Queiroz, e-DJF1, 20.09.2016).

Art. 90. O prazo previsto no *caput* do art. 84 deste Ato das Disposições Constitucionais Transitórias fica prorrogado até 31 de dezembro de 2007.

§ 1.º Fica prorrogada, até a data referida no *caput* deste artigo, a vigência da Lei n.º 9.311, de 24 de outubro de 1996, e suas alterações.

§ 2.º Até a data referida no *caput* deste artigo, a alíquota da contribuição de que trata o art. 84 deste Ato das Disposições Constitucionais Transitórias será de trinta e oito centésimos por cento.

Doutrina

Prorrogação de prazo de cobrança da CPMF. O artigo 90 foi acrescentado ao ADCT de 1988 pela Emenda Constitucional n.º 42, de 19 de dezembro de 2003, com a finalidade de prorrogar, até o dia 31 de dezembro de 2007, a cobrança da contribuição provisória incidente sobre movimentação financeira. Prorrogou-se, também, a vigência da Lei n.º 9.311, de 24 de outubro de 1996, e alterações posteriores, legislação de regência da matéria. Manteve-se, contudo, a alíquota da contribuição no percentual de trinta e oito centésimos por cento.

Jurisprudência

"Segundo orientação firmada por esta Suprema Corte no julgamento do RE 566.032, a EC 42/2003 prorrogou a cobrança da CPMF calculada à alíquota de 0,38%, sem implicar aumento ou recriação do tributo. Por tal razão, era-lhe inaplicável a regra da anterioridade de noventa dias, 'nonagesimal', 'especial' ou 'noventena'. Pelas mesmas razões, isto é, a não caracterização de ruptura de regime jurídico fomentador de justa expectativa à redução do tributo, também é inaplicável à cobrança do tributo o prazo de *vacatio legis* previsto na Lei de Introdução ao Código Civil – LICC. Agravo regimental ao qual se nega provimento" (STF – 2.ª Turma, RE 633.441/PR, rel. Min. Joaquim Barbosa, j. 18.10.2011, DJE-216, 14.11.2011).

Art. 91. *(Revogado pela Emenda Constitucional n.º 109, de 15.03.2021).*

Art. 92. São acrescidos dez anos ao prazo fixado no art. 40 deste Ato das Disposições Constitucionais Transitórias.

Doutrina

Manutenção da Zona Franca de Manaus. O artigo 92 foi acrescentado ao ADCT de 1988 pela Emenda Constitucional n.º 42, de 19 de dezembro de 2003, e acresce mais dez anos ao prazo de vinte e cinco anos estipulado pelo artigo 40 dessas disposições transitórias, para que referida zona franca opere com as suas características de área de livre comércio, de exportação e importação, e de incentivos fiscais. A prorrogação tem a finalidade de manter a Zona Franca de Manaus como indutora do desenvolvimento da Região Norte do país, fazendo cumprir um dos objetivos fundamentais da República, qual seja, o da redução das desigualdades regionais (CF, art. 3.º, III).

Jurisprudência

"(...). 4. Nos termos do art. 40 do Ato das Disposições Constitucionais Transitórias – ADCT, da Constituição de 1988, a Zona Franca de Manaus ficou mantida 'com suas características de área de livre comércio, de exportação e importação, e de incentivos fiscais, por vinte e cinco anos, a partir da promulgação da Constituição'. Ora, entre as 'características' que tipificam a Zona Franca destaca-se esta de que trata o art. 4.º de Decreto-lei 288/67, segundo o qual 'a exportação de mercadorias de origem nacional para consumo ou industrialização na Zona Franca de Manaus, ou reexportação para o estrangeiro, será para todos os efeitos fiscais, constantes da legislação em vigor, equivalente a uma exportação brasileira para o estrangeiro'. Portanto, durante o período previsto no art. 40 do ADCT e enquanto não alterado ou revogado o art. 4.º do DL 288/67, há de se considerar que, conceitualmente, as exportações para a Zona Franca de Manaus são, para efeitos fiscais, exportações para o exterior. Logo, a isenção relativa à COFINS e ao PIS é extensiva à mercadoria destinada à Zona Franca. Precedentes: REsp 223.405, 1.ª T, Rel. Min. Humberto Gomes de Barros, DJ de 01.09.2003 e REsp 653.721/RS 1.ª T, Rel. Min. Luiz Fux, DJ de 26.10.2004. 5. Recurso especial a que se nega provimento" (STJ – 1.ª Turma, REsp 652.355, rel. Min. Teori Albino Zavascki, DJ, 08.11.2007, p. 165).

Art. 92-A. São acrescidos 50 (cinquenta) anos ao prazo fixado pelo art. 92 deste Ato das Disposições Constitucionais Transitórias.

Doutrina

Prorrogação de prazo em favor da Zona Franca de Manaus. O artigo 92-A foi acrescentado ao ADCT de 1988 por meio da Emenda Constitucional n.º 83, de 5 de agosto de 2014, e acresce mais cinquenta anos ao prazo anteriormente estipulado para que referida zona franca opere com as suas características de área de livre comércio, de exportação e importação, e de incentivos fiscais.

Art. 93. A vigência do disposto no art. 159, III, e § 4.º, iniciará somente após a edição da lei de que trata o referido inciso III.

Doutrina

Repartição da CIDE. A norma transitória dispõe sobre a vigência da lei nela mencionada, que trata da repartição entre entes da Federação de recursos arrecadados com a contribuição de intervenção no domínio econômico – CIDE, devendo dispor que a União entregará parte do produto da arrecadação aos Estados e Distrito Federal (25%) e os Estados repassarão para os seus municípios 25% do montante que lhe foi destinado. Como se verifica, o mecanismo de repartição da referida receita somente se dará após a aprovação da lei prevista no dispositivo legal, que obrigará a União ao repasse.

Jurisprudência

> "A jurisprudência deste Supremo Tribunal Federal consolidou-se no sentido de que a Lei n.º 10.168/2000 instituiu contribuição de intervenção no domínio econômico (CIDE). Afigura-se, pois, desnecessária a edição de lei complementar para sua criação, assim como é prescindível, nos termos da jurisprudência desta Excelsa Corte, a existência de vinculação direta entre o contribuinte e o benefício proporcionado pelas receitas tributárias arrecadadas. Agravo regimental conhecido e não provido" (STF – 1.ª Turma, RE 632.832/RS AgRg, rel. Min. Rosa Weber, j. 12.08.2014).

Art. 94. Os regimes especiais de tributação para microempresas e empresas de pequeno porte próprios da União, dos Estados, do Distrito Federal e dos Municípios cessarão a partir da entrada em vigor do regime previsto no art. 146, III, *d*, da Constituição.

Doutrina

Regras especiais de tributação de microempresas e empresas de pequeno porte. O artigo 94 foi acrescentado ao ADCT de 1988 pela Emenda Constitucional n.º 42, de 19 de dezembro de 2003, e dispõe que cessarão todos esses regimes a partir da vigência do regime previsto no artigo 146, III, *d*, do corpo permanente da Constituição Federal. Referido regime foi criado pela Lei Complementar n.º 123, de 14 de dezembro de 2006, que institui o Regime Especial Unificado de Arrecadação de Tributos e Contribuições devidos pelas Microempresas e Empresas de Pequeno Porte – Simples Nacional.

Jurisprudência

> "(...). 14. No que diz respeito à necessidade de lei complementar para instituir tratamento tributário diferenciado e favorecido às micro e pequenas empresas, a teor do art. 146, III, alínea 'd', introduzido pela EC 42/03, cabe observar que este dispositivo constitucional não é incompatível com as disposições da lei 9.317/96 e legislações posteriores, tendo em vista que os regimes especiais de tributação destes entes cessarão apenas a partir da entrada em vigor do novo regime previsto, nos termos do art. 94 do ADCT" (TRF3 – 6.ª Turma, AC 806.384, rel. Des. Federal Lazarano Neto, DJU, 03.04.2007).

Art. 95. Os nascidos no estrangeiro entre 7 de junho de 1994 e a data da promulgação desta Emenda Constitucional, filhos de pai brasileiro ou mãe brasileira, poderão ser registrados em repartição diplomática ou consular brasileira competente ou em ofício de registro, se vierem a residir na República Federativa do Brasil.

Doutrina

Direitos de nacionalidade. A norma transitória em tela, com a redação da Emenda Constitucional n.º 54, de 20 de setembro de 2007, corrigiu indevida restrição de direito de nacionalidade, perpetrada pela Emenda Constitucional de Revisão n.º 3, de 7 de junho de 1994, voltando a admitir a hipótese de nacionalidade potestativa, que tem como requisitos o direito de sangue (*jus sanguinis*) mais o registro perante repartição competente (embaixada ou consulado, no exterior, ou registro civil em cartório no país).

Jurisprudência

"Constitucional. Opção de nacionalidade. Descabimento. Optante menor de idade nascida no estrangeiro. Filha de pai brasileiro e mãe estrangeira. Incapacidade civil. Direito personalíssimo. Constituição Federal de 1988. Artigo 12, inciso I, letra 'c'. Emenda Constitucional n.º 54/2007. 1. Com relação a Pablo Rodrigo Schmitz, a partir da maioridade, que a torna possível, a nacionalidade do filho brasileiro, nascido no estrangeiro, mas residente no País, fica sujeita à condição suspensiva da homologação judicial da opção. 2. Esse condicionamento suspensivo, só vigora a partir da maioridade; antes, desde que residente no País, o menor – mediante o registro provisório previsto no art. 32, § 2.º, da Lei dos Registros Públicos – se considera brasileiro nato, para todos os efeitos. 3. Com relação a Mariano Otto Schmitz, se aplica disposto no art. 95 do ADCT, os nascidos no estrangeiro entre 7 de junho de 1994 e a data da promulgação desta Emenda Constitucional filhos de pai brasileiro ou mãe brasileira, poderão ser registrados em repartição diplomática ou consular brasileira competente ou em ofício de registro, se vierem a residir na República Federativa do Brasil. (Acrescentado pela EC – 000.054-2007). 4. Apelação parcialmente provida" (TRF4, AC 2008.00.007176-0, rel. Des. Fed. João Pedro Gebran Neto, D. E., 07.10.2009).

Art. 96. Ficam convalidados os atos de criação, fusão, incorporação e desmembramento de Municípios, cuja

lei tenha sido publicada até 31 de dezembro de 2006, atendidos os requisitos estabelecidos na legislação do respectivo Estado à época de sua criação.

Doutrina

Convalidação de atos de criação de municípios. O artigo 96 foi acrescentado ao ADCT de 1988 pela Emenda Constitucional n.º 57, de 18 de dezembro de 2008, com a finalidade expressa de suprir ausência de requisitos ou de irregularidades na criação, fusão, incorporação ou desmembramento de Municípios desde que as respectivas leis tenham sido publicadas até 31.12.2006, além de cumpridos os requisitos previstos na legislação do Estado respectivo quando da criação do novo ente federado (município).

Jurisprudência

"Criação de Município. Consulta plebiscitária. Competência das Assembleias Legislativas para apreciação da conveniência das medidas de ordem política-administrativa. Segurança denegada. Recurso não provido" (STF, ROMS 14.612/SP, rel. Min. Pedro Chaves, alteração em 21.07.2014).

"Organização de Municípios. Competência específica do Poder Legislativo para deliberar sobre a criação do Município. Escapa ao Judiciário a competência para decidir sobre a constituição daquele ato. Só se lhe reserva competência para decretar a inconstitucionalidade do ato, uma vez contrário aos princípios consagrados na Lei Básica" (STF, ROMS 1.131/MG, rel. Min. Ribeiro da Costa, alteração em 23.09.2016).

Art. 97. Até que seja editada a lei complementar de que trata o § 15 do art. 100 da Constituição Federal, os Estados, o Distrito Federal e os Municípios que, na data de

publicação desta Emenda Constitucional, estejam em mora na quitação de precatórios vencidos, relativos às suas administrações direta e indireta, inclusive os emitidos durante o período de vigência do regime especial instituído por este artigo, farão esses pagamentos de acordo com as normas a seguir estabelecidas, sendo inaplicável o disposto no art. 100 desta Constituição Federal, exceto em seus §§ 2.º, 3.º, 9.º, 10, 11, 12, 13 e 14, e sem prejuízo dos acordos de juízos conciliatórios já formalizados na data de promulgação desta Emenda Constitucional.

§ 1.º Os Estados, o Distrito Federal e os Municípios sujeitos ao regime especial de que trata este artigo optarão, por meio de ato do Poder Executivo:

I – pelo depósito em conta especial do valor referido pelo § 2.º deste artigo; ou

II – pela adoção do regime especial pelo prazo de até 15 (quinze) anos, caso em que o percentual a ser depositado na conta especial a que se refere o § 2.º deste artigo corresponderá, anualmente, ao saldo total dos precatórios devidos, acrescido do índice oficial de remuneração básica da caderneta de poupança e de juros simples no mesmo percentual de juros incidentes sobre a caderneta de poupança para fins de compensação da mora, excluída a incidência de juros compensatórios, diminuído das amortizações e dividido pelo número de anos restantes no regime especial de pagamento.

§ 2.º Para saldar os precatórios, vencidos e a vencer, pelo regime especial, os Estados, o Distrito Federal e os Municípios devedores depositarão mensalmente, em conta especial criada para tal fim, 1/12 (um doze avos) do valor calculado percentualmente sobre as respectivas receitas correntes líquidas, apuradas no segundo mês anterior ao mês de pagamento, sendo que esse percentual, calculado no momento de opção pelo regime e mantido fixo até o final do prazo a que se refere o § 14 deste artigo, será:

I – para os Estados e para o Distrito Federal:

a) de, no mínimo, 1,5% (um inteiro e cinco décimos por cento), para os Estados das regiões Norte, Nordeste e Centro-Oeste, além do Distrito Federal, ou cujo estoque de precatórios pendentes das suas administrações direta e indireta corresponder a até 35% (trinta e cinco por cento) do total da receita corrente líquida;

b) de, no mínimo, 2% (dois por cento), para os Estados das regiões Sul e Sudeste, cujo estoque de precatórios pendentes das suas administrações direta e indireta corresponder a mais de 35% (trinta e cinco por cento) da receita corrente líquida;

II – para Municípios:

a) de, no mínimo, 1% (um por cento), para Municípios das regiões Norte, Nordeste e Centro-Oeste, ou cujo estoque de precatórios pendentes das suas administrações direta e indireta corresponder a até 35% (trinta e cinco por cento) da receita corrente líquida;

b) de, no mínimo, 1,5% (um inteiro e cinco décimos por cento), para Municípios das regiões Sul e Sudeste, cujo estoque de precatórios pendentes das suas administrações direta e indireta corresponder a mais de 35 % (trinta e cinco por cento) da receita corrente líquida.

§ 3.º Entende-se como receita corrente líquida, para os fins de que trata este artigo, o somatório das receitas tributárias, patrimoniais, industriais, agropecuárias, de contribuições e de serviços, transferências correntes e outras receitas correntes, incluindo as oriundas do § 1.º do art. 20 da Constituição Federal, verificado no período compreendido pelo mês de referência e os 11 (onze) meses anteriores, excluídas as duplicidades, e deduzidas:

I – nos Estados, as parcelas entregues aos Municípios por determinação constitucional;

II – nos Estados, no Distrito Federal e nos Municípios, a contribuição dos servidores para custeio do seu sistema de previdência e assistência social e as receitas provenientes da compensação financeira referida no § 9.º do art. 201 da Constituição Federal.

§ 4.º As contas especiais de que tratam os §§ 1.º e 2.º serão administradas pelo Tribunal de Justiça local, para pagamento de precatórios expedidos pelos tribunais.

§ 5.º Os recursos depositados nas contas especiais de que tratam os §§ 1.º e 2.º deste artigo não poderão retornar para Estados, Distrito Federal e Municípios devedores.

§ 6.º Pelo menos 50% (cinquenta por cento) dos recursos de que tratam os §§ 1.º e 2.º deste artigo serão utilizados para pagamento de precatórios em ordem cronológica de apresentação, respeitadas as preferências definidas no § 1.º, para os requisitórios do mesmo ano e no § 2.º do art. 100, para requisitórios de todos os anos.

§ 7.º Nos casos em que não se possa estabelecer a precedência cronológica entre 2 (dois) precatórios, pagar-se-á primeiramente o precatório de menor valor.

§ 8.º A aplicação dos recursos restantes dependerá de opção a ser exercida por Estados, Distrito Federal e Municípios devedores, por ato do Poder Executivo, obedecendo à seguinte forma, que poderá ser aplicada isoladamente ou simultaneamente:

I – destinados ao pagamento dos precatórios por meio do leilão;

II – destinados a pagamento a vista de precatórios não quitados na forma do § 6° e do inciso I, em ordem única e crescente de valor por precatório;

III – destinados a pagamento por acordo direto com os credores, na forma estabelecida por lei própria da entidade devedora, que poderá prever criação e forma de funcionamento de câmara de conciliação.

§ 9.º Os leilões de que trata o inciso I do § 8.º deste artigo:

I – serão realizados por meio de sistema eletrônico administrado por entidade autorizada pela Comissão de Valores Mobiliários ou pelo Banco Central do Brasil;

II – admitirão a habilitação de precatórios, ou parcela de cada precatório indicada pelo seu detentor, em relação aos quais não esteja pendente, no âmbito do Poder Judiciário, recurso ou impugnação de qualquer natureza, permitida por iniciativa do Poder Executivo a compensação com débitos líquidos e certos, inscritos ou não em dívida ativa e constituídos contra devedor originário pela Fazenda Pública devedora até a data da expedição do precatório, ressalvados aqueles cuja exigibilidade esteja suspensa nos termos da legislação, ou que já tenham sido objeto de abatimento nos termos do § 9.º do art. 100 da Constituição Federal;

III – ocorrerão por meio de oferta pública a todos os credores habilitados pelo respectivo ente federativo devedor;

IV – considerarão automaticamente habilitado o credor que satisfaça o que consta no inciso II;

V – serão realizados tantas vezes quanto necessário em função do valor disponível;

VI – a competição por parcela do valor total ocorrerá a critério do credor, com deságio sobre o valor desta;

VII – ocorrerão na modalidade deságio, associado ao maior volume ofertado cumulado ou não com o maior percentual de deságio, pelo maior percentual de deságio, podendo ser fixado valor máximo por credor, ou por outro critério a ser definido em edital;

VIII – o mecanismo de formação de preço constará nos editais publicados para cada leilão;

IX – a quitação parcial dos precatórios será homologada pelo respectivo Tribunal que o expediu.

§ 10. No caso de não liberação tempestiva dos recursos de que tratam o inciso II do § 1.º e os §§ 2.º e 6.º deste artigo:

I – haverá o sequestro de quantia nas contas de Estados, Distrito Federal e Municípios devedores, por ordem do Presidente do Tribunal referido no § 4.º, até o limite do valor não liberado;

II – constituir-se-á, alternativamente, por ordem do Presidente do Tribunal requerido, em favor dos credores de precatórios, contra Estados, Distrito Federal e Municípios devedores, direito líquido e certo, autoaplicável e independentemente de regulamentação, à compensação automática com débitos líquidos lançados por esta contra aqueles, e, havendo saldo em favor do credor, o valor terá automaticamente poder liberatório do pagamento de tributos de Estados, Distrito Federal e Municípios devedores, até onde se compensarem;

III – o chefe do Poder Executivo responderá na forma da legislação de responsabilidade fiscal e de improbidade administrativa;

IV – enquanto perdurar a omissão, a entidade devedora:

a) não poderá contrair empréstimo externo ou interno;

b) ficará impedida de receber transferências voluntárias;

V – a União reterá os repasses relativos ao Fundo de Participação dos Estados e do Distrito Federal e ao Fundo de Participação dos Municípios, e os depositará nas contas especiais referidas no § 1.º, devendo sua utilização obedecer ao que prescreve o § 5.º, ambos deste artigo.

§ 11. No caso de precatórios relativos a diversos credores,

em litisconsórcio, admite-se o desmembramento do valor, realizado pelo Tribunal de origem do precatório, por credor, e, por este, a habilitação do valor total a que tem direito, não se aplicando, neste caso, a regra do § 3.º do art. 100 da Constituição Federal.

§ 12. Se a lei a que se refere o § 4.º do art. 100 não estiver publicada em até 180 (cento e oitenta) dias, contados da data de publicação desta Emenda Constitucional, será considerado, para os fins referidos, em relação a Estados, Distrito Federal e Municípios devedores, omissos na regulamentação, o valor de:

I – 40 (quarenta) salários mínimos para Estados e para o Distrito Federal;

II – 30 (trinta) salários mínimos para Municípios.

§ 13. Enquanto Estados, Distrito Federal e Municípios devedores estiverem realizando pagamentos de precatórios pelo regime especial, não poderão sofrer sequestro de valores, exceto no caso de não liberação tempestiva dos recursos de que tratam o inciso II do § 1.º e o § 2.º deste artigo.

§ 14. O regime especial de pagamento de precatório previsto no inciso I do § 1.º vigorará enquanto o valor dos precatórios devidos for superior ao valor dos recursos vinculados, nos termos do § 2.º, ambos deste artigo, ou pelo prazo fixo de até 15 (quinze) anos, no caso da opção prevista no inciso II do § 1.º

§ 15. Os precatórios parcelados na forma do art. 33 ou do art. 78 deste Ato das Disposições Constitucionais Transitórias e ainda pendentes de pagamento ingressarão no regime especial com o valor atualizado das parcelas não pagas relativas a cada precatório, bem como o saldo dos acordos judiciais e extrajudiciais.

§ 16. A partir da promulgação desta Emenda Constitucional, a atualização de valores de requisitórios, até o efetivo pagamento, independentemente de sua natureza, será feita pelo índice oficial de remuneração básica da caderneta de poupança, e, para fins de compensação da mora, incidirão juros simples no mesmo percentual de juros incidentes sobre a caderneta de poupança, ficando excluída a incidência de juros compensatórios.

§ 17. O valor que exceder o limite previsto no § 2.° do art. 100 da Constituição Federal será pago, durante a vigência do regime especial, na forma prevista nos §§ 6.° e 7.° ou nos incisos I, II e III do § 8° deste artigo, devendo os valores dispendidos para o atendimento do disposto no § 2.° do art. 100 da Constituição Federal serem computados para efeito do § 6.° deste artigo.

§ 18. Durante a vigência do regime especial a que se refere este artigo, gozarão também da preferência a que se refere o § 6.° os titulares originais de precatórios que tenham completado 60 (sessenta) anos de idade até a data da promulgação desta Emenda Constitucional.

Doutrina

Regime especial de pagamento de precatórios por parte dos entes federados. O artigo 97 foi acrescentado ao ADCT de 1988 pela Emenda Constitucional n.° 62, de 9 de dezembro de 2009, com o objetivo de estabelecer, até a edição de lei complementar específica, regime especial de pagamento de precatórios destinados aos Estados, ao Distrito Federal e aos Municípios que, na data de publicação da referida emenda constitucional, se encontrassem em situação de mora na quitação de precatórios vencidos, relativos às suas administrações direta e indireta, inclusive aqueles emitidos durante o período de vigência do regime especial ora instituído, para que fizessem esses pagamentos de acordo com as regras estabelecidas nos dispositivos seguintes. Tratou-se, pois, de espécie de moratória, com o fim de prorrogar pagamentos e ensejar aos entes federados a reorganização mínima de suas finanças, à custa de sacrifícios de seus credores.

Regras de estruturação do regime especial de pagamento de precatórios. Estão dispostas ao longo dos dezoito parágrafos e dezenas de incisos e alíneas que tratam dos mais diversos aspectos necessários para a estruturação do regime especial de pagamentos de precatórios dos entes federados (Estados, Distrito Federal e Municípios), excetuada a União, desde a opção pelo regime especial, passando pela adesão a uma forma de pagamento, definição de receita corrente líquida, destinação de percentuais de pagamentos, realização de leilões para quitação de dívidas com deságio, sequestro de quantias para quitar credores, desmembramento de precatórios, definição de precatório de pequeno valor, parcelamento de precatórios, estabelecimento de preferências etc.

Jurisprudência

> "Mandado de segurança. Direito Constitucional. Direito Financeiro. Precatórios. Remanejamento de recursos públicos. Acordos diretos. Pagamento de precatórios segundo a ordem cronológica. Perenização de acordos diretos não utilizados em exercício financeiro para a mesma finalidade para os exercícios posteriores. 1. O cerne da questão reside na possibilidade de remanejamento de recursos públicos direcionados para a realização de acordos diretos e não utilizados em exercício financeiro para o pagamento de precatórios segundo a ordem cronológica em exercícios subsequentes. 2. Não há elementos para reputar nulo o ato coator, em decorrência de ausência de intimação do Estado-membro ora Impetrante, o que recomenda a rejeição da preliminar suscitada. Precedentes. 3. Assentou-se que não no arcabouço normativo elemento que permita inferir um direito subjetivo do Chefe do Poder Executivo de ente federativo em perenizar os recursos públicos direcionados para o pagamento de acordos diretos não utilizados no exercício financeiro em mesma dotação

orçamentária para os exercícios posteriores. 4. O STF delegou a competência para que o CNJ disciplinasse e supervisionasse se a aplicação dos recursos públicos sujeitos ao regime especial de pagamento previsto no art. 97 do ADCT. Nesse ensejo, noticia-se a existência da Resolução CNJ 158/2012, que instituiu o Fórum Nacional de Precatórios, cujo objetivo precípuo uniformizar e aperfeiçoar a gestão dos precatórios dos tribunais do sistema judicial, bem como do Parecer Técnico 03/2014 do FONAPREC/CNJ. 5. Entendeu-se, por maioria, que possibilitar à Fazenda Pública o acúmulo de valores remanescentes da conta para exercícios financeiros futuros viola o art. 97, § 6.º, do ADCT, sendo o mesmo que permitir a somatória de quantias superiores ao limite constitucional do regime especial para o pagamento de precatórios por acordos diretos. 6. Mandado de segurança a que se nega seguimento, com revogação da medida liminar anteriormente deferida, restabelecendo o decidido no ato coator" (STF – 1.ª Turma, MS 33.761/DF, rel. Min. Edson Fachin, j. 26.04.2016).

"Administrativo e Constitucional. Recurso Ordinário em mandado de segurança. Regime especial de pagamento de precatórios. EC n. 62/2009. Pagamento por meio de acordo direto. Inexistência de direito líquido e certo ao sequestro de verbas públicas. 1. Recurso ordinário no qual se discute a existência de direito líquido e certo à ordem de sequestro de verbas públicas para pagamento de precatório, pela ordem cronológica, ao argumento de inconstitucionalidade da criação, por decreto, do regime especial de precatórios instituído com fundamento no art. 97, § 8.º, do ADCT. 2. A juntada de prova de pagamento de precatórios inscritos posteriormente aos do impetrante não induz a existência de direito líquido ao imediato recebimento do requisitório que consta da lista geral por ordem cronológica, mormente porque não demonstrado que este deixou de ser pago em decorrência do pagamento daqueles. 3. A ausência de demonstração da existência de direito líquido e certo induz a rejeição do *writ*. 4. Recurso ordinário não provido" (STJ – 1.ª Turma, ROMS 48.055, rel. Min. Benedito Gonçalves, DJE, 10.05.2017).

"1. Com o advento da EC 62/2009 que, entre outras disposições, acrescentou o art. 97 do ADCT, instituindo regime especial de pagamento de precatórios pelos Estados, Distrito Federal e Municípios, sendo que tais entes, sujeitos ao regime especial, optarão, por meio de ato do Poder Executivo, 'pelo depósito em conta especial do valor referido pelo § 2.º deste artigo' (§ 1.º, I) ou 'pela adoção do regime especial pelo prazo de até 15 (quinze) anos' (§ 1.º, II). Estabeleceu-se, ainda, que 'os precatórios parcelados na forma do art. 33 ou do art. 78 deste Ato das Disposições Constitucionais Transitórias e ainda pendentes de pagamento ingressarão no regime especial com o valor atualizado das parcelas não pagas relativas a cada precatório, bem como o saldo dos acordos judiciais e extrajudiciais' (art. 97, § 15, do ADCT)" (STJ – 2.ª Turma, ROMS 37.894 AgRg, rel. Min. Mauro Campbell Marques, DJE, 09.08.2012).

"Processual Civil e Previdenciário. Execução. Apelação. Precatório Complementar. Diferenças de correção monetária. Substituição da TR pelo IPCA-E. Lei 11.960/2009. ADINS 4.357/DF e 4.435/DF. Apelação improvida. 1. A EC n.º 62, de 09 de dezembro de 2009, alterou o art. 100 da CF/88 e acrescentou o art. 97 ao ADCT, 'instituindo regime especial de pagamento de precatórios pelos Estados, Distrito Federal e Municípios'. 2. No julgamento das ADIs 4.357/DF e 4.435/DF, o STF declarou a inconstitucionalidade, por arrastamento, da aplicação do índice oficial de remuneração da caderneta de poupança, previsto no art. 1.º-F da Lei 9.494/1997, para atualização dos valores dos precatórios a partir de 30/6/2009. 3. A modulação dos efeitos da declaração ocorreu em 25/3/2015, ocasião em que se decidiu pela incidência da TR como indexador de correção monetária até 25/3/2015, e do IPCA-E a partir de 26/3/2015. 4. Tratando-se de ofício requisitório expedido em 20/5/2013 e RPV paga em 26/6/2013, o valor deve ser atualizado pela TR, na forma do art. 7.º da Resolução 168, de 5/12/2011, que regulamenta, no âmbito da Justiça Federal de primeiro e segundo graus, os procedimentos relativos à expedição de ofícios requisitórios, ao cumprimento da ordem cronológica dos pagamentos, às compensações, ao saque e ao levantamento dos depósitos. 5. O Tribunal procedeu corretamente por ocasião do pagamento do precatório, não havendo diferenças devidas à autora a qualquer título. 6. Apelação improvida" (TRF3, 9.ª Turma, AC 1.596.911/SP, rel. Des. Fed. Marisa Santos, e-DJF3 Judicial 1, 03.11.2016).

Art. 98. O número de defensores públicos na unidade jurisdicional será proporcional à efetiva demanda pelo serviço da Defensoria Pública e à respectiva população.

§ 1.º No prazo de 8 (oito) anos, a União, os Estados e o Distrito Federal deverão contar com defensores públicos em todas as unidades jurisdicionais, observado o disposto no *caput* deste artigo.

§ 2.º Durante o decurso do prazo previsto no § 1.º deste artigo, a lotação dos defensores públicos ocorrerá, prioritariamente, atendendo as regiões com maiores índices de exclusão social e adensamento populacional.

Doutrina

Lotação de Defensores Públicos. Será realizada na unidade jurisdicional – varas, no primeiro grau de jurisdição –, guardando relação de proporcionalidade entre a demanda pelos seus serviços e a população local, devendo, ainda, no prazo de oito anos, a contar da promulgação da Emenda Constitucional n.º 80, de 4 de junho de 2014, a União, os Estados-membros e o Distrito Federal contarem com defensores em todas as unidades jurisdicionais, a partir das regiões mais pobres, com maior exclusão social, e aquelas com elevada densidade populacional.

Jurisprudência

> "(...). Dispondo sobre a lotação dos Defensores Públicos no Estado (art. 1.º, par. Único) e sobre a extensão da Gratificação criada aos assistentes jurídicos do ex-Território de Rondônia, trataram estes preceitos, inegavelmente, de matéria atinente à organização e remuneração do regime de pessoal do Estado, cuja elaboração normativa, sem a iniciativa do Governador, afronta a reserva prevista no art. 61, § 1.º, II, c, da CF, comando que a jurisprudência desta Corte decidiu ser de observância obrigatória para os Estados e Distrito Federal, por encerrar corolário do princípio da independência dos Poderes. Precedentes" (STF – Pleno, ADIN 2.576/RO, rel. Min. Ellen Gracie, j. 24.04.2003).

Art. 99. Para efeito do disposto no inciso VII do § 2.º do art. 155, no caso de operações e prestações que destinem bens e serviços a consumidor final não contribuinte localizado em outro Estado, o imposto correspondente à diferença entre a alíquota interna e a interestadual será partilhado entre os Estados de origem e de destino, na seguinte proporção:

I – para o ano de 2015: 20% (vinte por cento) para o Estado de destino e 80% (oitenta por cento) para o Estado de origem;

II – para o ano de 2016: 40% (quarenta por cento) para o Estado de destino e 60% (sessenta por cento) para o Estado de origem;

III – para o ano de 2017: 60% (sessenta por cento) para o Estado de destino e 40% (quarenta por cento) para o Estado de origem;

IV – para o ano de 2018: 80% (oitenta por cento) para o Estado de destino e 20% (vinte por cento) para o Estado de origem;

V – para o ano de 2019: 100% (cem por cento) para o Estado de origem.

Doutrina

Partilha de diferença de ICMS. Nos casos de operações e prestações que destinem bens e serviços a consumidor final, não contribuinte, localizado em outro Estado, o imposto decorrente da diferença entre a alíquota interna e a interestadual será partilhado entre o Estado de origem e o de destino, na proporção estabelecida nos incisos I a V.

Art. 100. Até que entre em vigor a lei complementar de que trata o inciso II do § 1.° do art. 40 da Constituição Federal, os Ministros do Supremo Tribunal Federal, dos Tribunais Superiores e do Tribunal de Contas da União aposentar-se-ão, compulsoriamente, aos 75 (setenta e cinco) anos de idade, nas condições do art. 52 da Constituição Federal.

Doutrina

Limite de idade para a aposentadoria compulsória. O artigo em tela foi acrescentado ao Ato das Disposições Constitucionais Transitórias por meio da Emenda Constitucional n.° 88, de 7 de maio de 2015, dispondo que, enquanto não entrar em vigência a lei complementar nele prevista, a aposentadoria compulsória de ministros do Supremo Tribunal Federal, do Superior Tribunal de Justiça, do Tribunal Superior do Trabalho, do Tribunal Superior Eleitoral, do Superior Tribunal Militar e do Tribunal de Contas da União se dará após atingida a idade de setenta e cinco anos, cumpridos as demais requisitos previstos em lei.

Jurisprudência

"1- A Constituição Federal de 1988 estabelece, no art. 40, § 1.°, II, a idade de 70 (setenta) anos para a aposentadoria compulsória dos servidores públicos. 2 – Trata-se de norma de reprodução obrigatória pelos Estados-membros, que não podem extrapolar os limites impostos pela Constituição Federal na matéria. 3 – Caracterizada, portanto, a densa plausibilidade jurídica da arguição de inconstitucionalidade da Emenda à Constituição do Estado do Maranhão 64/2011, que fixou a idade de 75 (setenta e cinco) anos para a aposentadoria compulsória dos servidores públicos estaduais e municipais. 4 – Do mesmo modo, configura-se o *periculum in mora*, na medida em que a manutenção dos dispositivos impugnados acarreta grave insegurança jurídica. 5 – Medida cautelar deferida com efeito *ex tunc*" (STF – Pleno, ADIN 4.698/MA MC, rel. Min. Joaquim Barbosa, j. 01.12.2011).

"(...). III – A EC 88/2015, de 07/-5/2015 (DOU de 08/05/2015), permitiu que os Ministros do Supremo Tribunal Federal, dos Tribunais Superiores e do TCU se aposentassem compulsoriamente, desde já, aos 75 (setenta e cinco) anos de idade, por outro lado, a necessidade de lei complementar que regulamentasse a aposentadoria compulsória por idade, aos 70 ou aos 75 anos, para os demais agentes políticos e servidores" (STJ – 2.ª Turma, ROMS 54.242/DF AgI, rel. Min. Assusete Magalhães, DJE, 12.03.2018).

Art. 101. Os Estados, o Distrito Federal e os Municípios que, em 25 de março de 2015, se encontravam em mora no pagamento de seus precatórios quitarão, até 31 de dezembro de 2029, seus débitos e os que vencerão dentro desse período, atualizado pelo Índice Nacional de Preços ao Consumidor Amplo Especial (IPCA-E), ou por outro índice que venha a substituí-lo, depositando

mensalmente em conta especial do Tribunal de Justiça local, sob única e exclusiva administração deste, 1/12 (um doze avos) do valor calculado percentualmente sobre suas receitas correntes líquidas apuradas no segundo mês anterior ao mês de pagamento, em percentual suficiente para a quitação de seus débitos e, ainda que variável, nunca inferior, em cada exercício, ao percentual praticado na data da entrada em vigor do regime especial a que se refere este artigo, em conformidade com plano de pagamento a ser anualmente apresentado ao Tribunal de Justiça local.

§ 1.° Entende-se por receita corrente líquida, para os fins de que trata este artigo, o somatório das receitas tributárias, patrimoniais, industriais, agropecuárias, de contribuições e de serviços, de transferências correntes e outras receitas correntes, incluindo as oriundas do § 1.° do art. 20 da Constituição Federal, verificado no período compreendido pelo segundo mês imediatamente anterior ao de referência e os 11 (onze) meses precedentes, excluídas as duplicidades, e deduzidas:

I – nos Estados, as parcelas entregues aos Municípios por determinação constitucional;

II – nos Estados, no Distrito Federal e nos Municípios, a contribuição dos servidores para custeio de seu sistema de previdência e assistência social e as receitas provenientes da compensação financeira referida no § 9.° do art. 201 da Constituição Federal.

§ 2.° O débito de precatórios será pago com recursos orçamentários próprios provenientes das fontes de receita corrente líquida referidas no § 1.° deste artigo e, adicionalmente, poderão ser utilizados recursos dos seguintes instrumentos:

I – até 75% (setenta e cinco por cento) dos depósitos

judiciais e dos depósitos administrativos em dinheiro referentes a processos judiciais ou administrativos, tributários ou não tributários, nos quais sejam parte os Estados, o Distrito Federal ou os Municípios, e as respectivas autarquias, fundações e empresas estatais dependentes, mediante a instituição de fundo garantidor em montante equivalente a 1/3 (um terço) dos recursos levantados, constituído pela parcela restante dos depósitos judiciais e remunerados pela taxa referencial do Sistema Especial de Liquidação e de Custódia (Selic) para títulos federais, nunca inferior aos índices e critérios aplicados aos depósitos levantados;

II – até 30% (trinta por cento) dos demais depósitos judiciais da localidade sob jurisdição do respectivo Tribunal de Justiça, mediante a instituição de fundo garantidor equivalente aos recursos levantados, constituído pela parcela restante dos depósitos judiciais e remunerados pela taxa referencial do Sistema Especial de Liquidação e de Custódia (Selic) para títulos federais, nunca inferior aos índices e critérios aplicados aos depósitos levantados, destinando-se:

a) no caso do Distrito Federal, 100% (cem por cento) desses recursos ao próprio Distrito Federal;

b) no caso dos Estados, 50% (cinquenta por cento) desses recursos ao próprio Estado e 50% (cinquenta por cento) aos respectivos Municípios, conforme a circunscrição judiciária onde estão depositados os recursos, e, se houver mais de um Município na mesma circunscrição judiciária, os recursos serão rateados entre os Municípios concorrentes, proporcionalmente às respectivas populações, utilizado como referência o último levantamento censitário ou a mais recente estimativa populacional da Fundação Instituto Brasileiro de Geografia e Estatística (IBGE);

III – empréstimos, excetuados para esse fim os limites de endividamento de que tratam os incisos VI e VII do *caput* do art. 52 da Constituição Federal e quaisquer outros limites de endividamento previstos em lei, não se aplicando a esses empréstimos a vedação de vinculação de receita prevista no inciso IV do *caput* do art. 167 da Constituição Federal.

IV – a totalidade dos depósitos em precatórios e requisições diretas de pagamento de obrigações de pequeno valor efetuados até 31 de dezembro de 2009 e ainda não levantados, com o cancelamento dos respectivos requisitórios e a baixa das obrigações, assegurada a revalidação dos requisitórios pelos juízos dos processos perante os Tribunais, a requerimento dos credores e após a oitiva da entidade devedora, mantidas a posição de ordem cronológica original e a remuneração de todo o período.

§ 3.º Os recursos adicionais previstos nos incisos I, II e IV do § 2.º deste artigo serão transferidos diretamente pela instituição financeira depositária para a conta especial referida no *caput* deste artigo, sob única e exclusiva administração do Tribunal de Justiça local, e essa transferência deverá ser realizada em até sessenta dias contados a partir da entrada em vigor deste parágrafo, sob pena de responsabilidade pessoal do dirigente da instituição financeira por improbidade.

§ 4.º *(Revogado pela Emenda Constitucional n.º 109, de 15.03.2021).*

§ 5.º Os empréstimos de que trata o inciso III do § 2º deste artigo poderão ser destinados, por meio de ato do Poder Executivo, exclusivamente ao pagamento de precatórios por acordo direto com os credores, na forma do disposto no inciso III do § 8º do art. 97 deste Ato das Disposições Constitucionais Transitórias.

Doutrina

Regime de pagamento de débitos públicos decorrentes de condenações judiciais. Foi instituído pela Emenda Constitucional n.º 94, de 15 de dezembro de 2016, que alterou o artigo 100 da Constituição Federal, dispondo sobre o referido regime, para permitir aos Estados, ao Distrito Federal e aos Municípios que, em 25 de março de 2015, estivessem em mora com o pagamento de seus precatórios, efetuassem a quitação dos mesmos até 31 de dezembro de 2020, nas condições estabelecidas no artigo 101 deste Ato das Disposições Constitucionais Transitórias, mormente por meio de pagamento mensal de duodécimo, apurado a partir do total das receitas correntes líquidas, com exclusão de parcelas entregues a outros entes federados por determinação constitucional, admitido, contudo, o pagamento de precatório com recursos orçamentários próprios e instrumentos previstos nos incisos I a III do § 2.º deste artigo.

Regime especial de pagamento para os casos em mora. Foi instituído por meio dos artigos 102 a 105 deste Ato das Disposições Constitucionais Transitórias para viabilizar o pagamento dos casos em mora nas datas constantes do *caput* deste artigo.

Art. 102. Enquanto viger o regime especial previsto nesta Emenda Constitucional, pelo menos 50% (cinquenta por cento) dos recursos que, nos termos do art. 101 deste Ato das Disposições Constitucionais Transitórias, forem destinados ao pagamento dos precatórios em mora serão utilizados no pagamento segundo a ordem cronológica de apresentação, respeitadas as preferências dos créditos alimentares, e, nessas, as relativas à idade, ao estado de saúde e à deficiência, nos termos do § 2.º do art. 100 da Constituição Federal, sobre todos os demais créditos de todos os anos.

§ 1.º A aplicação dos recursos remanescentes, por opção a ser exercida por Estados, Distrito Federal e Municípios, por ato do respectivo Poder Executivo, observada

a ordem de preferência dos credores, poderá ser destinada ao pagamento mediante acordos diretos, perante Juízos Auxiliares de Conciliação de Precatórios, com redução máxima de 40% (quarenta por cento) do valor do crédito atualizado, desde que em relação ao crédito não penda recurso ou defesa judicial e que sejam observados os requisitos definidos na regulamentação editada pelo ente federado.

§ 2.º Na vigência do regime especial previsto no art. 101 deste Ato das Disposições Constitucionais Transitórias, as preferências relativas à idade, ao estado de saúde e à deficiência serão atendidas até o valor equivalente ao quíntuplo fixado em lei para os fins do disposto no § 3.º do art. 100 da Constituição Federal, admitido o fracionamento para essa finalidade, e o restante será pago em ordem cronológica de apresentação do precatório.

Doutrina

Destinação de recursos para pagamento de precatórios. Na vigência do regime especial de pagamento de precatórios decorrentes de condenações judiciais, na forma do artigo 101 do ADCT, pelo menos metade dos recursos será utilizada no pagamento segundo a ordem cronológica de apresentação, observadas as preferências dos créditos alimentares, e, nessas, as relativas à idade, ao estado de saúde e à deficiência, nos termos do § 2.º do art. 100 da Constituição Federal.

Aplicação dos recursos remanescentes. Segundo opção de Estados, do Distrito Federal e de Municípios, mediante ato do Chefe do Poder Executivo, obedecida a ordem de preferência dos credores, poderão ser destinados recursos remanescentes ao pagamento de créditos decorrentes de acordos diretos homologados perante Juízos Auxiliares de Conciliação de Precatórios, desde que obtida redução de até quarenta por cento do valor atualizado do crédito e não pendente sobre o crédito recurso ou defesa judicial.

Pagamentos preferenciais. No âmbito do regime especial previsto neste artigo, as preferências relativas à idade, ao estado de saúde e à deficiência (motora ou mental) autorizam o pagamento até o valor do quíntuplo previsto em lei para os fins de quitação de obrigações de pequeno valor.

Art. 103. Enquanto os Estados, o Distrito Federal e os Municípios estiverem efetuando o pagamento da parcela mensal devida como previsto no *caput* do art. 101 deste Ato das Disposições Constitucionais Transitórias, nem eles, nem as respectivas autarquias, fundações e empresas estatais dependentes poderão sofrer sequestro de valores, exceto no caso de não liberação tempestiva dos recursos.

Parágrafo único. Na vigência do regime especial previsto no art. 101 deste Ato das Disposições Constitucionais Transitórias, ficam vedadas desapropriações pelos Estados, pelo Distrito Federal e pelos Municípios, cujos estoques de precatórios ainda pendentes de pagamento, incluídos os precatórios a pagar de suas entidades da administração indireta, sejam superiores a 70% (setenta por cento) das respectivas receitas correntes líquidas, excetuadas as desapropriações para fins de necessidade pública nas áreas de saúde, educação, segurança pública, transporte público, saneamento básico e habitação de interesse social.

Doutrina

Proibição de sequestro de valores. Dispõe a norma contida neste artigo sobre a proibição de sequestro de valores, salvo no caso de não liberação tempestiva, sempre que Estado, Distrito Federal, Município ou respectiva autarquia, fundação ou empresa estatal estiver em dia com a quitação da parcela mensal dos débitos decorrentes de condenações judiciais.

Situação de mora no pagamento de precatórios. Nesses casos, dispõe o parágrafo acima que ficam proibidas as desapropriações por parte do Estado, do Distrito Federal e do Município e respectivos entes da administração indireta sempre que o estoque de precatórios não quitados seja superior a setenta por cento das respectivas receitas correntes líquidas, salvo as desapropriações por necessidade pública nas áreas descritas na norma constitucional.

Art. 104. Se os recursos referidos no art. 101 deste Ato das Disposições Constitucionais Transitórias para o pagamento de precatórios não forem tempestivamente liberados, no todo ou em parte:

I – o Presidente do Tribunal de Justiça local determinará o sequestro, até o limite do valor não liberado, das contas do ente federado inadimplente;

II – o chefe do Poder Executivo do ente federado inadimplente responderá, na forma da legislação de responsabilidade fiscal e de improbidade administrativa;

III – a União reterá os recursos referentes aos repasses ao Fundo de Participação dos Estados e do Distrito Federal e ao Fundo de Participação dos Municípios e os depositará na conta especial referida no art. 101 deste Ato das Disposições Constitucionais Transitórias, para utilização como nele previsto;

IV – os Estados reterão os repasses previstos no parágrafo único do art. 158 da Constituição Federal e os depositarão na conta especial referida no art. 101 deste Ato das Disposições Constitucionais Transitórias, para utilização como nele previsto.

Parágrafo único. Enquanto perdurar a omissão, o ente federado não poderá contrair empréstimo externo ou interno, exceto para os fins previstos no § 2.º do art. 101

deste Ato das Disposições Constitucionais Transitórias, e ficará impedido de receber transferências voluntárias.

Doutrina

Sanções para o caso de não liberação de recursos para o pagamento de precatório. Dispõe o artigo em tela que, nas hipóteses de não liberação dos recursos destinados ao pagamento de precatórios, serão adotadas, pela autoridade competente, as medidas necessárias para assegurar a mais breve quitação dos precatórios e, perdurando a omissão, o ente federado fica proibido de contrair empréstimo interno ou externo, salvo para garantir o pagamento de débitos de precatórios.

Art. 105. Enquanto viger o regime de pagamento de precatórios previsto no art. 101 deste Ato das Disposições Constitucionais Transitórias, é facultada aos credores de precatórios, próprios ou de terceiros, a compensação com débitos de natureza tributária ou de outra natureza que até 25 de março de 2015 tenham sido inscritos na dívida ativa dos Estados, do Distrito Federal ou dos Municípios, observados os requisitos definidos em lei própria do ente federado.

§ 1.° Não se aplica às compensações referidas no *caput* deste artigo qualquer tipo de vinculação, como as transferências a outros entes e as destinadas à educação, à saúde e a outras finalidades.

§ 2.° Os Estados, o Distrito Federal e os Municípios regulamentarão nas respectivas leis o disposto no *caput* deste artigo em até cento e vinte dias a partir de 1.° de janeiro de 2018.

§ 3.° Decorrido o prazo estabelecido no § 2.° deste artigo sem a regulamentação nele prevista, ficam os credores de precatórios autorizados a exercer a faculdade a que se refere o *caput* deste artigo.

Doutrina

Compensação entre créditos de precatórios e débitos tributários ou não. Dispõe a norma que, na vigência do regime de pagamento de precatórios do artigo 101 deste ADCT, os credores de precatórios, próprios ou de terceiros, poderão efetuar a compensação destes com débitos de natureza tributária (*v.g.*, os impostos) ou de outra natureza, desde que inscritos em dívida ativa até 25 de março de 2015, não se aplicando às compensações referidas no *caput* do artigo qualquer tipo de vinculação, como as transferências da União a outros entes federados e aquelas destinadas à implementação ou execução de programas de educação e saúde.

Regulamentação do direito à compensação. Dispõem os §§ 2.º e 3.º que os entes federados regulamentarão, mediante lei, a direito de compensar nos respectivos âmbitos. Não providenciando os entes federados a legislação mencionada, exaurido o prazo de cento e vinte dias, ficam os credores de precatórios autorizados a efetuar a compensação de que trata o *caput* do artigo.

Art. 106. Fica instituído o Novo Regime Fiscal no âmbito dos Orçamentos Fiscal e da Seguridade Social da União, que vigorará por vinte exercícios financeiros, nos termos dos arts. 107 a 114 deste Ato das Disposições Constitucionais Transitórias.

Doutrina

Novo Regime Fiscal. É um conjunto de regras de natureza fiscal organizadas de forma a permitir gestão mais eficiente das finanças públicas. O Novo Regime Fiscal foi instituído pela Emenda Constitucional n.º 95, de 15 de dezembro de 2016, com vigência estipulada de vinte exercícios financeiros e aplicação tanto no âmbito do orçamento fiscal quanto do orçamento da seguridade social da União.

Art. 107. Ficam estabelecidos, para cada exercício, limites individualizados para as despesas primárias:

I – do Poder Executivo;

II – do Supremo Tribunal Federal, do Superior Tribunal de Justiça, do Conselho Nacional de Justiça, da Justiça do Trabalho, da Justiça Federal, da Justiça Militar da União, da Justiça Eleitoral e da Justiça do Distrito Federal e Territórios, no âmbito do Poder Judiciário;

III – do Senado Federal, da Câmara dos Deputados e do Tribunal de Contas da União, no âmbito do Poder Legislativo;

IV – do Ministério Público da União e do Conselho Nacional do Ministério Público; e

V – da Defensoria Pública da União.

§ 1.º Cada um dos limites a que se refere o *caput* deste artigo equivalerá:

I – para o exercício de 2017, à despesa primária paga no exercício de 2016, incluídos os restos a pagar pagos e demais operações que afetam o resultado primário, corrigida em 7,2% (sete inteiros e dois décimos por cento); e

II – para os exercícios posteriores, ao valor do limite referente ao exercício imediatamente anterior, corrigido pela variação do Índice Nacional de Preços ao Consumidor Amplo (IPCA), publicado pela Fundação Instituto Brasileiro de Geografia e Estatística, ou de outro índice que vier a substituí-lo, apurado no exercício anterior a que se refere a lei orçamentária.

§ 2.º Os limites estabelecidos na forma do inciso IV do *caput* do art. 51, do inciso XIII do *caput* do art. 52, do § 1.º do art. 99, do § 3.º do art. 127 e do § 3.º do art. 134 da Constituição Federal não poderão ser superiores aos estabelecidos nos termos deste artigo.

§ 3.º A mensagem que encaminhar o projeto de lei orçamentária demonstrará os valores máximos de programação compatíveis com os limites individualizados calculados na forma do § 1.º deste artigo, observados os §§ 7.º a 9.º deste artigo.

§ 4.º As despesas primárias autorizadas na lei orçamentária anual sujeitas aos limites de que trata este artigo não poderão exceder os valores máximos demonstrados nos termos do § 3.º deste artigo.

§ 5.º É vedada a abertura de crédito suplementar ou especial que amplie o montante total autorizado de despesa primária sujeita aos limites de que trata este artigo.

§ 6.º Não se incluem na base de cálculo e nos limites estabelecidos neste artigo:

I – transferências constitucionais estabelecidas no § 1.º do art. 20, no inciso III do parágrafo único do art. 146, no § 5.º do art. 153, no art. 157, nos incisos I e II do *caput* do art. 158, no art. 159, e no § 6.º do art. 212, as despesas referentes ao inciso XIV do *caput* do art. 21 e as complementações de que tratam os incisos V e VII do *caput* do art. 212-A, todos da Constituição Federal;

II – créditos extraordinários a que se refere o § 3.º do art. 167 da Constituição Federal;

III – despesas não recorrentes da Justiça Eleitoral com a realização de eleições;

IV – despesas com aumento de capital de empresas estatais não dependentes; e

V – transferências a Estados, Distrito Federal e Municípios de parte dos valores arrecadados com os leilões dos volumes excedentes ao limite a que se refere o § 2.º do art. 1.º da Lei n.º 12.276, de 30 de junho de 2010, e a despesa decorrente da revisão do contrato de cessão onerosa de que trata a mesma lei.

VI – despesas correntes ou transferências aos fundos de saúde dos Estados, do Distrito Federal e dos Municípios, destinadas ao pagamento de despesas com pessoal para cumprimento dos pisos nacionais salariais para o enfermeiro, o técnico de enfermagem, o auxiliar de enfermagem e a parteira, de acordo com os §§ 12, 13, 14 e 15 do art. 198 da Constituição Federal.

§ 6°-A Não se incluem no limite estabelecido no inciso I do caput deste artigo, a partir do exercício financeiro de 2023:

I – despesas com projetos socioambientais ou relativos às mudanças climáticas custeadas com recursos de doações, bem como despesas com projetos custeados com recursos decorrentes de acordos judiciais ou extrajudiciais firmados em função de desastres ambientais;

II – despesas das instituições federais de ensino e das Instituições Científicas, Tecnológicas e de Inovação (ICTs) custeadas com receitas próprias, de doações ou de convênios, contratos ou outras fontes, celebrados com os demais entes da Federação ou entidades privadas;

III – despesas custeadas com recursos oriundos de transferências dos demais entes da Federação para a União destinados à execução direta de obras e serviços de engenharia.

§ 6°-B Não se incluem no limite estabelecido no inciso I do caput deste artigo as despesas com investimentos em montante que corresponda ao excesso de arrecadação de receitas correntes do exercício anterior ao que se refere a lei orçamentária, limitadas a 6,5% (seis inteiros e cinco décimos por cento) do excesso de arrecadação de receitas correntes do exercício de 2021.

§ 6°-C As despesas previstas no § 6°-B deste artigo não serão consideradas para fins de verificação do cumprimento da meta de resultado primário estabelecida no caput do art. 2º da Lei nº 14.436, de 9 de agosto de 2022.

§ 7.º Nos três primeiros exercícios financeiros da vigência do Novo Regime Fiscal, o Poder Executivo poderá compensar com redução equivalente na sua despesa primária, consoante os valores estabelecidos no projeto de lei orçamentária encaminhado pelo Poder Executivo no respectivo exercício, o excesso de despesas primárias em relação aos limites de que tratam os incisos II a V do *caput* deste artigo.

§ 8.º A compensação de que trata o § 7.º deste artigo não excederá a 0,25% (vinte e cinco centésimos por cento) do limite do Poder Executivo.

§ 9.º Respeitado o somatório em cada um dos incisos de II a IV do *caput* deste artigo, a lei de diretrizes orçamentárias poderá dispor sobre a compensação entre os limites individualizados dos órgãos elencados em cada inciso.

§ 10. Para fins de verificação do cumprimento dos limites de que trata este artigo, serão consideradas as despesas primárias pagas, incluídos os restos a pagar pagos e demais operações que afetam o resultado primário no exercício.

§ 11. O pagamento de restos a pagar inscritos até 31 de dezembro de 2015 poderá ser excluído da verificação do cumprimento dos limites de que trata este artigo, até o excesso de resultado primário dos Orçamentos Fiscal e da Seguridade Social do exercício em relação à meta fixada na lei de diretrizes orçamentárias.

§ 12. Para fins da elaboração do projeto de lei orçamentária anual, o Poder Executivo considerará o valor realizado até junho do índice previsto no inciso II do § 1º deste artigo, relativo ao ano de encaminhamento do projeto, e o valor estimado até dezembro desse mesmo ano.

§ 13. A estimativa do índice a que se refere o § 12 deste artigo, juntamente com os demais parâmetros macroeconômicos, serão elaborados mensalmente pelo Poder Executivo e enviados à comissão mista de que trata o § 1° do art. 166 da Constituição Federal.

§ 14. O resultado da diferença aferida entre as projeções referidas nos §§ 12 e 13 deste artigo e a efetiva apuração do índice previsto no inciso II do § 1° deste artigo será calculado pelo Poder Executivo, para fins de definição da base de cálculo dos respectivos limites do exercício seguinte, a qual será comunicada aos demais Poderes por ocasião da elaboração do projeto de lei orçamentária.

Doutrina

Despesas primárias e limites individualizados. As despesas públicas compreendem aspecto relevante da atividade financeira do Estado, ao lado das atividades de fiscalização e arrecadação de tributos. As despesas primárias devem ser entendidas como aquelas destinadas a manter as atividades estatais, com o custeio dessas, tais como os serviços de educação, saúde, segurança interna, defesa externa, e demais descritas nos incisos I a V do *caput* do artigo sob comento. Para os órgãos estatais lá mencionados, serão estabelecidos limites individualizados para financiar as respectivas despesas, a partir do exercício financeiro de 2017, o mecanismo de correção a partir do exercício de 2018, a técnica de exclusão de transferências constitucionais e créditos extraordinários, além da possibilidade de compensação, com redução equivalente de despesas primárias e restos a pagar inscritos até 31 de dezembro de 2015. Em linha de princípio, o Novo Regime Fiscal constituiu-se em instrumento capaz de assegurar a realização da meta de equilíbrio das contas públicas.

Participação de entes federados nas arrecadações com os leilões de parcelas do pré-sal. Dispõe o inciso V do § 6.° acima que está assegurada a transferência a Estados, Distrito Federal e Municípios de parcela dos valores arrecadados com os leilões dos volumes excedentes ao limite reservado para os contratos de cessão onerosa.

Art. 107-A. Até o fim de 2026, fica estabelecido, para cada exercício fi nanceiro, limite para alocação na proposta orçamentária das despesas com pagamentos em virtude de sentença judiciária de que trata o art. 100 da Constituição Federal, equivalente ao valor da despesa paga no exercício de 2016, incluídos os restos a pagar pagos, corrigido, para o exercício de 2017, em 7,2% (sete inteiros e dois décimos por cento) e, para os exercícios posteriores, pela variação do Índice Nacional de Preços ao Consumidor Amplo (IPCA), publicado pela Fundação Instituto Brasileiro de Geografia e Estatística, ou de outro índice que vier a substituí-lo, apurado no exercício anterior a que se refere a lei orçamentária, devendo o espaço fiscal decorrente da diferença entre o valor dos precatórios expedidos e o respectivo limite ser destinado ao programa previsto no parágrafo único do art. 6º e à seguridade social, nos termos do art. 194, ambos da Constituição Federal, a ser calculado da seguinte forma:

I – no exercício de 2022, o espaço fiscal decorrente da diferença entre o valor dos precatórios expedidos e o limite estabelecido no caput deste artigo deverá ser destinado ao programa previsto no parágrafo único do art. 6º e à seguridade social, nos termos do art. 194, ambos da Constituição Federal;

II – no exercício de 2023, pela diferença entre o total de precatórios expedidos entre 2 de julho de 2021 e 2 de abril de 2022 e o limite de que trata o caput deste artigo válido para o exercício de 2023; e

III – nos exercícios de 2024 a 2026, pela diferença entre o total de precatórios expedidos entre 3 de abril de dois anos anteriores e 2 de abril do ano anterior ao exercício

e o limite de que trata o caput deste artigo válido para o mesmo exercício.

§ 1.º O limite para o pagamento de precatórios corresponderá, em cada exercício, ao limite previsto no caput deste artigo, reduzido da projeção para a despesa com o pagamento de requisições de pequeno valor para o mesmo exercício, que terão prioridade no pagamento.

§ 2.º Os precatórios que não forem pagos em razão do previsto neste artigo terão prioridade para pagamento em exercícios seguintes, observada a ordem cronológica e o disposto no § 8º deste artigo.

§ 3.º É facultado ao credor de precatório que não tenha sido pago em razão do disposto neste artigo, além das hipóteses previstas no § 11 do art. 100 da Constituição Federal e sem prejuízo dos procedimentos previstos nos §§ 9º e 21 do referido artigo, optar pelo recebimento, mediante acordos diretos perante Juízos Auxiliares de Conciliação de Pagamento de Condenações Judiciais contra a Fazenda Pública Federal, em parcela única, até o final do exercício seguinte, com renúncia de 40% (quarenta por cento) do valor desse crédito.

§ 4.º O Conselho Nacional de Justiça regulamentará a atuação dos Presidentes dos Tribunais competentes para o cumprimento deste artigo.

§ 5.º Não se incluem no limite estabelecido neste artigo as despesas para fins de cumprimento do disposto nos §§ 11, 20 e 21 do art. 100 da Constituição Federal e no § 3º deste artigo, bem como a atualização monetária dos precatórios inscritos no exercício.

§ 6.º Não se incluem nos limites estabelecidos no art. 107 deste Ato das Disposições Constitucionais Transitórias o previsto nos §§ 11, 20 e 21 do art. 100 da Constituição Federal e no § 3º deste artigo.

§ 7.º Na situação prevista no § 3º deste artigo, para os precatórios não incluídos na proposta orçamentária de 2022, os valores necessários à sua quitação serão providenciados pela abertura de créditos adicionais durante o exercício de 2022.

§ 8.º Os pagamentos em virtude de sentença judiciária de que trata o art. 100 da Constituição Federal serão realizados na seguinte ordem:

I – obrigações definidas em lei como de pequeno valor, previstas no § 3º do art. 100 da Constituição Federal;

II – precatórios de natureza alimentícia cujos titulares, originários ou por sucessão hereditária, tenham no mínimo 60 (sessenta) anos de idade, ou sejam portadores de doença grave ou pessoas com deficiência, assim definidos na forma da lei, até o valor equivalente ao triplo do montante fixado em lei como obrigação de pequeno valor;

III – demais precatórios de natureza alimentícia até o valor equivalente ao triplo do montante fixado em lei como obrigação de pequeno valor;

IV – demais precatórios de natureza alimentícia além do valor previsto no inciso III deste parágrafo;

V – demais precatórios.

Art. 108. *(Revogado pela Emenda Constitucional n.º 113, de 09.12.2021).*

Art. 109. Se verificado, na aprovação da lei orçamentária, que, no âmbito das despesas sujeitas aos limites do art. 107 deste Ato das Disposições Constitucionais Transitórias, a proporção da despesa obrigatória primária em relação à despesa primária total foi superior a 95% (noventa e cinco por cento), aplicam-se ao respectivo Poder ou órgão, até o final do exercício a que se refere a lei orçamentária, sem prejuízo de outras medidas, as seguintes vedações:

I – concessão, a qualquer título, de vantagem, aumento, reajuste ou adequação de remuneração de membros de Poder ou de órgão, de servidores e empregados públicos e de militares, exceto dos derivados de sentença judicial transitada em julgado ou de determinação legal anterior ao início da aplicação das medidas de que trata este artigo;

II – criação de cargo, emprego ou função que implique aumento de despesa;

III – alteração de estrutura de carreira que implique aumento de despesa;

IV – admissão ou contratação de pessoal, a qualquer título, ressalvadas:

a) as reposições de cargos de chefia e de direção que não acarretem aumento de despesa;

b) as reposições decorrentes de vacâncias de cargos efetivos ou vitalícios;

c) as contratações temporárias de que trata o inciso IX do caput do art. 37 da Constituição Federal; e

d) as reposições de temporários para prestação de serviço militar e de alunos de órgãos de formação de militares;

V – realização de concurso público, exceto para as reposições de vacâncias previstas no inciso IV;

VI – criação ou majoração de auxílios, vantagens, bônus, abonos, verbas de representação ou benefícios de qualquer natureza, inclusive os de cunho indenizatório, em favor de membros de Poder, do Ministério Público ou da Defensoria Pública, de servidores e empregados públicos e de militares, ou ainda de seus dependentes, exceto quando derivados de sentença judicial transitada em julgado ou de determinação legal anterior ao início da aplicação das medidas de que trata este artigo;

VII – criação de despesa obrigatória; e

VIII – adoção de medida que implique reajuste de despesa obrigatória acima da variação da inflação, observada a preservação do poder aquisitivo referida no inciso IV do *caput* do art. 7.º da Constituição Federal.

IX – aumento do valor de benefícios de cunho indenizatório destinado a qualquer membro de Poder, servidor ou empregado da administração pública e a seus dependentes, exceto quando derivado de sentença judicial transitada em julgado ou de determinação legal anterior ao início da aplicação das medidas de que trato este artigo.

§ 1.º As vedações previstas nos incisos I, III e VI do *caput* deste artigo, quando acionadas as vedações para qualquer dos órgãos elencados nos incisos II, III e IV do *caput* do art. 107 deste Ato das Disposições Constitucionais Transitórias, aplicam-se ao conjunto dos órgãos referidos em cada inciso.

§ 2.º Caso as vedações de que trata o *caput* deste artigo sejam acionadas para o Poder Executivo, ficam vedadas:

I – a criação ou responsável de programas e linhas de financiamento de dívidas, bem como a remissão, renegociação ou refinanciamento de dívidas que impliquem ampliação das despesas com subsídios e subvenções; e

II – a concessão ou a ampliação de incentivo ou benefício de natureza tributária.

§ 3.º Caso as vedações de que trata o *caput* deste artigo sejam acionadas, fica vedada fica a concessão da revisão geral prevista no inciso X do *caput* do art. 37 da Constituição Federal.

§ 4.º As disposições deste artigo:

I – não constituem obrigação de pagamento futuro pela União ou direitos de outrem sobre o erário;

II – não revogam, dispensam ou suspendem o cumprimento de dispositivos constitucionais e legais que disponham sobre metas fiscais ou limites máximos de despesas; e

III – aplicam se também a proposições legislativas.

§ 5.º O disposto nos incisos II, IV, VII e VIII do *caput* e no § 2.º deste artigo não se aplica a medidas de combate a calamidade pública nacional cuja vigência e efeitos não ultrapassem a sua duração.

Doutrina

Sanção por descumprimento de limite individualizado. Constatado o descumprimento do limite individualizado, por parte do Poder Executivo ou de órgão elencado nos incisos II a V do *caput* do artigo 107 do ADCT, sem prejuízo de outras medidas serão aplicadas uma ou mais vedações descritas nos incisos I a VIII. Poderá, ainda, cumulativamente, ser aplicada vedação do inciso I e II do § 2.º deste artigo no caso de descumprimento do limite de que trata o inciso I do *caput* do artigo 107 deste ADCT.

Art. 110. Na vigência do Novo Regime Fiscal, as aplicações mínimas em ações e serviços públicos de saúde e em manutenção e desenvolvimento do ensino equivalerão:

I – no exercício de 2017, às aplicações mínimas calculadas nos termos do inciso I do § 2.º do art. 198 e do *caput* do art. 212, da Constituição Federal; e

II – nos exercícios posteriores, aos valores calculados para as aplicações mínimas do exercício imediatamente anterior, corrigidos na forma estabelecida pelo inciso II do art. 107 deste Ato das Disposições Constitucionais Transitórias.

Doutrina

Aplicações mínimas em saúde e educação. O artigo em revista estabelece que, na vigência do Novo Regime Fiscal, as aplicações mínimas em ações e serviços públicos de saúde, *v.g.*, Sistema Único de Saúde, programas de distribuição de medicamentos, e em manutenção e desenvolvimento do ensino, *v.g.*, ensino de primeiro e segundo graus, equivalerão aos valores apurados a partir do disposto nos incisos I e II. O objetivo do legislador da emenda é claramente o de destinar aporte maior de recursos nas referidas áreas, por entendê-las relevantes para o desenvolvimento social do país.

Art. 111. A partir do exercício financeiro de 2018, até o exercício financeiro de 2022, a aprovação e a execução previstas nos §§ 9.º e 11 do art. 166 da Constituição Federal corresponderão ao montante de execução obrigatória para o exercício de 2017, corrigido na forma estabelecida pelo inciso II do § 1.º do art. 107 deste Ato das Disposições Constitucionais Transitórias.

Doutrina

Vigência do Novo Regime Fiscal. No âmbito dos Orçamentos Fiscal e da Seguridade Social da União, a vigência é de vinte exercícios financeiros (ADCT, art. 106), a partir da promulgação da Emenda Constitucional n.º 95, de 15 de dezembro de 2016. Nesse período é obrigatória a execução orçamentária e financeira de emendas individuais ao projeto de lei orçamentária no limite de 1,2% (um inteiro e dois décimos por cento), sendo que a metade do montante que resultar deste percentual será destinada a ações de saúde e serviços públicos de saúde (CF, art. 166, §§ 9.º e 11).

Art. 111-A. A partir do exercício financeiro de 2024, até o último exercício de vigência do Novo Regime Fiscal, a aprovação e a execução previstas nos §§ 9° e 11 do art. 166 da Constituição Federal corresponderão ao montante de execução obrigatória para o exercício de 2023, corrigido na forma estabelecida no inciso II do § 1° do art. 107 deste Ato das Disposições Constitucionais Transitórias.

Art. 112. As disposições introduzidas pelo Novo Regime Fiscal:

I – não constituirão obrigação de pagamento futuro pela União ou direitos de outrem sobre o erário; e

II – não revogam, dispensam ou suspendem o cumprimento de dispositivos constitucionais e legais que disponham sobre metas fiscais ou limites máximos de despesas.

Doutrina

Efeitos decorrentes das disposições instituídas pelo Novo Regime Fiscal. A aplicação das disposições e medidas introduzidas pela nova política fiscal não implicará obrigações de pagamento ou direito de terceiro em face do Erário e, ainda, não revoga, dispensa ou suspende disposição constitucional ou legal constante do conjunto de metas fiscais ou definição de limites máximos de despesas. Todavia, convém registrar, em face da amplitude das medidas adotadas pelo chamado Novo Regime Fiscal, ser muito provável que haja violação de direito de pessoas ou instituições que, evidentemente, não restarão imunes do controle de legalidade a cargo do Judiciário por meio do devido processo legal.

Art. 113. A proposição legislativa que crie ou altere despesa obrigatória ou renúncia de receita deverá ser

acompanhada da estimativa do seu impacto orçamentário e financeiro.

Doutrina

Proposição legislativa e fonte de recursos. A proposição que crie ou altere despesa obrigatória ou implique renúncia de receita será, necessariamente, acompanhada da estimativa do seu impacto orçamentário e financeiro. Trata-se de norma de controle financeiro ou da administração.

Art. 114. A tramitação de proposição elencada no *caput* do art. 59 da Constituição Federal, ressalvada a referida no seu inciso V, quando acarretar aumento de despesa ou renúncia de receita, será suspensa por até vinte dias, a requerimento de um quinto dos membros da Casa, nos termos regimentais, para análise de sua compatibilidade com o Novo Regime Fiscal.

Doutrina

Suspensão da tramitação de projeto de lei. A tramitação de projetos de emendas à Constituição, de leis complementares, de leis ordinárias, de leis delegadas, de decretos legislativos e de resoluções, salvo medidas provisórias, nos casos em que acarretarem aumento de despesa ou renúncia de receita, será suspensa, pelo prazo de até vinte dias, mediante requerimento de um quinto dos membros da Casa por onde tramita a proposição, na forma regimental, para fins de verificação de sua compatibilidade com as normas constantes do Novo Regime Fiscal.

Art. 115. Fica excepcionalmente autorizado o parcelamento das contribuições previdenciárias e dos demais débitos dos Municípios, incluídas suas autarquias e fundações, com os respectivos regimes próprios de pre-

vidência social, com vencimento até 31 de outubro de 2021, inclusive os parcelados anteriormente, no prazo máximo de 240 (duzentos e quarenta) prestações mensais, mediante autorização em lei municipal específica, desde que comprovem ter alterado a legislação do regime próprio de previdência social para atendimento das seguintes condições, cumulativamente:

I – adoção de regras de elegibilidade, de cálculo e de reajustamento dos benefícios que contemplem, nos termos previstos nos incisos I e III do § 1º e nos §§ 3º a 5º, 7º e 8º do art. 40 da Constituição Federal, regras assemelhadas às aplicáveis aos servidores públicos do regime próprio de previdência social da União e que contribuam efetivamente para o atingimento e a manutenção do equilíbrio financeiro e atuarial;

II – adequação do rol de benefícios ao disposto nos §§ 2º e 3º do art. 9º da Emenda Constitucional nº 103, de 12 de novembro de 2019;

III – adequação da alíquota de contribuição devida pelos servidores, nos termos do § 4º do art. 9º da Emenda Constitucional nº 103, de 12 de novembro de 2019; e

IV – instituição do regime de previdência complementar e adequação do órgão ou entidade gestora do regime próprio de previdência social, nos termos do § 6º do art. 9º da Emenda Constitucional nº 103, de 12 de novembro de 2019.

Parágrafo único. Ato do Ministério do Trabalho e Previdência, no âmbito de suas competências, definirá os critérios para o parcelamento previsto neste artigo, inclusive quanto ao cumprimento do disposto nos incisos I, II, III e IV do *caput* deste artigo, bem como disponibilizará as informações aos Municípios sobre o montante das dívidas, as formas de parcelamento, os juros e os encargos incidentes, de modo a possibilitar o acompanhamento da evolução desses débitos.

Art. 116. Fica excepcionalmente autorizado o parcelamento dos débitos decorrentes de contribuições previdenciárias dos Municípios, incluídas suas autarquias e fundações, com o Regime Geral de Previdência Social, com vencimento até 31 de outubro de 2021, ainda que em fase de execução fiscal ajuizada, inclusive os decorrentes do descumprimento de obrigações acessórias e os parcelados anteriormente, no prazo máximo de 240 (duzentos e quarenta) prestações mensais.

§ 1º Os Municípios que possuam regime próprio de previdência social deverão comprovar, para fins de formalização do parcelamento com o Regime Geral de Previdência Social, de que trata este artigo, terem atendido as condições estabelecidas nos incisos I, II, III e IV do *caput* do art. 115 deste Ato das Disposições Constitucionais Transitórias.

§ 2º Os débitos parcelados terão redução de 40% (quarenta por cento) das multas de mora, de ofício e isoladas, de 80% (oitenta por cento) dos juros de mora, de 40% (quarenta por cento) dos encargos legais e de 25% (vinte e cinco por cento) dos honorários advocatícios.

§ 3º O valor de cada parcela será acrescido de juros equivalentes à taxa referencial do Sistema Especial de Liquidação e de Custódia (Selic), acumulada mensalmente, calculados a partir do mês subsequente ao da consolidação até o mês anterior ao do pagamento.

§ 4º Não constituem débitos dos Municípios aqueles considerados prescritos ou atingidos pela decadência.

§ 5º A Secretaria Especial da Receita Federal do Brasil e a Procuradoria-Geral da Fazenda Nacional, no âmbito de suas competências, deverão fixar os critérios para o parcelamento previsto neste artigo, bem como disponibilizar as informações aos Municípios sobre o montante das dívidas, as formas de parcelamento, os juros e os encargos incidentes, de modo a possibilitar o acompanhamento da evolução desses débitos.

Art. 117. A formalização dos parcelamentos de que tratam os arts. 115 e 116 deste Ato das Disposições Constitucionais Transitórias deverá ocorrer até 30 de junho de 2022 e ficará condicionada à autorização de vinculação do Fundo de Participação dos Municípios para fins de pagamento das prestações acordadas nos termos de parcelamento, observada a seguinte ordem de preferência:

I – a prestação de garantia ou de contragarantia à União ou os pagamentos de débitos em favor da União, na forma do § 4º do art. 167 da Constituição Federal;

II – as contribuições parceladas devidas ao Regime Geral de Previdência Social;

III – as contribuições parceladas devidas ao respectivo regime próprio de previdência social.

Art. 118. Os limites, as condições, as normas de acesso e os demais requisitos para o atendimento do disposto no parágrafo único do art. 6º e no inciso VI do *caput* do art. 203 da Constituição Federal serão determinados, na forma da lei e respectivo regulamento, até 31 de dezembro de 2022, dispensada, exclusivamente no exercício de 2022, a observância das limitações legais quanto à criação, à expansão ou ao aperfeiçoamento de ação governamental que acarrete aumento de despesa no referido exercício.

Art. 119. Em decorrência do estado de calamidade pública provocado pela pandemia da Covid-19, os Estados, o Distrito Federal, os Municípios e os agentes públicos desses entes federados não poderão ser responsabilizados administrativa, civil ou criminalmente pelo descumprimento, exclusivamente nos exercícios financeiros de 2020 e 2021, do disposto no caput do art. 212 da Constituição Federal.

Parágrafo único. Para efeitos do disposto no caput deste artigo, o ente deverá complementar na aplicação da manutenção e desenvolvimento do ensino, até o exercício financeiro de 2023, a diferença a menor entre o valor aplicado, conforme informação registrada no sistema integrado de planejamento e orçamento, e o valor mínimo exigível constitucionalmente para os exercícios de 2020 e 2021.

Art. 120. Fica reconhecido, no ano de 2022, o estado de emergência decorrente da elevação extraordinária e imprevisível dos preços do petróleo, combustíveis e seus derivados e dos impactos sociais dela decorrentes.

Parágrafo único. Para enfretamento ou mitigação dos impactos decorrentes do estado de emergência reconhecido, as medidas implementadas, até os limites de despesas previstos em uma única e exclusiva norma constitucional observarão o seguinte:

I – quanto às despesas:

a) serão atendidas por meio de crédito extraordinário;

b) não serão consideradas para fins de apuração da meta de resultado primário estabelecida no *caput* do art. 2° da Lei n° 14.194, de 20 de agosto de 2021, e do limite estabelecido para as despesas primárias, conforme disposto no inciso I do *caput* do art. 107 do Ato das Disposições Constitucionais Transitórias; e

c) ficarão ressalvadas do disposto no inciso III do *caput* do art. 167 da Constituição Federal;

II – a abertura do crédito extraordinário para seu atendimento dar-se-á independentemente da observância dos requisitos exigidos no § 3º do art. 167 da Constituição Federal; e

III – a dispensa das limitações legais, inclusive quanto à necessidade de compensação:

a) à criação, à expansão ou ao aperfeiçoamento de ação governamental que acarrete aumento de despesa; e

b) à renúncia de receita que possa ocorrer.

Art. 121. As contas referentes aos patrimônios acumulados de que trata o § 2º do art. 239 da Constituição Federal cujos recursos não tenham sido reclamados por prazo superior a 20 (vinte) anos serão encerradas após o prazo de 60 (sessenta) dias da publicação de aviso no Diário Oficial da União, ressalvada reivindicação por eventual interessado legítimo dentro do referido prazo.

Parágrafo único. Os valores referidos no caput deste artigo serão tidos por abandonados, nos termos do inciso III do caput do art. 1.275 da Lei nº 10.406, de 10 de janeiro de 2002 (Código Civil), e serão apropriados pelo Tesouro Nacional como receita primária para realização de despesas de investimento de que trata o § 6º-B do art. 107, que não serão computadas nos limites previstos no art. 107, ambos deste Ato das Disposições Constitucionais Transitórias, podendo o interessado reclamar ressarcimento à União no prazo de até 5 (cinco) anos do encerramento das contas.

Art. 122. As transferências financeiras realizadas pelo Fundo Nacional de Saúde e pelo Fundo Nacional de Assistência Social diretamente aos fundos de saúde e assistência social estaduais, municipais e distritais, para enfrentamento da pandemia da Covid-19, poderão ser executadas pelos entes federativos até 31 de dezembro de 2023.

NOTAS EXPLICATIVAS EM FACE DA EMENDA CONSTITUCIONAL N.º 103/2019

A Emenda Constitucional n.º 103, de 13.11.2019, que altera o sistema de previdência social e estabelece regras de transição e disposições transitórias, trata, no seu artigo 1.º, das normas que introduzem alterações no corpo permanente da Constituição Federal de 1988 e, como tal, foram nele integradas.

Referida Emenda Constitucional, no seu artigo 2.º, trata das alterações introduzidas em normas contidas do Ato das Disposições Constitucionais Transitórias e, da mesma forma, foram neste integradas.

Por fim, a partir do seu artigo 3.º e seguintes, as normas contidas na referida Emenda Constitucional tratam de dispor sobre regras transitórias bem como de regras de transição relacionadas ao regime próprio de previdência social, ao regime geral de previdência social, além das regras de transição do regime geral e das normas transitórias relativas principalmente à assistência social.

Verifica-se, pois, que inovou o legislador da emenda constitucional na organização das normas nela contidas, estabelecendo topologia singular no trato da matéria.

Assim – reitera-se, conquanto relevante – as normas constitucionais que alteram dispositivos do corpo permanente da Constituição foram organizadas dentro deste e, da mesma forma, as normas constitucionais que alteram dispositivos do Ato das Disposições Constitucionais Transitórias restaram integradas neste documento. Todavia, as normas constitucionais transitórias e de transição figuram em tópico separado a partir do artigo 3.º e nessa mesma ordem serão aqui objeto de anotações.

Das Regras de Transição Relacionadas ao Regime Próprio de Previdência Social

Art. 3.º A concessão de aposentadoria ao servidor público federal vinculado a regime próprio de previdência social e ao segurado do Regime Geral de Previdência Social e de pensão por morte aos respectivos dependentes será assegurada, a qualquer tempo, desde que tenham sido cumpridos os requisitos para obtenção destes benefícios até a data de entrada em vigor desta Emenda Constitucional, observados os critérios da legislação vigente na data em que foram atendidos os requisitos para a concessão da aposentadoria ou da pensão por morte.

Doutrina

Requisitos necessários para a obtenção dos benefícios previstos no* caput *deste artigo. A aposentadoria conferida ao servidor público federal, vinculado ao regime próprio de previdência, e ao segurado do regime geral, bem como a pensão por morte devida aos seus dependentes será assegurada a qualquer tempo, desde que cumpridos os requisitos para obtenção dos mencionados benefícios até a data de promulgação e início de vigência desta Emenda Constitucional, devendo ser ainda observados os critérios previstos na legislação vigente na data em que completados os requisitos para a concessão dos benefícios, tanto da aposentadoria quanto da pensão por morte.

§ 1.º Os proventos de aposentadoria devidos ao servidor público a que se refere o *caput* e as pensões por morte devidas aos seus dependentes serão calculados e reajustados de acordo com a legislação em vigor à época em que foram atendidos os requisitos nela estabelecidos para a concessão desses benefícios.

Doutrina

Cálculo dos proventos da inatividade e da pensão por morte. A aposentadoria conferida ao servidor público referido no *caput* e a pensão por morte devida aos seus respectivos dependentes serão calculadas e reajustadas de acordo com a legislação vigente à época em que atendidos os requisitos estabelecidos em lei para a concessão dos mencionados benefícios.

§ 2.º Os proventos de aposentadoria devidos ao segurado a que se refere o *caput* e as pensões por morte devidas aos seus dependentes serão apurados de acordo com a legislação em vigor à época em que foram atendidos os requisitos nela estabelecidos para a concessão desses benefícios.

Doutrina

Cálculo da aposentadoria ou da pensão concedidas aos segurados e dependentes do regime geral. Dispõe o § 2.º que os proventos da aposentadoria ou da pensão por morte serão pagos na forma prevista no *caput* deste artigo e serão apurados de acordo com a legislação vigente à época em que cumpridos os requisitos estabelecidos para a concessão do respectivo benefício.

§ 3.º Até que entre em vigor lei federal de que trata o § 19 do art. 40 da Constituição Federal, o servidor de que trata o *caput* que tenha cumprido os requisitos para aposentadoria voluntária com base no disposto na alínea *a* do inciso III do § 1.º do art. 40 da Constituição Federal, na redação vigente até a data de entrada em vigor desta Emenda Constitucional, no art. 2.º, no § 1.º do art. 3.º ou no art. 6.º da Emenda Constitucional n.º 41, de 19 de dezembro de 2003, ou no art. 3.º da Emenda Constitucional n.º 47, de 5 de julho de 2005, que optar por permanecer em atividade fará jus a um abono de permanência equivalente ao valor da sua contribuição previdenciária, até completar a idade para aposentadoria compulsória.

Doutrina

Abono de permanência. Dispõe este § 3.º que, enquanto não entrar em vigor a legislação federal nele mencionada, entenda-se, a nova lei de regência da matéria, o servidor público federal que cumprir os requisitos para a aposentadoria e que optar por continuar em atividade terá direito à percepção de abono de permanência cujo valor será equivalente ao de sua contribuição previdenciária, até que venha completar a idade para a aposentadoria compulsória.

Art. 4.º O servidor público federal que tenha ingressado no serviço público em cargo efetivo até a data de entrada em vigor desta Emenda Constitucional poderá aposentar-se voluntariamente quando preencher, cumulativamente, os seguintes requisitos:

I – 56 (cinquenta e seis) anos de idade, se mulher, e 61 (sessenta e um) anos de idade, se homem, observado o disposto no § 1.º;

II – 30 (trinta) anos de contribuição, se mulher, e 35 (trinta e cinco) anos de contribuição, se homem;

III – 20 (vinte anos) de efetivo exercício no serviço público;

IV – 5 (cinco) anos no cargo efetivo em que se der a aposentadoria; e

V - somatório da idade e do tempo de contribuição, incluídas as frações, equivalente a 86 (oitenta e seis) pontos, se mulher, e 96 (noventa e seis) pontos, se homem, observado o disposto nos §§ 2.° e 3.°

Doutrina

Requisitos para a aposentadoria voluntária de servidor público federal. Dispõe o *caput* deste artigo que o servidor que tenha ingressado no serviço público, em cargo de provimento efetivo, até a data de início de promulgação e vigência desta Emenda Constitucional, poderá aposentar-se, de forma voluntária, quando preencher, cumulativamente, os seguintes requisitos: *a*) *idade mínima* de cinquenta e seis anos, se mulher, e de sessenta e um anos, se homem, observado ainda, o disposto no § 1°; *b*) *contribuição* durante trinta anos, se mulher, e de trinta e cinco anos, se homem; *c*) *efetivo exercício* no serviço público durante vinte anos; *d*) *exercício no cargo efetivo* em que se der a aposentadoria pelo mínimo de cinco anos; e) *soma da idade e do tempo de contribuição*, incluídas as frações, equivalente a oitenta e seis pontos, se mulher, e a noventa e seis pontos, se homem, observado o disposto nos §§ 2.° e 3.° anotados em seguida.

§ 1.° A partir de 1.° de janeiro de 2022, a idade mínima a que se refere o inciso I do *caput* será de 57 (cinquenta e sete) anos de idade, se mulher, e 62 (sessenta e dois) anos de idade, se homem.

Doutrina

Majoração de idade em 2022. Dispõe este § 1.° que, a partir de 1.° de janeiro de 2022, a idade mínima a que se refere o inciso I do *caput* será elevada para cinquenta e sete anos de idade, se mulher, e sessenta e dois anos de idade, se homem.

§ 2.º A partir de 1.º de janeiro de 2020, a pontuação a que se refere o inciso V do *caput* será acrescida a cada ano de 1 (um) ponto, até atingir o limite de 100 (cem) pontos, se mulher, e de 105 (cento e cinco) pontos, se homem.

Doutrina

Majoração de pontos. Dispõe este § 2.º que, a partir de 1.º de janeiro de 2020, a pontuação referida no inciso V do *caput* será acrescida de um ponto a cada ano, até atingir o limite de cem pontos, se mulher, e de cento e cinco pontos, se homem.

§ 3.º A idade e o tempo de contribuição serão apurados em dias para o cálculo do somatório de pontos a que se referem o inciso V do *caput* e o § 2.º

Doutrina

Critério de apuração de idade e tempo de contribuição. Dispõe este § 3.º que a apuração de ambos os requisitos se fará em dias corridos e deverá considerar, na sua soma, também as frações, isso em favor do segurado.

§ 4.º Para o titular do cargo de professor que comprovar exclusivamente tempo de efetivo exercício das funções de magistério na educação infantil e no ensino fundamental e médio, os requisitos de idade e de tempo de contribuição de que tratam os incisos I e II do *caput* serão:

I – 51 (cinquenta e um) anos de idade, se mulher, e 56 (cinquenta e seis) anos de idade, se homem;

II – 25 (vinte e cinco) anos de contribuição, se mulher, e 30 (trinta) anos de contribuição, se homem; e

III – 52 (cinquenta e dois) anos de idade, se mulher, e 57 (cinquenta e sete) anos de idade, se homem, a partir de 1.º de janeiro de 2022.

Doutrina

Requisitos especiais para a aposentadoria de professor. Dispõe este § 4.º que, para o servidor titular do cargo de professor, que comprovar exclusivamente tempo de efetivo exercício nas funções de magistério na educação infantil, no ensino fundamental e no ensino médio, os requisitos de idade e de tempo de contribuição de que tratam os incisos I e II do *caput* serão os seguintes: *a*) *idade mínima* de cinquenta e um anos, se mulher, e cinquenta e seis anos, se homem; *b*) *tempo de contribuição* de vinte e cinco anos, se mulher, e de trinta anos, se homem; *c*) *majoração de idade* em 1.º de janeiro de 2022, passando para cinquenta e dois anos, se mulher, e cinquenta e sete anos, se homem.

§ 5.º O somatório da idade e do tempo de contribuição de que trata o inciso V do *caput* para as pessoas a que se refere o § 4.º, incluídas as frações, será de 81 (oitenta e um) pontos, se mulher, e 91 (noventa e um) pontos, se homem, aos quais serão acrescidos, a partir de 1.º de janeiro de 2020, 1 (um) ponto a cada ano, até atingir o limite de 92 (noventa e dois) pontos, se mulher, e de 100 (cem) pontos, se homem.

Doutrina

Critério de idade e tempo de contribuição para professor. Dispõe este § 5.º que, no caso de professor de educação infantil, de ensino fundamental e de ensino médio, a soma da idade e do tempo de contribuição, incluídas as frações deverá equivaler a oitenta e um pontos, se mulher, e a noventa e um pontos, se homem. Certo, contudo, que, a partir de 1.º de janeiro de 2020, será acrescido um ponto a cada ano, segundo disposição de lei, até o teto de noventa e dois pontos, se mulher, e de cem pontos, se homem.

§ 6.º Os proventos das aposentadorias concedidas nos termos do disposto neste artigo corresponderão:

I – à totalidade da remuneração do servidor público no cargo efetivo em que se der a aposentadoria, observado o disposto no § 8.º, para o servidor público que tenha ingressado no serviço público em cargo efetivo até 31 de dezembro de 2003 e que não tenha feito a opção de que trata o § 16 do art. 40 da Constituição Federal, desde que tenha, no mínimo, 62 (sessenta e dois) anos de idade, se mulher, e 65 (sessenta e cinco) anos de idade, se homem, ou, para os titulares do cargo de professor de que trata o § 4.º, 57 (cinquenta e sete) anos de idade, se mulher, e 60 (sessenta) anos de idade, se homem;

II – ao valor apurado na forma da lei, para o servidor público não contemplado no inciso I.

Doutrina

Cálculo dos proventos de aposentadoria nos termos desta norma. Dispõe este § 6.º, ora anotado, que os proventos das aposentadorias concedidas com base nele corresponderão: *a*) à totalidade da remuneração *do servidor* ocupante do cargo efetivo em que se der a aposentadoria, observado o disposto no § 8.º, para o servidor público que tenha ingressado no serviço público em cargo efetivo até 31 de dezembro de 2003 e que não tenha feito a opção de que trata o § 16 do art. 40 da Constituição Federal, desde que se aposente na idade mínima de sessenta e dois anos de idade, se mulher, e sessenta e cinco anos de idade, se homem, ou aos cinquenta e sete anos de idade, se mulher, e aos sessenta anos de idade, se homem, para os titulares do cargo de professor de que trata o § 4.º; e, *b*) à totalidade do valor apurado na forma da lei para o servidor não contemplado na forma da alínea anterior, ou seja, aquele que não cumpre os requisitos previstos em lei.

§ 7.º Os proventos das aposentadorias concedidas nos termos do disposto neste artigo não serão inferiores ao valor a que se refere o § 2.º do art. 201 da Constituição Federal e serão reajustados:

I – de acordo com o disposto no art. 7.º da Emenda Constitucional n.º 41, de 19 de dezembro de 2003, se cumpridos os requisitos previstos no inciso I do § 6.º; ou

II – nos termos estabelecidos para o Regime Geral de Previdência Social, na hipótese prevista no inciso II do § 6.º

Doutrina

Limite mínimo do valor dos proventos concedidos com base nesta norma constitucional. Dispõe este § 7.º, combinado com o contido no § 2.º do artigo 201 da Constituição Federal, que nenhum benefício pago com base nas referidas normas será de valor inferior ao salário mínimo.

Critérios de reajustes. Ademais, dispõe a norma que referidos proventos serão reajustados nos termos do art. 7.º da Emenda Constitucional n.º 41, de 19.12.2003, se concedidas com base no inciso I do § 6.º, ou seja, pela totalidade da remuneração ou, ainda, com base nas regras do regime geral de previdência social.

§ 8.º Considera-se remuneração do servidor público no cargo efetivo, para fins de cálculo dos proventos de aposentadoria com fundamento no disposto no inciso I do § 6.º ou no inciso I do § 2.º do art. 20, o valor constituído pelo subsídio, pelo vencimento e pelas vantagens pecuniárias permanentes do cargo, estabelecidos em lei, acrescidos dos adicionais de caráter individual e das

vantagens pessoais permanentes, observados os seguintes critérios:

I – se o cargo estiver sujeito a variações na carga horária, o valor das rubricas que refletem essa variação integrará o cálculo do valor da remuneração do servidor público no cargo efetivo em que se deu a aposentadoria, considerando-se a média aritmética simples dessa carga horária proporcional ao número de anos completos de recebimento e contribuição, contínuos ou intercalados, em relação ao tempo total exigido para a aposentadoria;

II – se as vantagens pecuniárias permanentes forem variáveis por estarem vinculadas a indicadores de desempenho, produtividade ou situação similar, o valor dessas vantagens integrará o cálculo da remuneração do servidor público no cargo efetivo mediante a aplicação, sobre o valor atual de referência das vantagens pecuniárias permanentes variáveis, da média aritmética simples do indicador, proporcional ao número de anos completos de recebimento e de respectiva contribuição, contínuos ou intercalados, em relação ao tempo total exigido para a aposentadoria ou, se inferior, ao tempo total de percepção da vantagem.

Doutrina

Remuneração do servidor para fins de cálculo dos proventos da aposentadoria. Dispõe o § 8.º que, para tal finalidade, será levado em conta o valor do subsídio, o valor do vencimento e das vantagens pecuniárias permanentes, o valor dos adicionais individuais e o valor das vantagens pessoais permanentes.

Critérios de cumprimento obrigatório. Serão necessariamente verificados os pontos seguintes: *a*) no caso de cargo com carga horária variável, esse fenômeno será levado em conta e o valor correspondente integrará a remuneração do servidor considerando a média aritmética simples da carga variável em proporção ao número de anos completos de percepção da contribuição, não importando se se tratam de períodos contínuos ou intercalados em relação ao tempo necessário para a aposentadoria; *b*) em sendo as vantagens pecuniárias permanentes recebidas de forma variável, em face de vinculação a critérios definidos de desempenho, produtividade ou outro mecanismo de mensuração, o valor de tais vantagens integrará o somatório da remuneração do servidor, valendo-se do mesmo critério de média aritmética simples.

§ 9.º Aplicam-se às aposentadorias dos servidores dos Estados, do Distrito Federal e dos Municípios as normas constitucionais e infraconstitucionais anteriores à data de entrada em vigor desta Emenda Constitucional, enquanto não promovidas alterações na legislação interna relacionada ao respectivo regime próprio de previdência social.

Doutrina

Aplicação da legislação previdenciária por outros entes federados. Dispõe este § 9.º, da norma ora anotada, que devem ser aplicadas às aposentadorias dos servidores dos Estados-membros, do Distrito Federal e dos Municípios as normas constitucionais e também as normas infraconstitucionais anteriores à data de início de vigência desta Emenda Constitucional, perdurando a referida aplicação até que alterações na legislação sejam feitas no âmbito do regime de previdência social de cada ente federativo.

§ 10. Estende-se o disposto no § 9.º às normas sobre aposentadoria de servidores públicos incompatíveis com a redação atribuída por esta Emenda Constitucional aos §§ 4.º, 4.º-A, 4.º-B e 4.º-C do art. 40 da Constituição Federal.

Doutrina

Aplicação, por extensão, do disposto no § 9.º nos casos do § 10. Dispõe o § 10 ser extensível o disposto no § 9.º nos casos de aposentadorias de servidores incompatíveis com a redação conferida por esta Emenda Constitucional ao disposto nos §§ 4.º, 4.º-A, 4.º-B e 4.º-C do artigo 40 da Constituição Federal.

Art. 5.º O policial civil do órgão a que se refere o inciso XIV do *caput* do art. 21 da Constituição Federal, o policial dos órgãos a que se referem o inciso IV do *caput* do art. 51, o inciso XIII do *caput* do art. 52 e os incisos I a III do *caput* do art. 144 da Constituição Federal e o ocupante do cargo de agente federal penitenciário ou socioeducativo que tenham ingressado na respectiva carreira até a data de entrada em vigor desta Emenda Constitucional poderão aposentar-se, na forma da Lei Complementar n.º 51, de 20 de dezembro de 1985, observada a idade mínima de 55 (cinquenta e cinco) anos para ambos os sexos ou o disposto no § 3.º.

Doutrina

Aposentadoria de policiais civis e de agentes federais. Cuida o *caput* deste artigo 5.º da aposentadoria de policiais civis do Distrito Federal (CF, art. 21, inciso XIV do *caput*); de policiais da segurança interna da Câmara dos Deputados (CF, art. 51, *caput*, inc. IV); de policiais da segurança interna do Senado Federal (CF, art. 52, *caput*, inc. XIII); de policiais que integram a polícia federal, a polícia rodoviária federal e a polícia ferroviária federal (CF, art. 144, *caput*, incisos I, II e III); e de policiais ocupantes dos cargos de agente federal penitenciário ou socioeducativo, que tenham ingressado na respectiva carreira até a data de início de vigência desta Emenda Constitucional, e que poderão aposentar-se, conforme disposto na Lei Complementar n.º 51, de 20.12.1985, desde que cumprido o requisito de idade mínima de cinquenta e cinco anos para ambos os sexos ou o disposto no § 3.º, relativamente ao tempo de contribuição.

§ 1.° Serão considerados tempo de exercício em cargo de natureza estritamente policial, para os fins do inciso II do art. 1.° da Lei Complementar n.° 51, de 20 de dezembro de 1985, o tempo de atividade militar nas Forças Armadas, nas polícias militares e nos corpos de bombeiros militares e o tempo de atividade como agente penitenciário ou socioeducativo.

Doutrina

Contagem de tempo de serviço. A norma inscrita neste § 1.° dispõe que será considerado tempo de serviço, para os fins de aposentadoria e nos termos do disposto no artigo 1.°, inciso II, da Lei Complementar n.° 51, de 1985, aquele prestado em atividade tipicamente militar, tanto no âmbito das Forças Armadas quanto das polícias militares, dos corpos de bombeiros militares, bem como o tempo de serviço em atividade típica de agente penitenciário ou socioeducativo.

§ 2.° Aplicam-se às aposentadorias dos servidores dos Estados de que trata o § 4.°-B do art. 40 da Constituição Federal as normas constitucionais e infraconstitucionais anteriores à data de entrada em vigor desta Emenda Constitucional, enquanto não promovidas alterações na legislação interna relacionada ao respectivo regime próprio de previdência social.

Doutrina

Aposentadoria de servidor estadual da segurança pública. A norma ora anotada admite a aplicação a essas aposentadorias das normas constitucionais e infraconstitucionais desde que anteriores à data de início de vigência desta Emenda Constitucional e enquanto pendente de alterações a legislação interna de adequação do regime próprio de previdência social.

Servidores que poderão beneficiar-se dessa aplicação. O dispositivo admite a aplicação das normas pertinentes às aposentadorias de servidores estaduais das seguintes carreiras: polícia interna da Assembleia Legislativa do Estado (CF, art. 51, inc. IV), agente penitenciário e agente socioeducativo, dentre outros, na forma que a lei estabelecer.

§ 3.º Os servidores de que trata o *caput* poderão aposentar-se aos 52 (cinquenta e dois) anos de idade, se mulher, e aos 53 (cinquenta e três) anos de idade, se homem, desde que cumprido período adicional de contribuição correspondente ao tempo que, na data de entrada em vigor desta Emenda Constitucional, faltaria para atingir o tempo de contribuição previsto na Lei Complementar n.º 51, de 20 de dezembro de 1985.

Doutrina

Aposentadoria de policiais civis e agentes federais. Os servidores de que trata o *caput* deste artigo 5.º *são os seguintes: policiais civis do Distrito Federal, policiais* da segurança interna da Câmara dos Deputados, policiais da segurança interna do Senado Federal, policiais que integram a polícia federal, a polícia rodoviária federal e a polícia ferroviária federal e policiais ocupantes dos cargos de agente federal penitenciário ou socioeducativo. São esses servidores que poderão aposentar-se aos cinquenta e dois anos de idade, se mulher, e aos cinquenta e três anos de idade, se homem, desde que cumprido período adicional de contribuição correspondente ao tempo que, na data de entrada em vigor desta Emenda Constitucional, faltaria para atingir o tempo de contribuição previsto na Lei Complementar n.º 51, de 1985.

Art. 6.º O disposto no § 14 do art. 37 da Constituição Federal não se aplica a aposentadorias concedidas pelo Regime Geral de Previdência Social até a data de entrada em vigor desta Emenda Constitucional.

Doutrina

Não aplicação de norma jurídica. Dispõe este artigo § 6.º que o disposto no § 14 do art. 37 não se aplica às aposentadorias concedidas no âmbito do regime geral de previdência social até a data de início de promulgação e vigência desta Emenda Constitucional.

Art. 7.º O disposto no § 15 do art. 37 da Constituição Federal não se aplica a complementações de aposentadorias e pensões concedidas até a data de entrada em vigor desta Emenda Constitucional.

Doutrina

Limite de aplicação de norma constitucional. A norma contida neste artigo 7.º dispõe que não se aplica o disposto no § 15 do corpo permanente da Constituição à complementação de aposentadoria ou pensão deferida até a data de início de vigência desta Emenda Constitucional.

Art. 8.º Até que entre em vigor lei federal de que trata o § 19 do art. 40 da Constituição Federal, o servidor público federal que cumprir as exigências para a concessão da aposentadoria voluntária, nos termos do disposto nos arts. 4.º, 5.º, 20, 21 e 22 e que optar por permanecer em atividade fará jus a um abono de permanência equivalente ao valor da sua contribuição previdenciária, até completar a idade para aposentadoria compulsória.

Doutrina

Abono de permanência. A lei prevista no artigo 40, § 19, da Constituição Federal é aquela que virá dispor sobre o abono de permanência em caráter mais definitivo. Enquanto isso não ocorrer, o servidor público federal que cumprir os requisitos para fazer jus à concessão da aposentadoria voluntária, nos termos do disposto nos artigos 4.º, 5.º, 20, 21 e 22 e que optar por permanecer em atividade, tem direito a receber abono de permanência de valor equivalente ao da sua contribuição previdenciária, até completar a idade para a aposentadoria compulsória.

Art. 9.º Até que entre em vigor lei complementar que discipline o § 22 do art. 40 da Constituição Federal, aplicam-se aos regimes próprios de previdência social o disposto na Lei n.º 9.717, de 27 de novembro de 1998 e o disposto neste artigo.

Doutrina

Organização dos regimes próprios de previdência social. Dispõe o artigo 9.º, *caput*, que, enquanto não vigente a lei complementar que trate da disciplina do contido no § 22 do artigo 40 da Constituição Federal, devem incidir sobre os regimes próprios de previdência social as disposições da Lei n.º 9.717, de 27 de novembro de 1998, que trata da organização de tais regimes, fundada em normas gerais de contabilidade e atuariais, de modo a garantir o seu equilíbrio financeiro e atuarial. Devem, ainda, ser aplicadas as normas previstas neste artigo.

§ 1.º O equilíbrio financeiro e atuarial do regime próprio de previdência social deverá ser comprovado por meio de garantia de equivalência, a valor presente, entre o fluxo das receitas estimadas e das despesas projetadas, apuradas atuarialmente, que, juntamente com os bens, direitos e ativos vinculados, comparados às obrigações assumidas, evidenciem a solvência e a liquidez do plano de benefícios.

Doutrina

Equilíbrio financeiro e atuarial do regime próprio de previdência. Dispõe o § 1.º, ora anotado, que o equilíbrio financeiro e atuarial do regime próprio de previdência social será provado mediante documento técnico (*v.g.*, relatório técnico, balanço atuarial etc.) de garantia de equivalência, a valor presente, contemporâneo entre o fluxo da receita estimada e da despesa prevista, ambas apuradas por estudo atuarial, que, acrescido do valor dos bens, direitos e demais ativos vinculados, em cotejo com as obrigações assumidas, demonstre de forma clara e categórica a solvência e a liquidez do plano de benefícios.

Assim, o equilíbrio financeiro diz respeito à movimentação de recursos visando equilibrar a entrada e a saída dos dinheiros da instituição, tornando-a solvente para cumprir com todas as suas obrigações perante os seus credores. Quanto ao equilíbrio atuarial, diz respeito a ramo da ciência da estatística que se encarrega de solucionar as questões de cálculos de seguros. Portanto, o equilíbrio financeiro e atuarial de um regime próprio de previdência tem por finalidade demonstrar a solvência do mesmo e garantir a relação de equivalência, em moeda atual, dos recursos financeiros e dos valores patrimoniais e outros direitos para assegurar, além da solvabilidade, também a liquidez, necessárias para honrar o plano de benefícios.

§ 2.º O rol de benefícios dos regimes próprios de previdência social fica limitado às aposentadorias e à pensão por morte.

Doutrina

Limitação de benefícios. Dispõe este § 2.º que o rol de benefícios dos regimes próprios de previdência social fica limitado às aposentadorias e às pensões por morte. Em princípio, todos os demais benefícios, como, por exemplo, o salário-maternidade, o auxílio-reclusão etc., restam excluídos da lista, em grave prejuízo para o segurado.

§ 3.º Os afastamentos por incapacidade temporária para o trabalho e o salário-maternidade serão pagos diretamente

pelo ente federativo e não correrão à conta do regime próprio de previdência social ao qual o servidor se vincula.

Doutrina

Benefícios pagos diretamente pelo ente federativo. Dispõe o § 3.º que os afastamentos por incapacidade temporária para o trabalho e o salário-maternidade serão pagos diretamente pelo ente federativo, não mais correndo à conta do regime próprio de previdência social ao qual o servidor encontrar-se vinculado. Como se vê, o § 2.º trata de limitar a lista de benefícios e este § 3.º já dispõe que a remuneração por afastamento temporário por incapacidade e o valor do salário-maternidade passam a ser encargos financeiros do ente federativo.

§ 4.º Os Estados, o Distrito Federal e os Municípios não poderão estabelecer alíquota inferior à da contribuição dos servidores da União, exceto se demonstrado que o respectivo regime próprio de previdência social não possui *deficit* atuarial a ser equacionado, hipótese em que a alíquota não poderá ser inferior às alíquotas aplicáveis ao Regime Geral de Previdência Social.

Doutrina

Fixação de alíquotas de contribuição por entes federados. Dispõe este § 4.º que, como regra geral, os Estados-membros, o Distrito Federal e os Municípios não estabelecerão alíquota inferior à da contribuição dos servidores da União, exceção feita se restar provado que o respectivo regime próprio de previdência social não apresenta *deficit* atuarial a ser resolvido, caso em que a alíquota não será inferior àquela fixada para o regime geral de previdência social.

§ 5.º Para fins do disposto no § 4.º, não será considerada como ausência de *deficit* a implementação de segrega-

ção da massa de segurados ou a previsão em lei de plano de equacionamento de *deficit*.

Doutrina

***Parâmetros de identificação de* deficit.** Dispõe o § 5.º que, para os fins do disposto no § 4.º, não configura ausência de *deficit* a segregação da massa de segurados ou, ainda, a aprovação mediante lei de plano contemplando medidas para a solução do *deficit*.

§ 6.º A instituição do regime de previdência complementar na forma dos §§ 14 a 16 do art. 40 da Constituição Federal e a adequação do órgão ou entidade gestora do regime próprio de previdência social ao § 20 do art. 40 da Constituição Federal deverão ocorrer no prazo máximo de 2 (dois) anos da data de entrada em vigor desta Emenda Constitucional.

Doutrina

***Criação de regime de previdência complementar*.** Dispõe o § 6.º que a instituição de regime de previdência complementar, na forma de lei federal, e segundo o disposto nos §§ 14 a 16 do art. 40 da Constituição Federal e a adequação do órgão ou entidade gestora do regime próprio de previdência social ao § 20 do art. 40 da Constituição Federal deverão ocorrer no prazo máximo de dois anos, contados do início de vigência desta Emenda Constitucional.

§ 7.º Os recursos de regime próprio de previdência social poderão ser aplicados na concessão de empréstimos a seus segurados, na modalidade de consignados, observada regulamentação específica estabelecida pelo Conselho Monetário Nacional.

Doutrina

Aplicação de recursos do regime próprio de previdência social. Dispõe o § 7.º que os recursos do regime próprio de previdência social poderão ser aplicados na concessão de empréstimos a seus segurados, desde que na modalidade de empréstimos consignados e sujeitos normas baixadas no âmbito do Conselho Monetário Nacional.

§ 8.º Por meio de lei, poderá ser instituída contribuição extraordinária pelo prazo máximo de 20 (vinte) anos, nos termos dos §§ 1.º-B e 1.º-C do art. 149 da Constituição Federal.

Doutrina

Criação de contribuição extraordinária. Dispõe este § 8.º que, por meio de lei, poderá ser instituída contribuição previdenciária extraordinária, pelo prazo máximo de vinte anos, nos termos dos §§ 1.º-B e 1.º-C do art. 149 da Constituição Federal. Somente se entende tal autorização se necessária para fazer frente a *deficit* atuarial e após a adoção de outras providências para dar cabo ao desequilíbrio financeiro.

§ 9º O parcelamento ou a moratória de débitos dos entes federativos com seus regimes próprios de previdência social fica limitado ao prazo a que se refere o § 11 do art. 195 da Constituição.

Doutrina

Parcelamento e moratória. O primeiro se entende como concessão do credor para que o seu crédito venha a ser quitado pelo devedor em maior número de parcelas ou em parcelas de valor menor, numa revisão das cláusulas contratuais firmadas. A moratória, por sua vez, significa concordância do credor para que o devedor conte com tempo maior – dilação de prazo –

para a quitação da dívida. Dispõe o § 9° que o parcelamento ou a moratória de débitos dos entes federativos com seus regimes próprios de previdência social fica limitado ao prazo a que se refere o § 11 do art.195 da Constituição e que deverá ser fixado por meio de lei complementar.

Art. 10. Até que entre em vigor lei federal que discipline os benefícios do regime próprio de previdência social dos servidores da União, aplica-se o disposto neste artigo.

§ 1.° Os servidores públicos federais serão aposentados:

I – voluntariamente, observados, cumulativamente, os seguintes requisitos:

a) 62 (sessenta e dois) anos de idade, se mulher, e 65 (sessenta e cinco) anos de idade, se homem;

b) 25 (vinte e cinco) anos de contribuição, desde que cumprido o tempo mínimo de 10 (dez) anos de efetivo exercício no serviço público e de 5 (cinco) anos no cargo efetivo em que for concedida a aposentadoria;

II – por incapacidade permanente para o trabalho, no cargo em que estiverem investidos, quando insuscetíveis de readaptação, hipótese em que será obrigatória a realização de avaliações periódicas para verificação da continuidade das condições que ensejaram a concessão da aposentadoria; ou

III – compulsoriamente, na forma do disposto no inciso II do § 1.° do art. 40 da Constituição Federal.

Doutrina

Regra transitória para aposentadoria de servidores da União. Dispõe o artigo 10, *caput* e § 1.°, que, pendendo lei federal que trate dos benefícios do regime próprio de previdência social dos servidores da União, estes serão aposentados:

I – *de forma voluntária e cumulativa* conforme os requisitos seguintes: *a*) idade de sessenta e dois anos, se mulher, e de sessenta e cinco, se homem; e *b*) tempo de contribuição de vinte e cinco anos, desde que cumprido o tempo mínimo de dez anos de efetivo exercício no serviço público e de cinco anos no cargo efetivo em que for concedida a aposentadoria;

II – *por incapacidade permanente para o trabalho*, no cargo em que investidos, quando insuscetíveis de readaptação. Nesses casos, serão obrigatórias as submissões em avaliações periódicas para verificação da continuidade das condições que ensejaram a concessão da aposentadoria; ou

III – *de forma compulsória*, na forma do disposto no inciso II do § 1.º do art. 40 da Constituição Federal, ou seja, aos setenta e cinco anos de idade, com proventos proporcionais ao tempo de contribuição.

§ 2.º Os servidores públicos federais com direito a idade mínima ou tempo de contribuição distintos da regra geral para concessão de aposentadoria, na forma dos §§ 4.º-B, 4.º-C e 5.º do art. 40 da Constituição Federal poderão se aposentar, observados os seguintes requisitos:

I – o policial civil do órgão a que se refere o inciso XIV do caput do art. 21 da Constituição Federal, o policial dos órgãos a que se referem o inciso IV do caput do art. 51, o inciso XIII do caput do art. 52 e os incisos I a III do caput do art. 144 da Constituição Federal e o ocupante de cargo de agente federal penitenciário ou socioeducativo, aos 55 (cinquenta e cinco) anos de idade, 30 (trinta) anos de contribuição e 25 (vinte e cinco) anos de efetivo exercício em cargo destas carreiras, para ambos os sexos;

II – o servidor público federal cujas atividades sejam exercidas com efetiva exposição a agentes nocivos químicos, físicos e biológicos prejudiciais à saúde, ou associação destes agentes, vedada a caracterização por cate-

goria profissional, aos 60 (sessenta) anos de idade, com 25 (vinte e cinco) anos de efetiva exposição e contribuição, 10 (dez) anos de efetivo exercício de serviço público e 5 (cinco) anos no cargo efetivo em que for concedida a aposentadoria;

III – o titular do cargo federal de professor, aos 60 (sessenta) anos de idade, se homem, aos 57 (cinquenta e sete) anos, se mulher, 25 (vinte e cinco) anos de contribuição exclusivamente em efetivo exercício das funções de magistério na educação infantil e no ensino fundamental e médio, 10 (dez) anos de efetivo exercício de serviço público e 5 (cinco) anos no cargo efetivo em que for concedida a aposentadoria, para ambos os sexos.

Doutrina

Regra transitória para aposentadoria de servidores da União. Dispõe o artigo 10, *caput* e § 2.º, que, os servidores federais com direito à idade mínima ou tempo de contribuição distintos da regra geral de aposentadoria, poderão se aposentar, desde que presentes os seguintes requisitos:

I – o policial civil do Distrito Federal, o policial da polícia legislativa da Câmara dos Deputados, o policial da polícia legislativa do Senado Federal, os policiais da Polícia Federal, da Polícia Rodoviária Federal e da Polícia Ferroviária Federal e os ocupantes dos cargos de agente federal penitenciário ou socioeducativo, quando completados cinquenta e cinco anos de idade, trinta anos de tempo de contribuição e vinte e cinco anos de efetivo exercício em cargo típico destas carreiras, para ambos os sexos;

II – o servidor federal com atividades exercidas com efetiva exposição a agentes nocivos químicos, físicos e biológicos prejudiciais à saúde, ou associação destes agentes, vedada qualquer caracterização por categoria profissional ou ocupação, quando contar sessenta anos de idade, vinte e cinco anos de efetiva exposição aos agentes mencionados e tempo de contribuição, além de dez anos de efetivo exercício de serviço público e cinco anos no cargo efetivo em que for concedida a aposentadoria; e

III – o titular do cargo federal de professor aposentar-se-á aos sessenta anos de idade, se homem, aos cinquenta e sete anos, se mulher, se contar com vinte e cinco anos de contribuição exclusivamente em efetivo exercício das funções de magistério na educação infantil e no ensino fundamental e médio, dez anos de efetivo exercício de serviço público e cinco anos no cargo efetivo em que for concedida a aposentadoria, para ambos os sexos.

§ 3.º A aposentadoria a que se refere o § 4.º-C do art. 40 da Constituição Federal observará adicionalmente as condições e os requisitos estabelecidos para o Regime Geral de Previdência Social, naquilo em que não conflitarem com as regras específicas aplicáveis ao regime próprio de previdência social da União, vedada a conversão de tempo especial em comum.

Doutrina

Requisitos e condições no caso de aposentadoria pelo § 4.º-C do art. 40 da Constituição Federal. São os requisitos adicionais previstos para o Regime Geral de Previdência Social, desde que não conflitantes com as condições específicas aplicáveis ao regime próprio de previdência social da União, sendo proibida a conversão de tempo especial em comum.

§ 4.º Os proventos das aposentadorias concedidas nos termos do disposto neste artigo corresponderão ao valor apurado na forma da lei.

Doutrina

Proventos de aposentadorias. Dispõe o § 4.º que os proventos das aposentadorias deferidas nos termos do disposto neste artigo deverão ter o valor apurado na forma da lei.

§ 5.º Até que entre em vigor lei federal de que trata o § 19 do art. 40 da Constituição Federal, o servidor federal que cumprir as exigências para a concessão da aposentadoria voluntária nos termos do disposto neste artigo e que optar por permanecer em atividade fará jus a um abono de permanência equivalente ao valor da sua contribuição previdenciária, até completar a idade para aposentadoria compulsória.

Doutrina

Abono de permanência ao servidor público federal. Dispõe o § 5.º em tela que, enquanto não entrar em vigência a lei federal prevista no § 19 do artigo 40 da Constituição Federal, o servidor da União que cumprir os requisitos para a percepção da aposentadoria voluntária, nos termos deste artigo, e que optar por permanecer em atividade, fará jus a um abono de permanência equivalente ao valor da sua contribuição previdenciária, até completar a idade para a aposentação compulsória.

§ 6.º A pensão por morte devida aos dependentes do policial civil do órgão a que se refere o inciso XIV do *caput* do art. 21 da Constituição Federal, do policial dos órgãos a que se referem o inciso IV do *caput* do art. 51, o inciso XIII do *caput* do art. 52 e os incisos I a III do *caput* do art. 144 da Constituição Federal e dos ocupantes dos cargos de agente federal penitenciário ou socioeducativo decorrente de agressão sofrida no exercício ou em razão da função será vitalícia para o cônjuge ou companheiro e equivalente à remuneração do cargo.

Doutrina

Pensão por morte para dependentes de policiais. Dispõe este § 6.º que será devida pensão por morte aos dependentes do policial civil do Distrito Federal, do policial da polícia legislativa da Câmara dos Deputados, do policial da polícia legislativa do Senado Federal, dos policiais da Polícia Federal, da Polícia Rodoviária Federal e da Polícia Ferroviária Federal, bem como aos ocupantes dos cargos de agente federal penitenciário ou socioeducativo, quando o evento morte for decorrente de agressão sofrida no exercício ou em razão da função. A pensão será vitalícia para o cônjuge ou companheiro e equivalente à remuneração do cargo.

§ 7.º Aplicam-se às aposentadorias dos servidores dos Estados, do Distrito Federal e dos Municípios as normas constitucionais e infraconstitucionais anteriores à data de entrada em vigor desta Emenda Constitucional, enquanto não promovidas alterações na legislação interna relacionada ao respectivo regime próprio de previdência social.

Doutrina

Aplicação aos entes federados do direito federal relativo à aposentação. Dispõe este § 7.º que é de aplicação às aposentadorias dos servidores dos Estados, do Distrito Federal e dos Municípios as normas constitucionais e aquelas do direito infraconstitucional, desde que anteriores à data de início de vigência desta Emenda Constitucional, enquanto não promovidas as modificações necessárias na legislação interna de cada um dos entes federados ao respectivo regime próprio de previdência social.

Art. 11. Até que entre em vigor lei que altere a alíquota da contribuição previdenciária de que tratam os arts. 4.º, 5.º e 6.º da Lei nº 10.887, de 18 de junho de 2004, esta será de 14% (quatorze por cento).

Doutrina

Alíquotas de contribuição previdenciária. Dispõe o artigo 11 ora anotado que, enquanto não entrar em vigência lei que altere a alíquota da contribuição previdenciária de que tratam os arts. 4.°, 5.° e 6.° da Lei n° 10.887, de 18 de junho de 2004, esta será de quatorze por cento. Registre-se que referidos artigos tratam de contribuição social de servidores federais atualmente fixada em 11% e que, por meio desta emenda constitucional, resta majorada para 14%.

§ 1.° A alíquota prevista no *caput* será reduzida ou majorada, considerado o valor da base de contribuição ou do benefício recebido, de acordo com os seguintes parâmetros:

I – até 1 (um) salário-mínimo, redução de seis inteiros e cinco décimos pontos percentuais;

II – acima de 1 (um) salário-mínimo até R$ 2.000,00 (dois mil reais), redução de cinco pontos percentuais;

III – de R$ 2.000,01 (dois mil reais e um centavo) até R$ 3.000,00 (três mil reais), redução de dois pontos percentuais;

IV – de R$ 3.000,01 (três mil reais e um centavo) até R$ 5.839,45 (cinco mil oitocentos e trinta e nove reais e quarenta e cinco centavos), sem redução ou acréscimo;

V – de R$ 5.839,46 (cinco mil oitocentos e trinta e nove reais e quarenta e seis centavos) até R$ 10.000,00 (dez mil reais), acréscimo de meio ponto percentual;

VI – de R$ 10.000,01 (dez mil reais e um centavo) até R$ 20.000,00 (vinte mil reais), acréscimo de dois inteiros e cinco décimos pontos percentuais;

VII – de R$ 20.000,01 (vinte mil reais e um centavo) até R$ 39.000,00 (trinta e nove mil reais), acréscimo de cinco pontos percentuais; e

VIII – acima de R$ 39.000,01 (trinta e nove mil reais e um centavo), acréscimo de oito pontos percentuais.

Doutrina

Mecanismo de redução ou majoração de alíquota. Dispõe este § 1.º que a alíquota prevista no *caput* será reduzida ou majorada, levando-se em conta o valor da base de contribuição ou do benefício recebido, segundo os parâmetros seguintes:

I – até um salário mínimo, redução de seis inteiros e cinco décimos pontos percentuais;

II – acima de um salário mínimo até R$ 2.000,00 (dois mil reais), redução de cinco pontos percentuais;

III – de R$ 2.000,01 (dois mil reais e um centavo) até R$ 3.000,00 (três mil reais), redução de dois pontos percentuais;

IV – de R$ 3.000,01 (três mil reais e um centavo) até R$ 5.839,45 (cinco mil oitocentos e trinta e nove reais e quarenta e cinco centavos), sem redução ou acréscimo;

V – de R$ 5.839,46 (cinco mil oitocentos e trinta e nove reais e quarenta e seis centavos) até R$ 10.000,00 (dez mil reais), acréscimo de meio ponto percentual;

VI – de R$ 10.000,01 (dez mil reais e um centavo) até R$ 20.000,00 (vinte mil reais), acréscimo de dois inteiros e cinco décimos pontos percentuais;

VII – de R$ 20.000,01 (vinte mil reais e um centavo) até R$ 39.000,00 (trinta e nove mil reais), acréscimo de cinco pontos percentuais; e

VIII – acima de R$ 39.000,01 (trinta e nove mil reais e um centavo), acréscimo de oito pontos percentuais.

Como se vê, na primeira faixa da base de contribuição, de até um salário mínimo, haverá justa redução de 6,5%; na faixa seguinte, redução de 5,0%; na terceira faixa, redução de 2%; na quarta faixa, mantém-se a alíquota atual, quanto não haverá nem redução e nem acréscimo; na quinta faixa, ocorrerá acréscimo de meio ponto percentual; na sexta faixa, acréscimo de 2,5%; na sétima faixa, acréscimo de 5%; e na oitava faixa acréscimo de 8%. Parece caracterizada a hipótese de confisco nas exigências inscritas nas três últimas faixas de base de contribuição.

§ 2.º A alíquota, reduzida ou majorada nos termos do disposto no § 1.º, será aplicada de forma progressiva sobre a base de contribuição do servidor público, incidindo cada alíquota sobre a faixa de valores compreendida nos respectivos limites.

Doutrina

Progressividade das alíquotas. Dispõe este § 2.º que a alíquota, reduzida ou majorada nos termos do disposto no § 1.º, será aplicada de forma sempre progressiva, incidindo sempre sobre a base de contribuição do servidor público, e em cada alíquota sobre a faixa de valores compreendida nos respectivos parâmetros.

§ 3.º Os valores previstos no § 1.º serão reajusta dos, a partir da data de entrada em vigor desta Emenda Constitucional, na mesma data e no mesmo índice em que se der o reajuste dos benefícios do Regime Geral de Previdência Social, ressalvados aqueles vinculados ao salário-mínimo, aos quais se aplica a legislação específica.

Doutrina

Critérios de reajustes. Dispõe este parágrafo que os valores constantes do § 1.º terão reajuste a partir da data de entrada em vigência desta Emenda Constitucional, na mesma data e no mesmo índice em que se der o reajuste dos benefícios do regime geral de previdência social, exceção feita àqueles vinculados ao salário mínimo, aos quais se aplica a legislação específica.

§ 4.º A alíquota de contribuição de que trata o *caput*, com a redução ou a majoração decorrentes do disposto no § 1.º, será devida pelos aposentados e pensionistas de quaisquer dos Poderes da União, incluídas suas entidades autárquicas e suas fundações, e incidirá sobre o valor da parcela dos proventos de aposentadorias e pensões que superem o limite máximo estabelecido para os benefícios do Regime Geral de Previdência Social, hipótese em que será considerada a totalidade do valor do benefício para fins de definição das alíquotas aplicáveis.

Doutrina

Critério de incidência dos reajustes das contribuições previdenciárias. Dispõe este § 4.º que a contribuição de que trata o *caput* deste artigo, com a redução ou a majoração decorrente do disposto no § 1.º, será devida pelos segurados aposentados e pensionistas de quaisquer dos Poderes da União, inclusive suas entidades autárquicas e suas fundações, incidentes sobre o valor da parcela dos proventos de aposentadorias e pensões que superem o limite máximo estabelecido para os benefícios do regime geral de previdência social, caso em que será considerada a totalidade do valor do benefício para fins de definição das alíquotas aplicáveis.

Art. 12. A União instituirá sistema integrado de dados relativos às remunerações, proventos e pensões dos segurados dos regimes de previdência de que tratam os arts. 40, 201 e 202 da Constituição Federal, aos benefícios dos programas de assistência social de que trata o art. 203 da Constituição Federal e às remunerações, proventos de inatividade e pensão por morte decorrentes das atividades militares de que tratam os arts. 42 e 142 da Constituição Federal, em interação com outras bases de dados, ferramentas e plataformas, para o fortalecimento de sua gestão, governança e transparência e o

cumprimento das disposições estabelecidas nos incisos XI e XVI do art. 37 da Constituição Federal.

Doutrina

Sistema integrado de dados. Dispõe o *caput* deste artigo 12 que a União criará sistema integrado de dados que registre as remunerações, proventos e pensões dos segurados dos regimes de previdência de que tratam os artigos 40 (servidores da União e entes federados), 201 (regime geral de previdência) e 202 (regime de previdência privada) da Constituição Federal, bem como aos benefícios dos programas de assistência social de que trata o artigo 203, da mesma Carta, além das remunerações, proventos de inatividade e pensão por morte em decorrência das atividades militares de que tratam os artigos 42 e 142 da Carta de 1988, em interação com outras bases de dados, ferramentas e plataformas destinadas ao fortalecimento da gestão, governança e transparência. Determina ainda o cumprimento das disposições estabelecidas nos incisos XI e XVI do art. 37 da Constituição Federal, mormente as normas relativas aos subsídios e outras remunerações, tendo como limite aquela paga aos ministros do Supremo Tribunal Federal, paridade entre as remunerações pagas pelos Poderes Executivo, Judiciário e Legislativo, proibição de vinculação ou equiparação, irredutibilidade nominal de remuneração, sendo vedada a acumulação, salvo nos casos autorizados pela Constituição Federal, *v.g.*, de dois cargos de professor, de um cargo de professor com outro técnico, dois cargos ou empregos privativos de profissionais de saúde etc.

§ 1.º A União, os Estados, o Distrito Federal e os Municípios e os órgãos e entidades gestoras dos regimes, dos sistemas e dos programas a que se refere o *caput* disponibilizarão as informações necessárias para a estruturação do sistema integrado de dados e terão acesso ao compartilhamento das referidas informações, na forma da legislação.

Doutrina

Estruturação do sistema e compartilhamento das informações. Dispõe o § 1.º deste artigo que os entes federados e as entidades gestoras dos regimes de previdência, de seus sistemas e programas, colocarão à disposição das partes mencionadas as informações necessárias para a estruturação do sistema integrado de dados e, por outro lado, terão acesso ao compartilhamento das informações e dados tabulados, conforme dispuser a lei.

§ 2.º É vedada a transmissão das informações de que trata este artigo a qualquer pessoa física ou jurídica para a prática de atividade não relacionada à fiscalização dos regimes, dos sistemas e dos programas a que se refere o *caput*.

Doutrina

Exclusividade no uso das informações. Dispõe o § 2.º que é proibida a transmissão das informações constantes do sistema integrado de dados para qualquer pessoa física ou jurídica para a prática de atividade não relacionada à fiscalização dos regimes previdenciários, dos sistemas e dos programas acima referidos. O objetivo é o de evitar o uso inadequado de informações e mesmo a venda de dados para fins de comércio.

Art. 13. Não se aplica o disposto no § 9.º do art. 39 da Constituição Federal a parcelas remuneratórias decorrentes de incorporação de vantagens de caráter temporário ou vinculadas ao exercício de função de confiança ou de cargo em comissão efetivada até a data de entrada em vigor desta Emenda Constitucional.

Doutrina

Incorporação ou agregação de vantagem. Dispõe este artigo 13 que não se aplica o disposto no § 9.º do art. 39 da Constituição Federal a nenhuma parcela de remuneração decorrente de incorporação ou agregação de qualquer vantagem de natureza temporária ou vinculada ao exercício de função de confiança ou de cargo comissionado, efetivada até a data de entrada em vigência desta Emenda Constitucional.

Art. 14. Vedadas a adesão de novos segurados e a instituição de novos regimes dessa natureza, os atuais segurados de regime de previdência aplicável a titulares de mandato eletivo da União, dos Estados, do Distrito Federal e dos Municípios poderão, por meio de opção expressa formalizada no prazo de 180 (cento e oitenta) dias, contado da data de entrada em vigor desta Emenda Constitucional, retirar-se dos regimes previdenciários aos quais se encontrem vinculados.

Doutrina

Regime previdenciário dos congressistas. Convém lembrar que os congressistas contavam com regime próprio de previdência social por meio do antigo Instituto de Previdência dos Congressistas, extinto pela Lei n.º 9.506, de 30 de outubro de 1997, que admitiu fossem eles inscritos no regime geral. Dispõe o artigo 14 ora anotado que, proibida a adesão de novos segurados, além da instituição de novos regimes dessa natureza (voltados, pois, aos congressistas), os segurados atuais de regime de previdência destinado a titulares de mandato eletivo da União, dos Estados-membros, do Distrito Federal e dos Municípios poderão, mediante opção expressa, feita dentro do prazo de cento e oitenta dias, contado da data de início de vigência desta Emenda Constitucional, retirar-se dos regimes previdenciários aos quais se encontrem vinculados.

§ 1.º Os segurados do regime de previdência de que trata a Lei n.º 9.506, de 30 de outubro de 1997, que fizerem a opção de permanecer neste regime previdenciário de-

verão cumprir período adicional correspondente a 30% (trinta por cento) do tempo de contribuição que faltaria para aquisição do direito à aposentadoria na data de entrada em vigor desta Emenda Constitucional e somente poderão se aposentar a partir dos 62 (sessenta e dois) anos de idade, se mulher, e 65 (sessenta e cinco) anos de idade, se homem.

Doutrina

Opção do congressista pelo regime da Lei n.º 9.506/97. Admite este § 1.º que os atuais segurados do regime de previdência instituído pela Lei n.º 9.506/97 poderão confirmar a opção de permanecer no regime e, nesse caso, deverão cumprir tempo adicional correspondente a trinta por cento do tempo de contribuição que faltaria para aquisição do direito à aposentadoria na data de início de vigência desta Emenda Constitucional, podendo aposentar-se somente a partir da idade de sessenta e dois anos, se mulher, e de sessenta e cinco anos, se homem.

§ 2.º Se for exercida a opção prevista no *caput*, será assegurada a contagem do tempo de contribuição vertido para o regime de previdência ao qual o segurado se encontrava vinculado, nos termos do disposto no § 9.º do art. 201 da Constituição Federal.

Doutrina

Opção de retirada e contagem recíproca. Dispõe o § 2.º que se o segurado exercer a opção prevista no *caput* deste artigo terá assegurada a contagem do tempo de contribuição vertido para o regime de previdência ao qual o segurado se encontrava vinculado, nos termos do disposto no § 9.º do art. 201 da Constituição Federal, ou seja, os diversos regimes previdenciários farão a compensação financeira nos termos da Lei n.º 9.796, de 5 de maio de 1999.

§ 3.º A concessão de aposentadoria aos titulares de mandato eletivo e de pensão por morte aos dependentes de titular de mandato eletivo falecido será assegurada, a qualquer tempo, desde que cumpridos os requisitos para obtenção desses benefícios até a data de entrada em vigor desta Emenda Constitucional, observados os critérios da legislação vigente na data em que foram atendidos os requisitos para a concessão da aposentadoria ou da pensão por morte.

Doutrina

Concessão de benefícios aos congressistas e seus dependentes. Dispõe o § 3.º sobre a concessão de aposentadoria aos titulares de mandato eletivo e de pensão por morte aos seus dependentes, a qualquer tempo, desde que cumpridos os requisitos para a obtenção desses benefícios até a data de início de vigência desta Emenda Constitucional, e segundo os critérios da legislação vigente na data em que foram atendidos os requisitos legais pertinentes a cada qual dos benefícios. Ora, cumpridos os requisitos, a hipótese é de direito adquirido, que poderá ser exercido a qualquer tempo.

§ 4.º Observado o disposto nos §§ 9.º e 9.º-A do art. 201 da Constituição Federal, o tempo de contribuição a regime próprio de previdência social e ao Regime Geral de Previdência Social, assim como o tempo de contribuição decorrente das atividades militares de que tratam os arts. 42 e 142 da Constituição Federal, que tenha sido considerado para a concessão de benefício pelos regimes a que se refere o *caput* não poderá ser utilizado para obtenção de benefício naqueles regimes.

Doutrina

Proibição de uso dúplice do tempo de contribuição. Dispõe este § 4.º que, observado o quanto disposto nos §§ 9.º e 9.º-A do art. 201 da Constituição Federal, o tempo de contribuição a regime próprio de previdência social e ao regime geral, bem como o tempo de contribuição decorrente das atividades militares de que tratam os arts. 42 e 142 da Constituição Federal, já descritos alhures e que tenha sido contado para a concessão de benefício pelos regimes mencionados no *caput*, não poderá ser utilizado para a obtenção de benefício naqueles regimes. A norma tem por finalidade proibir qualquer tipo de contagem dúplice de tempo de contribuição já utilizado para concessão de outra aposentadoria em regime próprio ou diverso.

§ 5.º Lei específica do Estado, do Distrito Federal ou do Município deverá disciplinar a regra de transição a ser aplicada aos segurados que, na forma do *caput*, fizerem a opção de permanecer no regime previdenciário de que trata este artigo.

Doutrina

Regra de transição. Dispõe este § 5.º que lei específica do Estado, do Distrito Federal ou do Município deverá criar regra própria de transição a ser aplicada aos segurados que, segundo o disposto no *caput*, optarem pela permanência no regime de previdência de que trata deste artigo.

Art. 15. Ao segurado filiado ao Regime Geral de Previdência Social até a data de entrada em vigor desta Emenda Constitucional, fica assegurado o direito à aposentadoria, quando preencher, cumulativamente, os seguintes requisitos:

I – 30 (trinta) anos de contribuição, se mulher, e 35 (trinta e cinco) anos de contribuição, se homem; e

II – somatório da idade e do tempo de contribuição, incluídas as frações, equivalente a 86 (oitenta e seis) pon-

tos, se mulher, e 96 (noventa e seis pontos), se homem, observado o disposto nos §§ 1.º e 2.º.

Doutrina

Requisitos para a aposentadoria pelo regime geral. Dispõe a norma de transição deste artigo 15, *caput*, que, ao segurado pelo regime geral de previdência social até o início de vigência desta Emenda Constitucional, fica assegurado o direito à aposentadoria, desde que o interessado preencha, cumulativamente, os seguintes requisitos:

I – trinta anos de contribuição, se mulher, e trinta e cinco anos de contribuição, se homem; e

II – somatório da idade e do tempo de contribuição, incluídas as frações, equivalente a oitenta e seis pontos, se mulher, e noventa e seis pontos, se homem, observado o disposto nos §§ 1.º e 2.º

§ 1.º A partir de 1.º de janeiro de 2020, a pontuação a que se refere o inciso II do *caput* será acrescida a cada ano de 1 (um) ponto, até atingir o limite de (100) cem pontos, se mulher, e de 105 (cento e cinco pontos), se homem.

Doutrina

Pontuação a partir de 2020. Dispõe este § 1.º que, a partir de 1.º de janeiro de 2020, a pontuação mencionada no inciso II do *caput* será acrescida de um ponto por ano para o homem ou para a mulher, até atingir o limite de cem pontos, se mulher, e de cento e cinco pontos, se homem.

§ 2.º A idade e o tempo de contribuição serão apurados em dias para o cálculo do somatório de pontos a que se referem o inciso II do *caput* e o § 1.º

Doutrina

Contagem do tempo de contribuição. Dispõe este § 2.° que a idade e o tempo de contribuição serão apurados em dias para o cálculo do somatório de pontos de que tratam o disposto no inciso II do *caput* e o § 1.°.

§ 3.° Para o professor que comprovar exclusivamente 25 (vinte e cinco) anos de contribuição, se mulher, e 30 (trinta) anos de contribuição, se homem, em efetivo exercício das funções de magistério na educação infantil e no ensino fundamental e médio, o somatório da idade e do tempo de contribuição, incluídas as frações, será equivalente a 81 (oitenta e um) pontos, se mulher, e (91) noventa e um pontos, se homem, aos quais serão acrescentados, a partir de 1.° de janeiro de 2020, 1 (um) ponto a cada ano para o homem e para a mulher, até atingir o limite de 92 (noventa e dois) pontos, se mulher, e 100 (cem) pontos, se homem.

Doutrina

Regras de transição para o professorado. Dispõe este § 3.° que, para o professor que provar, exclusivamente, vinte e cinco anos de tempo de contribuição, se mulher, e trinta anos de tempo de contribuição, se homem, em efetivo exercício das funções de magistério na educação infantil e no ensino fundamental e médio, o somatório da idade e do tempo de contribuição, incluídas as frações, será equivalente a oitenta e um pontos, se mulher, e noventa e um pontos, se homem, aos quais serão acrescentados, a partir de 1.° de janeiro de 2020, um ponto a cada ano para o homem e para a mulher, até atingir o limite de noventa e dois pontos, se mulher, e cem pontos, se homem.

§ 4.° O valor da aposentadoria concedida nos termos do disposto neste artigo será apurado na forma da lei.

Doutrina

Cálculo do valor da aposentadoria. Dispõe este § 4.º que o valor do benefício de aposentadoria concedido nos termos do disposto neste artigo será apurado segundo os critérios que a lei determinar.

Art. 16. Ao segurado filiado ao Regime Geral de Previdência Social até a data de entrada em vigor desta Emenda Constitucional fica assegurado o direito à aposentadoria quando preencher, cumulativamente, os seguintes requisitos:

I – 30 (trinta) anos de contribuição, se mulher, e 35 (trinta e cinco) anos de contribuição, se homem; e

II – idade de 56 (cinquenta e seis) anos, se mulher, e 61 (sessenta e um) anos, se homem.

Doutrina

Requisitos para a aposentadoria do regime geral. Dispõe o *caput* deste artigo 16 que ao segurado filiado ao regime geral de previdência social até o início de vigência desta Emenda Constitucional fica assegurado o direito à aposentadoria quando preencher, cumulativamente, os seguintes requisitos:

a) trinta anos de contribuição, se mulher, e trinta e cinco anos de contribuição, se homem; e *b)* idade de cinquenta e seis anos, se mulher, e sessenta e um anos, se homem.

§ 1.º A partir de 1.º de janeiro de 2020, a idade a que se refere o inciso II do caput será acrescida de 6 (seis) meses a cada ano, até atingir 62 (sessenta e dois) anos de idade, se mulher, e 65 (sessenta e cinco) anos de idade, se homem.

Doutrina

Pontuação a partir de 2020. Dispõe o § 1.º deste artigo que, a partir de 1.º de janeiro de 2020, a idade a que se refere o inciso II do *caput* será acrescida de seis meses a cada ano, até atingir sessenta e dois anos de idade, se mulher, e sessenta e cinco anos de idade, se homem.

§ 2.º Para o professor que comprovar exclusivamente tempo de efetivo exercício das funções de magistério na educação infantil e no ensino fundamental e médio, o tempo de contribuição e a idade de que tratam os incisos I e II do *caput* deste artigo serão reduzidos em 5 (cinco) anos, sendo, a partir de 1.º de janeiro de 2020, acrescidos 6 (seis) meses, a cada ano, às idades previstas no inciso II do *caput*, até atingirem 57 (cinquenta e sete) anos, se mulher, e 60 (sessenta) anos, se homem.

Doutrina

Regras de transição para o professorado. Dispõe o § 2.º deste artigo que, para o professor que provar exclusivamente tempo de efetivo exercício das funções de magistério na educação infantil e no ensino fundamental e médio, o tempo de contribuição e a idade de que tratam os incisos I e II do *caput* deste artigo serão reduzidos em cinco anos, aos quais serão acrescidos, a partir de 1.º de janeiro de 2020, seis meses a cada ano nas idades de que trata o inciso II, até atingir idade de cinquenta e sete anos, se mulher, e de sessenta anos, se homem.

§ 3.º O valor da aposentadoria concedida nos termos do disposto neste artigo será apurado na forma da lei.

Doutrina

Cálculo do valor da aposentadoria. Dispõe o § 3.º ora anotado que o valor do benefício de aposentadoria concedido nos termos deste artigo corresponderá ao valor apurado segundo o critério previsto em lei.

Art. 17. Ao segurado filiado ao Regime Geral de Previdência Social até a data de entrada em vigor desta Emenda Constitucional e que na referida data contar com mais de 28 (vinte e oito) anos de contribuição, se mulher, e 33 (trinta e três) anos de contribuição, se homem, fica assegurado o direito à aposentadoria quando preencher, cumulativamente, os seguintes requisitos:

I – 30 (trinta) anos de contribuição, se mulher, e 35 (trinta e cinco) anos de contribuição, se homem; e

II – cumprimento de período adicional correspondente a 50% (cinquenta) por cento do tempo que, na data de entrada em vigor desta Emenda Constitucional, faltaria para atingir 30 (trinta) anos de contribuição, se mulher, e 35 (trinta e cinco) anos de contribuição, se homem.

Doutrina

Requisitos para aposentadoria no regime geral. Dispõe este artigo 17, *caput*, que ao segurado filiado ao regime geral de previdência social até a data de início de vigência desta Emenda Constitucional e que na referida data contar com mais de vinte e oito anos de contribuição, se mulher, e trinta e três anos de contribuição, se homem, fica assegurado o direito à aposentadoria quando preencher, cumulativamente, os seguintes requisitos:

I – trinta anos de contribuição, se mulher, e trinta e cinco anos de contribuição, se homem; e

II – cumprimento de período adicional correspondente a cinquenta por cento do tempo que, na data de entrada em vigor desta Emenda Constitucional, faltaria para atingir trinta anos de contribuição, se mulher, e trinta e cinco anos de contribuição, se homem. Portanto, aqui a regra cuida de estabelecer o tempo adicional ("pedágio") imposto ao segurado de metade do tempo faltante para completar trinta anos de tempo de contribuição.

Parágrafo único. O benefício concedido nos termos deste artigo terá seu valor apurado de acordo com a média aritmética simples dos salários de contribuição e das remunerações calculada na forma da lei, multiplicada pelo fator previdenciário, calculado na forma do disposto nos §§ 7.° a 9.° do art. 29 da Lei n.° 8.213, de 24 de julho de 1991.

Doutrina

Cálculo do valor do benefício. Dispõe este parágrafo único que o valor do benefício concedido nos termos deste artigo terá o seu valor calculado de acordo com a média aritmética simples dos salários de contribuição e das remunerações calculada na forma da lei, multiplicada pelo fator previdenciário, apurado na forma do disposto nos §§ 7.° a 9.° do art. 29 da Lei n.° 8.213, de 24 de julho de 1991.

Art. 18. O segurado de que trata o inciso I do § 7° do art. 201 da Constituição Federal filiado ao Regime Geral de Previdência Social até a data de entrada em vigor desta Emenda Constitucional poderá aposentar-se quando preencher, cumulativamente, os seguintes requisitos:

I – 60 (sessenta) anos de idade, se mulher, e 65 (sessenta e cinco) anos de idade, se homem; e

II – quinze anos de contribuição, para ambos os sexos.

Doutrina

Regra de transição no âmbito do regime geral de previdência. Dispõe esta norma que o segurado de que trata o inciso I do

§ 7° do art. 201 da Constituição Federal, ou seja, segurado do regime geral, homem com trinta e cinco anos de contribuição e mulher com trinta anos de contribuição, na data de início de vigência desta Emenda Constitucional, poderá aposentar-se quando preencher, cumulativamente, os seguintes requisitos:

I – sessenta anos de idade, se mulher, e sessenta e cinco anos de idade, se homem; e

II – quinze anos de contribuição, para ambos os sexos.

§ 1.° A partir de 1.° de janeiro de 2020, a idade de 60 (sessenta) anos da mulher, prevista no inciso I do *caput*, será acrescida em 6 (seis) meses a cada ano, até atingir 62 (sessenta e dois) anos de idade.

Doutrina

Pontuação a partir de 2020. Dispõe o § 1.° em tela que, a partir de 1.° de janeiro de 2020, a idade de sessenta anos da mulher, prevista no inciso I do *caput*, será acrescida em seis meses a cada ano, até atingir sessenta e dois anos de idade.

§ 2.° O valor da aposentadoria de que trata este artigo será apurado na forma da lei.

Doutrina

Cálculo do valor da aposentadoria. Dispõe a norma deste § 2.° que o valor da aposentadoria de que trata este artigo será aquele apurado segundo o critério disposto em lei.

Art. 19. Até que lei disponha sobre o tempo de contribuição a que se refere o inciso I do § 7.° do art. 201 da Constituição Federal, o segurado filiado ao Regime Geral de Previdência Social após a data de entrada em vigor

desta Emenda Constitucional será aposentado aos 62 (sessenta e dois) anos de idade, se mulher, 65 (sessenta e cinco) anos de idade, se homem, com 15 (quinze) anos de tempo de contribuição, se mulher, e 20 (vinte) anos de tempo de contribuição, se homem.

Doutrina

Norma sobre o tempo de contribuição. Dispõe o *caput* deste artigo 19 que, enquanto a lei não dispuser sobre o tempo de contribuição a que se refere o inciso I do § 7.º do art. 201 da Constituição Federal, o segurado filiado ao regime geral de previdência social após a data de início de vigência desta Emenda Constitucional será aposentado aos sessenta e dois anos de idade, se mulher, sessenta e cinco anos de idade, se homem, quinze anos de tempo de contribuição, se mulher, e vinte anos de tempo de contribuição, se homem. Portanto, o dispositivo legal estabelece aqui parâmetros de idade e tempo de contribuição e comete ao legislador ordinário dispor sobre a matéria.

§ 1.º Até que lei complementar disponha sobre a redução de idade mínima ou tempo de contribuição prevista nos §§ 1.º e 8.º do art. 201 da Constituição Federal, será concedida aposentadoria:

I – aos segurados que comprovem o exercício de atividades com efetiva exposição a agentes nocivos químicos, físicos e biológicos prejudiciais à saúde, ou associação desses agentes, vedada a caracterização por categoria profissional ou ocupação, durante, no mínimo 15 (quinze), 20 (vinte) ou 25 (vinte e cinco) anos, nos termos do disposto nos arts. 57 e 58 da Lei n.º 8.213, de 24 de julho de 1991, quando cumpridos:

a) 55 (cinquenta e cinco) anos de idade, quando se tratar de atividade especial de 15 (quinze) anos de contribuição;

b) 58 (cinquenta e oito) anos de idade, quando se tratar de atividade especial de 20 (vinte) anos de contribuição; ou

c) 60 (sessenta) anos de idade, quando se tratar de atividade especial de 25 (vinte e cinco) anos de contribuição;

II – ao professor que comprove 25 (vinte e cinco) anos de contribuição exclusivamente em efetivo exercício das funções de magistério na educação infantil e no ensino fundamental e médio e tenha 57 (cinquenta e sete) anos de idade, se mulher, e 60 (sessenta) anos de idade, se homem.

Doutrina

Regramento mediante lei complementar. Dispõe este § 1.º que, enquanto lei complementar não dispuser sobre a redução de idade mínima ou tempo de contribuição prevista nos §§ 1.º (segurados que trabalhem em condições prejudiciais à saúde ou à integridade física e segurados com deficiência) e 8.º (redução de tempo para professor) do art. 201 da Constituição Federal, será concedida a aposentadoria:

I – aos segurados que comprovem o exercício de atividades com efetiva exposição a agentes nocivos químicos, físicos e biológicos prejudiciais à saúde, ou associação desses agentes, vedados a caracterização por categoria profissional ou ocupação, durante quinze, vinte ou vinte e cinco anos, nos termos do disposto nos artigos 57 e 58 da Lei n.º 8.213, de 24 de julho de 1991, quando completados:

a) cinquenta e cinco anos de idade, quando se tratar de atividade especial de quinze anos de contribuição;

b) cinquenta e oito anos de idade, quando se tratar de atividade especial de vinte anos de contribuição; ou

c) sessenta anos de idade, quando se tratar de atividade especial de vinte e cinco anos de contribuição;

II – ao professor que comprove vinte e cinco anos de contribuição exclusivamente em efetivo exercício das funções de magistério na educação infantil e no ensino fundamental e médio e conte com cinquenta e sete anos de idade, se mulher, e sessenta anos de idade, se homem.

§ 2.º O valor das aposentadorias de que trata este artigo será apurado na forma da lei.

Doutrina

Cálculo do valor da aposentadoria. Dispõe o § 2.º deste artigo que o valor do benefício da aposentadoria aqui tratada será calculado segundo os requisitos previstos em lei.

Art. 20. O segurado ou o servidor público federal que se tenha filiado ao Regime Geral de Previdência Social ou ingressado no serviço público em cargo efetivo até a data de entrada em vigor desta Emenda Constitucional poderá aposentar-se voluntariamente quando preencher, cumulativamente, os seguintes requisitos:

I – 57 (cinquenta e sete) anos de idade, se mulher, e 60 (sessenta) anos de idade, se homem;

II – 30 (trinta) anos de contribuição, se mulher, e 35 (trinta e cinco) anos de contribuição, se homem;

III – para os servidores públicos, 20 (vinte) anos de efetivo exercício no serviço público e 5 (cinco) anos no cargo efetivo em que se der a aposentadoria;

IV – período adicional de contribuição correspondente ao tempo que, na data de entrada em vigor desta Emenda Constitucional, faltaria para atingir o tempo mínimo de contribuição referido no inciso II.

Doutrina

Regramento para a aposentadoria do segurado e do servidor público federal. Dispõe o *caput* deste artigo 20 que o segurado do regime geral de previdência social e o servidor público federal que tenham se filiado ao mencionado regime ou ingressado no serviço público em cargo efetivo até a data de início de vigência desta Emenda Constitucional poderão aposentar-se, de forma voluntária, quando presentes, cumulativamente, os seguintes requisitos:

I – cinquenta e sete anos de idade, se mulher, e sessenta anos de idade, se homem;

II – trinta anos de contribuição, se mulher, e trinta e cinco anos de contribuição, se homem;

III – vinte anos de efetivo exercício no serviço público e cinco anos no cargo efetivo em que se der a aposentadoria, para os servidores públicos;

IV – período adicional de contribuição correspondente ao tempo que, na data de entrada em vigor desta Emenda Constitucional, faltaria para atingir o tempo mínimo de contribuição referido no inciso II.

§ 1.º Para o professor que comprovar exclusivamente tempo de efetivo exercício das funções de magistério na educação infantil e no ensino fundamental e médio serão reduzidos, para ambos os sexos, os requisitos de idade e de tempo de contribuição em 5 (cinco) anos.

Doutrina

Regramento para o professorado. Dispõe este § 1.º que para o professor que provar, em caráter de exclusividade, tempo de efetivo exercício prestado nas funções de magistério na educação infantil e no ensino fundamental e médio serão reduzidos, para ambos os sexos, os requisitos de idade e de tempo de contribuição em cinco anos.

§ 2.º O valor das aposentadorias concedidas nos termos do disposto neste artigo corresponderá:

I – em relação ao servidor público que tenha ingressado no serviço público em cargo efetivo até 31 de dezembro de 2003 e que não tenha feito a opção de que trata o § 16 do art. 40 da Constituição Federal, à totalidade da remuneração no cargo efetivo em que se der a aposentadoria, observado o disposto no § 8.º do art. 4.º; e

II – em relação aos demais servidores públicos e aos segurados do Regime Geral de Previdência Social, ao valor apurado na forma da lei.

Doutrina

Regramento para o cálculo dos proventos de aposentadoria. Dispõe este § 2.º que referidos proventos serão concedidos da forma seguinte

I – em relação ao servidor público que tenha ingressado no serviço público em cargo efetivo até 31 de dezembro de 2003 e desde que não tenha feito a opção de que trata o § 16 do art. 40 da Constituição Federal, à totalidade da remuneração no cargo efetivo em que se der a aposentadoria, observado o disposto no § 8.º do art. 4.º; e

II – em relação aos demais servidores públicos e aos segurados do regime geral de previdência social, ao valor apurado na forma da lei.

§ 3.º O valor das aposentadorias concedidas nos termos do disposto neste artigo não será inferior ao valor a que se refere o § 2.º do art. 201 da Constituição Federal e será reajustado:

I – de acordo com o disposto no art. 7.º da Emenda Constitucional n.º 41, de 19 de dezembro de 2003, se cumpridos os requisitos previstos no inciso I do § 2.º;

II – nos termos estabelecidos para o Regime Geral de Previdência Social, na hipótese prevista no inciso II do § 2.°

Doutrina

Fixação de proventos de aposentadoria. Dispõe o § 3.° ora anotado que nenhum benefício de aposentadoria concedido nos termos do disposto neste artigo poderá ser inferior ao valor a que se refere o § 2.° do art. 201 da Constituição Federal, ou seja, ao valor do salário mínimo, e será reajustado:

I – de acordo com o disposto no art. 7.° da Emenda Constitucional n.° 41, de 19 de dezembro de 2003, se concedida nos termos do disposto no inciso I do § 2.°;

II – nos termos estabelecidos para o regime geral de previdência social, se concedidas na forma prevista no inciso II do § 2.°

§ 4.° Aplicam-se às aposentadorias dos servidores dos Estados, do Distrito Federal e dos Municípios as normas constitucionais e infraconstitucionais anteriores à data de entrada em vigor desta Emenda Constitucional, enquanto não promovidas alterações na legislação interna relacionada ao respectivo regime próprio de previdência social.

Doutrina

Âmbito de aplicação das normas constitucionais e infraconstitucionais. Dispõe o § 4.° deste artigo que se aplicam às aposentadorias dos servidores dos Estados, do Distrito Federal e dos Municípios as normas constitucionais e infraconstitucionais anteriores à data de início de vigência desta Emenda Constitucional, enquanto não promovidas as alterações cabíveis na legislação interna relacionada ao respectivo regime próprio de previdência social dos mencionados entes federados.

Art. 21. O segurado ou o servidor público federal que tenha se filiado ao Regime Geral de Previdência Social ou ingressado no serviço público em cargo efetivo até a data de entrada em vigor desta Emenda Constitucional cujas atividades tenham sido exercidas com efetiva exposição a agentes químicos, físicos e biológicos prejudiciais à saúde, ou associação desses agentes, vedada a caracterização por categoria profissional ou ocupação, desde que cumpridos, no caso do servidor, o tempo mínimo de 20 (vinte) anos de efetivo exercício no serviço público e de 5 (cinco) anos no cargo efetivo em que for concedida a aposentadoria, na forma dos arts. 57 e 58 da Lei n.º 8.213, de 24 de julho de 1991, poderão aposentar-se quando o total da soma resultante da sua idade e do tempo de contribuição e o tempo de efetiva exposição forem, respectivamente, de:

I – 66 (sessenta e seis) pontos e 15 (quinze) anos de efetiva exposição;

II – 76 (setenta e seis) pontos e 20 (vinte) anos de efetiva exposição; e

III – 86 (oitenta e seis) pontos e 25 (vinte e cinco) anos de efetiva exposição.

Doutrina

Critério de pontuação para fins de aposentadoria. Dispõe este artigo 21 que o segurado ou o servidor público federal que tenha se filiado ao regime geral de previdência social ou ingressado no serviço público em cargo efetivo até a data de início de vigência desta Emenda Constitucional, cujas atividades tenham sido exercidas com exposição efetiva a agentes nocivos químicos, físicos e biológicos prejudiciais à saúde, ou associação desses agentes, vedada a caracterização por categoria profissional ou, desde que cumpridos, no caso do servidor, o tempo mínimo de vinte anos de efetivo exercício no serviço público e de cinco anos no cargo efetivo em que for concedida a aposentadoria, cumpridas as disposições dos artigos 57 e 58 da Lei n.º 8.213, de 24 de julho de 1991, poderá aposentar-se quando o total da soma resultante da sua idade e do tempo de contribuição e o tempo de efetiva exposição aos referidos agentes forem, respectivamente, de:

I – sessenta e seis pontos e quinze anos de efetiva exposição;

II – setenta e seis pontos e vinte anos de efetiva exposição; e

III – oitenta e seis pontos e vinte e cinco anos de efetiva exposição.

§ 1.º A idade e o tempo de contribuição serão apurados em dias para o cálculo do somatório de pontos a que se refere o *caput*.

Doutrina

Pontuação para fins de cálculo de benefício. Dispõe este § 1.º que, promulgada esta Emenda Constitucional, as pontuações previstas nos incisos I a III do *caput*, ou seja, idade e tempo de contribuição, serão apuradas em dias para o cálculo do somatório dos pontos acima mencionados.

§ 2º O valor da aposentadoria de que trata este artigo será apurado na forma da lei.

Doutrina

Valor do benefício. Além dos critérios para fins de apuração de idade e tempo de contribuição, disporá, ainda, a lei, sobre o valor da aposentadoria.

§ 3.º Aplicam-se às aposentadorias dos servidores dos Estados, do Distrito Federal e dos Municípios cujas ati-

vidades sejam exercidas com efetiva exposição a agentes químicos, físicos e biológicos prejudiciais à saúde, ou associação desses agentes, vedada a caracterização por categoria profissional ou ocupação, na forma do § 4.º-C do art. 40 da Constituição Federal, as normas constitucionais e infraconstitucionais anteriores à data de entrada em vigor desta Emenda Constitucional, enquanto não promovidas alterações na legislação interna relacionada ao respectivo regime próprio de previdência social.

Doutrina

Normas de aplicação às aposentadorias de servidores de outros entes federados. Dispõe este dispositivo que, nas condições previstas neste artigo, são aplicáveis às aposentadorias dos servidores dos Estados, do Distrito Federal e dos Municípios cujas atividades sejam exercidas com efetiva exposição a agentes químicos, físicos e biológicos prejudiciais à saúde, ou associação destes agentes, vedada a caracterização por categoria profissional ou ocupação, na forma do § 4.º-C do art. 40 da Constituição Federal, as normas constitucionais e infraconstitucionais anteriores à data de início de vigência desta Emenda Constitucional, enquanto não promovidas alterações na legislação interna relacionada ao respectivo regime próprio de previdência social. Portanto, trata-se de norma de transição até que sejam adequadas as normas pertinentes no âmbito dos demais entes federados.

Art. 22. Até que lei discipline o § 4.º-A do art. 40 e o inciso I do § 1º do art. 201 da Constituição Federal, a aposentadoria da pessoa com deficiência segurada do Regime Geral de Previdência Social ou do servidor público federal com deficiência vinculado a regime próprio de previdência social, desde que cumpridos, no caso do servidor, o tempo mínimo de 10 (dez) anos de efetivo

exercício no serviço público e de 5 (cinco) anos no cargo efetivo em que for concedida a aposentadoria, será concedida na forma da Lei Complementar n° 142, de 8 de maio de 2013, inclusive quanto aos critérios de cálculo dos benefícios.

Doutrina

Aposentadoria da pessoa com deficiência. Dispõe a norma em tela que, até o advento da lei estabelecendo a disciplina do § 4.º-A do art. 40 e o inciso I do § 1° do art. 201 da Constituição Federal, a aposentadoria da pessoa com deficiência segurada do regime geral de previdência social ou do servidor público federal com deficiência, vinculado a regime próprio de previdência social, desde que cumpridos, no caso do servidor, o tempo mínimo de dez anos de efetivo exercício no serviço público e de cinco anos no cargo efetivo em que for concedida a aposentadoria, a concessão do benefício se dará na forma da Lei Complementar n.º 142, de 8 de maio de 2013, inclusive quanto aos critérios de cálculo dos benefícios.

Parágrafo único. Aplicam-se às aposentadorias dos servidores com deficiência dos Estados, do Distrito Federal e dos Municípios as normas constitucionais e infraconstitucionais anteriores à data de entrada em vigor desta Emenda Constitucional, enquanto não promovidas alterações na legislação interna relacionada ao respectivo regime próprio de previdência social.

Doutrina

Normas transitórias de regência do benefício. Dispõe este parágrafo único que se aplicam às aposentadorias dos servidores com deficiência, dos Estados, do Distrito Federal e dos Municípios, as normas constitucionais e infraconstitucionais anteriores à data de início de vigência desta Emenda Constitucional, enquanto não promovidas alterações na legislação interna, de cada unidade federada, relacionada ao respectivo regime próprio de previdência social.

Art. 23. A pensão por morte concedida a dependente de segurado do Regime Geral de Previdência Social ou de servidor público federal será equivalente a uma cota familiar de 50% (cinquenta por cento) do valor da aposentadoria recebida pelo segurado ou servidor ou daquela a que teriam direito se fossem aposentados por incapacidade permanente na data do óbito, acrescida de cotas de dez (10) pontos percentuais por dependente, até o máximo de 100% (cem por cento).

Doutrina

Critério de fixação do valor da pensão por morte. Dispõe o *caput* do artigo 23 que a pensão por morte devida a dependente de segurado do regime geral de previdência social ou de servidor público federal terá o seu valor composto por uma cota familiar, correspondente a cinquenta por cento do valor da aposentadoria recebida pelo segurado ou servidor, ou daquela a que teriam direito se fossem aposentados por incapacidade permanente na data do óbito, acrescida de cotas equivalentes a dez pontos percentuais por dependente, até atingir o valor máximo de cem por cento.

§ 1.º As cotas por dependente cessarão com a perda dessa qualidade e não serão reversíveis aos demais dependentes, preservado o valor de 100% (cem por cento) da pensão por morte, quando o número de dependentes remanescente for igual ou superior a cinco.

Doutrina

Cessação e não reversão das cotas. Dispõe o § 1.º que as cotas destinadas ao dependente cessarão com a perda desta qualidade e não poderão ser revertidas aos demais dependentes, preservado, contudo, o valor de cem por cento da pensão por morte, quando o número de dependentes remanescentes for igual ou superior a cinco.

§ 2.º Na hipótese de existir dependente inválido ou com deficiência intelectual, mental ou grave, o valor da pensão por morte de que trata o *caput* será equivalente a:

I – 100% (cem por cento) da aposentadoria recebida pelo segurado ou servidor ou daquela a que teriam direito se fosse aposentado por incapacidade permanente na data do óbito, até o limite máximo de benefícios do Regime Geral de Previdência Social; e

II – uma cota familiar de 50% (cinquenta por cento) acrescida de cotas de 10 (dez) pontos percentuais por dependente, até o máximo de 100% (cem por cento), para o valor que supere o limite máximo de benefícios do Regime Geral de Previdência Social.

Doutrina

Critério de fixação do valor da pensão por morte no caso de dependente com deficiência. Dispõe o § 2.º deste artigo que, na hipótese de existir dependente inválido ou com deficiência intelectual, mental ou grave, o valor da pensão por morte de que trata o *caput* será equivalente a:

I – cem por cento da aposentadoria recebida pelo segurado ou servidor ou daquela a que teriam direito se fossem aposentados por incapacidade permanente na data do óbito, até o limite máximo de benefícios do Regime Geral de Previdência Social; e

II – uma cota familiar de cinquenta por cento acrescida de cotas de dez pontos percentuais por dependente, até o máximo de cem por cento, para o valor que supere o limite máximo de benefícios do Regime Geral de Previdência Social.

§ 3.º Quando não houver mais dependente inválido ou com deficiência intelectual, mental ou grave, o valor da pensão será recalculado na forma do disposto no *caput* e no § 1.º.

Doutrina

Recálculo do valor da pensão quando ausentes dependentes inválidos ou com deficiência. Dispõe este § 3.º que, no caso de não mais existirem dependentes inválidos ou com deficiência intelectual, mental ou grave, o valor da pensão será recalculado na forma do disposto no *caput* e no § 1.º

§ 4.º O tempo de duração da pensão por morte e das cotas individuais por dependente até a perda desta qualidade, o rol de dependentes, a sua qualificação e as condições necessárias para enquadramento serão aqueles estabelecidos na Lei n.º 8.213, de 24 de julho de 1991.

Doutrina

Aplicação dos dispositivos previstos na Lei n.º 8.213/1991. Dispõe este § 4.º que o tempo de duração da pensão por morte e das cotas individuais por dependente até a perda desta qualidade, o rol de dependentes, a sua qualificação e as condições necessárias para enquadramento serão aqueles estabelecidos na Lei n.º 8.213, de 24 de julho de 1991. Verifica-se, pois, que esta norma constitucional remete à regulação da lei aqui mencionada os requisitos sobre os quais assentam a pensão por morte.

§ 5.º Para o dependente inválido ou com deficiência intelectual, mental ou grave, sua condição pode ser reconhecida previamente ao óbito do segurado, por meio de avaliação biopsicossocial realizada por equipe multiprofissional e interdisciplinar, observada revisão periódica na forma da legislação.

Doutrina

Reconhecimento da condição de pessoa com deficiência. Dispõe este § 5.º que o dependente inválido ou com deficiência intelectual, mental ou grave, poderá ter a condição de pessoa com deficiência reconhecida previamente ao óbito do segurado. Essa condição poderá ser constatada e reconhecida por meio de avaliação biopsicossocial realizada por equipe multiprofissional e interdisciplinar, devendo merecer revisão periódica na forma da legislação pertinente.

§ 6.º Equiparam-se a filho, para fins de recebimento da pensão por morte, exclusivamente o enteado e o menor tutelado, desde que comprovada a dependência econômica.

Doutrina

Equiparação à condição de filho. Dispõe este § 6.º que são equiparados à condição de filho, para fins de recebimento da pensão por morte, exclusivamente o enteado e o menor tutelado, desde que comprovada a dependência econômica.

§ 7.º As regras sobre pensão previstas neste artigo e na legislação vigente na data de entrada em vigor desta Emenda Constitucional poderão ser alteradas na forma da lei para o Regime Geral de Previdência Social e para o regime próprio de previdência social da União.

Doutrina

Alteração das regras de concessão das pensões aqui previstas. Dispõe este § 7.º que as regras dispositivas sobre as pensões previstas neste artigo e na legislação vigente na data de entrada em vigor desta Emenda Constitucional poderão ser alteradas, na forma da lei, para o regime geral de previdência social, e, na forma do § 7.º do art. 40 da Constituição Federal, para o regime próprio de previdência social da União instituído em favor dos dependentes de seus servidores.

§ 8.º Aplicam-se às pensões concedidas aos dependentes de servidores dos Estados, do Distrito Federal e dos Municípios as normas constitucionais e infraconstitucionais anteriores à data de entrada em vigor desta Emenda Constitucional, enquanto não promovidas alterações na legislação interna relacionada ao respectivo regime próprio de previdência social.

Doutrina

Incidência das normas federais sobre pensões aos servidores dos demais entes federados. Dispõe este § 8.º que serão aplicadas às pensões concedidas aos dependentes de servidores dos Estados, do Distrito Federal e dos Municípios as normas constitucionais e infraconstitucionais anteriores à data de início de vigência desta Emenda Constitucional, enquanto não promovidas alterações na legislação interna relacionada ao respectivo regime próprio de previdência social.

Art. 24. É vedada a acumulação de mais de uma pensão por morte deixada por cônjuge ou companheiro, no âmbito do mesmo regime de previdência social, ressalvadas as pensões do mesmo instituidor decorrentes do exercício de cargos acumuláveis na forma do art. 37 da Constituição Federal.

Doutrina

Proibição de acumulação de pensões. Dispõe o *caput* deste artigo 24 que é proibida a acumulação de mais de uma pensão por morte deixada por cônjuge ou companheiro, no âmbito do mesmo regime de previdência social. Contudo a norma excepciona as pensões do mesmo instituidor decorrentes do exercício de cargos que admitem acumulação na forma do artigo 37, inciso XVI, da Constituição Federal, como nos casos de dois cargos de professor, um cargo de professor e outro técnico, ou dois cargos ou empregos de profissionais de saúde etc.

§ 1.º Será admitida, nos termos do § 2.º, a acumulação de:

I – pensão por morte deixada por cônjuge ou companheiro de um regime de previdência social com pensão por morte concedida por outro regime de previdência social ou com pensões decorrentes das atividades militares de que tratam os arts. 42 e 142 da Constituição Federal;II – pensão por morte deixada por cônjuge ou companheiro de um regime de previdência social com aposentadoria concedida no âmbito do Regime Geral de Previdência Social ou de regime próprio de previdência social ou com proventos de inatividade decorrentes das atividades militares de que tratam os arts. 42 e 142 da Constituição Federal; ou

III – pensões decorrentes das atividades militares de que tratam os arts. 42 e 142 da Constituição Federal com aposentadoria concedida no âmbito do Regime Geral de Previdência Social ou de regime próprio de previdência social.

Doutrina

Hipóteses admitidas de acumulação nos termos do § 2.º abaixo. Dispõe este § 1.º que será admitida, nos termos do § 2.º, a acumulação nos seguintes casos: *a)* de pensão por morte deixada por cônjuge ou companheiro de um regime de previdência social com pensão por morte concedida por outro regime de previdência social, ou com pensões decorrentes das atividades militares de que tratam os artigos 42 (policiais militares e bombeiros militares) e 142 da Constituição Federal (militares do Exército, da Marinha e da Aeronáutica); *b)* pensão por morte deixada por cônjuge ou companheiro de um regime de previdência social com aposentadoria concedida no âmbito do Regime Geral de Previdência Social ou de regime próprio de previdência social ou com proventos de inatividade decorrentes das atividades militares de que tratam os artigos 42 e 142 da Constituição Federal, conforme acima descritas; ou *c*) pensões decorrentes das atividades militares de que tratam os arts. 42 e 142 da Constituição Federal com aposentadoria concedida no âmbito do Regime Geral de Previdência ou de regime próprio de previdência social.

§ 2.º Nas hipóteses das acumulações previstas no § 1.º, é assegurada a percepção do valor integral do benefício mais vantajoso e de uma parte de cada um dos demais benefícios, apurada cumulativamente de acordo com as seguintes faixas:

I – 60% (sessenta) por cento do valor que exceder 1 (um) salário-mínimo, até o limite de 2 (dois) salários-mínimos;

II – 40% (quarenta por cento) do valor que exceder 2 (dois) salários-mínimos, até o limite de 3 (três) salários-mínimos;

III – 20% (vinte por cento) do valor que exceder 3 (três) salários-mínimos, até o limite de 4 (quatro) salários-mínimos;

IV – 10% (dez por cento) do valor que exceder o limite 4 (quatro) salários-mínimos.

Doutrina

Garantia de percepção do benefício mais vantajoso. Dispõe este § 2.º que, nas hipóteses das acumulações previstas no § 1.º, é assegurada a percepção do valor integral do benefício mais vantajoso e de uma parte de cada um dos demais benefícios, apurada cumulativamente de acordo com as seguintes faixas:

I – 60% (sessenta) por cento do valor que exceder 1 (um) salário mínimo, até o limite de 2 (dois) salários mínimos;

II – 40% (quarenta por cento) do valor que exceder 2 (dois) salários mínimos, até o limite de 3 (três) salários mínimos;

III – 20% (vinte por cento) do valor que exceder 3 (três) salários mínimos, até o limite de 4 (quatro) salários mínimos;

IV – 10% (dez por cento) do valor que exceder o limite 4 (quatro) salários mínimos.

§ 3.º A aplicação do disposto no § 2.º poderá ser revista a qualquer tempo, a pedido do interessado, em razão de alteração de algum dos benefícios.

Doutrina

Direito de revisão. Dispõe o § 3.º deste artigo que a aplicação do disposto no § 2.º poderá ser revista a qualquer tempo, a pedido do interessado, em razão de alteração de algum dos benefícios. Em princípio, esse direito de revisão somente poderá ser exercido em caso de alteração do valor de qualquer benefício para menos.

§ 4.º As restrições previstas neste artigo não serão aplicadas se o direito aos benefícios houver sido adquirido antes da data de entrada em vigor desta Emenda Constitucional.

Doutrina

Direito adquirido. Dispõe este § 4.º que as restrições previstas neste artigo não serão aplicadas se o direito aos benefícios houver sido adquirido antes da data de início de vigência desta Emenda Constitucional. É que nesses casos o princípio do direito adquirido protege o segurado da incidência de quaisquer das restrições previstas no dispositivo.

§ 5.º As regras sobre acumulação previstas neste artigo e na legislação vigente na data de entrada em vigor desta Emenda Constitucional poderão ser alteradas na forma do § 6.º do art. 40 e do § 15 do art. 201 da Constituição Federal.

Doutrina

Alteração das regras de acumulação. Dispõe o § 5.º que as normas sobre acumulação, previstas neste artigo e na legislação em vigor na data de início de vigência desta Emenda Constitucional, poderão ser alteradas na forma do § 6.º do artigo 40 (regra geral de não cumulatividade) e do § 15 do art. 201 da Constituição Federal.

Art. 25. Será assegurada a contagem de tempo de contribuição fictício no Regime Geral de Previdência Social decorrente de hipóteses descritas na legislação vigente até a data de entrada em vigor desta Emenda Constitucional para fins de concessão de aposentadoria, observando-se, a partir da sua entrada em vigor, o disposto no § 14 do art. 201 da Constituição Federal.

Doutrina

Contagem de tempo de contribuição fictício. Dispõe o *caput* deste artigo 25 que será assegurada a contagem de tempo de contribuição fictício no âmbito do regime geral de previdência social desde que decorrente de hipóteses previstas na legislação vigente até a data de início de vigência desta Emenda Constitucional para fins de concessão de aposentadoria, aplicando-se, a partir da sua entrada em vigor, o disposto no § 14 do artigo 201 da Constituição Federal.

§ 1.º Para fins de comprovação de atividade rural exercida até a data de entrada em vigor desta Emenda Consti-

tucional, o prazo de que tratam os §§ 1.° e 2.° do art. 38-B da Lei n.° 8.213, de 24 de julho de 1991, será prorrogado até a data em que o Cadastro Nacional de Informações Sociais (CNIS) atingir a cobertura mínima de cinquenta por cento dos trabalhadores de que trata o § 8.° do art. 195 da Constituição Federal, apurada conforme quantitativo da Pesquisa Nacional por Amostra de Domicílios Contínua (PNAD).

Doutrina

Prova do exercício de atividade rural. Dispõe este § 1.° que, para fins de comprovação de atividade rural, exercida até a data de início de vigência desta Emenda Constitucional, o prazo de que tratam os §§ 1.° e 2.° do art. 38-B da Lei n.° 8.213, de 24 de julho de 1991, será prorrogado até a data em que o Cadastro Nacional de Informações Sociais – CNIS atingir a cobertura mínima de cinquenta por cento dos trabalhadores de que trata o § 8.° do artigo 195 da Constituição Federal (o produtor, o parceiro, o meeiro, o arrendatário, o pescador artesanal etc.), apurada conforme quantitativo da Pesquisa Nacional por Amostra de Domicílios Contínua – PNAD.

§ 2.° Será reconhecida a conversão de tempo especial em comum, na forma prevista na Lei n.° 8.213, de 24 de julho de 1991, ao segurado do Regime Geral de Previdência Social que comprovar tempo de efetivo exercício de atividade sujeita a condições especiais que efetivamente prejudiquem a saúde, cumprido até a data de entrada em vigor desta Emenda Constitucional, vedada a conversão para o tempo cumprido após esta data.

Doutrina

Conversão de tempo especial em comum. Dispõe este § 2.° que será reconhecida a conversão de tempo especial em comum, na forma disposta na Lei n.° 8.213, de 24 de julho de 1991, ao segurado do regime geral de previdência social que comprovar tempo de efetivo exercício de atividade sujeita a condições especiais que efetivamente prejudiquem a saúde, por exemplo, insalubridade e alto risco, cumprido até a data de início de vigência desta Emenda Constitucional, vedada a conversão para o tempo cumprido após esta data.

§ 3.º Considera-se nula a aposentadoria que tenha sido concedida ou que venha a ser concedida por regime próprio de previdência social com contagem recíproca do Regime Geral de Previdência Social mediante o cômputo de tempo de serviço sem o recolhimento da respectiva contribuição ou da correspondente indenização pelo segurado obrigatório responsável, à época do exercício da atividade, pelo recolhimento de suas próprias contribuições previdenciárias.

Doutrina

Casos de nulidade da aposentadoria. Dispõe este § 3.º que é tida como nula a aposentadoria que tenha sido deferida ou que venha a ser deferida por regime próprio de previdência social com contagem recíproca do regime geral de previdência social mediante o cômputo de tempo de serviço sem o recolhimento da respectiva contribuição ou da correspondente indenização pelo segurado obrigatório responsável, à época do exercício da atividade, pelo recolhimento de suas próprias contribuições previdenciárias. Portanto, a norma em comento admite a correção da irregularidade mediante indenização correspondente ao valor das parcelas não vertidas aos cofres da previdência.

Art. 26. Até que lei discipline o cálculo dos benefícios do regime próprio de previdência social da União e do Regime Geral de Previdência Social, será utilizada a média aritmética simples dos salários de contribuição e das remunerações adotados como base para contribuições a regime próprio de previdência social e ao Regime Geral

de Previdência Social, ou como base para contribuições decorrentes das atividades militares de que tratam os arts. 42 e 142 da Constituição Federal, atualizados monetariamente, correspondentes a 100% (cem por cento) do período contributivo desde a competência julho de 1994 ou desde o início da contribuição, se posterior àquela competência.

Doutrina

Critério de cálculo do valor de benefícios para militares. Dispõe este artigo 26 *caput* que, enquanto a lei não disciplinar o cálculo dos benefícios do regime próprio de previdência social da União e do regime geral de previdência social, será utilizado como critério de cálculo a média aritmética simples dos salários de contribuição e das remunerações adotados como base para contribuições a regime próprio de previdência social e ao regime geral de previdência social, ou como base para contribuições decorrentes das atividades militares de que tratam os artigos 42 (policiais militares e bombeiros militares) e 142 (militares da Marinha, do Exército e da Aeronáutica) da Constituição Federal, atualizados monetariamente, correspondentes a cem por cento do período contributivo desde a competência julho de 1994 ou desde o início da contribuição, se posterior à referida competência.

§ 1° A média a que se refere o *caput* será limitada ao valor máximo do salário de contribuição do Regime Geral de Previdência Social para os segurados desse regime e para o servidor que ingressou no serviço público em cargo efetivo após a implantação do regime de previdência complementar ou que tenha exercido a opção correspondente, nos termos do disposto nos §§ 14 a 16 do art. 40 da Constituição Federal.

Doutrina

Limite da média calculada. Dispõe o § 1.º que a média referida no *caput* será limitada ao valor máximo do salário de contribuição do regime geral de previdência social para os segurados deste regime e para o servidor que ingressou no serviço público em cargo de provimento efetivo após a implantação do regime de previdência complementar ou que tenha exercido a opção correspondente, nos termos do disposto nos §§ 14 a 16 do art. 40 da Constituição Federal. A opção ao regime de previdência complementar deve, nos termos dos mencionados parágrafos, ser prévia e expressamente manifestada.

§ 2.º O valor do benefício de aposentadoria corresponderá a 60% (sessenta por cento) da média aritmética definida na forma prevista no *caput* e no § 1.º, com acréscimo de 2 (dois) pontos percentuais para cada ano de contribuição que exceder o tempo de 20 (vinte) anos de contribuição nos casos:

I – do inciso II do § 6.º do art. 4.º, do § 4.º do art. 15, do § 3.º do art. 16 e do § 2.º do art. 18;

II – do § 4.º do art. 10, ressalvado o disposto no inciso II do § 3.º e no § 4.º deste artigo;

III – de aposentadoria por incapacidade permanente aos segurados do Regime Geral de Previdência Social, ressalvado o disposto no inciso II do § 3.º deste artigo; e

IV – do § 2.º do art. 19 e do § 2.º do art. 21, ressalvado o disposto no § 5.º deste artigo.

Doutrina

Limite de valor do benefício. Dispõe o § 2.º que o valor do benefício de aposentadoria corresponderá a sessenta por cento da média aritmética definida na forma prevista no *caput* e no § 1.º, com acréscimo de dois por cento para cada ano de contribuição que exceder o tempo de vinte anos de contribuição nos casos:

I – do inciso II do § 6.º do art. 4.º, do § 4.º do art. 15, do § 3.º do art. 16 e do § 2.º do art. 18;

II – do § 4.º do art. 10, ressalvado o disposto no inciso II do § 3.º e no § 4.º;

III – de aposentadoria por incapacidade permanente aos segurados do regime geral de previdência social, ressalvado o disposto no inciso II do § 3.º; e

IV – do § 2.º do art. 19 e do § 3.º do art. 21, ressalvado o disposto no § 5.º.

§ 3.º O valor do benefício de aposentadoria corresponderá a 100% (cem por cento) da média aritmética definida na forma prevista no *caput* e no § 1.º:

I – no caso do inciso II do § 2.º do art. 20;

II – no caso de aposentadoria por incapacidade permanente, quando decorrer de acidente de trabalho, de doença profissional e de doença do trabalho.

Doutrina

Valor do benefício de aposentadoria nos casos ora tratados. Dispõe o § 3.º que o valor do benefício de aposentadoria, nos casos definidos nos incisos, corresponderá a cem por cento da média aritmética definida na forma prevista no *caput* e no § 1.º:

I – no caso do inciso II do § 2.º do art. 20;

II – no caso de aposentadoria por incapacidade permanente, quando decorrer de acidente de trabalho, de doença profissional e de doença do trabalho.

§ 4.º O valor do benefício da aposentadoria de que trata o inciso III do § 1.º do art. 10 corresponderá ao resultado do tempo de contribuição dividido por 20 (vinte) anos, limitado a um inteiro, multiplicado pelo valor apurado na

forma do *caput* do § 2.º deste artigo, ressalvado o caso de cumprimento de critérios de acesso para aposentadoria voluntária que resulte em situação mais favorável.

Doutrina

Critério de cálculo do valor da aposentadoria. Dispõe este § 4.º que o valor do benefício da aposentadoria de que trata o inciso III do § 1.º do art. 10 corresponderá ao resultado do tempo de contribuição dividido por vinte anos, limitado a um inteiro, multiplicado pelo valor apurado na forma do *caput* do § 2.º, ressalvado o caso de cumprimento de critérios de acesso para aposentadoria voluntária que resulte em situação mais favorável ao segurado. Mais uma vez, o legislador constituinte reafirma a prevalência do princípio da situação mais favorável ao segurado.

§ 5.º O acréscimo a que se refere o *caput* do § 2.º será aplicado para cada ano que exceder 15 (quinze) anos de tempo de contribuição para os segurados de que tratam a alínea *a* do inciso I do § 1.º do art. 19 e o inciso I do art. 21 e para as mulheres filiadas ao Regime Geral de Previdência Social.

Doutrina

Critério de acréscimo no valor da aposentadoria. Dispõe este § 5.º que o acréscimo a que se refere o *caput* do § 2.º será aplicado para cada ano que exceder quinze anos de tempo de contribuição para os segurados de que tratam a alínea *a* do inciso I do § 1.º do art. 19 e o inciso I do art. 21 e para as mulheres filiadas ao regime geral de previdência social, buscando compensá-las, dentre outras razões legítimas, pelas tríplices jornadas de trabalho constante e, no mais das vezes, não remunerado.

§ 6.º Poderão ser excluídas da média as contribuições que resultem em redução do valor do benefício, desde que

mantido o tempo mínimo de contribuição exigido, vedada a utilização do tempo excluído para qualquer finalidade, inclusive para o acréscimo a que se referem os §§ 2.º e 5.º, para a averbação em outro regime previdenciário ou para obtenção dos proventos de inatividade das atividades de que tratam os arts. 42 e 142 da Constituição Federal.

Doutrina

Exclusão da média de contribuições que reduzam o valor do benefício. Dispõe este § 6.º que poderão ser excluídas da média as contribuições aquelas que resultem em redução do valor do benefício, desde que mantido o tempo mínimo de contribuição exigido, vedada a utilização do tempo excluído para qualquer outra finalidade, inclusive para o acréscimo a que se referem os §§ 2.º e 5.º, para a averbação em outro regime previdenciário ou para obtenção dos proventos de inatividade de que tratam os arts. 42 e 142 da Constituição Federal. O dispositivo reforça o princípio da concessão do benefício mais favorável ao segurado.

§ 7.º Os benefícios calculados nos termos do disposto neste artigo serão reajustados nos termos estabelecidos para o Regime Geral de Previdência Social.

Doutrina

Reajuste do valor da aposentadoria. Dispõe este § 7.º que os benefícios calculados nos termos do disposto neste artigo serão reajustados na forma estabelecida para o regime geral de previdência social. Assim, os critérios de reajuste serão os mesmos.

Art. 27. Até que lei discipline o acesso ao salário-família e ao auxílio-reclusão de que trata o inciso IV do art. 201 da Constituição Federal, esses benefícios serão concedidos apenas àqueles que tenham renda bruta mensal igual ou inferior a R$ 1.364,43 (mil, trezentos e sessenta

e quatro reais e quarenta e três centavos), que serão corrigidos pelos mesmos índices aplicados aos benefícios do Regime Geral de Previdência Social.

Doutrina

Concessão do salário-família, auxílio-reclusão. Dispõe este artigo 27 que enquanto a lei não regulamentar o acesso ao salário-família e ao auxílio-reclusão de que trata o inciso IV do artigo 201 da Constituição Federal, esses benefícios serão concedidos apenas àqueles que tenham renda bruta mensal igual ou inferior a R$ 1.364,43 (mil trezentos e sessenta e quatro reais e quarenta e três centavos), que serão corrigidos pelos mesmos índices aplicados aos benefícios do regime geral de previdência social.

§ 1.º Até que lei discipline o valor do auxílio-reclusão, de que trata o inciso IV do art. 201 da Constituição Federal, seu cálculo será realizado na forma daquele aplicável à pensão por morte, não podendo exceder o valor de 1 (um) salário mínimo.

Doutrina

Regulamentação do auxílio-reclusão. Dispõe este § 1.º que, enquanto a lei não disciplinar o valor do auxílio-reclusão de que trata o inciso IV do artigo 201 da Constituição Federal, seu cálculo será efetuado na forma da pensão por morte, limitado o valor do benefício a um salário mínimo.

§ 2.º Até que lei discipline o valor do salário-família de que trata o inciso IV do art. 201 da Constituição Federal, seu valor será de R$ 46,54 (quarenta e seis reais e cinquenta e quatro centavos).

Doutrina

Regulamentação do salário-família. Dispõe este § 2.º que enquanto a lei não disciplinar o valor do salário-família previsto no inciso IV do art. 201 da Constituição Federal, seu valor será de R$ 46,54 (quarenta e seis reais e cinquenta e quatro centavos) por quota.

Art. 28. Até que lei altere as alíquotas da contribuição de que trata a Lei n.º 8.212, de 24 de julho de 1991, devida pelo segurado empregado, inclusive o doméstico, e pelo trabalhador avulso, estas serão de:

I – até 1 (um) salário mínimo, 7,5% (sete inteiros e cinco décimos por cento);

II – acima de 1 (um) salário mínimo até R$ 2.000,00 (dois mil reais), 9% (nove por cento);

III – de R$ 2.000,01 (dois mil reais e um centavo) até R$ 3.000,00 (três mil reais), de 12% (doze por cento;) e

IV – de R$ 3.000,01 (três mil reais e um centavo) até o limite do salário de contribuição, 14% (quatorze por cento).

Doutrina

Fixação das alíquotas de contribuição. Dispõe este artigo 28 que, enquanto a lei não modificar as alíquotas de contribuição previas na Lei n.º 8.212, de 24 de julho de 1991, devida pelo segurado empregado, inclusive o doméstico, e pelo trabalhador avulso, esta será de:

I – até um salário mínimo, sete inteiros e cinco décimos por cento;

II – acima de um salário mínimo até R$ 2.000,00 (dois mil reais), nove por cento;

III – de R$ 2.000,01 (dois mil reais e um centavo) até R$ 3.000,00 (três mil reais), de doze por cento; e

IV – de R$ 3.000,01 (três mil reais e um centavo) até o limite do salário de contribuição, de quatorze por cento.

§ 1.º As alíquotas previstas no *caput* serão aplicadas de forma progressiva sobre o salário de contribuição do segurado, incidindo cada alíquota sobre a faixa de valores compreendida nos respectivos limites.

Doutrina

Progressividade de alíquotas. Dispõe este § 1.º que as alíquotas previstas no *caput* serão aplicadas de forma progressiva sobre o salário de contribuição do segurado, incidindo cada alíquota sobre a faixa de valores compreendida dentro dos respectivos limites.

§ 2.º Os valores previstos no *caput* serão reajustados, a partir da data de entrada em vigor desta Emenda Constitucional, na mesma data e no mesmo índice em que se der o reajuste dos benefícios do Regime Geral de Previdência Social, ressalvados aqueles vinculados ao salário-mínimo, aos quais se aplica a legislação específica.

Doutrina

Reajuste dos valores do caput. Dispõe este § 2.º que os valores previstos no *caput* serão reajustados, a partir da data de início de vigência desta Emenda Constitucional, na mesma data e no mesmo índice em que se der o reajuste dos benefícios do regime geral de previdência social, ressalvados aqueles vinculados ao salário mínimo, aos quais se aplica a legislação específica.

Art. 29. Até que entre em vigor lei que disponha sobre o § 14 do art. 195 da Constituição Federal, o segurado que, no somatório de remunerações auferidas no período de

1 (um) mês, receber remuneração inferior ao limite mínimo mensal do salário de contribuição, poderá:

I – complementar a sua contribuição, de forma a alcançar o limite mínimo exigido;

II – utilizar o valor da contribuição que exceder o limite mínimo de contribuição de uma competência em outra; ou

III – agrupar contribuições inferiores ao limite mínimo de diferentes competências, para aproveitamento em contribuições mínimas mensais.

Doutrina

Aproveitamento de pagamentos parciais de contribuições. Dispõe este artigo 29 que enquanto não for regulamentado por lei o disposto no § 14 do artigo 195 da Constituição Federal, o segurado que, no somatório de remunerações auferidas no período de um mês receber remuneração inferior ao limite mínimo mensal do salário de contribuição, poderá:

I – complementar a sua contribuição, de forma a alcançar o limite mínimo exigido;

II – utilizar o valor da contribuição que exceder o limite mínimo de contribuição de uma competência em outra; ou

III – agrupar contribuições inferiores ao limite mínimo de diferentes competências, para aproveitamento em contribuições mínimas mensais.

Parágrafo único. Os ajustes de complementação ou agrupamento de contribuições previstos nos incisos I, II e III do *caput* somente poderão ser feitos ao longo do mesmo ano civil.

Doutrina

Ajustes de complementação de contribuições. Dispõe este parágrafo único que os ajustes de complementação ou agrupamento de contribuições previstos nos incisos I, II e III do *caput* somente poderão ser feitos ao longo do mesmo ano civil. Atente-se: qualquer aproveitamento de pagamento parcial para fins de complementação ou agrupamento de contribuições deverá ser efetuado dentro do mesmo ano civil.

Art. 30. A vedação de diferenciação ou substituição de base de cálculo decorrente do disposto no § 9.º do art. 195 da Constituição Federal não se aplica a contribuições que substituam a contribuição de que trata a alínea *a* do inciso I do *caput* do art. 195 da Constituição Federal instituídas antes da data de entrada em vigor desta Emenda Constitucional.

Doutrina

Proibição de diferenciação ou substituição de base de cálculo. É disso que se trata este artigo 30, dispondo que a vedação de diferenciação ou substituição de base de cálculo decorrente do disposto no § 9.º do art. 195 da Constituição Federal não se aplica a contribuições que substituam a contribuição prevista na alínea *a* do inciso I do *caput* do mesmo artigo 195 da Constituição instituídas antes da data de início de vigência desta Emenda Constitucional.

Art. 31. O disposto no § 11 do art. 195 da Constituição Federal não se aplica aos parcelamentos previstos na legislação vigente até a data de entrada em vigor desta Emenda Constitucional, sendo vedadas a reabertura ou a prorrogação de prazo para adesão.

Doutrina

Não aplicação do § 11 do artigo 195 da Constituição em parcelamentos vigentes. Este artigo 31 determina que o disposto no § 11 do artigo 195 da Constituição Federal, que veda a concessão de remissão ou anistia de contribuições sociais, não se aplica aos parcelamentos previstos na legislação vigente até a data de início de vigência desta Emenda Constitucional, sendo proibidas a reabertura e a prorrogação de prazo para adesão.

Art. 32. Até que entre em vigor lei que disponha sobre a alíquota da contribuição de que trata a Lei n.º 7.689, de 15 de dezembro de 1988, esta será de 20% (vinte por cento) no caso das pessoas jurídicas referidas no inciso I do § 1.º do art. 1.º da Lei Complementar n.º 105, de 10 de janeiro de 2001.

Doutrina

Regulamentação de alíquota de contribuição de pessoa jurídica. Dispõe este artigo 32 que, enquanto não entrar em vigor lei dispondo sobre a alíquota da contribuição de que trata a Lei nº 7.689, de 15 de dezembro de 1988, esta será de vinte por cento no caso das pessoas jurídicas referidas no inciso I do § 1.º do art. 1.º da Lei Complementar n.º 105, de 10 de janeiro de 2001.

Art. 33. Até que seja disciplinada a relação entre a União, os Estados, o Distrito Federal e os Municípios e entidades abertas de previdência complementar na forma do disposto nos §§ 4.º e 5.º do art. 202 da Constituição Federal, somente entidades fechadas de previdência complementar estão autorizadas a administrar planos de benefícios patrocinados pela União, Estados, Distrito Federal ou Municípios, inclusive suas autarquias, fundações, sociedades de economia mista e empresas controladas direta ou indiretamente.

Doutrina

Regulação da atuação de entidades abertas de previdência complementar. Dispõe este artigo 33 que, enquanto não seja disciplinada a relação entre a União, os Estados, o Distrito Federal e os Municípios e entidades abertas de previdência complementar na forma do disposto nos §§ 4.º e 5.º do art. 202 da Constituição Federal, somente entidades fechadas de previdência complementar estão autorizadas a administrar planos de benefícios patrocinados pela União, Estados, Distrito Federal ou Municípios, inclusive suas autarquias, fundações, sociedades de economia mista e empresas controladas direta ou indiretamente.

Art. 34. Na hipótese de extinção por lei de regime previdenciário e migração dos respectivos segurados para o Regime Geral de Previdência Social, serão observados, até que lei federal disponha sobre a matéria, os seguintes requisitos pelo ente federativo:

I – assunção integral da responsabilidade pelo pagamento dos benefícios concedidos durante a vigência do regime extinto, bem como daqueles cujos requisitos já tenham sido implementados antes da sua extinção;

II – previsão de mecanismo de ressarcimento ou de complementação de benefícios aos que tenham contribuído acima do limite máximo do Regime Geral de Previdência Social;

III – vinculação das reservas existentes no momento da extinção, exclusivamente:

a) ao pagamento dos benefícios concedidos e a conceder, ao ressarcimento de contribuições ou à complementação de benefícios, na forma dos incisos I e II; e

b) à compensação financeira com o Regime Geral de Previdência Social.

Doutrina

Requisitos a serem cumpridos pelo ente federativo no caso de extinção de regime previdenciário e migração de segurado para o regime geral. Dispõe, nesse caso, o *caput* deste artigo 34 que, nessas hipóteses, o ente federativo deverá observar, até que lei federal regule a matéria, os seguintes requisitos:

I – assunção integral da responsabilidade pelo pagamento dos benefícios concedidos durante a vigência do regime extinto, bem como daqueles cujos requisitos já tenham sido implementados antes da sua extinção;

II – previsão de mecanismo de ressarcimento ou de complementação de benefícios aos que tenham contribuí do acima do limite máximo do Regime Geral de Previdência Social;

III – vinculação das reservas existentes no momento da extinção, exclusivamente:

a) ao pagamento dos benefícios concedidos e a conceder, ao ressarcimento de contribuições ou à complementação de benefícios, na forma dos incisos I e II;

b) à compensação financeira com o Regime Geral de Previdência Social.

Parágrafo único. A existência de *superavit* atuarial não constitui óbice à extinção de regime próprio de previdência social e consequente migração para o Regime Geral de Previdência Social.

Doutrina

Extinção de regime próprio ainda que superavitário. Dispõe este parágrafo único que a existência de superavit atuarial não objeta a extinção de regime próprio de previdência social e consequente migração para o regime geral de previdência social.

Art. 35. Revogam-se:

I – os seguintes dispositivos da Constituição Federal:

a) o § 21 do art. 40;

b) o § 13 do art. 195;

II – os arts. 9º, 13 e 15 da Emenda Constitucional nº 20, de 15 de dezembro de 1998;

III – os arts. 2º, 6º e 6º-A da Emenda Constitucional nº 41, de 19 de dezembro de 2003;

IV – o art. 3º da Emenda Constitucional nº 47, de 5 de julho de 2005.

Art. 36. Esta Emenda Constitucional entra em vigor:

I – no primeiro dia do quarto mês subsequente ao da data de publicação desta Emenda Constitucional, quanto ao disposto nos arts. 11, 28 e 32;

II – para os regimes próprios de previdência social dos Estados, do Distrito Federal e dos Municípios, quanto à alteração promovida pelo art. 1º desta Emenda Constitucional no art. 149 da Constituição Federal e às revogações previstas na alínea *a* do inciso I e nos incisos III e IV do art. 35, na data de publicação de lei de iniciativa privativa do respectivo Poder Executivo que as referende integralmente;

III – nos demais casos, na data de sua publicação.

Parágrafo único. A lei de que trata o inciso II do *caput* não produzirá efeitos anteriores à data de sua publicação.

Casos de vigência da emenda constitucional. As normas contidas neste artigo 36, ora em comento, tratam da vigência da pertinente emenda constitucional dispondo que *a)* a mesma entrará em vigor no primeiro dia do quarto mês subsequente ao de sua publicação quanto à eleição de representante dos trabalhadores para promover o entendimento direto com os empregadores (art. 11); *b)* para os regimes de previdência social dos demais entes federados, quanto à alteração feita pelo art. 1.º desta emenda no artigo 149 da Constituição e às revogações tratadas na alínea *a* do inciso I e incisos III e IV do artigo 35, na data de publicação das leis respectivas dos Poderes Executivos que as referende na totalidade da matéria tratada; *c*) quanto ao mais, na data de sua publicação.

Anote-se que a norma do parágrafo único deste artigo trata de caso de proibição de aplicação retroativa da lei.

Brasília, em 12 de novembro de 2019.

NOTAS EXPLICATIVAS EM FACE DA EMENDA CONSTITUCIONAL N.º 106/2020

Esta Ementa Constitucional n.º 106, de 07.05.2020, que institui regime extraordinário fiscal, financeiro e de contratações, também chamado de "orçamento de guerra", estabelece um conjunto de normas constitucionais voltadas ao enfrentamento de calamidade pública instalada no país em razão de pandemia.

A referida Emenda Constitucional veicula normas constitucionais nela dispostas e promulgadas pelas Mesas da Câmara dos Deputados e do Senado Federal com vigência a partir da data de sua promulgação, sendo automaticamente revogada na data de encerramento do mencionado estado de calamidade pública reconhecido pelo Congresso Nacional.

> **Art. 1.º Durante a vigência de estado de calamidade pública nacional reconhecido pelo Congresso Nacional em razão de emergência de saúde pública de importância internacional decorrente de pandemia, a União adotará regime extraordinário fiscal, financeiro e de contratações para atender às necessidades dele decorrentes, somente naquilo em que a urgência for incompatível com o regime regular, nos termos definidos nesta Emenda Constitucional.**

Doutrina

Calamidade. Calamidade é tragédia que, a partir de certo ponto do globo terrestre, esparrama-se por vastas regiões do planeta, dizimando pessoas e outros seres vivos em face de sua extraordinária capacidade de destruição. É o caso recentíssimo do *coronavírus*, com epicentro na cidade de Wuhan, na China, que se alastrou praticamente por todos os países da Terra, infectando pessoas e até mesmo animais com a doença COVID-19. Outros exemplos podem ser lembrados, como é o caso dos *tsunamis*, na Ásia, causando inundações devastadoras; fome, em imensas áreas do continente africano; e acidentes nucleares, como os de Chernobyl, na União Soviética (atual Ucrânia), e na costa litorânea do Japão.

Endemia e pandemia. Endemia é doença característica de determinada região, circunscrevendo-se a uma área e nela causando sofrimento às pessoas e, não raramente, prejuízos de ordem material. No caso do Brasil, são endêmicas as seguintes doenças: mal de Chagas, febre amarela, malária, tuberculose, dengue etc. Por sua vez, a pandemia é doença de rápida disseminação, alcançando grandes extensões do planeta e infectando milhões de pessoas, como é o caso do *coronavírus* e, no século XX, da gripe espanhola. Normalmente, as doenças se instalam como endemias, de gravidade menor, e evoluem para pandemias de grandes extremas.

Regime extraordinário de gestão da crise decorrente do coronavírus. Primeiramente, deve o Congresso Nacional – instado pelo Poder Executivo – reconhecer o estado de calamidade pública, em face de grave emergência de saúde pública, de impacto interno e de repercussão externa, autorizando a União, em face disso, a adotar um conjunto de medidas definidoras das políticas necessárias ao enfrentamento e à solução da crise emergencial, desde o início de sua vigência até o seu encerramento reconhecido pelo Congresso Nacional. Prosseguindo, o artigo 1.º desta Emenda Constitucional tratou de estabelecer os seguintes regimes extraordinários: *a) regime extraordinário fiscal*: ora, se se estabelece um regime fiscal extraordinário é porque se reconhece a existência de um sistema ordinário. De fato, este é o regime previsto pelas normas comuns para a exigência de pagamento de tributos ordinariamente e suspenso pelo regime extraordinário em face da emergência da calamidade pública e, certamente, para acelerar algumas exigências fiscais e tributárias visando ao incremento da arrecadação; *b) regime extraordinário financeiro*: diz respeito aos recursos necessários para atender à demanda da administração visando a satisfazer a prestação de serviços e obras à comunidade. *c) regime extraordinário de contratações*: como alhures anotado, o ordenamento jurídico brasileiro traz no seu bojo vasta legislação comum dispondo sobre direito tributário, direito financeiro e direito administrativo e, bem por isso, em face da grave situação decorrente da pandemia, o legislador constituinte derivado instituiu este regime extraordinário para facilitar as aquisições de insumos médicos, medicamentos e equipamentos como os respiradores, leitos apropriados etc., com dispensa de licitação, em face da urgência já anotada e, portanto, nos casos incompatíveis com as normas do regime singular.

Competência dos entes federados para atuarem no combate à pandemia. A Constituição Federal dispõe que é competência comum da União, dos Estados, do Distrito Federal e dos Municípios zelar pela guarda da Constituição e cuidar da saúde e assistência pública (art. 23, *caput* e incisos I e II). Trata-se, pois, de competência comum de cada ente federado, que se organizará para fazer frente às tarefas que lhe couberem segundo critérios que melhor atendam aos princípios da legalidade e da eficiência, dentre outros (art. 37, inciso I). Não bastasse, inscreve a Constituição que a saúde é direito de todos e dever do Estado (art. 196, *caput*) e suas ações e serviços públicos e constituem uma rede regionalizada e hierarquizada, integrando um sistema único, organizado segundo diretrizes previstas na Lei Fundamental (art. 198, *caput*). Assim, os gestores do sistema único atuarão na implementação das políticas públicas de saúde segundo um plexo de atividades e de acordo com as suas respetivas atribuições. No caso da pandemia do *coronavírus*, servidores da União, por meio do Ministério da Saúde, cuidam de estabelecer as ações de âmbito geral, os servidores dos Estados atuam no combate em grau regional, por meio de sua rede de hospitais regionais, e os servidores dos Municípios oferecem o primeiro atendimento e definem o encaminhamento do paciente de acordo com a gravidade do caso.

Art. 2.º Com o propósito exclusivo de enfrentamento do contexto da calamidade e de seus efeitos sociais e econômicos, no seu período de duração, o Poder Executivo federal, no âmbito de suas competências, poderá adotar processos simplificados de contratação de pessoal, em caráter temporário e emergencial, e de obras, serviços e compras que assegurem, quando possível, competição e igualdade de condições a todos os concorrentes, dispensada a observância do § 1.º do art. 169 da Constituição Federal na contratação de que trata o inciso IX do *caput* do art. 37 da Constituição Federal, limitada a dispensa às situações de que trata o referido inciso, sem prejuízo da tutela dos órgãos de controle.

Doutrina

Contratação de pessoal. Dispõe a Constituição Federal que a lei estabelecerá os casos de contratação, pelo Poder Executivo federal e por tempo determinado, para atender a necessidade temporária de excepcional interesse público (art. 37, *caput*, inc. IX). Certamente, no caso da pandemia do *coronavírus* esta norma já autoriza a contratação de pessoal em caráter temporário e emergencial mediante processo simplificado de seleção. Contudo, o legislador constituinte derivado entendeu de reafirmar o comando constitucional.

Contratação de obras, serviços e compras. Da mesma forma, autoriza a norma sob comento que tais itens poderão ser adquiridos, assegurados, quando possível, os requisitos de competição e igualdade, mantida a fiscalização pelo órgão de controle competente.

Parágrafo único. Nas hipóteses de distribuição de equipamentos e insumos de saúde imprescindíveis ao enfrentamento da calamidade, a União adotará critérios objetivos, devidamente publicados, para a respectiva destinação a Estados e a Municípios.

Doutrina

Distribuição de equipamentos e insumos.

Dispõe a norma aqui inscrita que, no caso de aquisição e distribuição de equipamentos (*v.g.* respiradores), e insumos de saúde (*v.g.* álcool e álcool gel etc.), a União estabelecerá critérios objetivos para a destinação dos mesmos a Estados e Municípios com a finalidade de enfrentar a pandemia de forma mais eficiente.

Art. 3.º Desde que não impliquem despesa permanente, as proposições legislativas e os atos do Poder Executivo com propósito exclusivo de enfrentar a calamidade e as suas consequências sociais e econômicas, com vigência e efeitos restritos à sua duração, ficam dispensados da observância das limitações legais quanto à criação, à expansão e ao aperfeiçoamento de ação governamental que acarrete aumento de despesa e à concessão ou à ampliação de incentivo ou benefício de natureza tributária da qual decorra renúncia de despesa.

Doutrina

Aumento de despesa de caráter transitório. A despesa transitória pode ser aumentada por autorização legislativa ou por ato do chefe do Poder Executivo para fazer frente à calamidade pública, desde que restrito o gasto ao período de vigência desta, restando dispensado o procedimento usual de instituição ou aperfeiçoamento de ação governamental, extensão de incentivo ou de benefício de ordem tributária que implique renúncia de receita. Registre-se que a despesa de natureza permanente é aquela destinada ao financiamento dos órgãos da administração pública.

Parágrafo único. Durante a vigência da calamidade pública nacional de que trata o art. 1.º desta Emenda Constitucional, não se aplica o disposto no § 3.º do art. 195 da Constituição Federal.

Doutrina

Suspensão da proibição temporária do direito de contratar. A norma legal contida no parágrafo acima dispõe que durante o prazo de vigência de calamidade pública nacional – endemia ou pandemia – pessoa jurídica devedora da Seguridade Social poderá contratar com o Poder Público. De fato, suspende-se a aplicação da norma contida no § 3.º, art. 195, da Constituição Federal, para permitir que estes entes, presente categórico interesse coletivo, voltem, em caráter excepcional, a contratar com a administração pública para fornecer-lhe bens e serviços em face do relevante interesse desta.

Art. 4.º Será dispensada, durante a integralidade do exercício financeiro em que vigore a calamidade pública nacional de que trata o art. 1.º desta Emenda Constitucional, a observância do inciso III do *caput* do art. 167 da Constituição Federal.

Doutrina

Dispensa de aplicação de requisitos próprios de algumas modalidades de operações de crédito. Durante a vigência integral do exercício em que vigente a calamidade pública da pandemia do *coronavírus*, nos termos do art. 1.º desta Emenda Constitucional n.º 106, de 07.05.2020, a realização de operações de crédito que excedam as despesas de capital previstas na lei orçamentária, ressalvadas aquelas com previsão em créditos suplementares ou especiais, com finalidades precisas e desde que aprovadas pelo Poder Legislativo da União mediante *quórum* de maioria absoluta.

Parágrafo único. O Ministério da Economia publicará, a cada 30 (trinta) dias, relatório com os valores e o custo das operações de crédito realizadas no período de vigência do estado de calamidade pública nacional de que trata o art. 1.º desta Emenda Constitucional.

Doutrina

Fiscalização dos montantes e dos custos das operações de crédito efetuadas. O objetivo da norma é o de permitir a verificação da legalidade e da transparência de tais tomadas de recursos. Penso que tais relatórios trintenários, a cargo do Ministério da Economia, devem, primeiramente, ser apreciados no âmbito do Congresso Nacional, do Senado Federal ou da Câmara Federal (art. 49, inc. X), com ampla divulgação, para fins de controle social (imprensa, instituições públicas ou privadas e outras organizações que desejam conhecer os valores das operações e os custos financeiros de cada qual). São dados públicos, de interesse de toda sociedade.

Art. 5.º As autorizações de despesas relacionadas ao enfrentamento da calamidade pública nacional de que trata o art. 1.º desta Emenda Constitucional e de seus efeitos sociais e econômicos deverão:

I – constar de programações orçamentárias específicas ou contar com marcadores que as identifiquem; e

II – ser separadamente avaliadas na prestação de contas do Presidente da República e evidenciadas, até 30

(trinta) dias após o encerramento de cada bimestre, no relatório a que se refere o § 3.º do art. 165 da Constituição Federal.

Doutrina

Programação orçamentária para fazer frente às despesas de combate à pandemia. Tanto as despesas geradas pela calamidade pública quanto àqueloutras relativas aos seus efeitos econômicos (*v.g.*, recuperação das atividades industriais, do agronegócio, do comércio e serviços etc.) e sociais (*v.g.*, combate ao desemprego, às desigualdades etc.), devem constar de verbas orçamentárias próprias, definidas em rubricas adequadas, ou de crédito extraordinário ou especial, para a finalidade específica definida em lei. Penso que a técnica de identificação por meio de marcadores pode mostrar-se precária, não sendo a mais apropriada para gerar dados seguros que possam embasar um balanço orçamentário ou um balanço financeiro.

Relatório da execução orçamentária das verbas destinadas ao combate à pandemia. Segue-se a regra geral, inscrita no art. 165, § 3.º, da Constituição Federal, que determina ao Poder Executivo fazer publicar, até trinta dias após o encerramento de cada bimestre, de relatório resumido da execução orçamentária. Da mesma forma, as verbas autorizadas para o combate à calamidade pública deverão ser avaliadas na prestação de contas do Presidente da República e destacadas dentro do prazo de trinta dias, após encerrado cada bimestre do exercício orçamentário e financeiro vigente.

Parágrafo único. Decreto do Presidente da República, editado até 15 (quinze) dias após a entrada em vigor desta Emenda Constitucional, disporá sobre a forma de identificação das autorizações de que trata o *caput* deste artigo, incluídas as anteriores à vigência desta Emenda Constitucional.

Doutrina

Identificação das autorizações orçamentárias previstas no* caput *deste artigo. Dispõe a norma ora anotada que a referida identificação será feita por meio de programações orçamentárias específicas. Penso que o legislador constituinte quis se referir a verba orçamentária ou a créditos especiais e extraordinários. Assim, dentro do prazo de quinze dias, contado da vigência da emenda, o Presidente da República disporá sobre a forma de identificação da matéria, incluindo, inclusive, as emendas anteriores à vigência desta ementa.

Art. 6.º Durante a vigência da calamidade pública nacional de que trata o art. 1.º desta Emenda Constitucional, os recursos decorrentes de operações de crédito realizadas para o refinanciamento da dívida mobiliária poderão ser utilizados também para o pagamento de seus juros e outros encargos.

Doutrina

Operações de crédito para o refinanciamento da dívida mobiliária. A dívida mobiliária é aquela representada por títulos de crédito de emissão do Governo. Dispõe a norma inscrita neste artigo que, na vigência de calamidade pública, os recursos decorrentes de operações contratadas para o refinanciamento dessa dívida poderão também ser destinados à quitação parcial do principal e de juros e encargos da dívida contratada.

Art. 7.º O Banco Central do Brasil, limitado ao enfrentamento da calamidade pública nacional de que trata o art. 1.º desta Emenda Constitucional, e com vigência e efeitos restritos ao período de sua duração, fica autorizado a comprar e vender:

I – títulos de emissão do Tesouro Nacional, nos mercados secundários local e internacional; e

II – os ativos, em mercados secundários nacionais no âmbito de mercados financeiros, de capitais e de pagamentos, desde que, no mercado da compra, tenham classificação em categoria de risco crédito no mercado local equivalente a BB- ou superior, conferida por pelo menos 1 (uma) das 3 (três) maiores agências internacionais de classificação de risco, e preço de referência publicado por entidade do mercado financeiro acreditada pelo Banco Central do Brasil.

Doutrina

Operações, pelo Banco Central, no mercado financeiro de capitais e pagamentos. Dentre as funções principais do Banco Central do Brasil estão: a de executor da política monetária do Governo; a de órgão de fiscalização das instituições financeiras que integral o sistema financeiro do país; a de emissor de papel moeda; a de executor da política de câmbio; a de operador de outros mercados; dentre outras. Nesse sentido, a norma ora anotada autoriza o banco a efetuar operações de compra e venda: *a)* de títulos de emissão do Tesouro Nacional, nos chamados mercados secundários locais (interno), como internacionais (exterior); *b)* de ativos em mercados financeiros internos, de capitais e de pagamentos, com classificação de risco, no momento da compra, equivalente a BB- ou superior, na avaliação de pelo menos uma das três agências internacionais de classificação de risco (*Moody's*, *Standard & Poor's* e *Fitch*) e preço de referência publicado por instituição financeira acreditada junto ao Banco Central.

§ 1.º Respeitadas as condições previstas no inciso II do *caput* deste artigo, será dada preferência à aquisição de títulos emitidos por microempresas e por pequenas e médias empresas.

Doutrina

Preferência de aquisição de títulos emitidos por micro, pequenas e médias empresas. O objetivo da preferência para microempresas, pequenas e médias empresas, no momento de aquisição de títulos de sua emissão, é o de fortalecer tais empreendimentos, capitalizando-os com recursos o bastante para que cresçam e criem empregos, conquanto já se apresentam como bons geradores de postos de trabalho. Daí o prestígio do legislador a esse segmento de micros, pequenos e médios negócios, desde que cumpridos os requisitos previstos no inc. II alhures transcrito.

§ 2.° O Banco Central do Brasil fará publicar diariamente as operações realizadas, de forma individualizada, com todas as respectivas informações, inclusive as condições financeiras e econômicas das operações, como taxas de juros pactuadas, valores envolvidos e prazos.

Doutrina

Publicação diária das operações realizadas. Dispõe este § 2.° que o Banco Central publicará, diariamente, relatório das operações realizadas com todas aquelas efetuadas – condições financeiras e econômicas – demonstrando, ainda, os encargos, como juros praticados, valores dos contratos e prazos oferecidos.

§ 3.° O Presidente do Banco Central do Brasil prestará contas ao Congresso Nacional, a cada 30 (trinta) dias, do conjunto das operações previstas neste artigo, sem prejuízo do previsto no § 2.° deste artigo.

Doutrina

Prestação de contas do Banco Central ao Congresso Nacional. O encargo legal aqui é do Presidente do Banco Central do Brasil para com a Mesa do Congresso Nacional, sempre com intervalo de trinta dias, sem prejuízo do relatório de operações também elaborado pela mencionada instituição financeira e de que trata o § 2.º deste artigo.

§ 4.º A alienação de ativos adquiridos pelo Banco Central do Brasil, na forma deste artigo, poderá dar-se em data posterior à vigência do estado de calamidade pública nacional de que trata o art. 1.º desta Emenda Constitucional, se assim justificar o interesse público.

Doutrina

Alienação de ativos adquiridos pelo Banco Central. A norma constitucional aqui contida autoriza a venda de ativos adquiridos pela instituição financeira, inclusive em data posterior ao fim da declaração do estado de calamidade pública, desde que presente justificado interesse público, pois o negócio jurídico ou o contrato administrativo destituídos de causa legítima caracteriza desvio de finalidade.

Art. 8.º Durante vigência desta Emenda Constitucional, o Banco Central do Brasil editará regulamentação sobre exigências de contrapartidas ao comprar ativos de instituições financeiras em conformidade com a previsão do inciso II do *caput* do art. 7.º desta Emenda Constitucional, em especial a vedação de:

I – pagar juros sobre o capital próprio e dividendos acima do mínimo obrigatório estabelecido em lei ou no estatuto social vigente na data de entrada em vigor desta Emenda Constitucional;

II – aumentar a remuneração, fixa ou variável, de diretores e membros do conselho de administração, no caso das sociedades anônimas, e dos administradores, no caso de sociedades limitadas.

Doutrina

Exigências de contrapartidas na aquisição de títulos de instituições financeiras. Dispõe a norma contida no *caput* que, na vigência da referida emenda constitucional, o Banco Central do Brasil baixará regras dispondo sobre as exigências de contrapartidas, ou seja, de compensações destinadas a equilibrar o contrato no caso de aquisição de ativos de instituições financeiras, conforme disposto no inciso II do *caput* do art. 7.º da mesma emenda e especialmente a proibição de: *a)* pagar juros sobre o capital próprio e dividendos acima do mínimo obrigatório previsto em lei ou estatuto social; *b)* de aumentar a remuneração fixa ou variável, de diretores ou membros do conselho de administração, em se tratando de sociedades anônimas, e dos administradores, quando se tratar de sociedades limitadas.

Parágrafo único. A remuneração variável referida no inciso II do *caput* deste artigo inclui bônus, participação nos lucros e quaisquer parcelas de remuneração diferidas e outros incentivos remuneratórios associados ao desempenho.

Doutrina

Composição das parcelas da remuneração variável. A norma dispõe sobre a composição da remuneração variável acima prevista, paga aos membros do corpo diretivo, dispondo que inclui bônus, participação dos lucros ou resultados e outras parcelas diferidas ou procrastinadas, tais como incentivos que tenham por base o desempenho profissional.

Art. 9.º Em caso de irregularidade ou de descumprimento dos limites desta Emenda Constitucional, o Congresso Nacional poderá sustar, por decreto legislativo, qualquer decisão de órgão ou entidade do Poder Executivo relacionada às medidas autorizadas por esta Emenda Constitucional.

Doutrina

Sustação de atos ou de condutas irregulares ou contrárias à lei. Dispõe o artigo em tela que, no caso de ocorrência de atos ou de condutas irregulares ou contrárias à lei, o Congresso Nacional poderá suspender, por meio de decreto legislativo, decisão de órgão (*v.g.* da Secretaria do Tesouro Nacional, na aquisição de títulos) ou de entidade (*v.g.* instituição, como o Banco Central do Brasil, em operações com títulos mobiliários), vez que anteriormente deferida pela emenda constitucional de que se trata.

Art. 10. Ficam convalidados os atos de gestão praticados a partir de 20 de março de 2020, desde que compatíveis com o teor desta Emenda Constitucional.

Doutrina

Convalidação de atos de gestão. Os atos de gestão são aqueles praticados pelo corpo diretivo de empresa ou de instituição e destinados à gerência e administração de seus bens, radicando nesses administradores responsabilidade pelos atos praticados com desvio de finalidade. A convalidação confirma e torna completo um ato jurídico que passa a produzir todos. No caso, os atos praticados desde 20.03.2020, desde que guarde compatibilidade com o conteúdo desta emenda constitucional.

Art. 11. Esta Emenda Constitucional entra em vigor na data de sua publicação e ficará automaticamente revogada na data do encerramento do estado de calamidade pública reconhecido pelo Congresso Nacional.

Doutrina

Vigência e revogação da Emenda Constitucional 106/2020. Nos termos da norma contida neste artigo, referida emenda foi promulgada e publicada em 08.05.2020. Sua revogação será automática, na data em que exaurido o estado de calamidade pública por meio de ato de reconhecimento do Congresso Nacional.

Brasília, em 7 de maio de 2020.

NOTAS EXPLICATIVAS EM FACE DA EMENDA CONSTITUCIONAL N.º 107, DE 02.07.2020

Esta emenda constitucional dispõe sobre o adiamento das eleições municipais de 20 de outubro de 2020, em razão da pandemia da COVID-19, tratando ainda dos prazos eleitorais relativos ao novo pleito, estabelecendo, assim, um calendário para assegurar a realização das eleições até a plena conclusão do processo eleitoral.

Art. 1.º As eleições municipais previstas para outubro de 2020 realizar-se-ão no dia 15 de novembro, em primeiro turno, e no dia 29 de novembro de 2020, em segundo turno, onde houver, observado o disposto no § 4.º deste artigo.

Doutrina

Eleições municipais. Por meio do processo político das eleições são escolhidos o Prefeito e o Vice-Prefeito, além dos Vereadores, para ocuparem os cargos eletivos no âmbito do Poder Executivo do Município e da Câmara Municipal, certo que a primeira autoridade exercerá as competências próprias da função executiva e os Vereadores exercerão as competências próprias da função legislativa naquilo que compete ao Município.

Jurisprudência

Súmula do TSE. 6. "É inelegível para o cargo de Prefeito o cônjuge e os parentes indicados no § 7.º do art. 14 da Constituição, do titular do mandato, ainda que este haja renunciado ao cargo há mais de seis meses do pleito".

"Não possui condição de elegibilidade, e, portanto, não pode ser registrado, candidato escolhido em convenção nula, por falta de número mínimo de filiados ao partido no município" (TSE, REe 3.910, rel. Min. Raphael de Barros Monteiro, j. 01.11.1972).

§ 1.º Ficam estabelecidas, para as eleições de que trata o *caput* deste artigo, as seguintes datas:

I – a partir de 11 de agosto, para a vedação às emissoras para transmitir programa apresentado por comentado por pré-candidato, conforme previsto no § 1.º do art. 45 da Lei n.º 9.504, de 30 de setembro de 1997;

II – entre 31 de agosto e 16 de setembro, para a realização das convenções para escolha dos candidatos pelos partidos e a deliberação sobre coligações, a que se refere o *caput* do art. 8.º na Lei n.º 9.504, de 30 de setembro de 1997;

III – até 26 de setembro, para que os partidos e coligações solicitem à Justiça Eleitoral o registro de seus candidatos, conforme disposto no *caput* do art. 11 da Lei n.º 9.504, de 30 de setembro de 1997, e no *caput* do art. 93 da Lei n.º 4.737, de 15 de julho de 1965;

IV – após 26 de setembro, para o início da propaganda eleitoral, inclusive na internet, conforme disposto nos arts. 36 e 57-A da Lei n.º 9.504, de 30 de setembro de 1997, e no *caput* do art. 240 da Lei n.º 4.737, de 15 de julho de 1.965;

V – após 26 de setembro, para que a Justiça Eleitoral convoque os partidos e a representação das emissoras de rádio e de televisão para elaborarem plano de mídia, conforme disposto no art. 52 da Lei n.º 9.504, de 30 de setembro de 1997;

VI – 27 de outubro, para que os partidos políticos, as coligações e os candidatos, obrigatoriamente, divulguem o relatório que discrimina as transferências do Fundo Partidário e do Fundo Especial de Financiamento de Campanha, os recursos em dinheiro e os estimáveis em dinheiro recebidos, bem como os gastos realizados, conforme disposto no inciso II do § 4.º do art. 28 da Lei n.º 9.504, de 30 de setembro de 1997;

VII – até 15 de dezembro, para o encaminhamento à Justiça Eleitoral do conjunto das prestações de contas de campanha dos candidatos e dos partidos políticos, relativamente ao primeiro e, onde houver, ao segundo turno das eleições, conforme disposto nos incisos III e IV do *caput* do art.29 da Lei n.º 9.504, de 30 de setembro de 1997.

§ 2.º Os demais prazos fixados na Lei n.º 9.504, de 30 de setembro de 1997, e na Lei n.º 4.737, de 15 de julho de 1965, que não tenham transcorrido na data da publicação desta Emenda Constitucional e tenham como referência a data do pleito serão computados considerando-se a nova data das eleições de 2020.

§ 3.º Nas eleições de que trata este artigo serão observadas as seguintes disposições:

I – o prazo previsto no § 1.º do art. 30 da Lei n.º 9.504, de 30 de setembro de 1997, não será aplicado, e a decisão que julgar as contas dos candidatos eleitos deverá ser publicada até o dia 12 de fevereiro de 2021;

II – o prazo para a propositura da representação de que trata o art. 30-A da Lei n.º 9.504, de 30 de setembro de 1997, será até o dia 1.º de março de 2021;

III – os partidos políticos ficarão autorizados a realizar, por meio virtual, independentemente de qualquer disposição estatutária, convenções ou reuniões para a escolha de candidatos e a formalização de coligações, bem como para a definição de critérios de distribuição dos recursos do Fundo Especial de Financiamento de Campanha, de que trata o art. 16-C da Lei n.º 9.504, de 30 de setembro de 1997;

IV – os prazos para desincompatibilização que, na data da publicação desta Emenda Constitucional, estiverem:

a) a vencer: serão computados considerando-se a nova data de realização das eleições de 2020;

b) vencidos: serão considerados preclusos, vedada a sua reabertura;

V – a diplomação dos candidatos eleitos ocorrerá em todo o País até o dia 18 de dezembro, saldo a situação prevista no § 4.º deste artigo;

VI – os atos de propaganda eleitoral não poderão ser limitados pela legislação municipal ou pela Justiça Eleitoral, salvo se a decisão estiver fundamentada em prévio parecer técnico emitido por autoridade sanitária estadual ou nacional;

VII – em relação à conduta vedada prevista no inciso VII do *caput* do art. 73 da Lei n.º 9.504, de 30 de setembro de 1997, os gastos liquidados com publicidade institucional realizada até 15 de agosto de 2020 não poderão exceder a média dos gastos dos 2 (dois) primeiros quadrimestres dos 3 (três) últimos anos que antecedem ao pleito, salvo em caso de grave e urgente necessidade pública, assim reconhecida pela Justiça Eleitoral;

VIII – no segundo semestre de 2020, poderá ser realizada a publicidade institucional de atos e campanhas dos órgãos públicos e de suas respectivas entidades da administração indireta destinados ao enfrentamento à pandemia da Covid-19 e à orientação da população quanto a serviços públicos e a outros temas afetados pela pandemia, resguardada a possibilidade de apuração de eventual conduta abusiva nos termos do art. 22 da Lei Complementar n.º 64, de 18 de maio de 1990.

Doutrina

Calendário Eleitoral. Tem por objetivo definir as datas para a realização dos atos necessários à consecução do processo eleitoral, desde os procedimentos iniciais, até aqueles de proclamação, diplomação dos eleitos e consequente posse e início de exercício.

Referência. Trata-se das eleições municipais que deverão ser realizadas no dia 15 de novembro, em primeiro turno, e no dia 29 de novembro, em segundo turno, do ano de 2020.

§ 4.º No caso de as condições sanitárias de um Estado ou Município não permitirem a realização das eleições nas datas previstas no caput deste artigo, o Congresso Nacional, por provocação do Tribunal Superior, instruída com manifestação da autoridade sanitária nacional, e após parecer da Comissão Mista de que trata o art. 2.º do Decreto Legislativo n.º 6, de 20 de março de 2020, poderá editar decreto legislativo a fim de designar novas datas para a realização do pleito, observada como data-limite o dia 27 de dezembro de 2020, e caberá ao Tribunal Superior Eleitoral dispor sobre as medidas necessárias à conclusão do processo eleitoral.

Doutrina

Datas alternativas para pleitos adiados. No caso de impossibilidade de realização das eleições, em Estado ou Município, em decorrência de adversas condições sanitárias, o pleito seria realizado em novas datas, tendo como data-limite o dia 27 de dezembro de 2020 (EC 107/2020, art. 1.º, c.c. § 4.º).

§ 5.º O Tribunal Superior Eleitoral fica autorizado a promover ajustes nas normas referentes a:

I – prazos para fiscalização e acompanhamento dos programas de computador utilizados nas urnas eletrônicas para os processos de votação, apuração e totalização, bem como de todas as fases do processo de votação, apuração das eleições e processamento eletrônico da totalização dos resultados, para adequá-los ao novo calendário eleitoral;

II – recepção de votos, justificativas, auditoria e fiscalização no dia da eleição, inclusive no tocante ao horário de funcionamento das seções eleitorais e à distribuição dos eleitores no período, de forma a propiciar a melhor segurança sanitária possível a todos os participantes do processo eleitoral.

Doutrina

Delegação de competência para o TSE ajustar normas relativas ao pleito eleitoral. Dispõe o art. 2.º, § 5.º, desta emenda constitucional, que, no uso da competência delegada ao mencionado tribunal eleitoral, este fica autorizado a promover ajustes ou adequação em normas relativas a: *a*) prazos para fiscalização e acompanhamento de programas eletrônicos de urnas eleitorais destinadas à votação, apuração e totalização e processamento dos resultados; *b*) recepção de votos, auditoria e fiscalização do pleito eleitoral, principalmente baixar normas destinadas melhorar a segurança sanitária das eleições.

Art. 2.º Não se aplica o art. 16 da Constituição Federal ao disposto nesta Emenda Constitucional.

Doutrina

Exceção ao princípio da anterioridade eleitoral. Significa que a lei eleitoral, ainda que vigente, não poderá ser aplicada a pleito eleitoral que venha a ocorrer dentro de um ano da de sua vigência.

Jurisprudência

> "(...). A norma inscrita no art. 16 de Carta Federal, consubstanciadora do princípio da anterioridade eleitoral, foi enunciada pelo constituinte com o declarado propósito de impedir a deformação do processo eleitoral mediante alterações casuisticamente nele introduzidas, aptas a romperem a igualdade de participação dos que nele atuam como protagonistas principais: as agremiações partidárias e os próprios candidatos. – A aplicação desse princípio constitucional está a depender da definição, a ser feita por esta Corte, do significado da locução 'processo eleitoral', bem assim do alcance e conteúdo de sua noção conceitual, de que derivarão os efeitos de ordem jurídico-temporal condicionantes da própria vigência, eficácia e aplicabilidade da lei impugnada" (STF – Pleno, ADIN 353/DF MC, rel. Min. Celso de Mello, Ementário do STF, 1691-01, DJ 1, 12.02.1993).

Art. 3.º Esta Emenda Constitucional entra em vigor na data de sua publicação.

Doutrina

Promulgação e publicação. Prevê o dispositivo contido neste artigo que esta Emenda Constitucional entrará em vigor na data de sua publicação. De fato, a *promulgação* declara que nova lei passou a integrar o ordenamento jurídico e, como tal, deverá ser cumprida. Por sua vez, a *publicação* da lei torna-a conhecida e, portanto, eficaz e exigível. Anote-se que a emenda constitucional será promulgada pelas Mesas de Câmara dos Deputados e do Senado Federal.

Brasília, em 2 de julho de 2020.

NOTAS EXPLICATIVAS EM FACE DA EMENDA CONSTITUCIONAL N.º 108, DE 26.08.2020

Esta Ementa Constitucional n.º 108 altera a Constituição Federal para estabelecer critérios de distribuição de cotas decorrentes de participações em tributos municipais e estaduais, disciplinando a gestão de dados contábeis para o planejamento da ordem social e para dispor dobre o FUNDEB, alterando o ADCT e adotando outras providências.

A maior parte da matéria tratada na referida emenda foi encartada nas respectivas normas do corpo permanente, salvo os artigos 3.º e 4.º abaixo transcritos.

Art. 3º Os Estados terão prazo de 2 (dois) anos, contado da data da promulgação desta Emenda Constitucional, para aprovar lei estadual prevista no inciso II do parágrafo único do art. 158 da Constituição Federal.

Doutrina

Prazo para aprovação de lei. Dispõe o art. 3.º que os Estados terão prazo de dois anos, contado da data da promulgação da emenda, para aprovar lei estadual prevista no inciso II do parágrafo único do art. 158 da Constituição Federal.

Art. 4° Esta Emenda Constitucional entra em vigor na data de sua publicação e produzirá efeitos financeiros a partir de 1° de janeiro de 2021.

Parágrafo único. Ficam mantidos os efeitos do art. 60 do Ato das Disposições Constitucionais Transitórias, conforme estabelecido pela Emenda Constitucional n° 53, de 19 de dezembro de 2006, até o início dos efeitos financeiros desta Emenda Constitucional.

Doutrina

Entrada em vigor e efeitos.

Por sua vez, o seu artigo 4.° dispõe que a emenda entra em vigor na data de sua publicação, gerando efeitos financeiros a partir de 1.° de janeiro de 2021, mantidos os efeitos do art. 60 do ADCT, na forma prevista pela Emenda Constitucional n.° 53, de 19 de dezembro de 2006, até o início dos efeitos financeiros desta Emenda Constitucional n.° 106, de 26 de agosto de 2020.

Brasília, em 26 de agosto de 2020.

NOTAS EXPLICATIVAS EM FACE DA EMENDA CONSTITUCIONAL N.º 109, DE 15.03.2021

Esta Emenda Constitucional n.º 109 altera, segundo a sua ementa, a Constituição Federal, para alterar os artigos 29-A, 37, 49, 84, 163, 165, 167 168 e 169 do seu corpo permanente e regras sobre os art. 101 e 106, do Ato das Disposições Constitucionais Transitórias; acrescenta, no corpo permanente os arts. 164-A, 167-A 167-B, 167-C, 167- 167-D, 167-E, 167-F, 167-G; revoga do ADCT dispositivos que instituem regras sobre benefícios tributários, dispõe sobre regras de superávits e fundos públicos; suspende regras de condicionalidades para efetuar despesas com auxílio emergencial residual para enfrentar as consequências sociais e econômicas da pandemia da COVID-19. Por último, revoga os arts. 91 e o § 4.º do art. 101 do ADCT.

Concluindo, esta Emenda Constitucional entra em vigor na data de sua publicação, salvo quanto à alteração do art. 129-A, do corpo permanente da Constituição Federal, que entra em vigor a partir do início da primeira legislatura após a data de publicação desta Emenda Constitucional.

Brasília, em 15 de março de 2021.

ANEXO RELATIVO ÀS EMENDAS CONSTITUCIONAIS 110 A 123

EMENDA CONSTITUCIONAL N.º 110, DE 15 DE MARÇO DE 2021

Acrescenta o art. 18-A ao Ato das Disposições Constitucionais Transitórias, para dispor sobre a convalidação de atos administrativos praticados no Estado do Tocantins entre 1.º de janeiro de 1989 e 31 de dezembro de 1994.

As Mesas da Câmara dos Deputados e do Senado Federal, nos termos do § 3.º do art. 60 da Constituição Federal, promulgam a seguinte Emenda ao texto constitucional:

Art. 1.º O Ato das Disposições Constitucionais Transitórias passa a vigorar acrescido do seguinte art. 18-A:

"Art. 18-A. Os atos administrativos praticados no Estado do Tocantins, decorrentes de sua instalação, entre 1.º de janeiro de

1989 e 31 de dezembro de 1994, eivados de qualquer vício jurídico e dos quais decorram efeitos favoráveis para os destinatários ficam convalidados após 5 (cinco) anos, contados da data em que foram praticados, salvo comprovada má-fé."Art. 2.º Esta Emenda Constitucional entra em vigor na data de sua publicação.

Brasília, em 12 de julho de 2021.

EMENDA CONSTITUCIONAL N.º 111, DE 28 DE SETEMBRO DE 2021

Altera a Constituição Federal para disciplinar a realização de consultas populares concomitantes às eleições municipais, dispor sobre o instituto da fidelidade partidária, alterar a data de posse de Governadores e do Presidente da República e estabelecer regras transitórias para distribuição entre os partidos políticos dos recursos do fundo partidário e do Fundo Especial de Financiamento de Campanha (FEFC) e para o funcionamento dos partidos políticos.

As Mesas da Câmara dos Deputados e do Senado Federal, nos termos do § 3.º do art. 60 da Constituição Federal, promulgam a seguinte Emenda ao texto constitucional:

Art. 1.º A Constituição Federal passa a vigorar com as seguintes alterações:

"Art.14..

§ 12. Serão realizadas concomitantemente às eleições municipais as consultas populares sobre questões locais aprovadas pelas Câmaras Municipais e encaminhadas à Justiça Eleitoral até 90 (noventa) dias antes da data das eleições, observados os limites operacionais relativos ao número de quesitos.

§ 13. As manifestações favoráveis e contrárias às questões submetidas às consultas populares nos termos do § 12 ocorrerão durante as campanhas eleitorais, sem a utilização de propaganda gratuita no rádio e na televisão." (NR)

"Art. 17..

§ 6.º Os Deputados Federais, os Deputados Estaduais, os Deputados Distritais e os Vereadores que se desligarem do partido pelo qual tenham sido eleitos perderão o mandato, salvo nos casos de anuência do partido ou de outras hipóteses de justa causa estabelecidas em lei, não computada, em qualquer caso, a migração de partido para fins de distribuição de recursos do fundo partidário ou de outros fundos públicos e de acesso gratuito ao rádio e à televisão." (NR)

"Art. 28. A eleição do Governador e do Vice-Governador de Estado, para mandato de 4 (quatro) anos, realizar-se-á no primeiro domingo de outubro, em primeiro turno, e no último domingo de outubro, em segundo turno, se houver, do ano anterior ao do término do mandato de seus antecessores, e a posse ocorrerá em 6 de janeiro do ano subsequente, observado, quanto ao mais, o disposto no art. 77 desta Constituição.

...." (NR)

"Art. 82. O mandato do Presidente da República é de 4 (quatro) anos e terá início em 5 de janeiro do ano seguinte ao de sua eleição." (NR)

Art. 2.º Para fins de distribuição entre os partidos políticos dos recursos do fundo partidário e do Fundo Especial de Financiamento de Campanha (FEFC), os votos dados a candidatas mulheres ou a candidatos negros para a Câmara dos Deputados nas eleições realizadas de 2022 a 2030 serão contados em dobro.

Parágrafo único. A contagem em dobro de votos a que se refere o *caput* somente se aplica uma única vez.

Art. 3.º Até que entre em vigor lei que discipline cada uma das seguintes matérias, observar-se-ão os seguintes procedimentos:

I – nos processos de incorporação de partidos políticos, as sanções eventualmente aplicadas aos órgãos partidários regionais e municipais do partido incorporado, inclusive as decorrentes de prestações de contas, bem como as de responsabilização de seus antigos dirigentes, não serão aplicadas ao partido incorporador nem aos seus novos dirigentes, exceto aos que já integravam o partido incorporado;

II – nas anotações relativas às alterações dos estatutos dos partidos políticos, serão objeto de análise pelo Tribunal Superior Eleitoral apenas os dispositivos objeto de alteração.

Art. 4.º O Presidente da República e os Governadores de Estado e do Distrito Federal eleitos em 2022 tomarão posse em 1.º de janeiro de 2023, e seus mandatos durarão até a posse de seus sucessores, em 5 e 6 de janeiro de 2027, respectivamente.

Art. 5.º As alterações efetuadas nos arts. 28 e 82 da Constituição Federal constantes do art. 1.º desta Emenda Constitucional, relativas às datas de posse de Governadores, de Vice-Governadores, do Presidente e do Vice-Presidente da República, serão aplicadas somente a partir das eleições de 2026.

Art. 6.º Esta Emenda Constitucional entra em vigor na data de sua publicação.

Brasília, em 28 de setembro de 2021

EMENDA CONSTITUCIONAL N.º 112, DE 27 DE OUTUBRO DE 2021

Altera o art. 159 da Constituição Federal para disciplinar a distribuição de recursos pela União ao Fundo de Participação dos Municípios.

As Mesas da Câmara dos Deputados e do Senado Federal, nos termos do § 3.º do art. 60 da Constituição Federal, promulgam a seguinte Emenda ao texto constitucional:

Art. 1.º O art. 159 da Constituição Federal passa a vigorar com a seguinte redação:

"Art. 159..

I – do produto da arrecadação dos impostos sobre renda e proventos de qualquer natureza e sobre produtos industrializados, 50% (cinquenta por cento), da seguinte forma:

....

f) 1% (um por cento) ao Fundo de Participação dos Municípios, que será entregue no primeiro decêndio do mês de setembro de cada ano;

...." (NR)

Art. 2.º Para os fins do disposto na alínea *f* do inciso I do *caput* do art. 159 da Constituição Federal, a União entregará ao Fundo de Participação dos Municípios, do produto da arrecadação dos impostos sobre renda e proventos de qualquer natureza e sobre produtos industrializados, 0,25% (vinte e cinco centésimos por cento), 0,5% (cinco décimos por cento) e 1% (um por cento), respectivamente, em cada um dos 2 (dois) primeiros exercícios, no terceiro exercício e a partir do quarto exercício em que esta Emenda Constitucional gerar efeitos financeiros.

Art. 3.º Esta Emenda Constitucional entra em vigor na data de sua publicação e produzirá efeitos financeiros a partir de 1.º de janeiro do exercício subsequente.

Brasília, em 27 de outubro de 2021

EMENDA CONSTITUCIONAL N.º 113, DE 8 DE DEZEMBRO DE 2021

Altera a Constituição Federal e o Ato das Disposições Constitucionais Transitórias para estabelecer o novo regime de pagamentos de precatórios, modificar normas relativas ao Novo Regime Fiscal e autorizar o parcelamento de débitos previdenciários dos Municípios; e dá outras providências.

As Mesas da Câmara dos Deputados e do Senado Federal, nos termos do § 3.º do art. 60 da Constituição Federal, promulgam a seguinte Emenda ao texto constitucional:

Art. 1.º Os arts. 100 e 160 da Constituição Federal passam a vigorar com as seguintes alterações:

"Art. 100...

§ 9.º Sem que haja interrupção no pagamento do precatório e mediante comunicação da Fazenda Pública ao Tribunal, o valor correspondente aos eventuais débitos inscritos em dívida ativa contra o credor do requisitório e seus substituídos deverá ser depositado à conta do juízo responsável pela ação de cobrança, que decidirá pelo seu destino definitivo.

§ 11. É facultada ao credor, conforme estabelecido em lei do ente federativo devedor, com auto aplicabilidade para a União, a oferta de créditos líquidos e certos que originalmente lhe são próprios ou adquiridos de terceiros reconhecidos pelo ente federativo ou por decisão judicial transitada em julgado para:

I – quitação de débitos parcelados ou débitos inscritos em dívida ativa do ente federativo devedor, inclusive em transação resolutiva de litígio, e, subsidiariamente, débitos com a administração autárquica e fundacional do mesmo ente;

II – compra de imóveis públicos de propriedade do mesmo ente disponibilizados para venda;

III – pagamento de outorga de delegações de serviços públicos e demais espécies de concessão negocial promovidas pelo mesmo ente;

IV – aquisição, inclusive minoritária, de participação societária, disponibilizada para venda, do respectivo ente federativo; ou

V – compra de direitos, disponibilizados para cessão, do respectivo ente federativo, inclusive, no caso da União, da antecipação de valores a serem recebidos a título do excedente em óleo em contratos de partilha de petróleo.

....

§ 14. A cessão de precatórios, observado o disposto no § 9.º deste artigo, somente produzirá efeitos após comunicação, por meio de petição protocolizada, ao Tribunal de origem e ao ente federativo devedor.

....

§ 21. Ficam a União e os demais entes federativos, nos montantes que lhes são próprios, desde que aceito por ambas as partes, autorizados a utilizar valores objeto de sentenças transitadas em julgado devidos a pessoa jurídica de direito público para amortizar dívidas, vencidas ou vincendas:

I – nos contratos de refinanciamento cujos créditos sejam detidos pelo ente federativo que figure como devedor na sentença de que trata o *caput* deste artigo;

II – nos contratos em que houve prestação de garantia a outro ente federativo;

III – nos parcelamentos de tributos ou de contribuições sociais; e

IV – nas obrigações decorrentes do descumprimento de prestação de contas ou de desvio de recursos.

§ 22. A amortização de que trata o § 21 deste artigo:

I – nas obrigações vencidas, será imputada primeiramente às parcelas mais antigas;

II – nas obrigações vincendas, reduzirá uniformemente o valor de cada parcela devida, mantida a duração original do respectivo contrato ou parcelamento." (NR)

"Art. 160. ....

§ 1.º ....

§ 2.º Os contratos, os acordos, os ajustes, os convênios, os parcelamentos ou as renegociações de débitos de qualquer espécie, inclusive tributários, firmados pela União com os entes federativos conterão cláusulas para autorizar a dedução dos valores devidos dos montantes a serem repassados relacionados às respectivas cotas nos Fundos de Participação ou aos precatórios federais." (NR)

Art. 2.º O Ato das Disposições Constitucionais Transitórias passa a vigorar com as seguintes alterações:

"Art. 101. ....

§ 5.º Os empréstimos de que trata o inciso III do § 2.º deste artigo poderão ser destinados, por meio de ato do Poder Executivo, exclusivamente ao pagamento de precatórios por acordo direto com os credores, na forma do disposto no inciso III do § 8.º do art. 97 deste Ato das Disposições Constitucionais Transitórias." (NR)

"Art. 107. ....

§ 1.º ....

II – para os exercícios posteriores, ao valor do limite referente ao exercício imediatamente anterior, corrigido pela variação do Índice Nacional de Preços ao Consumidor Amplo (IPCA), publicado pela Fundação Instituto Brasileiro de Geografia e Estatística, ou de outro índice que vier a substituí-lo, apurado no exercício anterior a que se refere a lei orçamentária.

....

§ 12. Para fins da elaboração do projeto de lei orçamentária anual, o Poder Executivo considerará o valor realizado até junho do índice previsto no inciso II do § 1.º deste artigo, relativo ao ano de encaminhamento do projeto, e o valor estimado até dezembro desse mesmo ano.

§ 13. A estimativa do índice a que se refere o § 12 deste artigo, juntamente com os demais parâmetros macroeconômicos, serão elaborados mensalmente pelo Poder Executivo e enviados à comissão mista de que trata o § 1.º do art. 166 da Constituição Federal.

§ 14. O resultado da diferença aferida entre as projeções referidas nos §§ 12 e 13 deste artigo e a efetiva apuração do índice previsto no inciso II do § 1.º deste artigo será calculado pelo Poder Executivo, para fins de definição da base de cálculo dos respectivos limites do exercício seguinte, a qual será comunicada aos demais Poderes por ocasião da elaboração do projeto de lei orçamentária." (NR)

"Art. 115. Fica excepcionalmente autorizado o parcelamento das contribuições previdenciárias e dos demais débitos dos Municípios, incluídas suas autarquias e fundações, com os respectivos regimes próprios de previdência social, com vencimento até 31 de outubro de 2021, inclusive os parcelados anteriormente, no prazo máximo de 240 (duzentos e quarenta) prestações mensais, mediante autorização em lei municipal específica, desde que comprovem ter alterado a legislação do regime próprio de previdência social para atendimento das seguintes condições, cumulativamente:

I – adoção de regras de elegibilidade, de cálculo e de reajustamento dos benefícios que contemplem, nos termos previstos nos incisos I e III do § 1.º e nos §§ 3.º a 5.º, 7.º e 8.º do art. 40 da Constituição Federal, regras assemelhadas às aplicáveis aos servidores públicos do regime próprio de previdência social da União e que contribuam efetivamente para o atingimento e a manutenção do equilíbrio financeiro e atuarial;

II – adequação do rol de benefícios ao disposto nos §§ 2.º e 3.º do art. 9.º da Emenda Constitucional n.º 103, de 12 de novembro de 2019;

III – adequação da alíquota de contribuição devida pelos servidores, nos termos do § 4.º do art. 9.º da Emenda Constitucional n.º 103, de 12 de novembro de 2019; e

IV – instituição do regime de previdência complementar e adequação do § 6.º do art. 9.º da Emenda Constitucional n.º 103, de 12 de novembro de 2019.

Parágrafo único. Ato do Ministério do Trabalho e Previdência, no âmbito de suas competências, definirá os critérios para o parcelamento previsto neste artigo, inclusive quanto ao cumprimento do disposto nos incisos I, II, III e IV do *caput* deste artigo, bem como disponibilizará as informações aos Municípios sobre o montante das dívidas, as formas de parcelamento, os juros e os encargos incidentes, de modo a possibilitar o acompanhamento da evolução desses débitos.""Art. 116. Fica excepcionalmente autorizado o parcelamento dos débitos decorrentes de contribuições previdenciárias dos Municípios, incluídas suas autarquias e fundações, com o Regime Geral de Previdência Social, com vencimento até 31 de outubro de 2021, ainda que em fase de execução fiscal ajuizada, inclusive os decorrentes do descumprimento de obrigações acessórias e os parcelados anteriormente, no prazo máximo de 240 (duzentos e quarenta) prestações mensais.

§ 1.º Os Municípios que possuam regime próprio de previdência social deverão comprovar, para fins de formalização do parcelamento com o Regime Geral de Previdência Social, de que trata este artigo, terem atendido as condições estabelecidas nos incisos I, II, III e IV do *caput* do art. 115 deste Ato das Disposições Constitucionais Transitórias.

§ 2.º Os débitos parcelados terão redução de 40% (quarenta por cento) das multas de mora, de ofício e isoladas, de 80% (oitenta por cento) dos juros de mora, de 40% (quarenta por cento) dos encargos legais e de 25% (vinte e cinco por cento) dos honorários advocatícios.

§ 3.º O valor de cada parcela será acrescido de juros equivalentes à taxa referencial do Sistema Especial de Liquidação e de Custódia (Selic), acumulada mensalmente, calculados a partir do mês subsequente ao da consolidação até o mês anterior ao do pagamento.

§ 4.º Não constituem débitos dos Municípios aqueles considerados prescritos ou atingidos pela decadência.

§ 5.º A Secretaria Especial da Receita Federal do Brasil e a Procuradoria-Geral da Fazenda Nacional, no âmbito de suas competências, deverão fixar os critérios para o parcelamento previsto neste artigo, bem como disponibilizar as informações aos Municípios sobre o montante das dívidas, as formas de parcelamento, os juros e os encargos incidentes, de modo a possibilitar o acompanhamento da evolução desses débitos."

"Art. 117. A formalização dos parcelamentos de que tratam os arts. 115 e 116 deste Ato das Disposições Constitucionais Transitórias deverá ocorrer até 30 de junho de 2022 e ficará condicionada à autorização de vinculação do Fundo de Participação dos Municípios para fins de pagamento das prestações acordadas nos termos de parcelamento, observada a seguinte ordem de preferência:

I – a prestação de garantia ou de contra garantia à União ou os pagamentos de débitos em favor da União, na forma do § 4.º do art. 167 da Constituição Federal;

II – as contribuições parceladas devidas ao Regime Geral de Previdência Social;

III – as contribuições parceladas devidas ao respectivo regime próprio de previdência social." Art. 3.º Nas discussões e nas condenações que envolvam a Fazenda Pública, independentemente de sua natureza e para fins de atualização monetária, de remuneração do capital e de compensação da mora, inclusive do precatório, haverá a incidência, uma única vez, até o efetivo pagamento, do índice da taxa referencial do Sistema Especial de Liquidação e de Custódia (Selic), acumulado mensalmente.

Art. 4.º Os limites resultantes da aplicação do disposto no inciso II do § 1.º do art. 107 do Ato das Disposições Constitucionais Transitórias serão aplicáveis a partir do exercício de 2021, observado o disposto neste artigo.

§ 1.º No exercício de 2021, o eventual aumento dos limites de que trata o *caput* deste artigo fica restrito ao montante de até R$ 15.000.000.000,00 (quinze bilhões de reais), a ser destinado exclusivamente ao atendimento de despesas de vacinação contra a covid-19 ou relacionadas a ações emergenciais e temporárias de caráter socioeconômico.

§ 2.º As operações de crédito realizadas para custear o aumento de limite referido no § 1.º deste artigo ficam ressalvadas do estabelecido no inciso III do *caput* do art. 167 da Constituição Federal.

§ 3.º As despesas de que trata o § 1.º deste artigo deverão ser atendidas por meio de créditos extraordinários e ter como fonte de recurso o produto de operações de crédito.

§ 4.º A abertura dos créditos extraordinários referidos no § 3.º deste artigo dar-se-á independentemente da observância dos requisitos exigidos no § 3.º do art. 167 da Constituição Federal.

§ 5.º O aumento do limite previsto no § 1.º deste artigo será destinado, ainda, ao atendimento de despesas de programa de transferência de renda. (Incluído pela Emenda Constitucional n.º 114, de 2021)

§ 6.º O aumento do limite decorrente da aplicação do disposto no inciso II do § 1.º do art. 107 do Ato das Disposições Constitucionais Transitórias deverá, no exercício de 2022, ser destinado somente ao atendimento das despesas de ampliação de programas sociais de combate à pobreza e à extrema pobreza, nos termos do parágrafo único do art. 6.º e do inciso VI do *caput* do art. 203 da Constituição Federal, à saúde, à previdência e à assistência social.

Art. 5.º As alterações relativas ao regime de pagamento dos precatórios aplicam-se a todos os requisitórios já expedidos, inclusive no orçamento fiscal e da seguridade social do exercício de 2022.

Art. 6.º Revoga-se o art. 108 do Ato das Disposições Constitucionais Transitórias.

Art. 7.º Esta Emenda Constitucional entra em vigor na data de sua publicação.

Brasília, em 8 de dezembro de 2021.

EMENDA CONSTITUCIONAL N.º 114, DE 16 DE DEZEMBRO DE 2021

Altera a Constituição Federal e o Ato das Disposições Constitucionais Transitórias para estabelecer o novo regime de pagamentos de precatórios, modificar normas relativas ao Novo Regime Fiscal e autorizar o parcelamento de débitos previdenciários dos Municípios; e dá outras providências.

As Mesas da Câmara dos Deputados e do Senado Federal, nos termos do § 3.º do art. 60 da Constituição Federal, promulgam a seguinte Emenda ao texto constitucional:

Art. 1.º Os arts. 6.º, 100 e 203 da Constituição Federal passam a vigorar com as seguintes alterações:

"Art. 6.º ....

Parágrafo único. Todo brasileiro em situação de vulnerabilidade social terá direito a uma renda básica familiar, garantida pelo poder público em programa permanente de transferência de renda, cujas normas e requisitos de acesso serão determinados em lei, observada a legislação fiscal e orçamentária." (NR)

"Art. 100. ....

§ 5.º É obrigatória a inclusão no orçamento das entidades de direito público de verba necessária ao pagamento de seus débitos oriundos de sentenças transitadas em julgado constantes de precatórios judiciários apresentados até 2 de abril, fazendo-se o pagamento até o final do exercício seguinte, quando terão seus valores atualizados monetariamente.

...." (NR)

"Art. 203.

VI – a redução da vulnerabilidade socioeconômica de famílias em situação de pobreza ou de extrema pobreza." (NR)

Art. 2.º O Ato das Disposições Constitucionais Transitórias passa a vigorar acrescido dos seguintes arts. 107-A e 118:

"Art. 107-A. Até o fim de 2026, fica estabelecido, para cada exercício financeiro, limite para alocação na proposta orçamentária das despesas com pagamentos em virtude de sentença judiciária de que trata o art. 100 da Constituição Federal, equivalente ao valor da despesa paga no exercício de 2016, incluídos os restos a pagar pagos, corrigido na forma do § 1.º do art. 107 deste Ato das Disposições Constitucionais Transitórias, devendo o espaço fiscal decorrente da diferença entre o valor dos precatórios expedidos e o respectivo limite ser destinado ao programa previsto no parágrafo único do art. 6.º e à seguridade social, nos termos do art. 194, ambos da Constituição Federal, a ser calculado da seguinte forma:

I – no exercício de 2022, o espaço fiscal decorrente da diferença entre o valor dos precatórios expedidos e o limite estabelecido no *caput* deste artigo deverá ser destinado ao programa previsto no parágrafo único do art. 6.º e à seguridade social, nos termos do art. 194, ambos da Constituição Federal;

II – no exercício de 2023, pela diferença entre o total de precatórios expedidos entre 2 de julho de 2021 e 2 de abril de 2022 e o limite de que trata o *caput* deste artigo válido para o exercício de 2023; e

III – nos exercícios de 2024 a 2026, pela diferença entre o total de precatórios expedidos entre 3 de abril de dois anos anteriores e 2 de abril do ano anterior ao exercício e o limite de que trata o *caput* deste artigo válido para o mesmo exercício.

§ 1.º O limite para o pagamento de precatórios corresponderá, em cada exercício, ao limite previsto no *caput* deste artigo, reduzido da projeção para a despesa com o pagamento de requisições de pequeno valor para o mesmo exercício, que terão prioridade no pagamento.

§ 2.º Os precatórios que não forem pagos em razão do previsto neste artigo terão prioridade para pagamento em exercícios seguintes, observada a ordem cronológica e o disposto no § 8.º deste artigo.

§ 3.º É facultado ao credor de precatório que não tenha sido pago em razão do disposto neste artigo, além das hipóteses previstas no § 11 do art. 100 da Constituição Federal e sem prejuízo dos procedimentos previstos nos §§ 9.º e 21 do referido artigo, optar pelo recebimento, mediante acordos diretos perante Juízos Auxiliares de Conciliação de Pagamento de Condenações Judiciais contra a Fazenda Pública Federal, em parcela única, até o final do exercício seguinte, com renúncia de 40% (quarenta por cento) do valor desse crédito.

§ 4.º O Conselho Nacional de Justiça regulamentará a atuação dos Presidentes dos Tribunais competentes para o cumprimento deste artigo.

§ 5.º Não se incluem no limite estabelecido neste artigo as despesas para fins de cumprimento do disposto nos §§ 11, 20 e 21 do art. 100 da Constituição Federal e no § 3.º deste artigo, bem como a atualização monetária dos precatórios inscritos no exercício.

§ 6.º Não se incluem nos limites estabelecidos no art. 107 deste Ato das Disposições Constitucionais Transitórias o previsto nos §§ 11, 20 e 21 do art. 100 da Constituição Federal e no § 3.º deste artigo.

§ 7.º Na situação prevista no § 3.º deste artigo, para os precatórios não incluídos na proposta orçamentária de 2022, os valores necessários à sua quitação serão providenciados pela abertura de créditos adicionais durante o exercício de 2022.

§ 8.º Os pagamentos em virtude de sentença judiciária de que trata o art. 100 da Constituição Federal serão realizados na seguinte ordem:

I – obrigações definidas em lei como de pequeno valor, previstas no § 3.º do art. 100 da Constituição Federal;

II – precatórios de natureza alimentícia cujos titulares, originários ou por sucessão hereditária, tenham no mínimo 60 (sessenta) anos de idade, ou sofram de doença grave ou pessoas com deficiência, assim definidos na forma da lei, até o valor equivalente ao triplo do montante fixado em lei como obrigação de pequeno valor;

III – demais precatórios de natureza alimentícia até o valor equivalente ao triplo do montante fixado em lei como obrigação de pequeno valor;

IV – demais precatórios de natureza alimentícia além do valor previsto no inciso III deste parágrafo;

V – demais precatórios."

"Art. 118. Os limites, as condições, as normas de acesso e os demais requisitos para o atendimento do disposto no parágrafo único do art. 6.º e no inciso VI do *caput* do art. 203 da Constituição Federal serão determinados, na forma da lei e respectivo regulamento, até 31 de dezembro de 2022, dispensada, exclusivamente no exercício de 2022, a observância das limitações legais quanto à criação, à expansão ou ao aperfeiçoamento de ação governamental que acarrete aumento de despesa no referido exercício."

Art. 3.º O art. 4.º da Emenda Constitucional n.º 113, de 8 de dezembro de 2021, passa a vigorar acrescido dos seguintes §§ 5.º e 6.º:

"Art. 4.º ....

§ 5.º O aumento do limite previsto no § 1.º deste artigo será destinado, ainda, ao atendimento de despesas de programa de transferência de renda.

§ 6.º O aumento do limite decorrente da aplicação do disposto no inciso II do § 1.º do art. 107 do Ato das Disposições Constitucionais Transitórias deverá, no exercício de 2022, ser destinado somente ao atendimento das despesas de ampliação de programas sociais de combate à pobreza e à extrema pobreza, nos termos do parágrafo único do art. 6.º e do inciso VI do *caput* do art. 203 da Constituição Federal, à saúde, à previdência e à assistência social." (NR)

Art. 4.º Os precatórios decorrentes de demandas relativas à complementação da União aos Estados e aos Municípios por conta do Fundo de Manutenção e Desenvolvimento do Ensino Fundamental e de Valorização do Magistério (Fundef) serão pagos em 3 (três) parcelas anuais e sucessivas, da seguinte forma:

I – 40% (quarenta por cento) no primeiro ano;

II – 30% (trinta por cento) no segundo ano;

III – 30% (trinta por cento) no terceiro ano.

Parágrafo único. Não se incluem nos limites estabelecidos nos arts. 107 e 107-A do Ato das Disposições Constitucionais Transitórias, a partir de 2022, as despesas para os fins de que trata este artigo.

Art. 5.º As receitas que os Estados e os Municípios receberem a título de pagamentos da União por força de ações judiciais que tenham por objeto a complementação de parcela desta no Fundo de Manutenção e Desenvolvimento do Ensino Fundamental e de Valorização do Magistério (Fundef) deverão ser aplicadas na manutenção e desenvolvimento do ensino fundamental público e na valorização de seu magistério, conforme destinação originária do Fundo.

Parágrafo único. Da aplicação de que trata o *caput* deste artigo, no mínimo 60% (sessenta por cento) deverão ser repassados aos profissionais do magistério, inclusive aposentados e pensionistas, na forma de abono, vedada a incorporação na remuneração, na aposentadoria ou na pensão.

Art. 6.º No prazo de 1 (um) ano a contar da promulgação desta Emenda Constitucional, o Congresso Nacional promoverá, por meio de comissão mista, exame analítico dos atos, dos fatos e das políticas públicas com maior potencial gerador de precatórios e de sentenças judiciais contrárias à Fazenda Pública da União.

§ 1.º A comissão atuará em cooperação com o Conselho Nacional de Justiça e com o auxílio do Tribunal de Contas da União e poderá requisitar informações e documentos de órgãos e entidades da administração pública direta e indireta de qualquer dos Poderes da União, dos Estados, do Distrito Federal e dos Municípios, buscando identificar medidas legislativas a serem adotadas com vistas a trazer maior segurança jurídica no âmbito federal.

§ 2.º O exame de que trata o *caput* deste artigo analisará os mecanismos de aferição de risco fiscal e de prognóstico de efetivo pagamento de valores decorrentes de decisão judicial, segregando esses pagamentos por tipo de risco e priorizando os temas que possuam maior impacto financeiro.

§ 3.º Apurados os resultados, o Congresso Nacional encaminhará suas conclusões aos presidentes do Supremo Tribunal Federal e do Superior Tribunal de Justiça, para a adoção de medidas de sua competência.

Art. 7.º Os entes da Federação que tiverem descumprido a medida prevista no art. 4.º da Lei Complementar n.º 156, de 28 de dezembro de 2016, e que optarem por não firmar termo aditivo na forma prevista no art. 4.º-A da referida Lei Complementar poderão restituir à União os valores diferidos por força do prazo adicional proporcionalmente à quantidade de prestações remanescentes dos respectivos contratos, aplicados os encargos contratuais de adimplência e desde que adotem, durante o prazo de restituição dos valores para a União, as medidas previstas no art. 167-A da Constituição Federal.

Art. 8.º Esta Emenda Constitucional entra em vigor:

I – a partir de 2022, para a alteração do § 5.º do art. 100 da Constituição Federal, constante do art. 1.º desta Emenda Constitucional;

II – na data de sua publicação, para os demais dispositivos.

Brasília, em 16 de dezembro de 2021

EMENDA CONSTITUCIONAL N.º 115, DE 10 DE FEVEREIRO DE 2022

Altera a Constituição Federal para incluir a proteção de dados pessoais entre os direitos e garantias fundamentais e para fixar a competência privativa da União para legislar sobre proteção e tratamento de dados pessoais.

As Mesas da Câmara dos Deputados e do Senado Federal, nos termos do § 3.º do art. 60 da Constituição Federal, promulgam a seguinte Emenda ao texto constitucional:

Art. 1.º O *caput* do art. 5.º da Constituição Federal passa a vigorar acrescido do seguinte inciso LXXIX:

"Art. 5.º ....

LXXIX - é assegurado, nos termos da lei, o direito à proteção dos dados pessoais, inclusive nos meios digitais.

...." (NR)

Art. 2.º O *caput* do art. 21 da Constituição Federal passa a vigorar acrescido do seguinte inciso XXVI:

"Art. 21..

XXVI – organizar e fiscalizar a proteção e o tratamento de dados pessoais, nos termos da lei." (NR)

Art. 3.º O *caput* do art. 22 da Constituição Federal passa a vigorar acrescido do seguinte inciso XXX:

"Art. 22. ....

XXX – proteção e tratamento de dados pessoais.

...." (NR)

Art. 4.º Esta Emenda Constitucional entra em vigor na data de sua publicação.

Brasília, em 10 de fevereiro de 2022

EMENDA CONSTITUCIONAL N.º 116, DE 17 DE FEVEREIRO DE 2022

Acrescenta § 1.º-A ao art. 156 da Constituição Federal para prever a não incidência sobre templos de qualquer culto do Imposto sobre a Propriedade Predial e Territorial Urbana (IPTU), ainda que as entidades abrangidas pela imunidade tributária sejam apenas locatárias do bem imóvel.

As Mesas da Câmara dos Deputados e do Senado Federal, nos termos do § 3.º do art. 60 da Constituição Federal, promulgam a seguinte Emenda ao texto constitucional:

Art. 1.º O art. 156 da Constituição Federal passa a vigorar acrescido do seguinte § 1.º-A:

"Art. 156 ....

§ 1.º-A O imposto previsto no inciso I do *caput* deste artigo não incide sobre templos de qualquer culto, ainda que as entidades abrangidas pela imunidade de que trata a alínea *b* do inciso VI do *caput* do art. 150 desta Constituição sejam apenas locatárias do bem imóvel.

...." (NR)

Art. 2.º Esta Emenda Constitucional entra em vigor na data de sua publicação.

Brasília, em 17 de fevereiro de 2022

EMENDA CONSTITUCIONAL N.º 117, DE 5 DE ABRIL DE 2022

Altera o art. 17 da Constituição Federal para impor aos partidos políticos a aplicação de recursos do fundo partidário na promoção e difusão da participação política das mulheres, bem como a aplicação de recursos desse fundo e do Fundo Especial de Financiamento de Campanha e a divisão do tempo de propaganda gratuita no rádio e na televisão no percentual mínimo de 30% (trinta por cento) para candidaturas femininas.

As Mesas da Câmara dos Deputados e do Senado Federal, nos termos do § 3.º do art. 60 da Constituição Federal, promulgam a seguinte Emenda ao texto constitucional:

Art. 1.º O art. 17 da Constituição passa a vigorar acrescido dos seguintes §§ 7.º e 8.º:

"Art. 17..

§ 7.º Os partidos políticos devem aplicar no mínimo 5% (cinco por cento) dos recursos do fundo partidário na criação e na manutenção de programas de promoção e difusão da participação política das mulheres, de acordo com os interesses intrapartidários.

§ 8.º O montante do Fundo Especial de Financiamento de Campanha e da parcela do fundo partidário destinada a campanhas eleitorais, bem como o tempo de propaganda gratuita no rádio e na televisão a ser distribuído pelos partidos às respectivas candidatas, deverão ser de no mínimo 30% (trinta por cento), proporcional ao número de candidatas, e a distribuição deverá ser realizada conforme critérios definidos pelos respectivos órgãos de direção e pelas normas estatutárias, considerados a autonomia e o interesse partidário." (NR)

Art. 2.º Aos partidos políticos que não tenham utilizado os recursos destinados aos programas de promoção e difusão da participação política das mulheres ou cujos valores destinados a essa finalidade não tenham sido reconhecidos pela Justiça Eleitoral é assegurada a utilização desses valores nas eleições subsequentes, vedada a condenação pela Justiça Eleitoral nos processos de prestação de contas de exercícios financeiros anteriores que ainda não tenham transitado em julgado até a data de promulgação desta Emenda Constitucional.

Art. 3.º Não serão aplicadas sanções de qualquer natureza, inclusive de devolução de valores, multa ou suspensão do fundo partidário, aos partidos que não preencheram a cota mínima de recursos ou que não destinaram os valores mínimos em razão de sexo e raça em eleições ocorridas antes da promulgação desta Emenda Constitucional.

Art. 4.º Esta Emenda Constitucional entra em vigor na data de sua publicação.

Brasília, em 5 de abril de 2022

EMENDA CONSTITUCIONAL N.º 118, DE 26 DE ABRIL DE 2022

Dá nova redação às alíneas *b* e *c* do inciso XXIII do *caput* do art. 21 da Constituição Federal, para autorizar a produção, a comercialização e a utilização de radioisótopos para pesquisa e uso médicos.

As Mesas da Câmara dos Deputados e do Senado Federal, nos termos do § 3.º do art. 60 da Constituição Federal, promulgam a seguinte Emenda ao texto constitucional:

Art. 1.º As alíneas *b* e *c* do inciso XXIII do *caput* do art. 21 da Constituição Federal passam a vigorar com a seguinte redação:

"Art. 21...

XXIII – ....

b) sob regime de permissão, são autorizadas a comercialização e a utilização de radioisótopos para pesquisa e uso agrícolas e industriais;

c) sob regime de permissão, são autorizadas a produção, a comercialização e a utilização de radioisótopos para pesquisa e uso médicos;

...." (NR)

Art. 2.º Esta Emenda Constitucional entra em vigor na data de sua publicação.

Brasília, em 26 de abril de 2022

EMENDA CONSTITUCIONAL N.º 119, DE 27 DE ABRIL DE 2022

Altera o Ato das Disposições Constitucionais Transitórias para determinar a impossibilidade de responsabilização dos Estados, do Distrito Federal, dos Municípios e dos agentes públicos desses entes federados pelo descumprimento, nos exercícios financeiros de 2020 e 2021, do disposto no *caput* do art. 212 da Constituição Federal; e dá outras providências.

As Mesas da Câmara dos Deputados e do Senado Federal, nos termos do § 3.º do art. 60 da Constituição Federal, promulgam a seguinte Emenda ao texto constitucional:

Art. 1.º O Ato das Disposições Constitucionais Transitórias passa a vigorar acrescido do seguinte art. 119:

"Art. 119. Em decorrência do estado de calamidade pública provocado pela pandemia da Covid-19, os Estados, o Distrito Federal, os Municípios e os agentes públicos desses entes federados não poderão ser responsabilizados administrativa, civil ou criminalmente pelo descumprimento, exclusivamente nos exercícios financeiros de 2020 e 2021, do disposto no *caput* do art. 212 da Constituição Federal.

Parágrafo único. Para efeitos do disposto no *caput* deste artigo, o ente deverá complementar na aplicação da manutenção e desenvolvimento do ensino, até o exercício financeiro de 2023, a diferença a menor entre o valor aplicado, conforme informação registrada no sistema integrado de planejamento e orçamento, e o valor mínimo exigível constitucionalmente para os exercícios de 2020 e 2021."Art. 2.º O disposto no *caput* do art. 119 do Ato das Disposições Constitucionais Transitórias impede a aplicação de quaisquer penalidades, sanções ou restrições aos entes subnacionais para fins cadastrais, de aprovação e de celebração de ajustes onerosos ou não, incluídas a contratação, a renovação ou a celebração de aditivos de quaisquer tipos, de ajustes e de convênios, entre outros, inclusive em relação à possibilidade de execução financeira desses ajustes e de recebimento de recursos do orçamento geral da União por meio de transferências voluntárias.

Parágrafo único. O disposto no *caput* do art. 119 do Ato das Disposições Constitucionais Transitórias também obsta a ocorrência dos efeitos do inciso III do *caput* do art. 35 da Constituição Federal.

Art. 3.º Esta Emenda Constitucional entra em vigor na data de sua publicação.

Brasília, em 27 de abril de 2022

EMENDA CONSTITUCIONAL N.º 120, DE 5 DE MAIO DE 2022

Acrescenta §§ 7.º, 8.º, 9.º, 10 e 11 ao art. 198 da Constituição Federal, para dispor sobre a responsabilidade financeira da União, corresponsável pelo Sistema Único de Saúde (SUS), na política remuneratória e na valorização dos profissionais que exercem atividades de agente comunitário de saúde e de agente de combate às endemias.

As Mesas da Câmara dos Deputados e do Senado Federal, nos termos do § 3.º do art. 60 da Constituição Federal, promulgam a seguinte Emenda ao texto constitucional:

Art. 1.º O art. 198 da Constituição Federal passa a vigorar acrescido dos seguintes §§ 7.º, 8.º, 9.º, 10 e 11:

"Art. 198...

§ 7.º O vencimento dos agentes comunitários de saúde e dos agentes de combate às endemias fica sob responsabilidade da União, e cabe aos Estados, ao Distrito Federal e aos Municípios estabelecer, além de outros consectários e vantagens, incentivos, auxílios, gratificações e indenizações, a fim de valorizar o trabalho desses profissionais.

§ 8.º Os recursos destinados ao pagamento do vencimento dos agentes comunitários de saúde e dos agentes de combate às endemias serão consignados no orçamento geral da União com dotação própria e exclusiva.

§ 9.º O vencimento dos agentes comunitários de saúde e dos agentes de combate às endemias não será inferior a 2 (dois) salários mínimos, repassados pela União aos Municípios, aos Estados e ao Distrito Federal.

§ 10. Os agentes comunitários de saúde e os agentes de combate às endemias terão também, em razão dos riscos inerentes às funções desempenhadas, aposentadoria especial e, somado aos seus vencimentos, adicional de insalubridade.

§ 11. Os recursos financeiros repassados pela União aos Estados, ao Distrito Federal e aos Municípios para pagamento do vencimento ou de qualquer outra vantagem dos agentes comunitários de saúde e dos agentes de combate às endemias não serão objeto de inclusão no cálculo para fins do limite de despesa com pessoal." (NR)

Art. 2.º Esta Emenda Constitucional entra em vigor na data de sua publicação.

Brasília, em 5 de maio de 2022

EMENDA CONSTITUCIONAL N.º 121, DE 10 DE MAIO DE 2022

Altera o inciso IV do § 2.º do art. 4.º da Emenda Constitucional n.º 109, de 15 de março de 2021.

As Mesas da Câmara dos Deputados e do Senado Federal, nos termos do § 3.º do art. 60 da Constituição Federal, promulgam a seguinte Emenda ao texto constitucional:

Art. 1.º O inciso IV do § 2.º do art. 4.º da Emenda Constitucional n.º 109, de 15 de março de 2021, passa a vigorar com a seguinte redação:

"Art. 4.º..

§ 2.º ....

IV – relativos ao regime especial estabelecido nos termos do art. 40 do Ato das Disposições Constitucionais Transitórias, às áreas de livre comércio e zonas francas e à política industrial para o setor de tecnologias da informação e comunicação e para o setor de semicondutores, na forma da lei;

...." (NR)

Art. 2.º Esta Emenda Constitucional entra em vigor na data de sua publicação.

Brasília, em 10 de maio de 2022

EMENDA CONSTITUCIONAL N.º 122, DE 17 DE MAIO DE 2022

Altera a Constituição Federal para elevar para setenta anos a idade máxima para a escolha e nomeação de membros do Supremo Tribunal Federal, do Superior Tribunal de Justiça, dos Tribunais Regionais Federais, do Tribunal Superior do Trabalho, dos Tribunais Regionais do Trabalho, do Tribunal de Contas da União e dos Ministros civis do Superior Tribunal Militar.

As Mesas da Câmara dos Deputados e do Senado Federal, nos termos do § 3.º do art. 60 da Constituição Federal, promulgam a seguinte Emenda ao texto constitucional:

Art. 1.º Os arts. 73, 101, 104, 107, 111-A, 115 e 123 da Constituição Federal passam a vigorar com as seguintes alterações:

"Art. 73...

§ 1.º ....

I – mais de trinta e cinco e menos de setenta anos de idade;

...." (NR)

"Art. 101. O Supremo Tribunal Federal compõe-se de onze Ministros, escolhidos dentre cidadãos com mais de trinta e cinco e menos de setenta anos de idade, de notável saber jurídico e reputação ilibada.

...." (NR)

"Art. 104...

Parágrafo único. Os Ministros do Superior Tribunal de Justiça serão nomeados pelo Presidente da República, dentre brasileiros com mais de trinta e cinco e menos de setenta anos de idade, de notável saber jurídico e reputação ilibada, depois de aprovada a escolha pela maioria absoluta do Senado Federal, sendo:

...." (NR)

"Art. 107. Os Tribunais Regionais Federais compõem-se de, no mínimo, sete juízes, recrutados, quando possível, na respectiva região e nomeados pelo Presidente da República dentre brasileiros com mais de trinta e menos de setenta anos de idade, sendo:

...." (NR)

"Art. 111-A. O Tribunal Superior do Trabalho compõe-se de vinte e sete Ministros, escolhidos dentre brasileiros com mais de trinta e cinco e menos de setenta anos de idade, de notável saber jurídico e reputação ilibada, nomeados pelo Presidente da República após aprovação pela maioria absoluta do Senado Federal, sendo:

...." (NR)

"Art. 115. Os Tribunais Regionais do Trabalho compõem-se de, no mínimo, sete juízes, recrutados, quando possível, na respectiva região e nomeados pelo Presidente da República dentre brasileiros com mais de trinta e menos de setenta anos de idade, sendo:

...." (NR)

"Art. 123. ....

Parágrafo único. Os Ministros civis serão escolhidos pelo Presidente da República dentre brasileiros com mais de trinta e cinco e menos de setenta anos de idade, sendo:

...." (NR)

Art. 2.º Esta Emenda Constitucional entra em vigor na data de sua publicação.

Brasília, em 17 de maio de 2022

EMENDA CONSTITUCIONAL N.º 123, DE 14 DE JULHO DE 2022

Altera o art. 225 da Constituição Federal para estabelecer diferencial de competitividade para os biocombustíveis; inclui o art. 120 no Ato das Disposições Constitucionais Transitórias para reconhecer o estado de emergência decorrente da elevação extraordinária e imprevisível dos preços do petróleo, combustíveis e seus derivados e dos impactos sociais dela decorrentes; autoriza a União a entregar auxílio financeiro aos Estados e ao Distrito Federal que outorgarem créditos tributários do Imposto sobre Operações relativas à Circulação de Mercadorias e sobre Prestações de Serviços de Transporte Interestadual e Intermunicipal e de Comunicação (ICMS) aos produtores e distribuidores de etanol hidratado; expande o auxílio Gás dos Brasileiros, de que trata a Lei nº 14.237, de 19 de novembro de 2021; institui auxílio para caminhoneiros autônomos; expande o Programa Auxílio Brasil, de que trata a Lei nº 14.284, de 29 de dezembro de 2021; e institui auxílio para entes da Federação financiarem a gratuidade do transporte público.

As Mesas da Câmara dos Deputados e do Senado Federal, nos termos do § 3º do art. 60 da Constituição Federal, promulgam a seguinte Emenda ao texto constitucional:

Art. 1º Esta Emenda Constitucional dispõe sobre o estabelecimento de diferencial de competitividade para os biocombustíveis e sobre medidas para atenuar os efeitos do estado de emergência decorrente da elevação extraordinária e imprevisível dos preços do petróleo, combustíveis e seus derivados e dos impactos sociais dela decorrentes.

Art. 2º O § 1º do art. 225 da Constituição Federal passa a vigorar acrescido do seguinte inciso VIII:

"Art. 225..

§ 1º ....

VIII – manter regime fiscal favorecido para os biocombustíveis destinados ao consumo final, na forma de lei complementar, a fim de assegurar-lhes tributação inferior à incidente sobre os combustíveis fósseis, capaz de garantir diferencial competitivo em relação a estes, especialmente em relação às contribuições de que tratam a alínea "b" do inciso I e o inciso IV do *caput* do art. 195 e o art. 239 e ao imposto a que se refere o inciso II do *caput* do art. 155 desta Constituição.

...." (NR)

Art. 3º O Ato das Disposições Constitucionais Transitórias passa a vigorar acrescido do seguinte art. 120:

"Art. 120. Fica reconhecido, no ano de 2022, o estado de emergência decorrente da elevação extraordinária e imprevisível dos preços do petróleo, combustíveis e seus derivados e dos impactos sociais dela decorrentes.

Parágrafo único. Para enfretamento ou mitigação dos impactos decorrentes do estado de emergência reconhecido, as medidas implementadas, até os limites de despesas previstos em uma única e exclusiva norma constitucional observarão o seguinte:

I – quanto às despesas:

a) serão atendidas por meio de crédito extraordinário;

b) não serão consideradas para fins de apuração da meta de resultado primário estabelecida no *caput* do art. 2º da Lei nº 14.194, de 20 de agosto de 2021, e do limite estabelecido para as despesas primárias, conforme disposto no inciso I do *caput* do art. 107 do Ato das Disposições Constitucionais Transitórias; e

c) ficarão ressalvadas do disposto no inciso III do *caput* do art. 167 da Constituição Federal;

II – a abertura do crédito extraordinário para seu atendimento dar-se-á independentemente da observância dos requisitos exigidos no § 3º do art. 167 da Constituição Federal; e

III – a dispensa das limitações legais, inclusive quanto à necessidade de compensação:

a) à criação, à expansão ou ao aperfeiçoamento de ação governamental que acarrete aumento de despesa; e

b) à renúncia de receita que possa ocorrer."

Art. 4º Enquanto não entrar em vigor a lei complementar a que se refere o inciso VIII do § 1º do art. 225 da Constituição Federal, o diferencial competitivo dos biocombustíveis destinados ao consumo final em relação aos combustíveis fósseis será garantido pela manutenção, em termos percentuais, da diferença entre as alíquotas aplicáveis a cada combustível fóssil e aos biocombustíveis que lhe sejam substitutos em patamar igual ou superior ao vigente em 15 de maio de 2022.

§ 1º Alternativamente ao disposto no *caput* deste artigo, quando o diferencial competitivo não for determinado pelas alíquotas, ele será garantido pela manutenção do diferencial da carga tributária efetiva entre os combustíveis.

§ 2º No período de 20 (vinte) anos após a promulgação desta Emenda Constitucional, a lei complementar federal não poderá estabelecer diferencial competitivo em patamar inferior ao referido no *caput* deste artigo.

§ 3º A modificação, por proposição legislativa estadual ou federal ou por decisão judicial com efeito erga omnes, das alíquotas aplicáveis a um combustível fóssil implicará automática alteração das alíquotas aplicáveis aos biocombustíveis destinados ao consumo final que lhe sejam substitutos, a fim de, no mínimo, manter a diferença de alíquotas existente anteriormente.

§ 4º A lei complementar a que se refere o inciso VIII do § 1º do art. 225 da Constituição Federal disporá sobre critérios ou mecanismos para assegurar o diferencial competitivo dos biocombustíveis destinados ao consumo final na hipótese de ser implantada, para o combustível fóssil de que são substitutos, a sistemática de recolhimento de que trata a alínea «h» do inciso XII do § 2º do art. 155 da Constituição Federal.

§ 5º Na aplicação deste artigo, é dispensada a observância do disposto no inciso VI do § 2º do art. 155 da Constituição Federal.

Art. 5º Observado o disposto no art. 120 do Ato das Disposições Constitucionais Transitórias, a União, como únicas e exclusivas medidas a que se refere o parágrafo único do referido dispositivo, excluída a possibilidade de adoção de quaisquer outras:

I – assegurará a extensão do Programa Auxílio Brasil, de que trata a Lei nº 14.284, de 29 de dezembro de 2021, às famílias elegíveis na data de promulgação desta Emenda Constitucional, e concederá às famílias beneficiárias desse programa acréscimo mensal extraordinário, durante 5 (cinco) meses, de R$ 200,00 (duzentos reais), no período de 1º de agosto a 31 de dezembro de 2022, até o limite de R$ 26.000.000.000,00 (vinte e seis bilhões de reais), incluídos os valores essencialmente necessários para a implementação do benefício, vedado o uso para qualquer tipo de publicidade institucional;

II – assegurará às famílias beneficiadas pelo auxílio Gás dos Brasileiros, de que trata a Lei nº 14.237, de 19 de novembro de 2021, a cada bimestre, entre 1º de julho e 31 de dezembro de 2022, valor monetário correspondente a 1 (uma) parcela extraordinária adicional de 50% (cinquenta por cento) da média do preço nacional de referência do botijão de 13 kg (treze quilogramas) de gás liquefeito de petróleo (GLP), estabelecido pelo Sistema de Levantamento de Preços (SLP) da Agência Nacional do Petróleo, Gás Natural e Biocombustíveis (ANP), nos 6 (seis) meses anteriores, até o limite de R$ 1.050.000.000,00 (um bilhão e cinquenta milhões de reais), incluídos os valores essencialmente necessários para a implementação do benefício, vedado o uso para qualquer tipo de publicidade institucional;

III – concederá, entre 1° de julho e 31 de dezembro de 2022, aos Transportadores Autônomos de Cargas devidamente cadastrados no Registro Nacional de Transportadores Rodoviários de Cargas (RNTRC) até a data de 31 de maio de 2022, auxílio de R$ 1.000,00 (mil reais) mensais, até o limite de R$ 5.400.000.000,00 (cinco bilhões e quatrocentos milhões de reais);

IV – aportará à União, aos Estados, ao Distrito Federal e aos Municípios que dispõem de serviços regulares em operação de transporte público coletivo urbano, semiurbano ou metropolitano assistência financeira em caráter emergencial no valor de R$ 2.500.000.000,00 (dois bilhões e quinhentos milhões de reais), a serem utilizados para auxílio no custeio ao direito previsto no § 2° do art. 230 da Constituição Federal, regulamentado no art. 39 da Lei n° 10.741, de 1° de outubro de 2003 (Estatuto do Idoso), até 31 de dezembro de 2022;

V – entregará na forma de auxílio financeiro o valor de até R$ 3.800.000.000,00 (três bilhões e oitocentos milhões de reais), em 5 (cinco) parcelas mensais no valor de até R$ 760.000.000,00 (setecentos e sessenta milhões de reais) cada uma, de agosto a dezembro de 2022, exclusivamente para os Estados e o Distrito Federal que outorgarem créditos tributários do Imposto sobre Operações relativas à Circulação de Mercadorias e sobre Prestações de Serviços de Transporte Interestadual e Intermunicipal e de Comunicação (ICMS) aos produtores ou distribuidores de etanol hidratado em seu território, em montante equivalente ao valor recebido;

VI – concederá, entre 1° de julho e 31 de dezembro de 2022, aos motoristas de táxi devidamente registrados até 31 de maio de 2022, auxílio até o limite de R$ 2.000.000.000,00 (dois bilhões de reais);

VII – assegurará ao Programa Alimenta Brasil, de que trata a Lei nº 14.284, de 29 de dezembro de 2021, a suplementação orçamentária de R$ 500.000.000,00 (quinhentos milhões de reais).

§ 1º O acréscimo mensal extraordinário de que trata o inciso I do *caput* deste artigo será complementar à soma dos benefícios previstos nos incisos I, II, III e IV do *caput* do art. 4º da Lei nº 14.284, de 29 de dezembro de 2021, e não será considerado para fins de cálculo do benefício previsto na Lei nº 14.342, de 18 de maio de 2022.

§ 2º A parcela extraordinária de que trata o inciso II do *caput* deste artigo será complementar ao previsto no art. 3º da Lei nº 14.237, de 19 de novembro de 2021.

§ 3º O auxílio de que trata o inciso III do *caput* deste artigo observará o seguinte:

I – terá por objetivo auxiliar os Transportadores Autônomos de Cargas em decorrência do estado de emergência de que trata o *caput* do art. 120 do Ato das Disposições Constitucionais Transitórias;

II – será concedido para cada Transportador Autônomo de Cargas, independentemente do número de veículos que possuir;

III – será recebido independentemente de comprovação da aquisição de óleo diesel;

IV – será disponibilizada pelo Poder Executivo solução tecnológica em suporte à operacionalização dos pagamentos do auxílio; e

V – para fins de pagamento do auxílio, será definido pelo Ministério do Trabalho e Previdência o operador bancário responsável, entre as instituições financeiras federais, pela operacionalização dos pagamentos.

§ 4º O aporte de recursos da União para os Estados, para o Distrito Federal e para os Municípios de que trata o inciso IV do *caput* deste artigo observará o seguinte:

I – terá função de complementariedade aos subsídios tarifários, subsídios orçamentários e aportes de recursos de todos os gêneros concedidos pelos Estados, pelo Distrito Federal e pelos Municípios, bem como às gratuidades e aos demais custeios do sistema de transporte público coletivo suportados por esses entes;

II – será concedido em observância à premissa de equilíbrio econômico-financeiro dos contratos de concessão do transporte público coletivo e às diretrizes da modicidade tarifária;

III – será repassado a qualquer fundo apto a recebê-lo, inclusive aos que já recebem recursos federais, ou a qualquer conta bancária aberta especificamente para esse fim, ressalvada a necessidade de que o aporte se vincule estritamente à assistência financeira para a qual foi instituído;

IV – será distribuído em proporção à população maior de 65 (sessenta e cinco) anos residente no Distrito Federal e nos Municípios que dispõem de serviços de transporte público coletivo urbano intramunicipal regular em operação;

V – serão retidos 30% (trinta por cento) pela União e repassados aos respectivos entes estaduais ou a órgão da União responsáveis pela gestão do serviço, nos casos de Municípios atendidos por redes de transporte público coletivo intermunicipal ou interestadual de caráter urbano ou semiurbano;

VI – será integralmente entregue ao Município responsável pela gestão, nos casos de Municípios responsáveis pela gestão do sistema de transporte público integrado metropolitano, considerado o somatório da população maior de 65 (sessenta e cinco) anos residente nos Municípios que compõem a região metropolitana administrada;

VII – será distribuído com base na estimativa populacional mais atualizada publicada pelo Departamento de Informática do Sistema Único de Saúde (DataSUS) a partir de dados da Fundação Instituto Brasileiro de Geografia e Estatística (IBGE); e

VIII – será entregue somente aos entes federados que comprovarem possuir, em funcionamento, sistema de transporte público coletivo de caráter urbano, semiurbano ou metropolitano, na forma do regulamento.

§ 5º Os créditos de que trata o inciso V do *caput* deste artigo observarão o seguinte:

I – deverão ser outorgados até 31 de dezembro de 2022, podendo ser aproveitados nos exercícios posteriores;

II – terão por objetivo reduzir a carga tributária da cadeia produtiva do etanol hidratado, de modo a manter diferencial competitivo em relação à gasolina;

III – serão proporcionais à participação dos Estados e do Distrito Federal em relação ao consumo total do etanol hidratado em todos os Estados e no Distrito Federal no ano de 2021;

IV – seu recebimento pelos Estados ou pelo Distrito Federal importará na renúncia ao direito sobre o qual se funda eventual ação que tenha como causa de pedir, direta ou indiretamente, qualquer tipo de indenização relativa a eventual perda de arrecadação decorrente da adoção do crédito presumido de que trata o inciso V do *caput* deste artigo nas operações com etanol hidratado em seu território;

V – o auxílio financeiro será entregue pela Secretaria do Tesouro Nacional da Secretaria Especial do Tesouro e Orçamento do Ministério da Economia, mediante depósito, no Banco do Brasil S.A., na mesma conta bancária em que são depositados os repasses regulares do Fundo de Participação dos Estados e do Distrito Federal (FPE), da seguinte forma:

a) primeira parcela até o dia 31 de agosto de 2022;

b) segunda parcela até o dia 30 de setembro de 2022;

c) terceira parcela até o dia 31 de outubro de 2022;

d) quarta parcela até o dia 30 de novembro de 2022;

e) quinta parcela até o dia 27 de dezembro de 2022;

VI – serão livres de vinculações a atividades ou a setores específicos, observadas:

a) a repartição com os Municípios na proporção a que se refere o inciso IV do *caput* do art. 158 da Constituição Federal;

b) a inclusão na base de cálculo para efeitos de aplicação do art. 212 e do inciso II do *caput* do art. 212-A da Constituição Federal;

VII – serão entregues após a aprovação de norma específica, independentemente da deliberação de que trata a alínea "g" do inciso XII do § 2º do art. 155 da Constituição Federal; e

VIII – serão incluídos, como receita, no orçamento do ente beneficiário do auxílio e, como despesa, no orçamento da União e deverão ser deduzidos da receita corrente líquida da União.

§ 6º O auxílio de que trata o inciso VI do *caput* deste artigo:

I – considerará taxistas os profissionais que residam e trabalhem no Brasil, comprovado mediante apresentação do documento de permissão para prestação do serviço emitido pelo poder público municipal ou distrital;

II – será regulamentado pelo Poder Executivo quanto à formação do cadastro para sua operacionalização, à sistemática de seu pagamento e ao seu valor.

§ 7º Compete aos ministérios setoriais, no âmbito de suas competências, a edição de atos complementares à implementação dos benefícios previstos nos incisos I, II, III e IV do *caput* deste artigo.

Art. 6º Até 31 de dezembro de 2022, a alíquota de tributos incidentes sobre a gasolina poderá ser fixada em zero, desde que a alíquota do mesmo tributo incidente sobre o etanol hidratado também seja fixada em zero.

Art. 7º Esta Emenda Constitucional entra em vigor na data de sua publicação.

Brasília, em 14 de julho de 2022

EMENDA CONSTITUCIONAL N.º 124, DE 14 DE JULHO DE 2022

Institui o piso salarial nacional do enfermeiro, do técnico de enfermagem, do auxiliar de enfermagem e da parteira.

As Mesas da Câmara dos Deputados e do Senado Federal, nos termos do § 3º do art. 60 da Constituição Federal, promulgam a seguinte Emenda ao texto constitucional:

Art. 1º O art. 198 da Constituição Federal passa a vigorar acrescido dos seguintes §§ 12 e 13:

"Art. 198. ....

§ 12. Lei federal instituirá pisos salariais profissionais nacionais para o enfermeiro, o técnico de enfermagem, o auxiliar de enfermagem e a parteira, a serem observados por pessoas jurídicas de direito público e de direito privado.

§ 13. A União, os Estados, o Distrito Federal e os Municípios, até o final do exercício financeiro em que for publicada a lei de que trata o § 12 deste artigo, adequarão a remuneração dos cargos ou dos respectivos planos de carreiras, quando houver, de modo a atender aos pisos estabelecidos para cada categoria profissional." (NR)

Art. 2º Esta Emenda Constitucional entra em vigor na data de sua publicação.

Brasília, em 14 de julho de 2022

EMENDA CONSTITUCIONAL N.º 125, DE 14 DE JULHO DE 2022

Altera o art. 105 da Constituição Federal para instituir no recurso especial o requisito da relevância das questões de direito federal infraconstitucional.

As Mesas da Câmara dos Deputados e do Senado Federal, nos termos do § 3º do art. 60 da Constituição Federal, promulgam a seguinte Emenda ao texto constitucional:

Art. 1º O art. 105 da Constituição Federal passa a vigorar com as seguintes alterações:

"Art. 105. ....

§ 1º ....

§ 2º No recurso especial, o recorrente deve demonstrar a relevância das questões de direito federal infraconstitucional discutidas no caso, nos termos da lei, a fim de que a admissão do recurso seja examinada pelo Tribunal, o qual somente pode dele não conhecer com base nesse motivo pela manifestação de 2/3 (dois terços) dos membros do órgão competente para o julgamento.

§ 3º Haverá a relevância de que trata o § 2º deste artigo nos seguintes casos:

I – ações penais;

II – ações de improbidade administrativa;

III – ações cujo valor da causa ultrapasse 500 (quinhentos) salários mínimos;

IV – ações que possam gerar inelegibilidade;

V – hipóteses em que o acórdão recorrido contrariar jurisprudência dominante do Superior Tribunal de Justiça;

VI – outras hipóteses previstas em lei." (NR)

Art. 2º A relevância de que trata o § 2º do art. 105 da Constituição Federal será exigida nos recursos especiais interpostos após a entrada em vigor desta Emenda Constitucional, ocasião em que a parte poderá atualizar o valor da causa para os fins de que trata o inciso III do § 3º do referido artigo.

Art. 3º Esta Emenda Constitucional entra em vigor na data de sua publicação.

Brasília, em 14 de julho de 2022

EMENDA CONSTITUCIONAL Nº 126, DE 21 DE DEZEMBRO DE 2022

Altera a Constituição Federal, para dispor sobre as emendas individuais ao projeto de lei orçamentária, e o Ato das Disposições Constitucionais Transitórias para excluir despesas dos limites previstos no art. 107; define regras para a transição da Presidência da República aplicáveis à Lei Orçamentária de 2023; e dá outras providências.

As Mesas da Câmara dos Deputados e do Senado Federal, nos termos do § 3º do art. 60 da Constituição Federal, promulgam a seguinte Emenda ao texto constitucional:

Art. 1º A Constituição Federal passa a vigorar com as seguintes alterações:

"Art. 155. ....

§ 1º ....

V - não incidirá sobre as doações destinadas, no âmbito do Poder Executivo da União, a projetos socioambientais ou destinados a mitigar os efeitos das mudanças climáticas e às instituições federais de ensino.

...." (NR)

"Art. 166. ....

§ 9º As emendas individuais ao projeto de lei orçamentária serão aprovadas no limite de 2% (dois por cento) da receita corrente líquida do exercício anterior ao do encaminhamento do projeto, observado que a metade desse percentual será destinada a ações e serviços públicos de saúde.

§ 9º-A Do limite a que se refere o § 9º deste artigo, 1,55%

(um inteiro e cinquenta e cinco centésimos por cento) caberá às emendas de Deputados e 0,45% (quarenta e cinco centésimos por cento) às de Senadores.

....

§ 11. É obrigatória a execução orçamentária e financeira das programações oriundas de emendas individuais, em montante correspondente ao limite a que se refere o § 9º deste artigo, conforme os critérios para a execução equitativa da programação definidos na lei complementar prevista no § 9º do art. 165 desta Constituição, observado o disposto no § 9º-A deste artigo.

....

§ 17. Os restos a pagar provenientes das programações orçamentárias previstas nos §§ 11 e 12 deste artigo poderão ser considerados para fins de cumprimento da execução financeira até o limite de 1% (um por cento) da receita corrente líquida do exercício anterior ao do encaminhamento do projeto de lei orçamentária, para as programações das emendas individuais, e até o limite de 0,5% (cinco décimos por cento), para as programações das emendas de iniciativa de bancada de parlamentares de Estado ou do Distrito Federal.

....

§ 19. Considera-se equitativa a execução das programações de caráter obrigatório que observe critérios objetivos e imparciais e que atenda de forma igualitária e impessoal às emendas apresentadas, independentemente da autoria, observado o disposto no § 9º-A deste artigo.

...." (NR)

Art. 2º O Ato das Disposições Constitucionais Transitórias passa a vigorar com as seguintes alterações:

"Art. 76. São desvinculados de órgão, fundo ou despesa, até 31 de dezembro de 2024, 30% (trinta por cento) da arrecadação da União relativa às contribuições sociais, sem prejuízo do pagamento das despesas do Regime Geral de Previdência Social, às contribuições de intervenção no domínio econômico e às taxas, já instituídas ou que vierem a ser criadas até a referida data.

...." (NR)

"Art. 107. ....

§ 6º-A Não se incluem no limite estabelecido no inciso I do caput deste artigo, a partir do exercício financeiro de 2023:

I - despesas com projetos socioambientais ou relativos às mudanças climáticas custeadas com recursos de doações, bem como despesas com projetos custeados com recursos decorrentes de acordos judiciais ou extrajudiciais firmados em função de desastres ambientais;

II - despesas das instituições federais de ensino e das Instituições Científicas, Tecnológicas e de Inovação (ICTs) custeadas com receitas próprias, de doações ou de convênios, contratos ou outras fontes, celebrados com os demais entes da Federação ou entidades privadas;

III - despesas custeadas com recursos oriundos de transferências dos demais entes da Federação para a União destinados à execução direta de obras e serviços de engenharia.

§ 6º-B Não se incluem no limite estabelecido no inciso I do caput deste artigo as despesas com investimentos em montante que corresponda ao excesso de arrecadação de receitas correntes do exercício anterior ao que se refere a lei orçamentária, limitadas a 6,5% (seis inteiros e cinco décimos por cento) do excesso de arrecadação de receitas correntes do exercício de 2021.

§ 6º-C As despesas previstas no § 6º-B deste artigo não serão consideradas para fins de verificação do cumprimento da meta de resultado primário estabelecida no caput do art. 2º da Lei nº 14.436, de 9 de agosto de 2022.

...." (NR)

"Art. 107-A. Até o fim de 2026, fica estabelecido, para cada exercício financeiro, limite para alocação na proposta orçamentária das despesas com pagamentos em virtude de sentença judiciária de que trata o art. 100 da Constituição Federal, equivalente ao valor da despesa paga no exercício de 2016, incluídos os restos a pagar pagos, corrigido, para o exercício de 2017, em 7,2% (sete inteiros e dois décimos por cento) e, para os exercícios posteriores, pela variação do Índice Nacional de Preços ao Consumidor Amplo (IPCA), publicado pela Fundação Instituto Brasileiro de Geografia e Estatística, ou de outro índice que vier a substituí-lo, apurado no exercício anterior a que se refere a lei orçamentária, devendo o espaço fiscal decorrente da diferença entre o valor dos precatórios expedidos e o respectivo limite ser destinado ao programa previsto no parágrafo único do art. 6º e à seguridade social, nos termos do art. 194, ambos da Constituição Federal, a ser calculado da seguinte forma:

...." (NR)

"Art. 111. A partir do exercício financeiro de 2018, até o exercício financeiro de 2022, a aprovação e a execução previstas nos §§ 9º e 11 do art. 166 da Constituição Federal corresponderão ao montante de execução obrigatória para o exercício de 2017, corrigido na forma estabelecida no inciso II do § 1º do art. 107 deste Ato das Disposições Constitucionais Transitórias." (NR)

"Art. 111-A. A partir do exercício financeiro de 2024, até o último exercício de vigência do Novo Regime Fiscal, a aprovação e a execução previstas nos §§ 9º e 11 do art. 166 da Constituição Federal corresponderão ao montante de execução obrigatória para o exercício de 2023, corrigido na forma estabelecida no inciso II do § 1º do art. 107 deste Ato das Disposições Constitucionais Transitórias."

"Art. 121. As contas referentes aos patrimônios acumulados de que trata o § 2º do art. 239 da Constituição Federal cujos recursos não tenham sido reclamados por prazo superior a 20 (vinte) anos serão encerradas após o prazo de 60 (sessenta) dias da publicação de aviso no Diário Oficial da União, ressalvada reivindicação por eventual interessado legítimo dentro do referido prazo.

Parágrafo único. Os valores referidos no caput deste artigo serão tidos por abandonados, nos termos do inciso III do caput do art. 1.275 da Lei nº 10.406, de 10 de janeiro de 2002 (Código Civil), e serão apropriados pelo Tesouro Nacional como receita primária para realização de despesas de investimento de que trata o § 6º-B do art. 107, que não serão computadas nos limites previstos no art. 107, ambos deste Ato das Disposições Constitucionais Transitórias, podendo o interessado reclamar ressarcimento à União no prazo de até 5 (cinco) anos do encerramento das contas."

"Art. 122. As transferências financeiras realizadas pelo Fundo Nacional de Saúde e pelo Fundo Nacional de Assistência Social diretamente aos fundos de saúde e assistência social estaduais, municipais e distritais, para enfrentamento da pandemia da Covid-19, poderão ser executadas pelos entes federativos até 31 de dezembro de 2023.»

Art. 3º O limite estabelecido no inciso I do caput do art. 107 do Ato das Disposições Constitucionais Transitórias fica acrescido em R$ 145.000.000.000,00 (cento e quarenta e cinco bilhões de reais) para o exercício financeiro de 2023.

Parágrafo único. As despesas decorrentes do aumento de limite previsto no caput deste artigo não serão consideradas para fins de verificação do cumprimento da meta de resultado primário estabelecida no caput do art. 2º da Lei nº 14.436, de 9 de agosto de 2022, e ficam ressalvadas, no exercício financeiro de 2023, do disposto no inciso III do caput do art. 167 da Constituição Federal.

Art. 4º Os atos editados em 2023 relativos ao programa de que trata o art. 2º da Lei nº 14.284, de 29 de dezembro de 2021, ou ao programa que vier a substituí-lo, e ao programa auxílio Gás dos Brasileiros, de que trata a Lei nº 14.237, de 19 de novembro de 2021, ficam dispensados da observância das limitações legais quanto à criação, à expansão ou ao aperfeiçoamento de ação governamental, inclusive quanto à necessidade de compensação.

Parágrafo único. O disposto no caput deste artigo não se aplica a atos cujos efeitos financeiros tenham início a partir do exercício de 2024.

Art. 5º Para o exercício financeiro de 2023, a ampliação de dotações orçamentárias sujeitas ao limite previsto no inciso I do caput do art. 107 do Ato das Disposições Constitucionais Transitórias prevista nesta Emenda Constitucional poderá ser destinada ao atendimento de solicitações das comissões permanentes do Congresso Nacional ou de suas Casas.

§ 1º Fica o relator-geral do Projeto de Lei Orçamentária de 2023 autorizado a apresentar emendas para a ampliação de dotações orçamentárias referida no caput deste artigo.

§ 2º As emendas referidas no § 1º deste artigo:

I - não se sujeitam aos limites aplicáveis às emendas ao projeto de lei orçamentária;

II - devem ser classificadas de acordo com as alíneas a ou b do inciso II do § 4º do art. 7º da Lei nº 14.436, de 9 de agosto de 2022.

§ 3º O disposto no caput deste artigo não impede os cancelamentos necessários à abertura de créditos adicionais.

§ 4º As ações diretamente destinadas a políticas públicas para mulheres deverão constar entre as diretrizes sobre como a margem aberta será empregada.

Art. 6º O Presidente da República deverá encaminhar ao Congresso Nacional, até 31 de agosto de 2023, projeto de lei complementar com o objetivo de instituir regime fiscal sustentável para garantir a estabilidade macroeconômica do País e criar as condições adequadas ao crescimento socioeconômico, inclusive quanto à regra estabelecida no inciso III do caput do art. 167 da Constituição Federal.

Art. 7º O disposto nesta Emenda Constitucional não altera a base de cálculo estabelecida no § 1º do art. 107 do Ato das Disposições Constitucionais Transitórias.

Art. 8º Fica o relator-geral do Projeto de Lei Orçamentária de 2023 autorizado a apresentar emendas para ações direcionadas à execução de políticas públicas até o valor de R$ 9.850.000.000,00 (nove bilhões oitocentos e cinquenta milhões de reais), classificadas de acordo com a alínea b do inciso II do § 4º do art. 7º da Lei nº 14.436, de 9 de agosto de 2022.

Art. 9º Ficam revogados os arts. 106, 107, 109, 110, 111, 111-A, 112 e 114 do Ato das Disposições Constitucionais Transitórias após a sanção da lei complementar prevista no art. 6º desta Emenda Constitucional.

Art. 10. Esta Emenda Constitucional entra em vigor na data de sua publicação.

Brasília, em 21 de dezembro de 2022

EMENDA CONSTITUCIONAL Nº 127, DE 22 DE DEZEMBRO DE 2022

Altera a Constituição Federal e o Ato das Disposições Constitucionais Transitórias para estabelecer que compete à União prestar assistência financeira complementar aos Estados, ao Distrito Federal e aos Municípios e às entidades filantrópicas, para o cumprimento dos pisos salariais profissionais nacionais para o enfermeiro, o técnico de enfermagem, o auxiliar de enfermagem e a parteira; altera a Emenda Constitucional nº 109, de 15 de março de 2021, para estabelecer o superávit financeiro dos fundos públicos do Poder Executivo como fonte de recursos para o cumprimento dos pisos salariais profissionais nacionais para o enfermeiro, o técnico de enfermagem, o auxiliar de enfermagem e a parteira; e dá outras providências.

As Mesas da Câmara dos Deputados e do Senado Federal, nos termos do § 3º do art. 60 da Constituição Federal, promulgam a seguinte Emenda ao texto constitucional:

Art. 1º O art. 198 da Constituição Federal passa a vigorar acrescido dos seguintes §§ 14 e 15:

"Art. 198. ....

§ 14. Compete à União, nos termos da lei, prestar assistência financeira complementar aos Estados, ao Distrito Federal e aos Municípios e às entidades filantrópicas, bem como aos prestadores de serviços contratualizados que atendam, no mínimo, 60% (sessenta por cento) de seus pacientes pelo sistema único de saúde, para o cumprimento dos pisos salariais de que trata o § 12 deste artigo.

§ 15. Os recursos federais destinados aos pagamentos da assistência financeira complementar aos Estados, ao Distrito Federal e aos Municípios e às entidades filantrópicas, bem como aos prestadores de serviços contratualizados que atendam, no mínimo, 60% (sessenta por cento) de seus pacientes pelo sistema único de saúde, para o cumprimento dos pisos salariais de que trata o § 12 deste artigo serão consignados no orçamento geral da União com dotação própria e exclusiva.» (NR)

Art. 2º O Ato das Disposições Constitucionais Transitórias passa a vigorar com as seguintes alterações:

"Art. 38. ....

§ 1º ....

§ 2º As despesas com pessoal resultantes do cumprimento do disposto nos §§ 12, 13, 14 e 15 do art. 198 da Constituição Federal serão contabilizadas, para fins dos limites de que trata o art. 169 da Constituição Federal, da seguinte forma:

I - até o fim do exercício financeiro subsequente ao da publicação deste dispositivo, não serão contabilizadas para esses limites;

II - no segundo exercício financeiro subsequente ao da publicação deste dispositivo, serão deduzidas em 90% (noventa por cento) do seu valor;

III - entre o terceiro e o décimo segundo exercício financeiro subsequente ao da publicação deste dispositivo, a dedução de que trata o inciso II deste parágrafo será reduzida anualmente na proporção de 10% (dez por cento) de seu valor." (NR)

"Art. 107. ....

§ 6º ....

VI - despesas correntes ou transferências aos fundos de saúde dos Estados, do Distrito Federal e dos Municípios, destinadas ao pagamento de despesas com pessoal para cumprimento dos pisos nacionais salariais para o enfermeiro, o técnico de enfermagem, o auxiliar de enfermagem e a parteira, de acordo com os §§ 12, 13, 14 e 15 do art. 198 da Constituição Federal.

...." (NR)

Art. 3º O art. 5º da Emenda Constitucional nº 109, de 15 de março de 2021, passa a vigorar com as seguintes alterações:

"Art. 5º O superávit financeiro das fontes de recursos dos fundos públicos do Poder Executivo, exceto os saldos decorrentes do esforço de arrecadação dos servidores civis e militares da União, apurado ao final de cada exercício, poderá ser destinado:

I - à amortização da dívida pública do respectivo ente, nos exercícios de 2021 e de 2022; e

II - ao pagamento de que trata o § 12 do art. 198 da Constituição Federal, nos exercícios de 2023 a 2027.

§ 1º No período de que trata o inciso I do **caput** deste artigo, se o ente não tiver dívida pública a amortizar, o superávit financeiro das fontes de recursos dos fundos públicos do Poder Executivo será de livre aplicação.

...." (NR)

Art. 4º Poderão ser utilizados como fonte para pagamento da assistência financeira complementar de que trata o § 15 do art. 198 da Constituição Federal os recursos vinculados ao Fundo Social (FS) de que trata o art. 49 da Lei nº 12.351, de 22 de dezembro de 2010, ou de lei que venha a substituí-la, sem prejuízo à parcela que estiver destinada à área de educação.

Parágrafo único. Os recursos previstos no *caput* deste artigo serão acrescidos ao montante aplicado nas ações e serviços públicos de saúde, nos termos da Lei Complementar nº 141, de 13 de janeiro de 2012, ou de lei complementar que venha a substituí-la, e não serão computados para fins dos recursos mínimos de que trata o § 2º do art. 198 da Constituição Federal.

Art. 5º Esta Emenda Constitucional entra em vigor na data de sua publicação.

Brasília, em 22 de dezembro de 2022

EMENDA CONSTITUCIONAL Nº 128, DE 22 DE DEZEMBRO DE 2022

Acrescenta § 7º ao art. 167 da Constituição Federal, para proibir a imposição e a transferência, por lei, de qualquer encargo financeiro decorrente da prestação de serviço público para a União, os Estados, o Distrito Federal e os Municípios.

As Mesas da Câmara dos Deputados e do Senado Federal, nos termos do § 3º do art. 60 da Constituição Federal, promulgam a seguinte Emenda ao texto constitucional:

Art. 1º O art. 167 da Constituição Federal passa a vigorar acrescido do seguinte § 7º:

"Art. 167. ....

§ 7º A lei não imporá nem transferirá qualquer encargo financeiro decorrente da prestação de serviço público, inclusive despesas de pessoal e seus encargos, para a União, os Estados, o Distrito Federal ou os Municípios, sem a previsão de fonte orçamentária e financeira necessária à realização da despesa ou sem a previsão da correspondente transferência de recursos financeiros necessários ao seu custeio, ressalvadas as obrigações assumidas espontaneamente pelos entes federados e aquelas decorrentes da fixação do salário mínimo, na forma do inciso IV do *caput* do art. 7º desta Constituição."(NR)

Art. 2º Esta Emenda Constitucional entra em vigor na data de sua publicação.

Brasília, em 22 de dezembro de 2022

BIBLIOGRAFIA

ACCIOLI, Wilson. *Instituições de direito constitucional*. 2. ed. Rio de Janeiro: Forense, 1981.

ACCIOLY, Hildebrando. *Manual de direito internacional público*. Atualizado por Geraldo Eulálio do Nascimento e Silva e Paulo Borba Casella. 17. ed. São Paulo: Saraiva, 2009.

ACQUAVIVA, Marcus Cláudio. *Instituições políticas*. São Paulo: Atlas, 1982.

_____. *Notas introdutórias ao estudo do direito*. 3. ed. São Paulo: Ícone, 1992.

ACKEL FILHO, Diomar. *Writs constitucionais*. 2. ed. São Paulo: Saraiva. 1991.

ADAMS, John Clarke. *El derecho administrativo norteamericano*. Buenos Aires: Eudeba, 1964.

AGESTA, Luis Sánches. *Curso de derecho constitucional comparado*. 5. ed. Madrid: Universidad de Madrid, 1974.

AGRA, Walber de Moura. *Curso de direito constitucional*. 4. ed. Rio de Janeiro: Forense, 2008.

_____. *A reconstrução da legitimidade do Supremo Tribunal Federal – desificação da jurisdição constitucional brasileira*. Rio de Janeiro: Forense, 2005.

AGUIAR, Joaquim Castro. *Competência e autonomia dos municípios na nova constituição*. Rio de Janeiro: Forense, 1995.

AGUILLAR, Fernando Herren. *Direito econômico:* do direito nacional ao direito supranacional. São Paulo: Atlas, 2006.

ALEIXO, Pedro. *Imunidades parlamentares*. Belo Horizonte: RBEP, 1961.

ALENCAR, Hermes Arrais. *Benefícios previdenciários*. 4. ed. São Paulo: Editora Universitária, 2009.

ALEXY, Robert. *Teoria dos direitos fundamentais*. Tradução de Virgílio Afonso da Silva. 2. ed. São Paulo: Malheiros, 2011.

_____. *Teoría de la argumentación jurídica*. Madrid: Centro de Estudios Constitucionales, 1997.

ALMEIDA, Fernanda Dias Menezes. *Competências na constituição de 1988*. São Paulo: Atlas, 1991.

ALMEIDA, Guilherme Assis de *et al*. *Direito internacional dos direitos humanos*: instrumentos básicos. 2. ed. São Paulo: Atlas, 2007.

ALMEIDA, Napoleão Mendes de. *Gramática metódica da língua portuguesa*. 27. ed. São Paulo: Saraiva, 1978.

ALMEIDA JÚNIOR, João Mendes de. *Direito judiciário brasileiro*. Rio de Janeiro: Freitas Bastos, 1954.

AMARO, Luciano. *Direito tributário brasileiro*. São Paulo: Saraiva, 1997.

ANASTASIA, Antônio Augusto Junho. *Regime jurídico único do servidor público*. Belo Horizonte: Del Rey, 1990.

ANDRADE, Agenor Pereira de. *Manual de direito internacional público*. 4. ed. São Paulo: Saraiva, 1987.

ANDRADE, José Carlos Vieira de. *Os direitos fundamentais na constituição portuguesa de 1976*. 2. ed. Coimbra: Almedina, 2001.

ANDRADE FILHO, Edmar Oliveira. *Controle de constitucionalidade de leis e atos normativos*. São Paulo: Dialética, 1997.

ALVES, Cleber Francisco. *O princípio constitucional da dignidade da pessoa humana:* o enfoque da doutrina social da igreja. Rio de Janeiro: Renovar, 2001.

ALVES, Geraldo Magela; COSTA, Nélson Nery. *Constituição federal anotada e explicada*. Rio de Janeiro: Forense, 2002.

ALTAVILA, Jayme de. *Origem dos direitos dos povos*. 5. ed. São Paulo: Ícone, 1989.

ANHAIA MELLO, José Luiz de. *Da separação de poderes à guarda da constituição*. São Paulo: Revista dos Tribunais, 1968.

ANTUNES, Marcus Vinicius Martins. *Mudança constitucional:* o Brasil pós-88. Porto Alegre, Livraria do Advogado, 2003.

APPIO, Eduardo Fernando. *Interpretação conforme a constituição:* instrumentos de tutela jurisdicional dos direitos fundamentais. Curitiba: Juruá, 2002.

ARANHA, Oswaldo. *A teoria das constituições rígidas*. 2. ed. São Paulo: Bushatsky, 1980.

ARANTES, Rogério Bastos. *Ministério Público e política no Brasil*. São Paulo: EDUC/Fapesp, 2002.

ARAUJO, Luiz Alberto David; NUNES JUNIOR, Vidal Serrano. *Curso de direito constitucional*. 1. ed. São Paulo: Saraiva, 1998.

ARENDT, Hannah. *O que é política?* Tradução de Reinaldo Guarany. Rio de Janeiro: Bertrand Brasil, 1998.

ARISTÓTELES. *A política*. São Paulo: Martins Fontes, 1991.

ARRUDA, Maurílio Neris de Andrade. *Previdência social do servidor público*. Belo Horizonte: Del Rey, 2001.

ASSIS BRASIL, J. F. *Do governo presidencial na república brasileira*. 2. ed. Rio de Janeiro: Calvino, 1934.

ASSUNÇÃO, Lutero Xavier. *Princípios de direito na jurisprudência tributária*. São Paulo: Atlas, 2000.

ATALIBA, Geraldo. *Lei complementar na constituição*. São Paulo: Revista dos Tribunais, 1971.

_____. *República e constituição*. São Paulo: Revista dos Tribunais, 1981.

_____. *Hipótese de incidência tributária*. 6. ed. São Paulo: Malheiros, 2013.

ÁVILA, Humberto. *Teoria dos princípios:* da definição à aplicação dos princípios jurídicos. 7. ed. São Paulo: Malheiros, 2007.

AVOLIO, Luiz Francisco Torquato. *Provas ilícitas:* interceptações telefônicas e gravações clandestinas. São Paulo: Revista dos Tribunais, 1995.

AZAMBUJA, Carmen Luiza Dias de. *Controle judicial e difuso de constitucionalidade no direito brasileiro e comparado:* efeito erga omnes de seu julgamento. Porto Alegre: Sérgio Antonio Fabris, 2008.

AZAMBUJA, Darcy. *Teoria geral do estado*. 4. ed. Porto Alegre: Globo 1963.

AZEVEDO, Márcia Maria Corrêa de. *Prática do processo legislativo*. São Paulo: Atlas, 2001.

BACELAR, Romeu. *Princípios constitucionais do processo administrativo disciplinar*. São Paulo: Max Limonad, 1998.

BACHA, Sérgio Reginaldo. *Mandado de injunção*. Belo Horizonte: Del Rey, 1998.

BACHOF, Otto. *Normas constitucionais inconstitucionais?* Coimbra: Almedina, 1994.

BALEEIRO, Aliomar. *Limitações constitucionais ao poder de tributar*. 5. ed. Rio de Janeiro: Forense, 1977.

_____. *Uma introdução à ciência das finanças*. Rio de Janeiro: Forense, 1955.

_____. *Direito tributário brasileiro*. 10. ed. Rio de Janeiro: Forense. 1980.

BALERA, Wagner. *Processo administrativo previdenciário*: benefícios. São Paulo: LTr, 1999.

BANDEIRA DE MELLO, Celso Antônio. *Curso de direito administrativo*. 5. ed. São Paulo: Malheiros, 1994.

_____. *Conteúdo jurídico do princípio da igualdade*. 3. ed. São Paulo: Malheiros, 1993.

_____. *Discricionariedade e controle jurisdicional*. 2. ed. São Paulo: Malheiros, 1993.

_____. *Prestação de serviços públicos e administração indireta*. São Paulo: Revista dos Tribunais, 1973.

BANDEIRA DE MELLO, Oswaldo Aranha. *Natureza jurídica do estado federal*. São Paulo: PMSP, 1948.

_____. *Princípios gerais de direito administrativo*. 3. ed. São Paulo: Malheiros. 2010.

BARACHO, José Alfredo de Oliveira. *Processo constitucional*. Rio de Janeiro: Forense, 1984.

_____. *Teoria da constituição*. São Paulo: Resenha Universitária, 1979.

BARBALHO, João. *Constituição federal brasileira, comentários*. Brasília: Senado Federal, 1992.

BARBI, Celso Agrícola. *Do mandado de segurança*. 3. ed. Rio de Janeiro: Forense, 1980.

BARBOSA, Ruy. *Commentários à constituição federal brasileira*. São Paulo: Saraiva, 1933.

_____. *O estado de sítio: sua natureza, seus efeitos, seus limites*. Rio de Janeiro: Cia. Impressora, 1892.

BARROS, Alice Monteiro de. *Proteção à intimidade do empregado*. São Paulo: LTr, 1997.

BARROS, Sérgio Resende de. *Contribuição dialética para o constitucionalismo*. Campinas: Millennium, 2007.

BARROS, Suzana de Toledo. *O princípio da proporcionalidade e o controle de constitucionalidade das leis restritivas de direitos fundamentais*. Brasília: Brasília Jurídica, 1996.

BARROSO, Lucas Abreu *et al. O direito agrário na constituição*. Rio de Janeiro: Forense, 2005.

BARROSO. Luis Roberto. *Curso de direito constitucional contemporâneo*. 2. ed. São Paulo: Saraiva, 2010.

_____. *O direito constitucional e a efetividade de suas normas*. 7. ed. Rio de Janeiro: Renovar, 2003.

_____. *Interpretação e aplicação da constituição*. 6. ed. São Paulo: Saraiva, 2004.

_____. *Constituição da república federativa do brasil anotada*. São Paulo: Saraiva, 1998.

BARCELOS, Ana Paula de. *A eficácia jurídica dos princípios constitucionais*. Rio de Janeiro: Renovar, 2002.

BARRETO, Aires. Os municípios na nova constituição brasileira. *In: A constituição brasileira – 1988*: interpretações. Rio de Janeiro: Forense Universitária, 1988.

BARRUFFINI, José Carlos Tosetti. *Direito constitucional I e II*. São Paulo, Saraiva, 2005.

BASTOS, Celso Ribeiro. *Curso de direito constitucional*. 16. ed. São Paulo: Saraiva, 1995.

_____. *Dicionário de direito constitucional*. São Paulo: Saraiva, 1994.

BASTOS, Celso; MARTINS, Ives Gandra da Silva. *Comentários à constituição do Brasil*. São Paulo: Saraiva, 1988/1990.

BAZOLINI, Nilton Luiz de Freitas. *A coisa julgada nas ações coletivas*. São Paulo: Juarez de Oliveira, 2004.

BAUM, Lawrence. *A suprema corte americana*. Rio de Janeiro: Forense Universitária, 1987.

BECHO, Renato Lopes. *Sujeição passiva e responsabilidade tributária*. São Paulo: Dialética, 2000.

BECKER, Alfredo Augusto. *Teoria geral do direito tributário*. São Paulo: Saraiva, 1963.

BERNARDES, Juliano Taveira. *Efeitos das normas constitucionais no sistema normativo brasileiro*. Porto Alegre, Sérgio Antonio Fabris, 2002.

BERNARDES, Wilba Lúcia Maia. *Da nacionalidade: brasileiros natos e naturalizados*. Belo Horizonte: Del Rey, 1996.

BESTER, Gisela Maria. *Direito constitucional: fundamentos teóricos*. São Paulo: Manole, 2005.

BERMUDES, Sérgio. *A reforma do judiciário pela emenda constitucional n.º 45*. Rio de Janeiro: Forense, 2005.

BEVILAQUA, Clóvis. *Obra filosófica:* filosofia social e jurídica. São Paulo: Grijalbo/EDUSP, 1976.

BIELSA, Rafael. *Compendio de derecho público*. Buenos Aires: Depalma, 1952.

BIERRENBACH, Flávio. *Quem tem medo da constituinte*. Rio de Janeiro: Paz e Terra, 1986.

____. BINENBOJM, Gustavo. *A novo jurisdição constitucional brasileira*. Rio de Janeiro: Renovar, 2001.

BICUDO, Hélio Pereira; NUNES JR., Vidal Serrano; RIOS, José de Oliveira. *"Impeachment"*: como deve ser. Brasília: Congresso Nacional, 1992.

BITTAR, Carlos Alberto. *O direito civil na constituição de 1988*. 2. ed. São Paulo: Revista dos Tribunais, 1991.

BITTENCOURT, C. A. Lúcio. *O controle jurisdicional da constitucionalidade das leis*. Rio de Janeiro: Forense, 1988.

BOBBIO, Norberto. *Teoria do ordenamento jurídico*. 10. ed. Brasília: UNB, 1997.

_____. *O conceito de sociedade civil*. Rio de Janeiro: Graal, 1982.

_____. *A era dos direitos*. Tradução Carlos Nelson Coutinho. Rio de Janeiro: Campus, 1992.

BONAVIDES, Paulo. *Curso de direito constitucional*. 4. ed. São Paulo: Malheiros, 1993.

_____. *A constituição aberta*. 3. ed. São Paulo: Malheiros, 2004.

_____. *Do país constitucional ao país neocolonial*. São Paulo: Malheiros. 1999.

_____. *Ciência política*. 10. ed. São Paulo: Malheiros, 1995.

_____. *Teoria geral do estado*. 6. ed. São Paulo: Malheiros, 2007.

BONAVIDES, Paulo; ANDRADE, Paes. *História constitucional do Brasil*. 3. ed. Rio de Janeiro: Paz e Terra, 1991.

BORGES, José Souto Maior. *Lei complementar tributária*. São Paulo: RT/EDUC, 1975.

BORGES NETTO, André Luiz. *Competências legislativas dos estados-membros*. São Paulo: Revista dos Tribunais, 1999.

BRANCO, Samuel Murgel. *O meio ambiente em debate*. 14. ed. São Paulo: Moderna, 1991.

BRITO, Carlos Ayres. *Teoria da constituição*. Rio de Janeiro: Forense, 2003.

_____. *Interpretação e aplicabilidade das normas constitucionais*. São Paulo: Saraiva, 1982.

BRITO, Edvaldo. *Limites da revisão constitucional*. Porto Alegre: Sérgio Antonio Fabris, 1993.

BUENO, Cassio Scarpinella. *Liminar em mandado de segurança*. São Paulo: RT, 1997.

BUENO, José Antônio Pimenta. *Direito público brasileiro e análise da constituição do império*. Brasília: Ministério da Justiça, Senado Federal e UnB, 1978.

BULHÕES, Octávio Gouvêa de. *Dois conceitos de lucro*. Rio de Janeiro: Apec Editora, 1969.

BULOS, Uadi Lammêgo. *Curso de direito constitucional*. São Paulo: Saraiva, 2007.

_____. *Constituição federal anotada*. São Paulo: Saraiva, 2000.

_____. *Mutação constitucional*. São Paulo: Saraiva, 1997.

BURDEAU, Georges. *Droit constitutionnel et institutions politiques*. Paris: LGDJ, 1972.

BUZAID, Alfredo. *Da ação direta de declaração de inconstitucionalidade no direito brasileiro*. São Paulo: Saraiva, 1958.

BUZANELLO, José Carlos. *Direito de resistência constitucional*. Rio de Janeiro: América Jurídica, 2003.

CABRAL, Antônio da Silva. *Processo administrativo fiscal*. São Paulo: Saraiva, 1993.

CAETANO, Marcelo. *Direito constitucional*. 2. ed. Rio de Janeiro: Forense, 1987.

_____. *Manual de direito administrativo*. 2. ed. Coimbra, 1947.

_____. *Princípios fundamentais do direito administrativo*. Rio de Janeiro: Forense, 1977.

CAHALI, Yussef Said. *Estatuto do estrangeiro*. São Paulo: Saraiva, 1983.

CALAMANDREI, Piero. *Eles, os juízes, vistos por nós, os advogados*. 6. ed. Lisboa: Livraria Clássica, [s.d.].

CALMON, Pedro. *Curso de direito constitucional brasileiro*. Rio de Janeiro: Freitas Bastos, 1947.

CAMARGO, Margarida Maria Lacombe. *Hermenêutica e argumentação: uma contribuição ao estudo do direito*. Rio de Janeiro-São Paulo: Renovar, 2003.

CAMARGO FERRAZ, Antonio Augusto Mello de. *A ação civil pública e a tutela jurisdicional dos interesses difusos*. São Paulo: Saraiva, 1984.

CAMPANHOLE, Adriano; LOBO, Hilton. *Constituições do Brasil*. 13. ed. São Paulo: Atlas, 1999.

CAMPOS, Francisco. *Direito constitucional*. Rio de Janeiro: Forense, 1956.

_____. *Direito administrativo*. Rio de Janeiro: Freitas Bastos, 1958.

CAMPOS, German Jose Bidart. *Doctrina del estado democrático*. Buenos Aires: EJEA, 1961.

CANOTILHO, J. J. Gomes. *Direito constitucional e teoria da constituição*. 6. ed. Coimbra: Almedina, 1996.

_____. *Constituição dirigente e vinculação do legislador*. Coimbra: Coimbra, 1983.

CANTIZANO, Dagoberto Liberato. *O processo legislativo nas constituições brasileiras e no direito comparado*. Rio de Janeiro: Forense, 1985.

CAPPELLETTI, Mauro. *O controle judicial de constitucionalidade das leis no direito comparado*. 2. ed. Porto Alegre: Sérgio A. Fabris, 1999.

CARNEIRO, Athos Gusmão. *Jurisdição e competência*. São Paulo: Saraiva, 1983.

CARNELUTTI, Francesco. *Arte do direito*. Campinas: Edicamp, 2001.

_____. *Metodologia do direito*. 3. ed. Campinas: Bookseller, 2005.

CARRAZZA, Roque Antônio. *Curso de direito constitucional tributário*. 16. ed. São Paulo: Malheiros, 2001.

CARVALHO, Aluísio Dardeau. *Nacionalidade e cidadania*. Rio de Janeiro: Freitas Bastos, 1956.

CARVALHO, Paulo de Barros. *Curso de direito tributário*. 21. ed. São Paulo: Saraiva, 2000.

CARVALHO, Kildare Gonçalves Carvalho. *Direito constitucional teoria do estado e da constituição direito constitucional positivo*. 11. ed. Belo Horizonte: Del Rey, 2005.

CARVALHO, Orlando Magalhães. *Resumos de teoria geral do estado*. Belo Horizonte: Os Amigos do Livro, 1942.

CARVALHO, Virgílio de Jesus Miranda. *Os valores constitucionais fundamentais:* esboço de uma análise axiológico-normativa. Coimbra: Coimbra, 1982.

CARVALHO FILHO, José dos Santos. *Manual de direito administrativo*. 3. ed. Rio de Janeiro, Lumen Juris, 1999.

CARVALHOSA, Modesto. *Comentários* à lei das sociedades anônimas: vol. 1. São Paulo: Saraiva, 1997.

CASTRO, Alexandre Barros. *Procedimento administrativo tributário*. São Paulo: Atlas, 1996.

CASTRO, Carlos Roberto Siqueira. *O devido processo legal e a razoabilidade das leis na nova constituição do brasil*. Rio de Janeiro: Forense, 1989.

CASTRO, José Nilo de. *Direito municipal positivo*. Belo Horizonte: Del Rey, 1991.

CASSONE. Vittorio. *Direito tributário*. 11. ed. São Paulo: Atlas, 1989.

CAVALCANTI, Themístocles Brandão. *Princípios gerais de direito público*. 3. ed. Rio de Janeiro: Borsoi, 1966.

_____. *A constituição federal comentada*. 2. ed. Rio de Janeiro: José Konfino, 1953.

_____. *Do mandado de segurança*. 5. ed. Rio de Janeiro: Freitas Bastos, 1966.

CENEVIVA, Walter. *Direito constitucional brasileiro*. 2. ed. São Paulo: Saraiva, 1991.

CHEVALLIER, Jean-Jacques. *As grandes obras políticas de Maquiavel a nossos dias*. 3. ed. Rio de Janeiro: Agir, 1982.

COELHO, Fábio Ulhoa. *Para entender Kelsen*. 2. ed. São Paulo: Max Limonad, 1997.

COELHO, Fernando. *Lógica jurídica e interpretação das leis*. Rio de Janeiro: Forense, 1981.

COELHO, Inocêncio Mártires. *Interpretação constitucional*. 3. ed. São Paulo: Saraiva. 2007.

COÊLHO, Sacha Calmon Navarro. *Curso de direito tributário brasileiro*. 6. ed. Rio de Janeiro: Forense, 2001.

_____. *Comentários à constituição de 1988*. 4. ed. Rio de Janeiro: Forense, 1992.

COMPARATO, Fábio Konder. *A afirmação histórica dos direitos humanos*. São Paulo: Saraiva, 1999.

_____. *O poder de controle na sociedade anônima*. São Paulo: Revista dos Tribunais, 1976.

CONTI, José Maurício. *Sistema constitucional tributário interpretado pelos tribunais*. São Paulo: Oliveira Mendes, 1998.

COOLEY, Thomas. *Princípios gerais de direito constitucional dos Estados Unidos da América do Norte*. 2. ed. São Paulo: Revista dos Tribunais, 1982.

CORRÊA, Oscar Dias. *Contribuição crítica à constituição de 1988*. Rio de Janeiro: Forense Universitária, 1991.

CORREIA, Marcus Orione Gonçalves. *Direito processual constitucional*. São Paulo: Saraiva, 1998.

COSTA, Regina Helena. *Imunidades tributárias*. São Paulo: Malheiros, 2001.

_____. *Curso de direito tributário*: constituição e código tributário nacional. São Paulo: Saraiva, 2009.

COSTA JÚNIOR, Paulo José da. *Direito penal na constituição*. 3. ed. São Paulo: Revista dos Tribunais, 1995.

COSTA E SILVA, Gustavo Just. *Os limites da reforma constitucional*. Rio de Janeiro: Renovar, 2000.

COUTURE, Eduardo. *El "Debido Proceso" como tutela de los derechos humanos*. Buenos Aires: La Ley, 1956.

CLÈVE, Clèmerson Merlin. *A fiscalização abstrata de constitucionalidade no direito brasileiro*. São Paulo: Revista dos Tribunais, 1995.

_____. *Atividade legislativa do poder executivo no estado contemporâneo e na constituição de 1988*. São Paulo: Revista dos Tribunais. 1993.

CRETELLA JÚNIOR, José. *Comentários à constituição de 1988*. 2. ed. Rio de Janeiro/São Paulo: Forense Universitária, 1993.

_____. *Os "Writs" na constituição de 1988*. Rio de Janeiro: Forense Universitária, 1989.

_____. *Do mandado de segurança coletivo*. 2. ed. Rio de Janeiro: Forense, 1980.

CHIMENTI, Ricardo Cunha *et alii*. *Curso de direito constitucional*. 2. ed. São Paulo: Saraiva, 2005.

COSTA, Elcias Ferreira da. *Direito eleitoral: legislação e doutrina*. Rio de Janeiro: Forense, 1992.

CUELLAR, Leila. *As agências reguladoras e seu poder normativo*. São Paulo: Dialética, 2001.

CUNHA, Fernando Whitaker da. *Teoria geral do estado*. Rio de Janeiro: Freitas Bastos, 1990.

CUNHA, Manuela Carneiro da. *Os direitos do índio: ensaios e documentos*. São Paulo: Brasiliense, 1988.

CUNHA, Sérgio Sérvulo da. *Fundamentos de direito constitucional*. São Paulo: Saraiva, 2004.

CUSTÓDIO, Antonio Joaquim Ferreira. *Constituição federal interpretada pelo STF*. 5. ed. São Paulo: Juarez de Oliveira, 2000.

CUPIS, Adriano de. *Os direitos da personalidade*. Tradução de Adriano Vera Jardim e Antonio Miguel Caeiro. Lisboa:, Livraria Morais, 1961.

CRISAFULLI, Vézio. *La constituzione e le sue disposizioni di principio*. Milano: Giuffrè, 1952.

CRUZ, José Raimundo Gomes da. *Lei orgânica da magistratura nacional interpretada*. 2. ed. São Paulo: Juarez de Oliveira, 2001.

DABIN, Jean. *Teoria general del derecho*. Madrid: Revista de Derecho Privado, 1955.

DALLARI, Adilson de Abreu *et al*. *Curso de mandado de segurança*. São Paulo: Revista dos Tribunais, 1986.

DALLARI, Dalmo de Abreu. *Elementos de teoria geral do estado*. 7. ed. São Paulo: Saraiva, 1981.

_____. *O poder dos juízes*. São Paulo: Saraiva, 1996.

DALLA VIA, Alberto Ricardo. *Manual de derecho constitucional*. Buenos Aires: Lexis Nexis, 2004.

DALTON, Hugh. *Princípios de finanças públicas*. Tradução de Maria de Lourdes Modiano. Rio de Janeiro: FGV, 1960.

DANTAS, David Diniz. *Interpretação constitucional no pós-positivismo*. São Paulo: Madras, 2005.

DANTAS, Francisco Ivo Cavalcanti. *Da defesa do estado e das instituições democráticas no nova constituição*. Rio de Janeiro: Aide, 1989.

DANTAS, Marcelo Navarro Ribeiro. *Reclamação constitucional no direito brasileiro*. Porto Alegre: Sérgio Antônio Fabris, 2000.

DANTAS, Paulo Roberto de Figueiredo. *Direito constitucional*. 3. ed. São Paulo: Atlas, 2007.

DANTAS, San Tiago. *Problemas de direito positivo*. Rio de Janeiro: Forense, 1953.

DAVID, René. *Os grandes sistemas do direito contemporâneo*. São Paulo: Martins Fontes, 1998.

DE CICCO, Cláudio. *Dinâmica da história*. 2. ed. São Paulo: Palas Athena, 1985.

DELFIM, Ricardo Alessi. Ação *declaratória de constitucionalidade e os princípios constitucionais do processo*. São Paulo: Juarez de Oliveira, 2001.

DEL VECCHIO, Giorgio. *Lições de filosofia do direito*. 2. ed. Coimbra: Arménio Amado, 1951.

DE PLÁCIDO e Silva. *Vocabulário jurídico*. 25. ed. Rio de Janeiro: Forense, 2004.

DEODATO, Alberto. *Manual de ciência das finanças*. 16. ed. São Paulo: Saraiva, 1979.

DEUTSCH, Karl. *Grupos de pressão no congresso nacional*. São Paulo: Maltese, 1994.

DINIZ, Maria Helena. *Norma constitucional e seus efeitos*. 3. ed. São Paulo: Saraiva, 1997.

_____. *Conflito de normas*. São Paulo: Saraiva, 1987.

_____. *Dicionário jurídico*. São Paulo: Saraiva. 1998.

DI PIETRO, Maria Sylvia Zanella. *Direito administrativo*. 8. ed. São Paulo: Atlas, 1997.

DOLINGER, Jacob. *Direito internacional privado*: a criança no direito internacional. Rio de Janeiro: Renovar, 2003.

DÓRIA, Antônio Roberto Sampaio. *Princípios constitucionais tributários e a cláusula "due processo of law"*. São Paulo: Revista dos Tribunais, 1964.

DOTTI, René Ariel. *Proteção da vida privada e liberdade de informação*. São Paulo: Revista dos Tribunais, 1980.

DUGUIT, Leon. *Fundamentos do direito*. São Paulo: Ícone, 1996.

DUVERGER, Maurice. *Os grandes sistemas políticos*. Coimbra: Almedina, 1985.

DWORKIN, Ronald. *O império do direito*. São Paulo: Martins Fontes, 1999.

EASTON, David. *Política moderna*. Cidade do México: Letras, 1980.

ENGELS, Friedrich. *A origem da família, da propriedade e do estado*. Rio de Janeiro: Vitória, 1960.

ENGISCH, Karl. *Introdução ao pensamento jurídico*. 6. ed. Lisboa: Fundação Calouste Gulbenkian, 1988.

ESPÍNOLA, Eduardo. *Constituição dos Estados Unidos do Brasil*. Rio de Janeiro: Freitas Bastos, 1952.

ESPÍNDOLA, Ruy Samuel. *Conceito de princípios constitucionais*. São Paulo: Revista dos Tribunais, 1988.

ESTEVES, Maria do Rosário. *Normas gerais de direito tributário*. São Paulo: Max Limonad, 1997.

FACHIN, Luiz Edson. *Direito de família: elementos críticos à luz do novo Código Civil*. 2. ed. Rio de Janeiro: Renovar, 2003.

FAGUNDES, Miguel Seabra. *O controle dos atos administrativos pelo poder judiciário*. 6. ed. São Paulo: Saraiva, 1984.

FALCÃO, Alcino Pinto *et al*. *Comentários à constituição*. Rio de Janeiro: Freitas Bastos, 1990.

FALCÃO, Amilcar de Araújo. *Sistema tributário brasileiro*. Rio de Janeiro: Financeiras, 1965.

FANUCCHI, Fábio. *Curso de Direito tributário brasileiro*. São Paulo: Resenha Tributária, 1991.

FARIA, Anacleto de Oliveira. *Do princípio da igualdade jurídica*. São Paulo: RT/EDUSP, 1973.

FARIA, José Eduardo. *Justiça e conflito*. São Paulo: Revista dos Tribunais, 1991.

_____. *Poder e legitimidade*. São Paulo: Perspectiva, 1978.

_____. *Crise do direito numa sociedade em mudança*. Brasília: UnB, 1988.

FARIA, Werter R. *Constituição econômica: liberdade de iniciativa e de concorrência*. Porto Alegre: Sérgio Antonio Fabris, 1990.

FARIAS, Edilsom Pereira de. *Liberdade de expressão e comunicação. teoria e proteção constitucional*. São Paulo: Revista dos Tribunais, 2004.

FAORO, Raymundo. *Assembleia constituinte – a legitimidade recuperada*. 3. ed. São Paulo: Brasiliense, 1985.

_____. *Os donos do poder*. Rio de Janeiro: Globo, 2000.

FELDENS, Luciano. *A Constituição penal:* a dupla face da proporcionalidade no controle das normas penais. Porto Alegre: Livraria do Advogado, 2005.

FELIPE, J. Franklin Alves. *Curso de direito previdenciário*. 12. ed. Rio de Janeiro: Forense, 2006.

FELIPE, Márcio Sotelo. *Razão jurídica e dignidade humana*. São Paulo: Max Limonad, 1996.

FERNANDES, Antonio Scarance. *Processo penal constitucional*. São Paulo: Revista dos Tribunais, 1999.

FERRAJOLI, Luigi. *Derecho y razón*. 4. ed. Madrid: Trotta, 2000.

FERRARI, Regina Maria Macedo Nery. *Efeitos da declaração de inconstitucionalidade*. São Paulo: Revista dos Tribunais, 1987.

FERRAZ, Anna Cândida da Cunha. *Poder constituinte do estado-membro*. São Paulo: Revista dos Tribunais, 1979.

FERRAZ, Sérgio. *Mandado de segurança (individual e coletivo)*: aspectos polêmicos. 3. ed. São Paulo: Malheiros, 1996.

FERREIRA, José Nunes. *Súmulas do Supremo Tribunal Federal*. 3. ed. São Paulo: Saraiva, 1992.

FERREIRA FILHO, Manoel Gonçalves. *Comentários à constituição brasileira de 1988*. São Paulo: Saraiva, 1995.

_____. *Curso de direito constitucional*. 34. ed. São Paulo: Saraiva, 2008.

_____. *Comentários à constituição brasileira de 1988*. São Paulo: Saraiva, 1997.

_____. *Direitos humanos fundamentais*. São Paulo: Saraiva, 1996.

_____. *Do processo legislativo*. 3. ed. São Paulo: Saraiva, 1995.

_____. *O poder constituinte*. 2. ed. São Paulo: Saraiva, 1985.

_____. *Direito constitucional comparado*: I: o poder constituinte. São Paulo: José Bushatsky/EDUSP, 1974.

FERREIRA, Luís Pinto. *Curso de direito constitucional*. 9. ed. São Paulo: Saraiva, 1998.

_____. *Princípios gerais do direito constitucional moderno*. 6. ed. São Paulo: Saraiva, 1983.

_____. *Manual de direito constitucional*. 2. ed. Rio de Janeiro: Forense, 1992.

_____. *Comentários à constituição brasileira*. São Paulo: Saraiva, 1992.

FERREIRA, Wolgran Junqueira. *Direitos e garantias individuais*. São Paulo: EDIPRO, 1997.

FIGUEIREDO, Lúcia Valle. *Curso de direito administrativo*. São Paulo: Malheiros, 1994.

_____. *Dispensa e inexigibilidade de licitação*. 3. ed. São Paulo: Malheiros, 1995.

FIGUEIREDO, Marcelo. *O controle da moralidade na constituição*. São Paulo: Malheiros, 1999.

FILHO, Nagib Slaib. *Anotações à constituição de 1988*: aspectos fundamentais. 3. ed. Rio de Janeiro: Forense, 1992.

_____. *Ação declaratória de constitucionalidade*. 2. ed. Rio de Janeiro: Forense, 1995.

FILHO, Willis Santiago Guerra. *Processo constitucional e direitos fundamentais*. 2. ed. São Paulo: Celso Bastos, 2001.

FIORILLO, Celso Antonio Pacheco. *Curso de direito ambiental brasileiro*. São Paulo: Saraiva, 2000.

FIUZA, Ricardo Arnaldo Malheiros. *Direito constitucional comparado*. 3. ed. Belo Horizonte: Del Rey, 1997.

FLAKS, Milton. *Mandado de segurança:* pressupostos da impetração. Rio de Janeiro: Forense, 1980.

FRANÇA, Rubens Limongi. *Princípios gerais de direito*. 2. ed. São Paulo: Revista dos Tribunais, 1971.

_____. *Direito intertemporal brasileiro*. São Paulo: Saraiva, 1968.

_____. *Manual prático das desapropriações*. Rio de Janeiro: Forense, 1976.

FRANCIULLI NETTO, Domingos. *O ideal idealíssimo, o ideal realizável e o processo de resultados*. São Paulo: Fiuza, 2003.

FRANCO, Afonso Arinos de Mello. *Curso de direito constitucional brasileiro*. Rio de Janeiro: Forense, 1958.

FRANCO SOBRINHO, Manoel de Oliveira. *O princípio constitucional da moralidade administrativa*. 2. ed. Curitiba: Genesis, 1993.

FREITAS, Juarez. *O controle dos atos administrativos e os princípios fundamentais*. 2. ed. São Paulo: Malheiros, 1999.

FREITAS, Vladimir Passos de. *Direito administrativo e meio ambiente*. 2. ed. Curitiba: Juruá, 1998.

FRIEDE, Roy Reis. *Questões de teoria geral do estado e de direito constitucional*. Rio de Janeiro: Forense Universitária, 1994.

FRONTINI, Paulo Salvador. *Juizado especial de pequenas causas*. São Paulo: Revista dos Tribunais, 1985.

GAMA, Ricardo Rodrigues. *Manual de direito constitucional*. 2. ed. Curitiba: Juruá, 2000.

GARCIA, Maria, *et. al. Estudos de direito constitucional comparado*. Rio de Janeiro: Elsevier, 2007.

GARCIA PELAYO, Manuel. *Derecho constitucional comparado*. 4. ed. Madri: Revista de Occidente, 1967.

GIUSTINI, José Antonio. *Sistemas eleitorais nas democracias contemporâneas*. Rio de Janeiro: Relume-Dumará, 1994.

GASPARINI, Diógenes. *Direito administrativo*. 2. ed. São Paulo: Saraiva, 1993.

GODOY, Luciano de Souza. *Direito agrário constitucional*. 2. ed. São Paulo: Atlas, 1999.

GOLDSCHMIDT, Werner. *Conducta y norma*. Buenos Aires: Abeledo-Perrot, 1955.

GOMES, Joaquim B. Barbosa. *A ação afirmativa & princípio constitucional da igualdade*: o direito como instrumento de transformação social: a experiência dos EUA. Rio de Janeiro: Renovar, 2001.

GOMES FILHO, Antonio Magalhães. *Direito à prova no processo penal*. São Paulo: Revista dos Tribunais, 1997.

GORDILLO, Agustin. *Princípios gerais de direito público*. São Paulo, Revista dos Tribunais, 1977.

GRAU, Eros Roberto. *A ordem econômica na constituição de 1988*. 2. ed. São Paulo: Revista dos Tribunais, 1991.

_____. *Elementos de direito econômico*. São Paulo: Revista dos Tribunais, 1981.

_____. *Planejamento econômico e regra jurídica*. São Paulo: Faculdade de Direito da USP, 1977.

_____. *A constituinte e a constituição que teremos*. São Paulo: Revista dos Tribunais, 1985.

_____. *Direito*: conceitos e normas jurídicas. São Paulo: RT. 1988.

GROPPALI, Alexandre. *Doutrina do estado*. 8. ed. São Paulo: Saraiva, 1953.

GRECO FILHO, Vicente. *Tutela constitucional das liberdades*. São Paulo: Saraiva, 1989.

GRINOVER, Ada Pellegrini. *Liberdades públicas e processo penal*: as interceptações telefônicas. 2. ed. São Paulo: Revista dos Tribunais, 1982.

_____. *Processo constitucional em marcha*. São Paulo: Max Limonad, 1984.

_____. *As garantias constitucionais do direito de ação*. São Paulo: Revista dos Tribunais, 1973.

GROTTI, Dinorá Adelaide Musetti. *Inviolabilidade do domicílio na constituição*. São Paulo: Malheiros, 1993.

GUERRA FILHO, Willis Santiago. *Dos direitos humanos aos direitos fundamentais*. Porto Alegre: Livraria do Advogado, 1997.

GUIMARÃES, Francisco de Silva Xavier. *Nacionalidade: aquisição, perda e reaquisição*. Rio de Janeiro: Forense, 1995.

GUIMARÃES, Ylves José de Miranda. *Comentários à constituição: direitos e garantias individuais e coletivas*. Rio de Janeiro: Forense, 1989.

HÄBERLE, Peter. *Hermenêutica constitucional:* a sociedade aberta dos intérpretes da constituição. Tradução de Gilmar Ferreira Mendes. Porto Alegre: Sérgio A. Fabris, 1997.

_____. *El estado constitucional*. Tradução de Héctor Fix-Fierro e Rolando Tamayo y Salmoran. Cidade do México: Universidad Nacional Autónoma de México, 2001.

HABERMAS Jürgen. *Direito e democracia:* entre facticidade e validade. Tradução de Flávio Siebeneichler. 2.ª ed. Rio de Janeiro: Tempo Brasileiro, 2003.

HAGE, Jorge. *Omissão inconstitucional e direito subjetivo*. Brasília: Brasília Jurídica, 1999.

HAMATI, Cecília Maria Marcondes. *Curso de direito tributário*. São Paulo: Malheiros, 1996.

HAMILTON, Alexander; MADISON, James; JAY, John. *O federalista*. Brasília: UnB, 1984.

HARADA, Kiyoshi. *Direito financeiro e tributário*. 2. ed. São Paulo: Atlas, 1997.

HEIDEGGER, Martin. *Ser e tempo*. Petrópolis: Vozes, 1995.

HERAS, Jorge Xifras. *Curso de derecho constitucional*. 2. ed. Barcelona: Bosch, 1957.

HELLER, Herman. *Teoria del estado*. México: Fondo de Cultura Económica, 1987.

HERBELLA, Fernanda. *Algemas e a dignidade da pessoa humana:* fundamentos jurídicos do uso de algemas. São Paulo: Lex, 2008.

HESSE, Konrad. *A força normativa da constituição*. Porto Alegre: Sérgio A. Fabris, 1997.

HORTA, Raul Machado. *Direito constitucional*. 4. ed. Belo Horizonte: Del Rey, 2010.

_____. *A autonomia do estado-membro no direito constitucional brasileiro*. Belo Horizonte: Del Rey, 1964.

HORVATH, Estevão. *Lançamento tributário e "autolançamento"*. São Paulo: Dialética, 1997.

ICHIHARA, Yoshiaky. *Imunidades tributárias*. São Paulo: Revista dos Tribunais, 1998.

_____. *Direito tributário*. 3. ed. São Paulo: Atlas, 1991.

ISERN, Luiz Francisco. *Controle de constitucionalidade por meio do veto municipal*. São Paulo: Método, 2002.

IVO, Gabriel. *Constituição estadual*: competência para elaboração da constituição do estado-membro. São Paulo: Max Limonad, 1997.

JABUR, Gilberto Haddad. *Liberdade de pensamento e direito à vida privada*. São Paulo: Revista dos Tribunais, 2000.

JACQUES, Paulino. *Curso de direito constitucional*. 10. ed. Rio de Janeiro: Forense, 1987.

JAYME, Fernando G. *Tribunal constitucional*: exigência democrática. Belo Horizonte: Del Rey, 2000.

JELLINEK, Georg. *Teoría general del estado*. Buenos Aires: Albatros, 1981.

JENNINGS, William Ivor. *A Constituição britânica*. Brasília: UNB, 1981.

JESUS, Damásio Evangelista de. *Foro por prerrogativa de função*. São Paulo: Complexo Damásio, 2003.

JHERING, Rudolf von. *A luta pelo direito*. 5. ed. Rio de Janeiro: Forense, 1985.

JÉZE, Gaston. *Principios generales del derecho administrativo*. Buenos Aires: Depalma, 1948.

JOBIM, Nelson. *Relatório da revisão constitucional*: pareceres produzidos. Brasília: Senado Federal, 1994.

JÚNIOR, César de Faria. *O processo administrativo fiscal e as condições da ação penal nos crimes tributários*. 2. ed. Rio de Janeiro: Forense, 2006.

JUNIOR, Paulo Hamilton Siqueira. *Direito processual constitucional*. 4. ed. São Paulo: Saraiva, 2010.

JUNIOR, João Ribeiro. *Elementos e evolução do direito constitucional brasileiro*. Campinas: Edicamp, 2002.

JÚNIOR, Tércio Sampaio Ferraz. *A ciência do direito*. 2. ed. São Paulo: Atlas, 1980.

____ . *Conceito de sistema no direito*. São Paulo: Revista dos Tribunais, 1976.

_____. *Função social da dogmática jurídica*. São Paulo: Revista dos Tribunais, 1980.

_____. *Interpretação e estudos da constituição de 1988*. São Paulo: Atlas, 1990.

JUSTEN FILHO, Marçal. *Comentários* à lei de licitações e contratos administrativos. 9. ed. São Paulo: Dialética, 2002.

JURUENA, Marcos. *Desestatização, privatização, concessões e terceirizações*. 3. ed. Rio de Janeiro: Lumen Juris, 2000.

KANT, Immanuel. *Da paz perpétua*. São Paulo: Cultrix, 1992.

KELSEN, Hans. *Teoria pura do direito*. 5. ed. Coimbra: Armênio Amado, 1979.

_____. *Teoria geral do direito e do estado*. 2. ed. São Paulo: Martins Fontes, 1993.

_____. *O problema da justiça*. São Paulo: Martins Fontes, 1993.

KELY, Prado. *O fascínio da democracia*. São Paulo: Agir, 1977.

KISSINGER, Henry. *Diplomacia*. Rio de Janeiro: Francisco Alves, 1999.

LACOMBE, Américo Masset. *Princípios constitucionais tributários*. São Paulo: Malheiros, 1996.

LA CUEVA, Mario de. *Teoría de la constitución*. Cidade do México: Porrúa. 1982.

LAFER, Celso. *A reconstrução dos direitos humanos*. São Paulo: Companhia das Letras, 1988.

LASSALE, Ferdinand. *O que é uma constituição política*. São Paulo: Global Editora, 1987.

LAZZARINI, Álvaro. *Estudos de direito administrativo*. São Paulo: Revista dos Tribunais, 1996.

LEAL, Rogério Gesta. *Teoria do estado: cidadania e poder política na modernidade*. Porto Alegre: Livraria do Advogado, 2001.

LEITE, Flamarion Tavares. *10 lições sobre Kant*. 2. ed. Petrópolis: Vozes, 2007.

LEITE, Rosimeire Ventura. *Responsabilidade do estado por atos jurisdicionais*. Porto Alegre: Sergio Antonio Fabris, 2002.

LEITE, George Salomão. *Interpretação constitucional e tópica jurídica*. São Paulo: Juarez de Oliveira, 2002.

LEITÃO, Alexandra Ludomila Ribeiro Fernandes. *O enriquecimento sem causa da administração pública*. Lisboa: Associação Académica da Faculdade de Direito de Lisboa, 1998.

LEITÃO, J. M. Silva. *Constituição e direito de oposição*. Coimbra: Livraria Almedina, 1987.

LENZA, Pedro. *Direito constitucional esquematizado*. 17. ed. São Paulo: Saraiva, 2013.

LESSA, Pedro. *Do poder judiciário*. Rio de Janeiro: Francisco Alves Editora, 1915.

LEWANDOWISK, Enrique Ricardo. *Pressupostos materiais e formais da intervenção federal no Brasil*. São Paulo: Revista dos Tribunais, 1994.

LIMA, Maria Rosynete Oliveira. *Devido processo legal*. Porto Alegre: Sérgio Antonio Fabris, 1999.

LIMA, Ruy Cirne. *Princípios de direito administrativo*. 6. ed. São Paulo: Revista dos Tribunais, 1987.

LOEWENSTEIN, Karl. *Teoría de la constitución*. Tradução de Alfredo Gallego Anabitarte. Barcelona: Ariel, 1986.

LOPES, Maurício Antonio Ribeiro. *Poder constituinte reformador*. São Paulo: Revista dos Tribunais, 1993.

LOPES, Teresa Ancona. *O dano estético: responsabilidade civil*. 2. ed. São Paulo: Revista dos Tribunais, 1999.

LOURENÇO, Rodrigo Lopes. *Controle de constitucionalidade à luz da jurisprudência do STF*. Rio de Janeiro: Forense, 1998.

LOUREIRO, Lair da Silva *et al*. *Mandado de segurança e mandado de injunção*. São Paulo: Saraiva, 1996.

MACEDO, Carlos Márcio Rissi. *Lavagem de dinheiro*. Curitiba: Juruá, 2006.

MACHADO, Hugo de Brito. *Curso de direito tributário*. 34. ed. São Paulo: Malheiros, 2013.

_____. *Os princípios jurídicos da tributação na constituição de 1988*. 2. ed. Malheiros, 1991.

_____. *Comentários ao código tributário nacional*: vol. I. São Paulo: Atlas. 2005.

_____. *Direitos fundamentais do contribuinte e a efetividade da jurisdição*. São Paulo: Atlas, 2009.

MACHIAVELLI, Niccoló. *O príncipe*. Tradução de Torrieri Guimarães. São Paulo: Hemus, 1977.

MAGALHÃES, Roberto Barcellos de. *A constituição federal de 1967*. Rio de Janeiro: Konfino, 1967.

MALUF, Sahid. *Direito constitucional*. 19. ed. São Paulo: Sugestões Literárias, 1986.

_____. *Teoria geral do estado*. 21. ed. São Paulo: Saraiva, 1991.

MANCUSO, Rodolfo de Camargo. *Recurso extraordinário e recurso especial*. 6. ed. São Paulo: Revista dos Tribunais, 2000.

MANDELLI JÚNIOR, Roberto Mendes. *Arguição de descumprimento de preceito fundamental*. São Paulo: RT, 2001.

MARINHO, Ilmar Penna. *Tratado do estrangeiro no Brasil*. Rio de Janeiro: Francisco Alves, 1909.

MARINONI, Luiz Guilherme. *Tutela antecipatória, julgamento antecipado e execução imediata da sentença*. 4. ed. São Paulo: Revista dos Tribunais, 2000.

MARITAIN, Jacques. *Os direitos do homem*. Tradução de Afrânio Coutinho. 3. ed. Rio de Janeiro: José Olympio, 1967.

MARTINS, Ives Gandra da Silva; BASTOS, Celso Ribeiro. *Comentários à constituição do Brasil*. São Paulo: Saraiva, 1988.

MARTINS, Leonardo. *Tribunal constitucional federal alemão*: decisões anotadas sobre direitos fundamentais. São Paulo: Konrad-Adenauer Stiftung, 2016.

MARTINS, Sérgio Pinto. *Direito da seguridade social*. 23. ed. São Paulo: Atlas, 2006.

MARTINEZ, Wladimir Novaes. *Lei básica da previdência social*: plano de benefícios. 3. ed. São Paulo: LTr, 1995.

MATOS, Ana Carla Harmatiuk. *União entre pessoas do mesmo sexo*: aspectos jurídicos e sociais. Belo Horizonte: Del Rey, 2004.

MATTOS, Mauro Roberto Gomes de. *O limite da improbidade administrativa*. 4. ed. Niterói: Impetus, 2009.

MAXIMILIANO, Carlos. *Hermenêutica e aplicação do direito*. Rio de Janeiro: Forense, 1988.

MAZZILLI, Hugo Nigro. *Regime jurídico do Ministério Público*. São Paulo: Saraiva, 1993.

MEDAUAR, Odete. *Direito administrativo moderno*. 2. ed. São Paulo: Revista dos Tribunais, 1998.

MEIRELLES, Hely Lopes. *Direito administrativo brasileiro*. 34. ed. São Paulo: Malheiros, 2008.

_____. *Mandado de segurança, ação popular, ação civil pública, mandado de injunção, habeas data*. 18. ed. São Paulo: Revista dos Tribunais, 1997.

_____. *Direito municipal brasileiro*. 15. ed. São Paulo: Malheiros, 2007.

MEIRELLES TEIXEIRA, J. H. *Curso de direito constitucional*. Rio de Janeiro: Forense Universitária, 1991.

MELLO FILHO, José Celso de. *Constituição federal anotada*. 2. ed. São Paulo: Saraiva, 1985.

MELO, José Tarcízio Almeida. *Direito constitucional brasileiro*. Belo Horizonte: Del Rey, 1996.

MENDES, Gilmar Ferreira. *Jurisdição constitucional*. São Paulo: Saraiva, 1996.

_____; BRANCO, Paulo Gustavo Gonet. *Curso de direito constitucional*. 8. ed. São Paulo: Saraiva, 2013.

MENEZES, Paulo Lucena de. *A ação afirmativa ("affirmative action") no direito norte-americano*. São Paulo: Revista dos Tribunais, 2000.

MENEZES, Anderson. *Teoria geral do estado*. 4. ed. Rio de Janeiro: Forense, 1984.

MENEGUELLO, Rachel. *Partidos e governos no brasil contemporâneo*. São Paulo: Paz e Terra, 1998.

MINATEL, José Antonio. *Conteúdo do conceito de receita e regime jurídico para sua tributação*. São Paulo: MP, 2005.

MIRANDA, Jediael Galvão. *Direito da seguridade social*. Rio de Janeiro: Elsevier, 2007.

MIRANDA, Jorge. *Manual de direito constitucional*. 4. ed. Coimbra: Coimbra, 1990.

_____. *Teoria do estado e da constituição*. Rio de Janeiro: Forense, 2003.

MIRANDA, Francisco Cavalcanti Pontes de. *Comentários à constituição de 1946*. Rio de Janeiro: Henrique Cahem, 1946.

_____. *História e prática do habeas corpus*. 4. ed. Rio de Janeiro: Borsoi, 1962.

_____. *Comentários à constituição de 1967 com a emenda 1 de 1969*. São Paulo: Revista dos Tribunais, 1970.

MESSNER, Johannes. Ética *social*. São Paulo: Quadrante/ EDUSP, [s. d.].

MONTORO, André Franco. *Introdução à ciência do direito (vol. I e II)*. São Paulo: Revista dos Tribunais, 1982.

MORAES, Alexandre de. *Constituição do Brasil interpretada e legislação constitucional*. 9. ed. São Paulo: Atlas, 2013.

_____. *Direito constitucional*. 8. ed. São Paulo: Atlas, 2000.

_____. *Direitos humanos fundamentais*. 2. ed. São Paulo: Atlas, 1998.

_____. *Jurisdição constitucional e tribunais constitucionais*. São Paulo, Atlas, 2000.

_____. *Direito constitucional administrativo*. São Paulo: Atlas, 2002.

MORAES, Bernardo Ribeiro de. *Doutrina e prática do imposto sobre serviços*. São Paulo: Revista dos Tribunais, 1975.

_____. *Doutrina e prática das taxas*. São Paulo: Revista dos Tribunais, 1976.

_____. *Compêndio de direito tributário*. Rio de Janeiro: Forense, 1995.

MORAES, Germana de Oliveira. *O controle de constitucionalidade do processo legislativo*. São Paulo: Dialética, 1988.

MOREIRA ALVES, José Carlos. *Direito romano*. Rio de Janeiro: Forense, 1987.

MOREIRA NETO. Diogo de Figueiredo. *Curso de direito administrativo*. Rio de Janeiro: Forense, 1995.

MOTA, Sílvio; BARCHET, Gustavo. *Curso de direito constitucional*. Rio de Janeiro: Elsevier, 2007.

MÜLLER, Friedrich. *Métodos de trabalho do direito constitucional*. 2. ed. São Paulo: Max Limonad, 2000.

MUSCARI, Marco Antônio Botto. *Súmula vinculante*. São Paulo: Juarez de Oliveira, 1999.

MUTA, Luis Carlos Hiroki. *Direito constitucional I e II*. Rio de Janeiro: Elsevier, 2007.

MUKAI, Toshio. *Direito ambiental sistematizado*. Rio de Janeiro: Forense Universitária, 1992.

NADAL, Fábio. *A constituição como mito:* o mito como discurso legitimador da constituição. São Paulo: Método, 2006.

NASCIMENTO. Amauri Mascaro. *Direito do trabalho na constituição de 1988*. São Paulo: Saraiva, 1989.

_____. *Iniciação ao direito do trabalho*. 3. ed. São Paulo: LTr, 1978.

_____. *Curso de direito do trabalho*. São Paulo: Saraiva, 1981.

NALINI, José Renato. *Recrutamento e preparo de juízes na constituição do Brasil de 1988*. São Paulo: Revista dos Tribunais, 1992.

NASCIMENTO, Carlos Valder do. *Coisa julgada inconstitucional*. Rio de Janeiro: América Jurídica. 2003.

NASCIMENTO. Sérgio. *Interpretação do direito previdenciário*. São Paulo: Quartier Latin, 2007.

NEGRÃO, Theotonio. *Código de processo civil e legislação processual em vigor*. 30. ed. São Paulo: Saraiva, 1999.

NERY JÚNIOR, Nelson. *Princípios do processo civil na constituição federal*. São Paulo: Revista dos Tribunais, 1994.

_____; NERY, Rosa Maria Andrade, *Constituição federal comentada e legislação constitucional*. 4. ed. São Paulo: Revista dos Tribunais, 2013

NEVES, Marcelo. *A constituição simbólica*. São Paulo: Acadêmica, 1994.

NETTO, Pedro Salvetti. *Curso de teoria do estado*. 6. ed. São Paulo: Saraiva, 1994.

NICOLAU, Jairo Marconi. *Sistemas eleitorais: uma introdução*. Rio de Janeiro: FGV, 1999.

NOBRE, Freitas. *Comentários à lei de imprensa. lei da informação*. 2. ed. São Paulo: Saraiva, 1978.

NOBRE JÚNIOR, Edilson Pereira. *Medidas provisórias. controles legislativos e jurisdicionais*. Porto Alegre: Síntese, 2000.

NOGUEIRA, Alberto. *Os limites da legalidade tributária no estado democrático de direito*. Rio de Janeiro: Renovar, 1996.

NOGUEIRA, Paulo Lúcio. *Instrumentos de tutela e direitos constitucionais*. São Paulo: Saraiva, 1994.

NOGUEIRA, Ruy Barbosa. *Curso de direito tributário*. 9. ed. São Paulo: Saraiva. 1989.

NUNES, Castro. *Do mandado de segurança e de outros meios de defesa contra atos do poder público*. 7. ed. atualizada por José Aguiar Dias. Rio de Janeiro: Forense, 1967.

_____. *Teoria e prática do poder judiciário*. Rio de Janeiro: Forense, 1941.

OCTÁVIO, Rodrigo; VIANA, Paulo. *Elementos de direito público e constitucional brasileiro*. 4. ed. Rio de Janeiro: F. Briguiet, 1930.

OLIVEIRA, Fábio Corrêa Souza de. *Por uma teoria dos princípios: o princípio constitucional da razoabilidade*. Rio de Janeiro: Lumen Juris, 2003.

OLIVEIRA, Fernando Andrade. *Limitações administrativas à propriedade privada imobiliária*. Rio de Janeiro: Forense, 1982.

OLIVEIRA, Francisco Antonio de. *Mandado de segurança e controle jurisdicional*. São Paulo: Revista dos Tribunais, 1992.

OLIVEIRA, Helli Alves de. *Da Responsabilidade do estado por danos ambientais*. Rio de Janeiro: Forense, 1990.

OLIVEIRA, Régis Fernandes de. *Ato administrativo*. 3. ed. São Paulo: Revista dos Tribunais, 1992.

OLIVEIRA SILVA, Volney Zamenhof de. *Lineamentos do mandado de injunção*. São Paulo: Revista dos Tribunais, 1993.

OTERO, Paulo. *Conceito e fundamento da hierarquia administrativa*. Coimbra: Coimbra, 1992.

OTTO Y PARDO, Ignacio de. *Derecho constitucional:* sistema de fuentes. 6. ed. Barcelona: Ariel, 1998.

OTHON SIDOU, J. M. *Habeas corpus, mandado de segurança, ação popular*. Rio de Janeiro: Forense, 1989.

PACHECO, José da Silva. *O mandado de segurança e outras ações constitucionais*. 2. ed. São Paulo: Revista dos Tribunais, 1995.

PAES, P. R. Tavares. *Comentários ao código tributário nacional*. 2. ed. São Paulo: Saraiva, 1983.

PAESANI, Liliana Minardi. *Direito e internet:* liberdade de informação, privacidade e responsabilidade civil. São Paulo: Atlas, 2000.

PASSOS, Calmon. *Mandado de segurança coletivo, mandado de injunção e habeas data*. Rio de Janeiro: Forense. 1991.

PAULA, Rodrigo Francisco de *et al*. *Processo administrativo fiscal federal*. Belo Horizonte: Del Rey, 2006.

PAUPÉRIO, Arthur Machado. *Teoria geral do direito do estado*. Rio de Janeiro: Forense, 1979.

PAULSEN, Leandro. *Contribuições:* custeio da seguridade social. Porto Alegre: Livraria do Advogado, 2007.

PELAYO, Manuel Garcia. *Derecho constitucional comparado*. 2. ed. Madrid: Revista de Occidente, 1951.

PEREIRA, Jane Reis Gonçalves. *Interpretação constitucional e direitos fundamentais*. Rio de Janeiro: Renovar, 2005.

PEREIRA, Milton Luiz. *A justiça federal de primeira instância*. São Paulo: Sugestões Literárias, 1969.

PEZZI, Alexandra Cristina Giacomet. *Dignidade da pessoa humana*. Curitiba: Juruá, 2008.

PINASSI, Ayrton. *Direito municipal constitucional*. Campinas: Conan, 1995.

PINHO, Rodrigo César Rebello. *Teoria geral da constituição e direitos fundamentais*. 5. ed. São Paulo: Saraiva, 2005.

PINTO, Francisco Bilac Moreira. *Enriquecimento ilícito no exercício de cargos públicos*. Rio de Janeiro: Forense, 1959.

PINTO, Paulo Brossard de Souza. *O "impeachment"*: aspectos da responsabilidade política do presidente da república. 3. ed. São Paulo: Saraiva, 1991.

PIOVESAN, Flávia. *Direitos humanos e o direito constitucional internacional*. 7. ed. São Paulo: Saraiva, 2005.

_____. *Temas de direitos humanos*. São Paulo: Max Limonad, 1998.

PIRES, Francisco Lucas. *Introdução ao direito constitucional europeu*. Coimbra: Almedina, 1997.

POLETTI, Ronaldo. *Controle da constitucionalidade das leis*. 2. ed. Rio de Janeiro: Forense, 1997.

PONTES DE MIRANDA, Francisco Cavalcanti. *Comentários à constituição de 1967, com a emenda n. 1 de 1969*. 2. ed. São Paulo: Revista dos Tribunais, 1970.

_____. *Comentários à constituição de 1946*. 2. ed. São Paulo: Max Limonad, 1953.

_____. *História e prática do "habeas corpus"*. 4. ed. Rio de Janeiro: Borsoi, 1962.

PORTO, Walter Costa. *Dicionário do voto*. São Paulo: Giordano, 1995.

PRADO, Luiz Régis. *Direito penal ambiental (problemas fundamentais)*. São Paulo: Revista dos Tribunais, 1992.

PRADO, Ney. *Razões das virtudes e dos vícios da constituição de 1988*. São Paulo: Inconfidentes, 1994.

PROENÇA, José Marcelo Martins. *Concentração empresarial e o direito de concorrência*. São Paulo: Saraiva, 2001.

QUARESMA, Regina. *O mandado de injunção e a ação de inconstitucionalidade por omissão*. Rio de Janeiro: Forense, 1995.

QUEIROZ, Cristina M. M. *Os atos políticos no estado de direito*. Coimbra: Almedina, 1990.

QUEIROZ, Lúcia Rosa de. Da ciência e tecnologia nas constituições do

Brasil. Tese (Doutorado em Direito) – Faculdade de Direito, Universidade Federal de Minas Gerais, Belo Horizonte, 1990.

RADBRUCH, Gustav. *Filosofia do direito*. Tradução de Cabral de Moncada. Coimbra: Arménio Amado, 1997.

RAMAYANA, Marcos. *Direito eleitoral*. 4. ed. Niterói: Impetus, 2005.

RAMOS, Dircêo Torrecillas. *O federalismo assimétrico*. 2. ed. Rio de Janeiro: Forense, 2000.

RAMOS, Elival da Silva. *A inconstitucionalidade das leis, vício e sanção*. São Paulo: Saraiva, 1994.

RANIERI, Nina. *Autonomia universitária: as universidades públicas e a constituição federal de 1988*. São Paulo: EDUSP, 1994.

RÁO, Vicente. *O direito e a vida dos direitos*. 3. ed. São Paulo: Revista dos Tribunais, 1997.

RAWLS, John. *O direto dos povos*. São Paulo: Martins Fontes, 2004.

REALE, Miguel. *Lições preliminares de direito*. 23. ed. São Paulo: Saraiva, 1996.

_____. *Filosofia do direito*. 9. ed. São Paulo: Saraiva, 1982.

_____. *Questões de direito público*. São Paulo: Saraiva, 1997.

_____. *O direito como experiência*. São Paulo: Saraiva, 1968.

_____. *Horizontes do direito e da história*. 2. ed. São Paulo: Saraiva, 1977.

_____. *Paradigmas da cultura contemporânea*. São Paulo: Saraiva, 1996.

REALE JUNIOR, Miguel. *Casos de direito constitucional*. São Paulo: Revista dos Tribunais, 1992.

_____. *Parlamentarismo brasileiro*. São Paulo: Saraiva, 1962.

RÊGO, Bruno Noura de Moraes. *Ação rescisória e a retroatividade das decisões de controle de constitucionalidade das leis no Brasil*. Porto Alegre: Sérgio Antonio Fabris, 1991.

REIS, José Carlos Vasconcellos dos. *As normas constitucionais programáticas e o controle do estado*. Rio de Janeiro: Renovar, 2003.

RIBEIRO DANTAS, Marcelo Navarro. *Mandado de segurança coletivo:* legitimação ativa. São Paulo: Saraiva, 2000.

REZEK, Francisco. *Direito internacional público*. 6. ed. São Paulo: Saraiva, 1996.

RIBEIRO, Fávila. *A intervenção federal nos estados*. Fortaleza: Jurídica, 1960.

_____. *Direito eleitoral*. Rio de Janeiro: Forense, 1976.

RIVERO, Jean. *Direito administrativo*. Coimbra: Almedina, 1981.

ROCHA, Cármen Lúcia Antunes. *Princípios constitucionais da administração pública*. Belo Horizonte: Del Rey, 1997.

_____. *O direito à vida digna*. Belo Horizonte: Fórum, 2004.

ROCHA, José de Albuquerque. *Estudos sobre o poder judiciário*. São Paulo: Malheiros, 1995.

ROCHA, Leonel Severo da. *Teoria do direito e do estado*. Porto Alegre: Sérgio Antonio Fabris, 1994.

RODAS, João Grandino. *Tratados internacionais*. São Paulo: Revista dos Tribunais, 1990.

RODRIGUES, Ernesto. *O veto no direito comparado*. São Paulo: Revista dos Tribunais, 1993.

RODRIGUES, Flávio Martins. *Fundos de pensão de servidores públicos*. Rio de Janeiro: Renovar, 2002.

RODRIGUES, Lêda Boechat. *História do Supremo Tribunal Federal:* defesa das liberdades civis. 2. ed. Rio de Janeiro: Civilização Brasileira, 1991.

ROMANO, Santi. *Princípios de direito constitucional geral*. Tradução de Maria Helena Diniz. São Paulo: Revista dos Tribunais, 1977.

ROSA, Alexandre Morais da. *O que é garantismo jurídico?* Florianópolis: Habitus, 2003.

ROSA, Antonio José Miguel Feu. *Direito constitucional*. São Paulo: Saraiva, 1998.

ROSAS, Roberto. *Direito processual constitucional*. 3. ed. São Paulo: Revista dos Tribunais, 1999.

ROSS, Alf. *Sobre el derecho y la justicia*. Tradução de Genaro Carrió. 3. ed. Buenos Aires: Eudeba, 1974.

ROTTMAN, Gerd Willi. *O princípio da legalidade tributária*. São Paulo: José Bushatsky, 1973.

ROTHENBURG, Walter Claudius. *Princípios constitucionais*. Porto Alegre: Sergio Antonio A. Fabris, 1999.

ROUSSEAU, Jean-Jacques. *O contrato social*. Rio de Janeiro: Edições de Ouro, [s. d.].RUFFIA, Paolo Biscaretti di. *Direito constitucional:* instituições de direito público. São Paulo: Revista dos Tribunais, 1984.

RUSSEL, Bertrand. *História do pensamento ocidental*. Rio de Janeiro: Ediouro, 2001.

RUSSOMANO, Rosah. *Curso de direito constitucional*. 5. ed. Rio de Janeiro: Freitas Bastos, 1997.

SALDANHA, Nelson. *O poder constituinte*. São Paulo: Revista dos Tribunais, 1986.

SAMPAIO, Nelson de Souza. *O poder de reforma constitucional*. 3. ed. Salvador: Nova Alvorada, 1995.

SAMPAIO DÓRIA, Antônio. *Direito constitucional*: comentários à constituição de 1946. São Paulo: Max Limonad, 1960.

SANCHES, Sydney. *Aspectos processuais do controle de constitucionalidade*. estudos em homenagem a Geraldo Ataliba. São Paulo: Malheiros, 1997.

SANTOS, Aricê Moacyr Amaral. *Mandado de injunção*. São Paulo: Revista dos Tribunais, 1989.

_____. *O estado de emergência*. São Paulo: Sugestões Literárias, 1981.

SANTOS, Celso Roque. *Manual de súmulas*. Porto Alegre: Sagra Luzzato, 1997.

SANTOS, Marisa Ferreira dos. *O princípio da seletividade das prestações da seguridade social*. São Paulo: LTr, 2004.

SANTOS, Nelton Agnaldo Moraes dos. *Direito processual civil:* processo cautelar. Rio de Janeiro: Elsevier, 2007.

_____. *A técnica de elaboração da sentença civil*. São Paulo: Saraiva, 1996.

SANTOS, Valdeci dos. *Manual de direito tributário*. Edição apostilada. São Paulo: AIFMSP, 1983.

_____. *Procedimento administrativo tributário*. Coleção Direito Tributário, São Paulo: IBDT/Resenha Tributária, 1987/1988,

_____. *Teoria geral do processo*. 2. ed. Campinas: Millennium, 2007.

SARAIVA, Paulo Lopo. *Federalismo regional*. São Paulo: Saraiva. 1992.

SARASATE, Paulo. *A constituição do Brasil ao alcance de todos*. Rio de Janeiro: Freitas Bastos, 1967.

SARLET, Ingo Wolfgang. *A eficácia dos direitos fundamentais*. 2. ed. Porto Alegre: Livraria do Advogado, 2001.

SARMENTO, Daniel. *A ponderação de interesses na constituição*. Rio de Janeiro: Lumen Juris, 2000.

SCHIER, Paulo Ricardo. *Filtragem constitucional. construindo uma nova dogmática jurídica*. Porto Alegre: Sérgio Antonio Fabris, 1999.

SCHWARTZ, Bernard. *Direito constitucional americano*. Rio de Janeiro: Forense, 1966.

_____. *O federalismo norte-americano atual*. Rio de Janeiro: Forense, 1984.

SCHMITT, Carl. *La defensa de la constitución*. Tradução de Manuel Sanchez Sarto. Madrid: Technos, 1983.

SEABRA FAGUNDAS, Miguel. *O controle dos atos administrativos pelo poder judiciário*. Rio de Janeiro, 1979.

SECONDAT, Charles-Louis de (Montesquieu). *Do espírito das leis*. 2. ed. São Paulo: Abril Cultural, 1979.

SERAU JUNIOR, Marco Aurélio. *Curso de processo judicial previdenciário*. 3. ed. São Paulo: Método, 2010.

SERRANO, Monica de Almeida Magalhães. *O sistema único de saúde e suas diretrizes constitucionais*. São Paulo: Verbatim, 2009.

SEVERINO, Antônio Joaquim. *Metodologia do trabalho científico*. 20. ed. São Paulo: Cortez, 1996.

SILVA, Américo Luís Martins da. *A ordem constitucional econômica*. 2. ed. Rio de Janeiro: Forense, 2003.

SILVA, Anabelle Macedo. *Concretizando a constituição*. Rio de Janeiro: Lumen Juris, 2005.

SILVA, José Afonso da. *Curso de direito constitucional positivo*. 35. ed. São Paulo: Malheiros. 2012.

_____. *Comentário contextual à constituição*. 8. ed. São Paulo: Malheiros, 2012.

_____. *Aplicabilidade das normas constitucionais*. 7. ed. São Paulo: Malheiros, 2009.

_____. *Ação popular constitucional*. 2. ed. São Paulo: Malheiros, 2007.

_____. *Direito ambiental constitucional*. 6. ed. São Paulo: Malheiros, 2008.

_____. *Direito urbanístico brasileiro*. 6. ed. São Paulo: Malheiros, 2010.

_____. *Processo constitucional de formação das leis*. 2. ed. São Paulo: Malheiros, 2007.

SILVA, Luís Virgílio Afonso da. *Sistemas eleitorais. tipos, efeitos jurídico-políticos e aplicação ao caso brasileiro*. São Paulo: Malheiros, 1999.

SILVA, Paulo Napoleão Nogueira. *Curso de direito constitucional*. São Paulo: Revista dos Tribunais, 1996.

SLAIB FILHO, Nagib. Ação *declaratória de constitucionalidade*. Rio de Janeiro: Forense, 1994.

SMANIO, Gianpaolo Poggio. *Interesses difusos e coletivos*. São Paulo: Atlas, 1998.

SOARES, Guido Fernando Silva. *Direito internacional do meio ambiente*. São Paulo: Atlas, 2001.

SOARES, Orlando. *Comentários à constituição da República Federativa do Brasil*. 12. ed. Rio de Janeiro: Forense, 2006.

SOUSA, Rubens Gomes de. *Compêndio de legislação tributária*. 4. ed. São Paulo: Edições Financeiras, 1964.

SOUTO, Cláudio. *Ciência e* ética no direito: uma alternativa de modernidade. Porto Alegre: Sérgio Antonio Fabris, 1992.

SOUZA, Motauri Ciocchetti. *Interesses difusos em espécie*. São Paulo: Saraiva, 2000.

SOUZA LIMA, João Batista de. *As mais antigas normas de direito*. 2. ed. Rio de Janeiro: Forense, 1983.

SOUZA, Washington Peluso Albino de. *Teoria da constituição econômica*. Belo Horizonte: Del Rey, 2002.

SUPLICY, Eduardo Matarazzo. *Renda de cidadania:* a saída é pela porta. 7. ed. São Paulo: Cortez, 2013.

STAMATO, Bianca. *Jurisdição constitucional*. Rio de Janeiro: Lumen Juris, 2005.

STEFANINI, Luiz de Lima. *A propriedade no direito agrário*. São Paulo: Revista dos Tribunais, 1978.

STRECK, Lênio Luiz. *Jurisdição constitucional e hermenêutica*. Porto Alegre: Livraria do Advogado, 2002.

STRENGER, Irineu. *Mandado de injunção*. Rio de Janeiro: Forense Universitária, 1989.

SUNDFELD, Carlos Ari. *Licitação e contrato administrativo*. 2. ed. São Paulo, Malheiros, 1995.

_____. *Direito administrativo ordenador*. São Paulo: Malheiros, 2003.

SÜSSEKIND, Arnaldo. *Direito constitucional do trabalho*. 3. ed. Rio de Janeiro, 2004.

TÁCITO, Caio. *Direito administrativo*. São Paulo: Saraiva, 1975.

TAVARES, André Ramos. *Tratado da arguição de preceito fundamental*. São Paulo: Saraiva, 2001.

_____. *Curso de direito constitucional*. 10. ed. São Paulo: Saraiva, 2012.

_____. *Constituição do Brasil integrada*. São Paulo: Saraiva, 2005.

TELLES JÚNIOR, Goffredo da Silva. *Direito quântico*. 5. ed. São Paulo: Max Limonad, 1980.

_____. *A constituição, a assembleia constituinte e o Congresso Nacional*. São Paulo: Saraiva, 1986.

TEMER, Michel. *Elementos de direito constitucional*. 22. ed. São Paulo: Malheiros, 2008.

_____. *Constituição e política*. São Paulo: Malheiros, 1994.

_____. *Território federal na constituição brasileira*. São Paulo: EDUC/Ed. RT, 1975.

TRIGUEIRO, Oswaldo. *Direito constitucional estadual*. Rio de Janeiro: Forense, 1980.

TRINDADE, Antônio Augusto Cançado. *A proteção internacional dos direitos humanos*. São Paulo: Saraiva, 1991.

TSUTIYA, Augusto Massayuki. *Curso de direito da seguridade social*. São Paulo: Saraiva, 2007.

TOCQUEVILLE, Alexis de. *A democracia na América*. 2. ed. Belo Horizonte: Itatiaia/EDUSP, 1977.

THOREAU, Henry David. *A desobediência civil*. Porto Alegre: L&PM, 2002.

TORRES, Ricardo Lobo. *Curso de direito financeiro e tributário*. 12. ed. Rio de Janeiro: Renovar, 2005.

_____. *A ideia de liberdade no estado patrimonial e no estado fiscal*. Rio de Janeiro: Renovar, 1991.

TUCCI, Rogério Lauria. *Mandado de segurança contra ato jurisdicional penal*. São Paulo: Saraiva, 1978.

UCKMAR, Victor. *Princípios comuns de direito constitucional tributário*. 2. ed. São Paulo: Malheiros, 1999.

USERA, Raúl Canosa. *Interpretación constitucional y fórmula política*. Madrid: Centro de Estudios Constitucionales, 1988.

ULHÔA CANTO, Gilberto de. O sistema tributário nacional. *In*: *A constituição brasileira – 1988*: Interpretações. Rio de Janeiro: Forense Universitária, 1988.

UYEDA, Massami. *Da desistência na desapropriação*. São Paulo: Aquarela, 1988.

VANOSSI, Jorge Reinaldo. *Teoría constitucional*. Buenos Aires: Depalma, 1975.

VALLADÃO, Haroldo. *Direito internacional privado*. Rio de Janeiro: Freitas Bastos, 1980.

VARELLA, Marcelo Dias. *Direito internacional público*. São Paulo: Saraiva, 2009.

VASCONCELOS, Arnaldo. *Teoria da norma jurídica*. Rio de Janeiro: Forense, 1978.

VASCONCELOS, Edson Aguiar. *Instrumento de defesa da cidadania na nova ordem constitucional*. Rio de Janeiro: Forense, 1993.

VASCONCELLOS, Fernando Andreoni. *Hermenêutica jurídica e derrotabilidade*. Curitiba: Juruá, 2010.

VASCONCELLOS, Raymundo da Silva. *O tempo na constituição da República Federativa do Brasil de 5 de outubro de 1988*. Porto Alegre: Sérgio Antonio Fabris, 1989.

VAZ, Isabel. *Direito econômico das propriedades*. Rio de Janeiro: Forense, 1992.

VECCHIO, Giorgio del. *Filosofia del derecho*. Barcelona: Bosch, 1991.

VELLOSO, Carlos Mário da Silva. *Temas de direito público*. Belo Horizonte: Del Rey, 1994.

VELOSO, Zeno. *Controle jurisdicional de constitucionalidade*. Belém: CEJUP, 1999.

VENÂNCIO FILHO, Alberto. *A intervenção do estado no domínio econômico*. Rio de Janeiro: FGV, 1968.

VERDÚ, Pablo Lucas. *Curso de derecho constitucional*. 2. ed. Madrid: Technos, 1989.

VERGUEIRO, Luiz Fabricio Thaumaturgo. *Cooperação jurídica internacional vertical*. São Paulo: Quartier Latin, 2016.

VERGOTTINI, Giuseppe. *Derecho constitucional comparado*. Madrid: Espasa-Calpe, 1985.

VIANA, Oliveira. *Instituições políticas brasileiras*. Brasília: Senado Federal, 1999.

VIDIGAL, Geraldo de Camargo. *Teoria geral do direito econômico*. São Paulo: Revista dos Tribunais, 1977.

VIEIRA, José Ribas. *A constituição europeia*. Rio de Janeiro-São Paulo: Renovar, 2004.

VIEIRA, Oscar Vilhena. *Supremo Tribunal Federal: jurisprudência política*. São Paulo: Revista dos Tribunais, 1996.

VIGLIAR, José Marcelo Menezes. Ação *civil pública*. 4. ed. São Paulo: Atlas, 1999.

VILAS-BÔAS, Renata Malta. Ações *afirmativas e o princípio da igualdade*. Rio de Janeiro: América Jurídica, 2003.

VIRGA, Pietro. *Diritto costitucionale*. 6. ed. Milão: Giuffrè, 1947.

VITTA, Heraldo Garcia. *Mandado de segurança*. 2. ed. São Paulo: Jurídica Brasileira, 2004.

_____. *Poder de polícia*. São Paulo: Malheiros, 2010.

_____. *O meio ambiente e a ação popular*. São Paulo: Saraiva, 2000.

VOLTAIRE (François-Marie Arouet). *Dicionário filosófico*. São Paulo: Escala, 2008.

WALD, Arnoldo. *Do mandado de segurança na prática jurídica*. 3. ed. Rio de Janeiro: Forense, 1966.

WAMBIER, Teresa Arruda Alvim, *et. al*. *Habeas data*. São Paulo: Revista dos Tribunais, 1998.

WAMBIER, Luiz Rodrigues. *Tutela jurisdicional das liberdades públicas*. Curitiba: Juruá Editora, 1991.

WATANABE, Kazuo. *Controle jurisdicional e mandado de segurança contra atos judiciais*. São Paulo: Revista dos Tribunais, 1980.

WALZER, Michael. *As esferas da justiça: em defesa do pluralismo e da igualdade*. Lisboa: Presença, 1999.

WEBER, Max. *Economia y sociedad*. Cidade do México: Fondo de Cultura Económica, 1969.

_____. *Ensaios de sociologia*. Tradução de Waltensir Dutra. Rio de Janeiro: Zahar, 1979.

XAVIER, Alberto. *Os princípios da legalidade e da tipicidade da tributação*. São Paulo: Revista dos Tribunais, 1978.

ZAFFARONI, Eugenio Raúl. *Poder judiciário*. São Paulo: Revista dos Tribunais, 1995.

ZAMUDIO, Hector Fix. *Ensayos sobre el derecho del amparo*. Cidade do México: UNAM, 1993.

ZANCANER, Weida. *Da convalidação e da invalidação dos atos administrativos*. São Paulo: Malheiros, 1993.

ZANOBINI, Guido. *Curso de derecho administrativo*. Buenos Aires: Arayú, 1954.

ZAVASCKI, Teori Albino. *Eficácia das sentenças na jurisdição constitucional*. São Paulo: Revista dos Tribunais, 2001.

ZIMMERMANN, Augusto. *Curso de direito constitucional*. Rio de Janeiro: Lumen Juris, 2002.

_____. *Curso de direito constitucional*. Rio de Janeiro: Lumen Juris, 2006.

ZIPPELIUS, Reinhold. *Teoria general del estado*. Cidade do México: UNAM, 1985.

Impressão e Acabamento | Gráfica Viena
Todo papel desta obra possui certificação FSC® do fabricante.
Produzido conforme melhores práticas de gestão ambiental (ISO 14001)
www.graficaviena.com.br